Au cher Père G. Montague
en souvenir de ses études de Fribourg
en témoignage d'union fidèle dans le Seigneur.

J. C. S...

ORBIS BIBLICUS ET ORIENTALIS

Publié au nom de l'Institut Biblique de l'Université de Fribourg, Suisse
et du Seminar für Biblische Zeitgeschichte
de l'Université de Münster
par Othmar Keel
avec la collaboration
de Bernard Trémel et d'Erich Zenger

DU MÊME AUTEUR

La Révélation de l'Espérance dans le Nouveau Testament, Aubanel,
  Avignon, 1932 (épuisé).
La Justice, II et III, *«La Somme Théologique»,* Les Editions de la
  Revue des Jeunes, Paris, 1934-1935.
Commentaire de *l'Ecclésiastique,* Letouzey, Paris, 1943.
Esquisse d'une Histoire de l'exégèse latine au Moyen Age, Vrin, Paris,
  1944 (épuisé).
Saint Paul. Les Epîtres Pastorales (2 vol.), Gabalda, Paris, 1947.
  4e édition 1969.
Commentaire des *Epîtres aux Corinthiens,* Letouzey, Paris, 1948.
L'Epître aux Hébreux (2 vol.), Gabalda, Paris, 1952-1953 (épuisé).
Spiritualité sacerdotale d'après saint Paul, Le Cerf, Paris, 1954.
Agapè. Prolégomènes à une étude de Théologie néo-testamentaire,
  E. Nauwelaerts, Louvain, 1955 (épuisé).
Vie morale et Trinité Sainte, Le Cerf, Paris, 1957.
Agapè dans le Nouveau Testament (3 vol.), Gabalda, Paris, 1958-1959.
Ce que Jésus doit à sa Mère, Vrin, Paris, 1959 (épuisé).
Dieu et l'homme selon le Nouveau Testament, Le Cerf, Paris, 1961.
Charité et Liberté, Le Cerf, Paris, 1964.
Théologie morale du Nouveau Testament (2 vol.), Gabalda, Paris, 1965.
Les Epîtres de saint Pierre, Gabalda, Paris, 1966.
Vie chrétienne et Pérégrination selon le Nouveau Testament, Le Cerf,
  Paris, 1972.
L'Epître aux Hébreux (Sources Bibliques), Gabalda, Paris, 1977.
L'amour de Dieu révélé aux Hommes, Feu Nouveau, Paris, 1978.

ORBIS BIBLICUS ET ORIENTALIS 22/1

CESLAS SPICQ, O. P.

NOTES DE LEXICOGRAPHIE NÉO-TESTAMENTAIRE

TOME I

ÉDITIONS UNIVERSITAIRES FRIBOURG SUISSE
VANDENHOECK & RUPRECHT GÖTTINGEN
1978

CIP-Kurztitelaufnahme der Deutschen Bibliothek

Spicq, Ceslas:
Notes de Lexicographie néo-testamentaire. –
Fribourg/Suisse: Editions Universitaires;
Göttingen: Vandenhoeck und Ruprecht.

T. 1. – 1978.
  (Orbis biblicus et orientalis; 22)
  ISBN 2-8271-0139-4 (Editions Universitaires)
  ISBN 3-525-53327-6 (Vandenhoeck und Ruprecht)

Publié avec l'aide du Conseil de l'Université de Fribourg

«L'emploi du langage ressemble à la circulation de la monnaie: lui aussi, c'est l'usage habituel et familier qui le consacre, et sa valeur diffère selon les époques.»

(PLUTARQUE, Les Oracles de la Pythie, 24.)

«Le sens d'une phrase est son idée, le sens d'un mot est son emploi.»

(E. BENVENISTE, *Problèmes de Linguistique générale,* Paris, 1974, II, p. 226.)

PRÉFACE

On nous a plusieurs fois exprimé le désir de voir réunies en un volume les analyses de vocables néo-testamentaires dispersées dans nos ouvrages antérieurs, notamment dans nos commentaires. Il ne pouvait s'agir de les reprendre telles quelles, mêmes en complétant les références et en mettant la bibliographie à jour. Encore moins, nous ne pouvions penser à faire une œuvre exhaustive, si parfaitement réalisée par les dictionnaires de W. Bauer ou de Moulton-Milligan [1], sans parler des Grammaires [2], d'un certain nombre d'articles du *Theologisches Wörterbuch* de G. Kittel et G. Friedrich [3] et surtout du *Licht vom Osten* de A. Deissmann (Tübingen 1923) et ses *Bibelstudien* (Marburg, 1895), *Neue Bibelstudien* (Marburg, 1897).

Non seulement nous n'étudions qu'un choix restreint de mots, mais *notre intention est théologique*. Ce qui nous intéresse, ce ne sont pas les orthographes nouvelles, les idiotismes, la phonétique ou les déclinaisons, mais la sémantique et le sens religieux et moral de la langue du Nouveau Testa-

---

[1] W. BAUER, *Griechisch-deutsches Wörterbuch zu den Schriften des Neuen Testaments und der übrigen urchristlichen Literatur*[5], Berlin, 1958 (Traduction anglaise de la quatrième édition par W. F. ARNDT, F. W. GINGRICH, *A Greek-English Lexicon of the New Testament and other early Christian literature*, Chicago, 1957); J. H. MOULTON, G. MILLIGAN, *The Vocabulary of the Greek Testament illustrated from the Papyri and other non-Literary Sources*[2], Londres, 1949. Cf. TH. NÄGELI, *Der Wortschatz des Apostels Paulus*, Göttingen, 1905 (toujours indispensable, encore qu'il doive être mis à jour).

[2] On consultera toujours ED. MAYSER, *Grammatik der griechischen Papyri aus der Ptolemäerzeit*, I-II, 3; Leipzig, 1906–1934; cf. E. PAX, *Probleme des neutestamentlichen Griechisch*, dans *Biblica*, 1972, pp. 557–564.

[3] Rappelons les excellentes traductions: anglaise par G. W. BROMILEY, *Theological Dictionary of the New Testament*, Grand Rapids, 1964 sv., et italienne, par F. MONTAGNINI, G. SCARPATT, O. SOFFRITTI, *Grande Lessico del Nuovo Testamento*, Brescia, 1965 sv., et les articles publiés en français, par fascicules séparés, sous le titre: *Dictionnaire biblique Gerhard Kittel*, aux éditions Labor et Fides de Genève, sous la signature de P. Reymond.

7

ment ¹. Celle-ci a ses lois et son vocabulaire propres. On ne peut la comprendre qu'en fonction de l'usage du grec tel qu'il était parlé ou écrit dans l'*oikouméné* du Iᵉʳ siècle, ce que l'on appelle «la koinè standard», la langue populaire comprise par les auditeurs et les lecteurs des auteurs du N. T. ².
C'est pourquoi nous multiplierons les références, non point aux auteurs classiques, mais aux textes les plus proches du Iᵉʳ siècle avant ou après J.-C., et ce sera sans doute l'aspect le plus utile de ce travail. De fait, les publications papyrologiques et épigraphiques qui se multiplient apportent constamment de nouvelles données ³. Nous pensons rendre service aux

---

¹ Notre modèle serait R. C. TRENCH, *Synonyms of the New Testament*¹², Londres, 1894. Mais, tout en groupant des mots apparentés par leur racine, nous suivons l'ordre alphabétique pour la commodité du lecteur, malgré tout le mal que l'on a dit d'un point de vue scientifique contre cette méthode. Cf. les observations de G. FRIEDRICH, *Das bisher noch fehlende Begriffslexikon zum Neuen Testament*, dans *NTS*, XIX, 1973, pp. 127–152; IDEM, *Pre-History of the Theological Dictionary of the New Testament*, dans R. E. PITKIN, *Theological Dictionary of the New Testament*, X, Grand Rapids, 1976, pp. 650–661.

² Cf. F. M. ABEL, *Grammaire du Grec biblique*, Paris, 1927, pp. V, XL; G. THIEME, *Die Inschriften von Magnesia am Mäander und das Neue Testament; eine sprachgeschichtliche Studie*, Göttingen, 1906; J. ROUFFIAC, *Recherches sur les caractères du grec dans le Nouveau Testament d'après les Inscriptions de Priène*, Paris, 1911; H. G. MEECHEM, *Light from ancient Letters*, Londres, 1923; G. MILLIGAN, *Here and There among the Papyri*, Londres, 1923; IDEM, *Selections from the Greek Papyri*, Cambridge, 1927; D. BROOKE, *Private Letters Pagan and Christian*², Londres, 1929; J. G. WINTER, *Life and Letters in the Papyri*, Ann Arbor, 1933; E. GABBA, *Iscrizioni greche e latine per lo studio della Bibbia*, Turin, 1958; H. THIERFELDER, *Unbekannte antike Welt*, Gütersloh, 1963; G. D. KILPATRICK, *Atticism and the Text of the Greek New Testament*, dans *Festschrift für Prof. J. Schmid*, Regensburg, 1963, pp. 125–137; M. GUARDUCCI, *Epigrafia greca*, Rome, II, 1969. R. MERKELBACH, H. C. YOUTIE (*Der griechische Wortschatz und die Christen*, dans *Zeitschrift für Papyrologie und Epigraphik*, XVIII, 1975, pp. 101–154) ont souligné l'évolution de la signification des mots en fonction des époques, des milieux culturels et surtout de la religion; cf. O. MONTEVECCHI, *Dal Paganesimo al Cristianesimo: aspetti dell'evoluzione della lingua greca nei papiri dell'Egitto*, dans *Aegyptus*, 1957, pp. 41–59.

³ Parmi les plus importantes, rappelons l'inscription tombale de Basse-Egypte de l'an 5 av. J.-C., attestant qu'Arsinoé mourut en mettant au monde son πρωτότοκος (cf. *Lc.* II,7. J. B. FREY, *Corpus Inscriptionum Iudaicarum*, Cité du Vatican, 1952, II, n. 1510, 6; IDEM, *La signification du terme* πρωτότοκος *d'après une inscription juive*, dans *Biblica*, 1930, pp. 373–390; V. A. TCHERIKOVER, A. FUKS, *Corpus Papyrorum Judaicarum*, Cambridge, Mass. 1964, III, 1510). Ce n'est qu'en 1928 que l'on découvrit dans une inscription de Gérasa, du temps de Trajan, le verbe θεατρίζω «jouer au théâtre» (*Suppl. Epigr. Gr.* VII, 825, 18), jusqu'alors connu seulement par *Hébr.* X, 33; cf. H. J. CADBURY, θεατρίζω *no longer a NT hapax legomenon*, dans *ZNTW*, 1930, pp. 60–63, etc.

biblistes en mettant commodément à leur disposition le fruit de nos recherches. «Celui qui connaît un peu les papyri rencontre à chaque pas dans le Nouveau Testament des parallèles de fond et de forme qui lui permettent de saisir d'une façon plus vivante les paroles de l'Ecriture» [1].

C. S.

---

[1] U. WILCKEN, *Der heutige Stand der Papyrusforschung*, dans *Jahrbücher für das kl. Altertum*, 1901, p. 688; cf. M. J. LAGRANGE, *A travers les Papyrus grecs*, dans *Conférences de Saint Etienne 1909–1910*, Paris, 1910, pp. 55–88; N. TURNER, *Philology in New Testament Studies*, dans *The Expository Times*, 71, 1960, pp. 104–107. – Lorsque le cas sera possible, nous emprunterons nos traductions à la «Collection des Universités de France», et pour Philon à l'édition du Cerf.

ἀγαθοποιέω, ἀγαθωσύνη

Le grec classique et la *koinè* disposaient de formules variées pour dire: «faire une bonne action»[1], mais ce sont les Septante – traduisant l'hiphil de *iathab* – puis la *Lettre d'Aristée*[2] et le N. T. qui emploient les premiers le composé ἀγαθοποιεῖν, ignoré des papyrus.

Dans l'A. T., il s'agit d'exercer une bienfaisance envers autrui[3], dont le sujet peut être Dieu ou l'homme[4]. De même que *Soph.* 1,12 opposait: «faire le bien» et «faire le mal», ainsi le Seigneur demande «s'il est permis le jour du sabbat de faire du bien ou de faire du mal – ἀγαθοποιῆσαι ἢ κακοποιῆσαι – de sauver une vie ou de l'ôter?» (*Lc.* VI,9). Dans son premier usage du Sermon sur la montagne, le verbe, employé avec un complément à l'accusatif, garde la même acception: rendre le bien pour le bien[5]; mais dans *Lc.* VI,35, la valeur est théologique: «Aimez vos ennemis de charité, faites du bien», car ἀγαθοποιεῖτε commente ἀγαπᾶτε et montre que l'*agapè*, amour essentiellement manifeste et agissant se déploie en bienfaisance; le contexte prouve que ce genre de dilection est propre aux fils de Dieu[6].

---

[1] ἀγαθὸν ποιεῖν (*Mt.* XIX, 16), καλὸν ποιεῖν (*Jac.* IV, 17), καλῶς ποιεῖν (*Lc.* VI, 27), εὖ ποιεῖν (*Mc.* XIV, 7), ἔργον ἀγαθόν (*II Cor.* IX, 8); cf. C. SPICQ, *Saint Paul. Les Epîtres Pastorales*[4], Paris 1969, II, pp. 676 sv.

[2] *Lettre d'Aristée*, 242: Il faut prier Dieu qu'il les comble de tous les biens, πάντα ἀγαθοποιεῖν.

[3] *Nomb.* X, 32; *Jug.* XVII, 13; *Tob.* XII, 13; *Soph.* I, 12; *I Mac.* XI, 33; *II Mac.* I, 2; cf. *Test. Benjam.* V, 2: ἐὰν ἦτε ἀγαθοποιοῦντες καὶ τὰ ἀκάθαρτα πνεύματα φεύξονται ἀφ' ὑμῶν.

[4] A Lystres, saint Paul qualifie la Providence divine d'ἀγαθουργῶν (*Act.* XIV, 17), et à Timothée, il demande d'exhorter les riches à faire du bien (ἀγαθοεργεῖν; *I Tim.* VI, 18). Négligeant l'euphonie, la *koinè*, contrairement à l'attique, n'évite pas le hiatus dans les mots composés (FR. BLASS, A. DEBRUNNER, *A Greek Grammar of the New Testament*, trad. R. W. Funk, Chicago, 1961, n. 124).

[5] *Lc.* VI, 33: «Si vous faites du bien à ceux qui vous font du bien, quel gré vous en saura-t-on?»; cf. C. SPICQ, *Agapè dans le Nouveau Testament*, Paris, 1958, I, p. 108; W. GRUNDMANN, *Die Bergpredigt nach der Lukasfassung*, dans K. ALAND, F. L. CROSS, *Studia Evangelica*, Berlin, 1959, pp. 180–189; H. W. BARTSCH, *Feldrede und Bergpredigt. Redaktionsarbeit in Luk. VI*, dans *Theologische Zeitschrift*, 1960, pp. 5–18; H. KAHLEFELD, *Der Jünger. Eine Auslegung der Rede Lk VI, 20–49*, Francfort 1962; B. RIGAUX, *Témoignage de l'Evangile de Luc*, Desclée De Brouwer, 1970, pp. 168 sv.

[6] Ce qui est redit par *III Jo.* 11 opposant ὁ ἀγαθοποιῶν et ὁ κακοποιῶν: «Cher

Par contre, si les quatre emplois d'ἀγαθοποιεῖν dans la Iᵃ Petri ont tous une signification religieuse, puisqu'ils réfèrent la pratique du bien à la volonté de Dieu et à sa grâce ¹, l'accent n'est pas tant sur la charité qui donne et pardonne, mais sur la vertu (cf. *Gal.* VI,9–10), celle de serviteurs qui font bien ce qu'ils doivent faire ² ou d'épouses fidèles à leur devoir d'état (*I Petr.* III,6). Faire le bien s'oppose à «mal agir» (II,14; III,17), «faire des fautes» (II,20).

Dans le même sens, le substantif ἀγαθοποιΐα désigne une vie morale intègre: «Ceux qui souffrent selon la volonté de Dieu, confient leurs âmes au fidèle Créateur, en faisant le bien» ³. Loin de perdre cœur, d'être pris de panique et comme paralysés dans la crise des derniers temps, les chrétiens s'emploieront d'agir de leur mieux (cf. *Eccl.* IX,10), à s'acquitter des obligations d'ordre et de justice: se tenir à sa place, accomplir son devoir selon les modalités de son sexe, de sa condition sociale ou de ses fonctions dans la communauté (*I Petr.* IV,10; V,2), avoir de bonnes mœurs, ne rien faire de répréhensible ni de laid; bref; que leur genre de vie, leur comportement (ἀναστροφή; I,15, 18; II,12; III, 1, 2, 16) soit beau et séduisant pour les païens ⁴.

Si le chrétien se caractérise par sa bonne conduite, on le désignera comme un honnête homme, ἀγαθοποιός: Les gouverneurs sont délégués «tant pour le châtiment des malfaiteurs (κακοποιῶν) que pour la louange des gens de

---

Révérend, n'imite pas le mal, mais le bien. Celui qui fait le bien est de Dieu. Celui qui fait le mal n'a pas vu Dieu.»

¹ *I Petr.* II, 15, 20; III, 6, 17; cf. IV, 19; c'est un mot-clef de l'Epître, cf. W. C. VAN UNNIK, *The Teaching of Good Works,* dans *NTS.* I, 1954, pp. 92–110; IDEM, *A classical Parallel to I Petr. II, 14 and 20, ibid.* II, 1956, pp. 198–202 (donne une référence à DIODORE DE SICILE, XV, 1, 1; cf. XI, 46, 1; à *I Petr.* II, 15, G. MUSSIES, *Dio Chrysostom and the New Testament,* Leiden, 1972, p. 236 donne comme parallèle: Dion Chrysostome, IV, 58; XIII, 13; LXIX, 7); C. CROWTHER, *Works, Work and Good Works,* dans *The Expository Times,* LXXXI, 1970, pp. 166–172.

² *I Petr.* II, 20; cf. S. DARIS, *Un Nuovo Frammento della Prima Lettera di Pietro* (*I Petr.* II, 20–III, 12), Barcelone, 1967.

³ *I Petr.* IV, 19. Parce que le ẙ. 18 a évoqué la perfection du «Jugement» de Dieu, on peut inclure dans l'*agathopoia* les œuvres de miséricorde, selon *Mt.* XXV, 31–46; *Act.* IX, 36; *Hebr.* XIII, 16. Comparer *Test. Joseph,* XVIII, 2: καὶ ἐάν τις θέλει κακοποιῆσαι ὑμᾶς ἡμεῖς τῇ ἀγαθοεργείᾳ εὔχεσθε ὑπὲρ αὐτοῦ; EPICTÈTE, IV, 1, 122: «La nature de l'homme est de faire du bien, d'être utile aux autres».

⁴ Cf. C. SPICQ, *Les Epîtres de saint Pierre,* 1966, pp. 11, 27 sv. Dans Clément de Rome, l'*agathopoia* résume la moralité, *Ad Cor.* II, 2, 7; XXXIII, 1: «Qu'allons-nous faire? Rester inactifs devant le bien et délaisser l'agapè?»; XXXIV, 2: «Il faut nous mettre avec ardeur à faire le bien». On pourrait citer l'*agathopoia* de la *Ia Petri* comme une reconnaissance de la morale du droit naturel par le N.T.

bien» (*I Petr.* II,14). Cet adjectif qui opposait la femme prévenante ou coquette à la *ponéria* de l'homme dans *Sir.* XLII,14, n'est attesté que dans trois papyrus tardifs [1].

* * *

Très apparentée à l'*agathopoiia* est l'ἀγαθωσύνη, terme proprement biblique, ignoré du grec profane et des papyrus [2]; mais dont la signification est indécise. Employé plus d'une douzaine de fois dans les Septante (*tôb-tobah*), il s'entend de la bienfaisance que l'on a exercée (*Jug.* VIII,35; *II Chr.* XXIV,16), de la bonté généreuse (*Néh.* IX,25, 35), du bien moral [3], du bien-être et du bonheur [4]. Il n'est usité que par saint Paul dans le N. T., qui y voit un don de Dieu (*II Thess.* I,11), un fruit de l'Esprit (*Gal.* V,22) et de la lumière [5]. Ce serait d'abord une bonne volonté ou une intention de faire ce qui est bien, associée à l'activité réalisatrice de la foi (*II Thess.* I,11), donc une orientation correcte de l'âme, ce que nous appelons «les bons sentiments» [6], et qui caractérise l'homme ἀγαθός, moralement correct; son excellence s'étend à tous les domaines: «en toute bonté, justice et vérité» (*Eph.* V,9). Mais dans la liste des vertus de *Gal.* V,22, l'ἀγαθωσύνη prend place entre la χρηστότης et la fidélité; elle ne signifie plus tant la bonté morale que la bonté du cœur. Saint Jérôme a excellemment commenté: «La bénignité ou suavité – le grec χρηστότης a les deux sens – est une vertu douce, caressante, tranquille, disposée à partager tous ses biens; elle invite à entrer dans sa familiarité; elle est douce en ses paroles, mesurée en ses mœurs. Bref, les Stoïciens la définissent: une vertu spontanément disposée à la bienfaisance. La bonté proprement dite (ἀγαθωσύνη) n'est pas très éloignée de la bénignité, car elle aussi est disposée à la bienfaisance. Mais elle en diffère en ceci que la bonté peut être un peu sombre et avoir les sourcils

---

[1] Deux papyrus magiques du IVᵉ s. de notre ère, où ἀγαθοποιός est un vocable de l'astrologie: de bon augure, favorable; *P. Lond.* 46, 48: μετὰ ἀγαθοποιῶν (référence aux étoiles dont l'influence est bénéfique); 122, 16 qualifiant Hermès: ἀγαθοποιὲ τῆς οἰκουμένης. Quant à *Stud. Pal.*, XX, 293, II, 8, opposant ἀγαθ. à κακοποιός, il est d'époque byzantine. Selon PLUTARQUE, Osiris est εὐεργέτης et ἀγαθοποιός (*Is. et Os.* 12 et 42; commenté par H. PREISKER, *Die urchristliche Botschaft von der Liebe Gottes*, Gießen, 1930, pp. 11 sv.). Proclus qualifiera semblablement Jupiter et Vénus.

[2] C'est un dérivé d'ἀγαθός, comme ἀγαθότης ignoré du N. T., cf. *P. Ryl.* IV, 619, 6; PHILON, *Sacr. A. et C.* 27.

[3] *Ps.* LII, 5: «Tu aimes mieux le mal que le bien»; cf. *Néh.* XIII, 31.

[4] *Eccl.* IV, 8; V, 10, 17; VI, 3, 6; VII, 14; IX, 18.

[5] *Eph.* V, 9, quelques *mss.* dont P⁴⁶ lisent πνεύματος au lieu de φωτός.

[6] *Rom.* XV, 14, la variante de G et des latins: ἀγάπης ne mérite pas d'être prise en considération.

froncés d'une austère moralité, faire du bien sans doute et donner ce qu'on lui demande, mais sans être suave dans ses rapports, ni attirer tout le monde par sa douceur» [1]. L'*agathôsynè* aura donc toujours le souci de procurer à autrui ce qui est utile ou bienfaisant, mais elle peut garder un aspect sévère et s'employer à corriger et à châtier; la bénignité ajoutera à cette bonté foncière et active une nuance de cordialité et de douceur (cf. *Eph.* iv,32; *Col.* iii,12).

---

[1] Saint Jérôme, *In Ep. ad Gal.* v, 22; *P. L.* xxvi, 420. La distinction que J. B. Lightfoot a voulu établir entre ces deux termes correspondant à celle de *benevolentia* et de *beneficentia* (l'*agathôsunè* étant plus réalisatrice) ne tient pas compte de l'usage (*Saint Paul's Epistle to the Galatians*⁸, Londres, 1884, p. 213). La seule traduction néo-testamentaire possible est «bonté» = goodness (cf. E. De Witt Burton, *The Epistle to the Galatians*², Edimbourg, 1948, p. 316).

ἀγάπη

L'étymologie d'ἀγαπάω est obscure. E. Boisacq et E. Stauffer ne se prononcent pas [1], F. Blass, A. Debrunner n'en disent mot [2], E. Risch, H. J. Mette avouent leur ignorance, de même que P. Chantraine [3]. A. Ceresa-Gastaldo suggère un rattachement au sanscrit *pā* avec le sens d'abriter, protéger, et l'analogie avec πόσις [4]. A. Carnoy suppose primitif le sens de «saluer aimablement» et remonte à l'indo-européen *ghabh*, au sanscrit *gabhasti*: «main»; les Grecs homériques se prenant par la main en signe d'amitié [5]. Pour notre part, nous serions tenté de rattacher ce verbe à la racine αγα «très»; on sait que ἄγη signifie «admiration, étonnement» [6]. De là, sans doute, les premiers usages de ce terme au sens d'accueil: la surprise de l'hôte qui reçoit un étranger. De toute façon, la seule traduction française adéquate est «amour de charité»; en latin *caritas* ou *dilectio* [7].

Les Grecs avaient quatre termes pour exprimer les nuances majeures de l'amour [8]. D'abord la στοργή (στέργειν) désignant soit le sentiment de

---

[1] E. Boisacq, *Dictionnaire étymologique de la langue grecque*[2], 1923, p. 6; E. Stauffer, ἀγαπάω, dans *TWNT*, I, p. 21.

[2] F. Blass, A. Debrunner, *Grammatik des neutestamentlichen Griechisch*[7], Göttingen, 1943.

[3] E. Risch, H. J. Mette, ἀγαπάω, dans B. Snell, *Lexikon des frühgriechischen Epos*, Göttingen, 1955; P. Chantraine, *Dictionnaire étymologique de la Langue grecque*, Paris, 1968.

[4] Cf. racine, *pô*: garder; A. Ceresa-Gastaldo, «*ΑΓΑΠΗ*» nei documenti anteriori al Nuovo Testamento, dans *Aegyptus*, 1951, pp. 302–303.

[5] A. Carnoy, *Dictionnaire étymologique du Proto-Indo-Européen*, Louvain, 1955, p. 3. Il cite *Il.* XVIII, 384: ἐν τ' ἄρα οἱ φῦ χειρί.

[6] ἄγαμαι: admirer, s'étonner (cf. H. Cremer, J. Kögel, *Biblisch-theologisches Wörterbuch*[10], p. 9). J. Pollux associait ἀγαπῶ et ἄγαμαι (*Onom.* v 20, 113).

[7] H. Pétré, *Caritas. Etude sur le vocabulaire latin de la charité chrétienne*, Louvain, 1948; W. Thiele, *Wortschatzuntersuchungen zu den lateinischen Texten der Johannesbriefe*, Freiburg, 1958; P. Agaesse, *Saint Augustin. Commentaire de la première Epître de S. Jean*, Paris, 1961, pp. 31 sv.; R. Völkl, *Frühchristliche Zeugnisse zu Wesen und Gestalt der christlichen Liebe*, Freiburg, 1963, pp. 91–95; R. T. Otten, *Amor, Caritas and Dilectio: Some Observations on the Vocabulary of Love in the Exegetical Works of St. Ambrose*, dans *Mélanges Chr. Mohrmann*, Utrecht-Anvers, 1963, pp. 73–83.

[8] C. Spicq, *Agapè. Prolégomènes à une étude de théologie néo-testamentaire*, Louvain-

tendresse que les parents éprouvent spontanément à l'égard de leurs enfants [1] ou les enfants entre eux et à l'égard de leurs parents, soit l'attachement qui unit réciproquement les époux [2], et qui s'étend à la sympathie envers les amis et les compatriotes [3]. L'ἔρως (ἐράω), sans doute dérivé d'un ancien neutre *ἔρας [4], est ignoré du Nouveau Testament; il exprime surtout la passion irraisonnée et le désir (une ἄλογος ὄρεξις), celui du loup pour la brebis [5]. S'il est souvent employé en bonne part, cette convoitise peut

---

Leiden, 1955, pp. 2 sv. S. K. WUEST, *Four Greek Words for Love*, dans *Bibliotheca Sacra*, 1959, pp. 241–248; et la transposition moderne par C. S. LEWIS, *The Four Loves*, Londres, 1960.

[1] Cf. M. RAOSS, *Iscrizione cristiana-greca di Roma anteriore al Terzo secolo?*, dans *Aevum*, 1963, pp. 11–30. Etant donnée la prédilection de la *koinè* pour les mots composés, le *philostorgia* se substituera de plus en plus à la *storgè* (cf. *Rom.* XII, 10; C. SPICQ, *ΦΙΛΟΣΤΟΡΓΟΣ*, dans *R. B.* 1955, pp. 497–510); cf. PLUTARQUE: «La tendresse pour ses enfants est-elle naturelle à l'homme — Εἰ φυσικὴ ἡ πρὸς τὰ ἔκγονα φιλοστοργία?» (*Propos de table*, II, 1, 13); *P. Oxy.* 1381, 104: ἡ μήτηρ ὡς ἐπὶ παιδί, καὶ φύσει φιλόστοργος; Ps. Aristote: «C'est la *philostorgia* envers leurs enfants qui inspire aux parents de rédiger un testament en leur faveur... Les enfants étant ainsi aimés (ἀγαπωμένων) comme un objet aimable par lui-même» (cité dans STOBÉE, II, 7, 13 = t. II, p. 120); Décret de Chersonésos pour Thrasymédès d'Héraclée: πατέρων ἀγαθῶν πρὸς υἱοὺς φιλοστόργους (cité par L. ROBERT, *Opera minora selecta*, Amsterdam, 1969, I, p. 311, n. 2).

[2] Cf. *MAMA*, VIII, 367, 373, 374, 391, 392, 394; MÉNANDRE: «Je suis prêt à la prendre sans dot, en y ajoutant le serment de la chérir toujours διατελεῖν στέργων» (*Dyscolos*, 309, cf. P. FLURY, *Liebe und Liebessprache bei Meinander, Plautus und Terenz*, Heidelberg, 1968). Alphée de Mitylène tiendra στέργω-ἐράω pour synonymes (*Anthol. palat.* IX, 110).

[3] Cf. la lettre de Panechotès au IIe s.: φθάνω μέν σοι δεδηλωκὼς ἦν ἔχω πρὸς σὲ στοργήν = je t'ai déjà montré l'affection que j'ai pour toi (*P. Oxy.* 2726, 5–8). On attribuera même cet attachement instinctif aux animaux (ARISTOTE, *Histoire des animaux*, IX, 4; 611 *a* 12). L'absence de ce sentiment inné de la nature (ἄστοργος, *Rom.* I, 31; *II Tim.* III, 3) se remarque aussi bien chez les humains que chez les bêtes cruelles (ἀστόργου θηρός; W. PEEK, *Griechische Vers-Inschriften*, Berlin, 1955, I, n. 1078, 4).

[4] A. ERNOUT, *Venus, Venia, Cupido*, dans *Revue de Philologie*, 1956, p. 7.

[5] Epicure définit l'éros: «un appétit véhément des plaisirs sexuels, accompagné de fureur et de tourment» (H. USENER, *Epicurea*, Fragm. 483, Leipzig, 1887); cf. ALEXIS, dans STOBÉE, 63, 13 (= IV, 20 a, 13 H); ARCHILOQUE, *Epodes*, VIII, 245: «Si violent était le désir d'amour qui en mon cœur menait sa houle, déversant sur mes yeux un brouillard opaque»; D. M. ROBINSON, ED. J. FLUCK, *A study of the Greek Love-names, including a Discussion of Paederasty and a Prosopographia*, Baltimore, 1937; F. LASSERRE, *La figure d'Eros dans la poésie grecque*, Lausanne, 1946; H. LICHT, *Sexual Life in Ancient Greece*[8], Londres, 1956; M. F. GALIANO, J. S. LASSO DE LA VEGA, F. R. ADRADOS, *El descubrimiento del amor en Grecia*, Madrid, 1959; M. M. LAURENT, *Réalisme et Richesse de l'Amour chrétien. Essai sur Eros et Agapè*. Issy-les-Moulineaux, 1962; J. FÜRSTAUER, *Eros im alten Orient*, Stuttgart, 1965.

difficilement exprimer un amour proprement divin, ne serait-ce que parce qu'elle chasse le respect [1].

L'amitié (φιλία, φιλέω) se situe sur un tout autre plan [2], encore qu'elle désigne souvent l'affection pure et simple, l'attachement, la sympathie, marquée toujours par la complaisance et la bienveillance. Mais les philosophes grecs, surtout depuis Aristote, en avaient fait une notion très élaborée. Au sens strict, elle exige la réciprocité, elle ne se noue qu'au sein d'un groupe limité de personnes – on dit: une paire d'amis – et surtout entre personnes de même condition: *amicitia pares aut invenit aut facit* [3]. Si donc, en certains emplois, φιλεῖν est très proche d'ἀγαπᾶν [4], le premier verbe n'était guère apte a exprimer une dilection qui unit Dieu et les hommes et s'étend

---

[1] Musée, *Héro et Léandre*, 98. Sur Eros guerrier et lutteur, cf. A. Spies, *Militat omnis amans. Ein Beitrag zur Bildersprache der antiken Erotik*, Tübingen, 1930; sur Eros puissance mythique, cf. G. Bornkamm, *Studien zu Antike und Urchristentum*, Munich, 1959, II, p. 31. Les stoïciens donnent un noble sens à *éros*, cf. A. J. Festugière, *Le Dieu cosmique*, Paris, 1949, pp. 271 sv.

[2] Le premier sens de φίλος serait possessif: «mon», et par une évolution sémantique aurait pris le sens de «cher», de sorte que son opposé serait «l'étranger, ξένος», c'est-à-dire: celui qui ne nous appartient pas (H. J. Kakridis, *La notion de l'amitié et de l'hospitalité chez Homère*, Thessalonique, 1963. «Φίλος, quel que soit le détail de l'étymologie, exprime proprement, non une relation sentimentale, mais l'appartenance à un groupe social, et cet usage se relie à l'emploi possessif du mot chez Homère» P. Chantraine, *Etudes sur le vocabulaire grec*, Paris, 1956, p. 15). Cf. F. Dirlmeier, *ΦΙΛΟΣ und ΦΙΛΙΑ im vorhellenistischen Griechentum*, Munich, 1931; M. Landfester, *Das griechische Nomen «philos» und seine Ableitungen*, Hildesheim, 1966; Stählin, φιλέω-φίλος, dans *TWNT*, IX, pp. 112 sv. Sur *philéô* dans les inscriptions, cf. G. Pfohl, *Untersuchungen über die attischen Grabinschriften*, 1953, pp. 41, 44, 46, 101, etc.

[3] On dit souvent que la charité est une amitié, mais saint Thomas d'Aquin écrivait: *Quasi-amicitia*, et il se référait à la terminologie aristotélicienne des «amitiés de surabondance», comme celles qui lient les parents aux enfants.

[4] Cf. Ménandre, *Misouménos*, 307–308: Πρῶτος ἠγάπησά σε, ἀγαπῶ, φιλῶ, Κράτεια φιλτάτη (dans *P. Oxy.* 2656, 20–21); Plutarque, *De la vertu éthique*, 8: dans le mariage, le raisonnement conduit à un renforcement de l'affection et de l'amour, τὸ φιλεῖν καὶ τὸ ἀγαπᾶν; *Banquet*, 2: Un convive engage les autres à l'amitié et à l'affection mutuelle, πρὸς φιλίαν καὶ ἀγάπησιν ἀλλήλων; Dion Cassius, LX, 18: Messaline aimait et favorisait (ἐφίλει καὶ ἠγάπα) les maris complaisants. On comparera *Jo.* III, 35 et V, 20; XIV, 21 *b* et XVI, 27; XI, 3 et 5, 36; surtout XXI, 15–17 (où P. S. Minear, *Images of the Christ in the New Testament*, Londres, 1961, p. 159, traduit bien: Simon, es-tu mon ami?); cf. C. Spicq, *Agapè dans le Nouveau Testament*, Paris, 1959, III, pp. 219–245. Les salutations pauliniennes «salue ceux qui nous aiment dans la foi» (*Tit.* III, 15) et johanniques: «Les amis te saluent. Salue les amis, chacun en particulier» (*III Jo.* 15; cf. T. Y. Mullins, *Greeting as a New Testament Form*, dans *J.B.L.*, 1968, pp. 418–426), emploient *philein* exactement dans le même sens que le protocole épistolaire

même aux ennemis [1], d'autant plus que le substantif ἀγάπη n'était pas entré dans l'usage littéraire – hormis les Septante – avant le premier siècle.

---

contemporain (*P. Mert.* 83, 13–14: ἄσπασαι τοὺς φιλοῦντάς σε πάντας; 82, 16–19; *P. Abinnaeus*, 6, 23–24: ἀσπάζομαι πάντες τὰ ἐν τῇ οἰκίᾳ κατ' ὄνομα; 25, 9–18; *P. Ross.-Georg.* III, 4, 25–28; A. BERNAND, *Les Inscriptions grecques de Philae*, Paris, 1969, n. 65; G. WAGNER, *Papyrus grecs de l'Institut français d'Archéologie orientale*, Le Caire, 1971, II, n. 40, 11; autres attestations papyrologiques dans C. SPICQ, *op. c.*, pp. 87 sv., IDEM, *Le Lexique de l'amour dans les papyrus*, dans *Mnemosyné*, 1955, pp. 27–28). Le συγγενής (litt. le congénère, devenu un titre aulique, cf. L. MOOREN, *Über die ptol. Hofrangtitel*, dans *Antidorum W. Peremans*, Louvain, 1968, pp. 161 sv.) est associé à l'ἀναγκαῖος φίλος dans *Act.* x, 24, selon l'usage de l'époque (sur ces termes, cf. C. SPICQ, *op. c.*, pp. 92 sv.; *Inscriptions de Magnésie*, 38, 52; *IG*, IX, 2, n. 583, 58; *Sammelbuch*, 9415, 17; *Suppl. Epigr. Gr.* XIX, 468, 32; XXIII, 547, 2; *P. Hermopolis Rees*, 1; *P. Mil. Vogl.* 59, 13; *Inscriptions grecques et latines de la Syrie*, VI, 2859, 7; A. BERNAND, *op. c.*, n. 30; E. BERNAND, *Inscriptions métriques de l'Egypte gréco-romaine*, Paris, 1969, p. 56; PLUTARQUE, *Agricola*, III, 1 et 5; L. ROBERT, *Hellenica* XI-XII, Paris, 1960, p. 205; IDEM, *Opera minora selecta*, Amsterdam, 1969, p. 220; MICHAELIS, συγγενής, dans *TWNT*, VII, 737 sv. Sur les *necessarii regis*, cf. W. PEREMANS, E. VAN'T DACK, *Prosopographia Ptolemaica*, Louvain, 1968, II, p. XIX). Quant à la formule φίλος τοῦ Καίσαρος (*Jo.* XIX, 12; cf. *Agapè* III, pp. 239 sv.), on la rapprochera de la titulature «ami du roi», qui semble d'origine égyptienne (C. DE WITT, *Enquête sur le titre de śmr pr*, dans *Chronique d'Egypte*, 1956, pp. 89–104; H. DONNER, *Der «Freund des Königs»*, dans *ZATW*, 1961, pp. 269–277; J. GAUDEMET, *Institutions de l'Antiquité*, Paris, 1967, pp. 227 sv.), mais courante chez les Perses, les Séleucides et les Romains, désignant les hommes de cour, courtisans et favoris, les officiers d'état-major, les ministres responsables, les conseillers et les messagers personnels du souverain (*Lettre d'Aristée*, 41, 45, 228, 268, 318). Ces dignitaires viennent après les «parents du roi, συγγενεῖς» et il y avait entre eux une hiérarchie, parmi laquelle on distinguait les «amis du premier rang» (DITTENBERGER, *Or.* I, 119; II, 754; *Syl.* 685, 121; *P. L. Bat.* 14, quatrième col.; *P. Dura*, 18, 10; 19, 18; 20, 3; *Suppl. Epigr. Gr.* VIII, 573; XIII, 552–557, 568–591; XX, 208; *Sammelbuch*, 1078, 8876, 9963, 9986, 10122; STRABON, XIII, 2, 3; E. BIKERMAN, *Institutions des Séleucides*, Paris, 1938, pp. 40–50, 66, 188–189; M. HOLLAUX, *Etudes d'Epigraphie et d'Histoire grecques*, Paris, 1942, III, pp. 220–225; E. BAMMEL, Φίλος τοῦ Καίσαρος, dans *Theologische Literaturzeitung*, 1952, col. 205–210; A. PELLETIER, *Flavius Josèphe adaptateur de la Lettre d'Aristée*, Paris, 1962, p. 107; B. LIFSHITZ, *Sur le Culte dynastique des Séleucides*, dans *R. B.* 1963, pp. 76–81; G. LUMBROSO, *Recherches sur l'Economie politique de l'Egypte²*, Amsterdam, 1967, pp. 191 sv.; W. PEREMANS, E. VAN'T DACK, *Prosopographia Ptolemaica*, Louvain, 1968, VI, pp. 21 sv., 85; A. BERNAND, *Les Inscriptions grecques de Philae*, Paris, 1969, n. 13, 2; C. SPICQ, *Prolégomènes*, p. 165; *Agapè* III, p. 167, 240).

[1] *Mt.* v, 44. R. JOLY (*Le Vocabulaire chrétien de l'amour est-il original? Φιλεῖν et Ἀγαπᾶν*, Bruxelles, 1968) récuse notre sémantique et bien souvent notre exégèse. Contentons-nous d'observer que depuis Platon jusqu'à saint Jean Chrysostome et Basile d'Ancyre, en passant par Philon, c'est le verbe ἐρᾶν, beaucoup plus que φιλεῖν, qui est employé de préférence au classique ἀγαπᾶν «se contenter de, être satisfait». De surcroît, c'est le vocabulaire des Septante – où ce dernier verbe est très largement

Que signifie donc l'*agapè* dans le N. T. [1]? C'est l'amour le plus rationnel qui soit, en tant qu'il implique connaissance et jugement de valeur, et de là sa nuance fréquente de «préférence»[2]. Le verbe ἀγαπᾶν signifie le plus souvent «apprécier, faire grand cas, tenir en haute estime»[3]; c'est un amour de profond respect (*I Petr.* II,17), qui s'allie souvent à l'admiration et peut culminer en adoration[4]. Cette estime et cette bienveillance tendent à s'exprimer en paroles et en gestes adéquats[5]. A la différence des autres amours qui peuvent rester cachées dans le cœur, il est essentiel à la charité de se manifester, de se démontrer, de fournir des preuves, de s'exhiber[6];

---

prédominant (268 fois, φιλεῖν une trentaine de fois) et dans une acception affective – qui a déterminé celui du N. T. Cf. B. BOTTE, dans *Recherches de théologie ancienne et médiévale*, 1969, p. 235; J. GIBLET, *Le lexique chrétien de l'amour*, dans *Rev. théologique de Louvain*, 1970, pp. 333–337.

[1] Cf. C. SPICQ, *Prolégomènes*, pp. 65 sv.; IDEM, *Les composantes de la notion d'Agapè dans le Nouveau Testament*, dans *Sacra Pagina*, Paris-Gembloux, 1959, pp. 440–455 (repris dans *Charité et Liberté selon le N. T.*, Paris, 1964; développé dans *Théologie morale du N. T.*, Paris, 1965, II, pp. 481 sv.); cf. N. LAZURE, *Les valeurs morales de la Théologie johannique*, Paris, 1965, pp. 207–250.

[2] *Apoc.* XII, 11; cf. MÉNANDRE, *Dyscolos*, 824; *Samienne*, 272; *P. Herculanum* 1018, col. XII, 5; PLUTARQUE, *Solon*, VI, 1; *Banquet*, 2; APOLLODORE, *Biblioth.* II, 7, 7; DION CASSIUS, LX, 18; LXI, 7.

[3] *I Thess.* V, 13; cf. PLATON, *Rép.* X, 600 *c*; PLUTARQUE, *Romulus*, XVII, 3; *Phocion*, VI, 4; *Sert.* XIV, 1; *Banq.* 6; DION CASSIUS, XLIV, 39; XLIX, 20; LIV, 31; LXXI, 31. De là son opposition à καταφρονεῖν «dédaigner, mépriser» (*Mt.* VI, 24; cf. C. SPICQ, *Agapè* I, Paris, 1958, p. 31, 101); cf. ISOCRATE, *Sur l'échange*, XV, 151.

[4] Cf. *Philip.* I, 9–11; le précepte: «Tu aimeras le Seigneur ton Dieu» peut aussi bien se traduire: «Tu adoreras» (*Mt.* XXII, 37); cf. PLUTARQUE, *Aristide*, VI, 3: le peuple doit aimer et vénérer les dieux. Cyrus voulant exprimer son enthousiasme pour la beauté de Milto changea son nom en celui d'Aspasie, la femme la plus «adorable» que l'on put imaginer (*Périclès*, XXIV, 12).

[5] *I Jo.* III, 18: ἐν ἔργῳ καὶ ἀληθείᾳ (*II Jo.* 3; *Lettre d'Aristée*, 260; *Ps. Salom.* VI, 9; X, 4; XIV, 1; XV, 3; *Testament Judas*, XXIV, 3; *de Lévi*, XVIII, 8; cf. I. DE LA POTTERIE, *La Verità in S. Giovanni*, dans *Rivista biblica*, 1963, pp. 3–24; N. LAZURE, *op. c.*, p. 87); ἔργῳ s'oppose à λόγῳ comme la réalité aux apparences (PHILON, *Cherub.* 41; THUCYDIDE, II, 65: «La démocratie subsistait de nom [λόγῳ], mais en réalité [ἔργῳ δέ] c'était le gouvernement du premier citoyen»; cf. VIII, 78, rien que des mots, sans réalité). Dans une lettre privée du IIᵉ s., l'écrivain se plaint d'un certain Kéramos qui parle beaucoup et ne fait rien (*P. Alex.* 25, 19–20: πολλὰ λέγειν... οὐδὲν ἐποίει; A. SWIDEREK, M. VANDONI, *Papyrus grecs du Musée gréco-romain d'Alexandrie*, Varsovie, 1964, pp. 68 sv.); *P. New York*, 1 *a* 8: ἔργῳ δὲ ἀληθεῖ καὶ δυνάμει; *Inscriptions d'Olympie*, 356, 7: C. Afinius Quadratus τειμήσαντα τὴν Ὀλυμπίαν καὶ λόγῳ καὶ ἔργῳ; autres références dans *Agapè* III, p. 263.

[6] *Rom.* V, 8 (συνίστημι, cf. *Agapè* II, p. 180); *I Jo.* IV, 9 (φανεροῦν; cf. *II Tim.* I, 10); *II Cor.* VIII, 24 (ἐνδείκνυσθαι; cf. *Hébr.* VI, 10); *Tit.* III, 4 (ἐπιφαίνεν).

à telle enseigne que dans le N. T., il faudrait presque toujours traduire *agapè* par «manifestation d'amour» [1]. Cette affection – à la différence de l'éros dont la littérature souligne sans cesse les souffrances et les désastres [2] – s'accompagne de contentement, puisque la signification courante d'ἀγαπᾶν est d'être content, satisfait [3]. Mais dans la langue chrétienne, puisque c'est un amour divin, venant du ciel (*Rom.* v,5), il sera joyeux et déjà un avant-goût de la béatitude [4].

Enfin, et surtout peut-être, tandis que l'amitié proprement dite ne se noue qu'entre égaux, l'attachement de l'*agapè* relie des personnes de condition différente: chez les gouvernants, les bienfaiteurs, les pères, il est un amour désintéressé et généreux, plein de prévenance et de sollicitude.

---

[1] Il est clair, par exemple, qu'on ne pourra discerner l'authenticité des disciples de Jésus que dans la mesure où ceux-ci donnent la preuve de leur amour mutuel (*Jo.* xiii, 35; cf. de même xv, 13; *I Jo.* iii, 16, etc.; cf. C. Spicq, *Notes d'exégèse johannique: La Charité est amour manifeste*, dans *R. B.* 1958, pp. 358–370). Dans la nouvelle Alliance, l'observation des commandements n'a de valeur que comme preuve d'amour (*Jo.* xiv, 15, 21). Dans un sens analogue, Ptolémée demande à son très cher Apollonios de lui écrire régulièrement afin de savoir jusqu'à quel point il l'aime: Δι' ὅπερ παρακληθεὶς γράφε μοι συνεχῶς ἵνα διαγνῶ σε οὕτως με ἠγαπηκότα (*P. Mert.* 22, 8); cf. *Sammelbuch*, 7804, 5: μνησθεὶς τῆς ἀ[γάπη]ς, ἣν εἰς συνόμαιμον ἔδειξα (IIᵉ s. ap. J.-C.); *P. Oxy.* 2603, 25; *P. Goth.* 11,6 : «Tu prouveras ta charité...»; *P. Zilliacus*, 14, 12, 14; *P. Fuad*, 86, 5: «Fais-moi la charité de dire...» etc.

[2] Ps. Lysias, *Discours sur l'amour*, 233 b: «ceux qui aiment méritent beaucoup plus la pitié que l'envie»; *Anth. Palat.* ix, 157: «Qui a donné Eros pour un dieu? Nous ne voyons jamais un dieu faire le mal, et celui-ci verse le sang des hommes en souriant».

[3] Platon, *Lysis*, 218 *c*: «J'étais joyeux comme un chasseur, tout content (ἀγαπητῶς) de tenir enfin ce que je pourchassais»; Isocrate, *Lettre VI aux fils de Jason*, § 6: «Je serais assez heureux si... ἀγαπῴην ἂν εἰ»; Ménandre, *Dyscolos*, 745: «Chacun se contenterait de sa modeste part»; *Samienne*, 557; Synésius: «Ptolémée et ses successeurs se contenteraient de faire seulement usage de...» (*Epist. ad Paeonium*, 311 B; édit. Terzaghi, vol. ii, p. 138,18); Plutarque, *Thésée*, xvii, 2: Les Athéniens «furent charmés du dévouement dont Thésée fit preuve envers le peuple»; *Crassus*, xix, 3: «Crassus se réjouit grandement»; *Démon de Socrate*, 4 = 577 *d*: «trop heureux qu'on leur accorde la vie sauve»; Dion Cassius, i, 185, 307; xlii, 7; lxi, 4; Philon, *Post. C.* 171; *Sacrif. A. et C.* 37; *P. Beatty Panop.* ii, 6, 148: ἀγαπητῶς ἔχειν = se tenir pour satisfait, s'estimer heureux.

[4] *I Petr.* i, 8; cf. *I Cor.* ii, 9 (cf. *Agapè* i, pp. 219 sv.; P. Prigent, *Ce que l'œil n'a point vu*, dans *Theologische Zeitschrift*, 1958, pp. 416–429; M. Philonenko, *Quod oculus non vidit*, *ibid.* 1959, pp. 51–56; J. B. Bauer, *ΤΟΙΣ ΑΓΑΠΩΕΙΝ ΤΟΝ ΘΕΟΝ*, dans *ZNTW*, 1959, pp. 108–112; A. Feuillet, *Le Christ sagesse de Dieu*, Paris, 1966, pp. 37 sv.); *I Cor.* xiii, 6 (συγχαίρει); *Gal.* v, 22; *Rom.* xii, 12, 15; *Philip.* ii, 2; *Jo.* xiv, 28; xv, 10–11. Déjà dans la langue profane, ἀγαπᾶν et χαίρειν sont souvent synonymes (Epictète, iv, 4, 45; Plutarque, *Thésée*, xvii, 2).

άγάπη

C'est en ce sens que Dieu est *agapè* et qu'il aime le monde [1]. Chez les obligés, les inférieurs, les sujets, cette *agapè*, qui est d'abord accueil, consentement, acceptation [2], s'exprime en gratitude [3]: c'est l'amour de retour suscité par un amour généreux – ce qui donne tout son sens à *I Jo.* iv,10 –, et il se traduit en acclamations, applaudissements, marques de respect, félicitations et louanges [4] et même vénération [5]; de sorte que l'*agapè* chré-

---

[1] *Jo.* iii, 16; *I Jo.* iv, 16; v, 1; *Eph.* ii, 4 (cf. *Agapè* iii, pp. 127 sv., 288 sv.; A. FEUILLET, *Le mystère de l'Amour divin dans la Théologie johannique*, Paris, 1972, pp. 179 sv.). César avait déclaré à ses troupes: «Je vous aime comme un père ses enfants, άγαπῶ... ὡς πατὴρ παῖδας» (DION CASSIUS, xii, 27; cf. 57; liii, 18: l'appellation de père donnée aux Empereurs est «une invitation pour eux d'aimer leurs sujets comme leurs enfants»; lvi, 9; STOBÉE, II, 7, 13 = t. ii, p. 120.
[2] PLUTARQUE, *Numa*, iv, 3; xiv, 9; *Coriolan*, xxxix, 13; *De frat. amor*, 6; ONOSANDRE, i, 21.
[3] Cf. l'exhortation d'Antoine au peuple romain, lors des obsèques de César: ἐφιλήσατε αὐτὸν ὡς πατέρα, καὶ ἠγαπήσατε ὡς εὐεργέτην (DION CASSIUS, xliv, 48, 1; cf. xliii, 18: les soldats de César savent gré à ceux qui leur donnent; xlix, 20: «Pacorus, à cause de sa justice et de sa douceur, était entouré en Syrie de plus d'amour [ὑπερηγάπων] que jamais roi ne le fut». Comparer POLYBE, ix, 29, 12; v, 11, 6: διὰ τὴν εὐεργεσίαν καὶ φιλανθρωπίαν ἀγαπώμενον); PLUTARQUE, *Alcibiade*, iv, 4; *Aristide*, xxiii, 6: «Ils lui ordonnèrent de remercier la Fortune»; *Lucullus*, xx, 6: «Lucullus fut aimé [de gratitude] des peuples qu'il avait bien traités»; xxix, 5 «...comme un bienfaiteur et un fondateur»; *Cantique des Cantiques* i, 3; *Jo.* xvi, 27; EUSÈBE, *Praep. Evang.* ix, 3, 3: διὰ ταῦτα ἀγαπηθῆναι; THÉOPOMPE DE CHIOS: διὰ ταῦτα καὶ μᾶλλον αὐτὸν ἠγάπα τῶν πολιτῶν (dans F. JACOBY, *Die Fragmente der griechischen Historiker*, Berlin, 1927, ii B, p. 580, 30). Sur ce retour d'affection, cf. le poète athénien Cantharos, *frag.* 6: καὶ πρότερον οὖσα παρθένος ἀμφηγάπαζες αὐτόν (dans J. M. EDMONDS, *The Fragments of Attic Comedy*, Leiden, 1957, i, p. 450).
[4] HÉRACLITE, *Problèmes homériques*, 6; Ps. LYSIAS, *Discours sur l'amour*, 233 e: «Quand on donne chez soi un repas, ce n'est pas ses amis qu'il convient d'inviter, mais des mendiants, des gens affamés. Ce sont ces gens-là, en effet, qui vous fêteront (άγαπήσουσιν), qui vous escorteront, qui assiégeront votre porte, qui auront le plus de joie, vous sauront le plus de gré, et feront le plus de vœux pour votre bonheur»; PLUTARQUE, *Publicola*, x, 5; xix, 3; DION CASSIUS, xlv, 4; le pythagoricien Diotogène: la majesté du Roi peut lui attirer l'admiration et la crainte des foules, tandis que sa bénignité provoque leur amour et leur applaudissement, ἁ δὲ χρηστότας φιλεύμενον καὶ ἀγαπαζόμενον (*De la Royauté*, dans STOBÉE, vii, 62 = t. iv, p. 267, 14).
[5] DION CASSIUS, xliv, 48; lii, 32: «Il est naturel à tous les hommes de se réjouir des communications dont ils ont été jugés dignes par un homme supérieur comme s'ils étaient ses pairs, d'approuver tous les décrets rendus par lui de concert avec eux comme s'ils étaient leur œuvre propre, et d'y applaudir comme une chose dont ils ont eu la première idée, καὶ ἀγαπᾶν ὡς αὐθαίρετα»; POLYBE, ix, 29, 12; v, 11, 6. Cf. THÉOPHILE: «M'en aller, en trahissant un maître vénéré – τὸν ἀγαπητὸν δεσπότην?» (dans J. M. EDMONDS, *The Fragments of Attic Comedy*, Leiden, 1959, ii, p. 568).

21

tienne se traduira dans la liturgie et le culte: Τῷ ἀγαπῶντι ἡμᾶς ... αὐτῷ ἡ δόξα καὶ τὸ κράτος εἰς τοὺς αἰῶνας τῶν αἰώνων (*Apoc.* 1,5–6).

* * *

Si le verbe ἀγαπᾶν apparaît pour la première fois dans Homère[1]; et si l'époque classique emploie ἀγάπησις, le substantif ἀγάπη est ignoré antérieurement à son usage dans les Septante. Lorsqu'il est attesté avant notre ère[2], c'est presque exclusivement dans le judaïsme hellénistique et chaque fois dans une acception religieuse[3]. On est incliné à penser qu'il n'est

---

[1] La première attestation épigraphique semble être une inscription tombale de Pharsale, du VIe s. av. J.-C.: Ἀγάπα!

[2] Il est souvent difficile de dater et de lire avec précision nos documents. Par exemple, une inscription tombale conservée au Musée d'Alexandrie: μνησθεὶς τῆς ἀ[γάπη]ς εἰς συνόμαιμον ἔδειξα, μὴ παρίδης πέτρην οἶκον ὁμοφροσύνης, datée de 27 av. J.-C. par A. CERESA-GASTALDO (*ΑΓΑΠΗ nei documenti estranei all' influsso biblico*, dans *Rivista di Filologia e di Istruzione classica*, 1953, pp. 347–356 repris semblablement par *Sammelbuch*, 7804; *Suppl. Ep. Gr.* VIII, 374; C. SPICQ, *Le Lexique de l'amour dans les Papyrus*, dans *Mnemosyné*, 1955, p. 32) est republiée par W. PECK (*Griechische Vers-Inschriften*, Berlin, 1955, I, n. 1143, 5) qui, non seulement la date du IIe s. après Jésus-Christ, mais lit τῆς φιλίης, au lieu d'ἀγάπης (cf. *Suppl. Ep. Gr.* XIV, 852). La vérité est que «à l'exception des deux premiers mots, la ligne est totalement effacée» (ET. BERNAND, *Inscriptions métriques de l'Egypte gréco-romaine*, Paris, 1969, n. 69 = p. 279). L'Inscription louant Amandos pour l'amour qu'il portait à sa patrie, τίς ὑπὸ πάτρης τόσσην ἔσχ' ἀγάπην (*Suppl. Ep. Gr.* VIII, 11, 6) est du IIIe siècle (A. CERESA-GASTALDO, *Ἀγάπη nei documenti anteriori al Nuovo Testamento*, dans *Aegyptus*, 1951, p. 289). Celle de Rhosos: ὑπὲρ μνήμης καὶ εὐχαριστίας καὶ ἀγάπης (*Inscriptions grecques et latines de la Syrie*, 727, 1–2) est chrétienne et byzantine (comme *Sammelbuch*, 5314, 15) etc. Aux IIIe-IVe siècles, la formule d'Ignace d'Antioche: ἀγάπην ποιεῖν, signifiant «célébrer l'agapè» (*Smyr.* VIII, 2; cf. *Sammelbuch*, 10269, 6: εἰς τὴν ἀγάπην τοῦ ἁγίου Ἀπ' Ἀπολλῶ πάντως ἔρχομε = Je viendrai certainement pour la fête du saint Abbé Apollos; réédité et commenté par H. C. YOUTIE, dans *Zeitschrift für Papyrologie und Epigraphik*, XVI, 1975, pp. 259–264) devient courante au sens de faire l'aumône (*P. Lond.* 1914, 28; cf. 1916, 31; 1919, 28; C. SPICQ, *l. c.*, pp. 30 sv.).

[3] *Lettre d'Aristée*, 229 (avec la note de l'éditeur A. PELLETIER, Paris, 1962, p. 204); *Ps. Salom.* XVIII, 4; PHILON, *Quod Deus sit immut.* 69; *Q. in Ex. XXIII*, 27 a, Frag. 21 (édit. R. Marcus, pp. 60, 247; les *Testaments des XII Patriarches* contiennent trop de gloses chrétiennes pour être retenus ici). L'absence de ce substantif dans la littérature profane (Fl. Josèphe, Epictète, Musonius, J. Pollux, etc.) est notable (son premier emploi serait une scolie tardive sur Thucydide II, 51, 5, glosant ἀρετῆς: φιλανθρωπίας καὶ ἀγάπης; cf. A. DEISSMANN, *Bible Studies*[2], Edimbourg, 1909, p. 200), tout autant que son usage abondant dans la langue chrétienne (cf. les papyrus cités par N. NALDINI, *Il Cristianesimo in Egitto*, Florence, 1968, pp. 16 sv., 128, 130, 133, 140, 151, 154, 162, 174, 182, 189, 192, 196, 199, 210, 213, 220, 223, 226, 238, 278, 324, 331, 340, 362, 365). Le papyrus magique de la fin du IIIe s. de notre ère (Codex *Paris 2316*, fol. 436 r), édité par R. Reitzenstein (*Poimandrès*, 1904, pp. 297 sv.) est probablement

pas un néologisme biblique, mais qu'il fut emprunté par les écrivains inspirés à la langue populaire de l'Egypte. De toute façon et contrairement à ce que l'on écrit souvent, aucun papyrus n'en fournit l'attestation certaine avant Jésus-Christ.

On a souvent cité le *Papyrus de Berlin 9869*, fragment presque inintelligible [1]: ἐν τοῖς μάλιστα ἀγάπης; mais non seulement les éditeurs pointent le sigma final qui est douteux, mais ils font suivre leur restitution [2] ainsi que le mot ἀγάπη de l'index d'un point d'interrogation. En effet, le papyrus est mutilé; quelques lettres doivent être restituées et on pourrait aussi bien lire le substantif ἀγαπήσεως, voire le participe ἀγάπησας ou le futur ἀγαπήσεις [3]. Ces formes verbales seraient d'autant plus vraisemblables qu'il s'agit, semble-t-il, d'un dialogue philosophique et qu'Aristote emploie constamment μᾶλλον ou μάλιστα ἀγαπᾶν [4]. De surcroît, on ignore l'origine de ce papyrus et aucune donnée positive n'est fournie en faveur de sa date [5].

---

d'origine chrétienne: Γαβριὴλ ἐπὶ τῆς χαρᾶς... Ἀφαμαὴλ ἐπὶ τῆς ἀγάπης... οὗτοι εἰσιν οἱ ἄγγελοι οἱ προηγούμενοι ἐνώπιον τοῦ Θεοῦ (cf. A. CERESA-GASTALDO, dans *Aegyptus*, 1951, pp. 291–292). Mais la scolie sur la Tetrabible de Ptolémée, où ἀγάπη exprime l'amour réciproque de l'homme et de la femme, et que nous avions citée dans nos *Prolégomènes*, p. 32, n. 5, est de l'astrologue arabe Abou Mas' aschar Apomasar († 885) dont l'œuvre fut traduite en grec au XIe s. (cf. CH. E. RUELLE, *Deux identifications*, dans *Comptes rendus de l'Académie des Inscriptions et Belles Lettres*, Paris, 1910, pp. 32–39).

[1] Edité par H. DIELS, W. SCHUBART, *Berliner Klassikertexte*, 2, Berlin, 1905, p. 55. On ne pourra plus recourir au document, car M. le professeur P. Moraux nous a fait savoir que le *Pap. 9869* de Berlin a disparu dans la tourmente de 1945, et officiellement on ignore où il se trouve. Lui-même et M. Vogliano l'ayant examiné à plusieurs reprises ne mettent pas en doute la lecture de Schubart, mais ne peuvent préciser si ΑΓΑΠΗΣ est le génitif singulier du substantif ou, par exemple, la première partie d'une forme verbale dont la fin serait perdue (Lettre de Berlin du 13.1.52).

[2] En raison de -γμα qui commence la ligne suivante, les éditeurs restituent «ἀγάπης [πρᾶ?]γμα?»; cf. l'analogie avec *P. Erl.* 88, 13–14: μάλιστα...ἅμα, dont le thème sur le *Logos* semble proche de celui-ci.

[3] M. Hombert, professeur à la *Fondation égyptologique Reine Elisabeth* de Bruxelles, veut bien m'écrire: «Le Papyrus de Berlin est un témoin extrêmement douteux de l'emploi d'ἀγάπη au IIe siècle avant J.-C., et ἀγάπησις me semble tout aussi possible» (Lettre du 19.11.51). C'est également l'avis de A. CERESA-GASTALDO dans *Aegyptus*, 1951, p. 293 qui relève l'anomalie de l'insertion d'un terme de la *koinè* populaire dans un texte de caractère philosophique.

[4] Cf. W. PEEK, *Griechische Vers-Inschriften*, n. 1436: ἔπαινον πίστεος, εὐνοίης, ἀρετῆς; ἀγάπης τε μάλιστα (inscription funéraire de Padoue du IIe-IIIe s.); cf. 2090; Drimachos: ἐγώ σε πάντων ἀνθρώπων ἠγάπησα μάλιστα (F. JACOBY, *Die Fragmente der griechischen Historiker*, III B, Leiden, 1950, pp. 671, 10).

[5] Les éditeurs le donnent comme de l'époque ptolémaïque, environ du IIe s. avant J.-C. On notera que FR. PREISIGKE (*Wörterbuch der griechischen Papyrusurkunden*,

A ce texte, pour le moins douteux, E. Stauffer [1] ajoute *Pap. Paris* 49,3, daté par son éditeur W. Brunet de Presle, de 164–58 avant notre ère [2]. Mais cette citation doit être récusée, car Fr. Blass ayant émis des doutes sur cette lecture [3], A. Deissmann consulta M. Pierret, conservateur des antiquités égyptiennes du Louvre. Celui-ci, après examen du papyrus, conclut: «On ne trouve dans le papyrus n⁰ 49, aucune trace du mot ἀγάπην, mais seulement à la ligne 6 la vraisemblance d'une lecture ταραχήν» [4]. Sur l'autorité de U. Wilcken, on adoptera la lecture: διά τε τ[ὸν] Σάραπιν καὶ τὴν σὴν ἐλευθε[ρία]ν καὶ πεπείραμαι [5].

Les autres textes allégués sont suspects ou de date invérifiable, et E. Peterson a montré qu'aucun d'eux n'était recevable [6]. Une inscription de Tefeny en Pisidie, du temps de l'empire sans que l'on puisse préciser davantage, se lisait: πένψει δ' εἰς ἀγά[πη]ν σε φιλομμειδῆς 'Αφροδείτη [7], mais A.

Berlin, 1925) et le supplément de E. KIESSLING (1944) ne citent aucun emploi d'ἀγάπη dans les papyrus antérieurs au IIIe siècle de notre ère. En dernier lieu, cf. *P. Oxy.* 3004, 4; δίκαιον εὐθύς ἐστιν ἀγαπᾶν μητέρα (Ier siècle).

[1] E. STAUFFER, ἀγάπη, dans *TWNT*, I, p. 37, n. 87. La citation est sans doute empruntée à A. DEISSMANN (*Bibelstudien*, Marburg, 1895, p. 80) ou à TH. NÄGELI (*Der Wortschatz des Apostels Paulus*, Göttingen, 1905, pp. 38, 60).

[2] Lettre d'un certain Denys (stratège à Memphis?) à Ptolémée, fils de Glaucias; cf. W. BRUNET DE PRESLE (*Notices et extraits des Manuscrits grecs de la Bibliothèque impériale*, Paris, 1865, XVIII, 2, p. 319) qui lisait ainsi le texte: διά τε τὴν ἀγά[π]ην καὶ τὴν σὴν ἐλευθερίαν καταπεπείραμαι.

[3] Compte rendu de l'ouvrage de A. Deissmann, dans *Theologische Literaturzeitung*, 1895, p. 488.

[4] Cité par A. Deissmann dans ses *Neue Bibelstudien* (pp. 26 sv.) et leur traduction anglaise *Bible Studies* par A. Grieve (Edimbourg, 1901, pp. 198–199). Il n'en est que plus surprenant de voir l'erreur initiale reprise (cf. encore J. S. BANKS, dans *The Expository Times* IX, 1898, p. 501), car elle fut dénoncée tant par W. M. RAMSAY (*ibid.*, pp. 567–568) que par E. BUONAIUTI, *I vocaboli d'amore nel N.T.*, dans *Rivista Storico-critica delle Scienze teologiche*, 1909, pp. 261–262; E. JACQUIER, dans *R. B.* 1915, p. 262; F. PRAT, *La théologie de saint Paul*[6], Paris, 1923, II, p. 562; E. B. ALLO, *Saint Paul. Première Epître aux Corinthiens*, Paris, 1934, p. 206.

[5] U. WILCKEN a édité *P. Paris* 49, qu'il estime antérieur à 160, sous le n⁰ 62 de ses *Urkunden der Ptolemäerzeit*, Berlin, 1927, I, p. 308.

[6] Art. 'Αγάπη, dans *Biblische Zeitschrift*, 1932, pp. 378–382. E. PETERSON analyse toutes les références fournies par W. Crönert, dans FR. PASSOW, *Wörterbuch der griechischen Sprache*[2], 1912, p. 25, et H. LIETZMANN, *An die Korinther*[3], I-II, Tübingen, 1931, p. 68.

[7] *Papers of the American School of Classical Studies at Athens*, Boston, 1888, II, pp. 82, 87–88; encore lue de la sorte par W. H. P. HATCH (*Some Illustrations of New Testament Usage from Greek Inscriptions of Asia Minor*, dans *Journal of Biblical Literature*, 1908, pp. 134–136) qui souligne son origine païenne; Aphrodite étant dotée de l'épithète homérique.

Deissmann a prouvé qu'il fallait restituer ἀγα[θό]ν et non ἀγάπην [1]. Dans son Περὶ παρρησίας XIII a, 3, Philodème de Gadara (Ier s. av. J.-C.) aurait écrit: φιλήσει καὶ δι' ἀ[γ]άπης [2]; mais W. Crönert qui avait cité ce texte non sans précaution, dans sa réédition du Lexique de Passow, le rejette finalement [3] en adoptant la leçon δι' ἀγαπήσεως [4].

Le *P. Oxy.* XI, 1380, du début du IIe siècle de notre ère, a conservé une liste de noms cultuels attribués en différents lieux à la déesse Isis πολυώνυμος. Dans le village égyptien de Thonis, elle aurait été invoquée: ἐ]ν Θώνι ἀγάπ[ην...]ω [5]. E. Peterson trouve la conjecture invraisemblable et lit ἀγαπ]ητήν. A la ligne 109, les premiers éditeurs Grenfell-Hunt (1915) ont lu A[...]THN AΘ-OΛON = ἐν Ἰταλίᾳ ἀγάπην θεῶν [6]. Mais G. de Manteuffel faisant une collation plus attentive de ce papyrus, conservé à la Bodléienne, observe: «L'épithète ἀγάπη θεῶν est très curieuse. Le mot θεῶν n'existe pas dans le manuscrit. τ au lieu de θ est une faute assez fréquente dans les papyrus. La plus grande difficulté est dans la division du mot ἄθολος, mais peut-

---

[1] A. Deissmann, *Licht vom Osten*⁴, Tübingen, 1923, p. 17, n. 3. Il s'appuie sur la dissertation de F. Heinevetter, *Würfel- und Buchstabenorakel in Griechenland und Kleinasien*, Breslau, 1912, pp. 10 et 25.

[2] *Papyrus d'Herculanum*, 1471, édité par A. Olivieri, Leipzig, 1914. Leçon acceptée par C. Jan Vooys, *Lexicon Philodemeum*, Purmerend, 1934, p. 2. Comparer Dieu disant d'Abraham: τὸν ἠγαπημένον μου φίλον (*Testament d'Abraham*, 1).

[3] Recension des *Stoicorum Veterum Fragm.* IV de J. von Arnim, dans *Gnomon*, 1930, p. 148. W. C. conclut sa note 2: «Ainsi il demeure à l'heure actuelle que ἀγάπη est un mot judéo-chrétien, qui sera courant dans la langue populaire à l'époque byzantine, comme le montre Preisigke»; cf. *Sammelbuch*, 8705, 3.

[4] Leçon que A. Ceresa-Gastaldo estime lui aussi la plus probable, dans *Aegyptus*, 1951, p. 297.

[5] Lignes 27–28 (cf. G. Lafaye, *Litanie grecque d'Isis*, dans *Revue de Philologie*, 1916, pp. 55 sv.; F. Cumont, *Isis latina*, ibid. pp. 133–134; A. Ceresa-Gastaldo, *l. c.*, pp. 293–294). A la ligne 94 on a ἐν Δώροις φιλίαν et à la ligne 137 l'appellation μισεχθής. Cf. le proskynème de l'époque impériale: ὃν ἀγαπᾷ ἡ Φαρία Ἴσις (*Sammelbuch*, 8542, 7). Reitzenstein (*Nachr. Götting. Gesell. d. Wiss.* 1917, pp. 130 sv.) compare *C. I. G.* XII, 5, 217: ἐγὼ (Isis) γυναῖκα καὶ ἄνδρα συνήγαγα... ἐγὼ στέργεσθαι γυναῖκας ὑπ' ἀνδρῶν ἠνάγκασα. On pourrait comparer les hymnes à Mandoulis: «la sainte Talmis qu'aime Mandoulis le soleil, ὁ ἥλιος Μανδοῦλις ἀγαπᾷ» (Et. Bernand, *Inscriptions métriques de l'Egypte gréco-romaine*, Paris, 1962, n. 166, 20; cf. 167, 1: «Mandoulis aimé d'Athèna; Ἀθηνᾶς ἀγάπημα»); cf. l'invocation à la divinité: Ἄδων ἀγαπατέ (Théocrite, XV, 149), ὧ Πὰν φίλε (*ibid.* VII, 106), φίλα Σελάνα (*ibid.* II, 142); A. Bernand, *Le Paneion d'El-Kanaïs*, Leiden, 1972, n. VIII, 9, 11.

[6] C. H. Roberts (dans *Journal of Egyptian Archaeology*, 1953, pp. 114) et R. E. Witt (*The Use of ΑΓΑΠΗ in P. Oxy. 1380: a Reply*, dans *Journal of Theological Studies*, 1968, pp. 209–211) soutiennent encore l'originalité de cette lecture.

être peut-on l'expliquer en raison de l'écriture continue» [1]. Il faudrait restituer en conséquence: ἐν Ἰταλίᾳ ἀ[γα]θὴν ἄθολον [2].

Il faut donc conclure que le terme d'ἀγάπη, dérivé d'ἀγαπῶ (et non d'ἀγάπησις) est propre à la *koinè*. Si l'emploi des Septante lui a donné sa densité théologique, il existait aussi dans la langue païenne, mais il n'y est pas attesté avant le Ier siècle de notre ère [3]. On relèvera cependant les noms forgés sur ce radical, tel au IIe s. avant J.-C. Ἀγαπήνωρ, nom semblable à celui du fondateur de la ville de Paphos [4], Ἀγαπώμενος à Lindos [5], Ἀγάπις fils d'Annianos Neuthénos, près de Carthage [6] et Ἀγάπιος [7]. Chez les femmes,

---

[1] G. DE MANTEUFFEL, *Quelques notes sur le Pap. Oxy. XI, 1380*, dans *Revue de Philologie*, 1928, p. 163, n. 10.

[2] E. PETERSON tient cette lecture pour convaincante, retenue à bon droit par Miss ST. WEST (*An alleged pagan use of ΑΓΑΠΗ in P. Oxy. 1380*, dans *Journal of Theological Studies*, 1967, pp. 142–143; IDEM, *A further Note on ΑΓΑΠΗ in P.Oxy. 1380*, ibid. 1969, pp. 228–230). La ligne 95 porte, en effet, ἐν Στράτωνος Πύργῳ Ἑλλάδα ἀγαθήν (ce qui correspondrait à la *Bona Dea* des latins, cf. PLUTARQUE, *César* IX, 2; *Cicér.* XIX, 2). D'une manière analogue, en *Tit.* II, 10, le minuscule 33 lit ἀγάπην pour ἀγαθήν; dans un glossaire latin-grec, ἀπάτη est mis pour ἀγάπη (cf. L. ROBERT, *Hellenica* XI, Paris 1960, pp. 5–14) etc.

[3] Cf. D. J. GEORGACAS, *A Contribution to Greek Word History, Derivation and Etymology*, dans *Glotta*, 1957, pp. 105–106. La formule ἀγαπητὸς ἀδελφός (*P. Herm. Rees*, 4, 1; *Sammelbuch*, 9746, 1; *P. Abin.* VI, 1 = *P. Lond.* 413) n'apparaît pas comme une formule de salutation proprement chrétienne (*P. Oxy.* 1870, 1; cf. B. R. RESS, dans *Class. Review*, XIV, 1964, p. 102; mais cf. *Chronique d'Egypte*, 1969, p. 161), tout comme ἠγαπημένος ὑπὸ τοῦ Φθᾶ (DITTENBERGER, *OGI*, 90, 4 et 15) et le nom propre Ἀγαπητός (*MAMA*, VI, 339); σοφία Ἀγαπητοῦ (*IG*. III, 2199, cité par L. VIDMANN, *Sylloge Inscriptionum religionis Isiacae et Sarapiacae*, Berlin, 1969, n. 13 = Ier s. de notre ère, à Athènes), mais il est porté par des chrétiens: Ἐγώ εἰμι ἁμαρτωλὸς Ἀγαπητός (*Sammelbuch*, 7496, 2; *P. Flor.* III, 300, 6; *P. Oxy.* 1919, 12: τῷ λαμπροτάτῳ Ἀγαπητῷ; cf. 2785, 1, 14: ἀγαπητὲ πάπα ἐν Κυρίῳ; cf. J. O' CALLAGHAN, *Epitetos de trato en la correspondencia cristiana del siglo* VI, dans *Studia Papyrologica*, 1964, pp. 80 sv.). On sait que ce fut l'une des dénominations des ascètes, remontant par les Septante à l'hébreu *yahid* (cf. A. GUILLAUMONT, *Le nom des Agapètes*, dans *Vigiliae Christianae*, 1969, pp. 30–37), et qu'*Agapè* devint un titre de dignité ecclésiastique (L. DINNEEN, *Titles of Address in Christian Greek Epistolography*, Washington, 1929 pp. 15–20). On observera qu'au Ier s. de notre ère ni ἀγαπητός ni ἠγαπημένοι n'ont la nuance intensive qu'ils acquerront au IVe s. (*Vulg. dilectissimus, carissimus*). Une formulation comme τὸ ἠγαπημένον τῶν τέκνων (EUSÈBE, *Prep. Ev.* IV, 16, 11) ne peut être que tardive.

[4] *Suppl. I. G.* IX, 732, 3. On rapprochera Ἀγαπάνουρ (*Suppl. Ep. Gr.* XXV, 664, 56; Thessalie, IIIe s. av. J.-C.) et Φιλάνωρ (M. LANDFESTER, *Das griechische Nomen «philos» und seine Ableitung*, Hildesheim, 1966, pp. 132, 136).

[5] S. CHARITÔNIADOU, *ΑΙ ΕΠΙΓΡΑΦΑΙ ΤΗΣ ΛΕΣΒΟΥ*, Athènes, 1968, n. 102; cf. N. A. BEES, *Corpus der griech. Inschriften von Hellas*, Athènes, 1941, n. 15.

[6] *Suppl. Ep. Gr.* XVIII, 775, 10.

[7] *P. Ross.-Georg.* V, 59, 1 (IVe s. de notre ère). A la même date une inscription

on notera Ἀγάπημα [1] et bien entendu Ἀγάπη qui est courant, mais qui semble surtout avoir été en usage dans les hautes classes de la société, comme au IIe siècle de notre ère en Phrygie: ἡ κρατίστη Δόμνα Ἀγάπη [2].

* * *

Il importe de mettre à jour la bibliographie de l'*agapè*, excellemment constituée par H. Riesenfeld [3] et de compléter celle que nous avons nous-même établie il y a près de vingt ans [4]:

A. H. ARMSTRONG, *Platonic «Eros» and Christian «Agapè»*, dans *The Downside Review*, 1961, pp. 105–121; TH. BARROSSE, *The Relationship of Love to Faith in St. John*, dans *Theological Studies*, 1957, pp. 538–559; IDEM, *Christianity: Mystery of Love*, dans *Catholic Biblical Quarterly*, 1958, pp. 137–172; IDEM, *Christianity: Mystery of Love*, Notre-Dame (Indiana), 1964; D. BARSOTTI, *La Révélation de l'Amour*, Paris, 1957; J. B. BAUER, «... *ΤΟΙΣ ΑΓΑΠΩΣΙΝ ΤΟΝ ΘΕΟΝ*», *Rom. VIII, 28*, (*I Cor. II, 9*; *I Cor. VIII, 3*), dans *ZNTW*, 1959, pp. 106–112; K. BERGER, *Die Gesetzesauslegung Jesu*, Neukirchen, 1972, pp. 56–257; M. BLACK, *The Interpretation of Romans VIII, 28*, dans *Freundesgabe O. Cullmann*, Leiden, 1962, pp. 166–172; G. BORNKAMM, *Das Doppelgebot der Liebe*, dans *Gesammelte Aufsätze* III, Munich, 1968, pp. 37–45; J. W.

tombale de Tarse, cf. H. GOLDMAN, *Excavations at Gözlü Kule, Tarsus*, Princeton, 1950, I, p. 385, n. IX, 4. Eusèbe raconte le martyre d' «Agapios et Thècle, notre contemporaine» (*Mart. palest.* III, 1 et 4; VI, 3).

[1] N. FIRATLI, L. ROBERT, *Les stèles funéraires de Byzance gréco-romaine*, Paris, 1964, p. 150. *Corpus Inscriptionum Regni Bosporani*, Moscou-Leningrad, 1965, n. 337, 2–3: Ἀγάπημα γυνὴ Θεοφιλίσκου; F. BECHTEL, *Die attischen Frauennamen*, Göttingen, 1902.

[2] *Suppl. Ep. Gr.* VI, 91 (B. LAVAGNINI, dans *Aegyptus*, 1925, p. 339 lit autrement). Sur une stèle d'Alyzia en Acarnanie du Ier siècle a été ajouté au IVe: καὶ ὑπὲρ μνήμης τῆς γυναικὸς αὐτοῦ Ἀγάπης (*IG*, IX, 2, n. 446 b). Selon Sulpice Sévère (*Chronique*, II, 46) l'origine de l'hérésie priscillienne serait la prédication d'un égyptien de Memphis nommé Marcus, qui eut pour élève une certaine Agapè: *non ignobilis mulier* (de même SAINT JÉRÔME, *Epist.* 133). Mais *Caritas* est rare comme nom propre (cf. les références données par H. I. MARROU, *Dame Sagesse et ses trois Filles*, dans *Mélanges... Christ. Mohrmann*, Utrecht-Anvers, 1963, pp. 181–183).

[3] *Etude bibliographique sur la notion biblique d'ΑΓΑΠΗ, surtout dans I Cor. 13*, dans *Coniectanea Neotestamentica* V, Leipzig-Uppsala, 1941, pp. 1–27; IDEM, *Note bibliographique sur I Cor. XIII*, dans *Nuntius* VI, Uppsala, 1952, col. 47–48; cf. W. F. ARNDT, F. W. GINGRICH, *A Greek-English Lexicon of the New Testament*, Chicago, 1957, pp. 5–6. Cette traduction de la quatrième édition du *Wörterbuch zum Neuen Testament* (Berlin, 1952) de W. Bauer, n'a pu tenir compte de la mise au point de G. ZUNTZ dans son compte rendu de *Gnomon*, 1958, p. 23.

[4] C. SPICQ, *Agapè dans le Nouveau Testament*, Paris, 1958, I, pp. 317–324; comme dans cet ouvrage, nous suivrons ici l'ordre alphabétique des noms d'auteurs.

ἀγάπη

BOWMAN, *The Three Imperishables*, dans *Interpretation*, 1959, pp. 433–443; P. I. BRAT-
SIÔTIS, *Τὸ νόημα τῆς χριστιανικῆς ἀγάπης*, dans *Epistemonikè Epeteris t. Theol. Scholès*,
Athènes, 1955, pp. 1–3; CHR. BURCHARD, *Das doppelte Liebesgebot in der frühen
Überlieferung*, dans *Festschrift J. Jeremias*, Göttingen, 1970, pp. 39–62; J. CHMIEL,
Lumière et Charité d'après la première Epître de saint Jean, Rome, 1971; S. CIPRIANI,
Dio è amore. La dottrina della Carità in san Giovanni, dans *La Scuola cattolica*, 1966,
pp. 214–231; A. COLUNGA, *El Amor y la Misericordia hacia el Prójimo*, dans *Teologia
Espiritual*, 1959, pp. 445–462. J. COPPENS, *La doctrine biblique sur l'amour de Dieu
et du prochain*, dans *Ephemerides theolog. Lovanienses*, 1964, pp. 252–299; IDEM,
Agapè et Agapan dans les Lettres johanniques, *ibid.*, 1969, pp. 125–127; K. R. J. CRIPPS,
«*Love your Neighbour as yourself*» (*Mt. XXII, 39*), dans *The Exp. Times*, LXXVI, 1964,
p. 26; J. DEÁK, *Die Gottesliebe in den alten semitischen Religionen*, Eperjes, 1914;
A. DIHLE, *Die goldene Regel*, Göttingen, 1962; J. EGERMANN, *La charité dans la
Bible*, Mulhouse, 1963 (vulgarisation); F. DREYFUS, «*Maintenant, la foi, l'espérance
et la charité demeurent toutes les trois*» (*I Cor. XIII, 13*), dans *Studiorum Paulinorum
Congressus*, Rome, 1963, pp. 403–412; E. EVANS, *The verb ΑΓΑΠΑΝ in the fourth Gospel*,
dans F. L. CROSS, *Studies in the fourth Gospel*, Londres, 1957, pp. 64–71; A. FEUILLET,
Le Mystère de l'Amour divin dans la théologie johannique, Paris, 1972; ED. FISCHER,
*Amor und Eros. Eine Untersuchung des Wortfeldes «Liebe» im Lateinischen und Griechi-
schen*, Hildesheim, 1973; A. FITZGERALD, *Hebrew yd = «Love» and «Beloved»*, dans
CBQ, 1967, pp. 368–374; P. FORESI, *L'agape in S. Paolo e la carità in S. Tommaso
d'Aquino*, Rome, 1965; G. FRIEDRICH, *Was heißt das: Liebe?*, Stuttgart, 1972; R. H.
FULLER, *Das Doppelgebot der Liebe*, dans G. STRECKER, *Jesus Christus in Historie
und Theologie* (Festschrift H. Conzelmann), Tübingen, 1975, pp. 317–329; V. P. FUR-
NISH, *The Love Command in the New Testament*, Londres, 1973; B. GERHARDSSON,
I Cor. 13. Om Paulus och hans rabbinska bakgrund, dans *Svensk exegetisk årsbok*,
XXXIX, 1974, pp. 121–144; G. GILLEMAN, *Charité théologale et Vie morale*, dans *Lumen
Vitae*, XVI, 1961, pp. 9–27; W. GRUNDMANN, *Das Doppelgebot der Liebe*, dans *Die
Zeichen der Zeit*, XI, 1957, pp. 449–455; A. GUILLAUMONT, *Le nom des agapètes*, dans
Vigiliae Christianae, 1969, pp. 30–37; A. J. HULTGREN, *The double Commandment
of Love in Mt. XXII, 34–40. The Sources of Compositions*, dans *CBQ*, 1974, pp. 373–
378; J.-P. HYATT, *The God of Love in the O. T.*, dans *To Do and to Teach. Essays in
Honor of C. L. Pyatt*, Lexington, 1953, pp. 15–26; J. JEFFREY, *The Love of God in
Christ – Romans VIII, 38–39*, dans *The Expository Times*, LXIX, 1958, pp. 359–361;
R. JOLY, *Le vocabulaire chrétien de l'amour est-il original? Φιλεῖν et 'Αγαπᾶν*, Bruxelles,
1968; J. KAHMANN, *Die Offenbarung der Liebe Gottes im Alten Testament*, Witten,
1959; R. E. Ker, *Fear or Love?*, dans *Exp. Times*, LXXII, 1961, pp. 195–196; R. KIEFFER,
Le primat de l'amour. Commentaire épistémologique de I Corinthiens 13, Paris, 1975;
W. KLASSEN, *Love your Enemy: A Study of N. T. Teaching on Copy with an Enemy*,
dans *Mennonite Quarterly Review*, 1963, pp. 147–171; M. J. LAGRANGE, *La Morale
de l'Evangile*, Paris, 1931 (le dernier chapitre); IDEM, *L'amour de Dieu, loi suprême de
la Morale de l'Evangile*, dans *Supplément de la Vie Spirituelle*, XXVI, 1931, pp. 1–16;
M. LANDFESTER, *Das griechische Nomen «philos» und seine Ableitungen*, Hildesheim,
1966; M. LATTKE, *Einheit im Wort. Die spezifische Bedeutung von «agape», «agapan»
und «filein» im Johannes-Evangelium*, Munich, 1975; M. M. LAURENT, *Réalisme et
Richesse de l'Amour chrétien. Essai sur Eros et Agapè*, Issy-les-Moulineaux, 1962;
N. LAZURE, *Les Valeurs morales de la Théologie johannique*, Paris, 1965, pp. 207–250;
E. H. VAN LEEUWEN, *'Αγαπητοί*, dans *Theologische Studien*, 1903, pp. 139–151; O.

LINTON, S. *Matthews V, 43*, dans *Studia Theologica*, 1964, pp. 66–79; D. MUÑOZ LION, *La nouveauté du commandement de l'amour dans les écrits de S. Jean*, dans *La Etica Biblica* (XXIX Semana Biblica Española), Madrid, 1969, pp. 193–231; N. M. Loss, *Amore d'amicizia nel Nuovo Testamento* dans *Salesianum*, 1977, pp. 3–55; J. B. LOTZ, *Die Stufen der Liebe: Eros, Philia, Agapè*, Francfort, 1971; D. LÜHRMANN, *Liebet eure Feinde (Lk. VI, 27–36; Mt. V, 39–48)*, dans *Zeitschrift für Theologie und Kirche*, 1972, pp. 412–438; ST. LYONNET, *La carità pienezza della lege, secondo san Paolo*[2], Rome, 1971; FR. MAAS, *Die Selbstliebe nach Leviticus XIX, 18*, dans *Festschrift F. Baumgärtel*, Erlangen, 1959, pp. 109–113; D. J. MCCARTHY, *Notes on the Love of God in Deuteronomy*, dans *CBQ*, 1965, pp. 144–147; T. W. MANSON, *On Paul and John*, Londres, 1963, pp. 104–127; H. MONTEFIORE, *Thou shalt Love the Neighbour as thyself*, dans *Novum Testamentum*, 1962, pp. 157–170; W. L. MORAN, *The ancient near eastern Background of the Love of God in Deuteronomy*, dans *CBQ*, 1963, pp. 77–87; J. MOSS, *I Cor. XIII, 13*, dans *Exp. Times* LXXIII, 1962, p. 253; D. MÜLLER, *Das frühchristliche Verständnis der Liebe*, dans *Festschrift A. Alt*, Leipzig, 1953–1954, III, pp. 131–137; P. L. NAUMANN, *The Presence of Love in John's Gospel*, dans *Worship*, 1965, pp. 363–371; K. NIEDERWIMMER, *Erkennen und Lieben. Gedanken zum Verhältnis von Gnosis und Agape im ersten Korintherbrief*, dans *Kerygma und Dogma*, 1965, pp. 75–102; A. NISSEN, *Gott und der Nächste im antiken Judentum*, Tübingen, 1974; M. OESTERREICHER, *The Bridge. A Yearbook of Judaeo-Christian Studies IV*, New York, 1962; C. OGGIONI, *La Dottrina della carità nel IV Vangelo e nella Iª Lettera di Giovanni*, Milan, 1953; G. OUTHA, *Agapè. An Ethical Analysis*, New Haven-Londres, 1972; C. PERINI, *Amicizia e carità fraterna nella vita della Chiesa*, dans *Divus Thomas*, 1970, pp. 369–407; G. QUISPEL, *Love thy Brother*, dans *Ancient Society*, Louvain, I, 1970, pp. 83–93; L. RAMLOT, *Le nouveau commandement de la nouvelle Alliance ou Alliance et commandement*, dans *Lumière et Vie*, XLIV, 1959, pp. 9–36; J. W. RAUSCH, *Agape and Amicitia, A Comparison between St. Paul and St. Thomas*, Rome, 1958; C. C. RICHARDSON, *Love: Greek and Christian*, dans *Journal of Religion*, 1943, pp. 173–185; K. ROMANIUK, *L'amour du Père et du Fils dans la sotériologie de saint Paul*, Rome, 1961; G. ROTUREAU, *Amour de Dieu. Amour des hommes*, Tournai, 1958 (ouvrage de vulgarisation); G. SCHILLE, *Die Liebe Gottes in Christus. Beobachtungen zu Rm. VIII, 31–39*, dans *ZNTW*, 1968, pp. 230–244; H. SCHLIER, *Die Zeit der Kirche*, Freiburg, 1956, pp. 186–193; IDEM, *Die Bruderliebe nach dem Evangelium und den Briefen des Johannes*, dans *Mélanges B. Rigaud*, Gembloux, 1970, pp. 235–245; G. SCHNEIDER, *Die Neuheit der christlichen Nächstenliebe*, dans *Trierer theologische Zeitschrift*, 1973, pp. 257–275; O. J. F. SEITZ, *Love your Enemies*, dans *NTS*, XVI, 1969, pp. 39–54; W. W. SIKES, *A Note on agapè in Johannine Literature*, dans *Shane Quart.* XVI, 1955, pp. 139–143; BR. SNELL, H. J. METTE, *Lexikon des frühgriechischen Epos*, Göttingen, 1955, col. 45–46 (avec le c.-r. de B. MARZULLO, dans *Philologus*, 1957, p. 205); M. SPANNEUT, *L'amour, de l'hellénisme au christianisme*, dans *Mélanges de Science religieuse*, 1964, pp. 5–19; C. SPICQ, *Le verbe ἀγαπάω et ses dérivés dans le grec classique*, dans *R. B.* 1953, pp. 372–397; IDEM, *Die Liebe als Gestaltungsprinzip der Moral in den synoptischen Evangelien*, dans *Freiburger Zeitschrift für Philosophie und Theologie*, 1954, pp. 394–410; IDEM, *Le Lexique de l'amour dans les papyrus et dans quelques inscriptions de l'époque hellénistique*, dans *Mnemosyné*, 1955, pp. 25–33; IDEM, *Notes d'exégèse johannique: la charité est amour manifeste*, dans *R. B.* 1958, pp. 358–370; IDEM, *Agapè dans le Nouveau Testament*, I-III, Paris, 1958–1959; IDEM, *La Justification du Charitable (I Jo. III, 19–21)*, dans *Studia Biblica et Orientalia*,

ἀγάπη

Rome, 1959, II, pp. 347–359; IDEM, *Les composantes de la notion d'Agapè dans le Nouveau Testament*, dans *Sacra Pagina*, Paris-Gembloux, 1959, II, pp. 440–455; IDEM, *Charité et Liberté*, Paris, 1964; IDEM, *Théologie morale du Nouveau Testament*, Paris, 1965, II, pp. 481–566; D. M. STANLEY, «*God so loved the World*», dans *Worship*, 1957, pp. 16–23; K. STENDAHL, *Hate, Non-retaliation, and Love*, dans *Harvard Theol. Review*, 1962, pp. 343–355; J. B. STERN, *Jesus' citation of Dt. VI, 5 and Lv. XIX, 18 in the Light of Jewish Tradition*, dans *CBQ*, 1966, pp. 312–316; T. STRAMARE, *La Carità secondo S. Giovanni*, dans *Tabor*, 1965, pp. 47–58; D. W. THOMAS, *The Root אהב «Love» in Hebrew*, dans *ZATW*, 1939, pp. 57–64; G. TORRALBA, *La Caridad en S. Pablo*, dans *Est. Bib.* 1965, pp. 295–318; J. G. TRAPIELLO, *El amor de Dios en los escritos de S. Juan*, dans *Verdad y Vida*, 1963, pp. 257–279; W. C. VAN UNNIK, *Die Motivierung der Feindesliebe in Lukas, VI, 32–35*, dans *Sparsa Collecta*, Leiden, 1973, I, pp. 111–128; F. URTIZ DE URTARAN, *Esperanza y Caridad en el N. T.*, dans *Scriptorium Victorense* (Vitoria), 1954, I, pp. 1–50; A. G. VELLA, *Agapè in I Corinthians XIII*, dans *Melita Theologica*, XVIII, 1966, pp. 22–31, 57–66; XIX, 1967, pp. 44–54; R. VÖLKL, *Die Selbstliebe in der heiligen Schrift und bei Thomas von Aquin*, Munich, 1956; IDEM, *Botschaft und Gebot der Liebe nach der Bibel*, Freiburg, 1964; V. WARNACH, *Liebe*, dans J. B. BAUER, *Bibeltheologisches Wörterbuch*, Grass-Vienne, 1959, pp. 502–542; CL. WIÉNER, *Recherches sur l'amour pour Dieu dans l'Ancien Testament. Etude d'une racine*, Paris, 1957; S. K. WUEST, *Four Greek Words for Love*, dans *Bibliotheca Sacra*, 1959, pp. 241–248.

ADDENDA. – S. LÉGASSE, *L'étendue de l'amour interhumain d'après le Nouveau Testament: Limites et Promesses*, dans *Revue théologique de Louvain*, 1977, pp. 137–159; A. PENNA, *Amore nella Biblia*, Brescia, 1972.

ἀγγαρεύω

Ce verbe d'origine orientale, probablement iranienne [1] dérive d'ἄγγαρος qui désignait en Perse le courrier à cheval portant de relais en relais les dépêches royales [2]. Comme ce transport du courrier officiel impliquait des prestations d'activité et de service, des embauchages de personnes aussi bien que des fournitures de vivres, d'animaux de traits ou de logement, il en vint à signifier «réquisitionner» et, d'une manière générale: contraindre quelqu'un à faire quelque chose contre son gré; d'où son acception péjorative depuis Ménandre [3] jusqu'à l'époque moderne [4] et bien attestée par le N.T.: les soldats réquisitionnent Simon de Cyrène pour porter la croix de Jésus [5].

---

[1] A. DEISSMANN, *Bible Studies*[2], Edimbourg, 1909, pp. 86, 182; W. BARCLAY, *A New Testament Wordbook*, Londres, 1955, pp. 15 sv.; P. CHANTRAINE, *Dictionnaire étymologique de la Langue grecque*, Paris, 1968, p. 8. F. Tailliez pencherait pour l'akkadien (Βασιλικὴ ὁδός, dans *Miscellanea G. de Jerphanion*, Rome, 1947, pp. 346–348). On écrit aussi ἐγγαρεύειν, cf. F. BLASS, A. DEBRUNNER, *A Greek Grammar of the N. T.* (trad. R. W. Funk), Chicago, 1961, n. 42, 2.

[2] De là, ἀγγαρήιον: le service des postes royales; cf. HÉRODOTE, VIII, 98: «Xerxès envoyait chez les Perses un messager pour y annoncer leur présente infortune. Il n'est pas d'être mortel qui parvienne où il veut aller plus vite que ces messagers, tel est ce qu'ont imaginé les Perses. Autant que comporte de journées l'ensemble de la route, autant, dit-on, de chevaux et d'hommes y sont disposés à intervalles, un cheval et un homme pour chaque étape d'une journée...; le premier courrier remet au second les messages dont il est chargé, le second au troisième, et ainsi de suite ils arrivent au but en passant de l'un à l'autre, comme chez les Grecs (le flambeau quand a lieu) la course des porteurs de flambeau qu'on célèbre en l'honneur d'Héphaïstos. Ce service de courriers à cheval s'appelle en langue grecque *aggareion*»; cf. XÉNOPHON, *Cyr.* VIII, 6–7; ESCHYLE, *Agam.* 282: «comme des courriers de feu – ἀπ' ἀγγάρου πυρός – chaque fanal tour à tour dépêchait un fanal vers nous». Au début du IIIᵉ s. de notre ère, ce terme désigne encore le *cursus publicus* (DITTENBERGER, *Syl.* 880, 54); cf. U. WILCKEN, *Grundzüge*, Leipzig-Berlin, 1912, I, pp. 372–376; H. J. MASON, *Greek Terms for Roman Institutions*, Toronto, 1974, p. 19; D. B. DURHAM, *The Vocabulary of Menander*[2], Amsterdam, 1969, p. 37; la note de A. J. FESTUGIÈRE sur ARTÉMIDORE, *La Clef des Songes*, V, 16 (Paris, 1975, p. 268).

[3] MÉNANDRE, *Sicyonios*, frag. 440 (J. M. EDMONDS, *The Fragments of Attic Comedy*, Leiden, 1961, III B, p. 726); cf. A. BLANCHARD, A. BATAILLE, *Fragments sur papyrus du ΣΙΚΥΩΝΙΟΣ de Ménandre*, dans *Recherches de Papyrologie* III, Paris, 1964, p. 155.

[4] En grec moderne, ἐγγαρεία signifie «corvée» (A. MIRAMBEL, *Dictionnaire français-grec moderne*, Paris, 1960, p. 102).

[5] *Mt.* XXVII, 32 (M. J. LAGRANGE, *Evangile selon saint Matthieu*, Paris 1927, pp. 113–114); *Mc.* XV, 21 (M. J. LAGRANGE, *Evangile selon saint Marc*[4], Paris, 1925, p. 425).

αγγαρεύω

Les papyrus égyptiens révèlent la multitude des réquisitions qui frappaient les animaux de bât et les âniers, le bétail agricole, le blé et les chalands affectés à son transport, le travail et les vivres [1]. C'est l'autorité publique qui normalement contraint les particuliers [2]; mais beaucoup de ces réquisitions sont arbitraires ou illicites; d'où les nombreuses revendications des particuliers qui se plaignent d'être opprimés [3], et les interventions des Souverains et des Préfets, qui se multiplient depuis le IIe siècle avant notre ère, pour interdire aux officiers royaux et aux soldats de faire des réquisitions dans leur intérêt personnel. En 118, un décret (*prostagma*) du roi Evergète II et des reines Cléopâtre II et Cléopâtre III prescrit : «Les stratèges et autres fonctionnaires n'ont pas le droit de requérir pour leur propre service les habitants du pays, ni d'utiliser le bétail de ceux-ci à des fins à eux propres... ni de leur imposer de livrer des oies, des volailles, du vin ou du blé, que ce soit contre argent ou comme présent de renouvellement de leur charge, ni enfin, sous aucun prétexte, de les contraindre à effectuer des travaux gratuitement» [4].

---

[1] *P. Tebt.* 5, 248–251; 703–704; 750 etc. (cf. Cl. Préaux, *L'Economie royale des Lagides*, Bruxelles, 1939, pp. 139–144, 344–347, 529). Le *P. Strasb.* 93 est un ordre de réquisition.

[2] Cf. en 252 av. J.-C., la réquisition d'un bateau servant au service postal : τοῦ ὑπάρχοντος λέμβου ἀγγαρευθέντος ὑπό σου... ἀγγαρεύσας τὸν Ἀντικλέους λάμβον (*P. Par.* ii, 20).

[3] *P. Zén. Cair.* 59467; 59509, 5: Somoelis, gardien à Philadelphie, ἀνγαρεύων διὰ παντός, demande à Zénon d'intervenir; *P. Zén. Mich.* 29; *P. Ent.* 88; *P. Isid.* 72, 32; 123, 5 (note de l'éditeur); *B.G.U.* 21, col. iii, 16; *P.S.I.* 1333, 15: μὴ ἀγγαρευθῶσι = *Sammelbuch*, 7993, 15.

[4] *P. Tebt.* 5, 178–187; cf. *l.* 252 (avec la correction de U. Wilcken, dans *Archiv für Papyrusforschung*, iii, p. 325, adoptée par M. Th. Lenger, *Corpus des Ordonnances des Ptolémées*, Bruxelles, 1964, n. 53; cf. n. 55 = *P.S.I.*, 1401, 9: προστετάχασι δὲ μηθένα ἀγγαρεύειν πλοῖα κατὰ μηδεμίαν παρεύρεσιν εἰς τὰς ἰδίας χρείας). Le 17 août 163, dans un train d'ordonnances d'amnistie, Ptolémée VI Philométor condamnait les réquisitions privées et non payées de bateaux : «Il a décrété que personne ne réquisitionnera de bateaux, sous aucun prétexte pour ses propres déplacements, προστέταχεν δὲ μηδένα ἀγγαρεύειν πλοῖα» (M. Th. Lenger, *op. c.*, n. 34, 5; *Sammelbuch*, 9316, col. ii, 5; cf. L. Koenen, *Eine ptolemäische Königsurkunde* [*P. Kroll*], Wiesbaden, 1957). Avant 150, Demetrius Ier Soter défend que l'on réquisitionne à son service les animaux appartenant aux Juifs: κελεύω δὲ μηδὲ ἀγγαρεύεσθαι τὰ Ἰουδαίων ὑποζύγια (Fl. Josèphe, *Ant.* xiii, 52). Le 1er février 49 de notre ère, un édit du Préfet C. Vergilius Capito interdit aux soldats de faire des réquisitions, à moins qu'ils n'aient une autorisation écrite par lui: μηδὲν λαμβάνειν μηδὲ ἀνγαρεύειν εἰ μή τινες ἐμὰ διπλώματα ἔχουσιν (Dittenberger, *OGIS*, 665, 24–25; *Suppl. Ep. Gr.* viii, 794; *Sammelbuch*, 8248, 24). En l'an 19, Germanicus ordonne que pour sa παρουσία aucun bateau ni bête de transport ne soit réquisitionné sans ordre, et seulement contre la délivrance d'une quittance (*Sammelbuch* 3924; A. S. Hunt, C. C. Edgar, *Select Papyri*, Londres, 1934,

Ces faits et le nombre des documents qui les relate montrent combien étaient fréquentes et onéreuses ces *aggareiai*. Ils donnent leur exacte portée au précepte du Sermon sur la montagne: «Si quelqu'un te réquisitionne pour un mille, fais avec lui deux milles» [1].

Le cas est si classique qu'il était peut-être devenu un thème de la philosophie populaire et de la *diatribè*. Toujours est-il qu'Epictète le soulève lui aussi; mais conseille seulement de se laisser faire de peur de subir de plus grands sévices: «Que survienne une réquisition et qu'un soldat appréhende ton ânon, laisse-le aller, ne résiste pas, ne murmure pas. Sinon, tu recevra des coups et n'en perdras pas moins l'ânon lui-même» (IV,1,79). Au nom de la charité, Notre-Seigneur prescrit de consentir [2] tout comme il avait demandé de bénir les persécuteurs. Cette disposition d'accueil vis-à-vis du prochain indiscret ou exacerbant deviendra un thème majeur de la morale du N. T.: il faut vaincre le mal par le bien [3]. Le paradoxe des deux milles à faire, alors qu'il n'en était demandé que mille, veut mettre l'accent sur la bonne volonté intérieure, sa promptitude et sa sincérité, ou mieux sur l'authentique *agapè* qui se manifeste en actes et en vérité (*I Jo.* III,18), de la façon la plus couteuse (*Jo.* XV,13). Selon le principe de *Jo.* III,21: «Celui qui fait la vérité vient à la lumière», c'est parce que Simon de Cyrène a librement accepté son *aggareia* qu'il a reçu, lui et ses enfants, la grâce de la foi.

---

n. 211; W. EHRENBERG, A. H. M. JONES, *Documents illustrating the Reigns of Augustus and Tiberius*, Oxford, 1955, n. 320). L'édit de L. Aemilius Rectus du 29 avril 42 prohibe les exactions sous peine de sanctions très sévères et impose aux soldats de ne faire de réquisition que contre paiement: μηδενὶ ἐξέστω ἐνγαρεύειν τοὺς ἐπὶ τῆς χώρας... ἄτερ ἐμοῦ διπλώματος (*P. Lond.* III, 1171; U. WILCKEN, *Chrestomathie*, Leipzig-Berlin, 1912, n. 439). Interdiction identique vers 133–137 par le préfet Petronius Mamertinus (*P. S. I.*, 446; A. S. HUNT, C. C. EDGAR, *op. c.* n. 221).

[1] *Mt.* v, 41: «Dans notre cas, on peut supposer qu'un soldat ou un agent de police s'arroge le droit de réquisition sans mandat exprès de l'autorité, par exemple pour un charroi ou pour porter quelque chose» (M. J. LAGRANGE, *in h.* ỷ., p. 113). Pour les références à la littérature talmudique, cf. P. FIEBIG, ἀγγαρεύω, dans *ZNTW*, 1918, pp. 64–72.

[2] «Il va sans dire que la leçon porte encore quand le premier venu prétend nous arracher des services sous un prétexte plus ou moins plausible. Laissez-vous faire, comme ces bonnes personnes qui n'ont pas de défense. Saint Thomas d'Aquin se laissa emmener au marché par un frère convers» (M. J. LAGRANGE, *op. c.*, p. 114).

[3] *Rom.* XII, 21. Cf. XV, 1–7; *I Cor.* VI, 7: «Pourquoi n'endurez-vous pas plutôt une injustice? Pourquoi ne vous laissez-vous pas plutôt dépouiller?», XIII, 7: «la charité supporte tout»; *Gal.* v, 14–15; VI, 2; *I Petr.* II, 13, 19: «Il est méritoire de supporter pour plaire à Dieu les peines infligées injustement»; III, 9, 17; IV, 14; *I Jo.* III, 16, etc.

ἀγοράζω

Rien du plus usuel que ce verbe, signifiant originairement «aller au marché», puis «acheter, faire des acquisitions» [1] et corrélatif de «vendre» [2]. Le Nouveau Testament l'emploie pour désigner la rédemption, souligner qu'il y a eu translation de propriété (*Apoc.* xiv,3–4) et mentionne que le prix a été versé: «Vous n'êtes plus à vous-même car vous fûtes achetés et payés, ἠγοράσθητε γὰρ τιμῆς» (*I Cor.* vi,20). Cette mention du paiement est significative; car, à l'époque hellénistique, le contrat de vente n'est pas parfait par le seul échange des consentements; il faut que le vendeur ait reçu la τιμή, à tout le moins la prestation partielle des arrhes, qui sanctionnent la *fides* et excluent la possibilité de dédits [3]. C'est le versement du prix qui fait acquérir la propriété et qui a seul cet effet; de sorte que le vendeur garde son droit sur la chose jusqu'à ce qu'il en ait reçu le paiement. Voilà pourquoi tant de contrats mentionnent que le versement a été effectivement réalisé [4]. Se conformant à ces usages, *Apoc.* v,9 précise que l'achat

---

[1] *Lc.* xiv, 18; *Jo.* xiii, 29. C'est un des moyens d'entrer en possession (*I Cor.* vii, 30) et de s'enrichir (*Apoc.* iii, 18).

[2] πωλέω; *Mt.* xxi, 12; *Lc.* xvii, 28; *Apoc.* xiii, 17. Cf. M.-J. Bry, *Essai sur la Vente dans les Papyrus gréco-égyptiens*, Paris, 1909.

[3] *Inscriptions de Corinthe*, viii, 3, n. 530 (= *Suppl. Ep. Gr.* xi, 154): Euplous a acheté le tombeau à Anastasios (ἀγοράσας παρά) pour une pièce d'or et demie: Je lui ai donné le prix (καὶ δοὺς τὰς τιμάς) et j'ai reçu de lui la propriété (καὶ λαβὼν ἐξουσίαν παρ' αὐτοῦ); *P. Oxy.* 2951, 25 et 31; Théophraste: «L'achat n'a force obligatoire (κυρία) ainsi que la vente, en ce qui concerne l'acquisition, que lorsque le prix est donné et que les parties ont observé les procédures légales» (dans Stobée, iv, 2, 20; édit.: Wachsmuth, iv, p. 129, 19 sv.). «Lorsque le vendeur aura donné l'*amphourion* (la taxe) et reçu le prix, il ne lui sera plus permis d'intenter une action contre l'acheteur» (*Pap. Halle*, 1, 253 = *Dikaiomata*, Berlin, 1913, p. 140). Il faut verser le prix pour être propriétaire, cf. Ch. Appleton, *A l'époque classique, le transfert de propriété de la chose vendue et livrée était-il subordonné, en règle, au paiement du prix?* dans *Rev. hist. du Droit français et étranger*, 1928, pp. 11–12; Ph. Meylan, *Le paiement du prix et le transfert de propriété de la chose vendue en droit romain classique*, dans *Studi in onore di P. Bonfante*, Milan, 1930, pp. 441–491; Idem, *L'origine de la vente consensuelle*, dans *Rev. hist. du Droit français et étranger*, 1931, pp. 787–788; Idem, *Le rôle de la «bona fides» dans le passage de la vente au comptant à la vente consensuelle à Rome*, dans *Festgabe A. Simonius*, Bâle, 1955, pp. 247–257.

[4] Cf. R. Taubenschlag, *Opera Minora*, Varsovie, 1959, i, pp. 527 sv. L. Mit-

a été effectué par le sang du Christ; *I Petr.* i,19 que le prix de la rançon a été le précieux sang, et celui-ci – selon *Eph.* i,7 – a été le moyen de la rédemption (ἀπολύτρωσις).

II Petr. ii,1 stigmatise les pseudo-prophètes qui renient le Maître (δεσπότης est la désignation propre du propriétaire de l'esclave, cf. *I Tim.* vi,1–2) qui les a achetés, et *I Cor.* vii,23 commente: «Vous avez été achetés et payés! ne devenez pas esclaves des hommes». Il en résulte que l'achat-rédemption par le Christ est une métaphore évoquant l'affranchissement des esclaves [1] qui retrouvaient leur liberté par vente fictive à la divinité, notamment à l'Apollon Pythien de Delphes; le propriétaire, accompagné de son esclave qu'il amène au dieu, se présente au sanctuaire; le prêtre remet au maître le prix convenu et qui lui a été versé au préalable par

---

TEIS, *Reichsrecht und Volksrecht*, Leipzig, 1891, pp. 71 sv. CL. PRÉAUX, *La Preuve*, dans *Recueils de la Société J. Bodin*, Bruxelles 1965, pp. 197, 200. Le *P. Doura* xxvi, 13–14 associe de surcroît: réception de la *timè* et transfert de possession (*paradosis;* cf. P. M. MEYER, *Juristische Papyri*, Berlin, 1920, n. xxxvii, 13–16). Sur ce mode de formation de la vente consensuelle, cf. J. DEMEYERE, *La formation de la vente et le transfert de la propriété en droit grec classique*, dans *Rev. int. des Droits de l'Antiquité*, 1952, pp. 215–266; IDEM, *Le contrat de vente en droit classique : Les obligations des parties, ibid.* 1953, pp. 216–228; L. GERNET, *Sur l'obligation contractuelle dans la vente hellénique, ibid.*, pp. 229–247; IDEM, *Droit et Société dans la Grèce ancienne*, Paris, 1955, pp. 201–236.

[1] Pour Epictète, l'homme asservi à ses passions est un «grand esclave» (μεγαλοδούλος), bien plus assujetti que l'esclave d'un propriétaire quelconque (iv, 1, 55; cf. A. PELLE-TIER, *Les Passions à l'assaut de l'âme d'après Philon*, dans *Rev. des Etudes grecques*, 1965, pp. 52–60). Saint Paul se déclare «vendu au service du péché» (*Rom.* vii, 14; cf. DION CASSIUS, lxii, 3: «Combien ne vaudrait-il pas mieux être vendus une fois – ἅπαξ πεπρᾶσθαι – plutôt que d'être, avec de vains noms de liberté, obligés de nous racheter chaque année»). Le verbe πιπράσκω a ici son sens péjoratif des Septante et qui est sa première acception dans la langue profane: transporter pour vendre des prisonniers et des esclaves (*Deut.* xxviii, 68; *Lév.* xxv, 39, 42; *Jér.* xxxiv, 14; *II Mac.* v, 14; *Mt.* xviii, 25), tel Joseph (*Ps.* cv, 17) ou le peuple élu (*Esth.* vii, 4; cf. S. LYON-NET, *Péché dans le Nouveau Testament*, dans *DBS*, vii, 506, 524, 551). Mais ἀγοράζειν est le verbe le plus spécifique pour l'achat-vente des esclaves, marchandise que l'on achète comme des vêtements, du blé, du vin ou du poisson (*P. Michig.* 657, 5; cf. M. P. HERVAGAULT, M. M. MACTOUX, *Esclaves et Société d'après Démosthène*, dans *Actes du Colloque 1972 sur l'esclavage*, Paris, 1974, p. 62). Sur les marchés d'esclaves et leurs ventes, cf. M. TH. LENGER, *Corpus des Ordonnances des Ptolémées*, Bruxelles, 1964, n. 22 et 25; *Inscriptions grecques et latines de la Syrie*, 4028, 37–39; FL. JOSÈPHE, *Guerre*, iii, 541; PLUTARQUE, *Caton*, xxi, 1: «Caton achetait surtout des prisonniers de guerre encore petits et que l'on pouvait élever, dresser comme de jeunes chiens ou des poulains»; *P. L. Bat.* xiii, 23; C. SPICQ, *Théologie morale du N. T.*, Paris, 1965, ii, pp. 834 sv.

l'esclave lui-même ou ses amis. On inscrit cet acte d'affranchissement sur les murs du temple: le maître a vendu son esclave (ἀπέδοτο) pour qu'il soit libre; le dieu accepte cet abandon, l'achète et lui assure sa protection [1]. Désormais l'affranchi se désigne comme ἱερός, δούλη θεᾶς, τοῦ θεοῦ ὤν [2], se considérant comme consacré au service de la divinité. Ce qui n'était que fiction juridique dans le paganisme est l'exacte réalité dans le christianisme. »Ceux qui sont du Christ» [3] ne peuvent plus revenir à leur ancienne servitude. Celui qui a payé pour les affranchir exige leur fidélité à son culte et à son service [4].

---

[1] Delphes, 165/4 av. J.-C., dans J. POUILLOUX, *Choix d'Inscriptions grecques*, Paris, 1960, n. 42; cf. P. FOUCART, *Mémoire sur l'Affranchissement des esclaves*, Paris, 1867; R. DARESTE, B. HAUSSOULLIER, TH. REINACH, *Recueil des Inscriptions juridiques grecques*[2], Rome, 1965, II, pp. 251 sv.; G. DAUX, *Delphes au IIe et au Ier siècle*, Paris, 1936, pp. 46–69, 615 sv. IDEM, *Note sur l'intérêt historique des Affranchissements de Delphes*, dans *Proceedings of the IX international Congress of Papyrology*, Oslo, 1961, pp. 286–292; A. KRÄNZLEIN, *Zu den Freilassungsinschriften aus Delphi*, dans *Mélanges V. Arangio-Ruiz*, Naples, 1964, II, pp. 820–827. – On a retrouvé à Butrini en Epire, 29 actes d'affranchissements par consécration à Asclépios (J. et L. ROBERT, *Bulletin Epigraphique*, dans *REG*, 1967, p. 503, n. 336; cf. 1969, p. 425, n. 1). Deux esclaves sont affranchies au sanctuaire de Phiston (IIe s. av. J.-C.; cf. *IG* IX, 1[2], 99; L. ROBERT, *Noms indigènes dans l'Asie Mineure*, Paris, 1963, p. 32). Consécration analogue à Sarapis (CH. MICHEL, *Recueil d'Inscriptions grecques*, Paris, 1900, n. 1393; P. M. FRASER, *Two Studies on the Cult of Sarapis*, dans *Opuscula Atheniensia*, Lund, 1960, pp. 43 sv.), à Artémis Gazôria (*Suppl. Ep. Gr.* II, 396). Les Juifs émancipaient leurs esclaves dans la Synagogue (*Corpus Inscriptionum Iudaicarum*, Cité du Vatican, 1936, I, n. 690; parfois aux dieux païens, n. 711–712), comme les chrétiens accompliront cette *manumissio* dans l'Eglise (SAINT AUGUSTIN, *Serm.* XXI, 6; cf. F. FABBRINI, *La manumissio in ecclesia*, Milan, 1965), etc.

[2] *Suppl. Ep. Gr.* XIV, 529, 4: ἐλεύτερον ἱερὸν τᾶς θεοῦ; cf. H. W. PLEKET, *The Greek Inscriptions in the Rijksmuseum... at Leyden*, Leiden, 1958, pp. 19 sv.; L. ROBERT, *Hellenica* VI, Paris, 1948, pp. 9, 46, 49.

[3] οἱ τοῦ Χριστοῦ (génitif d'appartenance), *I Cor.* XV, 23; *Gal.* V, 24; cf. «Ce que signifie le nom de Chrétien» dans C. SPICQ, *op. cit.*, I, pp. 407 sv.

[4] Saint Paul emploie deux fois le composé ἐξαγοράζω pour «râcheter le temps» (*Eph.* V, 16; *Col.* IV, 5; cité dans une lettre chrétienne du IVe siècle, *P. Lond.* 1927, 45; cf. H. I. BELL, *Jews and Christians in Egypt*, Oxford, 1924, pp. 110 sv.; seul emploi connu dans les papyrus. Sur le sens de cette expression, cf. C. SPICQ, *op. c.* II, p. 511; B. HÄRING, *La Théologie morale et la Sociologie pastorale dans la perspective de l'histoire du salut. La notion biblique de «kairos»*, dans *Sciences ecclésiastiques*, 1964, pp. 209–224) et deux fois dans *Gal.* III, 13: «Le Christ nous a rachetés de la malédiction de la Loi» (cf. W. ELERT, *Redemptio ab hostibus*, dans *TLZ*, 1947, 265–270; E. PAX, *Der Loskauf. Zur Geschichte eines neutestamentlichen Begriffes*, dans *Antonianum*, 1962, pp. 239–278; S. LYONNET, L. SABOURIN, *Sin, Redemption and Sacrifice*, Rome, 1970, pp. 104 sv.). Il est clair que le composé ἐξαγ. a le même sens que le

verbe simple ἀγ et qu'il s'entend d'un rachat ἐπ' ἐλευθερίᾳ (cf. *Gal.* v, 1). S. Lyonnet, *L'emploi paulinien de ἐξαγοράζειν au sens de «redimere» est-il attesté dans la littérature grecque?* dans *Biblica* 1961, pp. 85–89, montre que les références souvent données à Diodore de Sicile, 36, 2, 2; Polybe, 3, 42, 2; Plutarque, *Crassus*, 2,5; Dicearque i, 22 ont le sens d'acheter et non de racheter. Mais il cite Diodore de Sicile 15, 7, où Platon vendu sur le marché aux esclaves est «racheté» par ses amis qui lui rendent ainsi la liberté. Sans doute, il ne s'agit pas d'un prisonnier, ni de payer une rançon, mais il s'agit bien de l'affranchissement d'une servitude ἐπὶ λύσει.

ἀγωγή

Saint Paul loue Timothée de l'avoir suivi «dans l'enseignement, la *conduite*, les desseins, la foi, la patience...» (*II Tim.* iii,10). Nul doute que l'*hapax* N. T. ἀγωγή, employé ici au sens figuré, ne doive être traduit par «conduite, manière de vivre»[1]. Il est employé parfois en mauvaise part, d'agissements détestables[2], mais le plus souvent il exprime soit la culture[3], soit le comportement ou la façon de vivre particulière à telle race ou à telle personne (Diodore de Sicile, v,26), telle Esther qui ne change rien à sa manière de faire (*Esth.* ii,20) ou les Juifs qui préfèrent leur manière de vivre particulière[4], ou Hérode demandant: «Que chacun veuille bien considérer mon

---

[1] *B. G. U.* 1247, 14 (IIᵉ s. av. J.-C.); lettre d'Antiochos II Soter aux Erythréens, après 261 av. J.-C., φαίνεσθε γὰρ καθόλου ἀγωγῇ ταύτῃ χρῆσθαι (C. B. Welles, *Royal Correspondence in the Hellenistic Period*, New Haven, 1934, n. 15, 15). Le mot peut être transitif ou intransitif, désignant l'éducation proprement dite ou son résultat (Polybe, vi, 2, 13: ἡ ἐκ παίδων ἀγωγή). Les écoles philosophiques se distinguent par leur *agôgè* (Diogène Laerce, i, 19); cf. «les disciplines qui se rattachent à l'éducation hellénique» (Marc-Aurèle, i, 6); «l'organisation» de l'armée romaine (Fl. Josèphe, *Guerre*, iii, 109). Celui qui mène, l'instructeur est ὁ παιδαγωγός; l'instruction, ἡ παιδαγωγία; cf. K. L. Schmidt, in *h. v.*, dans *TWNT*, qui cite le Περὶ παίδων ἀγωγῆς de Plutarque. Ce dernier emploie *agôgè* au sens de «raisonnement» (*Consol. Apoll.* 9) comme Chrysippe (cf. von Arnim, *Stoic. Vet. Frag.* ii, 84; cf. «méthode» dans Aristote, *Rhét.* i, 15; 1375 *b* 12), mais aussi à propos de l' «éducation» ou de la «discipline» spartiate, «régime dur et pénible, mais qui apprenait aux jeunes l'obéissance» (*Agésilas*, i, 2; iii, 5; *Lycurgue*, xvi-xxiii; *Cléomène*, xi, 3; xxxvii, 14) et aussi la simplicité et la philanthropie (*Agésilas*, i, 5).

[2] *P. Tebt.* 24, 57 (117 av. J.-C.); cf. A. Pelletier, *Fl. Josèphe adaptateur de la Lettre d'Aristée*, Paris, 1962, pp. 301 sv.

[3] *Lettre d'Aristée*, 8: ἡ παιδείας ἀγωγή, la formation que donne la culture; 124, 235: la culture et l'éloquence des Philosophes (au pluriel).

[4] *II Mac.* xi, 24; Fl. Josèphe, *Ant.* xiv, 195: toute question concernant la manière de vivre des Juifs; *P. Par.* 61, 12 (156 av. J.-C.): πάντα ἐστὶν ἀλλότρια τῆς τε ἡμῶν ἀγωγῆς; cf. Polybe, i, 32, 1: «un lacédémonien qui avait reçu l'éducation spartiate». Celle-ci a pour but «le dressage de l'hoplite (c'est l'infanterie lourde qui avait fait la supériorité militaire de Sparte)... Recevoir l'ἀγωγή, être éduqué selon les règles, est une condition nécessaire, sinon suffisante, pour l'exercice des droits civiques» (H. I. Marrou, *Histoire de l'éducation dans l'Antiquité*, Paris, 1948, p. 47).

âge, la vie que je mène (τὴν ἀγωγὴν τοῦ βίου) et ma piété» (FL. JOSÈPHE, *Guerre*, I,462).

Fréquemment – cette nuance n'est pas absente de *II Tim*. III,10 – cette conduite est adoptée pour ressembler à un maître, à un modèle, à des ancêtres [1]. C'est ce que saint Paul avait appelé: τὰς ὁδούς μου τὰς ἐν Χριστῷ [2]. L'imitation ne porte donc pas sur le comportement de l'homme, mais sur le style de vie de l'Apôtre. Il s'agit de conformité aux exigences de la foi transmises par la didascalie, de coutumes et de mœurs spécifiques [3], de réalisations pratiques observables [4]. Dans les Pastorales, qui exploitent une théologie de la beauté, on sera enclin à donner à cette *agôgè* de l'Apôtre une nuance d'éclat, voire de splendeur (cf. *Philip*. III,17; IV,9), que peut

---

[1] *II Mac*. IV, 16: «En ceux-là même dont ils cherchaient à copier les façons de vivre et auxquels ils voulaient ressembler en tout, ils rencontrèrent des ennemis et des bourreaux»; *Lettre d'Aristée*, 43: Aristée digne représentant de ta propre culture; 280: τὴν ἀγωγὴν αὐτοῦ μιμούμενοι; FL. JOSÈPHE, *Ant*. XII, 10: «déterminés à garder le genre de vie de leurs pères»; XIV, 247: les Romains continuant la manière de vivre de leurs ancêtres. En mathématique, l'*agôgè* sera la conduite d'une démonstration, l'orientation d'un raisonnement; d'où: suivre le tracé d'une ligne qu'on mène à partir d'un point (CH. MUGLER, *Dictionnaire... de la Terminologie géométrique des Grecs*, Paris, 1958, p. 41). En droit, l'*agôgè* est la «poursuite» (cf. R. TAUBENSCHLAG, *The Law of Greco-Roman Egypt*, New York, 1944, pp. 225, 331, 340, 381); en musique, ce n'est pas le «tempo» (*P. Oxy*. 2687, V, 15), mais une succession d'éléments se succédant dans un certain ordre (cf. Ps. PLUTARQUE, *De la Musique*, 29), «une série rythmique» (W. J. W. KOSTER, *Quelques remarques sur l'étude de Rythmique, P. Oxy*. 2687, dans *R. E. G*. 1972, pp. 551–56).

[2] *I Cor*. IV, 17. Cf. CLÉMENT DE ROME, *Cor*. 47, 6: «Il est honteux et indigne d'une conduite chrétienne...»; 48, 1: «le noble et saint comportement de la dilection fraternelle». Cf. au Ier s. avant notre ère, le Περὶ θεῶν ἀγωγή de PHILODÈME DE GADARA (édit. H. Diels, 1916).

[3] *Inscriptions de Magnésie*, 164, 3: ἄνδρα φιλότειμον καὶ ἐνάρετον καὶ ἀπὸ προγόνων εὐσχήμονα καὶ ἔθει καὶ ἀγωγῇ κόσμιον (réédité par DITTENBERGER, *Or*. 485); *Inscriptions de Carie* 70, A 9, décret honorifique en faveur d'Euneikos, médecin d'Héraclée, dont on loue la bonne tenue: διά τε τὴν ἰδίαν αὐτοῦ σωφροσύνην καὶ εὐταξίαν καὶ κοσμίαν ἀγωγήν; *MAMA*, VIII, 408, 6: ἀπὸ πρώτης ἡλικίας νεικήσας πάντας ἠθῶν τε σεμνότητι καὶ ἐναρέτου βίου ἀγωγῇ; *P. Princet*. 75, 5: τὸν περὶ ἤθους καὶ ἀγωγῆς τρόπον (horoscope du IIe s. de notre ère); *P. Antin*. 153, fr. 2, 17; d'où l'équivalence d'Hésychius: ἀγωγή = τρόπος, ἀναστροφή.

[4] *II Mac*. VI, 8; *Lettre d'Aristée*, 246; *III Mac*. IV, 10; *Sammelbuch*, 9763, 35; *P. Oxy*. 2420, 7; 2478, 7; *P. Strasb*. 229, 6. Dans les inscriptions et de nombreux papyrus, l'*agôgè* désigne la capacité d'enlèvement ou le fret d'un navire (cf. *Inscriptions de Didymes*, 39 a, 39–40; 40, 26; 41, 28; 483, 7; *BGU*, 1925, 21 (avant 131 av. J.-C.); *P. Strasb*. 519, 3; *P. Panop*. I, 121; une charge (*P. Herm*. 24, 7).

connoter ce terme au Ier siècle ¹, et qui est à la fois un propre de la vertu et une grâce de l'apôtre (*II Cor.* IV,6).

---

¹ DITTENBERGER, *Or.*, 474, 9: διὰ τὴν κοσμιωτάτην αὐτῆς ἀγωγήν; cf. 223, 15. Un décret honorifique de 58 de notre ère loue Ermodôros et son fils Ermocratès, athlètes qui se sont distingués aux jeux Pythiques: πεποίηνται τὰν ἀναστροφὰν καλὰν καὶ εὐσχή-μονα καὶ ἀξίαν τᾶς ἰδίας πατρίδος... ἀπόδειξιν διδόντες καὶ τὰς περὶ τὸν βίον ἀγωγᾶς (*Syl.* 740, 2–6). Décret honorifique de Plutarque fils d'Hermogène au Ier s. av. J.-C., διὰ... τὴν παρ' ὅλον τὸν βίον ἀγωγὴν καὶ σωφροσύνην καὶ τὴν πρὸς πάντας τοὺς πολίτας ἐκτένειαν καὶ φιλανθρωπίαν (P. HERRMANN, *Ergebnisse einer Reise in Nordostlydien*, Vienne, 1962, n. 3).

ἀδιαλείπτως

Cet adverbe, signifiant «sans interruption, incessamment» n'offre aucune difficulté. Il est propre à la *koinè* et n'est employé dans l'Ancien Testament que dans les livres des Macchabées [1]. Mais deux fois il qualifie une prière continuelle [2], tout comme les prêtres assurent le service religieux sans interruption selon la Lettre d'Aristée [3]. Or c'est l'unique acception que retient saint Paul, le seul à employer ce terme dans le N. T. [4]; dès lors elle a une valeur théologique, mais il est difficile de la préciser.

La locution «faire mémoire» de quelqu'un dans la prière est traditionnelle [5]. En général on faisait un «proscynème» par jour [6]; mais il n'était pas exceptionnel que cette mention devant la divinité soit dite perpétuelle [7].

---

[1] *II Mac.* iii, 26: deux jeunes hommes «flagellaient Héliodore sans relâche»; ix, 4: Antiochus Epiphane «ordonna au conducteur de pousser son char sans s'arrêter»; xiii, 12: Macchabée gardait une confiance inaltérable ou inébranlable.

[2] Onias déclare: «Nous donc, en tout temps nous ne cessons de faire mémoire de vous... dans les prières» (*I Mac.* xii, 11); les Juifs implorent le Seigneur «prosternés pendant trois jours continus» (*II Mac.* xiii, 12); cf. *III Mac.* vi, 33: le roi sans cesse rendait grâces au ciel.

[3] *Lettre d'Aristée*, 92; cf. *Sammelbuch*, 6156, 11: τυγχάνομεν ἀδιαλείπτως τάς τε θυσίας καὶ σπονδάς (inscription de Théadelphie, de 57 av. J.-C.); 7746, 14.

[4] *I Thess.* i, 2; ii, 13; v, 17; *Rom.* i, 9; on ajoutera l'adjectif ἀδιάλειπτος dans *II Tim.* i, 3: «Je suis rempli de gratitude envers Dieu... quand sans cesse je fais mémoire de toi, dans mes prières, nuit et jour».

[5] Μνείαν ποιοῦμαι (PLATON, *Phédr.* 254 a); *I Thess.* i, 2; *Rom.* i, 9; *Eph.* i, 16; *Philém.* 4; cf. *Philip.* i, 3; *II Tim.* i, 3; *P. Zén. Cair.* 59076, 3; 59093, 3; *P. Lond.* 42, 6: «tous ceux de la maison se souviennent continuellement de toi, οἱ ἐν οἴκῳ πάντες σου διαπαντὸς μνείαν ποιούμενοι» (24 juillet 172 av. J.-C.); 1658, 6; *B.G.U.*, 632, 5: μνίαν σου ποιούμενος παρὰ τοῖς ἐνθάδε θεοῖς ἐκομισάμεν ἐν ἐπιστόλιον (IIe s. ap. J.-C.); *Inscriptions de Priène*, 50, 10: au IIe s. av. J.-C., les habitants d'Erythres décident de récompenser un juge, «afin que l'on voie que le peuple se souvient des hommes de bien, ὅπως οὖν καὶ ὁ δῆμος φαίνηται μνείαν ποιούμενος τῶν καλῶν καὶ ἀγαθῶν ἀνδρῶν».

[6] *P. Alex.* 28, 2–3: τὸ προσκύνημά σου ποιῶ καθ' ἑκάστην ἡμέραν; 30, 3; *P. Hamb.* 89, 3; *P.S.I.*, 206, 4; cf. *P. Strasb.* inv. 268: «Chaque jour, je me prosterne pour toi devant tous les dieux de l'endroit où je suis» (publié par FR. DUNAND, *Les noms théophores en -ammon*, dans *Chronique d'Egypte*, 1963, p. 135).

[7] *P. Mich.* viii, 502, 4: εὔχομαι καὶ τὸ προσκύνημά σου ἀδιαλείπτως ποιούμενος (IIe s. ap. J.-C.); cf. une «fondation perpétuelle» de lampes dans le temple d'Héracléopolis

Or, non seulement saint Paul prie ou rend grâces à tout moment (πάντοτε), en tout temps (ἐν παντὶ καιρῷ), jour et nuit [1], mais il n'accepte d'enregistrer dans l'ordre des Veuves que des femmes qui ont persévéré nuit et jour dans la prière (*I Tim.* v,5), et il prescrit à tous les chrétiens: «Priez continuellement» [2]. Comment l'entendre? On reliera ce précepte à celui du Maître demandant «de prier en tout état de cause et de ne pas se désister» [3], et on le comprendra en fonction de l'assiduité inlassable de la primitive Eglise dans la supplication [4].

Mais le choix de l'adverbe ἀδιαλείπτως a-t-il une signification spéciale? L'usage des papyrus n'est guère éclairant, sauf pour attester le sens de «continuel, ininterrompu» [5] et plusieurs fois la nuance de «sans défaillance» [6]. Une seule inscription païenne mentionne ainsi la persévérance dans la prière: «Moi, Ision, fils de Kallimachos, parent du roi, je suis venu et j'ai passé mon temps à adorer notre Dame Isis» [7]. En vérité, seule la religion chrétienne donne à ce terme de prière sa signification propre. Il ne s'agit certainement pas d'un mode quantitatif des invocations verbales, qui

---

(*B.G.U.* 1854, 4 sv.). «Non seulement, on citait les noms dans la prière, mais on les inscrivait dans les sanctuaires... comme une prière perpétuelle» (M. J. LAGRANGE, *Saint Paul. Epître aux Romains*, Paris, 1931, p. 14).

[1] *I Thess.* III, 10, cf. C. SPICQ, *Théologie morale du Nouveau Testament*, Paris, 1965, I, pp. 358 sv.

[2] *I Thess.* v, 17: ἀδιαλείπτως προσεύχεσθε (impératif présent).

[3] *Lc.* XVIII, 1 (C. SPICQ, *La parabole de la Veuve obstinée et du Juge inerte aux décisions impromptues*, dans *R.B.* 1961, pp. 68 sv.), cf. la prière intense (ἐκτενῶς, *Lc.* XXII, 44), au prix d'efforts soutenus.

[4] *Act.* I, 14; II, 42; VI, 4; *Col.* IV, 2; cf. C. SPICQ, *op. c.*, p. 359.

[5] *Lettre d'Aristée*, 86: l'étoffe du voile était animée d'un mouvement continuel; *B.G.U.* 180, 10: ἐν λειτουργίᾳ εἰμὶ ἀδιαλείπτως; *P. Mert.* 98, 3 et *P. Oxy.* 2420, 13: stipulation ayant valeur perpétuelle; *P. Lond.* 122, 32: un don continuel de nourriture (papyrus magique du IVᵉ s.; cf. K. PREISENDANZ, *Papyri graecae magicae*, Leipzig-Berlin, 1931, VIII, 32). Cf. MARC-AURÈLE, VI, 15: la fuite incessante du temps.

[6] Notamment dans les serments (cf. *P. Oxy.* 2764, 20; 2765, 11; 2767, 12). On donne des soins vigilants à un arbre pour qu'il vive et prospère (*P. Oxy.* 2969, 10; 2994, 5). Diogène du village de Psoaphrè jure d'assurer la garde d'un bateau, nuit et jour, sans absence ni négligence, παραφυλάξειν νυκτός τε καὶ ἡμέρας... ἀδιαλείπτως καὶ ἀμέμπτως (*P.Oxy.* 2876, 18–20; du IIIᵉ s.); ἀμέπτως καὶ ἀδιαλείπτως (*P.S.I.*, 1229, 14); *Test. Lévi*, 13, 2: ἀναγινώσκοντες ἀδιαλείπτως τὸν νόμον τοῦ θεοῦ. Il y a alors une note psychologique ou morale; cf. la joie du roi qui ne se démentait pas (*Lettre d'Aristée*, 294); *P.Tebt.* 27, 45: τὴν ἀδιαλίπτως προσφερομένην σπουδήν (113 av. J.-C.); DITTENBERGER, *Syl.* 1104, 35.

[7] La durée de l'acte d'adoration est exprimée par le parfait διαγέωχα (A. BERNAND, *Les Inscriptions grecques de Philae*, Paris, 1969, n. 61), le 10 mars 44.

contreviendrait à l'interdiction de la *battalogia* [1]; et de toute façon, même la prière jour et nuit suppose des intermittences [2]. Entendu par conséquent au sens qualitatif, ἀδιαλείπτως est hyperbolique. Il exprime l'aspect positif de l'attitude de vigilance qui caractérise le serviteur de Dieu de la fin des temps, auquel il est demandé d'être insomniaque (*Lc.* XXI,36; *Eph.* VI,18). Ce serait insuffisant de le faire correspondre à ce que nous appelons aujourd'hui «l'esprit de prière», une promptitude à se mettre en présence de Dieu. Il serait mieux d'y voir «une vie spirituelle dominée par la présence de Dieu» [3] et comme une perpétuelle communion avec Dieu, à l'instar d'un sarment rattaché vitalement au cep. S'il est vrai que la vie chrétienne, selon le N. T., consiste dans l'activité des vertus théologales [4], le croyant ne cesse pas d'être relié aux trois Personnes divines, d'abord comme créature qui est en dépendance radicale et permanente du Tout-Puissant, puis comme enfant de Dieu en relation active de charité avec Celui qui l'a prédestiné à «exister dans la charité» [5]. On peut parler d'une prière sans discontinuer lorsque le cœur ne cesse pas d'être orienté vers Dieu, de même qu'un amour ne s'arrête pas ni ne se relâche, alors que l'attention est provisoirement portée ailleurs qu'à son objet: tout est référé à celui-ci [6].

---

[1] *Mt.* VI, 7–8; cf. C. SPICQ, *Dieu et l'homme selon le Nouveau Testament*, Paris, 1961, p. 64; F. BUSSBY, *A Note on... βαττολογέω in the Light of Qumran*, dans *The Expository Times*, LXXVI, 1964, p. 26; P. GAECHTER, *Das Matthäus-Evangelium*, Innsbruck, 1963, pp. 205–209.

[2] FL. JOSÈPHE emploie l'adjectif ἀδ. à propos de tuerie continuelle, d'assauts renouvelés (*Guerre*, I, 252; II, 489; III, 157; V, 31) qui supposent tous quelques répits ou relâches dans l'activité la plus intense et la plus constante. De même «la douleur incessante» ressentie par saint Paul (*Rom.* IX, 2) ne devait pas être perçue en permanence. Cf. ἀδιαλείπτως παραμεῖναι (*Sammelbuch*, 10944, 12).

[3] E. DELAY, *ΑΔΙΑΛΕΙΠΤΟΣ*, dans *Rev. de Théologie et de Philosophie*, 1950, p. 73.

[4] *I Thess.* I, 3; cf. C. SPICQ, *Agapè* II, Paris, 1959, pp. 10 sv.

[5] *Eph.* I, 4; cf. C. SPICQ, *ibid.* pp. 208 sv.; K. ROMANIUK, *L'amour du Père et du Fils dans la Sotériologie de saint Paul*, Rome, 1961, pp. 203 sv.; J. CAMBIER, *La bénédiction d'Eph. I, 3–14*, dans *ZNTW*, 1963, pp. 58–103; J. WINANDY, *Le Cantique des Cantiques et le N. T.*, dans *R.B.* 1964, p. 163. I. HAUSHEER, *Prière de vie. Vie de prière*, Paris, 1964, pp. 16 sv., 67 sv., 307 sv.

[6] Cf. *Eph.* VI, 24: «Tous ceux qui aiment notre Seigneur Jésus-Christ indéfectiblement»; ἀφθαρσία ne dit pas seulement immortalité, mais indestructibilité; cf. PHILON, *Somn.* I, 181; PLUTARQUE, *Aristide*, VI, 3; C. SPICQ, *Agapè* I, pp. 294 sv.

ἀδύνατον

L'impossibilité de la conversion de l'apostat (*Hébr.* vi,4) est un problème théologique difficile [1]. De quel genre d'*adynaton* s'agit-il? Dans l'A. T., ce terme désigne parfois une impossibilité absolue, comme celle d'échapper à la main de Dieu (*Sag.* xvi,15), mais le plus souvent une impossibilité relative et conditionnelle, comme celle d'Onias de pacifier la situation sans l'intervention du roi [2]. Dans *Jér.* xiii,23, il s'agit d'une figure de rhétorique pour exprimer une hypothèse absurde, un événement impossible aux yeux des hommes, parce que contraire aux lois naturelles [3].

Il est clair que tout dépend du contexte [4]. Dans le N. T., presque tous

---

[1] Cf. C. SPICQ, *L'Epître aux Hébreux*, Paris, 1953, ii, pp. 167 sv.; J. HÉRING, *L'Epître aux Hébreux*, Neuchâtel-Paris, 1954, pp. 59 sv. On l'a entendu au sens adouci d'une grande difficulté (Nicolas de Lyre, Erasme); au Moyen Age, on reculait la possibilité de pardon après la mort (Pierre Lombard, Hugues de Saint-Victor, Robert de Melun). Presque tous les Pères, et encore A. Richardson (*An Introduction to the Theology of the New Testament*, Londres, 1958, pp. 33, 348 sv. l'entendent de l'impossibilité d'une nouvelle réception du baptême.

[2] *II Mac.* iv, 6 (cf. THUCYDIDE, vi, 86, 3: «Nous ne pouvons demeurer en Sicile, sans votre concours»). FL. JOSÈPHE, *Guerre*, v, 57: «Il lui était impossible de continuer sa marche en avant, car tout le terrain était sillonné de fossés»; iii, 172; cf. Alcime déclarant au roi Démétrius que, tant que Judas sera en vie, il sera impossible de ramener la paix dans l'Etat (xiv, 10). Les exemples de *Prov.* xxx, 18: connaître la trace de l'aigle dans les cieux ou du serpent sur le rocher, prouvent que l'*adynaton* est à prendre au sens strict, encore qu'il corresponde au *nifal* de *pâla'* «être ardu, difficile».

[3] «Un Coushite peut-il changer sa peau et un léopard ses rayures? Et vous, pouvez-vous faire du bien, habitués à faire du mal?» (cf. DION CASSIUS, xli, 33: «Sans obéissance aux lois de la nature, il est impossible que dure quoi que ce soit, même un instant»). Pour représenter un fait ou une action impossible ou invraisemblable, on la met en rapport avec une ou plusieurs impossibilités naturelles; c'est la comparaison ἐκ ou ἀπὸ τοῦ ἀδυνάτου (E. DUTOIT, *Le thème de l'Adynaton dans la Poésie antique*, Paris, 1936, pp. ix, 50, 167 sv.), qui a trouvé un prolongement chez les jurisconsultes romains dans les exemples qu'ils citent de conditions impossibles en matière de testament et de stipulation, cf. J. MICHEL, *Quelques formules primitives de serment promissoire et l'origine de la comparaison par Adynaton*, dans *Rev. int. des Droits de l'Antiquité*, 1957, pp. 139–150.

[4] Saint Grégoire de Naziance (*Or.* 30; *P. G.* xxxvi, 113–116) distingue six cas d'impossibilité fondée sur 1°) *le manque de force*: un enfant ne peut lutter (cf. *P. Lond.* 971, 4: ἀδύνατος γάρ ἐστιν ἡ γυνὴ διὰ ἀσθένιαν τῆς φύσεως IIIe–IVe s.); 2°) ce qui arrive

les emplois sont religieux, et l'on rapprochera de notre texte la réponse de Jésus au problème du salut des riches et de tout homme: παρὰ ἀνθρώποις τοῦτο ἀδύνατόν ἐστιν, παρὰ δὲ θεῷ πάντα δυνατά [1]. De même: «Impossible que du sang de taureaux et de boucs efface des péchés» (*Hébr.* x,4) ou d'être agréable à Dieu si l'on ne possède pas la foi (xi,6), parce que telle est la disposition providentielle de l'économie salutaire [2]. Dans le cas de l'apostat, il n'est pas dit qu'il ne sera pas pardonné, mais on lui refuse la possibilité de se rénover et de se repentir, étant donné son attitude spirituelle et donc la nature de son péché: ayant rejeté Dieu, après avoir eu la lumière de la foi, il est psychologiquement incapable de faire une nouvelle volte-face; ce serait contradictoire à sa condition d'apostat [3]. Le meil-

---

ut in pluribus: une ville située sur la montagne ne peut être invisible; 3°) *la raison et les convenances:* les amis de l'époux ne peuvent jeûner tant que l'époux est avec eux (FL. JOSÈPHE, *Ant.* XIII, 423: il voyait l'incapacité de son frère, destiné à lui succéder; *Guerre,* VII, 144); 4°) *la disposition de la volonté:* à Nazareth, Jésus ne put faire beaucoup de miracles à cause de l'incrédulité de ses habitants; il ne le voulut point; 5°) *la nature,* mais que Dieu peut modifier: un chameau entrer dans le chas d'une aiguille (cf. HÉRODOTE, I, 32, 39: «Il n'est pas possible, quand on est homme, de réunir tous les avantages dont j'ai parlé»; FL. JOSÈPHE, *Ant.* x, 196); 6°) *ce qui ne peut absolument pas exister:* que Dieu soit mauvais, que deux fois deux plus quatre égale dix. Il faudrait ajouter *l'impossibilité scientifique,* telle une méthode qui ne tiendrait pas compte des résultats acquis (HIPPOCRATE, *L'ancienne Médecine,* II, 6; cf. ARCHIMÈDE, *Spirales,* XVI, 9; XVII, 27; *Equilibre des Figures planes,* 6; *l'Arénaire,* 1 etc.; nombreux exemples dans CH. MUGLER, *Dictionnaire... de la Terminologie géométrique des Grecs,* Paris, 1958, pp. 41 sv.

[1] *Mt.* XIX, 26; cf. *Mc.* x, 27; *Lc.* XVIII, 27. Le salut dépasse les forces humaines; l'impuissance de la créature est radicale, il faut que Dieu intervienne; cf. *Rom.* VIII, 3: ce qui était impossible à la Loi, parce qu'elle était sans force, Dieu l'a réalisé. FL. JOSÈPHE, *Guerre* II, 390: sans le secours de Dieu, impossible qu'un si vaste empire eût pu se fonder.

[2] Par contre, «il est impossible à un dieu de mentir» (*Hébr.* VI, 18) est une impossibilité absolue, qui ne souffre aucune exception; cf. PHILON, *Aet. mundi* 46: «Il est impossible que les dieux perdent l'incorruptibilité»; cf. 104: «Dans les couples de contraires, il est impossible qu'un terme existe sans l'autre»; HÉRODOTE, I, 91, 3: impossible, même pour un dieu, d'échapper à la destinée».

[3] Ἀδύνατον au sens d'impuissant, incapable, il n'y a pas moyen, est courant dans le grec profane, cf. THUCYDIDE, I, 32, 5; 73, 4; 141, 6; VI, 85; 1; 102, 2; VII, 44; 64, 1. DION CASSIUS, I, 114: «Il est [psychologiquement] impossible que ceux qui n'ont pas été façonnés aux mêmes mœurs ou qui n'ont pas les mêmes idées sur le mal et sur le bien, soient unis par l'amitié»; XLV, 26: «Il est moralement impossible qu'un homme élevé dans un tel dérèglement et dans une telle impudeur, n'en souille sa vie entière»; L, 27; LV, 14: «Il est impossible de satisfaire les passions des méchants»; LXI, 2, Domitius, père de Néron, disait à propos de sa femme Agrippine: «Il est impossible qu'il naisse un honnête homme de moi et d'elle». PHILON, *Lois allég.* III, 4: sans l'allégorie,

leur parallèle serait peut-être Philon: «Il est malaisé et même impossible à l'esprit défiant de recevoir une formation»[1].

Certes, ce qui est impossible aux hommes est possible à Dieu[2], et tout l'Evangile atteste qu'une initiative divine pourrait modifier l'état d'esprit de l'apostat, lui apporter une lumière et une force qui détruirait l'impossibilité susdite[3]. Mais d'une part le contexte accentue la gravité du crime: «crucifiant pour eux-mêmes le Fils de Dieu et le bafouant publiquement», pour conclure qu'une telle âme est «repoussée et proche de la malédiction; sa fin est d'être brûlée» (ỹ. 8); d'autre part, il semble que ce péché d'apostasie est assimilable au péché contre la lumière et au blasphème contre le Saint-Esprit qui n'est remis ni en ce monde ni en l'autre[4].

---

l'exégète est incapable de trouver un sens valable à la lettre d'un texte; iii, 10: l'homme est incapable de louer Dieu, de le remercier adéquatement; *Spec. leg.* i, 32: de le comprendre; *Lois allég.* i, 34: «la pratique du bien est impossible à quelques-uns»; *Mut. nom.* 49: «Il n'est pas possible de laver et de nettoyer complètement des taches qui souillent l'âme» (cf. *Spec. leg.* i, 103); FL. JOSÈPHE, *Ant.* iii, 230: ceux qui sont incapables d'offrir des sacrifices parfaits; *C. Ap.* v, 442; *P. Oxy.* 2479, 19: «Je ne puis payer sur ce que je n'ai pas semé». J. EBERT, *Griechische Epigramme auf Sieger an gymnischen und hippischen Agonen*, Berlin, 1972, p. 69.

[1] *Praem.* 49: δύσκολον γάρ, μᾶλλον δ᾽ ἀδύνατον ἀπιστοῦντα παιδεύεσθαι. On rapprochera le rigorisme des Qumraniens, excluant définitivement de la communauté ceux qui transgressent la Loi de façon pleinement coupable (*Règle*, viii, 21–23, *Guerre*, i, 6), et particulièrement leur horreur de l'apostasie (*Doc. Dam.* ii, 17–18; vii, 13; viii, 1–13) spécialement maudite (cf. R. E. BROWN, *The Qumran Scrolls and the Johannine Gospel and Epistles*, dans K. STENDAHL, *The Scrolls and the New Testament*, New York, 1957, pp. 200 sv.; A. M. DENIS, *Les thèmes de connaissance dans le Document de Damas*, Louvain, 1967, p. 23, 140, 146). Ces «transgresseurs de la Loi» s'opposent aux «tenants ferme».

[2] PHILON, *Vit. Mos.* i, 174: τὰ ἀδύνατα παντὶ γενητῷ μόνῳ δυνατὰ καὶ κατὰ χειρός; cf. *Gen.* xviii, 14; *Mt.* xix, 28; *Lc.* i, 37. Même les païens confessaient que les dieux sont capables de réaliser ce qui est aux hommes ἀδύνατον, cf. A. CAMERON, *An Epigram of the Fifth Century B.C.*, dans *Harvard Theol. Review*, 1940, pp. 118 sv.

[3] A. J. Festugière a montré que le pouvoir de l'âme dans l'ordre du salut s'entend du vouloir, d'une disposition de base. Dieu ne sauvant que ceux qui veulent être sauvés, comment l'apostat aura-t-il ce désir foncier? (*La Révélation d'Hermès Trismégiste*, Paris, 1953, iii, pp. 110–115).

[4] *Mt.* xii, 31–32; *Mc.* iii, 28–29; *Lc.* xii, 10; cf. *II Petr.* ii, 20–22; *I Jo.* v, 16; cf. B. B. WARFIELD, *Misconception of Jesus and Blasphemy of the Son of Man*, dans *Biblical and Theological Studies*, Philadelphie, 1952, pp. 196–237; A. MICHEL, *Péché contre le Saint-Esprit?*, dans *Ami du Clergé*, 1955, pp. 123–124; O. E. EVANS, *The Unforgivable Sin*, dans *The Expository Times*, lxviii, 1957, pp. 240–244; G. FITZER, «*Die Sünde wider den Heiligen Geist*», dans *Theologische Zeitschrift*, 1957, pp. 161–182; R. SCROGGS, *The Exaltation of the Spirit*, dans *JBL*, 1965, pp. 360 sv.; C. COLPE, *Der Spruch von der Lästerung des Geistes*, dans *Festschrift J. Jeremias*, Göttingen, 1970, pp. 63–79.

ἀθετέω, ἀθέτησις

L'étymologie de ce verbe (τίθημι avec α privatif), litt. «mettre de côté» ne permet guère de préciser sa signification dans la langue néo-testamentaire; mais son usage est aussi varié que précis. D'abord l'acception juridique d'abroger, abolir, déclarer invalide; c'est ainsi que l'institution du sacerdoce aaronide a été supprimée (*Hébr.* vii,18) et que le Christ s'est manifesté pour détruire le règne du péché par son propre sacrifice (ix,26). Dans les deux cas, ἀθέτησις est choisi pour exprimer une annulation judiciaire et officielle [1]; le sacerdoce héréditaire est radicalement aboli; le péché ne pourra plus jamais retrouver sa puissance, étant vaincu par le sang du Christ. ἀθέτησις est synonyme d'ἀκύρωσις «annulation» [2].

Dans l'usage courant, cette «destruction» n'est qu'un rejet, un refus ou un retrait [3]; on récuse une autorité: «Celui qui vous rejette, me rejette. Or celui qui me rejette, rejette celui qui m'a envoyé» [4]; on manque à sa parole ou l'on se parjure [5]. Dès lors, l'*athétèsis* évoquera une perfidie [6].

---

[1] ἀθετέω se dit du rejet d'une loi (*Is.* xxiv, 16; *Ez.* xxii, 26; *Hébr.* x, 28: τὸν νόμον), d'un commandement (*Mc.* vii, 9: τὴν ἐντολήν), d'une convention (*Gal.* iii, 15: διαθήκην; *II Mac.* xiv, 28: τὰ διεσταλμένα), d'un accord (*II Mac.* xiii, 25: περὶ τῶν συνθηκῶν). Cf. *I Mac.* xv, 27: «Il révoqua tout ce dont il avait convenu avec Simon».

[2] Cf. *B.G.U.* 44, 16: διδόντα ἡμῖν ἀποχὴν καὶ ἀνδιδοῦντα τὴν διαγραφὴν εἰς ἀθέτησιν καὶ ἀκύρωσιν (14 juillet 102 de notre ère; cf. 196, 21; 281, 18; 394, 14); *P.S.I.*, 1131, 43 (28 août 44); *P. Warren*, 9, 22 (23 août 109); *P. Fam. Tebt.* 9, 15 (22 nov. 107); *P. Mil. Vogl.* 225, 16; *P. Leipz.* 27, 20; *P. Ryl.* 174, 14: εἰς ἀθέτησιν καὶ ἀκύρωσιν (112 de notre ère); *P. Tebt.* 397, 13; *Sammelbuch*, 7465, 8; 9839, 16; L. MITTEIS, *Griechische Urkunden der Papyrussammlung zu Leipzig*, Leipzig, 1906, n. 27, 20. L'invalidation d'un document s'oppose à sa confirmation, εἰς βεβαίωσιν (*Hébr.* vi, 16; cf. *Lév.* xxv, 23).

[3] Cf. le retrait d'une plainte en justice: οὗτος ἐξείσχυσεν τὰ βιβλείδια ἀθετηθῆναι (*P. Oxy.* 1120, 8), la liquidation d'un compte, être rayé d'une liste (*P. Tebt.* 74, 59; 75, 77), le refus de grains impropres à la consommation (*P. Lond.* 237, 23). Comparer la mise au rebut de la sagesse des sages (*I Cor.* i, 19), les Pharisiens et les docteurs de la Loi rendant vain le dessein de Dieu (*Lc.* vii, 30; cf. *Ps.* xxxiii, 10: ἀθετεῖ βουλὰς ἀρχόντων; *Judith*, xvi, 5). Esther ne rejeta rien de ce qu'avait dit Héguaï (*Esth.* ii, 15). Cf. *I Mac.* xi, 36: «Il ne sera dérogé en rien de toutes ces faveurs, désormais et en tout temps»; xiv, 44 «Il ne sera permis à personne... de rejeter un de ces points»; *Hébr.* x, 28: «Quelqu'un rejette-t-il la Loi de Moïse»?

[4] *Lc.* x, 16; cf. *Jo.* xii, 48; *I Thess.* iv, 8.

[5] *Mc.* vi, 26 (cf. *Ps.* xv, 4; POLYBE, viii, 2, 5; DITTENBERGER, *Or.* 444, 18: ἐὰν

Cette acception est celle d'ἀθετέω, employée soixante fois dans les Septante, où il traduit dix-sept mots hébreux, mais le plus souvent *bâgad* «tromper, être infidèle, trahir» et *pâsha'* «faire défection, se révolter», de sorte que dans la langue biblique, ce verbe signifie presque toujours: être infidèle [1], se révolter [2] ou trahir [3] avec la nuance de «tromper» ou «mépriser» [4]. D'où la comparaison de *Jér.* III,20: «Comme une femme a trahi son amant, ainsi vous m'avez trahi, maison d'Israël». Il ne s'agit plus seulement de violer une convention, ni même de briser avec quelqu'un (cf. POLYBE, XI,36,10), mais de se déjuger et de mentir au Dieu très saint.

C'est en fonction de ces textes que l'on entendra *I Tim.* V,12: les jeunes veuves, lorsque leurs désirs s'élèvent contre le Christ, veulent se remarier «ayant [leur] condamnation, puisqu'elles ont rejeté la foi première» [5]. Cette *pistis* n'est pas la foi théologale, mais un engagement de la veuve à servir le Christ et les pauvres, sans doute aussi de ne point se remarier. Révoquer ce dont on a convenu, c'est être infidèle et parjure, agir envers Dieu comme une femme trahit son amant.

δέ τινες τῶν πόλεων ἀθετῶσι τὸ σύμφωνον). Dieu ne se dément jamais, il ne change pas ce qui sort de ses lèvres (*Ps.* LXXXIX, 35; CXXXII, 11), il ne révoque pas ses paroles (*Is.* XXXI, 2); tandis que les hommes violent leur serment (*I Mac.* VI, 62; cf. *B.G.U.* 1123, 11: μηδενὶ ἡμῶν ἐξόντος ἀθετεῖν τῶν ὡμολογημένων; époque d'Auguste).

[6] *Judith*, XIV, 18; *Is.* XLVIII, 8; *I Sam.* XXIV, 12: «Il n'y a en moi ni malice, ni forfait».

[1] *Juges*, IX, 23; *I Chr.* II, 7; V, 25; *II Chr.* X, 19 (= *I Rois*, XII, 19); XXXVI, 14 (les chefs de Juda, les prêtres et le peuple avaient multiplié leurs actes d'infidélité, ἀθετῆσαι ἀθετήματα); *Is.* I, 2; *Ez.* XXXIX, 23; *Dan.* IX, 7 (Théod.).

[2] *II Rois*, I, 1; XVIII, 7, 20; XXIV, 1, 20 = *II Chr.* XXXVI, 13. Cf. *Jude*, 8: les faux-docteurs, «rejettent la souveraineté (κυριότητα δὲ ἀθετοῦσιν)». Cette révolte n'est pas tant contre les chefs de la communauté ou les magistrats civils, ni les Anciens, ni les anges, mais contre l'autorité divine (ỹ. 4), ne tenant aucun compte des ordonnances de Dieu, ou de la Loi du Christ.

[3] *I Rois*, VIII, 50; *Is.* XXI, 2: le traître trahit (ὁ ἀθετῶν ἀθετεῖ); XXIV, 16; XXXIII, 1; *Jér.* V, 11: «Elles m'ont trahi, la maison d'Israël et la maison de Juda»; XII, 1: les fauteurs de trahison (οἱ ἀθετοῦντες ἀθετήματα).

[4] *I Sam.* II, 17: c'étaient des hommes qui méprisaient l'oblation à Iahvé; *Is.* LXIII, 8; *Sag.* V, 1. ἀθετεῖν = agir avec perfidie, cf. *Ex.* XXI, 8; *Deut.* XXI, 14. Comparer les apostats qui piétinent le Fils de Dieu et tiennent pour un sang ordinaire le sang qu'Il a versé (*Hébr.* X, 28–29), à l'inverse de Paul qui ne tient pas pour nulle la grâce de Dieu (*Gal.* II, 21).

[5] Τὴν πρώτην πίστιν ἠθέτησαν = *fidem irritam faciens* (cf. POLYBE, VIII, 36, 5; XXII, 16, 1; 17, 5; XXIII, 8, 7). Cf. *Apoc.* II, 4: «Tu as relâché ta charité première»; on pourrait traduire aussi «tu as déserté ta charité première» (sur le sens d'ἀφιέναι, cf. C. SPICQ, *Agapè* III, pp. 114 sv.). Il s'agit des premières amours (cf. II, 5: τὰ πρῶτα ἔργα ποίησον; II, 19; *Jér.* II, 2). Comparer *Inscriptions de Bulgarie*, 13, 25–26: ἐν τῇ πρώτῃ καὶ μεγίστῃ φιλίᾳ; PHILODÈME DE GADARA, *Adv. Soph.*, fragm. Y, col. 15, 8: τὴν πρώτην ὑπομονήν.

αἰδώς, ἀναίδεια

A l'instar des règlements relatifs aux cultes païens, déterminant souvent la toilette des participants: vêtement, bijou, chevelure [1], saint Paul prescrit aux Ephésiennes, lorsqu'elles prient à l'Eglise, de se parer avec décence et sobrement, μετὰ αἰδοῦς καὶ σωφροσύνης κοσμεῖν ἑαυτὰς (*I Tim.* ii,9), car pour une femme la bonne manière de «s'arranger, de s'ordonner» est d'observer les règles de la pudeur et de la décence [2].

L'*aidos* (dérivé de αἴδομαι: craindre, respecter) est un très vieux concept grec [3] exprimant la crainte respectueuse et secrète que l'individu ressent pour lui-même (DÉMOCRITE, *frag.* 264; Diels). Il est devenu chez les Stoïciens une vertu éminente [4]. Plutarque distingue l'αἰδώς qui «se laisse sou-

---

[1] Cf. FR. SOKOLOWSKI, *Lois sacrées de l'Asie Mineure*, Paris, 1955, n. 14 (Pergame), 16 (Gambreion), 69 (Stratonicée), 77, 79; IDEM, *Lois sacrées des Cités grecques*, Paris, 1962, n. 56 (Délos), 106 (Camiros); IDEM, *Lois sacrées des Cités grecques*, Paris, 1969, ii, n. 68 (Lykosoura); C. SPICQ, *Les Epîtres Pastorales*[4], Paris, 1969, i, pp. 419 sv.

[2] L'association αἰδώς - σωφροσύνη est constante depuis XÉNOPHON, *Cyr.* viii, 1, 31; *Banquet*, i, 8; THUCYDIDE, i, 84, 3; DIOTOGÈNE: «Quand, dans son aspect, ses réflexions, ses sentences, son caractère, ses actions, sa démarche et son port, le roi s'enveloppe d'un tel decorum et d'une telle pompe qu'il a une influence morale sur ceux qui le contemplent, impressionnés qu'ils sont par sa dignité et sa mesure» (dans STOBÉE, XLVIII, 7, 62; p. 268, 11); W. PEEK, *Griechische Vers-Inschriften*, Berlin, 1955, n. 1575 (Ier-IIe s.); *MAMA*, vii, 258, 5; PHILON, *Quis rer. div.* 128: «le propre de la science humaine est de faire naître dans l'âme la retenue et la modération, vertus dont la manifestation la plus visible est que l'on rougit s'il le faut»; *Congr. erud.* 124: la vertu fait apparaître «la beauté remarquable de sa pudeur et de sa modestie, beauté... véritablement virginale»; *Fuga*, 5; *Sacr. A. et C.* 27; notamment en liaison avec κοσμεῖν-κοσμιότης (*Mut. nom.* 217: «Si un camarade plus âgé étant à ses côtés, un jeune garçon se pare de pudeur et de retenue»; *Spec. leg.* iii, 51).

[3] Cf. B. SNELL, *Lexikon des frühgr. Epos*, Göttingen, *in h. v.*; C. E. VON ERFFA, *Aἰδώς und verwandte Begriffe in ihrer Entwicklung von Homer bis Demokrit*, dans *Philologus*, Suppl. 30, 1937.

[4] MUSONIUS RUFUS: «L'*aidos* est le plus grand bien» (*Les femmes doivent étudier la philosophie* iii, p. 42, *l.* 24; édit. C. E. Lutz); «un sentiment de respect à l'égard de tout est fondamental» (*Les filles doivent-elles recevoir la même éducation que les garçons?* iv, p. 48, *l.* 3); l'étude de la philosophie entraîne le roi à avoir le sens du respect (viii, p. 62, *l.* 18); un homme qui a beaucoup d'enfants a le respect de son prochain (xv, 98, *l.* 3); cf. PHILON, *Sacr. A. et C.* 27: la vertu a pour compagne la pudeur.

vent diriger par la raison et se range sous les mêmes lois» et une honte mauvaise qui s'oppose à la raison par ses hésitations et ses retards [1]. Au premier siècle de notre ère, ce sentiment est tantôt celui de la honte, notamment des soldats qui fuient et se savent vaincus [2], d'où la conscience de la culpabilité [3], tantôt celui du respect envers autrui [4], des égards qu'on lui doit. C'est alors une retenue, une dignité [5], une modestie ou une discrétion qui empêche de dépasser la mesure [6]; donc un respect de soi [7] et un sens de l'honneur qui s'identifie souvent à la pudeur [8].

Cette vertu culmine chez les femmes. Philon explique pourquoi il y avait un mur de séparation entre Thérapeutes et Thérapeutrides, «c'est pour respecter la pudeur qui convient à la nature féminine» [9], et il présente l'apparition de la vertu sous les traits d'une femme qui a «des couleurs qui sont celles que donne la pudeur... des vêtements simples, mais plus

---

[1] PLUTARQUE, *De la vertu éthique*, 8; cf. EPICTÈTE, *Contre Epicure*, dans STOBÉE VI, 57 (t. III, p. 300).

[2] FL. JOSÈPHE, *Guerre*, III, 19, 156; IV, 285; V, 118; VI, 20; PLUTARQUE, *Timol.* VII, 1: «Timoléon eût honte devant sa mère».

[3] FL. JOSÈPHE, *Ant.* II, 52; cf. *Guerre*, II, 351.

[4] Envers ses hôtes (FL. JOSÈPHE, *Ant.* I, 201), ses parents (II, 23), les lois ancestrales (V, 108), l'âge (VI, 262), la dignité (XIX, 102); les vieillards (*Guerre*, II, 496), les suppliants (II, 317), le Temple (IV, 311), les proches (V, 33), le prince (V, 87; VI, 263; *Ant.* XIX, 97); PLUTARQUE, *Cléomène*, XXXII, 4; *Tib. Gracchus*, V, 2; XI, 3; *C. Gracchus*, XVI, 1.

[5] Cf. l'association à σεμνότης, dans PLUTARQUE (*Praec. conj.* 26) et Philon: les éducateurs de Moïse ne faisaient voir que réserve et sérieux, αἰδῶ καὶ σεμνότητα (*Vit. Mos.* I, 20).

[6] Flaccus séjournant à Alexandrie, μετὰ τοσαύτης αἰδοῦς (PHILON, *In Flac.* 28).

[7] EPICTÈTE, I, 3, 4; III, 14, 13; IV, 3, 7: «Ce n'est pas peu de choses que tu gardes, c'est le respect de toi-même et la fidélité».

[8] Cf. MARC-AURÈLE, III, 7, 1; V, 33, 3; X, 13, 2. FL. JOSÈPHE, *Ant.* I, 44: Adam et Eve se couvrent par pudeur; *P.S.I.* 1178, 6 (IIe s.).

[9] PHILON, *Vie cont.* 33; cf. *In Flac.* 89: «Des jeunes filles qui restent dans leur chambre en évitant par pudeur le regard des hommes»; *Fuga*, 5; *Spec. leg.* III, 51: «La république de Moïse n'accueille pas la prostituée à qui sont étrangères la décence, la pudeur, la chasteté et les autres vertus»; *Vit. Mos.* II, 234: Les filles de Salpaad «vont trouver le gouverneur avec la réserve qui convient à des jeunes filles»; FL. JOSÈPHE, *Guerre*, II, 465: des femmes à qui on avait enlevé même le dernier voile de la pudeur; cf. la «honte indicible» d'Hélène (QUINTUS DE SMYRNE, *Suite d'Homère*, IX, 144) et la pudeur dans les relations conjugales (PLUTARQUE, *Quaest. rom.* 65); ζήσαντα κοσμίως καὶ αἰδημόνως (*MAMA*, VIII, 490; cf. 414, 9: βίος αἰδήμων καὶ κόσμιος); «J'hésite à prononcer en présence d'une matrone un mot indécent» (TÉRENCE, *Héaut.* 1042; cf. PROPERCE, II, 6, 18).

précieux que l'or, la sagesse et la vertu pour parure» (*Sacr. A. et C. 26*).
C'est le parallèle le plus exact de *I Tim.* ii,9.

Si parfois αἰδώς est associé au sympathique équilibre qu'est l'ἐπιείκεια [1],
il connote beaucoup plus souvent la crainte [2] et même l'*eulabéia*, ce sentiment de révérence que l'on éprouve devant une majesté, que ce soit l'Empereur [3] ou Dieu même. C'est en ce sens que les chrétiens rendent un culte
à Dieu, λατρεύειν μετὰ αἰδοῦς καὶ εὐλαβείας (cf. *Hébr.* xii,28).

Si l'αἰδώς (*verecundia*) empêche quelqu'un de faire un acte indigne de
lui, lui fait éviter ce qui est vil, l'ἀναίδεια (*hap. N. T.*) est l'effronterie ou
l'impudence qui ne recule devant aucun moyen pour arriver à ses fins [4].
C'est celle de l'*Ami importun* qui obtient les trois pains qu'il demande au
milieu de la nuit [5]. Ce substantif est rare dans les papyrus: On le trouve
dans une liste de mots (*P. Zén. Cair.* 59534,21), dans la plainte de Kronion,
prêtre de Tebtunis au IIᵉ s., victime de l'insolence extrême de Kronios [6];
dans la plainte d'Aurélius attaqué au IIIᵉ s. par une femme ignoblement
effrontée [7], enfin dans un poème élégiaque sur Méléagre [8]. Si le Seigneur

---

[1] Fl. Josèphe, *Ant.* xiii, 319: Timagénès, φύσει δ'ἐπιεικεῖ ἐκέχρητο καὶ σφόδρα
ἦν αἰδοῦς ἥττων; Plutarque, *De la fausse Honte*, ii; 529 *c*: «Il faut craindre, en ébran-
lant la fausse honte, d'entraîner aussi ces parties limitrophes que sont la pudeur,
la modération, la douceur, τῆς αἰδοῦς καὶ τῆς ἐπιεικείας καὶ τῆς ἡμερότητος»; iii, 530*a;*
Dittenberger, *Or.* 507, 8 (IIᵉ s. ap. J.-C.).

[2] Philon, *Praem.* 97 (φόβος).

[3] Les Juifs introduits en présence de César, le regardent avec modestie et timidité,
tendant les mains vers lui (Philon, *Leg. G.* 352), cf. Diogène Laerce, vii, 116.

[4] Fl. Josèphe, *Guerre*, i, 224: «Malichos sut, à force d'impudence, gagner les fils
d'Antipater»; i, 504: «Phéroras, désespérant de se sauver par des moyens honnêtes,
chercha le salut dans l'impudence»; i, 616; Plutarque, *De la fausse Honte*, xi, 533 *d:*
«éprouvant dégoût et aversion pour l'impudence (τὴν ἀναίδειαν) qui bouleverse et
violente nos raisonnements»; xiii, 534 *b:* «les fâcheux sans pudeur et sans honte,
ἀναιδῶς καὶ ἀδυσωπήτως»; Apollonios de Rhodes, *Argon.* ii, 407: «les yeux insolents».
Théognis l'associe à l'*hybris* (291).

[5] *Lc.* xi, 8: διὰ τὴν ἀναιδείαν. Le quémandeur viole toutes les règles de la politesse
et de la discrétion; son audace ignore toute pudeur (cf. *Sir.* xxv, 22: honte et insolence, quand c'est la femme qui entretient son mari; xl, 30: le paresseux abdiquant
toute fierté, préfère vivre de mendicité que de travailler).

[6] Dans *Etudes de Papyrologie* viii, Le Caire, 1957, p. 104, 11.

[7] Γυνή ἀναιδείᾳ μεγίστῃ καὶ θράσει κεχορηγημένη, *P. Osl.* inv. 1482, publié par S.
Eitrem et L. Amundsen, dans *The Journal of Egyptian Archaeology*, 1954, p. 30,
repris *Sammelbuch* 9421, 12. Au Iᵉʳ siècle, dans la *Ninopédie* (édit. Wilcken, dans
Hermès, 1895, pp. 161 sv.), lignes 111, 113, 118, ἀναιδής signifie tantôt effronté en
paroles et impudent dans des actions déshonnêtes.

[8] Edité par M. Papathomopoulos, dans *Recherches de Papyrologie* ii, Paris, 1962,
p. 101. On a deux bons parallèles dans Archiloque: «Buvant vin pur en quantité et

loue cette audace, c'est qu'il vient de prescrire la prière au Père des cieux et de demander la sanctification de son Nom. Mais, en vertu de l'*aidôs* – cette crainte religieuse que l'on éprouve en face du sacré –, le croyant se ferait scrupule d'user d'une trop grande liberté dans ses demandes, il hésitera à interpeller le Dieu saint d'une manière intempestive, trop peu protocolaire. En vérité, un enfant ignore cette timidité, il «vide son cœur» (*I Sam.* 1,15) devant son Père, et la tradition d'Israël autorise ces importunités [1]. C'est une forme de *parrhésie*.

---

négligeant de payer ton écot..., c'est sans même avoir été invité que tu es venu nous trouver comme un ami tombant chez des amis. En vérité, ton ventre, t'ôtant sens et raison, t'a fait perdre toute pudeur (εἰς ἀναιδείην)» (*Fragm.* 94; édit. Lasserre) et *P. Cair. Isid.* LXXV, 16: six villageois en état d'ivresse et rendus audacieux par leur fortune dont ils escomptent l'impunité, ont forcé, envahi et pillé la maison d'Isidorus, ils prétendent de surcroît impudemment se couvrir du bénéfice de la Loi: ὅθεν τῆς τηλικαύτης αὐτῶν ἀναιδίας δεομένης κτλ. Comparer l'impudence d'un ivrogne (FL. JOSÈPHE, *C. Ap.* I, 46), *P. Ryl.* II, 141; refusant impudemment de payer (37 de notre ère) et l'*incipit* de l'édit de Cn. V. Capiton, préfet de l'empereur Claude en Egypte, le 7 déc. 48: «Depuis longtemps, j'étais informé des charges injustes causées par les exactions de personnes abusant de leurs pouvoirs avec cupidité et impudence, πλεονεκτικῶς καὶ ἀναιδῶς (*Sammelbuch*, 8248, 15–17; cf. le commentaire de P. JOUGUET, *Observations sur les Inscriptions grecques de Khargeh*, dans *Atti del IV Congresso intern. di Papirologia*, Milan, 1936, p. 8). HÉRACLITE, *Allégories d'Homère*, LXX, 11 inclut dans «l'impudence aux mille visages» la rapacité, l'audace et la convoitise.

[1] *Is.* LXII, 7: «Ne lui laissez pas de repos»; *Ps.* X, 12: «Lève-toi, Iahvé»; XLIV, 27; LXXIV, 22; XLIV, 24: «Réveille-toi! Pourquoi dors-tu Seigneur? Sors de ton sommeil»; cf. le combat de Jacob avec l'ange (*Gen.* XXXII, 24 sv.; S. H. BLANK, *Men against God*, dans *JBL*, 1953, pp. 1–14; J. L. McKENZIE, *Jacob at Peniel*, dans *CBQ*, 1963, pp. 71–76).

αἰσχροκερδής, ἀφιλάργυρος

Les Pharisiens sont stigmatisés comme «aimant l'argent»[1], et selon *II Tim.* III,2 les hommes à la fin des temps seront φιλάργυροι[2]; ce qui peut s'entendre aussi bien de l'avarice, souvent associée à la méchanceté[3], que de la cupidité; vice de prêtres (*Test. Lév.* XVII,1), surtout des sophistes «marchands de paroles»[4] qui bradent honteusement la sagesse, et des faux-docteurs (*Tit.* I,11). Cette *philarguria* est la «racine de tous les maux»[5].

---

[1] *Lc.* XVI, 14: φιλάργυροι. Ordinairement pauvres, les Pharisiens devenaient facilement des pique-assiettes, sollicitant des dons, se faisant payer leurs services en nature, abusant de l'hospitalité. Hérode s'irrite contre la femme de Phéroras qui a fourni des subsides aux Pharisiens (FL. JOSÈPHE, *Guerre*, I, 571), Alexandre Jannée met son épouse en garde contre les faux dévôts, qui ressemblent extérieurement aux Pharisiens (IDEM, *Ant.* 400–402) et qui sont avides de gain (*b. Sota* 22 *b*; cf. J. JEREMIAS, *Jérusalem au temps de Jésus*, Paris, 1967, pp. 165 sv.). Les Scribes «dévorent les biens des veuves» (*Mc.* XII, 40), que M. J. Lagrange (*in h.* ÿ.) commente ainsi: «profitant de leur connaissance du droit pour les dépouiller. Dans les sociétés où les droits de la femme dépendent en grande partie de la protection des hommes de la famille, les veuves sont naturellement le point de mire de la cupidité».

[2] A l'époque impériale, Philarguros est un nom propre très fréquent, aussi bien chez les esclaves et les affranchis que dans les hautes classes de la société; cf. les attestations relevées par L. ROBERT, *Hellenica* XIII, Paris, 1965, p. 260.

[3] EPICTÈTE, II, 9, 12; 16, 45, cf. CHORICIUS DE GAZA, *Apol. Min.* 73: Σμικρίνης δὲ φιλαργύρους ὁ δεδιώς, μή τι τῶν ἔνδον ὁ καπνὸς οἴχοιτο φέρων (Foerster-Richtsteig pp. 360–61).

[4] Λογοπῶλαι; PHILON, *Cong. er.* 53 (*Q. in Gen.* III, 31), 127; cf. *Gig.* 37, 39; *Vit. Mos.* II, 212: «les sophistes qui vendent, comme on fait pour quelque autre denrée sur l'agora, leurs principes et leurs raisonnements».

[5] *I Tim.* VI, 10. Il est possible que ce soit la citation d'un auteur comique (ST. T. BIYINGTON, *I Tim. VI, 10*, dans *Exp. Times*, 1944, p. 54), mais la sentence est traditionnelle depuis Platon: «La puissance qu'a l'argent d'enfanter les mille et une fureurs d'acquisition insatiable, infinie..., cette adoration des richesses est bien la première et la plus grande source des plus grands procès pour meurtre volontaire» (*Lois*, IX, 870 *a*). Retenue dans la tradition juive (*Sir.* XXVII, 1–3; *Test. Juda*, 19, 1; PHILON, *Post. C.* 116; *Spec. leg.* IV, 65: «l'amour des richesses, aiguillon [ou éperon: ὁρμητήριον] des plus grandes iniquités». *Or. Sibyl.* II, 115: χρυσέ, κακῶν ἀρχηγέ, βιοφθόρε, πάντα χαλέπτων; cf. III, 235) et attestée dans la littérature profane: aimer l'argent est un vice suprême (PLUTARQUE, *Paul-Emile*, VIII, 10): «La cause de tous ces maux était le pouvoir voulu par la cupidité et par ambition» (THUCYDIDE, III,

On conçoit donc que *Hébr.* XIII,5 prescrive à ses destinataires: «Que vos mœurs [ou votre conduite] soit pure de toute cupidité – ἀφιλάργυρος ὁ τρόπος –, vous contentant de ce que vous avez»[1]. Les Pères grecs estiment que les Hébreux ayant été spoliés ou étant menacés de l'être (x,34) devaient s'efforcer de reconstituer leur avoir ou d'assurer leur sécurité matérielle avec trop d'avidité[2]. Toujours est-il que l'abandon à la Providence exclut toute préoccupation du lendemain et que l'on doit se suffire (ἀρκέω, *Mt.* xxv,9; *Lc.* III,14; *Jo.* vi,7; *I Tim.* vi,8) de ce que l'on a présentement à sa disposition. En théologie morale ἀφιλαργυρία et θαρρέω Θεῷ sont corrélatifs.

Saint Paul exige du candidat à l'épiscopat éphésien qu'il soit ἀφιλάργυρος (*I Tim.* III,3), à l'épiscopat crétois qu'il ne soit pas avide de gains honteux, μὴ αἰσχροκερδῆ (*Tit.* I,7), tout comme les diacres (*I Tim.* III,8), et semblablement saint Pierre exhorte les presbytres à faire paître le troupeau de Dieu «non par un intérêt sordide (αἰσχροκερδῶς), mais par dévouement». La charge de presbytre est avant tout pastorale[3] et ce n'est pas une sinécure: surveillance et soins continuels des brebis, fournir la nourriture, guider la marche du troupeau (*Nomb.* XXVII,17; *Ps.* LXXX,2), le conduire au pâtu-

---

82, 8; cf. *Sir.* x, 8). Stobée attribue à Démocrite la sentence: πλοῦτος ἀπὸ κακῆς ἐργασίης περιγινόμενος ἐπιφανέστερον τὸ ὄνειδος κέκτηται, et à Bion: τὴν φιλαργυρίαν μητρόπολιν ἔλεγε πάσης κακίας εἶναι (x, 36–37; t. III, p. 417; cf. Diogène Laerce, vi, 50; Diodore de Sicile, *Exc.* xxi, 1); «inde fere scelerum causae» (Juvenal, *Sat.* xiv, 173); «Pecunia... semina curarum de capite orta tuo» (Properce III, 7, 4; 13, 48 sv. τὸ κεφάλαιον τῶν κακῶν: ἐν φιλαργυρίᾳ γὰρ πάντ' ἔνι (Apollodore de Géla, dans Stobée, *Flor.* xvi, 12; t. III, p. 482). L'image de la racine implique les idées de cause, de principe, de source, aussi permanente qu'invisible. A. Plummer note que tous les autres vices ont leurs heures de satiété, mais la cupidité n'en a point; même son sommeil est troublé!

[1] Le composé ἀφιλάργυρος est bien attesté entre le IIe s. av. J.-C. et le IIe s. ap. (*Inscriptions de Priène* 137, 5; cf. l'adverbe ἀφιλαργύρως, Dittenberger, *Syl.* 708, 17; 1104, 26), notamment *P. Oxy.* 33, col. II, 11: l'Empereur Antonin le Pieux était «premièrement Ami de la sagesse, deuxièmement n'était pas Ami de l'argent, troisièmement était Ami du bien» (cf. R. MacMullen, *The Roman Concept Robber-Pretender*, dans *Rev. int. des Droits de l'Antiquité*, 1963, pp. 224 sv.). Cf. A. Deissmann, *Licht vom Osten*[4], Tübingen, 1923, p. 67. Onosandre déclare que l'on doit estimer au plus haut point l'*aphilarguria* come vertu du chef, car elle le rend incorruptible et objectif dans le traitement des affaires (I, 8).

[2] On sait combien les troubles politiques accroissent l'incertitude et l'inquiétude du lendemain, et par suite développent le sens des provisions. Les chrétiens sont exhortés à se confier en la Providence qui n'est jamais en défaut (*Hébr.* XIII, 5–6). Cette citation de l'Ecriture, identique à celle de Philon, *Conf. ling.* 166, n'est pas de *Jos.* I, 5, mais de *Gen.* XXVIII, 15 suppléée par *Deut.* XXXI, 6, 8 (cf. P. Katz, *Hebr. XIII, 5. The Biblical Source of the Quotation*, dans *Biblica*, 1952, pp. 523–525).

[3] *Act.* xx, 28; cf. J. Dupont, *Le Discours de Milet*, Paris, 1962.

rage (*II Sam.* v,2; *Is.* xl,11; *Ez.* xxxiv,15; *Ps.* xxiii,xcv,7), empêcher les brebis de se disperser et ramener les égarées (*I Rois*, xxii,17; *Is.* liii,6; *Zach.* xi,16; xiii,7; *Ps.* cxix,176), les défendre contre les bêtes sauvages (*Ex.* xxii,13; *I Sam.* xvii,34; *Am.* iii,12; *Is.* xxxi,4) et les voleurs (*Gen.* xxxi,39; *Job*, i,17). Il faut donc beaucoup de courage et d'abnégation pour être un «bon Pasteur» ne cherchant que le bien du troupeau et ne l'exploitant pas à son profit [1]. Tous les bergers sont exposés à la déchéance du mercenaire que l'esprit de lucre transforme en profiteur éhonté [2].

Voilà pourquoi sans doute, lorsqu'il s'agit des ministres de l'Eglise, saint Paul et saint Pierre substituent au simple ἀφιλάργυρος le très péjoratif αἰσχροκερδής [3]. Un «intendant» dans la maison de Dieu occupe une fonction subalterne. Il aura à rendre des comptes à son *Kyrios* (*Lc.* xii,42–48); sa probité, qui doit être au-dessus de tout soupçon, est un article essentiel de «la morale de l'oikonomos» prescrite par le Seigneur à ses serviteurs [4].

---

[1] *Is.* lvi, 11; *Jér.* xii, 10; xxiii, 1; *Ez.* xxxiv, 1–10. Cf. J. Jeremias, ποιμήν, dans *TWNT*, vi, 484–501.

[2] Notamment les diacres qui distribuent les secours de l'Eglise (*Act.* vi, 3) manient des fonds, reçoivent sans doute des présents et sont exposés à être corrompus par le «malhonnête argent» (*Lc.* xvi, 9, 11). Après avoir défini l'αἰσχροκέρδεια «la poursuite d'un gain sordide», Théophraste donne comme exemple: «Il sert à ses invités des morceaux de pain insuffisants... Chargé d'une distribution de viande, il prétend que le distributeur a droit à double part et se l'adjuge immédiatement» (*Caract.* xxx, 1–2). Certes, l'ouvrier a droit à sa nourriture (*Mt.* x, 10; *Lc.* x, 7) et le cultivateur à une part des fruits (*II Tim.* ii, 5). Les premiers ministres de l'Evangile vivaient aux frais des communautés (*I Cor.* ix, 4–14; *II Cor.* xii, 13–17) et recevaient des «honoraires» (*I Tim.* v, 17–18). Mais ils doivent demeurer désintéressés (*Act.* xx, 33). Saint Jérôme précise: «Qui altario servierint, de altario vivant [*I Cor.* iv, 13–14]. Vivant, inquit, non divites fiant» (*In Tit.* i, 7). Rien n'est honteux comme l'esprit de lucre dans le service des âmes qui exige un don total de soi (*II Cor.* xii, 14–15).

[3] Cette cupidité sordide est associée à la scélératesse par Démosthène (III *C. Aphobos*, 4). Aristote en fait un vice contre l'honneur et la beauté morale (*Eth. Nic.* iv, 33, 1121 *b* 7 sv.). L'accent est moins sur l'âpreté au gain (Fl. Josèphe, *Vie*, 75) que sur la bassesse de cette convoitise et de ses procédés: une atteinte à la dignité humaine et religieuse (cf. *I Tim.* iii, 8: σεμνούς); c'est donc une passion littéralement «ignoble» (cf. Simon le Magicien, *Act.* viii, 18 sv.). Plaute désigne équivalemment l'homme bassement cupide (*turpilucricupidus*) ou «Monsieur Vautour» (*Trinummus*, 100); cf. P. Monteil, *Beau et Laid*, Paris, 1964, pp. 262 sv. D. B. Durham, *The Vocabulary of Menander*², Amsterdam, 1969, p. 39. L'adjectif αἰσχροκερδής n'est pas attesté dans les papyrus avant le IVe s. (P. J. Sijpesteijn, K. A. Worp, *Fünfunddreißig Wiener Papyri*, Zutphen, 1976, n. iv, 18) et le substantif semblablement (*P. Oxy.* 2267, 7).

[4] Cf. C. Spicq, *L'origine évangélique des vertus épiscopales*, dans *R.B.* 1946, pp. 36–46; D. Webster, *The Primary Stewardship*, dans *The Exp. Times* lxii, 1961, p. 274.

Celle-ci oppose le service de Mammon et le service de Dieu (*Lc.* xvi, 10–13). Xénophon avait déjà défini: un bon régisseur «ne doit pas toucher aux biens de son maître ni le voler» [1]. L'intendant chrétien sera désintéressé, sans doute en vertu de l'*agapè* (*I Cor.* xiii,5), mais d'abord au titre de l'honnêteté. Qu'il ne convoite pas l'argent sera une garantie de probité dans la gestion des biens matériels, autant que de sa compassion envers toutes les misères du prochain, puisque c'est l'avarice qui durcit le cœur [2].

---

[1] *Econ.* xiv, 2; cf. P. LANDVOGT, *Epigraphische Untersuchungen über den OIKONO-MOΣ*, Strasbourg, 1908.

[2] «*Obduratio contra misericordiam*» (SAINT GRÉGOIRE LE GRAND, *Moral.* xxxi, 45).

ἄκαρπος

La stérilité, c'est-à-dire ce qui est inapte à la génération ou ce qui ne produit rien, se dit aussi bien au sens propre d'une terre improductive [1], d'arbres sans fruit [2] et de célibataires sans enfant [3], qu'au sens figuré d'un travail sans résultat (*Sag.* xv,4), d'une œuvre sans profit [4], telles les ἔργα ἄκαρπα des ténèbres qui ne produisent rien de bon ni de valable (*Eph.* v,11), opposées au fruit de la lumière (ỷ. 9), et surtout que la Parole de Dieu étouffée dans certains cœurs par les soucis du siècle [5].

Il est plus difficile de préciser le sens de *Tit.* iii,14: «Les nôtres [6] doivent

---

[1] *Jér.* ii, 6 (le désert sans eau); POLYBE, xii, 3, 2; FL. JOSÈPHE, *Ant.* xv, 300 (cf. *Guerre*, iv, 452: une montagne nue et aride); *P. Iand.* 142, col. ii, 24–25, du IIe s. de notre ère (sol sans rendement).

[2] *Jude*, 12; DITTENBERGER, *Syl.* 900, 30 (Ier s. ap. J.-C.). En 316 de notre ère, Aurelius Irenaeus, président de la corporation des charpentiers, relate son expertise d'un arbre stérile depuis plusieurs années et incapable de produire désormais quelque fruit (*P. Oxy.* 53, 9). Dans les papyrus revient constamment la formule, lors de la cession d'un terrain: «avec les arbres [ou les plantes] portant du fruit et ceux qui ne portent pas de fruit» (*P. Dura*, 26, 11; *P. Michael.* 42 A 18; *P. Hamb.* 23, 19; 68, 7; *P. Avroman*, 1; édit. E. H. MINNS, dans *J.H.S.* xxxv, 1915, pp. 22–65); cf. EPICTÈTE, i, 17, 9–10: «Le boisseau est en bois, il est stérile... La logique aussi est stérile».

[3] Epigramme consacrée à Philoxénos: ὀρφανὸς ἐκ προγόνων, ἄγονος, Ἀθανεν, ὣ τὸν ἄκαρπον βλαστόν (*Inscriptions de Thasos*, 332, 10; cf. l'usage adverbial du IVe s. av. J.-C. dans l'épitaphe d'Elpis: «J'ai enduré deux fois les douleurs de l'enfantement, non sans fruit, οὐδ' ἐς ἄκαρπον» (*Inscriptions de Sardes*, 104, 3). Comparer *IV Mac.* xvi, 7: «O vaines ces sept grossesses! inutiles ces sept gestations... stériles (ἄκαρποι) les premiers soins que je leur ai donnés.»; Selon Fl. Josèphe, Abraham rendit grâces à Dieu de ce que Sara, d'abord stérile (ἀκάρπως) fut ensuite rendue féconde (*Ant.* ii, 213).

[4] *I Cor.* xiv, 14 (cf. P. BONNARD, *L'Intelligence chez saint Paul*, dans *Mélanges Fr. J. Leenhardt*, Genève, 1968, pp. 13–14); cf. les athlètes bilieux au tempérament chaud et sec qui ne rapportent rien à leurs gymnastes – ἄκαρποι τοῖς γυμνάζουσι – comme le sable chaud pour les semences des agriculteurs (*Philostrate, Gymn.* 42).

[5] *Mt.* xiii, 22: ἄκαρπος γίνεται; cf. *Lc.* viii, 14: οὐ τελεσφοροῦσιν; *Mc.* iv, 7: καρπὸν οὐκ ἔδωκεν.

[6] οἱ ἡμέτεροι désigne une pluralité définie (le suffixe -*téro* ajouté à ἡμεῖς comporte une valeur différentielle, cf. E. BENVENISTE, *Noms d'agent*, Paris, 1948, p. 119): les membres d'une même famille (PLATON, *Ménex.* 248 b; STRABON, vi, 3, 3), les clients (*P. Oxy.* 37, col. i, 16; de l'an 49 ap. J.-C. *P. Fam. Tebt.* 24, 99, *P. Osl.* 80, 5), «nos gens» en tant qu'appartenant à un groupe restreint (*P. Oxy.* 787, lettre de recomman-

aussi apprendre à être les premiers dans les belles œuvres,... afin qu'ils ne soient pas sans fruits, ἵνα μὴ ὦσιν ἄκαρποι»[1]. On peut l'entendre d'un accroissement de vertus [2] ou de la réception d'une récompense [3]. Mais il semble plutôt qu'il y ait une référence à la *Loi de Fructification*, qui est une exigence majeure de la morale du Nouveau Testament [4], que ce soit dans les Synoptiques depuis le Sermon sur la montagne jugeant l'arbre à ses fruits (*Mt.* vii,16–20) et la parabole du Semeur (xiii,3–8) jusqu'à l'épisode du figuier stérile (*Lc.* xiii,6–9), que ce soit dans saint Paul (*Rom.* vii,4; *Eph.* ii,10) qui prescrit de porter du fruit [5], et dans saint Jean où le sarment est jugé sur sa productivité (*Jo.* xv,2,4–8; cf. xii,24). Dès lors, ἄκαρπος prend dans la langue du N. T. une signification théologique: s'il est prescrit à chaque chrétien d'avoir une activité fructueuse [6], les faux docteurs sont sans fruit (*Jude*,12) et le mauvais croyant est celui qui ne produit pas d'œuvres belles et bonnes. Sa stérilité est la preuve de son inauthenticité: il n'est pas rattaché vitalement au Christ.

---

dation de l'an 16: ὡς ἔστιν ἡμέτερος = comme il est des nôtres; cf. en 116, lors de l'insurrection juive en Egypte: οἱ ἡμέτεροι ἡττήθησαν, *Corp. Pap. Jud.* 438, 7; *P. Ryl.* 696, 4; *P. Osl.* 127, 14). Ici, ce sont les chrétiens de Crète, en opposition à «ceux du dehors» (*I Thess.* iv, 12; *I Cor.* v, 12; *Col.* iv, 5; *I Tim.* iii, 7), juifs ou païens (cf. *Tit.* i, 10).

[1] Plusieurs commentateurs voient ici une réponse par prolepse aux accusations des Romains considérant les chrétiens comme des citoyens inutiles, «infructuosi in negociis» comme s'exprime Tertullien qui répond: «Navigamus nos vobiscum et militamus et rusticamur et mercamur: proinde miscemus artes nostras, operas nostras publicamus usui vestro» (*Apol.* 42).

[2] Cf. *II Petr.* i, 8: Ces vertus «en votre possession et abondantes font que vous n'êtes pas inactifs ni sans fruits – οὐκ ἀργοὺς οὐδὲ ἀκάρπους – pour la connaissance exacte de notre Seigneur Jésus-Christ». ἀργός se dit d'un ouvrier qui ne fait rien (*Mt.* xx, 3, 6), de biens ou de propriétés qui ne rapportent rien (*P. Flor.* 1, 4, 13), de gestes ou de travaux qui n'aboutissent pas (*I Tim.* v, 13; *Jac.* ii, 20).

[3] Titus proclame que «la noblesse de l'action ne doit pas être sans récompense, οὐκ ἄκαρπον ἔσται» (FL. JOSÈPHE, *Guerre*, vi, 36).

[4] J. BOMMER, *Die Idee der Fruchtbarkeit in den Evangelien*, Pfullingen, 1950 (dissertation); C. SPICQ, *Le Chrétien doit porter du fruit*, dans *La Vie spirituelle*, 363, 1951, pp. 605–615; FR. BÖCKLE, *Die Idee der Fruchtbarkeit in den Paulusbriefen*, Fribourg, 1953; A. LOZERON, *La notion de fruit dans le N. T.*, Lausanne, 1957. Cf. H. RIESENFELD, *Le Langage parabolique dans les Epîtres de saint Paul*, dans *Recherches Bibliques* v, Bruges, 1960, pp. 53 sv.

[5] Cf. *Col.* i, 6, 10, καρποφορεῖν; cf. *Hebr.* vi, 7–8; xii, 11. Origène, commentant la parabole des mines (*Lc.* xix, 11–27) en fonction de *Gen.* i, 28 et *Sag.* xiv, 4, explique que Dieu ne veut pas que ses dons à l'homme restent improductifs: θέλει δὲ μὴ ἀργὰ εἶναι μηδὲ ἄκαρπα μήτε ἀτελεσφόρητα τὰ δοθέντα τῷ ἀνθρώπῳ (*P. Giess.* xvii, 22).

[6] ἔργα = καρπός; cf. *Philip.* i, 22: καρπὸς ἔργου; *Rom.* vi, 22: ἔχετε τὸν καρπὸν ὑμῶν (génitif subjectif: votre fruit personnel).

ἀκατάγνωστος

Dans sa prédication, Tite ne dira que des paroles «inattaquables», de telle sorte que les adversaires [1] seront désarmés, ne trouvant rien de blâmable ou d'inconvenant à dénoncer (*Tit.* II,8). C'est dire que dans l'Eglise, colonne et soutènement de la vérité (*I Tim.* III,15), on ne proclame que la vérité, contre laquelle personne ne peut rien objecter (cf. *II Cor.* XIII,8).

L'*hap. N.T.* ἀκατάγνωστος, litt. «ne rien connaître contre», est un terme juridique exprimant l'innocence reconnue d'un prévenu après un procès [2]. Il n'apparaît dans les papyrus qu'à l'époque byzantine, à propos de contrat inattaquable ou d'une personne irrépréhensible. Il a alors une valeur morale, souvent associé à ἀμέμπτως [3], δεόντως [4] et à σπουδέως [5]: le contractant s'engage à travailler et à fournir ses services, protestant qu'il sera «sans reproche» ou irrépréhensible. *Tit.* II,8 est donc l'un des cas assez nombreux où saint Paul semble être en avance sur la langue de son temps.

---

[1] ὁ ἐξ ἐναντίας est le vis-à-vis, celui d'en face (*Mc.* xv, 39), puis l'opposant; celui qui est contre (*Act.* xxviii, 17; *P. Ryl.* 144, 15). Ici, c'est la critique païenne en général (cf. *Tit.* II, 5, 10; *I Petr.* II, 12; ὁ ἀντικείμενος, *I Tim.* v, 14), mais surtout les faux docteurs, contestataires par définition (*Tit.* I, 9; *II Tim.* II, 25), à l'affût de tout grief possible.

[2] *II Mac.* IV, 47: Antiochus IV «renvoya Ménélas, l'auteur de tout ce mal, absous des accusations portées contre lui et il condamna à mort des malheureux qui, s'ils avaient plaidé leur cause, même devant des Scythes [les plus cruels des barbares] eussent été acquittés (ἀκατάγνωστοι). Le mot, ignoré de la langue littéraire avant le IIIᵉ s., est attesté dans les inscriptions, cf. A. DEISSMANN, *Bible Studies²*, Edimbourg, 1909, p. 200; Θεοδώρα δούλη θεοῦ ἀκατάγνωστος (A. C. BANDY, *The Greek Christian Inscriptions of Crete*, Athènes, 1970, n. 8).

[3] *P. Michael.* 41, 41; *P.S.I.* 932, 10; *P. Lugd. Bat.* xi, 7, 15; *P. Oxy.* 2478, 19. Cf. *P. Grenf.* i, 58, 11: τρεφομένων παρ' ἐμοῦ ἀναμφιβόλως καὶ ἀκαταφρονήτως καὶ ἀκαταγνώστως.

[4] *P. Ross.-Georg.* III, 51, 19; *Sammelbuch* 9293, 16: ἐνδέξασθαι ἐν αὐταῖς δεόντως καὶ ἀκαταγνώστως καὶ ἀκαταφρονήτως; *P. Lond.* 113 (4), 15. Cf. *Stud. Pal.*, xx, 219, 17.

[5] *P. Lugd. Bat.* xi, 10, 4; cf. *P. Oxy.* 140, 15: ἀμέμπτως καὶ ἀόκνως καὶ ἀκαταγνώστως μετὰ πάσης σπουδῆς; *P. Giess.* 56, 14; cf. *P. Med.* 48, 6; *Sammelbuch*, 9011, 6; 9152, 10.

ἀκλινής

Ignoré de Fl. Josèphe, attesté une seule fois et tardivement dans les papyrus [1], ἀκλινής, litt. «qui ne penche pas, droit», signifie «stable, fixe», puis
«immobile, en repos»; c'est un synonyme de βέβαιος [2]. Il s'emploie d'une
amitié persévérante (*Anth. Pal.* XII,158,4) et surtout d'une raison ou d'un
jugement inébranlable [3]. L'accent est sur l'immutabilité [4]. C'est Philon
qui a donné à cet adjectif sa valeur religieuse et morale en attribuant la
stabilité d'une part à Dieu, par opposition aux créatures [5]; d'autre part
à l'homme parfait régénéré [6]. On conçoit dès lors que le terme soit entré
dans le lexique de l'Epître aux Hébreux qui exhorte à maintenir inflexible
l'*homologie* de notre espérance (X,23). Celle-ci étant «bien fondée» sur la
promesse de Dieu» [7], doit être gardée sans oscillation. On notera que le
contenu de la foi est identique à l'espérance (cf. *Hébr.* XI,1), exactement
comme *I Petr.* III,15.

---

[1] Pétition du Ve s., εὐχαριστήσω ταῖς ἀκλεινεῖς ἀκοαῖς τῆς ὑμετέρας [ἐξουσίας: Je
rendrai grâces aux oreilles impartiales de votre Autorité (*P. Oxy.* 904, 9).

[2] PHILON, *Spec. leg.* II, 2, d'un serment: ὅρκος ἔστω βέβαιος, ἀκλινής; cf. *Hébr.*
VI, 19.

[3] *IV Mac.* VI, 7 oppose le corps d'Eléazar qui chancelle à sa raison qui demeure
droite et inébranlable; cf. PHILON, *Gig.* 54: «Moïse asseoit immuablement son jugement»; PLOTIN, *En.* II, 9, 2: «Il n'y a qu'une intelligence unique, identique, toujours
la même, inébranlable (νοῦς ἀκλινής) et imitant son père autant qu'elle le peut».
Cf. LUCIEN, *Encom. Demosth.* 33, ἀ. τῆς ψυχῆς.

[4] *IV Mac.* XVII, 3: «Tu as supporté sans fléchir l'ébranlement des supplices»;
PHILON, *Vit. Mos.* I, 30: «comme si on avait fixé pour soi une réussite immuable et
parfaitement scellée, alors que peut-être le jour suivant ne nous trouvera plus dans la
même situation»; *Virt.* 158: «le tronc (de l'arbre) appuyé sur des fondements stables».

[5] PHILON, *Lois allég.* II, 83: «Dieu fait comprendre la différence qu'il y a entre
lui-même et la créature; lui-même qui reste toujours immobile (ἀκλινὴς ἔστηκεν ἀεί)
et la créature qui incline et oscille dans des directions contraires»; II, 89: «Comment
pourrait-on croire en Dieu? C'est en apprenant que tout le reste change et que lui
seul reste immuable (ἄτρεπτος)»; *Gig.* 49: «Stabilité et repos immuable, voilà ce que
l'on trouve auprès de Dieu toujours immuablement debout».

[6] Cf. A. J. FESTUGIÈRE, *Hermès Trismégiste*, II, Paris, 1945, p. 214, qui cite *Q. in
Ex.* II, 96 (*immutabilitas*).

[7] Cf. C. SPICQ, *Théologie morale du Nouveau Testament*, Paris, 1965, pp. 330 sv.

ἀκρασία, ἐγκράτεια

Tous ces termes dérivent de κράτος «force»; l'ἐγκρατής est l'homme qui est maître de lui-même; l'ἀ-κρατής est celui qui ne se contient pas, qui n'a pas de pouvoir. Depuis Socrate, qui avait fait de l'*egkratéia* le fondement et la base de toutes les vertus [1], et Aristote qui distinguait l'homme parfaitement chaste ignorant les désirs impurs (σώφρων) et le continent (ἐγκρατής) qui les ressent mais y résiste (*Eth. Nic.* VII,1–11; pp. 1145 a–1152 a), ce contrôle des impulsions et cette modération des passions étaient considérés chez les Grecs comme une partie de la prudence-tempérance (σωφροσύνη), et par conséquent une vertu essentielle de l'honnête homme.

Dans l'A. T., elle n'apparaît que dans les livres influencés par l'hellénisme et n'a pas de valeur spécifique [2], au contraire de l'Epître d'Aristée [3]. Dans le N. T., elle est associée à la justice [4], à la mansuétude (*Gal.* V,23) ou intercalée entre la *gnose* et l'*hypomonè* (*II Petr.* I,6), sans relief particulier dans ces «catalogues de vertus». Il semble qu'elle ne soit mentionnée que par influence de la morale stoïcienne qui en faisait le plus grand cas [5]. Le fait est que Philon considère la conversion comme un passage ἐξ ἀκρασίας

---

[1] D'après XÉNOPHON, *Mém.* I, 5, 4 (cf. Th. CAMELOT, *Egkratéia*, dans *Dictionnaire de Spiritualité* IV, 1, col. 358; O. GIGON, *Kommentar zum zweiten Buch von Xenophons Memorabilien*, Bâle, 1959, p. 9), repris implicitement par Philon: «Sur la base du contrôle de soi, les thérapeutes édifient les autres vertus de l'âme» (*Vie Cont.* 34). C'était devenu un lieu commun puisque Panétius définit semblablement la *temperantia* (CICÉRON, *Part. Orat.* 76–78).

[2] Notamment dans *Sir.* XVIII, 15, 30 évoquant l'âme maîtresse d'elle-même: ἐγκράτεια ψυχῆς; cf. XXVI, 15.

[3] «Par nature, tous les hommes sont *akrateis* et ont un penchant naturel au plaisir... L'état de vertu au contraire retient ceux qu'entraîne la passion du plaisir et invite à céder le pas à l'*egkratéia* et à la justice» (*Ep. Arist.* 277–278).

[4] *Act.* XXIV, 25; même association *Actes de Jean*, 84. Ce thème de la prédication de Paul est repris par *Acta Pauli et Theclae*, 5: λόγος θεοῦ περὶ ἐγκρατείας καὶ ἀναστάσεως... Μακάριοι οἱ ἐγκρατεῖς; cf. Eléazar: «Je ne t'abandonnerai jamais, aimable tempérance» (*IV Mac.* V, 34).

[5] Cf. MUSONIUS RUFUS, 5 (édit. C. E. Lutz, p. 50, 22), 12 (p. 88, 3–4), 16 (p. 104, 20). Cléanthe (dans PLUTARQUE, *Stoic. repugn.* 7); GALIEN, *De plac. Hipp. et Plat.*, pp. 467, 5–468, 4, etc.

εἰς ἐγκράτειαν (*Praem.* 116), celle-ci étant la plus utile des vertus [1], permettant au courageux de triompher des aspérités de la route et d'aboutir au ciel (*Spec. leg.* IV,112), elle s'oppose à la convoitise impure (I,149: ἐπιθυμία), à l'amour du plaisir (*Abr.* 24: φιληδονία), aux jouissances gastronomiques et sexuelles et même à l'intempérance du langage [2]. C'est en ce sens que *I Cor.* IX,25, comparant le chrétien à un athlète, observe: «Quiconque concourt – ὁ ἀγονιζόμενος – s'impose toute espèce d'abstinence» [3]. On sait combien était rigoureuse l'ascèse des sportifs grecs [4], et la maîtrise de soi donnée ici en exemple s'étend à tous les domaines. Elle fera défaut aux hommes de la fin des temps (*II Tim.* III,3, ἀκρατεῖς); ce n'est pas tant qu'ils mèneront une vie dissolue, mais ils seront incapables de se contrôler, et par conséquent n'agiront plus en êtres humains: des êtres sans moralité [5].

Au Ier siècle de notre ère, le *self-control* est particulièrement une vertu des religieux maîtrisant leurs passions [6] et du chef, qui ne peut correctement

---

[1] *Spec. leg.* I, 173: ὠφηλιμωτάτη τῶν ἀρετῶν, assurant le triomphe de la saine raison contre les assauts de l'incontinence et de la cupidité (cf. 149–150; FL. JOSÈPHE, *C. Ap.* I, 319; II, 244 où l'ἀκρασία est une sorte d'ivresse qui alourdit la raison). Alors que les scribes et les Pharisiens se souciant de pureté extérieure, lavent le dehors des plats, ils ne songent pas que «le contenu de la coupe et du plat provient de la rapine et de l'intempérance, ἐξ ἁρπαγῆς καὶ ἀκρασίας» (*Mt.* XXIII, 25); cf. *Ps. Salom.* IV, 3: ἔνοχος ἐν ποικιλίᾳ ἁμαρτιῶν, ἐν ἀκρασίαις.

[2] *Congr. er.* 80: «La Philosophie enseigne la maîtrise du ventre (ἐγκράτειαν γαστρός), la maîtrise du bas-ventre (ἐγκράτειαν τῶν μετὰ γαστέρα), la maîtrise aussi de la langue (ἐγκράτειαν καὶ γλώττης)»; cf. *Quod. deter.* 102–103; *Quod omn. prob.* 84; *Spec. leg.* II, 195. Cf. une épigramme votive du IIIe s. av. J.-C., trouvée en Afghanistan: «Etant enfant, sois bien sage; jeune homme, maître de toi (ἐγκρατής); au milieu de la vie, juste; vieillard, de bon conseil; à ta mort, sans chagrin» (dans J. POUILLOUX, *Nouveau Choix d'Inscriptions grecques*, Paris, 1971, n. 37).

[3] Les scholies de Démosthène dans le *Codex Bavaricus* mentionnent une œuvre orphique, le *Steliteutica*, dont le seul fragment connu offre un parallèle à *I Cor.* IX, 25; cf. A. EHRHARDT, *An unknow orphic writing in the Demosthenes scholia and St. Paul*, dans *ZNTW*, 1957, pp. 101–110.

[4] PHILOSTRATE, *Gymn.* 25: Le gymnaste doit savoir si le jeune athlète est tempérant ou non, εἰ ἐγκρατὴς ἢ ἀκρατής, s'il est ivrogne ou gourmand; 52: «Si des athlètes viennent de se livrer aux plaisirs de Vénus, il vaut mieux ne pas les exercer. Sont-ce des hommes, en effet, ceux qui changent une volupté honteuse contre les couronnes et les proclamations du héraut?»; C. SPICQ, *Epîtres aux Corinthiens*, Paris, 1947, p. 235. Le seul autre emploi d'ἐγκρατεύεσθαι dans le N. T. est *I Cor.* VII, 9: «S'ils ne peuvent être continents, qu'ils se marient»; cf. l'ἀκρασία des époux séparés l'un de l'autre, *I Cor.* VII, 5.

[5] Cf. *Ep. Aristée*, 222–223; 227–278; ÉPICTÈTE, II, 21, 3 et 7; III, 1, 8.

[6] Chez les Esséniens, le candidat doit avoir fourni pendant une période de probation la preuve de sa tempérance (FL. JOSÈPHE, *Guerre*, II, 138; cf. 120: «Ces hommes

commander aux autres que s'il est *sui compos*. Selon Onosandre ι,2–3, la première qualité du bon général est d'être *sôphron* (de façon à n'être pas distrait de sa charge par les plaisirs du corps) et *egkratès* car l'esclavage des passions lui ferait perdre toute autorité. Pour Ecphante, le roi devant gouverner conformément à la vertu sera ἐγκρατής [1]. La tradition s'en conservera chez l'empereur Julien qui se présentera comme un exemple à tous les gouverneurs du fait qu'il administre les affaires de l'empire μετὰ τοσαύτης κοσμιότητος καὶ σωφροσύνης καὶ ἐγκρατείας [2]. Il est clair qu'il faut replacer dans ce contexte littéraire la vertu exigée du candidat à l'épiscopat: qu'il soit ἐγκρατής, c'est-à-dire maître de soi [3]. Mais chez les chrétiens cette vertu est un don du Saint-Esprit (*Gal.* v,23).

---

tiennent pour vertu la tempérance et la résistance aux passions». C'est par elle que les dévôts d'Isis atteignent Dieu (PLUTARQUE, *Sur Isis et Osiris*, 2), de même que les Mages et les Brahmanes (DION CHRYSOSTOME, *Or.* XLIX, 7; cf. HIPPOLYTE, *Réfut.* I, 24, 1–4) ou les prêtres égyptiens à l'instar de Chérémon (PORPHYRE, *De abst.* IV, 6–8; cf. A. J. FESTUGIÈRE, *La Révélation d'Hermès Trismégiste*, Paris, 1944, I, pp. 30 sv.).

[1] Cf. STOBÉE, VII, 66; t. IV, p. 279, 6–19; De même DIOTOGÈNE, *ibid.* VII, 62, t. IV, p. 266, 11 (cf. L. DELATTE, *Les Traités de la Royauté d'Ecphante, Diotogène et Sthénidas*, Liège-Paris, 1942, p. 258); MUSONIUS RUFUS, 8 (édit. C. E. Lutz, p. 62, 10 sv.).

[2] *P. Fay.* XX, 21. Au contraire, Antiochos était entraîné par la violence de ses passions (ὑπὸ δὲ ἀκρασίας παθῶν, FL. JOSÈPHE, *Guerre*, I, 34), et les fils d'Hérode ne contrôlaient pas leur langue (ἀκρατεῖς λέγειν, IDEM, *Ant.* XVI, 399).

[3] *Tit.* I, 8; cf. l'inscription tombale d'un martyr, vers 300 ap. J.-C., Βερέκων ἐγκρατὸς μαρτυρήσας ἐκοιμή (*Sammelbuch*, 7315, 9).

ἀλαζονεία, ἀλαζών

Il n'est pas facile de préciser exactement la nature de ce vice, dénoncé aussi bien par la littérature païenne [1] que biblique; mais dont chaque auteur a une conception particulière. Tantôt, il s'agit de hâbleurs et de fanfarons, si caricaturés dans la comédie gréco-latine [2], notamment pour l'outrance de leur propos, tantôt de vantards et de présomptueux, dont la jactance ne manque pas d'insolence [3], L'*alazonéia* est un vice de riche et d'homme en vue (*Sag.* v,8; PHILON, *Virt.* 162), d'homme politique (*Testament Job*, 21,3) et de gouvernant (*II Mac.* xv,6; PHILON, *Virt.* 161; *Spec. leg.* iv,

---

[1] Pour Aristote, le vantard pèche contre la véracité, «il aime faire semblant de posséder des titres de gloire qu'il ne possède pas, ou d'en posséder de plus grands que ceux qu'il possède... Il a tout d'un être vil (car s'il ne l'était pas, il ne prendrait pas plaisir au mensonge), mais il est apparemment plus vain que méchant... Ceux qui se vantent par désir de la gloire, font semblant de posséder tout ce qui est un motif de louanges et de félicitations» (*Eth. Nic.* iv, 13, pp. 1127 *a* 21 sv.); cf. Cyrus: «ὁ ἀλαζών me paraît s'appliquer aux gens qui se donnent l'air d'être plus riches, plus braves qu'ils ne sont et qui promettent de faire ce dont ils ne sont pas capables» (XÉNOPHON, *Cyr.* ii, 2, 12; cf. i, 6, 22). «La vantardise, me semble-t-il, est une simulation d'avantages qu'on ne possède pas» (THÉOPHRASTE, *Caractères*, 23, 1). Nombreux textes dans O. RIBBECK, *Alazon*, Leipzig, 1882, qui trace un portrait de l'*alazon* et donne des synonymes (cf. J. POLLUX, *Onom.* i, 195; ix, 146). Cf. le commentaire de H. Lloyd-Jones sur Ménandre, *Perikeiroménè*, 268, dans *Zeitschrift für Papyrologie und Epigraphik*, xv, 1974, p. 209.

[2] Cf. les «vains parleurs vantards» (ATHÉNÉE, i, 52 = 29 *c*), les matamores majorants leurs exploits (le *miles gloriosus* de Plaute, ou de LUCIEN dans les *Dialogues des courtisanes*, 1, 9, 13, 15; le soldat Thrason dans l'*Eunuque* de Térence, ou Polémon dans le *Perikeiroménè* de Ménandre; cf. J. P. CÈBE, *La caricature et la parodie*, Paris, 1966, pp. 50 sv.); la vantardise, associée à l'exagération (περιττολογία; FL. JOSÈPHE, *Ant.* xiv, 111) est synonyme de galéjades (XÉNOPHON D'ÉPHÈSE, *Hell.* vii, 1, 38); mais toujours jugée sévèrement, tel Isokos ἀλαζὼν ἀνὴρ καὶ ἀνόητος (FL. JOSÈPHE, *Ant.* viii, 264), «car l'*alazonéia* et la morgue sont le propre d'une âme bornée» (PHILON, *Spec. leg.* iv, 165). A tout le moins, dans les banquets, faut-il placer «près du vantard, le modeste» (PLUTARQUE, *Propos de table*, i, 2, 6). «La jactance de ceux qui s'enorgueillissent d'eux-mêmes et de leurs ouvrages» (POLYBE, v, 33, 8).

[3] *Prov.* xxi, 24: αὐθάδης καὶ ἀλαζών. PHILON, *Vit. Mos.* ii, 240: «Avancez, maintenant, les vantards, vous qui gonflez la poitrine... qui redressez la nuque et relevez les sourcils..., vous pour qui le veuvage des femmes est un thème de plaisanterie et la condition d'orphelin le sujet de vos railleries»; FL. JOSÈPHE, *Ant.* vi, 179; *IV Mac.* i, 26; ii, 15; viii, 19; *Joseph et Aséneth*, iv, 16: «sa fille lui avait répondu avec insolence et colère». Cf. CICÉRON: «Jactatio est voluptas gestiens et se offerens insolentius» (*Tuscul.* iv, 9, 20).

170), de rhéteur, de philosophe, de poète, de magicien, de médecin [1], c'est-à-dire de tous ceux qui prétendent à l'intelligence (*Sag.* XVII,7), mais aussi des supérieurs qui abusent de leur autorité vis-à-vis de leurs inférieurs [2]. ἀλαζών sera donc un terme du lexique sapiential associant arrogance, présomption [3] et surtout orgueil [4]. L'*alazôn* se prend pour un dieu ou se vante d'avoir Dieu pour père (*Sag.* II,16). C'est donc un imposteur et un impie, à l'instar d'Antiochus qui «dans sa jactance surhumaine croyait commander aux flots de la mer» (*II Mac.* IX,8).

Toutes ces nuances se retrouvent dans le Nouveau Testament, notamment la forme la plus sotte de l'*alazonéia*: «Maintenant vous vous glorifiez dans vos vantardises; toute gloriole de ce genre est mauvaise [moralement]» (*Jac.* IV,16). Il s'agit de négociants présomptueux et de ces «voyageurs de commerce» qui s'exaltent dans leur imagination et dans leurs propos [5], s'attribuant intelligence, habileté et savoir-faire, fiers de l'impor-

---

[1] LUCIEN, *Rhetorum praeceptor, Dialogi mortuor*, 1; 10, 8; *Timon*, 54; *De Mercede conduct.* 35–36; *Adv. Indoctum* 29 (cf. J. BOMPAIRE, *Lucien écrivain*, Paris, 1958, p. 205; H. D. BETZ, *Lukian von Samosata und das N. T.*, Berlin, 1961, p. 198). *Alazôn* est donc un terme d'injure, défini par Suétone: παρὰ τὸ ἀλώμενος ζῆν (J. TAILLARDAT, *Suétone, Des Termes injurieux*, Paris, 1967, pp. 56, 86). Selon Strabon (IV, 4, 5) et Arrien (*Anab.* I, 4), l'*alazonéia* est un défaut des Celtes et des Gaulois.

[2] PHILON, *Spec. leg.* III, 137: «Il sied aux maîtres de ne pas abuser de leur pouvoir sur les domestiques en faisant preuve d'arrogance, de superbe et d'affreuse cruauté». Dans *Job*, XXVIII, 18, υἱοὶ ἀλαζόνων (Théodotion) sont les bêtes féroces. Mais Philon observe que «l'*alazonéia* existe aussi chez les hommes sans importance... Comme chacune des autres passions, maladies et infirmités morales» (*Virt.* 162; cf. 172); tel celui qui se vante devant le roi (*Prov.* xxv, 6; ce pourrait être le flatteur, κόλαξ).

[3] PHILON, *Virt.* 161, 165; *Fuga*, 33–34; *Spec. leg.* IV, 88; II, 18–19.

[4] *Hab.* II, 5: «ἀνὴρ ἀλαζών (יהיר): l'homme orgueilleux... n'est jamais rassasié». PHILON, *Congr. erud.* 41; *Virt.* 171–172, qui cite PINDARE (*Fragm.* 280): «tout *alazôn* se prend ni pour un homme ni pour un demi-dieu, mais pour un être entièrement divin». *Testament Joseph*, XVII, 8: καὶ ὕψωσα ἐμαυτὸν ἐν αὐτοῖς ἐν ἀλαζονείᾳ διὰ τὴν κοσμικήν μου δόξαν,ἀλλ' ἤμην ἐν αὐτοῖς ὡς εἷς τῶν ἐλαχίστων; *T. Dan*, I, 6. Le pythagoricien Callicratidas: ἀνάγκα γὰρ τὼς πολλὰ ἔχοντας τετυφῶσθαι πρᾶτον, τετυφωμένως δὲ ἀλαζόνας γίνεσθαι, ἀλαζόνας δὲ γενομένως ὑπερηφάνως ἦμεν (dans STOBÉE, *Flor.* 85, 16; t. IV, p. 684, 3–5).Voilà pourquoi Philon déclare que pour réprimer et détruire l'*alazonéia*, il faut porter en son cœur le souvenir de Dieu (*Virt.* 165). Il oppose ces vantards aux humbles (*Vit. Mos.* II, 240–241), comme le fera constamment Clément de Rome, *Ad Cor.* II, 1: «Tous vous étiez humbles, sans jactance, cherchant plus à obéir qu'à commander»; XIII, 1: «Soyons humbles de cœur, déposons tous les sentiments de jactance, de vanité, de fol orgueil»; XVI, 2: «Le Seigneur Jésus-Christ n'est pas venu dans le train de la jactance et de l'orgueil... mais avec humilité du cœur»; cf. XXXV, 5.

[5] Cf. CLÉMENT DE ROME, *Ad Cor.* XXI, 5: «Des Grecs tout fiers dans leurs arrogants discours».

tance de leur entreprise et de leurs gains, multipliant les plus beaux projets d'avenir... Tout cela n'est qu'inanité et présomption vaine, ignorance des limites d'une créature. Se prévaloir de ses propres capacités est religieusement un péché.

Bien plus grave sera ce vice chez les hommes de la fin des temps «imposteurs-arrogants» qui sont en même temps des orgueilleux et des blasphémateurs: ἀλαζόνες, ὑπερήφανοι, βλάσφημοι [1], donc des créatures rebelles à l'autorité divine et qui se cantonnent dans leur propre suffisance, constituant eux-mêmes leur règle de vie. Dès maintenant, c'est le propre des païens, selon *Rom.* I,30, d'être «orgueilleux, fanfarons, ingénieux au mal». Ils ne sont pas de ces vaniteux qui s'exaltent inconsidérément, mais des hommes qui atteignent l'extrême de l'outrance et de la démesure en abolissant leur Créateur dans leurs pensées et dans leur vie. Aussi, Dieu déteste-t-il cette jactance (PHILON, *Spec. leg.* I,265).

Il faut vraisemblablement garder cette nuance dans *I Jo.* II,16: «Tout ce qui est dans le monde: la convoitise de la chair, la convoitise des yeux, ἡ ἀλαζονία τοῦ βίου, n'est pas du Père» [2]. Si saint Jean n'a point mentionné une troisième *épithumia* «la convoitise des richesses ou de l'argent», c'est précisément parce qu'il visait un vice plus grave que l'ostentation des riches ou leur arrogance vis-à-vis des pauvres. Il oppose à Dieu l'orgueil d'une créature, maîtresse de son existence, qui décide et dirige le cours de sa vie sans tenir compte de Dieu [3]. Cette «suffisance» est la contradiction même du devoir absolu d'adorer Dieu et le servir religieusement; toute autre chose par conséquent que l'*alazonéia* classique et profane.

---

[1] *II Tim.* III, 2. Dans un catalogue de vices, à rapprocher de celui de Philon, *Sacr. A. et C.* 32 rapprochant ἀλαζὼν δοκησίσοφος αὐθάδης.

[2] En s'appuyant sur Polybe VI, 57, 6: ἡ περὶ τοὺς βίους ἀλαζονεία et surtout *Sag.* V, 8: πλοῦτος μετὰ ἀλαζονείας, on comprend souvent βίος de la richesse (cf. *I Jo.* III, 17; *Mc.* XII, 44; *Lc.* XV, 12, 30). Il s'agirait de la confiance téméraire que l'on met dans les biens de la terre (P. JOÜON, *I Jo. II, 16, la Présomption des richesses*, dans *Recherches de Science religieuse*, 1938, pp. 479–481). Cf. J. BONSIRVEN: «Le faste de la fortune, suivant la signification des deux mots grecs, l'ostentation, l'étalage de tout ce qu'on possède (saint Cyprien traduit: *ambitio saeculi, jactantia hujus vitae*), un luxe éclatant, bref toutes les recherches de la vanité, une des formes les plus grossières de l'orgueil» (*Epîtres de saint Jean*[2], Paris, 1954, p. 118). C. H. LENSKI, *The Epistles of St. Peter, St. John.* Columbus, 1945, p. 426, F. M. BRAUN, *Jean le théologien*, III, 2, p. 208: «ἀλαζονεία τοῦ θεοῦ que nous avons rendue... par 'orgueil de la richesse', ce serait l'attrait de la puissance conférée par la possession des biens matériels».

[3] C'est l'exégèse de J. CHAINE, *Les Epîtres catholiques*, Paris, 1939, p. 164; R. SCHNACKENBURG, *Die Johannesbriefe*, Freiburg, 1953, p. 114. ἀλαζών n'existe pas dans les papyrus, mais cf. *P. Lond.* 1927, 32 (chrétien, milieu du IVe s., H. I. BELL, *Jews and Christians in Egypt*, Londres, 1924, p. 111): τὴν τοῦ κόσμου ἀλαζονίαν ἀπεκήρυξας καὶ τὴν τῶν κενοδόξων μεγαλαυχίαν ἐβδελύξας.

ἀμελέω, ἐπιμελέομαι

Le verbe μέλει (μοί τινος, περί τινος, ὅτι) signifie: avoir du souci pour quelqu'un au sujet de quelque chose, prendre intérêt à une affaire, s'en occuper [1]; d'où μελετάω qui n'est pas seulement «penser à, méditer sur», mais aussi «s'occuper de, s'exercer» et même «pratiquer» [2]. Plus fréquent est ἀμελέω «être insouciant, négligent, ne pas s'inquiéter». Cette indifférence est celle des premiers invités aux noces du Royaume de Dieu (*Mt.* XXII,5), elle est maudite par *Jér.* XLVIII,10, et bien près de l'être dans *Hébr.* II,3: «Comment nous-mêmes échapperons-nous en ayant négligé un pareil salut?» [3] et *Hébr.* VIII,9: «Puisque eux-mêmes ne sont pas demeurés dans mon alliance, Moi aussi je me suis désintéressé d'eux, dit le Seigneur» [4].

---

[1] Dans les Evangiles, on a toujours la formule négative: οὐ μέλει = le Seigneur ne se soucie pas (*Mt.* XXII, 16; *Mc.* IV, 38; *Lc.* X, 40), le mercenaire ne pensant qu'à son intérêt personnel ne se préoccupe pas des brebis (*Jo.* X, 13) ni Judas des pauvres (*Jo.* XII, 6), ni Gallion que l'on batte Sosthènes devant son tribunal (*Act.* XVIII, 17). La nuance «s'occuper de, prendre soin» est celle de *I Cor.* VII, 21; IX, 9; surtout *I Petr.* V, 7: «De tout souci déchargez-vous sur Dieu (*Ps.* LV, 23), puisque lui-même s'occupe de vous». Cf. Ps. PLUTARQUE, *De la Musique*, 26: «les anciens Grecs ont eu raison de vouer les plus grands soins à l'éducation par la musique»; *P. Tebt.* 703, 174.

[2] Cf. *Act.* IV, 25: les peuples ont projeté des choses vaines (cf. *Lc.* XXI, 14: προμελετᾶν) *I Tim.* IV, 15: Timothée doit méditer sur les exhortations de Paul à la vertu et à la prédication, s'y exercer, se donner de la peine et les mettre en pratique.

[3] τηλικαῦτος (pour τοσοῦτος), litt. de cet âge (*II Cor.* I, 10; *Jac. III*, 4; *Apoc.* XVI, 18; *P. Oxy.* VI, 900, 12; *P. Flor.* 58, 14), met en valeur l'incomparable valeur du salut chrétien; cf. DIODORE DE SICILE, II, 4, 1: «Semiramis, femme de condition modeste, fut élevée à un si grand renom, εἰς τηλικαύτην... δόξαν»; HÉRACLITE, *Allégories d'Homère*, XXV, 11: «Des maladies de cette taille (τηλικαῦτα), comment les guérir?»; POLYBE, III, 1, 10: «des événements si considérables»; cf. P. CHANTRAINE, *Etudes sur le vocabulaire grec*, Paris, 1956, p. 153.

[4] Citation de *Jér.* XXXI, 32 (Texte exploité par les Qumraniens, cf. J. T. MILIK, *Dix ans de découvertes dans le désert de Juda*, Paris, 1957, p. 75). Sur cette réciprocité, cf. la lettre d'Aurélios Sarapion à Aurélios Patas (IIIᵉ-IVᵉ s.): «Ne sois pas négligent, sachant que je ne le suis pas moi non plus pour tes affaires, μὴ ἀμελήσῃς εἰδὼς ὅτι κἀγὼ οὐκ ἀμελῶ εἰς σε» (B. BOYAVAL, *Le prologue du Misouménos de Ménandre et quelques autres papyrus grecs inédits*, dans *Zeitschrift für Papyrologie und Epigraphik*, VI, 1; 1970, p. 30; n. XIV, 9–11), cf. *P. Reinach* 117, 11 «Ne néglige pas de m'écrire une lettre, te rendant compte que si tu fais quelque chose, tu le reçois au quadruple».

Après avoir demandé à Timothée de s'appliquer (προσέχε) à la lecture, à l'exhortation..., S. Paul prescrit à Timothée: «Ne néglige pas le don spirituel qui est en toi»[1]. La litote μὴ ἀμέλει est constante dans la littérature papyrologique pour exprimer une attitude psychologique de zèle et d'empressement[2] ou l'application à une tâche[3]; μὴ ἀμελήσῃς, synonyme de μὴ ὀκνήσῃς (*P. Rend. Har.* 107,15; *P. Mich.* III, 221, 12, 14), s'oppose à σπούδασον (*Sammelbuch*, 9654,3–4 = *P. Mil. Vogl.* 255), à προθύμως (cf. *P. S. I.*, 621,7) et à ἐπιμελεῖν (cf. *P. Eleph.* 13,7; *P. Hib.* 253,3 et 8).

Ἀμελέω se dit en médecine de malades négligés, qui périssent faute de soins[4], mais notamment dans l'administration publique des fonctionnaires

---

P. Philad. 32, 16: «Si par négligence tu n'envoies rien, c'est à toi-même que tu feras tort» (fin du Iᵉʳ s.?).

[1] *I Tim.* IV, 14; ἀμελεῖν s'oppose à προσέχειν «fixer son attention, s'attacher» (comme *Hebr.* II, 1 et 3); cf. HIPPOCRATE, *Du Régime des maladies aiguës*, IV, 1; DÉMOSTHÈNE, *C. Poly.* 50, 1; *C. Call.* 55, 9). Le verbe fait partie du vocabulaire de la morale stoïcienne (PHILON, *Congr. erud.* 65; EPICTÈTE, IV, 12, 7) et de la pastorale chrétienne (*I Tim.* I, 4; III, 8; IV, 1, 13; *II Petr.* I, 19; cf. J. DUPONT, *Le Discours de Milet*, Paris, 1962, pp. 136 sv.), où le sens de s'appliquer et s'adonner a une valeur morale. Dans un papyrus chrétien du IIIᵉ s., μὴ οὖν ἀμελήσητε,ἀδελφοί, διὰ ταχέων τοῦτο ποιῆσαι (*Sammelbuch* 9557, 53) correspond à καλῶς οὖν ποιήσαντες (ligne 37); on précise même: νῦν οὖν μὴ ἀμελήσῃς, δέσποτα, διὰ τὸν θεόν (*P. Herm. Rees*, 7, 15).

[2] *P. Mert.* 85, 6: «Ne néglige pas d'écrire, Frère, au sujet de ta santé»; 112, 11; *P. Princet.*, 186, 16 (28 de notre ère); *Sammelbuch*, 10724, 18; *P. L. Bat.* I, 19, 8; XI, 26, 19; *P. Oxy.* 113, 16: μὴ δόξῃς με ἠμεληκότα τῆς κλειδός; 1929, 4: μὴ ἀμελήσῃς τοῦ ζητῆσαι τουτω; 2982, 12; 2985, 9; *P. Sorb.* 62, 5: «Ne manque pas de t'occuper de cela, car j'en ai absolument besoin»; *P. Isid.* 134, 8; *P. Mich.* VIII, 464, 15 sv.: «Ne te fais pas de souci pour nous et prends soin de toi-même» (Iᵉʳ siècle de notre ère).

[3] *P. Yale*, 77, 8 (100 de notre ère): «Je te demande de ne pas être négligent pour le bracelet d'or»; *P. Med.* 74, 8; *P. Oxy.* 2149, 11: «Fais-le, ne le néglige pas»; 2781, 6 et 10; *P. Rend. Har.* 107, 18: «Ne néglige pas de m'envoyer le manteau»; *P. L. Bat.* XIII, 18, 36; *Corp. Pap. Jud.* 424, 14: lettre de Jeanne à Epagathos du 15 déc. 87: «Ne sois pas négligent de nous porter»; *P. Tebt.* 315, 32: «Ne sois pas négligent de toi-même ni de ce que je t'ai écrit de m'acheter»; 417, 31: «Tu ne négligeras aucune de ces tâches»; *Abin. Arch.* 43, 8: «Ne sois pas négligent à payer ce que tu dois»; *Sammelbuch* 10567, 53: τοῦτο μὴ ἀμελήσῃς ἀλλὰ ποίσον γυμνασθῆναι (IIIᵉ s., Antinoé); *P. Vars.* 26, 33: τοίνυν μὴ ἀμελήσῃς συντελεῖν τοῦτο. On répète l'exhortation au début et à la fin de la lettre (*P. Oxy.* 3199, 3, 10). Souvent on a la formule ὅρα μὴ ἀμελήσῃς = Vois à ne pas être négligent (*ibid.* XLII, 16; *P. Ant.* 192, 14; *P.S.I.* 318, 7–8; G. WAGNER, *Papyrus grecs de l'Institut français d'Archéologie orientale*, Le Caire, 1971, II, n. 18, 8–9), et cette exhortation conclut la lettre avant la salutation: Μὴ οὖν ἀμελήσῃς. Ἔρρωσο (*ibid.* 19, 17–18, Iᵉʳ s. ap. J.-C.; cf. *Sammelbuch*, 9535, 12; *P. Fay.* 125, 3–4. ἀμελῶς se dit d'une sentinelle négligente (THUCYDIDE, I, 100).

[4] HIPPOCRATE, *Epid.* III, 72, 3; cf. THUCYDIDE II, 51, 2: les hommes mouraient

qui manquent à leurs obligations d'*épimélètes* (*P. Beatty Panop.* 1,215; II,6, 74; PLUTARQUE, *Timol.* 18,3: ἀργῶς καὶ ἀμελῶς). L'*améléia* est le péché-type du mandataire ou du responsable d'une fonction, se dérobant au devoir de sa charge [1]. C'est évidemment en ce sens que l'on comprendra *I Tim.* IV,14: Timothée ne doit pas perdre de vue qu'il a été surnaturellement équipé pour exercer sa charge et il devra faire fond sur ce don divin pour faire face à ses responsabilités de docteur et de pasteur modèle.

Dans ce contexte pastoral, il est normal que S. Paul emploie ἐπιμελέομαι à propos des épiscopes éphésiens: «Si quelqu'un ne sait pas gouverner sa propre maison, comment prendra-t-il soin d'une église de Dieu, πῶς ἐκκλησίας θεοῦ ἐπιμελήσεται?» (*I Tim.* III,5). Ce verbe composé signifiant «s'occuper, prendre soin, diriger», suggestif de la fonction publique exercée par le ministre de la communauté et du dévouement qu'elle requiert, est surabondamment attesté dans le grec profane, surtout épigraphique (cf. l'*index* de DITTENBERGER, *Syl.* IV,345 sv.), à propos de toute occupation [2], et il pourrait s'agir ici de n'importe quel emploi ou surveillance dans l'*ecclesia*. Mais l'accent est sur la moralité, car ce terme s'emploie d'une tâche qui exige un dévouement personnel, d'une direction effective, d'une application assidue [3]. A ce titre, il fait partie du vocabulaire médical depuis

---

faute de soins (ἀμέλεια). On sait que μελέτη signifie le «traitement» (HIPPOCRATE, *Art.* 50; *Fract.* 31, 35; *Affections internes*, 44, 52). D'où l'inscription honorifique en faveur d'Archelaos médecin d'Héraclée: διὰ τῆς ἰατρικῆς τέχνης εἰς τὴν τῶν ἀπόρων ὄνησιν πλείστην μελέτην ποιούμενον (*MAMA*, VI, 114, 12–13 = L. et J. ROBERT, *La Carie* II, Paris, 1954, n. 70, p. 177).

[1] *P. Hamb.* 192, 5: οὐκ ἠμέλησά σου τοῦ ἐντολίου; *P.S.I.* 425, 13; *P. Oxy.* 62, 9; 1775, 15; *P. Princet.* 163, 7; 167, 9: μὴ ἀμελήσῃς περὶ ὧν σοι ἐνετειλάμην; *P. L. Bat.* XVI, 34, 9 et 14; *P. Isid.* 77, 20; *P. Mil. Vogl.* 167, 13 «par l'incurie de Marion, l'inspecteur des semences» (17 mars 110); *P. Mich.* 591, 3 (édit. G. M. Browne).

[2] Le jour du sabbat, les Juifs ne s'occupent d'aucune affaire, n'accomplissent aucune corvée, μήτε ἄλλης ἐπιμελεῖσται λειτουργίας (FL. JOSÈPHE, *C. Ap.* 209). Simon faisait une tournée d'inspection, «soucieux de ce qui regardait l'administration des villes» (*I Mac.* XVI, 14). Du travail des architectes (*Corpus Inscriptionum Regni Bosporani*, Moscou-Leningrad, 1965, n. 1122; 1242, 1243, 1245, 1246). Selon son acception juridique, ἐπιμελέομαι signifie «avoir la gérance, administrer, veiller aux intérêts de» (L. GERNET, *Démosthène. Plaidoyers civils*, IV, Paris, 1960, p. 156; V. ARANGIO-RUIZ, *Lineamenti del Sistema contrattuale nel Diritto dei Papyri*, Milan, 1928, pp. 22 sv.).

[3] Cf. *P. Tebt.* 703, 183: ἐπιμέλου δὲ ἐπισκοπεῖν (IIIe s. av. J.-C.); *l.* 191: ἐπιμελές τέ σοι ἔστω (cf. *l.* 70, 80, 149, 191, 215, 224, 241). Un décret de proxénie en faveur de Chairias, épistate adjoint, relève qu' «il prend tout le soin avec dévouement dans son métier et dans toute sa façon d'agir envers Antipatros» (P. CABANES, *Les Inscriptions du théâtre de Bouthôtos*, dans *Actes du Colloque 1972 sur l'Esclavage*, Paris,

l'époque classique [1], où ἐπιμέλεσθαι – ἐπιμέλειαν ποιεῖσθαι signifie: soigner médicalement. C'est en ce sens que, selon le médecin Luc, le bon samaritain ayant conduit le blessé à l'hôtellerie «prit soin de lui» (*Lc.* x,34) et recommande à l'hôtelier: ἐπιμελήθητι αὐτοῦ [2].

Depuis Aristote, ce verbe a une acception politique: s'occuper des affaires publiques [3]; l'épimélète désigne spécialement les hauts magistrats qui gouvernent la cité et dont les inscriptions dédicatoires louent le mérite et la justice [4], à telle enseigne que tel titulaire sera désigné dans une lettre:

1974, p. 165, n. 32). Ménandre, *Dyscolos*, 213: «Occupe-toi de ton père»; 240: «prends soin de ma sœur»; 618: «Occupe-toi de ce qu'il lui faut». *Corp. Pap. Jud.* 424, 27: «avant tout prends bien soin de toi-même, afin que tu te portes bien»; (*P. Ross.-Georg.* 2, 4; 18, 321; *UPZ*, I, 61, 29 sv.; 59, 39; *P.S.I.* 1312, 10; *P. Oxy.* 1479, 13: «prends bien soin de toi-même, afin que tu te portes bien», fin du Ier s. av. J.-C.; *P. Mert.* 62, 13, de 6 de notre ère). Cf. l'inscription funéraire de Néo-Césarée: «Tous les autres dieux qui veillent sur les âmes bonnes et ont souci d'elles» (dans J. Pouilloux, *Choix d'inscriptions grecques*, Paris, 1960, n. 52, 13). ζητεῖ ἐπιμελῶς (*Lc.* xv, 8) = chercher avec diligence, soigneusement. Cet adverbe s'emploie de l'éducation (*Prov.* xiii, 24) et du culte (Ménandre, *ibid.* 37: la jeune fille «honore assidûment les Nymphes»).

[1] Nombreux exemples, ignorés de Liddell-Scott-Jones, relevés par W. K. Hobart, *The Medical Language of St. Luke*, Dublin-Londres, 1882, pp. 269 sv., et N. van Brock, *Recherches sur le vocabulaire médical du Grec ancien*, Paris, 1961, pp. 237 sv. «Les lésions, abandonnées à elles-mêmes, s'aggravent, mais soignées (ἐπιμεληθέντα) vont mieux» (Hippocrate, *Mochl.* 21; cf. *De Arte*, 8); «Aux yeux du vulgaire, ceux qui n'ont pas le corps en bon état ne sauraient non plus bien soigner les autres, οὐδ' ἄν ἑτέρων ἐπιμεληθῆναι καλῶς» (*De Medico*, 1); Soranos *Gyn.* iii, 48, 1. Décret honorifique pour un médecin de Cos (Dittenberger, *Syl.* 943, 30 sv.), pour le médecin Hermias à Gortyne (*Inscriptions de Crète*, iv, p. 230, n. 168, 8 sv.).

[2] *Lc.* x, 35. A Sidon, le centurion Julius permet à Paul de recevoir les soins de ses amis, ἐπιμελείας τυχεῖν (*Act.* xxvii, 3). Ἐπιμελεία, traitement, soins donnés à un malade, cf. *Prov.* iii, 8; *Sir.* xxx, 25.

[3] *Const. d'Athènes* xvi, 3: ἐπιμελεῖσθαι τῶν κοινῶν; cf. *Polit.* iii, 5, 10: «l'homme d'Etat est maître de l'administration des affaires communes, κύριος τῶν κοινῶν ἐπιμελείας»; vii (vi), 8, 1321 b. Au sens technique les Epimélètes furent à Athènes les vingt Préposés aux vingt symmories: veillant à la répartition des charges, à l'enrôlement des symmorites et à la défense de l'Etat; on peut les assimiler à des magistrats (cf. Glotz, *Epimélètes*, dans Daremberg, Saglio, *Dictionnaire des Antiquités*, p. 666). A Rome, l'épimélète est le *curator* (cf. H. G. Mason, *Greek Terms for Roman Institutions*, Toronto, 1974, p. 46).

[4] Cf. P. Roussel, *Délos colonie athénienne*, Paris, 1916, pp. 97–125; Fr. Durrbach, *Choix d'Inscriptions de Délos*, Paris 1922, n. 77, 83, 95; P. Graindor, *Athènes de Tibère à Trajan*, Le Caire, 1931, pp. 80 sv. J. Pouilloux, *La Forteresse de Rhamnonte*, Paris, 1954, pp. 84 sv., 115 sv., 118–120, 124 sv., 129 sv., 139. Dans une inscription du port d'Ostie, Valerius Serenus est ὁ ἐπιμελητής παντὸς τοῦ Ἀλεξανδρεινοῦ στόλου (*IG*, xiv, 917). Enée le Tacticien exige du chef et responsable (ἡγεμὼν καὶ

Votre Diligence – Ἐπιμέλεια (*P. Beatty Panop.* 1,76, 85–86, 103). Il est clair que cette signification politico-morale convient bien à l'épiscope appelé à «diriger» une communauté chrétienne [1], mais encore mieux si l'on connaît les emplois cultuels d'*épiméléia*, *épiméléomai* du Ier siècle. En Israël, l'ἐπιμέλεια τοῦ ἱεροῦ ou τῶν ἱερέων est confié aux prêtres et au roi [2] : ils veillent à la célébration du culte, à l'organisation des processions, à l'offrande des sacrifices, étant responsables de la liturgie. Dans les règlements cultuels païens revient constamment la locution ἐπιμελεῖσθαι τῆς θυσίας [3], et l'épigraphie signale les ἐπιμεληταὶ τῶν μυστηρίων [4]. C'est dire que le ministre chrétien n'a pas nécessairement une charge financière comme on l'a prétendu : c'est un chef, qui exerce une fonction religieuse, et qui doit s'y appliquer avec le plus grand soin.

ἐπιμελητής) qu'il soit prudent et plein de vigueur (*Polyor.* I, 7). Démétrios de Phalère, qui montra beaucoup de bienveillance et d'humanité envers tous les concitoyens, est ἐπιμελητὴς τῆς πόλεως (DIODORE DE SICILE, XVIII, 74, 3; XX, 45; cf. l'ἐπιμελητὴς Καύδου dans une inscription de Sparte, L. ROBERT, *Hellenica*, I, Limoges, 1940, pp. 109 sv.). En Israël, deux sortes de surintendants et de magistrats (ἐπιμελητὰς καὶ ἄρχοντα) maintiennent la sécurité publique et le bon ordre (PHILON, *Spec. leg.* IV, 21); Moïse était ὁ τοῦ ἔθνους ἐπιμελητὴς καὶ προστάτης (*Proem.* 77; cf. *Virt.* 57). Sur l'épimélète de la cité et gouverneur, cf. J. et L. ROBERT, *Bulletin épigraphique*, dans *R.E.G.* 1974, pp. 202, n. 108; 291, n. 553.

[1] *I Tim.* III, 15. On notera la signification politique analogue des Ἐπίσκοποι grecs, notamment à Ephèse; cf. les références dans *Der kleine Pauly*, Stuttgart, 1967, II, col. 323.

[2] FL. JOSÈPHE, *C. Ap.* II, 188; *Ant.* XX, 222; *Ep. d'Aristée* 93; cf. PHILON, *Agr.* 51: le Logos, fils premier-né de Dieu, recevra la charge du troupeau sacré. A Delos, il y a des commissaires en charge pour les sacrifices: ἐπιμελητὰς τῆς θυσίας (FR. DURRBACH, *op. c.*, n. 21); à Ostie, Claudius Papirius est ἐπιμελητὴς τοῦ ἱεροῦ (*IG*, XIV, 926); à Oxyrhynque, Sarapion est épimélète des tribus de prêtres du Sérapeum et d'autres temples (*P. Oxy.* 2563, 5), comme Démétrios du temple d'Artémis (*P. Théad.* 34, 14), Ἐπιμελητὴς, ναοῦ θεᾶς Ἀρτέμιδος (P. HERRMANN, *Ergebnisse einer Reise in Nordostlydien*, Vienne, 1962, n. 23, 2–3).

[3] FR. SOKOLOWSKI, *Lois sacrées des Cités grecques*, Paris, 1969, n. 93, 35 (Erétrie, IVe-IIIe s.); 96, 19 (Myconos, 200 av. J.-C.); 103, 11 (Minoa d'Amorgos, Ier s. av. J.-C.); 136, 5 (Ialysos, 300 av. J.-C.); 171, 6, 9, 12 (Isthmos, IIe s. av. J.-C.); 177, 6, etc.

[4] DITTENBERGER, *Syl.* 384, 9 (Athènes); 540, 11, 43 (Athènes); 1029, 10; *Suppl. Ep. Gr.* XVI, 92, 7 (Eleusis); 162, 10, 24 (Athènes); XXI, 494, 19 (Eleusis, Ier s. av. J.-C.) etc.

ἀμεταμέλητος

Ignoré de l'A. T., cet adjectif n'est employé que deux fois dans le Nouveau [1], notamment dans *Rom.* XI,29 où il a une valeur théologique; à propos du salut final d'Israël [2], l'Apôtre affirme: «Les dons et la vocation de Dieu sont irrévocables». Si l'on s'en tient à l'étymologie (ἀ-μετα-μέλομαι), on comprendra que Dieu ne se ravise point [3]; une fois qu'il a choisi son peuple, il ne revient pas sur sa décision; jamais il ne se dédit lorsqu'il s'est engagé par une promesse (*Ps.* CX,4 = *Hébr.* VIII,21) et dès lors notre adjectif, synonyme d'ἀμετανόητος [4] exprimerait simplement l'absence de variation dans la volonté divine. Dieu est ἀμετάβλητος (ARISTOTE, *De caelo*, I,9,279a).

Mais il faut consulter l'usage, qui révèle deux courants sémantiques, l'un littéraire, l'autre juridique, qui se recouvrent partiellement [5]. A la

---

[1] *II Cor.* VII, 10: «La tristesse qui est selon Dieu opère pour le salut un repentir qui ne laisse place à aucun regret». La plupart des commentateurs rattachent ἀμεταμέλητον à μετάνοιαν et non à σωτηρίαν. Une conversion qui ne changera pas est sans retour, définitive (Vulg. *stabilem*); cf. μεταμέλει «regretter» (MÉNANDRE, *Dyscol.* 12; E. F. THOMSON, Μετανοέω and μεταμέλει in Greek Literature until 100 A. D., dans *Historical and Linguistic Studies in Literature Related to the N. T.* Second series, vol. I, Chicago, 1909, p. 366.

[2] D. JUDANT, *Les deux Israël*, Paris, 1960 (avec la recension de P. BENOIT, dans *R.B.* 1961, pp. 458–462); IDEM, *Judaïsme et Christianisme*, Paris, 1969, pp. 261 sv. L. GOPPELT, *Les Origines de l'Eglise*, Paris, 1961, pp. 116 sv. La très grande majorité des commentateurs a vu le peuple juif désigné dans ce verset, mais une moitié environ n'a pas compris que ce peuple se convertirait certainement tout entier (F. J. CAUBET ITURBE, «*Et sic omnis Israel salvus fieret*» (*Rom. XI, 26*), dans *Estud. Biblicos*, 1963, pp. 127–150); cf. S. LÉGASSE, *Jésus a-t-il annoncé la conversion finale d'Israël* (*à propos de Mc. X, 23–27*)?, dans *N.T.S.* X, 1964, pp. 480–487; B. NOACK, *Current and Backwater in the Epistle to the Romans*, dans *Studia Theologica*, XIX, 1965, pp. 155–166.

[3] A la différence des hommes, *Mt.* XXI, 30, 32; XXVII, 3; CLÉMENT, *Ad Cor.* II, 7: «Vous ne regrettiez jamais d'avoir fait le bien»; LIV, 4: «ils ne regretteront pas leur conduite»; LVIII, 2: «Recevez nos recommandations et vous ne vous en repentirez pas».

[4] Cet adjectif est fréquent dans les papyrus (testaments, actes de vente, de partage, de donation) pour exprimer le caractère irrévocable de la décision, *P. Grenf.* II, 68, 4–5; *P. Cair. Preis.* 42, 3; *P. Flor.* 47, 4, 25; R. TAUBENSCHLAG, *Das babylonische Recht in den griechischen Papyri*, dans *The Journal of Juristic Papyrology*, 1954, p. 179, n. 5; A. BONHÖFFER, *Epiktet und das Neue Testament*, Gießen, 1911, pp. 106 sv. Comparer l'*Inscription de Nazareth*, *l.* 5: τούτους μένειν ἀμετακεινήτους τὸν αἰῶνα.

[5] Cf. les références fournies par H. WINDISCH, *Der zweite Korintherbrief*⁹, Göttingen, 1924, p. 232.

suite de Socrate définissant le bonheur: «un plaisir qui ne laisse aucun regret» [1], Platon (*Tim.* 59 *d*), Cratès de Thèbes [2], Plutarque (*De tuenda Sanitate*, 26), Porphyre (*Pythag.* 39; édit. A. NAUCK, *Porphyrii opuscula*, Leipzig, 1886, p. 37) et le néo-platonicien Hieroclès d'Alexandrie (édit. Fr. MULLACH, *Fragmenta Philosophorum Graecorum*, Paris, 1875, I, p. 453) qualifient constamment ἡδονή par l'épithète ἀμεταμέλητος. C'est une tradition d'école. Mais les mêmes auteurs ajoutent que ces plaisirs, au lieu d'être vains, sont avantageux (ὠφελειαί), ne sont mélangés d'aucun chagrin (ἄλυπον), que rien ne trouble ou n'atténue leur charme (ἡδεῖα), et finalement se caractérisent par la permanence ou la fixité (μόνιμος). Cet ensemble de qualifications annexes amène à donner à *amétamélétos* le sens d'absolu, entier, sans ombre.

Effectivement, une autre série de textes donne à cet adjectif l'acception de total ou de définitif, qu'il s'agisse de sentiments, de décisions ou de personnes résolues [3]. Ici ou là affleure une nuance psychologique ou morale de simplicité, de bonne foi, voire de candeur, qui est celle de l'adverbe ἀμελετήτως. Cette acception est prédominante aux environs de l'ère chrétienne, précisément à propos de bienfaits, de dévouement et – pour la première fois – de don. Un décret honorifique de Priène exprime la reconnaissance de la cité pour la bonne grâce et le dévouement indéfectible de Zosime à son égard (*Inscriptions de Priène*, 114,8; fin du Ier s. av. J.-C.). Selon Diodore de Sicile, «tout acte de bienveillance, étant sans arrière-pensée, portait de bons fruits dans la louange de ceux qui en bénéficiaient» (x,15, 3). Le caractère définitif et sûr d'une donation appert au Ier s. de notre ère de la *Tabula* du Ps. Cébès de Thèbes: un vieillard exhortant son interlocuteur à se défier des biens accordés par la Fortune, qui reprend ce qu'elle a donné, l'étranger demande ce qui caractérise le don reçu de l'ἀληθινὴ Παιδεία; Rép. «La vraie science des choses utiles, un don sûr et stable» [4].

Ce sens d'ἀμεταμέλητος «irrévocable» est précisément celui des rares papyrus qui emploient cet adjectif. Le 10 novembre 41, l'empereur Claude écrit aux Alexandrins: «J'en viens aux troubles et aux émeutes antijuives...

---

[1] ἡδονὴ ἀμεταμέλητος, dans STOBÉE, 103, 39, 18; édit. Wachsmuth, v, p. 906.

[2] *Ep.* 10; édit. R. HERCHER, *Epistolographi*, Paris, 1873, p. 210.

[3] Il y a, par exemple, de ces colères irrépressibles qui aveuglent tellement que l'on tue sans hésiter et sans l'ombre d'un regret (PLATON, *Lois*, IX, 866 c), mais aussi de ces caractères sérieux qui s'engagent sans revenir en arrière (ARISTOTE, *Eth. Nic.* IX, 4, 1166 *a* 29). S'ils font des promesses ou offrent une alliance, on peut se fier à leur parole, on n'aura pas à s'en repentir (POLYBE, XXIII, 16; XXI, 11, 11; DENYS D'HALICARNASSE, XI, 13).

[4] XXXII, 12: ἀσφαλὴς δόσις καὶ βεβαία καὶ ἀμεταμέλητως (édit. C. PRAECHTER, Leipzig, 1893, p. 26).

me réservant d'exercer envers ceux qui recommenceraient (lire ἀρξομένων *l.* ἀρξαμένων) une colère inflexible (ὀργὴν ἀμεταμέλητον). Je vous déclare tout net que si vous ne mettez pas fin à cette fureur meurtrière et réciproque, je serais forcé de vous montrer durement ce que signifie la juste colère d'un prince philanthrope» [1]. Trois autres attestations sont des actes juridiques: testateurs ou contractants affirment la détermination de leur volonté inchangeable et irrévocable [2], tel Abraham évêque d'Hermonthis à la fin du VIe siècle: ὅθεν εἰς ταύτην ὥρμησα τὴν ἔγγραφον ἀμεταμέλητον ἐσχάτην διαθηκημίαν ἀσφάλειαν [3]. Le sens d'immuable, inaltérable est confirmé par le *P. Lond.* v, 1660, 37, vers 353, si l'on accepte la restitution de C. Wessely [4]: ἀσάλευτον καὶ ἀμεταμέλητον καὶ ἀμετανάτρεπτον εἶναι [5], et par le *P. Masp.* 314, III, 11, du VIe s. Documents tardifs, mais qui donnent de bons parallèles à *Rom.* XI, 29 à qui l'on donnera une valeur d'axiome juridique.

La révélation serait donc celle-ci: La conduite des bénéficiaires de l'Alliance devrait amener Dieu à révoquer celle-ci. Or la fidélité de Dieu n'est pas démentie par l'infidélité des hommes (*II Tim.* II,13); non seulement il ne se repent pas de ses largesses et de ses promesses [6], mais celles-ci sont irrémissibles, c'est un caractère qui leur est propre (*I Thess.* V,24; *I Cor.* I,9; *II Cor.* I,19–22 etc.). Dieu par conséquent ne reviendra jamais sur ses choix et ses dons de grâce [7].

---

[1] *P. Lond.* 1912, 78 = H. I. BELL, *Jews and Christians in Egypt*, Londres, 1924, p. 25.

[2] R. TAUBENSCHLAG, *The Law of Greco-Roman Egypt in the Light of the Papyri*, New York, 1944, pp. 236 sv. Dans le contrat de vente d'une propriété foncière au Fayûm, le 8 septembre 512, «le dit vendeur déclare que c'est sa volonté ferme, spontanée et irrévocable de vendre dès maintenant et pour toujours» A. SAYCE, *Deux contrats grecs du Fayoum*, dans *Rev. des Etudes grecques*, 1890, p. 131, A 3).

[3] *P. Lond.* I, 77, réédité par L. MITTEIS, *Chrestomathie*, Leipzig-Berlin, 1912, II, 2, n. 319; cf. *P. Rend. Har.* 74, 25, de 99 ap. J.-C.: διαθήκη, ἐφ' ᾗ ἀμεταθέτῳ ἐτελεύτησεν.

[4] Cf. *Berichtigungsliste der griechischen Papyrusurkunden* III, Leiden, 1958, p. 97.

[5] Cf. *P. Michael.* 45, 11; H. ZILLIACUS, *Vierzehn Berliner griechische Papyri*, Leipzig, 1941, n. 4, 14.

[6] Cf. les textes cités par A. VACCARI, *Irrevocabilità dei favori divini. Nota a commento di Rom. XI, 29*, dans *Mélanges E. Tisserant*, Cité du Vatican, 1964, I, pp. 437–442; cf. cependant les repentirs de Dieu dans l'ancienne Alliance, A. W. ARGYLE, *God's Repentance and the LXX*, dans *The Expository Times*, LXXV, 1964, p. 367.

[7] La raison en est, non seulement que Dieu est immuable (*Mal.* III, 6), mais que ses choix et ses dons sont inspirés par une *agapè* se définissant comme un amour éternel (comparer PHOCYLIDE, XVII, 4: «Ceux que je respecte, je les aime du commencement à la fin, τούτους ἐξ ἀρχῆς μέχρι τέλους ἀγαπῶ»; édit. E. DIEHL, *Anth. lyr. gr.*[3], Leipzig, 1949, p. 60). A. VACCARI (*l. c.*, p. 437) préfère rattacher cette immutabilité à la *héséd* qui serait caractérisée par la durée et l'inamovibilité. Evidemment l'un n'exclut pas l'autre.

ἀμοιβή

L'Eglise ne prend à sa charge que les veuves privées de tout soutien de famille. Les enfants et petits-enfants d'une veuve doivent apprendre «à rendre en retour [ce qu'ils doivent] à leurs parents, ἀμοιβὰς ἀποδιδόναι τοῖς προγόνοις»[1]. Solon avait imposé ce devoir aux fils sous peine d'atimie[2]. En Egypte, ce seraient les filles qui auraient été tenues de nourrir leurs parents, les fils en étant dispensés à moins qu'ils n'y fussent engagés par contrat[3]. Mais en 26 d'Evergète Ier et en l'an I de Philopator, Pappos et Ctésiclès, vieux et infirmes, se plaignent respectivement que leur fils ou leur fille refuse ou cesse de leur verser une pension alimentaire (*P. Ent.* 25 et 26); alors que les enfants et petits-enfants du général Diazelmis entourent sa vieillesse d'honneurs et de soins, au IIe–Ier s. avant notre ère[4].

C'est une question de droit naturel[5] et de piété filiale[6], car c'est une

---

[1] *I Tim.* v, 4. Il n'est pas sûr qu'ἀμοιβάς soit un accusatif pluriel d'intensité, car on le rencontre assez souvent comme équivalent du singulier. Cf. DITTENBERGER, *Syl.* 798, 5: εὑρεῖν ἴσας ἀμοιβὰς οἷς εὐηργέτηνται μὴ δυναμένων (37 ap. J.-C.); CAGNAT-LAFAYE, *Inscriptiones graecae*, IV, 293, col. II, 39: κομιζόμενος τῶν εὐεργεσιῶν ἀξίας τὰς ἀμοιβάς.

[2] Ἐάν τις μὴ τρέφῃ τοὺς γονέας ἄτιμος ἔστω (DIOGÈNE LAERCE, I, 55); PLUTARQUE, *Solon*, XXII, 1 et 4.

[3] Selon HÉRODOTE, II, 35; cf. E. SEIDL, *Die Unterhaltspflicht der Töchter*, dans *Atti dell'XI Congresso int. di Papirologia*, Milan, 1966, pp. 149–155. Selon *P. Cair. Masp.* 67314 les fils, héritant de leur père, seront tenus envers leur mère-veuve à γηροβοσκεῖσθαι et νοσοκομεῖσθαι (sur la γηροβοσκία, γηροτροφία, γηροκομία, nourriture, soin, hébergement des personnes âgées et malades, cf. *P. Oxy.* 889, 19; 1210, 9; *BGU*, 1578, 17; *P. Flor.* 382, 39; R. TAUBENSCHLAG, *Opera Minora*, Varsovie-Paris, 1959, II, pp. 339–345, 539–555.

[4] *Suppl. Ep. Gr.* VIII, 497, 11 sv. Au VIe s., un des fils entretient son vieux père malade, *P. Lond.* 1708, 51 sv.

[5] *P. Ryl.* 624, 16. Cf. Hiéroclès d'Alexandrie: «Les enfants doivent se regarder au foyer de leurs parents comme dans un temple où la nature les a placés et dont elle les a faits les prêtres et les ministres, afin qu'ils vaquent continuellement au culte de ces divinités qui leur ont donné le jour... Les enfants doivent fournir à leurs pères toutes les choses nécessaires et, de peur d'en oublier quelqu'une, il faut prévenir leurs désirs et aller souvent jusqu'à deviner ce qu'ils ne peuvent pas expliquer eux-mêmes; car ils ont souvent deviné pour nous, lorsque nous ne pouvions exprimer nos besoins que par nos cris, nos bégayements et nos plaintes» (dans STOBÉE, *Flor.* LXXIX, 53,

restitution ou une compensation de justice de la part des enfants qui font en quelque sorte retour à leurs parents de tout ce qu'ils en ont reçu [1]. Précisément, ἀμοιβή (*hap. b.*) exprime l'échange [2], voire la substitution (*P. Oxy.* 1930, 2 et 4), le don en retour et la récompense [3]; d'où son usage constant de marque de reconnaissance dans les expressions de gratitude [4]. En 84 av. J.-C., Zosime, ayant reçu le titre de citoyen, n'a pas eu une reconnaissance stérile: οὐκ ἄκαρπον τὴν τῆς τιμῆς δέδειχεν ἀμοιβήν, car il chérit la ville comme étant sa patrie et la combla de bienfaits [5]. Païens et chrétiens demandent souvent à Dieu de rendre bienfait pour bienfait, tel cet esclave noir du centurion Pallas à Antinoé: «Qu'en retour, le dieu donne à mon maître une longue vie à parcourir et en même temps la gloire» [6].

---

t. IV, p. 640); cf. *l.* 13: προθυμία πρὸς τὸ ἀμείβεσθαι τὰς εὐεργεσίας αὐτῶν). Cf. les parallèles relevés par C. MUSSIES, *Dio Chrysostom and the New Testament*, Leiden, 1972, pp. 208–209.

[6] Cf. Antiochos Iᵉʳ de Commagène donnant comme τύπος εὐσεβείας le respect des ἔκγονα à l'égard des προγόνοι (L. JALABERT, R. MOUTERDE, *Inscriptions grecques et latines de la Syrie*, Paris, 1929, n. I, 212 sv.). On pratique sa «religion» (*I Tim.* II, 2), lorsqu'on honore sa mère (*Ex.* XX, 12) et qu'on la soutient dans sa vieillesse, cf. *Sir.* III, 2, 14; VII, 27–28; *Prov.* XIX, 26; XXVIII, 24; XXX, 17.

[1] Cf. *P. Ent.* 43, 5: «Qu'il me restitue [la somme] et que j'aie le nécessaire pour mes vieux jours: ἀποδῶι μοι καὶ ἔχω [εἰς τὸ] γῆρας τὰ ἀνάγκαια». Sur cette valeur d'itération, cf. μέλλουσιν ὑπάτοις δευτέρᾳ ἀμοιβῇ (L. C. YOUTIE, D. HAGEDORN, H. C. YOUTIE, *Urkunden aus Panopolis* III, n. XXVI, 19, dans *Zeitschrift für Papyrologie und Epigraphik*, X, 1973, p. 125).

[2] PHILON, *Aet. mundi*, 108; FL. JOSÈPHE, *Guerre*, I, 520: «Il venait lui apporter la vie pour prix de ses bienfaits, la lumière du jour en échange de son hospitalité»; cf. *Inscriptions d'Olympie*, 57, 56.

[3] *P. Oxy.* 705, 61 (200–2) de notre ère; *P. Ryl.* 624, 3; FL. JOSÈPHE, *Ant.* V, 13; *Guerre*, III, 445; VII, 365: «égorgés... c'était la récompense que les Juifs ont reçue de leur alliance»; *MAMA*, VIII, 418, 36; G. E. BEAN, T. B. MITFORD, *Journeys in Rough Cilicia*, Vienne, 1970, n. XXXI, B, 7: τὴν ἐκ τούτων ἐλογίζοντο φιλοτιμίαν εἰς ἀμοιβήν.

[4] FL. JOSÈPHE, *Guerre* I, 293: certains s'attachaient à Hérode en retour des bienfaits qu'ils avaient reçus de lui et de son père; *P. Brem.* 8, 3; *P. Oxy.* 2474, 37; *Sammelbuch*, 8026, 3.

[5] *Inscriptions de Priène*, 112, 17; cf. 113, 32; 119, 27; *Inscriptions de Carie*, 185, 9: dédicace par Ménandros d'un travail architectural, en reconnaissance: ἀμοιβῆς καὶ εὐνοίας ἕνεκεν.

[6] *Sammelbuch*, 8071, 19 (= E. BERNAND, *Inscriptions métriques de l'Egypte gréco-romaine*, Paris, 1969, n. 26): τούτων δ' ἀμοιβὴν δεσπότην δοίη θεὸς βίου τε μακρεὶν οἶμον; *MAMA*, VII, 566, 11 (cf. N. FIRATLI, L. ROBERT, *Les Stèles funéraires de Byzance gréco-romaine*, Paris, 1964, p. 177); *P. Lond.* 1729, 22: seul le Seigneur sera capable de vous le rendre; FL. JOSÈPHE, *Ant.* IV, 266.

ἀναγκαῖος

L'Epître à Tite se conclut par une exhortation à la charité fraternelle: «Que les nôtres [1] aussi apprennent à être les premiers dans les belles œuvres, face aux nécessités pressantes, εἰς τὰς ἀναγκαίας χρείας» (III,14); ce qui est parallèle à *Rom.* XII,13 sur l'agapè authentique: «Prenez votre part des nécessités des saints, pratiquez avec empressement l'hospitalité». Dans le N. T. en effet, ce qui est nécessaire à la vie quotidienne: nourriture, boisson, vêtement, abri, est exprimé par χρεία [2] qui a souvent dans la langue classique la nuance de dénuement, indigence, privation, détresse [3].

Mais ici ces «besoins» sont accentués par l'épithète ἀναγκαῖος: «besoin impérieux», conformément à l'usage littéraire [4], épigraphique [5] et surtout papyrologique à l'époque hellénistique [6]. La référence est tantôt à des

---

[1] Οἱ ἡμέτεροι désigne une pluralité définie (le suffixe *-tero* ajouté à ἡμεῖς comporte une valeur différentielle; cf. E. BENVENISTE, *Noms d'agent*, Paris, 1948, p. 119), les membres d'une même famille (PLATON, *Ménex.* 248 *b*; STRABON, VI, 3, 3), les clients (*P. Oxy.* 37, col. I, 16; *P. Fam. Tebt.* 24, 99), «nos gens» en tant que constituant un groupe différencié: «comme il est des nôtres, ὡς ἔστιν ἡμέτερος», lettre de recommandation de l'an 16 ap. J.-C., *P. Oxy.* 787, 1; cf. *P. Brem.* I, 7). Ici, il s'agit des chrétiens de Crète, en opposition à «ceux du dehors» (*I Tim.* III, 7; *I Thess.* IV, 12), païens ou juifs (cf. *Tit.* I, 10), οἱ λοιποί (*I Thess.* IV, 13).

[2] Il s'agit tantôt de l'indispensable (*Act.* XX, 34; *Eph.* IV, 28; *I Jo.* III, 17), tantôt de provisions et de bons offices (*Act.* XXVIII, 10), voire d'aumônes généreuses (*Philip.* IV, 16). Cf. *Sammelbuch* 9844, 3: πρὸς χρείαν τῶν ἀδελφῶν ἡμῶν (lettre palestinienne du IIe s. ap. J.-C.).

[3] Cf. G. REDARD, *Recherches sur ΧΡΗ, ΧΡΗΣΘΑΙ*, Paris, 1953, p. 82.

[4] Il vient sans doute d'Homère, *Il.* VIII, 57: «La nécessité les y force – χρειοῖ ἀναγκαίῃ»; cf. WETTSTEIN; DIODORE de SICILE, I, 34; PHILON, *Omn. prob. liber*, 76; *Decal.* 99: «L'homme en tant qu'il dépend de mille choses qu'exigent les nécessités de la vie – πρὸς τὰς ἀναγκαίας τοῦ βίου χρείας – a l'obligation de faire diligence jusqu'au terme de son existence, pour se procurer le nécessaire».

[5] En 129 avant notre ère, Moschion est objet de gratitude parce qu'il a pourvu à des dépenses urgentes, εἰς χρείας ἀναγκαίας (*Inscriptions de Priène*, 108, 80). On rapprochera ἀνάγκη «détresse, calamité» (*Lc.* XXI, 23; *I Thess.* III, 17; *I Cor.* VII, 26; *II Cor.* VI, 4; XII, 10) et ἐγ καιροῖς ἀναγκαίοις (R. MERKELBACH, *Die Inschriften von Assos*, Bonn, 1976, n. XI, 6; du Ier s. av. J.-C.), ἐν τοῖς ἀναγκαιοτάτοις καιροῖς (*P. Par.* 46, 7; IIe s. av. J.-C.).

[6] *P. Grenf.* II, 14 (*c*) 1: χρείαν ἔχομεν ἀναγκαίαν; *P. Oxy.* 56, 6; 1068, 16; *P. Strasb.* 264, 10. On a parfois la formule simple: ἑτοίμως ἔχωμεν ὑπουργῆσαι τῇ σῇ ἀρετῇ εἰς

remboursements de prêts d'argent (*P. Oxy.* 1891,6; 1970,20; *P. S. I.* 964,6), tantôt à des services (*UPZ*, 106,11; 107,13; 108,11; χρείας πλείους καὶ ἀναγκαίας παρεχόμενος; octobre 99; cf. «l'indispensable secrétaire» de Palmyre, dans *Inscriptions grecques et latines de la Syrie*, 2859,7), tantôt à la nourriture indispensable (*UPZ*, 110, 104; 144,33; *Sammelbuch*, 7758,15; cf. 7205,18; *P. Mert.* 91,17). Saint Paul vise donc les multiples formes d'aide que les chrétiens doivent apporter à ceux que nous appelons encore «les nécessiteux» [1].

Curieusement, ἀναγκαῖος «qui contraint, nécessaire, indispensable» [2] se dit encore soit des parents par le sang, litt. le fils ou la fille qui ne peut pas refuser les charges d'un héritage [3], soit des amis (*P. Oxy.* 2407,36): les ἀναγκαῖοι φίλοι sont des amis intimes [4]. En ce sens, Cornelius, dans

---

τὰς ἀναγκαίας σοῦ χρείας (*P. Lugd. Bat.* XI, 11, 20): «Vous agirez bien en me payant pour mes nécessités pressantes quatre talents d'argent» (*P. Oxy.* 2600, 11; cf. *P. Michael.* 35 B 1; *P.S.I.* 1122, 8). Plus souvent la formule développée: «Je reconnais avoir reçu pour ma personnelle et pressante nécessité – εἰς ἰδίαν μου καὶ ἀναγκαίαν χρείαν – six sous d'or impérial» (*P. Oxy.* 2237, 8; cf. *P.S.I.*, 1340, 7; 1427, 9; *P. Rend. Har.* 86, 2; *P. Lugd. Bat.* I, 10, 12; *P. Ant.* 102, 6; 103, 15; *P. Fuad*, 53, 2; *Sammelbuch*, 9191, 4–5; 9270, 4–5; *American Studies in Papyrology*, IX, 607, 14).

[1] Cf. ἀναγκαῖος = l'essentiel (*P. Fay.* 111, 19, de 95–96; *P. Oxy.* 2838, 7), le nécessaire des orphelins (*P. Michig.* IX, 532, 2).

[2] Cf. H. SCHRECKENBERG, *Anankè*, Munich, 1964.

[3] Οἱ ἀναγκαῖοι, employé absolument, désigne les parents et les proches (XÉNOPHON, *Anab.* II, 4, 1: «Chez Ariée arrivent ses frères avec d'autres parents, οἱ ἀδελφοὶ καὶ ἄλλοι ἀναγκαῖοι»; DÉMOSTHÈNE, *Sur l'ambassade*, XIX, 290: ὑπὲρ συγγενῶν καὶ ἀναγκαίων). Ces relations créées par le sang se distinguent de celles qu'on noue avec des étrangers (LYSIAS, *C. Philon*, XXXI, 23: τοὺς ἀναγκαίους s'oppose à τοὺς ἀλλοτρίους; *Sur les biens d'Aristophane*, XIX, 38: Serait-ce une raison pour vouloir que ses parents – τοὺς ἀναγκαίους – soient dépouillés de ce qui leur appartient?» FL. JOSÈPHE, *Ant.* VII, 121: les proches – οἵ τε ἀναγκαῖοι – et les chefs du roi Ammonite réalisent qu'ils ont violé le traité); les plus proches sont désignés par le superlatif οἱ ἀναγκαιότατοι (*ibid.* XIV, 362; EPICHARME, *Fragm.* 186: ἐπιηρέστερον καὶ ἀναγκαιέστατον καὶ ὡραιέστατον; édit. G. KAIBEL, *Comicorum graecorum Fragmenta*[2], Berlin, 1958, p. 125). G. D. Kypke avait défini: «*Necessarii* vocantur 1°) consanguini, 2°) adfinitate juncti, 3°) familiaritatis et amicitiae connexi vinculis. Interdum vocabulum haec tria simul complectitur» (*Observationes sacrae in Novi Foederis libros*, Wratislavia, 1755, II, p. 49).

[4] «La notion qui pourrait justifier ce double développement sémantique serait celle de lien: il faudrait la retrouver dans ἀνάγκη. Toutefois l'idée proche de Schwyzer (*Griechische Grammatik*) que ἀν-άγκη (avec ἀν- de ἀνα-) exprimerait l'idée de «prendre dans les bras» (cf. ἀγκών, peut-être ἀγκή chez Hésychius), d'où 'étreinte, contrainte' trouverait quelques appuis; cf. SOPHOCLE, *Tr.* 831–832. Etymologie sémitique impossible de Schreckenberg, *op. c.*, pp. 165–176» (P. CHANTRAINE, *Dictionnaire étymologique de la Langue grecque*, Paris, 1968, I, p. 83 *b*).

ἀναγκαῖος

l'attente de l'arrivée de Pierre à Césarée «avait convoqué ses parents et ses amis intimes» [1].

Depuis Euripide, la locution φίλος ἀναγκαῖος est courante [2]. Dans la *République* (ιχ,574 b, c), Platon oppose la mère (φίλη ἀναγκαία) à la courtisane que l'on veut épouser (φίλη οὐκ ἀναγκαία), puis le père, le parent le plus proche et de longue date (φίλος ἀναγκαῖος) à l'adolescent né d'hier (φίλος οὐκ ἀναγκαῖος). Fl. Josèphe mentionne une dizaine de fois «les amis intimes», mais presque toujours il s'agit des familiers du roi [3]. Le fils de

---

[1] *Act.* x, 24: συνκαλεσάμενος τοὺς συγγενεῖς αὐτοῦ καὶ τοὺς ἀναγκαίους φίλους. Le συγγενής est litt. «le congénère» (cf. MICHAELIS, συγγενής, dans *TWNT*, vii, 737 sv.). La συγγένεια étant une subdivision de la tribu (φυλή) ou de la cité (πόλις), les membres de celles-ci sont par conséquent συγγενεῖς (L. ROBERT, *Le sanctuaire de Sinuri près de Mylasa*, Paris, 1945, pp. 26–28, 96). Ce peuvent être des parents d'un individu lorsqu'on emploie un complément (αὐτοῦ, τοῦ δεῖνος), des relations (PLUTARQUE, *Publicola*, iii, 5: συγγενεῖς ὄντα ἅμα καὶ συνήθεις) et des amis proprement dits: φίλον ὄντα καὶ συγγενῆ καὶ σύμμαχον (*Suppl. Ep. Gr.* xix, 468, 32); φίλους καὶ συγγενεῖς τῆς πόλεως (Décret de Lébédos, dans L. ROBERT, *Hellenica*, xi-xii, Paris, 1960, p. 205; cf. *Suppl. Ep. Gr.* xxiii, 547, 2); τοῖς συγγενέσι καὶ φίλοις καὶ εὐνοίοις (*Inscriptions de Magnésie*, 38, 52; autres textes dans L. ROBERT, *Opera minora selecta* i, Amsterdam, 1969, p. 220). – C'est aussi un titre aulique; à la cour des Ptolémées, la dignité de «parent du roi – *syggeneis*» est la plus élevée (DITTENBERGER, *Or.* 104, 2; 135, 5; A. BERNAND, *Les Inscriptions grecques de Philae*, Paris, 1969, i, n. 30; ET. BERNAND, *Inscriptions métriques de l'Egypte gréco-romaine*, Paris, 1969, n. 5, 5); cf. W. PEREMANS, *Sur la titulature aulique en Egypte*, dans *Symbolae... J. C. Van Oven*, Leiden, 1946, p. 157; STÄHLIN, φίλος, dans *TWNT*, ix, pp. 146, 152; L. MOOREN, *Über die ptolemäischen Hofrangtitel*, dans *Antidorum W. Peremans*, Louvain, 1968, pp. 161–180. Le stratège est aussi qualifié par ce titre honorifique, N. HOHLWEIN, *Le Stratège du Nome*, Bruxelles, 1969, p. 135. – Chez les latins, les *necessarii* sont les *amici*. La *necessitudo* juridique, équivalente à la *cognatio*, est une désignation de l'*adfinitas* (*Digeste*, xlii, 4, 5; ULPIEN, 59 *ad ed* : le soin de défendre le mineur revient aux *cognati*, aux *adfines*, au *libertus*, et on en donne ce motif: Quod verosimile est defensionem pupilli pupillaeve non omissuros vel *propter necessitatem vel propter caritatem* vel qua aliter ratione). Festus emprunte à Aelius Gallus sa définition des necessarii, ce sont ceux *qui aut cognati aut adfines sunt, in quos necessaria officia conferuntur praeter ceteros* (cité par KLEBS, dans *R.E.* i, 2 col. 492–493, in v. *Necessitas*). Aulu-Gelle définit: «Necessitas autem dicatur jus quoddam et vinculum religiosae conjunctionis ... Necessitas sane pro jure officioque observantiae adfinitatisque infrequens est: Quamquam, *qui ob hoc ipsum jus adfinitatis familiaritatisque conjuncti sunt, necessarii dicuntur*» (*Nuits att.* xiii, 3). *Necessitudo* = affection, dans saint Jérôme, *Ep.* 53, 1; 68, 11, etc.

[2] EURIPIDE, *Andr.* 671: «Tu cries contre tes amis naturels, τοὺς ἀναγκαίους φίλους», qui sont les parents naturels; cf. ATHÉNÉE, iv, 154 c.

[3] Φίλος est une désignation aulique (cf. *P. Dura*, xviii, 10; *P. Lugd. Bat.* xvi, pp. 13 sv. *Incriptiones Creticae*, iii, p. 100; DITTENBERGER, *Or.* 119; E. BAMMEL,

Nabuchodonosor, par exemple, ayant relâché Jechonias, le garde parmi ses amis les plus proches [1]. Dans la correspondance papyrologique, l'accent est toujours sur la confiance et l'affection, notamment dans les lettres de recommandation: «Ptolemaios qui te porte cette missive est mon ami et un intime» (*P. Zén. Colomb.* 7,3; de mars 257 av. J.-C.); Dioscoros, porteur de la lettre: ἔστιν μου λείαν ἀναγκαῖος φίλος [2]. Parfois, on renchérit avec le superlatif: φίλος ἀναγκαιοτάτος [3].

Ces exemples, qui pourraient être multipliés, permettent de situer le lexique de saint Luc dans la langue contemporaine. Les «amis intimes» partageaient les dispositions d'âme de Cornélius et devaient attendre avec la même ferveur que lui le joyeux message que saint Pierre venait leur apporter. En signalant leur présence, saint Luc veut évoquer de surcroît l'importance sociale du centurion de Césarée; non seulement il adore Dieu «avec toute sa maison» (*Act.* x,2), il a des soldats pieux qui lui sont attachés (℣. 7), et sa réputation est parfaite parmi «toute la nation des juifs» (℣. 22), mais il a de nombreuses relations de qualité (℣. 27) et en premier lieu des amis très chers. Ce païen est un grand personnage, dont la conversion devait avoir dans l'Eglise le retentissement que l'on sait.

Φίλος τοῦ Καίσαρος, dans *Theologische Literaturzeitung*, 1952, col. 205–210; C. Spicq, *Prolégomènes à une étude de Théologie néo-testamentaire*, Louvain-Leiden, 1955, p. 165; R. Hutmacher, *Das Ehrendekret für den Strategen Kallimachos*, Meisenheim, 1965, p. 32; W. Peremans, E. Van't Dack, *Prosopographia Ptolemaica*, Louvain, 1968, IV, p. XIX; Stählin, *l. c.* p. 157 n. 114). En 167–166, par exemple, les cités Ioniennes saluent le roi de Pergame Eumène II et le félicitant sur sa bonne santé, congratulent en même temps ses familiers qui l'ont accompagné durant sa traversée: συνησθῆναι ἐπὶ τῷ ἐμέ καὶ τοὺς ἀναγκαίους ἐρρῶσθαι (Dittenberger, *Or.* 763, 31; cf. M. Holleaux, *Etudes d'Epigraphie et d'Histoire Grecques*, Paris, 1938, II, pp. 153–178). Attale II se fait semblablement accompagner: συναγαγόντος μου οὐ μόνον ᾿Αθήναιον καὶ Σώσανδρον καὶ Μηνογένην, ἀλλὰ καὶ ἑτέρους πλείονας τῶν ἀναγκαίων (Dittenberger, *Or.* 315, 47 = W. Welles, *Royal Correspondence in the Hellenistic Period*, New Haven, 1934, n. 61, 5).

[1] Fl. Josèphe, *Ant.* x, 229: ἐν τοῖς ἀναγκαιοτάτοις τῶν φίλων εἶχε; cf. x, 5 et 59; xi, 208, 254; xiii, 224; xv, 252.

[2] *P. Herm. Rees*, I, 6–7 (Ier s. de notre ère); cf. *P. Osl.* 60, 5 (IIe s.) *P. Mil. Vogl.* 59, 13 (IIe s.); *B.G.U.* 625, 26: ἔχω ἐν ᾿Αλεξανδρείᾳ ἀναγκαῖον φίλον; *P. Flor.* 142,2: ἐποιδήπερ ἐντολικὸν ἔχω ἀναγκαίου φίλου (264 ap. J.-C.); *Sammelbuch*, 9415, 17, 11.

[3] *P. Brem.* 50, 4; *Stud. Pal.* xx, 233, 2. Comparer les ἀληθινοὶ φίλοι de Musonius, 7 et 9 (édit. C. E. Lutz, pp. 56, 68), et les ἀεὶ φίλοι de Délos (J. et L. Robert, *Bulletin épigraphique*, dans *R.E.G.* 1970, p. 418, n. 410).

ἀνάγνωσις

Le jour du sabbat, les Juifs se réunissent à la Synagogue (*beth séphér*) pour écouter la lecture et le commentaire d'un texte de la Loi et des Prophètes [1]. L'Eglise chrétienne a repris cette tradition et a fait des «lecteurs» des ministres du culte [2]. Mais la lecture des papyrus et des parchemins était difficile, et il était nécessaire que le lecteur prit connaissance de son texte avant d'en faire la lecture publique [3]. «Quand tu dis: Venez écouter la lecture que je vais vous faire, veille d'abord à ne pas faire cela à l'aveu-

---

[1] *Néh.* VIII, 7–8 (avec le commentaire de R. LE DÉAUT, *Introduction à la littérature targumique*, Rome, 1966, I, pp. 23 sv.); PHILON, *Somn.* II, 127; *Quis rer. div.* 253; FL. JOSÈPHE, *Ant.* X, 93–94, *Lc.* IV, 16; *Act.* XIII, 15 (cf. J. W. BOWKER, *Speeches in Acts: A Study in Proem and Yelammedenu Form*, dans *NTS*, XIV, pp. 96–111); cf. *II Cor.* III, 14. Dans le premier tiers du Ier s., Théodote fit construire une synagogue à Jérusalem, εἰς ἀνάγνωσιν νόμου καὶ εἰς διδαχὴν ἐντολῶν (*C. I. Iud.* 1404). A Qumrân, où un prêtre est chargé d'expliquer clairement toutes les paroles des prophètes (*p. Hab.* II, 6–9; cf. VII, 4–5; *Règle* VIII, 11-12; IX, 12–14), les moines se réunissent «pour lire dans le Livre», scruter la Loi et prier ensemble (*Règle*, VI, 6–8). Cf. A. GUILDING, *The fourth Gospel and Jewish Worship*, Oxford, 1960; J. R. PORTER, *The Pentateuch and the Triennial Lectionary Cycle*, dans F. F. BRUCE, *Promise and Fulfilment* (Mélanges S. H. Hooke), Edimbourg, 1963, pp. 163–174; R. LE DÉAUT, *La Nuit pascale*, Rome, 1963, p. 219.

[2] SAINT JUSTIN, *I Apol.* 67; TERTULLIEN, *Praescript.* 41, 8; *P. Apol. Anô*, 99,5; *P. Cair. Masp.* I, 67088. *IG*, X, 2, n. 1030, inscription tombale d'Aristée, ἀναγνώστης καὶ πακτωτῆς (administrateur) γενάμενος τῆς Θεσσαλονικέων ἁγιωτάτης ἐκκλησίας; *Inscriptions de Corinthe*, 548; H. GRÉGOIRE, *Recueil des Inscriptions grecques-chrétiennes d'Asie Mineure²*, Amsterdam, 1968, n. 131 *bis* (Lindos); 148 (Samos); 226 *quater* (Didymes); G. LEFEBVRE, *Recueil des Inscriptions grecques-chrétiennes d'Egypte*, Le Caire, 1907, n. 112 (Fayoum), 350 (Akhmin), 581 (Assouan); *Inscriptions grecques et latines de la Syrie*, 1394 (région d'Apamée). Cf. H. LECLERCQ, *Lecteur*, dans *Dictionnaire d'Archéologie chrétienne et de Liturgie*, VIII, 2, col. 2242 sv. J. M. NIELEN, *Gebet und Gottesdienst im Neuen Testament*, Freiburg, 1937, pp. 182 sv.

[3] Cf. H. I. MARROU, *Histoire de l'Education dans l'Antiquité*, Paris, 1948, pp. 230 sv., 365 sv. L'apprentissage s'en faisait dès l'école (PLATON, *Lois*, 810 b; O. GUÉRAUD, P. JOUGUET, *Un livre d'écolier du IIIe siècle avant Jésus-Christ*, Le Caire, 1938), et si l'élève bronchait d'une syllabe, sa peau devenait plus couverte de marbrures que le tablier d'une nourrice (PLAUTE, *Bacchides*, 432 sv.; cf. HÉRONDAS, *Le maître d'école*, 89–90); puis devint un élément essentiel de la formation rhétorique, exerçant l'intelligence et la mémoire, car à la récitation-déclamation qui figurait dans les concours

glette» [1]. C'est cette *anagnôsis* que saint Paul recommande à Timothée: «Applique-toi à la *lecture*, à l'exhortation, à l'enseignement» (*I Tim.* IV,13).

C'est ainsi que la lettre aux Colossiens sera lue dans la communauté des Laodicéens (ἀναγινώσκω, *Col.* IV,16); lecture publique qui assure le maximum de divulgation à la Parole de Dieu [2], qui s'exprima dès l'origine dans les écrits apostoliques et les révélations prophétiques (*Apoc.* I,3), Au IIe siècle, la charge de «lecteur» est confiée à un ministre compétent [3], c'est-à-dire d'une part qu'il sache faire une lecture intelligible: ἀναγνώστης καθιστάσθω εὐήκοος (*Can. Apost.* 19; *Const. apost.* II,5: πολὺς ἐν ἀναγνώσμασιν, ἵνα τὰς γράφας ἐπιμελῶς ἑρμενεύῃ; cf. SAINT AMBROISE, *Off.* I, 44, 215), d'autre part qu'il soit intelligent: ὁ ἀναγινώσκων νοείτω (*Mc.*XIII,14; cf. *Eph.* III,4), car il doit, non seulement faire un choix avisé des passages qu'il lit, mais aussi les commenter. Il n'a le droit ni d'être ennuyeux ni ésotérique (SAINT AMBROISE, *Off.* I,22, 100-101; EUSÈBE, *Hist. eccl.* IV,23,8).

---

officiels, s'adjoignait commentaire et critique du texte déchiffré (PLUTARQUE, *Comment lire les poëtes? Comment écouter?* Cf. I. BRUNS, *De Schola Epicteti*, Kiel, 1897, pp. 3 sv. J. BOMPAIRE, *Lucien écrivain*, Paris, 1958, pp. 37 sv. *P. Leipz.* 32, 12: μετὰ τὴν ἀνάγνωσιν Ὡριγένης νεώτερος ῥήτωρ; A. C. BANDY, *The Greek Christian Inscriptions of Crete*, Athènes, 1970, n. 6, 5: μνήμην Ἰωάννης ἀναγνώστης καὶ χαρτουλάριος; 37, 4; 104, 1). Si l'*anagnôstès* est parfois un spécialiste (DÉMOSTHÈNE, *C. Poly.* I, 65: on va vous lire la loi; C. *Timothée*, XLIX, 43: lis-moi ce témoignage; cf. *I Mac.* XIV, 19; *Lettre d'Aristée*, 310; *P. Oxy.* 237, V, 13; VII, 33, 35; 2562, 4; 2963, 4; 2993, 14; *B.G.U.* 2244, 11: ouverture et lecture en public d'un testament, ἠνοίγη καὶ ἀνεγνώσθη; DITTENBERGER, *Syl.* 785, 1. T. C. SKEAT, *The Use of Dictation in Ancient Book-Production*, Londres, 1956, pp. 179 sv.; R. A. COLES, *Reports of Proceedings in Papyri*, Bruxelles, 1966, p. 47), il est aussi «celui qui étudie un livre» (CICÉRON, *Attic.* I, 12; *Fam.* V, 9). Cf. *Inscriptions de Magnésie*, 100, 81.

[1] EPICTÈTE, III, 23, 6; PLINE, *Ep.* II, 19; V, 12; VII, 17; PLUTARQUE, *Alexandre*, I, 1; XXIII, 3; *P. Lond.* 1973, 1: «Dès que tu auras lu cette lettre: ὡς ἂν ἀναγνῶις τὴν ἐπιστολήν, envoie à Ptolémaïs...».

[2] *I Thess.* V, 27 (avec le commentaire de B. RIGAUX, *Les Epîtres aux Thessaloniciens*, Paris, 1956, in h. ÿ.); cf. *II Cor.* I, 13; *Eph.* III, 4. SAINT JUSTIN, *Apol.* I, 67. Au plan littéraire, comparer *P. Ant.* 93, 5: ἐδήλωσα...διὰ Σερήνου ἀναγνώστου (IVe s.).

[3] HIPPOLYTE, *Trad. apost.* 12; cf. *Const. apost.* VIII, 22, 2. Les qualités du lecteur ne sont pas seulement celles de sa voix et de son mode d'élocution, mais de son intelligence à comprendre le texte d'un papyrus ou d'un codex à la *scriptio continua*. Il fallait opérer la coupure des mots et discerner les divers éléments de la phrase qui n'étaient signalés par aucun signe de ponctuation. (Cf. PLUTARQUE, *La vertu peut-elle s'enseigner?* 1: ἀναγινώσκειν γράμματα = déchiffrer les lettres.) Encore au temps de saint Augustin, il n'existait aucun texte ponctué des Ecritures. Cassiodore et Isidore de Séville insisteront à juste titre sur la formation technique des Lecteurs. Cf. dans les *Actes de la Conférence de Carthage en 411*, III, 255 (édit. S. Lancel), la critique adressée au greffier: «Il ne sait pas lire, il ne sépare pas les phrases (ou: il ne distingue pas le sens des mots)... On ne critique pas la bonne foi du greffe, mais sa prononciation».

ἀναδέχομαι

En ses quatre emplois de ce verbe [1], la Bible ne connaît que le participe aoriste premier moyen ἀναδεξάμενος. Si elle lui donne l'acception bien attestée d'hospitalité «accueillir quelqu'un comme hôte» [2], elle ignore le sens courant d'accepter, recevoir un objet, une somme d'argent, subir un événement [3]. Du moins, dans le cas d'Eléazar «acceptant» une mort glorieuse de préférence à une existence infâme (*II Mac.* vi,19), s'agit-il d'un consentement volontaire et fervent.

Ce verbe n'est donc pas synonyme de λαμβάνω. Il signifie très souvent: prendre sur soi, se charger, s'engager: on répond de quelque chose envers quelqu'un. Ce fut le cas de Nicanor qui s'était engagé envers les Romains à réaliser un tribut avec le prix des captifs de Jérusalem [4], et l'on dit aussi en Egypte du fils de Jason, qui n'a vécu que cinq ans, qu'il «accomplit tout ce qui convenait» (*Suppl. Ep. Gr.* viii, 799,2). Lorsqu'on accepte une fonction, on s'engage à la remplir (*P. Isid.* 82,5 et 8). Finalement ἀναδέχομαι

---

[1] Cf. la thèse de doctorat de S. VITALINI, *La notion d'accueil dans le Nouveau Testament*, Fribourg, 1961, (édition partielle: *La nozione d'Accoglienza nel Nuovo Testamento*, Fribourg, 1963).

[2] «Publius nous reçut et nous hospitalisa» (*Act.* xxviii, 7); cf. DITTENBERGER, *Or.* 339, 20: τάς τε πρεσβείας ἀνεδέχετο προθύμως (IIe s. av. J.-C.); 441, 9; *Sammelbuch*, 8029, 7.

[3] FL. JOSÈPHE, *Guerre*, i, 338: «Ceux qui s'échappaient étaient reçus à la pointe de l'épée»; iii, 14: «Antonius reçut avec fermeté les premières attaques»; iii, 173: peaux de bœufs pour recevoir les boulets de pierre; DITTENBERGER, *Syl.* 962, 65 (333 av. J.-C.); *P. Tebt.* 329, 19 (139 ap. J.-C.); *P. Eleph.* 29, 12; DIODORE DE SICILE, iv, 29. Sénatus-Consulte de Sylla: «supporter de nombreux dangers» (*Inscriptions de Thasos*, 174 C 8).

[4] *II Mac.* viii, 36: ὁ τοῖς 'Ρωμαίοις ἀναδεξάμενος φόρον; cf. EPICTÈTE, iii, 24,64: «Diogène assumait joyeusement tant de fatigues et de misères corporelles»; FL. JOSÈPHE, *Guerre*, iii, 4: Vespasien capable d'assumer le poids d'une guerre si lourde; *Ant.* xiv, 315; DITTENBERGER, *Syl.* 685, 30: πᾶσαν ἀναδεχόμενοι κακοπαθίαν (139 av. J.-C.); *Sammelbuch* 7473, 6; 7738, 13: ἀναδεξάμενος πόνον ἐκ νυκτὸς καὶ μεθ' ἡμέραν, ἄχρι συνετέλεσεν (décret honorifique d'un stratège, de 22–23 ap. J.-C.); 7996, 24: ἀναδεχομένου τὸν κίνδυνον τῆς πράσεως (18 sept. 430 ap. J.-C.). *P. Oxy.* 71, 16; 1418, 18: ἀναδέξομαι τῷ παιδὶ τετραμήνιον γυμνασιαρχίαν; *P. Ryl.* 77, 38; *P.S.I.* 1239, 24; *BGU*, 1762, 11. Un décret honorifique est voté en faveur d'Eirénias qui «a pris à sa charge les frais qu'entraîne la réalisation de ces honneurs, τὰς δαπάνας τὰς εἰς τὴν συντέλειαν

exprime que l'on se porte garant [1] comme l'atteste la constante association, tardive il est vrai, ἐγγυᾶσθαι καὶ ἀναδέχεσθαι [2].

Notre verbe a par conséquent une acception juridique: prendre une responsabilité [3] qui est certainement celle d'*Hébr*. xi,17: «Par la foi, Abraham, mis à l'épreuve, offrit Isaac – à la vérité c'est le fils unique qu'il offrait – lui qui avait reçu la responsabilité des promesses» [4]. La «tentation» d'Abraham fut une épreuve de sa foi, de son amour et de son obéissance. Tous les commentateurs relèvent la nuance des temps: le parfait προσενήνοχεν signale le sacrifice parfaitement accepté et comme déjà accompli dans le cœur d'Abraham [5], tandis que l'imparfait προσέφερεν évoque la réalisation progressive de cette offrande persistant sans faiblir tout au long des préparatifs de l'immolation sur le Moriah: «Ayant offert... il était en train d'offrir», alors que – dépositaire et responsable des promesses d'une descendance – il paraissait anéantir à tout jamais celle-ci.

τῶν τιμῶν ἀναδέξασθαι παρ' αὐτοῦ» (INSTITUT F. COURBY, *Nouveau choix d'Inscriptions grecques*, Paris, 1971, n. 7, 12).

[1] THUCYDIDE, VIII, 81, 3: «Tisapherne ne se fierait aux Athéniens que si Alcibiade en personne... s'en portait garant auprès de lui»; POLYBE, V, 16, 8.

[2] *P. Oxy.* 1972, 6; 2238, 9; 2420, 10; 2478, 12; *P. Ross.-Georg.* v, 34, 5; *Stud. Pap.* xx, 127, 9; 128, 8; *Sammelbuch* 9146, 8–9; 9152, 7; 9592, 11–12; *P.S.I.* 932, 5; *P. Strasb.* 40, 18; *P. Leipz.* 55, 8.

[3] FL. JOSÈPHE, *Ant.* xiv, 247; xvii, 304; *P. Oxy.* 513, 59: ἐγὼ αὐτὸς τοῦτο ἀναδέξομαι = J'en prendrais la responsabilité sur moi-même (184 de notre ère).

[4] Ὁ τὰς ἐπαγγελίας ἀναδεξάμενος. Sur Abraham et le sacrifice d'Isaac, cf. R. LE DÉAUT, *La Nuit pascale*, Rome, 1963, pp. 131 sv., 163, 206–207, 259 sv. IDEM, *La présentation targumique du sacrifice d'Isaac et la sotériologie paulinienne*, dans *Analecta Biblica* 18; Rome, 1963, ii, pp. 563–574; M. McNAMARA, *The New Testament and the Palestinian Targum to the Pentateuch*, Rome 1966, pp. 164 sv. R. DE VAUX, *Les sacrifices de l'Ancien Testament*, Paris, 1964, p. 61; H. CAZELLES, *Patriarches*, dans *DBS*, vii, 128 sv. D. LERCH, *Isaaks Opferung christlich gedeutet*, Tübingen, 1950; F. M. BRAUN, *Jean le Théologien*, Paris, 1966, iii, 1, p. 159. J. L. VESCO, *Abraham*, dans *Rev. des Sciences ph. et th.* 1971, pp. 33–80.

[5] «Dans certains cas, le parfait est chargé d'un potentiel psychologique considérable, et cet aspect du 'temps dramatique du passé' éclate dans les passages où le parfait se détache sur un fond d'aoristes (*II Cor.* xi, 25: πεποίηκα; *Hébr.* xi, 17: προσενήνοχεν; *Hébr.* xi, 28: πεποίηκεν)» (E. OSTY, *Pour une Traduction plus fidèle du Nouveau Testament*, dans *Ecole des Langues orientales... Mémorial du Cinquantenaire*, Paris, 1964, p. 88).

ἀναστροφή

Le sens le plus banal d'ἀναστρέφω: «revenir, retourner d'un lieu dans un autre» [1], d'où: «rebrousser chemin» (*I Sam.* xxv,12; *II Sam.* iii,16; *Judith*, 1,13), garde tantôt la nuance étymologique de «retourner sens dessus dessous» [2], comme les fuyards rejetés les uns sur les autres (*I Mac.* vii,46; cf. *Judith*, i,11), tantôt la valeur d'aller et venir, «vivre» [3]. De là son emploi métaphorique: «marcher dans la vertu» [4].

C'est cette nuance morale que garde exclusivement le substantif ἀναστροφή, désignant un mode d'existence, une façon de se comporter [5] et qui est devenu un terme technique de la spiritualité du N. T. Autant est stigmatisée la manière de vivre des païens [6], autant est louée une «conduite

---

[1] *Gen.* viii, 9 (*schûb*); xviii, 14; xxii, 5; *Jug.* xviii, 26; *I Sam.* iii, 5–6; *Act.* v, 22; xv, 16.

[2] Mais dans une acception favorable on «rétablit la situation» (Fl. Josèphe, *Vie*, 273), on «fait retour» (*P. Michig.* xxiv, 55, 7). Dans la terminologie optique, ἀναστρέφειν désigne «le renversement, par rapport aux objets, des images dans les miroirs» (Ch. Mugler, *Dictionnaire historique de la Terminologie optique des Grecs*, Paris, 1964, p. 33). En géométrie, ἀναστροφή exprime la conversion d'un rapport (Idem, *Dictionnaire historique de la Terminologie géométrique des Grecs*, Paris, 1958, p. 61).

[3] *Ez.* iii, 15; xix, 6. ἀναστρέφειν est alors synonyme de περιπατεῖν, cf. Épictète, i, 2, 26: «passer sa vie»; iii, 15, 5: «Tu te comporteras à la manière des enfants» (cf. A. Bonhöffer, *Epiktet und das Neue Testament*, Gießen, 1911, pp. 52, 201). De là «s'occuper» (*P. Sarap.* 80, 11; *Sammelbuch*, 9779, 4), se consacrer à son devoir (*Lettre d'Aristée*, 252). C. Spicq, *Théologie morale du N. T.*, Paris, 1965, i, pp. 382 sv.

[4] *I Rois* vi, 12 (*halaq*); *Prov.* viii, 20; xx, 7; *Zach.* iii, 7. D'où l'acception privilégiée de conversion: revenir à Dieu (*Jér.* iii, 7; viii, 4; xv, 19; xxii, 10–11; *Sir.* viii, 8; xxxix, 3; l, 28). Cf. *Lettre d'Aristée*, 216: pendant le sommeil, la pensée retourne aux mêmes affaires dont on s'est occupé à l'état de veille.

[5] *Tob.* iv, 14. *Gal.* i, 13: «Vous avez entendu parler de mon comportement alors que j'étais dans le Judaïsme»; cf. *Eph.* ii, 3; Clément de Rome, *Cor.* 63, 3: ἀπὸ νεότητος ἀναστρεφόντας ἕως γήρους ἀμέμπτως ἐν ἡμῖν.

[6] *II Mac.* v, 8 (κακῆς ἀναστροφῆς); *Eph.* iv, 22: «Vous avez été instruits à vous défaire de votre façon de vivre antérieure, celle du vieil homme corrompu par les convoitises»; *I Petr.* i, 18: «Vous avez été affranchis de la manière de vivre insensée (μάταιος) que vous avez héritée de vos pères» (cf. W. C. Van Unnik, *The Critique of Paganism in I Petr. I, 18*, dans *Studies in Honour of M. Black*, Edimbourg, 1969, pp. 129-142); *II Petr.* ii, 7: le juste Lot est «accablé par le comportement de ces

parfaite dès l'enfance» (*II Mac.* VI,23, καλλίστη). Lorsque saint Paul fait état du témoignage de sa conscience: «C'est dans la simplicité et la pureté de Dieu – non pas dans une sagesse charnelle, mais dans la grâce de Dieu – que nous nous sommes comportés dans le monde, particulièrement à votre égard» (*II Cor.* I,12), il oppose deux modes d'existence, et donne déjà à *l'anastrophè* une valeur exemplaire qui sera spécialement requise des ministres de l'Eglise [1]; le modèle, particulièrement visible, doit être entraînant. La vie dans la foi est un témoignage persuasif.

C'est surtout saint Pierre qui exigera de tous les chrétiens une conduite inattaquable. Qu'il s'agisse de la façon de se tenir, de se vêtir, de se comporter en famille ou dans les relations sociales, de toutes les actions et réactions au sein de la communauté, la vie concrète du croyant doit être belle et rayonnante [2]: «Que votre comportement au milieu des nations soit beau» (*I Petr.* II,12; καλή), apte par conséquent à désarmer les critiques (III,16), notamment celles des maris gagnés par le comportement chaste et silencieux de leur femme (III,1–2).

On a jadis prétendu que ces acceptions morales et religieuses dérivaient

---

gens effrénés dans la débauche»; II, 18: les néophytes, fragiles et instables, «à peine éloignés de ceux qui vivent dans l'égarement – τοὺς ἐν πλάνῃ ἀναστρεφομένους» ne résistent guère à de tels entraînements. Cf. *Hébr.* X, 33 où les chrétiens sont solidaires de ceux qui sont maltraités, «dans une semblable situation» (comparer *P. Tebt.* 703, 271: τῆς καθ' ἡμᾶς ἀναστροφῆς καὶ ἀγωνίας; IIIᵉ s. av. J.-C.).

[1] *I Tim.* III, 15: «Je t'écris... pour que tu saches comment il faut se comporter dans une maison de Dieu»; IV, 12: «Deviens un modèle pour les croyants, en parole, en conduite, en charité...»; *Hébr.* XIII, 7: «Souvenez-vous de vos conducteurs... et contemplant attentivement l'aboutissement de leur manière de vivre, imitez leur foi»; le didascale qui a écrit cette lettre certifie qu'il veut lui-même se bien conduire en toutes choses: καλῶς θέλοντες ἀναστρέφεσθαι (*Hébr.* XIII, 18). *Jac.* III, 13: «Qui est sage et expérimenté parmi vous? Qu'il montre ses œuvres par un beau comportement – ἐκ τῆς καλῆς ἀναστροφῆς – avec une sagesse amène». Cf. *Lettre d'Aristée*, 130: «Tu vois l'influence du comportement et des fréquentations».

[2] *I Petr.* I, 15: αὐτοὶ ἅγιοι ἐν πάσῃ ἀναστροφῇ γενήθητε; I, 17: «Comportez-vous avec une crainte religieuse le temps de votre séjour passager»; *II Petr.* III, 11: «Toutes ces choses étant dissoutes de la sorte, quels ne devez-vous pas être par un saint comportement et la piété, ἐν ἁγίαις ἀναστροφαῖς καὶ εὐσεβείαις» (cf. W. BRANDT, *Wandel als Zeugnis nach dem I. Petrusbrief*, dans *Verbum Dei manet in aeternum*, Witten, 1953, pp. 10–25; C. SPICQ, *Les Epîtres de saint Pierre*, Paris, 1966, *in h.v.*). PHILODÈME DE GADARA, *De Musica*, IV, p. 76 (édit. J. Kemke): Certaines mélodies tendent l'esprit «pour la conversation et les bons rapports – πρὸς τὴν ὁμειλίαν καὶ τὴν ἁρμόττουσαν ἀναστροφήν»; EPICTÈTE, I, 22,13; CLÉMENT DE ROME, *Cor.* XXI, 8: ὁσίως ἀναστρεφομένους ἐν καθαρᾷ διανοίᾳ.

de l'A. T., mais elles sont attestées dans la littérature profane [1], dans les papyrus [2] et surtout par l'épigraphie, notamment dans les décrets honorifiques qui font spécialement l'éloge des magistrats et des fonctionnaires dont la conduite fut irréprochable: «Ménandre, dans les magistratures pour lesquelles il avait été élu, par sa belle et brillante conduite, s'est montré irréprochable» [3]. «J'ai de la considération pour cet homme qui se conduit si généreusement en toutes choses» [4]. Cet ἐν ἅπασιν ἀναστρεφόμενον est déjà attesté au Ier siècle av. J.-C. dans les *Inscriptions de Priène* [5], dans les *Inscriptions de Carie*: «Dans toutes ses ambassades, il s'est comporté comme

---

[1] POLYBE IV, 82, 1: «Philippe était l'objet d'une admiration au-dessus de son âge pour sa conduite en général»; ÉPICTÈTE, I, 9, 24: «Dieu nous a fixé une ligne de conduite»; cf. FL. JOSÈPHE, *Ant.* XV, 190.

[2] Aux IIe-Ier s. av. notre ère, on emploie souvent la formule «si votre conduite n'est pas meilleure – οὐκ ἀπὸ τοῦ βελτίστου ἀναστρεφομένου» (*B.G.U.* 1756, 12; 1769, 4; *P. Tebt.* 786, 15; 904, 10; cf. *P. Michael.* 20, 5: εἰ ἐνδεῶς περὶ τοῦτο ἀναστραφείης). En 5 av. J.-C., ἔν τε τοῖς κατὰ καιρὸν δείπνοις μεγαλοπόρως καὶ μεγαλοψύχως ἀναστραφείς (*Sammelbuch*, 8267, 31). En 276 de notre ère, un mari établit son testament en faveur de sa femme qui s'est comportée comme il convient dans son foyer: πρεπόντως περὶ τὴν συμβίωσιν ἀναστραφείσῃ, καταλείπω (*P. Oxy.* 907, 17); mais une veuve se plaint en 303 au préfet que son assistant et son homme d'affaires aient agi malhonnêtement à son égard: οἵτινες μὴ ὀρθῶς ἀναστραφέντες (*ibid.* 71, col. II, 12), à l'instar de Dioclès et d'autres en 103: ἀναστρεφομένων ἀδικήματα εἴς με (*P. Fay.* 12, 7).

[3] *Inscriptions de Délos*, 1498, 7 (entre 159 et 151); cf. *Suppl. Ep. Gr.* XXIII, 447, 15: «la générosité et l'empressement qu'ils montraient envers ceux qui se comportent bien dans leur magistrature» (IIe s. av. J.-C.). Les juges «au cours de leur séjour ont adopté un comportement digne d'eux, de la cité qui les a envoyés et de nous-mêmes» (IIe s. av. J.-C., INSTITUT F. COURBY, *Nouveau choix d'Inscriptions grecques*, Paris, 1941, n. XII, 17); Au IIe s. av. J.-C., les juges de Scotoussa «ont agi dans leur comportement et dans leurs fonctions judiciaires d'une manière digne d'eux-mêmes, de la cité qui les a envoyés et de ceux qui étaient en procès» (*Inscriptions de Gonnoi*, 91, 12); DITTENBERGER, *Syl.* 738 B 4: «Lykinos s'est comporté lors de son séjour d'une manière digne de son peuple et de notre cité» (Delphes, 86 av. J.-C.); *Inscriptions d'Olympie* 52, 24. Dans un décret honorifique de Chéronée, le chiliarque Amatokos, chef d'une troupe thrace, est loué: τὴν ἀναστροφὴν ἐποιήσατο εὐσχήμονα, et l'on apprend que cette belle conduite a consisté à prendre soin des intérêts des Chéronéens, à faire régner l'équité entre eux et ses soldats et que ceux-ci ne causent aucun dommage au territoire (publié par M. HOLLEAUX, *Etudes d'Epigraphie et d'Histoire grecques*, Paris, 1938, I, p. 144, lignes 5, 13, 26).

[4] *Inscriptions de Corinthe* VIII, n. 306, 8 (IIe s. de notre ère); cf. L. ROBERT, *Hellenica*, Limoges, 1940, I, pp. 43–53).

[5] *Inscriptions de Priène*, 115, 5: ἀναστρεφόμενος ἐν πᾶσιν φιλανθρώπως; cf. 108, 284: πεποίηται δὲ καὶ διὰ παντὸς τὴν πρέπουσιν ἀναστροφήν. Cf. FL. JOSÈPHE, *Ant.* XIX, 72: εὐπρεπῶς ἀναστραφησομένου.

il faut et a traité les affaires avec justesse» ¹, et celles de *Pergame* ². Parallèles surabondants à la formule d'*Hébr*. xiii,18: ἐν πᾶσιν καλῶς θέλοντες ἀναστρέφεσθαι, et de *I Petr*. 1,15: ἐν πάσῃ ἀναστροφῇ.

Si l'on souligne l'extension de «la bonne conduite» en tous les domaines, on précise tout autant sa qualité ou ses notes distinctives. De même que les écrivains néo-testamentaires qualifient la conduite de belle, bonne, pure, sainte, religieuse, l'épigraphie la loue pour sa beauté, sa gloire et sa piété ³.

---

¹ *Inscriptions de Carie*, 167, 16: ἐμ πάσαις δεόντως ἀναστραφεὶς καὶ ὀρθῶς χρησάμενος τοῖς πράγμασιν; cf. 70, 10: τῇ παρ' ὅλον τὸν βίον ἀναστροφῇ διαφέροντα (= *MAMA*, vi, 114).

² *Inscriptions de Pergame*, 470, 4: ἐν πᾶσιν ἀνεστραμμένον ἀξίως τῆς πόλεως; cf. 224 A 5; *Inscriptions de Priène*, 108, 223: τῇ πόλει συμφερόντως ἀνεστράφη. Cf. *P. Brem.* 53, 35–36. *MAMA*, viii, 412 b, 4: Καλλίαν... νεανίαν καλὸν καὶ ἀγαθὸν τὴν ἀναστροφὴν μεποιημένον ἐνάρετον; cf. *l.* 12; 414, 13: τὰς ἐπὶ τῇ κοσμίῳ ἀναστροφῇ μαρτυρίας καὶ τειμὰς ἀποδιδόναι.

³ *Inscriptions de Pergame*, 459, 5: καλῶς καὶ ἐνδόξως ἀναστραφῆναι; 496, 5: ἀναστρεφομένην καλῶς καὶ εὐσεβῶς; Dittenberger, *Syl*. 598 c 7; 717, 95; *Inscriptions de Magnésie*, 85, 11: τὴν ἀναστροφὴν ποιησάμενοι μετὰ πάσης εὐκοσμίας; 179, 5: κόσμιον ἀναστροφὴν φιλοτειμησάμενον; 165, 6; *Inscriptions de Bulgarie*, 43, 15: τὴν ἀναστροφὴν εὐσχήμονα καὶ ἀξίαν τοῦ τε βασιλέως κ.τ.λ. A Patara ἐπὶ τῇ τοῦ βίου αἰδήμονι καὶ κοσμίῳ ἀναστροφῇ (cité par L. Robert, *Etudes anatoliennes*², Amsterdam, 1970, p. 89, n. 1); Dittenberger, *Syl*. 800, 21 (ὁσίως), *Or*. 323, 5 (ἀμέμπτως). En cas de comportement indécent, le règlement des mystères d'Andanie prévoit des châtiments, en 92 av. J.-C., τὸν δὲ ἀπειθοῦντα ἢ ἀπρεπῶς ἀναστρεφόμενον εἰς τὸ θεῖον μαστιγούντω οἱ ἱεροί (Fr. Sokolowski, *Lois sacrées des Cités grecques*, Paris, 1969, n. 65, 40 et 43); cf. *Sammelbuch*, 8852, 9: μὴ ὀρθῶς ἀναστρεφομένους.

ἀνατρέφω

Ce verbe signifiant «nourrir» un enfant pour le faire grandir, puis l'«élever» n'est employé qu'une fois dans l'A. T., à propos de Salomon: «J'ai été nourri, entouré de langes et de soins» (*Sag.* VII,4). Dans le N. T., il se dit peut-être de Jésus qui «vint à Nazareth où il avait été élevé» [1], sûrement de Moïse «nourri trois mois dans la maison de son père» [2] et de saint Paul qui reçut son éducation rabbinique à Jérusalem [3]. Il résulte de ces emplois que ἀνατρέφω englobe toute la vie de l'enfant jusqu'à sa maturité, comportant l'alimentation et les soins physiques [4], la formation de l'esprit et du caractère [5]; auquel cas, il est synonyme de παιδεύω [6].

Mais il faut relever qu'ἀνατρέφω désigne de préférence l'éducation dispensée au foyer familial, mise presque toujours en relation avec les parents

---

[1] *Lc.* IV, 16: οὗ ἦν ἀνατεθραμμένος (S, W, Θ, quelques minuscules); mais les autres autorités (dont B, A) portent τεθραμμένος adopté par tous les éditeurs. H. Schürmann (*Das Lukasevangelium*, Freiburg-Basel, 1969, I, p. 226) traduit bien: *wo er aufgewachsen.*

[2] *Act.* VII, 20. Comparer PHILON, *Vit. Mos.* I, 11: «Nous l'avons nourri pendant trois grands mois» (ἀνεθρέψαμεν), mais c'est le verbe τρέφειν qui est employé pour la nourriture et l'éducation (I, 5, 17; cf. τροφή, 8, 15, 20). FL. JOSÈPHE, *Ant.* II, 232: Thermuthis porta le bébé Moïse à son père pour l'élever ἀναθρεψαμένη παῖδα; éducation (ἀνατροφή) regardée avec suspicion par les Egyptiens (II, 237); cf. au sens de «nourrir» (VII, 149) et d'éduquer (IV, 261).

[3] *Act.* XXII, 3 «J'ai été élevé (ἀνατεθραμμένος) dans cette ville-ci». Pour la discussion de ce verset et de ce verbe, cf. W. C. VAN UNNIK, *Tarsus or Jerusalem*, Londres, 1962, pp. 9 sv.

[4] *P. Leipz.* 28, 12: πρὸς τὸ δύνασθαι ἀνατρέφεσθαι εὐγενῶς καὶ γνησίως (acte d'adoption; 381 de notre ère); *P. Zén. Cair.* 59379, 1-2; *P. Oxy.* 1873, 9: θυγάτριον νήπιον εὐγενῶς ἀνατεθραμμένον; 2479, 47: «Que je puisse retourner à la même exploitation agricole et élever mes malheureux enfants». D'où l'acception médicale, cf. les nombreuses références à Hippocrate et Galien données par W. K. HOBART, *The Medical Language of St. Luke*, Dublin-Londres, 1882, p. 207.

[5] *IV Mac.* X, 2: «C'est dans les mêmes doctrines que nous avons été nourris»; XI, 15.

[6] Selon Porphyre, Ammonius fut «élevé par ses parents dans les doctrines chrétiennes (ἀνατραφείς), tandis qu' «Origène, au contraire, fut élevé dans les études grecques» (παιδευθείς; cité par EUSÈBE, *Hist. eccl.* VI, 19, 7).

– naturels ou adoptifs – voire avec les frères et sœurs [1]. Précisément, L. Robert, en étudiant l'épigraphie, a noté que «le verbe ἀνατρέφεσθαι désigne l'éducation par le père nourricier, et c'est un terme important pour qui étudie les relations de famille et par exemple la condition des θρεπτοί» [2]. Il cite le tombeau de Kladaios à Aphrodisias où sera également enterrée Αὐρηλία Γλύπτη ἡ ἀναθρεψαμένη αὐτόν (MAMA, VIII, 560, 4), ou en Carie la tombe d'un Zénon où est enseveli M. Αὐρ. Εὔτυχος ὁ ἀναθρεψάμενος αὐτόν [3]. Soterichos donne à un certain Lucius son pupille – Λουκίῳ ᾧ ἀνεθρεψάμην – des vignes etc. [4].

---

[1] EPICTÈTE, II, 22, 26: «Ne va pas examiner... si ces hommes ont les mêmes parents, s'ils ont été élevés ensemble (καὶ ὁμοῦ ἀνατεθραμμένοι) et par le même pédagogue»; III, 1, 35: «Est-ce là le genre de jeunesse qu'il nous faut souhaiter voir naître et grandir chez nous (ἡμῖν φύεσθαι καὶ ἀνατρέφεσθαι)»; III, 22, 68: «ses enfants seront élevés de la même manière». HÉLIODORE, Ethiop. X, 14, 1: «Celui qui a recueilli l'enfant exposé et qui l'a élevé secrètement, c'est moi».

[2] L. ROBERT, Hellenica XIII, Paris, 1965, p. 222; cf. Hellenica III, p. 11: ἀνεθρέψατο υἱοὺς δύο (inscription d'Héraclée).

[3] LE BAS-WADDINGTON, Inscriptions grecques et latines... Asie Mineure², Hildesheim, 1972, n. 1641 a.

[4] L. ROBERT, Villes d'Asie Mineure², Paris, 1962, p. 345. Autres inscriptions dans Bulletin épigraphique de R.E.G. 1948, p. 202, n. 229; 1959, p. 254, n. 447: ὕπατον τὰ οἰκετικὰ παιδία [= θρεπτοί] τὰ υπ' αὐτοῦ ἀνατρεφόμενα.

ἀναφέρω

Dans la langue classique, ce verbe signifie «porter en haut» ou «en arrière» (*Lettre d'Aristée*, 268; Fl. Josèphe, *Guerre*, iv,404; *Ant.* i,16; *C. Ap.* ii,162). Dans le grec biblique, il s'emploie de tout ce qui monte, physiquement ou métaphoriquement, depuis la fleur de la vigne (*Gen.* xl,10), l'encensement (*Ex.* xxx,9) ou la fumée (*Jug.* xx,38), jusqu'à la colère (*I Mac.* ii,24) et les hymnes (*II Mac.* x,7). De là: monter ou transporter d'un lieu dans un autre [1]. C'est en ce sens, qu'avant d'être transfiguré Jésus «fit monter» Pierre, Jacques et Jean sur une haute montagne (*Mt.* xvii,1; *Mc.* ix,2) et que lui-même, après la résurrection «monta dans le ciel» [2].

Maintes acceptions de l'A. T. sont ignorées du N. T., «lever une corvée» (*I Rois*, v,27), «relever un vêtement d'une parure» (*II Sam.* i,24), «apporter» quelque chose» [3], «présenter» une affaire à Moïse (*Deut.* i,17) ou à Dieu [4]. Mais dans les deux alliances [5], *monter* ou faire monter a surtout

---

[1] *Deut.* xiv, 24; *Jug.* xv, 13; xvi, 3; xx, 26; *I Sam.* ii, 19; *I Rois* viii, 1; x, 22; xvii, 19; *II Rois* iv, 21; *I Chr.* xv, 3, 12; *II Chr.* i, 4; v, 2, 5; *Néh.* xii, 31; *Tob.* vi, 3; *II Mac.* vi, 10. *P. Lille*, 7, 17: «Maintenant il m'a transféré à la prison de Crocodilopolis»; *B.G.U.* 1500, 15; 1511, 5; *Sammelbuch* 9080, 6; Philon, *Aet. Mund.* 64: «Les brises embaumées ont emporté aux fleurs leurs parfums». Fl. Josèphe, *Guerre* v, 432: les affamés «arrachent presque des gosiers les reliefs de nourriture».

[2] *Lc.* xxiv, 51 (cf. V. Larrañaga, *L'Ascension de Notre-Seigneur*, Rome-Paris, 1938, pp. 145 sv., 368 sv., 417 sv.; P. Benoit, *Exégèse et Théologie*, Paris, 1961, pp. 363–411); cf. *Evangile de Pierre*, 56: «Il est parti pour le lieu d'où il avait été envoyé»; Plutarque, *Numa*, ii, 4: «Proclus... jura qu'il avait vu Romulus monter au ciel, εἰς οὐρανὸν ἀναφερόμενον».

[3] *I Sam.* xviii, 27; *II Sam.* xxi, 13; *Néh.* x, 38; *Is.* xviii, 7; *Sir.* viii, 19. *P. Antin.* 93, 41: «Que je puisse apporter cela avec moi quand je viendrai»; *P. Michig.* viii, 511, 19; *Sammelbuch* 7376, 28 (11 oct. 3 de notre ère); 9188, 2; *P. Sorb.* 18, 7.

[4] *Ex.* xviii, 19, 22; xix, 8. ἀναφέρω au sens de «porter à la connaissance, faire part, communiquer» est très fréquent dans Fl. Josèphe, qu'il s'agisse d'un désir (*C. Ap.* l, 232), d'une parole (*Ant.* xvi, 10, 218, 223, 225, 306–307; xvii, 40; xx, 40; cf. F. Sokolowski, *Lois sacrées des Cités grecques*, Paris, 1969, n. 85, 10) ou d'un décret (*dogma, Ant.* xiv, 198, 221; Fr. Sokolowski, *ibid.*, n. 73 A 24), et dans les papyrus: production d'un contrat (*P. Rein.* 8, 8; 26, 15; 31, 9); «communiquer cet écrit à notre seigneur le duc, car c'est à lui de juger de tels attentats» (*P. Théad.* 22, 16; 23, 15; *Abin. Arch.* 3, 17; 18, 14; 44, 15); «la copie de la pétition que j'ai présentée à mon

un emploi sacrificiel et fait partie du vocabulaire cultuel. Effectivement, les prêtres portent et transportent la victime, l'élèvent pour la poser sur l'autel et l'offrir en sacrifice (*I Mac.* IV,53). En ce sens, le Grand Prêtre de la nouvelle Alliance s'est offert une seule fois pour enlever les péchés de la multitude (*Hébr.* IX,28) et n'a pas besoin de renouveler son immolation (*Hébr.* VII,27). Abraham avait offert son fils Isaac sur l'autel (*Jac.* II,21), et les chrétiens, «sainte corporation sacerdotale», offrent des sacrifices spirituels (*I Petr.* II,5), leur louange continue à Dieu (*Hébr.* XIII,15); ἀναφέρειν, alors synonyme de προσφέρειν [1], signifie «offrir».

---

seigneur le préfet» (*P. Mert.* 91, 2; cf. V, 17); d'où: faire un rapport, une notification (*P. Ryl.* 163, 13; *P. Sorb.* 63, 3; *C. Ord. Ptol.* 37, 1; *P. Princet.* 119, 24; *P. Osl.* 126, 15; *P. Oxy.* 1380, 17; 2407, 5, 8, 42; *P. Mil. Vogl.* 229, 28; *B.G.U.*, 1669, 6; *P.S.I.* 823, 2; 1433, 9), un accord (*B.G.U.* 2097, 13, de 83 de notre ère; *Sammelbuch* 7404, 46; 7438, 4); enregistrer (un décès) sur une liste officielle (*P. Lond.* 281, 15; de 66 de notre ère; cf. CL. PRÉAUX, *L'économie royale des Lagides*, Bruxelles, 1939, p. 320); et de là: affecter (*P. Théad.* 4, 1; FL. JOSÈPHE, *Ant.* XII, 31), attribuer (*P. Michig.* 620, 271, 307, 314, *P. Brem.* 68, 23, 32; 69, 7; *P. Oxy.* 2119, 8; FL. JOSÈPHE, *Ant.* II, 285; VI, 9; XIV, 312; XV, 6; XVI, 167; *Guerre*, IV, 179, 391). Noter encore: rétablir la santé (PHILOSTRATE, *Gymn.* 42), revenir à soi (FL. JOSÈPHE, *Guerre*, I, 234, 658), recouvrer la sérénité (I, 662); rappeler un souvenir (V, 182; *Ant.* XVIII, 188; DITTENBERGER, *Syl.* 736, 112).

[5] ἀναφέρειν traduit le plus souvent l'*hiphil* de עלה depuis son premier emploi dans *Gen.* VIII, 20 où Noé fit monter des holocaustes sur l'autel, et signifiera offrir un sacrifice ou une oblation; cf. *Gen.* XXII, 2, 13; *Ex.* XXIV, 5; *Lév.* XIV, 20; *Nomb.* XXIII, 30; *Deut.* XII, 13; XXVII, 6; *Jug.* XIII, 16, 19; XXI, 4; *I Sam.* VI, 14; VII, 9–10; *II Sam.* XXIV. 25; *I Rois*, X, 5; *II Chr.* I, 6; XXIV, 14; *Is.* LVII, 6; LX, 7; LXVI, 3; *Ps.* LXVI, 15; *Bar.* I, 10 (S. DANIEL, *Recherches sur le Vocabulaire du Culte dans la Septante*, Paris, 1966, pp. 240–255). Acception retenue par FL. JOSÈPHE, *Ant.* VII, 86; VIII, 104; XI, 76, 124; de même au IIe s. av. J.-C., dans un règlement relatif au culte de Sarapis à Magnésie (F. SOKOLOWSKI, *Lois sacrées de l'Asie Mineure*, Paris, 1955, n. XXXIV, 26).

[1] Cf. *Jo.* XVI, 2; *Hébr.* XI, 17; C. SPICQ, *L'Epître aux Hébreux*, Paris, 1952, I, p. 303; F. SOKOLOWSKI, *Lois sacrées de l'Asie Mineure*, Paris, 1955, p. 100. Sur l' «offrande des lèvres» (ignorée de l'A. T., mais cf. «le fruit des lèvres», *Os.* XIV, 3), cf. *IQS*, IX, 3–5; A. JAUBERT, *La notion d'Alliance dans le Judaïsme*, Paris, 1963, pp. 168 sv. B. GÄRTNER, *The Temple and the Community in Qumran and the New Testament*, Cambridge, 1965, pp. 86 sv.; H. J. HERMISSON, *Sprache und Ritus im altisraelitischen Kult. Zur «Spiritualisierung» der Kultbegriffe im A.T.*, Neukirchen, 1965; I. LÉVY, *Recherches esséniennes et pythagoriciennes*, Genève-Paris, 1965, pp. 19 sv.; R. DEICHGRÄBER, *Gotteshymnus und Christus-Hymnus in der frühen Christenheit*, Göttingen, 1967, pp. 117 sv.; G. KLINZING, *Die Umdeutung des Kultus in der Qumrangemeinde und im N.T.*, Göttingen, 1971, pp. 93 sv., 158, 218 sv.

Reste *I Petr.* II,24: «Il a porté nos péchés en son corps sur le bois»[1], où la plupart des commentateurs voient une référence à la Septante d'*Is.* LIII,12 et comprennent *I Petr.* dans le même sens: porter les péchés = subir un châtiment pour les péchés. Mais A. Deissmann objecte que les citations n'ont souvent plus le même sens dans leur nouveau contexte que dans l'original[2] et que subir un châtiment sur la croix aurait dû être exprimé par ἐπὶ τῷ ξύλῳ, tandis que l'accusatif de *I Petr.*, ἐπὶ τὸ ξύλον évoque l'idée d'enlever. Il cite *P. Flinders Petr.* I, XVI,2 (Mahaffy, I,47), de 230 av. J.-C., où le plaideur proteste contre les dettes qui sont transférées sur lui[3] et soumet la décision à Asclépiadès. Il est vrai que, dans les papyrus et les inscriptions, ἀναφέρω signifie souvent: reporter, verser de l'argent[4] et que l'on pourrait envisager ici l'idée de substitution. Mais Moulton-Milligan (*in h. v.*) observent à bon droit que rien n'oriente la pensée en ce sens dans *I Petr.* II,24, où l'accusatif qui suit ἐπί est celui d'une personne, ce qui affaiblit considérablement le parallèle cité par A. Deissmann.

---

[1] Cf. H. PATSCH, *Zum alttestamentlichen Hintergrund von Römer IV, 25 und I Petrus II, 24*, dans *ZNTW*, 1969, pp. 273–278; C. F. D. MOULE, *Death «to Sin», «to Law», and «to the World»: A Note on Certain Datives*, dans *Mélanges bibliques B. Rigaux*, Gembloux, 1970, pp. 367–375.

[2] A. DEISSMANN, *Bible Studies*², Edimbourg 1909, pp. 88 sv.

[3] ὀφειλήματα ἀναφερόμενα (cf. *P. Hib.* 212, 2). Il vaudrait mieux citer la plainte d'un vigneron du IIIe s. av. J.-C.: Les agents de la banque «portent à mon crédit le payement de l'impôt en l'inscrivant pour la 37e année alors que je ne dois rien, mais que j'ai tout payé parfaitement» (ἀναφέρουσίν μοι τὴν καταβολὴν τοῦ τέλους, *P.S.I.* 383, 9–10). Transférer les dettes d'un débiteur sur un tiers, c'est libérer le premier de l'acquittement de la dette (cf. *I Sam.* XX, 13; ESCHINE, III, 215; ISOCRATE, V, 32). D'où la signification forensique: les péchés ne sont plus imputés à l'homme. A. Deissmann cite *Col.* II, 14 où le chirographe est annulé sur la croix.

[4] *P. Karan.* 554, 43; *P. Yale*, 49, 14; *P. Michig.* 601, 21; *P. Petr.* II, 38 (*b*) 5: ὅπως ἀνενέγκωμεν ἐπὶ Θεογένην = que nous puissions reporter cela sur Théogène; *Sammelbuch*, 10444, 1, 3, 4, 9; FL. JOSÈPHE, *Ant.* IV, 71: les propriétaires doivent verser aux prêtres un sekel et demi; *Guerre*, I, 605; acquitter une contribution (*Suppl. Epigr. Gr.* III, 378 C 1; DITTENBERGER, *Syl.* 204, 42; 736, 94). Le correspondant juridique de ἀναφέρειν est *referre*, cf. H. J. MASON, *Greek Terms for Roman Institutions*, Toronto, 1974, p. 21.

ἀναψύχω

Saint Pierre exhorte les Hiérosolymites à se convertir «de façon que viennent les temps de rafraîchissement [ou de soulagement]»[1], liés à la Parousie et coïncidant avec l'ἀποκατάστασις: le rétablissement parfait, la restauration complète de la création. De son côté, prisonnier à Rome, saint Paul déclare qu'Onésiphore l'a souvent réconforté ou soulagé par ses visites (*II Tim.* 1,16).

Le verbe ἀναψύχω, évoquant l'idée de rafraîchissement[2] et donc de tonique, s'emploie d'abord de la santé physique[3], puis du réconfort moral,

---

[1] *Act.* III, 20: καιροὶ ἀναψύξεως (cf. O. BAUERNFEIND, *Tradition und Komposition in dem Apokatastasisspruch Apostelgeschichte*, dans *Abraham unser Vater. Festschrift O. Michel*, Leiden, 1963, pp. 13–23). ψύχειν, dans le composé ἀναψύχειν, est à mettre en rapport avec l'idée de souffle (ψυχή) plus qu'avec celle de froid (ψῦχος); ainsi dans Homère (mettre une plaie à l'air en enlevant un bandage (*Il.* V, 795; d'où ἀναψύχεσθαι, reprendre haleine, X, 575; XIII, 84) et chez les écrivains médicaux: laisser la plaie à l'air (HIPPOCRATE, *Fractures*, chap. 25 et 27); puis «reprendre son souffle (entre deux opérations pénibles)», «reprendre haleine» (IDEM, *Femmes stériles*, chap. 222; cf. J. JOUANNA, *Hippocrate, La nature de l'homme*, Berlin, 1975, pp. 304 sv.). ἀνάψυχις (*hap.* A. T.; *Ex.* VIII, 11: Pharaon vit qu'il y avait répit, רוחה) évoque récréation et détente (PHILON, *Abr.* 152), fréquemment employé par les médecins (cf. nombreuses références à Hippocrate et Galien, dans W. K. HOBART, *The Medical Language of St. Luke*, Dublin-Londres, 1882, p. 166), n'est attesté dans les papyrus (*P. Ness.* 96, 5) et les inscriptions tombales qu'à une époque très tardive et dans les prières chrétiennes demandant à Dieu de placer le défunt dans le repos (*anapausis*) et ἐν τόπῳ ἀναψύξεως = un lieu de rafraîchissement; cf. *Sammelbuch*, 6035, 10; 7428, 11; 7429, 7; 7430, 8; 8235, 9; 8723, 10; 8728, 10; 8765, 10.

[2] FL. JOSÈPHE, *Ant.* XV, 54: ἀνέψυχον τὸ θερμότατον τῆς μεσημβρίας; *Guerre*, II, 155: un doux zéphir, soufflant de l'Océan, vient toujours rafraîchir le lieu où les âmes justes ont émigré; *II Mac.* IV, 46: Ptolémée emmène le roi Antiochus IV sous le péristile «comme pour prendre le frais – ὡς ἀναψύξοντα»; *Joseph et Aséneth*, III, 3: «Il est midi... grande est la chaleur du soleil et je prendrais le frais sous ton toit»; cf. *Lc.* XVI, 24: Que Lazare «trempe le bout de son doigt dans l'eau et rafraîchisse ma langue (καταψύξῃ)».

[3] Le repos du sabbat permet au fils de la servante et à l'hôte de respirer (*Ex.* XXIII, 12, *niphal* de נפשׁ). Samson ayant bu de l'eau, «l'esprit lui revint et il reprit vie» (*Jug.* XV, 18, חיה). Arrivés à l'étape, le roi et le peuple reprennent haleine (*II Sam.* XVI, 14; *niphal* de נפשׁ).

de l'apaisement d'une anxiété [1], donc du bien-être que l'on éprouve après une peine ou un effort. C'est l'acception constante de ce verbe qui ne se trouve dans les papyrus que dans les lettres privées. Au IIe s. de notre ère, un enfant écrit à ses parents: «étant informé, je suis délivré de mon inquiétude» (*P. Osl.* 153,10). Un autre, au IIIe s., assure ses parents du progrès de ses études: «J'ai pris de la peine et je me suis relaxé» [2]. Mais le meilleur parallèle à *II Tim.* 1,16 – cité dans une lettre chrétienne d'époque constantinienne (*Sammelbuch*, 7872,12) – est dans le double appel fait à Héphaistios reclus dans le Sarapeum de Memphis – ἐν κατοχῇ ἐν τῷ Σαραποείῳ – d'une part par sa femme Isias, présentement si affligée et qui n'obtiendra quelque répit ou soulagement qu'au retour de son mari à la maison [3], d'autre part par Denys, frère d'Héphaistios qui lui écrit dans le même sens [4].

Cet apaisement ou ce soulagement peut s'épanouir en joie [5]. C'est de toute façon un repos [6], une détente [7], où l'âme se dilate (cf. πλατύνειν; *II Cor.* VI,11; *IV Q, Ps.* VIII,14), elle est au large [8]; c'est comme une dilatation, ce qui fait – grâce à la charité fraternelle d'Onésiphore – un beau contraste avec l'incarcération de l'Apôtre!

---

[1] Lorsque David joue de la cithare, Saul est soulagé et s'en trouve mieux (*I Sam.* XVI, 23, רוח; cf. *Ps.* XXXIX, 14). Un répit dans la guerre permet au peuple de reprendre haleine (*II Mac.* XIII, 11). Cf. l'épisode qui «ranima le courage des alliés des Lacédémoniens» (XÉNOPHON, *Hellén.* VII, 1, 19).

[2] *P. Oxy.* 1296, 7: φιλοπονοῦμεν καὶ ἀναψύχομεν (réédité par A. S. HUNT, C. C. EDGAR, *Select Papyri* I, Londres, 1952, n. 137).

[3] *P. Lond.* 42, 18: δοκοῦσα νῦγ γε σοῦ παραγενομένου τεύξεσθαί τινος ἀναψυχῆς (IIe s.), réédité dans *UPZ*, 59 et par A. S. HUNT, C. C. EDGAR, *op. c.*, n. 97.

[4] ST. WITKOWSKI, *Epistulae privatae graecae*, Leipzig, 1911, n. 36, 14–15: ἔτι δὲ καὶ τοιούτους καιροὺς ἀνηντληκυῖα νῦγ γε τύχῃ τινὸς ἀναψυχῆς; réédité dans *UPZ*, 60.

[5] *P. Yale*, 80, 3: ὥστε τότε ἱλαροὺς εἶναι κἀγὼ ἀναψύχω (IIe s.). L'ἀνάψυξις est donc plus «revigorant» que le «calmant» (*parégoria*) apporté par Marc et Jésus Justus à Paul lors de sa première captivité (*Col.* IV, 11).

[6] Cf. κατάπαυσις, *Act.* VII, 49; *Hébr.* III, 11, 18; IV, 1, 3, 5, 10, 11 (O. HOFIUS, *Katapausis. Die Vorstellung vom endzeitlichen Ruheort im Hebräerbrief*, Tübingen, 1970).

[7] Cf. ἄνεσις, *Act.* XXIV, 23; *II Cor.* II, 13; VII, 5; VIII, 13; *II Thess.* I, 7; PHILON, *Plant.* 170; *Leg. G.* 12 (avec la note de l'éditeur, A. PELLETIER, Paris, 1972, p. 323); STRABON, V, 4, 7; C. SPICQ, *Théologie morale du Nouveau Testament*, Paris, 1965, I, pp. 301, n. 1; 338, n. 1.

[8] L'hébreu *rawah* signifie: avoir de l'air, être au large. Dans le N. T., l'aisance, le sentiment de bien-être et comme de respirer aisément est le propre du «pneumatique», cf. C. SPICQ, *op. c.*, II, p. 772; J. F. A. SAWYER, *Spaciousness*, dans *Annual of the Swedish Theological Institute* VI, Leiden, 1968, pp. 20–34; R. R. NIEBUHR, *The Widened Heart*, dans *Harvard Theological Review*, 1969, pp. 127–154; M. PHILONENKO, *L'âme à l'étroit*, dans *Hommages A. Dupont-Sommer*, Paris, 1971, pp. 421–428.

ἀνθ᾽ ὧν

Dans les papyrus, cette expression [1], très fréquemment employée dans la langue des affaires, signifie surtout: «à la place de» [2], «en retour, en échange, en compensation». Par exemple, le fermier Idoméneus se plaint au roi Ptolémée que son champ déjà ensemencé ait été inondé par Pétobastis et Hôros. Il demande d'être dédommagé, que les coupables «soient contraints de reprendre ma terre à leur compte et d'en payer les redevances, et que l'on me donne à la place de celle qu'ils ont inondée (ἀνθ᾽ ὧν) une étendue égale à la terre qu'ils cultivent eux-mêmes» [3]. L'*ersatz* (*B. G. U.* 2128,4) est l'équivalent; dans les contrats de travail [4] ou dans les cessions de terrain, le patron ou le vendeur certifie avoir reçu telle somme d'argent de la part de l'acquéreur ou d'avoir souscrit telles obligations «en retour» de la tâche de l'ouvrier [5]. Il y a exacte correspondance entre le travail fourni et le salaire (cf. *Sammelbuch*, 10526,8).

Fournir une contre-partie est la base même des échanges, comme l'observait Philon: «Ceux qui donnent (οἱ διδόντες) veulent attraper en échange

---

[1] Cf. F. M. ABEL, *Grammaire du Grec biblique*, Paris, 1927, § 35e, 46 j, k. E. MAYSER, *Grammatik der griechischen Papyri*, Berlin-Leipzig, 1934, t. II, 2, pp. 374 sv.; t. II, 3, pp. 101 sv.

[2] Cf. le successeur dans une charge (*P. Isidor.* 125, 18); le remplaçant (*P. Lond.* 1913, 8; *P. Petaus*, 14, 10; *P. Oxy.* 3095, 12); le représentant (*P. Murabba ῾ât*, 116, 11; *P. Brux.* 21, 34). Mais Ἑρμίας ἀνθ᾽ οὗ Ἑρμῆς (*B.G.U.* 1062, 1; cf. *P. Lond.* 1170, 727) n'est que l'énoncé d'un surnom.

[3] *P. Ent.* 60, 10; cf. *P. Osl.* 40, 37; *P. Ant.* 89, 12; *P. Lugd. Bat.* XIII, 11, 18; *P. Michig.* 605, 5. Dans les comptes de dépenses, cf. *P. Oxy.* 1914, 2; 2029, 15; *P. Tebt.* 120, 43.

[4] *P. Michig.* 355, 4 (Ier s. de notre ère; engagement d'un ouvrier tisserand); *P. Lond.* 1994, 222 (IIIe s. av. J.-C.); 2002, 39; *B.G.U.* 2175, 4: δέξασθαι τὸ ἄλλο ἥμισο. μέρος ἀνθ᾽ ὧν ποιούμεθα καμάτων; *P. Strasb.* 286, 10.

[5] *P. Michig.* 427, 15 (IIe s. ap. J.-C.): cession de terrain et d'une partie de maison par un Vétéran qui reconnaît avoir reçu en retour 200 drachmes; 564, 11; 609, 17; *P.S.I.* 1050, 2 (IIIe s.); *B.G.U.* 1731, 8 (Ier s. av. J.-C.); 1732, 8; 1733, 10; 1734, 8; 1739, 13; 2346,4; *P. Ryl.* 159, 18 (31 de notre ère): ἀνθ᾽ ὧν ἔλαβε παρὰ τῆς Ταχόιτος. *Collectanea Papyrologica* (in honor of H. C. Youtie), Bonn, 1976, t. II, n. 80, 15 (= *P. Oxy.* 3255); 89, 17: «en récompense de la peine que je me suis donnée»; 90, 19. Cf. ATTICUS, *Fragm.* VI, 2: «si les corps ne reçoivent rien en compensation de leurs pertes».

compléments en honneur, cherchent une récompense en retour de leur faveur (ἀντίδοσιν), et sous le nom flatteur de don (δωρεᾶς), pratiquent bel et bien une vente; ce sont bien des vendeurs qui ont coutume de prendre quelque chose en contre-partie (ἀνθ' ὧν) de ce qu'ils fournissent» [1]. De là, une valeur logique de ἀνθ' ὧν: «parce que, en conséquence» [2] et une valeur morale mettant l'accent sur l'exacte rétribution [3]. Cette double nuance est prépondérante dans les textes bibliques.

Assez souvent, l'expression ἀνθ' ὧν est employée au sens juridique «en compensation». Une jeune fille violée deviendra la femme de son séducteur, «puisqu'il l'a violée, et il ne pourra la répudier de toute sa vie» (*Deut.* XXII, 29); «Joel et son frère Abisaï avaient tué Abner, parce qu'il avait mis à mort leur frère» (*I Sam.* III,30); «Il rendra la brebis au quadruple, puisqu'il a commis cette action et n'a pas eu pitié» [4]. Il y a une stricte réciprocité:

---

[1] PHILON, *Cherub.* 122; cf. *Spec. leg.* III, 82; *Migr. A.* 173. E. BENVENISTE (*Don et Echange dans le vocabulaire indo-européen*, dans *L'Année sociologique*, 3e série 1948–49; 1951, pp. 7–20) a relevé cette relation fonctionnelle entre le don et l'échange: l'initiative et la gratuité du don (δῶρον, cadeau) oblige le bénéficiaire à un contre-don (*antidôron;* δώρων χάριν) compensatoire, le don en retour (δωτίνη; HOMÈRE, *Il.* IX, 155, 297; *Ody.* IX, 267; XI, 351; HÉRODOTE, VI, 62; cf. I, 61, 69). *I Mac.* X, 27, Démétrios aux Juifs: «Continuez encore maintenant à nous conserver votre fidélité, et nous vous accorderons des bienfaits en échange de ce que vous faites pour nous, καὶ ἀνταποδώσομεν ὑμῖν ἀγαθὰ ἀνθ' ὧν ποιεῖτε μεθ ἡμῶν». *P. Lond.* 1941, 9, lettre de Hiéroclès à Zénon: «Ptolémée espère vous gagner la couronne en retour des bienfaits que vous lui avez volontairement accordés» (IIIe s. av. J.-C.).

[2] Cf. *Lc.* XII, 3: «Il n'est rien de caché qui ne doive être révélé... par conséquent (ἀνθ' ὧν) tout ce que vous aurez dit dans les ténèbres sera entendu à la lumière». Il faudra proclamer l'Evangile avec le maximum de publicité *puisque* tout doit être divulgué au grand jour (E. DELEBECQUE, *Evangile de Luc*, Paris, 1976 traduit: «Moyennant quoi tout ce que l'on a dit dans les ténèbres sera entendu dans la lumière»).

[3] Cf. Les collectes qui doivent couvrir les frais du culte (*U.P.Z.* 175 *a* 42; *P.S.I.* 1159, 6; *P. Lugd. Bat.* II, 1, 6); un décret en l'honneur de Samos (405 av. J.-C.): éloge décerné aux délégués Samiens «compte tenu de leurs bienfaits (ἀντὶ ὧν εὖ πεποιήκασιν) à l'égard des Athéniens» (J. POUILLOUX, *Choix d'Inscriptions grecques*, Paris, 1960, n. XXIII, 11); une fondation pour des distributions d'huile (210 ap. J.-C.): «Flavianè Philokratéia, en l'honneur de son mari Julianus Alexandros et d'elle-même, en retour des nombreux honneurs (ἀνθ' ὧν) décernés par le très puissant Conseil... a fait don (ἐπέδωκεν) de 10 000 drachmes attiques...» (INSTITUT FERNAND-COURBY, Paris, 1971, n. XXXIV, 6); *IV Mac.* XII, 12: «Tyran sacrilège... tu n'as pas eu honte de torturer ceux qui s'exercent à la piété. *A cause de cela*, la divine Justice te réserve pour un feu plus vivace, éternel»; XVIII, 3: les sept Frères sachant que la raison pieuse est dominatrice des souffrances; *c'est pourquoi*, ils ont offert leur corps aux souffrances à cause de la piété».

[4] *II Sam.* XII, 6; cf. *Am.* V, 11; *Joël*, IV, 19; *Is.* LIII, 12; *Ps.* CIX, 16: «Puisqu'il a aimé la malédiction, qu'elle fonde sur lui!»

«Je ne te ferai plus de mal, puisque ma vie a été précieuse à tes yeux en ce jour» (*I Sam.* XXVI,21). Le plus fréquemment, cette correspondance a lieu dans les relations entre Dieu et les hommes. Tantôt, lorsque ceux-ci ont été fidèles, Dieu les récompense et les bénit: «En ta race (Abraham) se béniront toutes les nations de la terre, parce que tu as écouté ma voix» (*Gen.* XXII,18; cf. XXVI,5); «Mon alliance sera pour Pinekhas et sa race après lui une alliance de prêtrise éternelle, parce qu'il s'est montré jaloux pour son Dieu» (*Nomb.* XXV,13); «Puisque tu as demandé pour toi de discerner pour comprendre la jurisprudence, voici que j'agis suivant ta parole, je te donne un cœur sage et intelligent» (*I Rois* III,11; cf. *II Chr.* I,11; *II Rois*, X,30; XXII,19; *Judith*, XIII,20; *Ez.* XXXVI,13; *Zach.* I,15).

Cependant, la majorité des emplois bibliques de ἀνθ' ὧν soulignent la justice des châtiments, l'exacte rétribution par Dieu des péchés des hommes; les peines sont à la fois la suite nécessaire et l'équitable salaire de la faute: «La terre sera dévastée... ils paieront pour leur faute, parce que et à cause (double conjonction en hébreu) qu'ils ont méprisé mon jugement» (*Lév.* XXVI,43); «Parce que tu n'auras pas servi Iahvé ton Dieu dans la joie et le bonheur du cœur, ayant de tout en abondance, tu serviras dans la faim, dans la soif, dans la nudité, dans la privation de tout, ton ennemi que Dieu enverra contre toi»[1]. Il est notable que sur les cinq emplois de ἀνθ' ὧν dans le N. T., quatre expriment une punition, la sanction d'une faute; l'Archange Gabriel sanctionne l'incrédulité de Zacharie: «Tu vas garder le silence... puisque tu n'as pas cru à mes paroles» (*Lc.* I,20). Jérusalem sera détruite, «parce que tu n'as pas connu le temps de ta visite» (XIX,44); Hérode Agrippa est frappé à mort «parce qu'il n'avait pas donné la gloire à Dieu» (*Act.* XII,23). Si certains hommes sont voués à la perdition, c'est «parce qu'ils n'ont pas accueilli l'amour de la vérité pour être sauvés»[2].

---

[1] *Deut.* XXVIII, 47; cf. 62; *Jug.* II, 20; *II Sam.* XII, 10; *I Rois* IX, 9: «Parce qu'ils ont abandonné Iahvé leur Dieu... voilà pourquoi Iahvé a amené sur eux tout ce malheur»; XI, 20; XX, 36; *II Rois* XXI, 11, 15; XXII, 17; *II Chr.* XXXIV, 25; *Os.* VIII,1; *Am.* I, 3, 9, 13; II, 1, 6; *Mich.* III, 4; *Mal.* II, 9; *Jér.* V, 14, 19; VII, 13; XVI, 11; XIX, 4; XXII, 9; XXIII, 38; *Ez.* V, 7, 11; XIII, 8, 10; XV, 8; XVI, 36, 43; XX, 16, 24; XXI, 29; XXII, 19; XXIII, 35; XXV, 3, 6; XXIX, 7; XXXI, 10; XXXIX, 23. Cf. *Ps. Salom.* II, 3: «Parce que les fils de Jérusalem ont souillé le culte du Seigneur... pour cette raison Dieu a dit: Otez-les de devant moi».

[2] *II Thess.* II, 10 (cf. C. SPICQ, *Agapè dans le Nouveau Testament*, Paris, 1959, II, pp. 32–39); cf. PHILON, *Spec. leg.* III, 197: «Le maître subira un double châtiment en raison de ses actes»; IV, 227; FL. JOSÈPHE, *Guerre*, IV, 264: «En conséquence (des crimes de l'ennemi), le parti le plus beau est de détruire ces criminels et de les punir».

Par contre, Philon et Fl. Josèphe emploient de préférence ἀνθ' ὧν dans un contexte favorable. Non seulement ils évoquent l'équité de la récompense [1], mais ils soulignent que la gratitude est un don en retour des bienfaits reçus [2]. Il y a une exacte correspondance entre l'action de grâces et les faveurs divines [3], par exemple de célébrer la Pâque en hommage de reconnaissance pour la délivrance de la servitude égyptienne (FL. JOSÈPHE, *Ant.* XI,110).

Dans la piété hellénistique, s'exprimant notamment dans les dédicaces, on voit le Grec faire des cadeaux à son dieu, qu'il sait proche et puissant, et dont il attend en retour protection et bienfaits (ἀνθ' ὧν). Le *dôron* est un «hommage d'amitié» (*Anthologie Palatine* VI,325), qui escompte se concilier les faveurs de la divinité (VI,340), car l'homme qui a besoin de protection pense d'une part faire plaisir au dieu et d'autre part obtenir une réciprocité bienveillante. C'est un échange de bons procédés [4]. Par exemple, trois frères dédient leurs filets à Pan, et demandent: «Envoie-leur en retour (ἀνθ' ὧν) une bonne chasse» (Léonidas de Tarente, dans *Anth. Pal.* VI,13; cf. 154). Seilênê demande à Cybèle pour sa fille qu'elle croisse en beauté et trouve un époux, juste faveur «en retour (ἀνθ' ὧν) de ce que l'enfant a souvent laissé flotter ses cheveux dans ton pronaos et devant ton autel» (*ibid.* 281); des matelots invoquent Phoibos: «Sois-nous propice et envoie un bon vent» [5].

---

[1] PHILON, *De Josepho*, 46: «Mérite-t-il la récompense que tu me conseilles de lui donner? Le beau cadeau (δωρεάς) que je lui ferais là en retour, et tout à fait dans la note des faveurs reçues»; *Vit. Mos.* II, 242; FL. JOSÈPHE, *Guerre* V, 530: «Matthias sollicitait cette faveur en échange de ce qu'il avait ouvert à Simon les portes de la ville». Pierre de Rosette: le roi Ptolémée V a le zèle d'un dieu bienfaisant, il lui a élevé des sanctuaires et a réparé ses temples, «en récompense de quoi, les dieux lui ont donné santé, victoire, force et tous les autres biens» (DITTENBERGER, *Or.* XC, 35 = *Sammelbuch*, 8232, 3). «Que cela t'arrive en récompense de tes saintes dispositions envers la divinité» (*U.P.Z.* 34, 12; IIe s. av. J.-C., 35, 25; 36, 21; 46, 13).

[2] PHILON, *Virt.* 72: «Rendre grâces à Dieu des bienfaits reçus (εὐχαριστίαν ἀποδιδούς ἀνθ' ὧν) de la naissance à la vieillesse», tel Moïse (*Vit. Mos.* I, 33; FL. JOSÈPHE, *Ant.* IV, 318).

[3] FL. JOSÈPHE, *Ant.* I, 229; VI, 338; XVII, 48, 201.

[4] Δώρων χάριν, *Anthologie Palatine*, VI, 188; cf. ἀντιδιδοὺς δός, 42, 91, 280; χάριν ἀντιδίδου, 138, 184, 185. A. J. FESTUGIÈRE, *'ANΘ' 'ΩΝ. La Formule «En échange de quoi» dans la Prière grecque hellénistique*, dans *Rev. des Sciences ph. et th.* 1976, pp. 389–418.

[5] De Philippe, *Anth. Pal.* VI, 251; cf. 17: en échange de l'offrande, Cypris est prié d'envoyer des profits; 63; 68; 99: que Pan donne aux chèvres du chevrier deux portées; 105: que les filets du pêcheur soient toujours remplis; 154; 187; 278; 332; 346.

ἀντιβάλλω

Primitivement, ce verbe signifie: riposter, renvoyer des traits [1]. Il est employé au sens figuré dans *II Mac.* xi,13 au sens de «faire réflexion» [2]; cette locution française traduisant bien la nuance du grec «un retour de la pensée sur elle-même en vue d'examiner et d'approfondir telle ou telle donnée de la conscience spontanée» [3]; le sujet fait retour sur lui-même et en quelque sorte se réfracte. De là, le sens de disputer et simplement s'entretenir les uns avec les autres, tels les pèlerins d'Emmaüs: «Quels sont donc ces propos que vous échangiez entre vous en marchant?» [4].

Les attestations littéraires et papyrologiques sont rares [5]; aucune ne corrobore le sens des deux textes bibliques [6]. L'acception la plus claire est celle de la confrontation de deux exemplaires, par exemple celle d'une copie avec son original (STRABON, XIII,609; XVII,790), telle l'apostille du testament d'Antonius Silvanus en 142 de notre ère: Ἀντῶνις Σίλβανος ὁ προγεγραμμένος ἀντέβαλον τὴν προκιμένην μου διαθήκην [7].

---

[1] Les Syracusains «écrasés sous des pierres... ripostaient avec des javelots et des flèches» (PLUTARQUE, *Nicias*, xxv, 3); cf. THUCYDIDE, VII, 25, 6: «Les Syracusains tiraient sur eux, mais eux ripostaient du gros navire»; POLYBE, VI, 22, 4.

[2] «Lysias, qui ne manquait pas de sens, réfléchissant sur le revers qu'il venait d'essuyer» à Bethsour (cf. *I Mac.* IV, 35). «ἀντιβάλλειν est une métaphore tirée de la collation des textes. Lysias confronte la réalité du dessous qu'il vient d'avoir avec les avantages qu'il avait escomptés. Ceux-ci évanouis, il conçoit un résultat acceptable, celui de la paix. L'emploi de ce verbe avec πρὸς ἑαυτόν, *secum reputare* de l'anc. lat. «réfléchir sur» est très recherché sinon unique en littérature» (F. M. ABEL, *Les Livres des Maccabées*, Paris, 1949, p. 425).

[3] P. ROBERT, *Dictionnaire... de la Langue française*, Paris, 1964, VI, p. 21 *a*.

[4] *Lc.* XXIV, 17. M. J. Lagrange commente: «ἀντιβάλλειν est le mot employé pour la collation des mss. – Field conclut à un latinisme, *conferre sermones*. Mais ἀντιβάλλειν usité dans le sens d'échanger des coups a pu ensuite signifier 'échanger des vues'» (*Evangile selon saint Luc*[3], Paris, 1927, p. 603).

[5] Moulton-Milligan ne citent que le substantif ἀντιβλήματα, désignant les petites pierres que l'on insère pour combler les interstices (*P. Oxy.* 498, 16, du IIᵉ s.; contrat avec un tailleur de pierres). L'acception du verbe dans *P. Oxy.* 2177, 27 (IIIᵉ s.) ne peut être précisée, le papyrus étant très mutilé.

[6] *P. Mert.* 24, 15 (lettre d'affaire, vers 200 de notre ère): καλῶς ποιήσεις ἀντιβαλὼν Σεμπρωνίῳ τὸ λογαρίδιον (pointer et arrêter le compte?).

[7] R. CAVENAILLE, *Corpus Papyrorum Latinorum*, Wiesbaden, 1958, n. 221, 9.

«C'est probablement le seul original bien conservé d'un testament *per aes et libram*» (O. GUÉRAUD, P. JOUGUET, *Un Testament latin per aes et libram*, dans *Etudes de Papyrologie* VI, 1940, p. 8). Ces deux auteurs, après avoir mentionné la glose d'ἀντιβάλλει par διορθοῖ chez Hésychius et celle de «dicter» chez Harpocration (ἀντιβληθέντος, ἀντὶ τοῦ ὑπαγορευθέντος, Δείναρχος ἐν τῇ κατὰ Πυθέου εἰσαγγελίᾳ p. 19), mais voyant mal comment ἀντιβάλλειν a pu prendre cette signification, et le discours de Dinarque étant perdu, concluent: «Nous n'osons donc pas prendre parti sur le sens exact qu'il convient de donner ici à ce verbe» (*l. c.*, p. 20). En outre, *P.S.I.* 1443, 8 (IIIᵉ s.); *P. Oxy.* 1479, 4: «Je n'ai pas reçu les documents, mais il y a une collation – τὰ βυβλία ... κεῖται ἀντιβεβλημένα»; cf. *B.G.U.* 970, 4. – Comparer Fl. Josèphe demandant – pour identifier l'auteur des meilleures lois et des prescriptions les plus justes sur la religion – de comparer les lois elles-mêmes: τῶν νόμων ἀντιπαραβάλλοντας (*C. Ap.* II, 163).

ἀντιδιατίθημι, ἀντικαθίστημι

Le premier de ces verbes n'apparaît que dans la *koinè*; mais, ignoré des papyrus, il est attesté dans la bonne littérature [1]. Hapax biblique dans *II Tim.* II,25, le participe présent moyen τοὺς ἀντιδιατιθεμένους désigne «ceux qui s'opposent» ou résistent à la prédication évangélique [2].

ἀντικαθίστημι peut avoir le sens de «mettre à la place, échanger» (*Jos.* v,7; cf. *P. Zén. Cair.* 59278,4: ἀντικαταστήσομε εἰς τὰ νέα), «établir, poster en face» avec une nuance d'hostilité (*Mich.* II,8) et le plus souvent contre un adversaire en justice (cf. *Deut.* XXXI,21) ou dans une plainte aux autorités

---

[1] Ps. Longin, *Du sublime*, XVII, 1: s'insurger contre des paroles persuasives; Philon, *Spec. leg.* IV, 103: il ne convient pas aux victimes de «rendre [à leurs persécuteurs] la monnaie de leur pièce»; cf. Th. Nägeli, *Der Wortschatz des Apostels Paulus*, Göttingen, 1905, pp. 30, 41, 87.

[2] Il est synonyme des ἀντιλέγοντες de *Tit.* I, 9, litt. des contredisants, des contestataires, ceux qui «soutiennent contre d'autres» (*Lc.* xx, 27 leçon probable), tels les juifs qui s'opposent aux dires de Paul (*Act.* XIII, 45; cf. XXVIII, 19, 22). Mais se déclarer contre César, c'est lui faire opposition (*Jo.* XIX, 12) et ἀντιλέγω a une nuance d'insubordination (*Rom.* x, 21; *Tit.* II, 9). Dans ses emplois fréquents dans les papyrus (*P. Hib.* 205, 32; *P. Tebt.* 734, 8, 13; *C. Ord. Ptol.* 14, 24; *Sammelbuch*, 6263, 23; 6720, 15 etc.), cette contestation est souvent équivalente de refus: «S'il s'y oppose, après avoir fourni des garants, qu'il soit condamné au double» (*P. Sorb.* 10, 3); «s'il conteste, qu'il soit jugé contradictoirement avec moi» (*P. Ent.* 14, 8; cf. 25, 15, *Abin. Arch.* 42, 10); «Si quelqu'un élève une objection à ce sujet, il pourra m'en aviser» (*Lettre d'un gouverneur d'Archaïe, Inscriptions de Corinthe* VIII, 3, n. 306, 15); «je ne conteste pas la [part qui te revient]» (*P. Philad.* 11, 42 = *P. Lugd. Bat.* XIV, p. 116; *P. Zén. Michig.* 66, 10, 32). Sur cette récusation dans les procès, cf. A. Würstle, *Untersuchungen zu Cair. Zén. III, 59355*, dans *The Journal of Juristic Papyrology* v, 1951, p. 54; cf. C. B. Welles, *Royal Correspondence*, New Haven, 1934, n. 3, 28, 50, 107. On comparera aussi les ἀντικείμενοι (*I Cor.* XVI, 9; *Philip.* I, 28; *vide infra*), et les «oppositions (ἀντιθέσεις) d'une soi-disant gnose» (*I Tim.* VI, 20), évoquant la méthode dialectique des controversistes (cf. C. Spicq, *Les Epîtres Pastorales*[4], Paris, 1969, p. 113, n. 1). Mais ceux-ci ont l'esprit de contradiction (*Tit.* III, 9: ἔριν καὶ μάχας; C. T. Ernesti, *Lexicon Technologiae Graecorum Rhetoricae*[2], Hildesheim, 1962, p. 67 donne comme quasi-synonyme ἀντίθεσις – ἀντικειμένη), ayant le goût des objections et de la polémique (λογομαχεῖν, *II Tim.* II, 14; λογομαχίας, *I Tim.* VI, 4; μάχεσθαι, *II Tim.* II, 24) et s'opposent à la doctrine des Apôtres (*I Tim.* I, 10, ἀντίκειται), à la vérité (ἀνθίστανται τῇ ἀληθείᾳ, *II Tim.* III, 8). Leurs contre-propositions sont contraires à l'orthodoxie de l'Eglise (*II Tim.* II, 25; III, 8).

ἀντίκειμαι

supérieures. C'est l'acception constante et fréquente des papyrus [1]. En observant que les chrétiens n'ont pas encore «résisté jusqu'au sang», *Hébr.* XII,4 emploie une métaphore sportive [2], celle de deux boxeurs ou de deux pancratistes qui s'affrontent et dont les coups étaient souvent mortels [3]. La nuance «judiciaire» n'est pas absente, car les chrétiens persécutés n'ont pas eu à donner le suprême témoignage du sang [4]. Cet emploi d'ἀντιδ., en harmonie avec la langue de l'époque, confirme la culture de l'auteur de *Hébr.*, en même temps que sa connaissance de la langue des Septante.

ἀντίκειμαι «être situé en face, confronté» (FL. JOSÈPHE, *Guerre*, IV, 454; V,70; STRABON, II,5,15) a le plus souvent [5] – et exclusivement dans la Bible – le sens d'«être contre»: la chair et l'esprit s'opposent comme deux principes irréductibles l'un à l'autre (*Gal.* V,17), comme la vie pécheresse d'une part et la rectitude et l'intégrité de l'Evangile d'autre part (*I Tim.* I,10). Son emploi prépondérant est celui du participe présent: ὁ ἀντικείμενος

---

[1] *P. Oxy.* 260, 8 (de 59 de notre ère); cf. 97, 9; dans la division d'un héritage paternel entre deux frères, Lysias et Héliodore: si quelqu'un conteste, le premier s'opposera et établira clairement le titre du second (*P. Dura*, 25, 10 et 31); *B.G.U.*, 168, 11, 21; *P. Mil. Vogl.* 98, 26; *P. Ross.-Georg.* II, 21, 10; *Sammelbuch*, 7472, 18 (repris *P. Warren*, I, 18; cf. P. R. SWARNEY, *The Ptolemaic and Roman Idios Logos*, Toronto, 1970, p. 99). Boulagoras «s'étant opposé dans son ambassade aux plus illustres des amis d'Antiochos» (*Suppl. Ep. Gr.* I, 366, 12).

[2] Μέχρις αἵματος = μέχρι θανάτου (*II Mac.* XIII, 14; *Philip.* II, 8; cf. *Apoc.* XII, 11).

[3] Le sang coulait (HOMÈRE, *Il.* XXIII, 651 sv.; ARTÉMIDORE DE DALDIS I, 61; THÉOCRITE, *Idyl.* XXII, 119–133; APOLLONIUS DE RHODES, *Argon.* II, 1–98; PAUSANIAS, *Arcadie*, VIII, 40; VIRGILE, *En.* V, 360 sv.). Cf. l'épigramme de Dorokleidas de Théra: Ἀ νίκα πύκταισι δι' αἵματος. ἀλλ' ἔτι θερμὸν | πνεῦμα φέρων σκληρᾶς παῖς ἀπὸ πυγμαχίας | ἔστα παγκρατίου βαρὺν ἐς πόνον. ἁ μία δ' ἀώς | δὶς Δωροκλείδαν εἶδεν ἀεθλοφόρον (*IG*, XII, 3, 390; citée par L. ROBERT, *Les Gladiateurs dans l'Orient Grec*, Paris, 1940, pp. 20); cf. R. LATTIMORE, *Themes in Greek and Latin Epitaphs*, Urbana, 1942, p. 145.

[4] Cf. EUSÈBE, *Hist. eccl.* VIII, 4, 4: En entreprenant l'épuration de l'armée païenne, Veturius «Celui qui conduisait alors l'entreprise le faisait avec modération et n'osait aller jusqu'à l'effusion du sang – μέχρις αἵματος – que pour quelques-uns».

[5] DION CASSIUS, XXXIX, 8: «Clodius les combattit (ἀντέλεγε), mais Milon lui tint tête (ἀντέκειτο)»; *Ep. Aristée* 266: «Le but de l'éloquence... c'est d'arriver à persuader l'adversaire (τὸν ἀντιλέγοντα)... sans affecter de le contredire (οὐκ ἀντικείμενος)»; *I Mac.* XIV, 7: «Nul ne se trouva pour lui résister». Ce verbe s'emploie en astronomie de l'opposition des planètes (VETTIUS VALENS, cité par O. NEUGEBAUER, H. B. VAN HOESEN, *Greek Horoscopes*, Philadelphie, 1959, p. 191, *in h. v.*). Dans le vocabulaire de la géométrie, le participe ἀντικείμενος «opposé» se dit notamment des deux branches d'une hyperbole (CH. MUGLER, *Dictionnaire historique de la Terminologie géométrique des Grecs*, Paris, 1958, pp. 65–66).

103

«l'opposant, l'ennemi, l'adversaire» [1], tantôt sans complément (*I Cor.* XVI,9; *Philip.* I,28), tantôt avec le datif [2]. C'est un terme courant et propre de la langue chrétienne appliqué tantôt à l'Antéchrist, l'adversaire par excellence, «celui qui s'oppose et se dresse contre tout ce qui porte le nom de Dieu» (*II Thess.* II,4), tantôt au diable, ὁ ἀντίδικος [3], l'attaquant κατ' ἐξοχήν contre l'Eglise (*Mt.* XVI,18), ses ministres (*I Tim.* III,6–7) et ses fidèles [4]. Son agressivité se déploie envers les plus exposés, par exemple contre les jeunes veuves (*I Tim.* V,14), qui s'égarent à sa suite [5].

---

[1] *Ex.* XXIII, 22: «Je serai l'ennemi de tes ennemis et l'adversaire de tes adversaires» = *II Mac.* X, 26; cf. *Esth.* IX, 2: οἱ ἀντικείμενοι τοῖς Ἰουδαίοις; VIII, 11; *Is.* XLI, 11; XLV, 16; LXVI, 6. Dans *Job*, XIII, 24, l'adversaire est ὑπεναντίον σου; dans *I Rois* XI, 14: satan. Ce participe est un terme traditionnel de la rhétorique, cf. ARCHYTAS DE TARENTE, Περὶ ἀντικειμένων (dans H. THESLEFF, *The Pythagorean Texts*, Abo, 1965, pp. 15 sv.); ARISTOTE, *Rhét.* 1409 *b* 35; 1401 *a* 5; 1410 *b* 29.

[2] *Lc.* XIII, 17: «Tous ses adversaires étaient confus, οἱ ἀντικείμενοι αὐτῷ»; XXI, 15. Dans l'unique texte papyrologique, le complément est à l'accusatif: Μενέδημον ἀντικείμενον ἡμῖν (3 août 152; ST. WITKOWSKI, *Epistulae*, n. 46, 6; réédité dans *UPZ*, 69, 6).

[3] *I Petr.* V, 8; cf. S. V. MCCASLAND, «*The Black One*», dans *Studies in Honor of H. R. Willoughby*, Chicago, 1961, p. 77.

[4] *Mt.* XIII, 38–39; *I Jo.* III, 8; cf. CLÉMENT DE ROME, *Cor.* 51, 1: «Toutes les défaillances que nous avons commises par suite des embûches de l'Adversaire, τοῦ ἀντικειμένου».

[5] *I Tim.* V, 15. Dans *TWNT* (*in h. v.*), Büchsel estime que ὁ ἀντικείμενος (ỹ. 14) est générique et ne désigne pas Satan qui n'est mentionné qu'au ỹ. 15. Mais précisément ce dernier verset identifie «l'adversaire» qui vient d'être évoqué au singulier et avec l'article, et qui est bien le «diable» auteur de λοιδορία. Cette formulation ne favorise pas non plus l'identification de l'ἀντικείμενος à quelque païen ou juif anonyme et éventuel.

ἀνυπόκριτος, γνήσιος

Ignoré des papyrus et de la langue profane avant les attestations du N. T. [1], on peut dire que ἀνυπόκριτος est un vocable proprement biblique. S'il n'est employé que deux fois dans l'A. T., au sens d'intègre, sans détours (*Sag.* v,18; xviii,16) on le trouve six fois dans le *Corpus* épistolaire du N. T., qualifiant la sagesse (*Jac.* iii,17), la foi (*I Tim.* i,5; *II Tim.* i,5) et la charité fraternelle (*Rom.* xii,9; *II Cor.* vi,6; *I Petr.* i,22).

Conformément à l'étymologie [2] et aux synonymes d'Hesychius ἄδολος, ἀπροσωπόληπτος, on traduit couramment «sans hypocrisie», c'est-à-dire sans feinte ou dissimulation; et il est bien vrai que cette valeur de sincérité ou de rectitude est impliquée dans tous ces usages, notamment dans *Jac.* iii,17 où la sagesse est d'abord qualifiée de pure (ἁγνή) et finalement d'ἀδιά-κριτος (sans partialité), ἀνυπόκριτος, qui fait inclusion et exprimerait une pureté sans mélange, une absolue sincérité. Mais ce texte oppose la sagesse qui vient d'en-haut à celle qui est terrestre, animale, diabolique (ỷ. 15), et les huit caractères qu'il lui attribue tendent à définir la vraie *sophia*, en ce qui la constitue essentiellement, et qui permettent de la distinguer de ses contre-façons. De même «la foi non feinte» de *I Tim.* i,5; *II Tim.* i,5 peut évoquer la πίστις dont la profession extérieure, en paroles et en actes, traduit l'adhésion du cœur et les convictions de l'esprit [3]; une foi «sincère» serait celle qui englobe orthodoxie intellectuelle, comportement

---

[1] Cf. TH. NÄGELI, *Der Wortschatz des Apostels Paulus*, Göttingen, 1905, pp. 43, 70, 79, 85.

[2] ὑποκριτής désigne l'acteur grec, le comédien (A. LESKY, *Hypokrites*, dans *Studi in onore U. E. Paoli*, Florence, 1956, pp. 469–476; H. KOLLER, *Hypokrisis und Hypo-krites*, dans *Museum Helveticum*, 1957, pp. 100–107; cf. P. JOÜON, *ΥΠΟΚΡΙΤΗΣ dans l'Evangile et l'hébreu hanéf*, dans *Recherches de Science religieuse*, 1930, pp. 312–316); d'où HIPPOCRATE: «Les comédiens et les trompeurs – ὑποκριταὶ καὶ ἐξαπάται – disent, devant les gens qui le savent, certaines choses et en ont d'autres dans l'esprit; ils sortent les mêmes et rentrent non les mêmes» (*Du régime* i, 24). Le premier sens d'ἀνυπόκριτος est donc: «inapte à jouer sur la scène» (cf. Ps. DÉMÉTRIUS DE PHALÈRE, *Eloc.* 194), puis «sans dissimulation» (IAMBLIQUE, *Vit. Pyth.* xxxi, 188). Cf. l'adverbe ἀνυποκρίτως: «Il faut être un honnête homme... sans faux semblant» (MARC-AURÈLE, VIII, 5).

[3] Cf. *Rom.* x, 10. Pélage commentait: «Fides enim ficta est quae solo ore promit-titur et actu negatur».

religieux, fidélité et loyauté à tenir ses engagements. Mais cette «vérité» est alors celle de la conformité à la nature même de la vertu, et il faut traduire ἀνυπόκριτος par «authentique».

Cela ressort plus clairement de la formule ἀγάπη (φιλαδελφία) ἀνυπόκριτος, qui est sans doute un «amour sans hypocrisie», où les manifestations de l'affection correspondent à la sincérité de l'attachement: on ne joue pas la comédie dans les relations fraternelles [1]. Mais cette acception ne rend pas compte de *Rom.* xii,9, où cette proposition nominale indépendante, commande toute la section sur la charité (ѷѷ. 9–21) et équivaut à une tête de chapitre [2]. Saint Paul énumère les notes spécifiques de l'*agapè* qui n'est ni l'*éros*, ni la *philia*, ni la *philostorgia*, encore qu'elle en assume les valeurs; c'est une dilection tout à fait originale, religieuse, révélée par Jésus-Christ, versée dans le cœur par l'Esprit-Saint, amour de noblesse et de beauté, dont le premier trait est d'avoir le mal en horreur. En d'autres termes l'*agapè* ἀνυπόκριτος, c'est l'amour proprement chrétien, caractéristique des baptisés [3]. C'est aussi le critère du véritable apôtre; saint Paul se recommandait comme ministre de Dieu ἐν ἀγάπη ἀνυποκρίτῳ (*II Cor.* vi,6), non pas par un attachement affecté, mais par l'authentique charité qui est d'origine divine, et en possède tous les traits contemplables en Jésus-Christ. C'est comme un certificat d'origine qui prouve que Paul est vraiment envoyé par Dieu, par conséquent un apôtre qualifié, dont l'autorité ne peut être contestée, par opposition aux ψευδαπόστολοι (*II Cor.* xi,13). Cette acception est confirmée par *II Cor.* viii,8 où les Corinthiens sont en mesure de prouver que leur charité est authentique (τὸ τῆς ὑμετέρας ἀγάπη

---

[1] Cf. *I Jo.* iii, 18: ἀγαπᾶν ἐν ἀληθείᾳ; HÉLIODORE, *Ethiop.* i, 2, 9: un amour sincère (ἔρως ἀκραιφής); MARC-AURÈLE, vi, 39: τούτους (ἀνθρώπους) φίλει, ἀλλ' ἀληθινῶς»; DION CASSIUS, xliii, 17: «commençant à nous aimer les uns les autres, sans arrière-pensée (ἀνυπόπτως)». C. SPICQ, *Théologie morale du Nouveau Testament*, Paris, 1965, i, p. 291.

[2] P. F. REGARD, *La Phrase nominale dans la langue du Nouveau Testament*, Paris, 1919, pp. 61–62, 210–211. C. SPICQ, *Agapè*, ii, Paris, 1959, pp. 141 sv. C. E. B. CRANFIELD, *A Commentary on Romans 12–13*, Edimbourg, 1965, pp. 38 sv.; CH. H. TALBERT, *Tradition and Redaction in Romans XII, 9–21*, dans *N.T.S.* xvi, 1969, pp. 83–93.

[3] *I Petr.* i, 22: «Ayant parfaitement sanctifié vos âmes de par l'obéissance à la vérité, pour avoir une dilection fraternelle authentique, aimez-vous du fond du cœur». Cette dernière formule insiste sur la vérité de l'amour, mais la première en fait le propre des baptisés (formule archaïque du baptême), seuls aptes à s'aimer réciproquement comme enfants du même Père céleste (cf. C. SPICQ, *Les Epîtres de saint Pierre*, Paris, 1966, p. 73). Les païens peuvent en discerner l'originalité (cf. *Jo.* xiii, 35). Comparer à *I Petr.* i, 22, le décret de Ténos du Ier s. av. J.-C., γνησίαν ἔχοντι πρὸς πάντας φιλοστοργίαν (CH. MICHEL, *Recueil d'Inscriptions grecques*, Paris, 1900, n. 394, 49).

γνήσιον δοκιμάζων), leur empressement à participer à la collecte authentifie leur invisible charité envers Dieu [1]. De même Marc-Aurèle écrira que «la bienveillance est invincible, si elle est franche, sans sourire narquois, sans hypocrisie – τὸ εὐμενὲς ἀνίκητον, ἐὰν γνήσιον ᾖ καὶ μὴ σεσηρὸς μηδὲ ὑπόκρισις» (XI,18,15).

* * *

L'adjectif γνήσιος, propre à Paul dans le N. T., est appliqué à trois personnes: Τιμοθέῳ γνησίῳ τέκνῳ ἐν πίστει (I Tim. 1,2) qu'il faut traduire «cher et authentique enfant dans la foi»; à Tite (Tit. 1,4) et à Syzyge sur le nom duquel l'Apôtre fait un jeu de mot: «cher et authentique compagnon» [2]. Dans l'usage profane, il se dit du fils [3], de la femme [4], du frère et de la

---

[1] Comparer «celui qui aime un culte authentique, ὁ γνησίους μὲν θεραπείας ἀσπάζεται» (PHILON, Quod det. pot. 21; cf. Quod Deus sit immut. 116). Pour l'organisation d'une collecte, P. Mert. 63: le 18 janvier 57, Herennia écrit à son père Pompeius pour l'avertir d'une collecte au profit du sanctuaire de Souchos, et lui dire qu'on cherche à obtenir de lui une contribution qui, du reste, est demandée à tous, même aux Romains, aux Alexandrins et aux catoëques de l'Arsinoïte. – Sur la théologie de la collecte, cf. E. B. ALLO, Seconde Epître aux Corinthiens, Paris, 1937, pp. 204–210; CH. H. BUCK, The Collection for the Saints, dans The Harvard Theological Review, 1950, pp. 1–29; Recueil L. Cerfaux, Gembloux, 1954, II, pp. 390–413; K. PRÜMM, Theologie des zweiten Korintherbriefes, Rome-Fribourg en Br. 1962, II, pp. 17 sv. A. AMBROSANIO, La «Colletta paolina» in una recente Interpretazione, dans Analecta Biblica 18, Rome, 1963, pp. 591–600; D. GEORGI, Die Geschichte der Kollekte des Paulus für Jerusalem, Hambourg, 1965; K. F. NICKLE, The Collection. A Study in Paul's Strategy, Londres, 1966. C'est un geste de gratitude envers l'Eglise-Mère, centre de la catholicité, comme Jérusalem était le centre d'Israël (J. JEREMIAS, Jérusalem au temps de Jésus, Paris, 1967, p. 112) et... centre de mendicité (ibid. p. 169). Pour J. Jervell, saint Paul avait écrit Rom. pour justifier sa théologie et sa conduite devant l'Eglise-Mère (Der Brief nach Jerusalem, dans Studia theologica, 1971, pp. 61–73).

[2] Philip. IV, 3. Σύζυγος signifie «qui porte le même joug». Sur ce verset, cf. C. SPICQ, Théologie morale du N. T., Paris, 1965, II, p. 587, n. 5; 786, n. 2. Selon J. FLEURY, σύνζυγε–συνεργός serait Lydie, chargée de rétablir la paix entre Evodie et Syntichè (Une société de fait dans l'Eglise apostolique, dans Mélanges Ph. Meylan, Lausanne, 1963, II, pp. 58–59). Cf. DELLING, art. σύζυγος, dans TWNT, III, 749 sv.

[3] MÉNANDRE, Dyscol. 842: «Je te remets ma fille pour procréer des enfants légitimes»; PHILON, Spec. leg. IV, 184; Quod omn. prob. 87; Vit. cont. 72; P. Oxy. 1267, 15 (cf. la note de Boswinkel sur P. Vindob. V, 11), MAMA VI, 358, 10: μόνοις γνησίοις ἡμῶν τέκνοις; VII, 427, 565; VIII, 595: τὰ γνήσιά μου παιδία; du Père: τὸν γλυκύτατον καὶ γνήσιον πατέρα (Bulletin de Corr. Hell. 1883, p. 274, n. 15; cf. MAMA, I, 365, 4); PHILON, Leg. G. 62, 71.

[4] MAMA, IV, 305: τῇ γλυκυτάτῃ τεκούσῃ Μελτίνῃ καὶ γνησίᾳ γυναικί 'Αμμίᾳ; Suppl. Ep. Gr. VI, 232: 'Αγελαΐδι γυναικὶ γνησίᾳ μνείας ἕνεκεν.

sœur [1], d'un ami et d'un citoyen [2]. Ces emplois montrent qu'à l'époque hellénistique, γνήσιος déborde l'acception juridique par laquelle il qualifiait le fils légitime, par opposition au bâtard [3].

a) Il est chargé d'une densité affective. Tel Isaac, qu'Abraham engendra de son épouse, υἱὸς... γνήσιος, ἀγαπητὸς καὶ μόνος (PHILON, *Abr.* 168), ou ce décret de Chersonésos pour un Héracléote: ἀγάπαν γνασίαν ἐνδείκνυται [4].

b) Il est usité au Ier siècle dans une acception religieuse des transmetteurs d'une révélation [5].

c) Plus largement encore des interprètes autorisés d'un enseignement,

---

[1] *Sir.* VII, 18; *P. Groning.* 10, 9: ἡ ἐμὴ γνησιωτάτη ἀδελφὴ Σενεπώνυχος; *P. Lugd. Bat.* XIII, 24,4; *P. Osl.* 132, 8; *P. Michael.* 45, 3: Κολλοῦθος γνήσιος αὐτοῦ ἀδελφὸς ἐκ τῶν αὐτῶν γονέων; *Suppl. Ep. Gr.* VIII, 621, 19. *P. Oxy.* 2584, 30; 2761, 5; ὁ ὁμογνήσιος ἀδελφός = mon frère légitime.

[2] «Eléazar... au roi Ptolémée, son véritable ami [φίλῳ γνησίῳ]» (*Lettre d'Aristée*, 41; avec le commentaire de A. PELLETIER, *Fl. Josèphe adaptateur de la Lettre d'Aristée*, Paris, 1962, p. 112). Callisthène à Onésime: τῷ ἰδίῳ γνησίῳ φίλῳ (B. LATYSCHEV, *Inscriptiones antiquae*[2], Hildesheim, 1965, III, p. 425); *P. Fuad*, 54, 34 «Qu'ils n'oublient pas les vrais amis»; *P. Apol. Anô*, 24, 1: ἔγραψα τῇ περιβλέπτῳ σου γνησίᾳ φιλίᾳ (= *P.S.I.*, 1267, 1). Dans une lettre du VIIIe s., le vocatif Γνήσιε = mon véritable ami (*ibid.* 37, 12); cf. 70, 9; γνήσιος ἐραστής dans une inscription romaine de l'époque impériale (L. ROBERT, *Hellenica* IV, Paris, 1948, p. 33); *B.G.U.* 547, 7.

[3] Cf. *Hébr.* XII, 8 (νόθος). Démosthène définissait le γνήσιος: «le titre d'enfant légitime appartient à celui qui est fils par le sang» (*C. Léocharès*, XLIV, 49). Cf. PHILON, *Somn.* II, 47: «la gloriole ajoute toujours le bâtard à l'authentique, προστίθησιν ἀεὶ γνησίῳ μὲν τὸ νόθον». Quand il s'agira de choses, γνήσιος sera l'équivalent de: conforme à la règle, régulier, usuel (*P. Amh.* 86, 10 et 15; *P. Strasb.* 2,13; *P. Ryl.* 341, 2; *P. Osl.* 154, 12; *B.G.U.* 747, 14, *Sammelbuch*, 7337, 19), donc: «comme il faut» (cf. l'adverbe: τὰ ἔργα τῶν ἀμπέλων ἰδίων γνησίως γενέσθω (IIe siècle); adapté ou approprié à sa fin.

[4] B. LATYSCHEV, *op. c.*, I, n. 359, 6 (cité par L. ROBERT, *Opera selecta minora*, Amsterdam, 1969, I, p. 311, n. 2); cf. *MAMA*, VIII, 220: Λούκιος Ἰωάνη ἀναγνώστη φιλτάτῳ καὶ γνησίῳ υἱῷ. *P. Lond.* 1917, 5, 14: ἀγαπηταί, γνησιώταται καὶ ἀξιώταται παρὰ κυρίῳ θεῷ; *Sammelbuch*, 7655, 9 et 34; 7871, 19: «le bon Philhermès était pour moi un frère affectueux et véritable – ἀδελφὸν ὄντα μοι καὶ γνήσιον –, non selon la nature... mais par sa tendresse (στοργῇ)». L. ROBERT (*Hellenica* XIII, Paris, 1965, pp. 218 sv.) cite de très nombreux exemples de cette acception affective de γνήσιος, «épithète sentimentale du même ordre que γλυκύτατος, φίλτατος». C'est évidemment le sens de ce terme dans les Pastorales. Saint Jean Chrysostome l'avait perçu, puisqu'il commente *I Tim.* I, 2: ἀπὸ πολλῆς φιλοστοργίας.

[5] Isis à Horus: «Il me fit jurer de ne transmettre la révélation, εἰ μὴ μόνον τέκνῳ καὶ φίλῳ γνησίῳ» (dans M. BERTHELOT, *Collection des anciens Alchimistes grecs*[2], Londres 1963, p. 34, 6); cf. A. J. FESTUGIÈRE, *L'expérience religieuse du médecin Thessalos*, dans *R. B.* 1939, p. 51; J. BIDEZ, F. CUMONT, *Les Mages hellénisés*, Paris, 1938, II, pp. 119, 127.

tel Aristote «le plus authentique disciple de Platon»[1]. Les «fils légitimes», héritiers naturels de leur père, sont particulièrement qualifiés pour transmettre ses commandements (PHILON, *Virt.* 59) et être désignés comme seuls gouverneurs de son empire (*Leg. G.* 24). Si l'on ajoute que l'adverbe γνησίως «sincèrement» s'emploie au sens d'«efficacement»[2], on enrichira par cette densité de l'usage la signification du γνήσιος appliqué à Timothée et à Tite, qui les accrédite auprès des Ephésiens et des Crétois: véritables enfants de l'Apôtre, ils sont ses représentants les plus authentiques, interprètes de son enseignement, échos fidèles de sa propre voix. De surcroît, on les vénérera, car ce ne sont pas de simples «frères» (*I Thess.* III,2) ou collaborateurs (*Rom.* XVI,21), mais des hommes qui ont vécu avec Paul dans une profonde intimité analogue à celle de fils avec leur père; ils lui sont donc très chers (*II Tim.* II,1). Ce sont autant de titres qui susciteront l'obéissance et la piété filiale des chrétiens à leur égard.

---

[1] DENYS D'HALICARNASSE, *Lettre à Cn. Pompée,* 1. Lettre de Claude aux Alexandrins: «Mon frère Germanicus s'adressait à vous γνησιωτέραις ὑμᾶς φωναῖς» (*P. Lond.* 1912, 27; avec la note de I. BELL, *Jews and Christians in Egypt,* Londres, 1924, p. 31). Cf. PHILODÈME DE GADARA, *Adv. Soph.* fragm. Y. III, 15: γνήσιος ἀναγνώστης = un fidèle interprète; ATTICUS, *Fragm.* 44: οἱ γνήσιοι φιλόσοφοι, les philosophes authentiques.

[2] *II Mac.* XIV, 8; *Philip.* II, 20: «Je n'ai vraiment personne qui saura comme Timothée s'intéresser efficacement (γνησίως μεριμνᾶν) à votre situation»; M. NALDINI, *Il Cristianesimo in Egitto,* Florence, 1968, n. 58, 5: μετὰ τὸν θεὸν ἄλλον ἀδελφὸν οὐκ ἔχω οὔτε φίλον γνήσιον οὔτε εὐπροαίρετον ἄνθρωπον εἰ μὴ σὺ μόνος;| *P. Tebt.* 326, 11: «Il protégera efficacement l'enfant – προστήσεσθαι γνησίως τοῦ παιδίου»; *Suppl. Ep. Gr.* XV, 849, 3: «Soadès... ayant assisté efficacement et généreusement – γνησίως καὶ φιλοτείμως – les marchands, les caravanes et les citoyens établis à Vologésias, en de nombreuses circonstances critiques»; *P. Berlin* (Zilliacus), XIV, 18; *P. Lond.* 130,3: γνησίως φιλοπονήσαντες; *P. Apol. Anô,* 46, 10: «Pour que mon Maître soit au courant, je le lui annonce fidèlement»; DITTENBERGER, *Or.* 308, 9: μετὰ πάσης ὁμονοίας γνησίως.

ἅπαξ, ἐφάπαξ

Dans une énumération, l'adverbe ἅπαξ a valeur numérique – ἐπίρρημα ἀριθμητικόν (Hésychius) – et s'oppose à «plusieurs fois». Ainsi *II Cor.* xi,25: «une fois j'ai été lapidé, trois fois j'ai fait naufrage»; usage constant dans la littérature [1]. Celle-ci emploie très fréquemment la formule «ἅπαξ καὶ δίς, une première et une seconde fois» que l'on peut traduire «à diverses reprises» [2]. De même saint Paul: «Nous avons voulu aller chez vous une première et une seconde fois, mais satan nous en a empêchés» (*I Thess.* ii, 18); «Dès mon séjour à Thessalonique, vous m'avez envoyé une première et une seconde fois ce dont j'avais besoin» (*Philip.* iv,16). Bien entendu, l'unicité s'oppose à la multiplicité, «une fois» à «souvent» [3] et à «une autre fois» [4], mais non pas à «encore une fois, ἔτι ἅπαξ», qui est une répétition, même avec des changements notables, et avec la nuance d'une première

---

[1] Philon, *Deus immut.* 82 (citation du *Ps.* lxii, 11; cf. *Job*, xxxiii, 14: «Dieu parle une fois et ne le répète pas deux fois»); *Somn.* i, 62: «Le mot lieu peut avoir trois sens: premièrement (ἅπαξ)..., selon une seconde signification (κατὰ δεύτερον τρόπον)..., troisièmement (κατὰ τρίτον)»; *Lois allég.* ii, 54; iii, 51; *Leg. G.* 58: «non pas une fois, mais trois fois», 356; *Vit. Mos.* i, 183; ii, 258; Fl. Josèphe, *Vie*, 82: «J'ai pris de force quatre fois Tibériade, une fois Gabara».

[2] David, chargé d'une armure de guerre, «tenta de marcher une fois et deux fois, car il n'avait jamais essayé» (*I Sam.* xvii, 39); *Néh.* xiii, 20; *I Mac* iii, 30; Philon, *Congr. erud.* 4: «les animaux et les plantes ne portent de fruit qu'une ou deux fois l'an, ἅπαξ ἢ δίς» (cf. *P. Oxy.* xi, 37: ἅπαξ ποτ' ἢ δίς, réédité par C. Austin, *Comicorum Graecorum Fragmenta*, Berlin, 1973, n. 254; Inscription de Silko: ἅπαξ δύο = δίς, dans Dittenberger, *Or.* 201, 2 = *Sammelbuch*, 8536); Diogène Laerce, vii, 13: «Zénon usait rarement des garçons, et une ou deux fois d'une fille»; *P. Oxy.* 2731, 9: ἅπαξ καὶ δὶς καὶ τρὶς ἐδήλωσά σου; 2596, 12. Les papyrus préfèrent cependant la locution ἅπαξ καὶ δεύτερον, cf. *P. Panop.* i, 54, 112: ordonner ou donner des instructions une première et une deuxième fois; *P. Lund*, ii, 4,6: «Je t'ai écrit une première, une deuxième fois et souvent» (réédité *Sammelbuch*, 8091); *P. Isidor.* 63, 17 (réédité *Sammelbuch*, 9185); *P. Med.* 83, 4 (réédité *ibid.* 9013); *P. Osl.* 64, 4; *P. Oxy.* 2996, 7.

[3] Πολλάκις; Philon, *Spec. leg.* iv, 85: «l'éros ne s'est pas contenté d'une seule catastrophe (ἅπαξ) mais a fréquemment (πολλάκις) saturé le monde civilisé de malheurs innombrables» (cf. *Sacr. A. et C.* 127: μὴ ἅπαξ ἀλλὰ διὰ παντός); Fl. Josèphe, *Ant.* iv, 314, οὐχ ἅπαξ ἀλλὰ πολλάκις; *P. Panop.* i, 175; *P. Michig.* 213, 5: «Je t'ai écrit souvent, mais toi pas même une fois...»; *P. Giess.* 48, 10.

[4] Ἄλλο ἅπαξ, *P. Ryl.* 435; *P. Michig.* 482, 5; *Ostr. Tait.* 2471, 9.

fois qui s'oppose à la dernière (*Hébr.* XII,26–27 = *Ag.* II,6; cf. *Jug.* XVI,20, 28; XX,30–31; *I Sam.* III,10; XX,25; *II Mac.* III,37; *Testament Abraham* A, 8, 9, 15).

Très souvent ἅπαξ a le sens d'«une seule fois, unique»[1]. «Seul (et sans exception) l'homme commande à tous les autres êtres vivants qui sont mortels» (PHILON, *Agr.* 8; cf. *Vit. Mos.* II,65), «une seule morsure entraîne inévitablement la mort» (*Somn.* II,88; cf. *Spec. leg.* I, 59). Cette unicité peut être périodique: «Une fois par an, on fera la propitiation»[2]; et c'est en ce sens que le grand prêtre ne pénètre dans le saint des saints qu'une fois l'an[3]. Mais beaucoup d'autres textes soulignent que ce qui a été dit ou fait n'est pas réitérable, et donnent à ἅπαξ le sens de définitif: «Une fois pour toutes, le Christ s'est manifesté à la consommation des siècles» (*Hébr.* IX,26); «le sort des hommes est de ne mourir qu'une fois seulement» (*Hébr.* IX,27). «La foi est transmise aux saints une fois pour toutes»[4].

Cette acception est fréquente dans Philon et les papyrus: «Le parricide ne mourrait pas d'un coup (μὴ ἅπαξ), mais il n'en finissait pas de mourir dans la souffrance, le chagrin, le malheur continuels» (*Praem.* 72); «Il vaudrait mieux ne rien retrancher, ne rien ajouter... et laisser en l'état ce qui a été fait une bonne fois (ἅπαξ = définitivement) depuis le début»

---

[1] *Gen.* XVIII, 32; *Jug.* VI, 39; *II Sam.* XVII, 7: Akhitophel ne s'est trompé qu'une fois; *P. Zén. Cair.* 59028, 7: περὶ τοῦ ὀψωνίου ὅλως οὐκ εἰλήφαμεν ἀλλ' ἢ ἅπαξ; 59218, 27; *P. Oxy.* 2151,5: ὑμεῖς δέ μοι οὐδὲ ἅπαξ ἐδηλώσατε περὶ τῆς σωτηρίας ὑμῶν; *P. Tebt.* 760, 8. EUPOLIS, *Fragm.* 128 D, 2: «οὐκ ἀνεβίων οὐδ' ἥπαξ; une fois mort, je ne revivrai pas, pas même une fois» (réédité par J. M. EDMONDS, *The Fragments of Attic Comedy*, Leiden, 1957, I, p. 364; C. AUSTIN, *op. c.* n. 94, 4; cf. 92, 8). A l'occasion de la désertion d'un soldat, le prêtre du village d'Hermopolis plaide: «συνχώρησε αὐτοῦ τοῦτω τὸ ἅπαξ, pardonne-lui cela pour cette fois» (*P. Lond.* 417, 8; t. II, p. 299 = *Abin. Arch.* 32 = P. *Berl. Zilliacus,* 8, 15).

[2] *Ex.* XXX, 10; *Lév.* XVI, 34; *II Chr.* IX, 21: «Une fois tous les trois ans arrivaient les vaisseaux de Tarsis»; PHILON, *Spec. leg.* II, 146.

[3] *Hébr.* IX, 7, ἅπαξ τοῦ ἐνιαυτοῦ; de même PHILON, *Spec. leg.* I, 72; *Ebr.* 136; *Leg. G.* 306; *Gig.* 306 (opposé à πάντα καιρόν, en toute occasion); FL. JOSÈPHE, *Guerre,* V, 236; cf. *Yoma,* 5.

[4] *Jude,* 3: τῇ ἅπαξ παραδοθείσῃ τοῖς ἁγίοις πίστει; ῦ. 5: «Vous qui savez toutes choses une fois pour toutes»; *Hébr.* VI, 4: «Ceux qui une fois pour toutes ont été illuminés et ont goûté au don céleste»; cf. PHILON, *Ebr.* 198: πιστεύει τοῖς ἅπαξ παραδοθεῖσι; FL. JOSÈPHE, *Guerre,* II, 158: «Ceux qui ont goûté une fois à la sagesse des Esséniens»; *Ant.* IV, 140: le jeune homme qui a goûté une seule fois des coutumes étrangères en est intoxiqué et insatiable; cf. *P. Oxy.* 471, 77: une fois accoutumé à sa honte, ἅπαξ γὰρ ἐν ἔθει τῆς αἰσχύνης γενόμενον; 1102, 8: «ἐπεὶ ἅπαξ προσῆλθε τῇ κληρονομίᾳ, étant entré en possession définitive de l'héritage»; *Testament Abraham,* A, 20: «Cesse de m'interroger une fois pour toutes».

(*Aet. mundi*, 42); «Laissez une bonne fois tout le reste de côté» [1]. La formule πρὸς ἅπαξ à la fin d'un reçu (*P. Oxy.* 1138,13; *B. G. U.*, 1020,15; *P. S. I.* 1040,26; *P. Erlang.* 79,4) ou d'un dossier (*P. Bour.* 20,14) semble signifier que celui-ci étant complet est valide et définitif (cf. *P. Leipz.* 34,20; 35,19; 39,6). Ce serait l'analogue de פַּעַם, souvent traduit par ἅπαξ par les Septante, et qui signifie «enclume, le pas et coup (fois)»; cf. Abisaï à David: «permets-moi de le clouer en terre avec la lance d'un seul coup» (*I Sam.* XXVI,8; cf. *I Chr.* XI,11; *Jug.* XVI,18); «Que les pécheurs périssent loin de la face du Seigneur, en bloc» [2].

On donne d'ordinaire à *hapax* ce sens d'«une fois pour toutes» dans *Hébr.* IX,28; *I Petr.* III,18: le Christ s'est offert et il est mort une seule fois pour les péchés, et il est bien vrai que cette oblation étant parfaite et unique, il n'y aura pas lieu de la renouveler. Mais si cette traduction implique la valeur définitive du sacrifice du Christ, elle ne met pas suffisamment en valeur ce qu'il a d'absolu [3], de complet; elle considère trop exclusivement ἅπαξ comme un adverbe de quantité, et ne tient pas compte de son étymologie. Or l'adverbe ἅπαξ est peut-être un ancien nominatif [4] dont la racine se trouve en πήγ-νυ-μι «fixer en enfonçant, enfoncer en terre, fixer en assemblant, fixer en rendant compact, solidifier, cristalliser, geler, être congelé» [5]. Cette valeur de «compacité» semble gardée dans FL. JOSÈPHE, *Ant.* XII,109: ἅπαξ-εἰς ἀεὶ διαμένη; XVIII,172, et les papyrus où un acte initial englobe ses effets. Lorsque le préfet d'Egypte L. Lusius Geta, en 54 de notre ère, écrit que ses ordres et décisions ont été formulés «une fois», il entend qu'ils demeurent toujours impératifs et doivent être appliqués

---

[1] PHILON, *Migr. A.* 137; 40: «les mots qui concernent Dieu sont d'un seul coup mis en déroute»; *Agr.* 104: «indifférents une fois pour toutes à tout le reste»; 105; *Mut. nom.* 247: «Ce qui a été dit une fois ne peut revenir en arrière»; XÉNOPHON, *Anab.* I, 9, 10: «Il ne les trahirait jamais puisqu'il leur avait accordé une fois son amitié»; *Joseph et Aséneth*, XXV, 6: «N'avez-vous pas vendu Joseph une fois pour toutes, οὐχ ἅπαξ πεπράκατε»?

[2] *Ps. Salom.* XII, 8; PHILON, *Vit. Mos.* I, 46: «D'un coup, les gens en place saisirent l'occasion»; *Fuga*, 101: «La Parole divine, la plus vénérable de tout l'ensemble des intelligences, τῶν νοητῶν ἅπαξ ἀπάντων»; FL. JOSÈPHE, *Ant.* XI, 192: «elle n'avait pas obéi du premier coup»; XÉNOPHON, *Economique*, X, 1: «Je n'avais qu'un mot à dire pour qu'elle m'obéisse sur le champ».

[3] *P. Philad.* 35, 26: «ἀλλὰ ἅπαξ οὐ μέλι ἡμῖν περὶ ἐμοῦ, vous ne vous souciez absolument pas de moi» (IIᵉ s.); *P. Oxy.* 3006, 9: ἅπαξ ἀκοῦσαι.

[4] Cf. P. CHANTRAINE, *Morphologie historique du grec²*, Paris, 1964, § 132. C'est seulement le préfixe ἅ qui correspond à *sem-el*, *sim-plex*.

[5] P. CHANTRAINE, *Dictionnaire étymologique de la Langue grecque*, Paris, 1968, sur πήγνυμι.

par tous et partout comme au premier jour [1]. Dans un engagement de nourrice du 21 mai 26: «cette année écoulée Paapis lui rendra une fois pour toutes 60 drachmes d'argent pour la deuxième année» (*P. Reinach*, 103,14; réédité *Sammelbuch*, 7619), εἰς ἅπαξ ne signifie pas seulement «en une seule fois», mais «entièrement, complètement», la somme sera intégralement versée. Au plan théologique, dire que le sacrifice du Christ est «compact» signifierait qu'il inclut tous ses effets (et ses commémorations?), telle la source (πηγή) qui contient virtuellement tout le fleuve.

Quant à ἐφάπαξ = ἅ-παξ ἐπὶ [πᾶσιν], inconnu des Septante, de Philon, de Fl. Josèphe et des papyrus jusqu'au VIe siècle [2], il est employé cinq fois dans le *corpus* épistolaire, dont quatre [3] avec le même sens que ἅπαξ selon la dernière acception susdite. Dans *Rom.* vi,10, la mort du Christ fut un événement unique qui inclut objectivement la mort de tous; dans *Hébr.* vii,27, ἐφάπαξ s'oppose à καθ' ἡμέραν: le Christ n'a pas à renouveler quotidiennement son sacrifice, qui a valeur absolue et définitive, complète; et c'est ainsi qu'il entre dans le sanctuaire céleste pour n'en plus ressortir; son unique entrée est pour y demeurer à jamais (ix,12). Dire que nous sommes sanctifiés par l'oblation du corps de Jésus: ἡγιασμένοι ἐσμὲν... ἐφάπαξ, c'est signifier que cette sanctification n'est pas seulement définitive (cf. le participe parfait), mais collective, grâce à cette offrande unique qui le contient.

---

[1] Τὰ ὑπ' ἐμοῦ ἅπαξ κεκριμένα ἢ προσταχθέντα (DITTENBERGER, *Or.* 664, 14 = *Sammelbuch*, 8900); cf. *Ps.* LXXXIX, 35: «J'ai juré une fois = pour toujours». PHILON, *Leg. G.* 218 «Il entend que ce qu'il a une fois décidé soit exécuté»; MÉNANDRE, *Dyscol.* 392: «puisqu'une bonne fois je me suis mis à la tâche, ce n'est pas le moment de fléchir»; FL. JOSÈPHE, *Vie*, 314: «Tibériade leur avait été attribuée ἅπαξ», c'est-à-dire validement et définitivement; l'attribution demeure toujours effective.

[2] *P. Lond.* 1708, 242 (VIe s.); 483, 88 (VIIe s.). Dans *P. Flor.* 158, 10 (IIIe s.), ἀφάπαξ doit être lu ἐφ' ἅπαξ (VITELLI, dans FR. PREISIGKE, *Berichtigungsliste der griechischen Papyrusurkunden*, Berlin-Leipzig, 1922, I, p. 150.

[3] Dans *I Cor.* xv, 6, le Christ ressuscité «a été vu de plus de cinq cents frères en une seule fois, d'un coup, ὤφθη ἐφάπαξ»; mais on peut aussi comprendre: «compact» (cf. *Hénoch* gr. xvi, 1: «le grand temps, en une fois simultanément prendra fin»); la vision est collective; cf. CH. MUGLER «ἅπαξ = *semel, en une fois*. Adverbe exprimant le caractère synthétique de l'acte de vision que l'école d'Aristote défie les atomistes de savoir expliquer. Alexandre (d'Aphrodise): δοκεῖ... ὡς ἅπαξ... καὶ ὡς ἓν ὁρᾶν (sc. ἡ ὄψις) τὸ ὁρώμενον; la vue semble voir l'objet en un seul acte et le percevoir comme une unité, *De sensu*, 60, 5» (*Dictionnaire historique de la Terminologie optique des Grecs*, Paris, 1964, p. 43).

ἀπαράβατος

Comment traduire cet *hapax* biblique dans *Hébr.* VII,24: Jésus, du fait qu'il demeure pour l'éternité, ἀπαράβατον ἔχει τὴν ἱερωσύνην [1]? Le vocable assez rare, n'est employé que dans le grec tardif; il ne se trouve qu'une fois dans Philon et deux fois dans Fl. Josèphe. D'après l'étymologie (παραβαίνω: passer à côté ou par dessus, violer), le παραβάτης est le transgresseur, le violateur ou le contempteur [2], donc l'ἀπαράβατος doit être ce qui ne doit pas être transgressé, «inviolable», et c'est l'acception – le plus souvent juridique – qui est bien attestée dans les papyrus et même les écrits littéraires, notamment avec le verbe μένειν [3]. Mais ce sens ne convient pas à notre verset.

On sera tenté de donner à notre adjectif la signification bien attestée

---

[1] Presque chaque traducteur a son interprétation propre: «sacerdoce qui ne se transmet pas» (A. LOISY, *Les Livres du Nouveau Testament*, Paris, 1912; A. TRICOT, dans *La Sainte Bible* du Ch. Crampon, Paris-Tournai, 1952); «intransmissible» (M. GOGUEL, H. MONNIER, *Le Nouveau Testament*, Paris, 1929); «inaliénable» (MÉDE-BIELLE, dans *La Sainte Bible* de L. Pirot, Paris, 1938; C. F. D. MOULE, *An Idiom Book of New Testament Greek*, Cambridge, 1953); «le sacerdoce absolu» (J.-S. JAVET, *Dieu nous parla*, Neuchâtel-Paris, 1945); «la prêtrise sous une forme incessible» (J. HÉRING, *L'Epître aux Hébreux*, Neuchâtel-Paris, 1954); «immuable» (*Bible de Jérusalem*); «indépassable sacerdoce» (A. VANHOYE, *Traduction structurelle de l'Epître aux Hébreux*, Rome, 1963), etc.

[2] Cf. *Os.* VI, 7; *Ps.* XVII, 4; *Rom.* II, 25, 27; *Gal.* II, 18; *Jac.* II, 11.

[3] Conclusion d'une sentence judiciaire de 67 de notre ère: μένειν κύρια καὶ ἀπαράβατα (*P. Ryl.* 65, 18); *Sammelbuch*, 9152, 10: παραμένοντα ἀπαραβάτως καὶ ἀκαταγνώστως; *P. Grenf.* I, 60, 7: βεβαίᾳ καὶ ἀπαραβάτῳ... πράσει. Les Juifs ayant mis leur confiance en Dieu protestent: εἰς νῦν ἀπαράβατοι μεμενηκότες, c'est-à-dire qu'ils sont restés jusqu'ici purs de toute transgression, ou plutôt qu'ils n'ont pas changés, ils sont restés immuables (FL. JOSÈPHE, *Ant.* XVIII, 266). «Cette souveraine égalité se maintient sans cesse constante à l'abri de toute transgression» (PHILON, *Aet. mundi* 112); «Je fabriquerai un engin mystérieux, lié à une doctrine infaillible et inviolable, ἀπλανοῦς καὶ ἀπαραβάτου» (STOBÉE, I, 49, 44; t. I, p. 401, 20; traduction A. J. FESTUGIÈRE, *Corpus Hermeticum*, Paris, 1954, IV, p. 16, n. 18, 20); «Il y a dans le Tout quatre lieux, qui sont soumis à une loi et à une autorité inviolables, ἀπαραβάτῳ νόμῳ» (STOBÉE, I, 49, 45; t. I, p. 407, 21; traduction A. J. FESTUGIÈRE, *op. c.*, p. 52); cf. ÉPICTÈTE, *Enchir.* 51, 2: νόμος ἀπαράβατος.

par ailleurs de «permanent, perpétuel» [1], «qui ne disparaît ou ne change pas» [2], comme l'ont compris la Vulgate (*sempiternum*) et la Peshitta, et qui est la plus courante en littérature [3]. Mais ce serait une tautologie avec la première partie du verset, voire même une banalité, en tout cas cette notion d'un sacerdoce qui ne changerait pas de caractère ou de qualité n'est pas envisagée ailleurs dans l'Epître [4].

Reste à supposer un sens dérivé, dont on ne connaît pas encore d'attestation: «Qui ne passe pas de l'un à l'autre» (= μὴ παραβαίνουσαν εἰς ἄλλον), comme l'ont compris saint Jean Chrysostome (ἀδιάδοχον) et Théodoret, retenu par Bengel: «Qui ne peut passer à des successeurs», et qui découle du contexte. A l'inverse du sacerdoce lévitique dont les ministres mortels devaient transmettre le pouvoir à leurs descendants, un prêtre éternel demeure unique et n'aura jamais à passer son sacerdoce à quelque autre ministre (cf. l'antithèse οἱ μέν-ὁ δέ, ῦῦ. 23–24). Le terme a été vraisemblablement choisi en raison de sa valeur juridique, et pour qualifier l'«institution» sacerdotale de la Nouvelle Alliance: elle s'identifie à une personne! On traduira donc: «Il possède le sacerdoce qui est intransmissible» [5].

---

[1] *P. Lond.* 1015, 12: ἄτροπα καὶ ἀσάλευτα καὶ ἀπαράβατα; L. MITTEIS, *Chrestomathie*, ii, 2, Leipzig-Berlin, 1912 n. 372, col. 5, 19: ἔνια ἀπαραβατά ἐστιν = Il y a des choses auxquelles rien n'est changé. FL. JOSÈPHE, *C. Ap.* ii, 293: «Quoi de plus beau que la piété sans déviation».

[2] C'est le sens que retiennent J. SCHNEIDER (dans son excellent article du *TWNT*, (*in h. v.*), O. MICHEL (*Der Brief an die Hebräer*[10], Göttingen, 1957, p. 175), G. W. BUCHANAN (*To the Hebrews*, New York, 1972).

[3] EPICTÈTE, ii, 15, 1: «Ils s'imaginent qu'ils doivent toujours demeurer inébranlables»; PLUTARQUE, *Def. orac.* 3: «Le soleil conserve, immuable, selon la tradition reçue, sa marche accoutumée». Se dit notamment du cours des astres qui ne peut être modifié (FR. CUMONT, *L'Egypte des Astrologues*, Bruxelles, 1937, p. 17 n. 2) et du destin ou de la fatalité inflexible (PLUTARQUE, *De Fato*, 1; MARC AURÈLE, xii, 14, 1 et 2).

[4] W. L. LORIMER, *Hebrews VII, 23 f*, dans *NTS*, xiii, 1967, pp. 386–387, prenant acte de ces difficultés, suppose que l'auteur de l'Epître a écrit (ou voulu écrire) ἀμετάβατον «qui ne passe pas à un autre»; le *lapsus* ayant été entraîné par παραμένειν du ῦ. 23.

[5] Il est clair que ἔχειν garde son sens fort de «posséder, tenir, conserver».

ἀπάτη

L'acception classique de «tromperie, séduction, duperie» est celle de la
Septante, qui n'en a que quatre emplois, tous dans *Judith*[1]. Elle est la
seule connue de saint Paul[2], et des papyrus, depuis la loi de Cyrène du
IIᵉ–Iᵉʳ siècle avant notre ère[3] et un rescrit impérial du IIᵉ siècle: τὸν
ἀγῶνα τῆς ἀπάτης ὁ ἡγούμενος τοῦ ἔθνους ἐκδικήσει[4], jusqu'à la formule
quasi stéréotypée constamment reproduite sous une forme ou sous une
autre aux VIᵉ–VIIᵉ siècles: ὁμολογῶ δίχα δόλου καὶ φόβου καὶ βίας καὶ ἀπάτης
καὶ ἀνάγκης πάσης[5].

Mais en 1903, A. Deissmann avait signalé une autre signification du terme:
«plaisir, réjouissance»[6]. En 1911, J. Rouffiac relevait dans plusieurs *mss.*

---

[1] *Judith*, IX, 10, 13; XVI, 8. Dans IX, 3, le texte est difficile, du fait d'un jeu de
mots et d'une corruption des *mss.*; on peut entendre que la couche des chefs, «rougie
de leur tromperie» ou «de leur volupté», fut trempée jusqu'au sang. Dans *Eccl.* IX, 6,
ἀγάπη est à lire au lieu d'ἀπάτη; dans *IV Mac.* XVIII, 8: ἀπάτης ὄφις (le diable). Le
verbe ἀπατᾶν est extrêmement fréquent dans l'A. T., depuis *Gen.* III, 13 où Eve fut
dupée par le serpent (cf. *I Tim.* II, 14), et Ezéchias qui abuse le peuple (*II Rois* XVIII,
32; cf. *II Chr.* XXXII, 11, 15; *Is.* XXXVI, 14, 18; XXXVII, 10). Mais dans les deux
emplois du Siracide (XIV, 16; XXX, 23; dans ce dernier texte, il faut lire ἀπάτα et non
ἀγαπᾷ), ce verbe a sûrement le sens de: se réjouir: «réjouis ton âme». Dans le N. T.,
cf. *Eph.* V, 6; *Jac.* I, 26.

[2] *II Thess.* II, 10: l'Antéchrist se manifeste par toutes sortes d'iniques tromperies
= des séductions multiples; *Col.* II, 8; la philosophie est une illusion décevante, une
duperie creuse; *Eph.* IV, 22: le vieil homme va se corrompant au fil des convoitises
fallacieuses. Selon *Hébr.* III, 13, le péché étant un séducteur qui ne tient pas ce qu'il
promet, il déçoit et il est judicieux de parler de l'ἀπάτη τῆς ἁμαρτίας (sur ce verset,
cf. W. L. LORIMER, dans *NTS*, XII, 1966, pp. 390–391). Dans *II Petr.* II, 13, il faut
lire ἀγάπαις et non ἀπάταις (cf. E. M. LAPERROUSAZ, *Le Testament de Moïse*, dans
Semitica XIX, 1970, p. 65).

[3] *Sammelbuch*, 9949, 11: μηθενὶ δόλῳ τινὶ ἢ ἀπάτῃ. Le mot est attesté dans *P. Tebt.*
801, 29 (142–141 av. J.-C.) qui est mutilé.

[4] *P. Oxy.* 1020, 8; cf. *P. Princet.* 119, 40: τὴν ἐξ ἀπάτης εὑρήκασιν (pétition du IVᵉ s.
ap. J.-C.).

[5] *P. Hermop.* 31, 7; 32, 23; *P. Michael.* 40, 50; 41, 67; 45, 60; 52, 28; 55, 10; *Stud.
Pal.* XX, 269, 5; *Sammelbuch*, 8987, 10; 8988, 51; 9463, 3; cf. *P. Ross.-Georg.* III,
37, 15: χωρὶς ἀπάτης.

[6] A. DEISSMANN, *Hellenisierung des semitischen Monotheismus*, dans *Neue Jahrbücher f. d. klass. Altertum*, 1903, p. 165. Si l'on s'en tenait à la sémantique biblique,

de l'Itala (Cod. Corbeiensis, Bobbiensis) la traduction d'ἀπάτη par *delectationes, voluptas, delectamentum*, et retrouvait ce sens dans *Inscriptions de Priène*, 113,64 (84 av. J.-C.): L'Evergète Zosimos ayant donné un banquet pour la ville, engage des artistes, «il ne fit pas seulement ce qui était agréable, mais voulant en outre offrir une réjouissance aux spectateurs, (il fit venir [un joueur de flûte ?] et un pantomime)»[1]. Enfin, avec une immense érudition épigraphique, L. Robert a montré que dans la langue hellénistique populaire, ἀπάτη était souvent synonyme d'ἡδονή, τρυφή, τέρψις (sorte de volupté, plaisir des spectacles) et il cite – outre des Glossaires latin-grec du IIIe s. – les Λέξεις Ἀττικῶν καὶ Ἑλλήνων κατὰ στοιχεῖον du lexicographe Moeris au IIe siècle: ἀπάτη · ἡ πλάνη παρ' Ἀττικοῖς...ἡ τέρψις παρ' Ἕλλησιν[2]. Les exemples sont nombreux, depuis Polybe II,56,12: la tragédie se règle sur la vraisemblance «pour le plaisir des spectateurs»; IV,20,5: la musique n'a pas été apportée aux hommes comme un plaisir (ou une illusion?) de charlatan; Dion Chrysostome, *Or.* 32,4–5: les spectacles sont une réjouissance pour la cité (cf. 4,114). Selon Artémidore d'Ephèse, rêver de pêches, d'abricots, de prunes, de cerises «annonce des plaisirs et des voluptés si c'est leur saison»[3].

Ces attestations orientent la traduction de ἡ ἀπάτη τοῦ πλούτου dans l'explication de la parabole du Semeur (*Mt.* XIII,22; *Mc.* IV,19). Les commentateurs entendent d'ordinaire «les séductions de la richesse étouffent la parole». Mais il faut très probablement suivre M. J. Lagrange qui, dans son commentaire sur saint Marc, s'appuyait sur A. Deissmann et tradui-

---

on pourrait expliquer l'évolution à partir des emplois d'ἀπάτη-ἀπατᾶν: «séduire une femme» (*Ex.* XXII, 16; *Jug.* XIV, 15; XVI, 5; *Dan. Suz.* 56; *Judith*, XII, 16). Dans PHILON, *Joseph*, 56, les γυναικῶν ἀπάτας peuvent être aussi bien les tromperies que les plaisirs des femmes (cf. *Op. mundi*, 165; *Sacr. A. et C.* 26; *Quod omn. prob.* 151: ἔρωτος ἀπάτης). En tout cas, *Leg. all.* III, 64 émet le principe: πᾶσα οὖν ἀπάτη οἰκειοτάτη ἡδονῇ! Selon *Ebr.* 217, le mode de préparation et la forme des pâtisseries «sont faites pour le plaisir non seulement du goût, mais aussi des yeux».

[1] Traduction J. ROUFFIAC, *Recherches sur les Caractères du grec dans le Nouveau Testament d'après les inscriptions de Priène*, Paris, 1911, p. 38.

[2] Edition J. Pierson, 1759, p. 65; cf. L. ROBERT, *Hellenica* XI, Paris. 1960, pp. 5–15; OEPKE, dans *TWNT, in h. v.*

[3] *La Clef des songes* I, 73: προσκαίρους ἡδονὰς καὶ ἀπάτας σημαίνει. Cf. Plutarque: Solon mettait au même rang «la tromperie (ἀπάτην), la contrainte, la volupté (ἡδονήν), la souffrance» (*Solon*, XXI, 4). –Ἀπάτη est attesté quelques fois comme nom propre de femme (*P. Petr.* III, 11, 21) ou de lieu (*B.G.U.* 1665, 6); évoque-t-il la tromperie ou la réjouissance?

sait: «les délices de la richesse». Le parallèle de *Lc.* VIII, 14 est presque décisif: ἡδοναὶ τοῦ βίου [1].

Les deux significations sont réunies dans Strabon XI,2,10 expliquant l'épithète *Apatouros* donnée à l'Aphrodite de Phanagoria: assaillie par des Géants, «elle aurait appelé Héraclès à son secours et l'aurait caché dans une grotte, puis, accueillant tour à tour auprès d'elle chacun des Géants, elle les aurait livrés un à un à Héraclès pour qu'il les tuât à la faveur de cette ruse où elle servait d'appât, ἐξ ἀπάτης» [2].

---

[1] J. DUPONT, *La Parabole du Semeur dans la version de Luc,* dans *Apophoreta. Festschrift für E. Haenchen,* Berlin, 1964, pp. 97–108; cf. H. J. CADBURY, *The Making of Luke-Acts,* Londres, 1958, p. 179.

[2] Cf. W. KASTNER, ἀπάτη, dans *Museum Helveticum,* 1977, pp. 199-202.

ἀπελπίζω

Dans le Sermon sur la montagne, le Seigneur, voulant souligner le caractère désintéressé de l'*agapè*, prescrit: «Aimez vos ennemis, faites du bien,
καὶ δανείζετε μηδὲν ἀπελπίζοντες»[1]. S'il s'agit de prêter sans intérêt, ce
serait une illustration de la gratuité de la bienveillance (ἀγαθοποιεῖν); non
une opération financière fructueuse pour le prêteur, fût-ce au taux le
plus bas, mais comme un service fraternel[2]. Mais si le juste accordait à
ses compatriotes des prêts d'argent sans percevoir d'intérêt[3], les débiteurs

---

[1] *Lc.* VI, 35. L'hébreu a plusieurs termes pour désigner le prêt. Le verbe *lâvâh*
«emprunter» (au qal) «prêter» (à l'hiphil; les LXX, δανείζειν, κιχρᾶν); le verbe *nâsâh*
«prendre, imposer des intérêts», et au hiphil «opprimer» (*foenerari, foenum imponere*);
d'où le substantif *maššah* «usure, intérêt». Le verbe *nâšak* «mordre, opprimer, prendre
des intérêts», qui a donné *nèšèk* un des noms propres de l'usure (dans les versions:
τόκος et *usura*). Du verbe *râbâh* «augmenter, multiplier» sont dérivées deux autres
dénominations de l'intérêt: *marbit* et *tarbit* (πλεονασμός, *superabundantia*).

[2] *Ex.* XXII, 25; *Lév.* XXV, 35–37; *Deut.* XXIII, 19–20 demandent de prêter au com-
patriote, sans prendre d'intérêt (cf. C. VAN LEEUWEN, *Le développement du sens social
en Israël avant l'ère chrétienne*, Assen, 1955, pp. 42–58). «Qui pratique la miséricorde
prête à son prochain» (*Sir.* XXIX, 1); «Heureux l'homme compatissant et qui prête»
(*Ps.* CXII, 5). L'impie «prête aujourd'hui, demain il redemande» (*Sir.* XX, 15). Sur le
prêt dans l'A. T., cf. J. HEJCL, *Das alttestamentliche Zinsverbot im Lichte der ethno-
logischen Jurisprudenz*, dans *Biblische Zeitschrift*, XII, 4, Fribourg en Br., 1907; C. SPICQ,
Les Péchés d'injustice, Paris, 1935, II, pp. 444–450 (bibliographie, pp. 488 sv.); S. STEIN,
The Laws on Interest in the Old Testament, dans *The Journal of Theological Studies*,
1953, pp. 161–170; R. NORTH, *Sociology of the Biblical Jubilee*, Rome, 1954, pp. 176–
190; E. NEUFELD, *The Rate of Interest and the Text of Nehemiah V, 11*, dans *The
Jewish Quart. Review*, 1954, pp. 194–204; IDEM, *The Prohibitions against Loans at
Interest in Ancient Hebrew Laws*, dans *HUCA*, XXVI, 1955, pp. 355–412; E. SZLECHTER,
Le prêt dans l'Ancien Testament et dans les Codes mésopotamiens d'avant Hammourabi,
dans *La Bible et l'Orient*, Paris, 1953, pp. 16–25; R. DE VAUX, *Les Institutions de
l'Ancien Testament*, Paris, 1958, I, p. 260; H. A. RUPPRECHT, *Untersuchungen zum
Darlehen im Recht der graeco-aegyptischen Papyri der Ptolemäerzeit*, Munich, 1967;
R. P. MALONEY, *Usury in Greek, Roman and Rabbinic Thought*, dans *Traditio*, 1971,
pp. 79–109; P. W. PESTMAN, *Loans bearing no interest?* dans *The Journal of Juristic
Papyrology*, 1971, pp. 7–29; B. MENU, *Le prêt en droit égyptien*, dans *Etudes sur
l'Egypte et le Soudan anciens*, Lille-Paris, 1973, pp. 59–141.

[3] *Ps.* XV, 5; *Ez.* XVIII, 17; cf. ἄτοκος: *P. Fuad*, 44, 19, «Lucius rendra à Didyme
le prêt sans intérêt» (28 août 44); *P. Rein.* 31, 10: «Dionysos rendra ce blé sans inté-

abusaient souvent de sa bonté (cf. *Sir.* xxix,1–7), en sorte que le prêteur, frustré de son capital, était tenté de refuser de nouvelles avances. D'où l'exhortation de *Mt.* v,42: «Ne te détourne pas de qui veut t'emprunter»; cf. la valeur d'action continue de l'impératif présent δανείζετε: «prêtez habituellement» (*Lc.* vi,35), et la précision μηδὲν ἀπελπίζοντες: «sans rien attendre en retour». Prêtez en consentant à n'être jamais remboursé.

Mais cette traduction, qui est une interprétation – la difficulté est célèbre [1] –, ne correspond pas au sens unique et bien attesté d'ἀπελπίζω: ne pas espérer que quelque chose arrivera, désespérer [2]. De plus, elle semble en contradiction avec la suite du verset, motivant l'exhortation: «et votre récompense sera grande». Aussi bien, on a suggéré une faute de lecture [3], ou l'on a exploité la leçon de certains *mss.* (א, Ξ, W, Π* 489) appuyée par les versions syriaques: μηδένα ἀπελπίζοντες, ce pluriel neutre μηδένα étant entendu

---

rêts à Hermias» (109 av. J.-C.); *P. Amh.* 50, 10; *P. Ross.-Georg.* ii, 6, 21; *P. Tebt.* 342, 30; *Corp. Pap. Jud.* 143, 25.

[1] La meilleure discussion est celle de M. J. LAGRANGE, *Evangile selon saint Luc*[3], Paris, 1927, cf. C. SPICQ, *Agapè* i, Paris, 1958, p. 111.

[2] Dieu «sauveur des désespérés» (*Judith*, ix, 11); «Ceux qui sont sans espoir parmi les humains» (*Is.* xxix, 19); «Si contre l'ami tu as tiré l'épée, ne désespère pas, un retour est possible» (*Sir.* xxii, 21); «Celui qui a révélé les secrets (de son ami) ne peut plus espérer» (*Sir.* xxvii, 21); Lucillius «Diophante qui à autrui enlevait tout espoir» (*Anthologie Palat.* xi, 114). Dans FL. JOSÈPHE, il s'agit toujours du désespoir de survivre (*Guerre*, i, 462), d'obtenir le pardon (iv, 193; v, 354), la pitié des Romains (vi, 368), la sécurité (iv, 397); donc: renoncer à quelque bien futur, étant donné la conjoncture présente. De même POLYBE: «Hannibal désespérait de sa situation» (i, 19, 12) et DIODORE DE SICILE: «Ces monstres leur avaient fait désespérer de sauver leur vie» (xvii, 106, 7; cf. xix, 50). Ignoré de Philon, ce verbe, attesté pour la première fois par HYPÉRIDE V, 35, se retrouve dans plusieurs inscriptions (cf. R. BULTMANN, dans *TWNT, in h. v.*), s'emploie chez Galien des maladies sans espoir de guérison, des cas désespérés, et – avec la négation – ne pas douter, avoir confiance (cf. W. K. HOBART, *The Medical Language of St. Luke*, Dublin-Londres, 1889, pp. 118–119); enfin dans deux papyrus (*P. Zén. Cair.* 59642, 4, mutilé; *BGU*, 1844, 13, de 130 de notre ère) et un ostracon de 260 av. J.-C. (*Sammelbuch*, 8266, 10 *b* et 20). Sur la stèle thébaine où est inscrit le décret honorifique du Stratège Callimaque en 42 av. J.-C., τοῖς ἀπελπίζουσιν désigne les Egyptiens réduits à une situation critique par la crue insuffisante du Nil (DITTENBERGER, *Or.* 194, 19 = *Sammelbuch*, 8334), mais ce verbe restitué n'a pas été retenu par R. HUTMACHER, *Das Ehrendekret für den Strategen Kallimachos*, Meisenheim am Glan, 1965, p. 22.

[3] ἀντελπίζοντες. TH. REINACH, *Mutuum date, nihil inde sperantes*, dans *Rev. des Etudes Grecques*, 1894, p. 52; restitution refusée par M. J. LAGRANGE, dans *R.B.* 1895, p. 116. La leçon ἀπηλπικότες (D, G, lat., Peshitta, *l.* ἀπηλγηκότες) d'*Eph.* iv, 19 est trop mal attesté pour être retenue.

des personnes rebutées: «ne forçant quiconque à désespérer» [1]. Mais cette leçon μηδεν α-ἀπελπίζοντες est manifestement une dittographie. Reste à entendre avec la *Vieille Latine*: *nihil desperantes:* ne désespérant pas de recouvrer un jour votre capital ou d'être récompensé au centuple par Dieu (cf. la pensée d'*Eccl.* xi,1: la mer restitue ce qu'on lui donne). Mais M. J. Lagrange s'insurge à bon droit contre ce sens «absolument répugnant dans ce contexte héroïque» (*op. c.*, p. 196).

Il faut donc suivre la Vulgate Clémentine (*nihil inde sperantes*) qui comprend notre verbe selon la signification clairement exigée par le contexte [2], précisant les applications pratiques de l'*agapè* selon le mode abrupt des formulations sémitiques. Jésus ne se place pas au plan des affaires, des vertus de prudence ou de justice. Il indique la nature de l'amour chrétien: un oubli total de soi et une absolue gratuité: «Prêtez sans rien attendre en retour» [3].

---

[1] Fr. Field, *Otium Norvicense* iii, Oxford, 1881, p. 40.

[2] Opposition à παρ' ὧν ἐλπίζετε λαβεῖν (ў. 34); cf. E. Klostermann, *Das Lukas-Evangelium*[2], Tübingen, 1929, p. 82, qui cite le parallèle d'*Exodus Rabba* 31 (91 *c*): «Celui qui prête de l'argent, sans exiger d'intérêt, cela lui est compté si haut par Dieu que c'est comme s'il avait accompli tous les commandements». «Les Gentils prêtent avec espérance de retour, prêtez sans espérance de retour, sans espérer recevoir. ἀπελπίζω n'a jamais ce sens, il est vrai, mais il a pu être forgé par Luc comme parallèle à ἀπολαμβάνειν qui a aussi les deux sens de recevoir et d'abandonner. Le moyen âge a entendu ce verset du prêt à intérêt, mais il n'y a point là de tradition exégétique... Renoncer seulement aux intérêts serait peu conforme à la disposition de dépouillement complet dont tout ce passage esquisse l'idéal. Il ne s'agit point ici d'un ordre, mais d'un conseil. Si l'on objecte que prêter est alors synonyme de donner, on méconnaît une nuance. Celui qui emprunte rougirait souvent de recevoir un don. On lui prête donc, disposé à recevoir le remboursement s'il est offert, mais on prête tout disposé à faire le sacrifice de tout à l'occasion, *nihil sperantes*, μηδὲν ἐλπίζοντες ἀπολαβεῖν (Field)» (M. J. Lagrange, *op. c.* pp. 196–197).

[3] La suite du verset: καὶ ἔσται ὁ μισθὸς ὑμῶν πολύς est conforme à la loi du talion surnaturel constant dans les Synoptiques: ce que l'on sacrifie sur terre est compensé au centuple en valeurs surnaturelles. Est-il permis de citer le Discours de Néron aux Corinthiens en 67: «De mon grand cœur on peut tout espérer, παρὰ τῆς ἐμῆς μεγαλοφροσύνης ἀνέλπιστον» (Dittenberger, *Syl.* 814, 11)?

ἀπέραντος

Les hétérodoxes éphésiens s'attachent «à des fables et à des généalogies interminables», c'est-à-dire: jamais achevées et sans résultat (*I Tim.* I,4). L'adjectif ἀπέραντος (*hap.* N. T.), inconnu des papyrus (cf. *P. Tebt.* 847,21, ἀπηραμένου) a ces deux sens [1]. Mais, au Ier siècle, il revêt un sens rhétorique technique dans le vocabulaire stoïcien, pour qualifier les «raisonnements non démonstratifs, les arguments qui ne concluent pas» [2], des discussions stériles (FL. JOSÈPHE, *Ant.* XVII,131). Cicéron se plaint du fils d'Amyntas, insupportable bavard: ἀπεραντολογίας ἀηδοῦς (*Att.* XII,9; cf. STRABON, XIII,1,41). Les meilleurs parallèles sont ceux du poète satirique Timon de Phlionte: les philosophes «disputent à l'infini [et vainement] – ἀπείριτα δηριόωντες – dans la volière des Muses [le Musée d'Alexandrie]... jusqu'à ce que soient débarrassés de leur flux de paroles (litt. logodiarrhée) ces orateurs de table» (ATHÉNÉE, I,22 *d*), et de Philon: les sceptiques mettent tout leur bonheur dans la critique sans terme et sans fruit (ἀπεράντῳ καὶ ἀνηνύτῳ) des noms et des mots (*Congr. er.* 53). Ces sortes d'esprits n'ont ni mesure ni fin dans leur langage, parlent sans discrimination, apportent chaos et confusion en toutes choses, mêlent le vrai et le faux, le sacré et le profane. Ce genre de bavards, déjà dépistés à Alexandrie [3], s'occupent à Ephèse d'exégèse et de théologie, et sont dangereux pour la foi (cf. *Tit.* III,9).

---

[1] Sans borne, infini (*Ep. Aristée*, 156: une infinité d'aptitudes; POLYBE, I, 57, 3: l'historien ne peut dénombrer une infinité d'événements; PHILON (*Congr. er.* 53) exprimant son dédain des chicanes logiques: «l'examen minutieux sans fin ni cesse de noms et de verbes»; *Corp. Hermét.* I, 11, 4: εἰς ἀπέραντον τέλος; sans issue, inextricable, sans effet, sans résultat (*Job*, XXXVI, 26: le nombre des années de Dieu est sans fin et insondable); FL. JOSÈPHE, *Ant.* XVII, 131: Varus voyant que l'affaire n'avait pas de fin et n'aboutissait à rien; CLÉMENT DE ROME, *Cor.* XX, 8: l'océan infranchissable aux hommes; *Corp. Hermét.* IX, 8: «Le Bien est infranchissable, sans limite et sans fin, ἀδιάβατον γὰρ τὸ ἀγαθὸν καὶ ἀπέραντον καὶ ἀτελές».

[2] Λόγοι ἀπέραντοι (PHILODÈME DE GADARA, *Colère*, p. 97; cf. DIOGÈNE LAERCE, VII, 78; STRABON, II, 4, 8.

[3] PHILON, *Abr.* 20: πρὸς ἄμετρον καὶ ἀπέραντον καὶ ἄκριτον διήγησιν.

ἀπερισπάστως

Les Corinthiennes sont exhortées à la virginité qui les fixerait fermement près du Seigneur, sans tiraillement : εὐπάρεδρον τῷ Κυρίῳ ἀπερισπάστως (*I Cor.* VII,35). Cet adverbe est un *hapax* biblique et relativement peu attesté à l'époque hellénistique [1]. Sauf erreur, il ne se trouve que deux fois dans les papyrus [2], mais son sens est clair. Dérivé de περισπάω «entraîner d'un autre côté, tirer en sens contraire», ἀπερισπάστως signifie «sans empêchement, sans distraction»; ce qui est conforme à l'acception de l'adjectif ἀπερίσπαστος «non tiré de côté et d'autre», connu de l'A. T. [3] et très fréquent dans les papyrus. La plus ancienne attestation est du IIIᵉ siècle avant notre ère [4], et se multiplie aux Iᵉʳ–IIᵉ siècles ap. J.-C., de sorte que l'on peut dire que le mot fait partie de la langue courante [5]. Tantôt le stratège prescrit de «veiller à ce qu'il soit laissé en repos jusqu'à ce qu'il ait terminé ses semail-

---

[1] POLYBE, II, 20, 10: quand les Romains eurent vaincu les Gaulois, rien ne les détourna plus de la guerre contre Pyrrhus; IV, 18, 6: Ils ne pouvaient courir sans empêchement contre ceux qui se précipitaient par la porte; ÉPICTÈTE, I, 29, 59: dans la contemplation (θεωρεῖν), «il faut bien s'installer, sans se laisser distraire... être très attentif» (cf. III, 22, 69: le Cynique qui demeure libre de tout ce qui pourrait le distraire, ἀπερίσπαστον εἶναι); cf. J. WEISS, *Der erste Korintherbrief* [10], Göttingen, 1925, p. 205.

[2] *P. Tebt.* 895, 57 (de 175 av. J.-C.): ἀπερισπάστως γενέσθαι; D. FORABOSCHI, *L'Archivio di Kronion*, Milan, 1971, n. 38, 16: παρέξομεν δὲ τὸν Σασῶπιν ἀπαρανοχλήτως καὶ ἀνισπράκτως καὶ ἀπερισπάστως κατὰ πάντα τρόπον; cf. le décret d'Évergète II en 124 av. J.-C., ἀπερισπάστους γενηθέντας (*P. Tebt.* 700, 36; repris dans *C. Ord. Ptol.* 50, 15); *P. Grenf.* I, n. 11, col. II, 4: τούτου δὲ γενομένου καὶ ἀπερίσπαστος ὤν (discussion à propos d'un terrain, de 157 av. J.-C.); POLYBE, II, 67, 7: «Dégagée par cette manœuvre (ἀπερίσπαστον γενόμενον), la division des Illyriens... s'élança vaillamment sur les ennemis».

[3] *Sir.* XLI, 1: «O mort, que ton souvenir est amer... à l'homme sans soucis – ἀνδρὶ ἀπερισπάστῳ – et réussissant en tout»; *Sag.* XVI, 11: «De peur qu'ils ne deviennent inattentifs à tes bienfaits».

[4] *BGU*, 1243, 13. Aux IIᵉ-Iᵉʳ s. avant notre ère, cf. 1057, 22; 1756, 5: παρασχοῦ αὐτοὺς ἀπερισπάστους; *UPZ*, 145, 23. Cf. DIODORE DE SICILE, XVII, 9, 4: «Alexandre désirait avoir les mains libres (ἀπερίσπαστον ἔχειν) dans la guerre contre les Perses».

[5] De sorte que TH. NÄGELI (*Der Wortschatz des Apostels Paulus*, Göttingen, 1905, p. 30) mentionne ce vocable comme l'un de ceux qui attestent que saint Paul était un authentique helléniste.

les» (*P. Rein.* 18,40; 12 oct. 108 av. J.-C.), tantôt les tisserands de Philadelphie, faisant remarquer: «nous qui jusqu'à maintenant avons été laissés tranquilles à notre métier» demandent de ne pas être inquiétés et de demeurer exempts des autres services publics (*P. Philad.* 10,16; de 139 ap. J.-C.), ou bien l'on exige «que le transporteur ne soit pas importuné, ὁ διάγων ἀπερίσπαστος ἔσται» (*UPZ*, 226,6). En 46, 48 et 52 de notre ère l'ὁμολογία ἀπερισπάστου est une garantie d'immunité contre toute contrainte, pénalité et désagrément qu'un contractant pourrait encourir [1].

En tous ces emplois, l'adjectif met l'accent sur l'absence de troubles, d'ennuis, d'inconvénients; on échappe à des tracas; en d'autres textes littéraires, il s'agit de fixité, d'attention et de refuser toute digression [2]. Toutes ces nuances conviennent parfaitement à l'ἀπερισπάστως des vierges dans *I Cor.* vii,15, qui sont soustraites aux *périspasmoi* de la vie conjugale [3]. A juste titre, les exégètes évoquent *Lc.* x,38–42 où Marie de Béthanie est assise, en repos, aux pieds du Seigneur [4], toute son attention se concentrant sur Lui, tandis que Marthe s'agite alentour (περιεσπᾶτο), elle est tiraillée entre des sollicitudes divergentes. Ainsi la virginité permet de se concentrer exclusivement sur Dieu [5]...

---

[1] *P. Michig.* v, 238, 35 et 177; 353, 4; 354, 19; cf. *P. Oxy.* 286, 17 (de 82 ap. J.-C.): ὅπως παρέχωνται ἡμᾶς ἀπερισπάστους καὶ ἀπαρενοχλήτους ὑπὲρ τῆς προκειμένης ὀφειλῆς καὶ ἀποδώσειν ταῦτα = de façon qu'il puisse être assuré contre toute responsabilité ou trouble, en liaison avec la dette susdite et puisse la restituer; 898, 15 (123 ap. J.-C.), que les éditeurs traduisent: «to mortgage all my property in the Oasis in return for a deed of release received from Dioscorus», et ils expliquent γράμματα ἀπερισπάστου «a deed of indemnification». Cf. A. BERGER, *Die Strafklauseln in den Papyrusurkunden*², Aalen, 1965, pp. 203 sv.

[2] POLYBE, IV, 32, 6: «Les Lacédémoniens, sans se laisser distraire, s'appliquèrent à leur nuire»; DENYS D'HALICARNASSE, *Thucydide*, 9: «Dans la composition historique, tout doit se lier et tendre à l'unité, ἀπερίσπαστον εἶναι». Cette nuance d'ininterrompu est celle de PLUTARQUE, *Aristide*, 5, 3: «L'autorité de Miltiade se trouva renforcée par la continuité du commandement».

[3] Cf. HIÉROCLÈS, *Sur le Mariage*, dans STOBÉE, *Flor.* 67, 22, 24 (t. IV, p. 504).

[4] Παρακαθεσθεῖσα, cf. εὐπάρεδρον – peut-être un néologisme formé par saint Paul –, être bien placé près de quelqu'un; le sens est celui «d'une présence assidue auprès de quelque objet vénérable ou sacré» (E. B. ALLO, *Première Epître aux Corinthiens*, Paris, 1934, p. 184).

[5] Cf. C. SPICQ, *Théologie morale du Nouveau Testament*, Paris, 1965, II, pp. 564–565; L. LEGRAND, *La Virginité dans la Bible*, Paris, 1964, pp. 83 sv.

ἁπλότης, ἁπλοῦς

Ces termes sont de ceux qui, dans la langue du N. T., ne peuvent bien s'entendre qu'en fonction des Septante. En effet, dans le grec classique, «ἁπλοῦς s'oppose à διπλοῦς. Sens: simple, qui n'est pas double... parfois au sens moral de droit, sans détour» [1]. Mais dans l'A. T., cet adjectif traduit תָּם signifiant tout ce qui est entier (d'où: intègre, parfait), puis: bien fait, et enfin pacifique, d'où innocent. תָּמִים désigne tout ce qui est complet, consommé, accompli, puis intact, sans défaut, enfin irréprochable, exemplaire, d'où impeccable, irréprochable [2]. Cette perfection, que la Vulgate dénomme *simplicitas*, est fréquemment associée à יָשָׁר exprimant la rectitude: ce qui correspond à une norme objective; donc, au sens physique, ce qui est droit, direct, uni; au sens moral, ce qui est loyal, juste, droit [3]. Cette union (*Ps.* xxv,21; xxxvii,37) signale que la perfection-intégrité du juste se caractérise par une rectitude absolue de conscience et de vie. Aussi bien les types d'homme religieux comme Noé et Job (*Gen.* vi,9; *Job*, i,1,8) sont présentés comme «parfait et droit», ils sont accomplis, rien ne leur manque, ils sont innocents et irréprochables.

Ce n'est pas seulement une signification de lexique, mais toute une spiritualité. Cette innocence sans faute, cette rectitude sans compromission est bénie de Dieu (*Prov.* ii,7; x,29; xi,20; xxviii,10) et la voie du salut (*Prov.* xxviii,18). C'est la vertu des serviteurs de Dieu (*Deut.* xviii,13; *Ps.* xix,24; xxv,21; *Prov.* xiii,6) ou mieux une intention profonde, un état d'âme. Par opposition aux hommes doubles, au cœur partagé, le simple n'a d'autre souci que de pratiquer la volonté de Dieu, d'observer ses préceptes; son existence entière traduit cette disposition du cœur et cette rectitude: «Mourrons tous dans notre simplicité» (*I Mac.* ii,37). Au Ier siècle

---

[1] P. Chantraine, *Dictionnaire étymologique de la Langue grecque*, Paris, 1968, p. 97; cf. Bauernfeind, *in h. v.*, dans *TWNT*, i, pp. 385–386.

[2] D'où les correspondants: ἀληθινός, ἄμωμος, ὅσιος, εἰρηνικός, καθαρὰ καρδία, τέλειος. J. Lévêque, *Job et son Dieu*, Paris, 1970, i, pp. 137 sv. Cf. C. Spicq, *La vertu de simplicité dans l'Ancien et le Nouveau Testament*, dans *Rev. des Sciences ph. et th.*, 1933, pp. 5–26.

[3] Cf. «la simplicité du cœur», *Gen.* xx, 5; *Jos.* xxiv, 14; *I Rois* ix, 4; *I Chr.* xxix, 17; *Sag.* i, 1.

avant notre ère, l'*haplotès*, tellement exaltée par les Sapientiaux, est considérée comme la vertu suprême des Patriarches [1].

Il n'est pas facile de préciser le sens d'ἁπλοῦς dans l'esquisse de parabole que constitue le logion des deux lumières [2], demandant de vérifier le bon état de cette lampe du corps qu'est l'œil [3], car si celui-ci est «mauvais» (ténèbres) il serait incapable de discerner la lumière extérieure qu'est le Christ; ce serait une véritable cécité, celle d'aveugle en face du soleil [4].

---

[1] Dans le *Testament des Douze Patriarches* revient sans cesse l'exhortation à «marcher dans l'*haplotès* selon la Loi» (*T. Lévi*, XIII, 1; cf. *Rub.* IV, 1; *Sim.* IV, 5) ou «dans la simplicité du cœur» (*Issach.* IV, 1; cf. III, 8; VII, 7) ou «de l'âme» (*Issach.* IV, 6), «devant Dieu» (*Issach.* III, 2; cf. V, 8). L'*haplotès*, sujet de joie (*Issach.* III, 6) est parallèle à *akakia* (*Issach.* V, 1). «Dans les derniers temps, vos fils abandonneront l'*haplotès*» (*Issach.* VI, 1; cf. VII, 7; *Benj.* VI, 7) et auront «double visage» (*T. Aser*, IV, 1, διπρόσωπον). A. JAUBERT (*La notion d'Alliance dans le Judaïsme*, Paris, 1963, p. 274) voit dans ces mentions une pointe antipharisienne.

[2] «La lampe du corps est l'œil. Si donc ton œil est simple, ton corps entier sera lumineux; mais si ton œil est mauvais, ton corps entier sera ténébreux.» Rapporté par *Mt.* VI, 22 et *Lc.* XI, 34 d'une façon semblable, mais dans des contextes totalement différents; inséré par *Mt.* dans le Sermon sur la montagne (l'attachement aux richesses produit un aveuglement du cœur); par *Lc.* parmi d'autres fragments sans lien défini, après le passage chez Marthe: avertissement sur la pureté du regard indispensable pour percevoir l'enseignement de Jésus, ou mieux la lumière sur Jésus (H. J. CADBURY, *The Single Eye*, dans *Harvard Theological Review*, 1954, pp. 69–74. L. VAGANAY, *L'Etude d'un doublet dans la Parabole de la Lampe*, dans *Le Problème synoptique*, Paris-Tournai, 1954, pp. 426–442). Cf. C. EDLUND, *Das Auge der Einfalt*, Copenhague-Lund, 1952 (cf. le c.-r. de P. BENOIT, dans *R.B.* 1953, pp. 603–605); E. SJÖBERG, *Das Licht in dir. Zur Deutung von Matth. VI, 22 f Par.*, dans *Studia Theologica*, V, 1952, pp. 89–105; J. AMSTUTZ, *ΑΠΛΟΤΗΣ*, Bonn, 1968.

[3] Pour les Grecs, l'œil émet des rayons visuels qui se propagent en ligne droite (PLATON, *Tim.* 45 *c*; ARCHIMÈDE, *Fragm.* édit Ch. Mugler IV, p. 207; cf. J. ITARD, *Optique et Perspective*, dans *La Science antique et médiévale*, Paris, 1957, I, pp. 341 sv.). EMPÉDOCLE (*Fragm.* 84, 3; édit. Diels⁷) le compare à des lanternes à parois de lin (cf. *Rev. des Etudes grecques*, 1959, pp. XI, 58). Il y a mouvement (un flux) de l'œil à son objet (PHILON, *Conf. ling.* 99; *Deus immut.* 78). Cf. les textes dans CH. MUGLER, *Dictionnaire historique de la Terminologie optique des Grecs*, Paris, 1964, pp. 293 sv. A. LEJEUNE, *Recherches sur la Catoptrique grecque*, Bruxelles, 1957.

[4] En d'autres termes, pour voir il faut la lumière objective (le soleil) et la lumière subjective (l'œil). De même dans l'ordre spirituel, il faut la lumière subjective de la conscience ou de l'âme, et toute la question pratique est de s'assurer qu'elle est de bonne qualité pour recevoir la lumière objective: la révélation de Jésus-Christ. L'union des deux lumières est nécessaire. Seul «l'œil simple» voit les choses exactement telles qu'elles sont. Rappelons qu'à l'époque hellénistique, φῶς-φωτίζειν s'appliquent à la lumière de l'au-delà, et c'est à cette époque que les luminaires se développent dans le culte; cf. S. AALEN, *Die Begriffe Licht und Finsternis im A. T., im Spätjudentum*

Si l'on prend ἁπλοῦς-πονηρός au sens physique, on comprendra «sain, normal» et «malade». C'est ainsi que Socrate appelait la myopie un «défaut des yeux, πονηρία ὀφθαλμῶν» (PLATON, *Hipp. min.* 374 *d*), mais cette acception n'est pas biblique et le grec profane désignerait normalement l'œil sain par ὀφθαλμὸς ἀγαθός; or nous avons ici un septantisme et il vaut mieux entendre le logion au sens moral et «l'œil ténébreux» au sens de *T. Issachar* IV,6 (cf. *Benj.* IV,2), l'œil trouble ou l'intention dépravée. L'œil est l'organe de la connaissance de la divinité: ὁ ὀφθαλμός σου = τὸ φῶς τὸ ἐν σοί (cf. *Prov.* XX,27) = τοὺς ὀφθαλμοὺς τῆς καρδίας (*Eph.* I,18). Sans doute s'agit-il de loyauté sans ombre [1], au sens où les cœurs purs verront Dieu (*Mt.* V,8), mais plus profondément d'une âme simple, non partagée, comme celle des petits enfants [2], orientée uniquement vers Dieu. Cette intégrité, cet absolu de l'intention foncière introduit l'homme dans la lumière, le monde de Dieu [3]; l'éclairage est total et parfait; mais si le regard est mauvais, déficient parce que le cœur est divisé entre plusieurs attraits (cf. *Mt.* VI,21), l'homme demeure tout entier dans les ténèbres (le monde de Satan?). La simplicité est donc la totalité de l'engagement et du don de soi sans réserve.

C'est dans la même acception de générosité-libéralité qu'on entendra les dons des Macédoniens et des Corinthiens à la communauté de Jérusalem (*II Cor.* VIII,2; XI,11,13), ou les donations du charismatique; celui-ci les distribuera non point chichement, mais généreusement: ὁ μεταδιδοὺς ἐν ἁπλότητι (*Rom.* XII,8). Par contre, la nuance d'intégrité-droiture s'impose dans *II Cor.* XI,3: «J'ai peur, comme le serpent séduisit Eve par son astuce (ἐν τῇ πανουργίᾳ; cf. *Gen.* III,1) que vos pensées n'aillent se corrompre [et déchoir] de la simplicité et de la pureté qui convient à l'égard du Christ» [4]. Mais si les esclaves doivent obéir à leur maître «en simplicité de cœur» (*Col.* III,22; *Eph.* VI,5), on ne dissociera pas la pureté d'intention et le

---

und im Rabbinismus, Oslo, 1952; FR. N. KLEIN, *Die Lichtterminologie bei Philon von Alexandrien und in den Hermetischen Schriften*, Leiden, 1962; J. DUNCAN M. DERRETT, *Law in the New Testament*, Londres, 1970, pp. 188–207.

[1] C. EDLUND, *op. c.*, p. 67, a raison de comprendre ce logion comme dirigé contre les casuistes et les scribes. Le plus intelligent des Rabbins peut ne rien voir (comprendre) à la manifestation du Sauveur, encore qu'ils prétendent être φῶς τῶν ἐν σκότει (*Rom.* II, 19).

[2] *Mc.* X, 15; cf. S. LÉGASSE, *Jésus et l'Enfant*, Paris, 1969.

[3] Dans l'anthropologie biblique, *corps* ne s'oppose pas à *âme*, mais désigne l'être humain dans sa totalité.

[4] *II Cor.* XI, 3, ἀπὸ τῆς ἁπλότητος καὶ τῆς ἁγνότητος; cf. PHILON, *Op. mundi*, 156: la manducation du fruit «les fit passer soudain tous les deux de l'état d'innocence et de simplicité de leurs mœurs à la fourberie; ἐξ ἀκακίας καὶ ἁπλότητος ἠθῶν εἰς πανουργίαν μετέβαλεν».

dévouement intégral dans le service. L'esclave chrétien veut loyalement se conformer aux ordres reçus et ne rechigne pas à la tâche. Il travaille en homme de confiance, et avec une réelle générosité [1].

Le sens de l'adverbe ἁπλῶς (*hap.* N. T.) dans *Jac.* 1,5 ne peut être déterminé avec certitude: «Dieu donne à tous ἁπλῶς et sans faire de reproche» [2]. Etant donnée cette dernière précision, on est tenté de comprendre ἁπλῶς: franchement, sans réserve ni restriction [3]. Mais l'acception de la Vulgate (*affluenter*), corroborée par la Peshitta, serait plus conforme à la langue des Septante: Dieu donne à la perfection, c'est-à-dire abondamment. Les papyrus n'apportent guère de lumière [4], ou plutôt ils emploient le plus souvent ἁπλῶς, notamment au Ier siècle, pour souligner une affirmation, au sens d'absolument, tout uniment [5]: les contractants s'engagent à ne faire aucune réclamation au sujet de dettes, de paiements, de stipulations ou «quoi que ce soit d'autre» [6]. C'est ainsi que, dans un acte établissant un

---

[1] Dans Philon (*Vit. Mos.* 1, 172) la bonne volonté (ἁπλότης) s'oppose à la récrimination, à la dureté et au caractère vindicatif (τὴν πικρίαν καὶ τὸ βαρύμηνι); cf. «La droiture naturelle de Titus» (FL. JOSÈPHE, *Guerre*, v, 319; cf. 529).

[2] Cf. H. RIESENFELD, *ΑΠΛΩΣ. Zu Jak. I, 5*, dans *Coniectanea Neotestamentica* IX, 1941, pp. 33–41, qui cite quelques emplois de cet adverbe avec διδόναι (PLUTARQUE, *Solon*, XXI, 4; *Démétr.* XIX, 10); *P. Panop.* II, 95. W. C. VAN UNNIK (*De ἀφθονία van God in de oudchristelijke Literatuur*, Amsterdam-Londres, 1973, pp. 12 sv.) rapproche *Jac.* I, 5 de *Odes de Salomon*, VII, 3.

[3] Cf. DION CHRYSOSTOME, 51, 1: οὐχ ἁπλῶς ἀλλὰ μετὰ φροντίδος; MARC-AURÈLE v, 7, 2: «Ou il ne faut pas prier, ou il faut prier ainsi: naïvement, franchement»; PHILON, *Ebr.* 76: «serviteur loyal et franc, ἀψευδῶς καὶ ἁπλῶς θεραπεύων». Dans *Prov.* x, 9: «celui qui marche dans l'intégrité» est en parallèle antithétique avec «tortueux». D'où notre traduction jadis: «sans arrière-pensée» (C. SPICQ, *ΑΜΕΤΑΜΕΛΗΤΟΣ dans Rom. XI, 29*, dans *R.B.* 1960, pp. 217 sv.

[4] A propos des monnaies, ἁπλῶς signifie: de bon aloi (DITTENBERGER, *Syl.* 901, 9; *P. Ryl.* 709, 6; *P. Fuad*, 53, 3; *P. Oxy.* 2237, 8; *P. Lugd. Bat.* XIII, 1, 7; cf. J. et L. ROBERT, *Bulletin épigraphique*, dans *R.E.G.* 1960, p. 142, n. 59). Dans la langue juridique: «le contrat écrit en un seul exemplaire (sans duplicata), est valable» (*P. Rein.* 105, 10; 108, 14; *P. Warr.* 10, 30; *P. Lugd. Bat.* XIII, 4, 8; 20, 22; *P.S.I.*, 1427, 23; cf. *P. Fuad*, 20, 11; *P. Mert.* 36, 17; 98, 19; *P. Rend. Harr.* 66, 4 et 13; 81, 7; 83, 14; 141, 5; 145, 4; *B.G.U.* 2117, 10; *P. Hermop.* 32, 22; *P. Oxy.* 2237, 19; 2270, 14; 2350, col. III, 19; 2587, 9 etc.).

[5] Cf. MÉNANDRE, *Dyscolos*, 507: «J'ai dit carrément à tout le voisinage...».

[6] La formule περὶ ἄλλου οὐδενὸς ἁπλῶς (*P. Yale*, 63, 15, du 7 juillet 64; cf. 65, 31; *UPZ*, 218, col. I, 24; 223, col. I, 18) ou περὶ ἑτέρου ἁπλῶς πράγματος (*P. Fuad*, 56, 19, 11 février 79; *P. Ryl.* 588, 23; 20 sept. 78 av. J.-C.) revient constamment: *P. Mich.* 337, 15 (24 de notre ère); 345, 15 (7 ap. J.-C.); 351, 14 (44 de notre ère); 352, 10 (en 46); *P. Mert.* 111, 15; *P. Fam. Tebt.* 9, 18; 13, 23, 44, 58; 20, 30; 21, 15, 27; *P. Oxy.* 2185, 27 (92 de notre ère); *P. Tebt.* 45, 25; 395, 10, 18; dans deux actes de divorce,

droit de propriété, «le déclarent et ses ayant-droit n'intenteront aucune poursuite au sujet des biens ci-dessus désignés, ni pour aucune autre chose, *absolument*, en aucune façon... De son côté, Anthistia Cronous n'engagera aucune poursuite contre le déclarant au sujet d'aucune des stipulations ci-dessus (περὶ μηδενὸς ἁπλῶς πράγματος)... en aucune manière (τρόπῳ μηδενί)» (*P. Philad.* XI,16, 21). En 38 de notre ère, ἐμοῦ μηθὲν ἁπλῶς λαμβάνοντος signifie absolument sans rien recevoir [1]. Par conséquent, la meilleure traduction dans *Jac.* 1,5 paraît être «purement et simplement» [2], sans que l'on puisse accentuer telle ou telle nuance, sinon celle d'un pur cadeau.

P. Dura, 31, 15; 32, 11; cf. PHILON, *Ebr.* 78; *Post. C.* 114; EPICTÈTE, III, 13, 10; 22, 96; IV, 1, 172.

[1] *P. Mich.* 266, 15; 276, 10, 24, 25, 32, 40 (47 de notre ère); cf. 603, 18 «sans rien de plus»; *P. Mert.* 115, 16; *P. Tebt.* 392, 26, 35; *Arch. Sarap.* 36, 10.

[2] Comparer *II Mac.* VI, 6: «Il n'était même pas permis de célébrer le sabbat, ni de garder les fêtes de nos pères, ni *simplement* de confesser que l'on était juif»; *Sag.* XVI, 27: «Ce qui n'était pas détruit par le feu fondait, simplement chauffé par un bref rayon de soleil». EPICTÈTE, II, 2, 13: «Ne te laisse pas tirer dans tous les sens, tantôt prêt à servir, tantôt t'y refusant, mais simplement et de tout cœur, ἀλλ' ἁπλῶς καὶ ἐξ ὅλης τῆς διανοίας».

ἀποβλέπω

Pour évoquer le regard de la foi avec lequel Moïse tient compte, au milieu de ses épreuves, de la rémunération promise, *Hébr.* xi,26 emploie le verbe ἀποβλέπω «regarder, observer, faire attention». La foi «regarde à distance» ou mieux «considère fixement» et comme exclusivement. Dans l'A. T., il a parfois le sens de guetter et scruter (*Ps.* x,8; xi,5) avec profit (*Prov.* xxiv,32); mais lorsqu'il traduit le verbe *panah* (*Os.* iii,1; *Cant.* vi,1): tourner, pour regarder (*Ex.* ii,12) ou pour s'éloigner (*Is.* xiii,14), il prend la nuance de se détourner, de s'abstraire d'autres considérations pour ne s'attacher qu'à une seule. C'est cette acception qu'il faut garder dans *Hébr.* xi,26, confirmée par PHILON, *Spec. leg.* i,293; Moïse tenait les yeux fixés sur la grandeur de Dieu. cf. *P. Strasb.* 305,6: ἀποβλέπων καὶ εἰς τὰ μέλλοντα; *P. S. I.*, 414, 9, lettre du vigneron Ménon réclamant son salaire à Zénon: εἰς τὸ ἐψώνιον ἀποβλέπω.

Dans le grec profane, ἀποβλέπω exprime l'activité de l'astronome qui «observe les mouvements célestes»[1], ou celle du peintre fixant du regard un modèle, s'y reportant sans cesse dans une contemplation détaillée[2]. De la simple vision oculaire[3] on passe au sens de prise de conscience (EPICTÈTE, i, 6,37) et surtout de «prendre en considération, tenir compte»[4],

---

[1] PLATON, *Rép.* vii, 530 *a*. Cf. CH. MUGLER: «ἀπ. Expression verbale désignant la contemplation, par curiosité ou par intérêt scientifique, d'un phénomène optique» (*Dictionnaire historique de la Terminologie optique des Grecs*, Paris, 1964, p. 44).

[2] PLATON, *Rép.* vi, 484, *c*. Cf. PHILON, *Virt.* 70: on contemple Moïse modèle et exemple; cf. B. SNELL, H. ERBSE, *Lexikon des frühgriechischen Epos*, Göttingen, 1973, i, col. 1090 sv.

[3] Cf. FL. JOSÈPHE, *Guerre*, vii, 200: «l'endroit où il était le mieux vu des spectateurs»; 338: «ils se regardaient les uns les autres»; *Ant.* viii, 344; ix, 14.

[4] FL. JOSÈPHE, *Vie*, 135: «prenez en considération vos lois ancestrales»; *C. Ap.* i, 31: «sans prendre en considération la fortune ni les autres distinctions»; *Guerre*, ii, 311: «Florus ne considérant ni le nombre des morts ni la haute naissance de la suppliante»; *Ant.* xx, 61: «Izatès prit en considération... le fait que les changements de fortune sont le lot de tous les hommes (ἀποβλέπων est parallèle à λογισμῷ διδούς)». Dans une lettre chrétienne de consolation à un ami qui a perdu son fils ἀπόβληψον ὅτι οὐδεὶς ἐν ἀνθρώποις ἀθάνατος (*P. Princet.* 102, 13–14; du IVe s.).

afin d'orienter la conduite en conséquence [1]. C'est exactement ce que fit Moïse estimant qu'il n'y avait aucune commune mesure entre les trésors de l'Egypte et la «récompense» divine.

---

[1] FL. JOSÈPHE, *Ant.* IV, 39: les compagnons de Dathan viennent avec leurs femmes et leurs enfants «pour voir ce que Moïse leur proposerait de faire, τί καὶ μέλλοι ποιεῖν». Moulton-Milligan citent l'édit d'Ephèse, vers 160 ap. J.-C., ἀποβλέπων εἴς τε τὴν εὐσέβειαν τῆς θεοῦ καὶ εἰς τὴν τῆς λαμπροτάτης Ἐφεσίων πόλεως τειμήν.

ἀποδοχή

«Elle est sûre cette parole et digne de toute approbation, πάσης ἀποδοχῆς ἄξιος» (*I Tim.* ι, 15; ιν,9). Cette formule du kérygme, influencée par l'hellénisme, et abondamment commentée par les exégètes [1], peut être précisée en rendant à ἀποδοχή sa valeur propre. Ce substantif, qui n'apparaît que dans la *koinè* tardive (à l'exception de Thucydide, ιν,81,2), signifierait normalement: «bon accueil, réception favorable» [2], et c'est ainsi qu'il est attesté dans la *Lettre d'Aristée*, 257: «Comment trouver bon accueil chez les étrangers?», et dans FL. JOSÈPHE, *Ant.* XVIII, 274: «leur opposition invincible à recevoir la statue» de l'empereur.

Mais déjà au siècle dernier, Fr. Field indiquait que le sens d'approbation et d'admiration s'imposait dans de nombreux textes [3], et en 1911, J. Rouffiac le dépistait dans deux inscriptions de Priène [4]. On peut ajouter la *Lettre d'Aristée* 308: Démétrios faisant la lecture de la traduction en présence des traducteurs, «ceux-ci furent accueillis avec enthousiasme par la foule» [5] et DIODORE DE SICILE, ι,69; ΧΙ,40; ΧV,35.

Qui plus est, la formule ἄξιος ἀποδοχῆς, déjà employée par Philon: «Celui-là seul est digne d'approbation qui a mis son espérance en Dieu» (*Praem.*

---

[1] H. B. SWETE, *The Faithful Sayings*, dans *J.T.S.*, 1917, pp. 1–7; J. M. BOVER, «*Fidelis sermo*», dans *Biblica*, 1938, pp. 74–79; J. W. KNIGHT, *The Faithful Sayings in the Pastoral Letters*, Kampen, 1968, pp. 22 sv. C. SPICQ, *Les Epîtres Pastorales*[4], Paris, 1969, ι, p. 277; C. F. D. MOULE, *La Genèse du Nouveau Testament*, Neuchâtel-Paris, 1971, pp. 191–192; GRUNDMANN, *in h.v.*, dans *TWNT*, ιι, p. 54.

[2] Cf. ἀποδέχομαι (*Act.* ιι, 41). A. CALDERINI (*ΘΗΣΑΥΡΟΙ*[2], Milan, 1972, p. 97) le rapproche de ἀποδοχία: la réserve, le lieu où l'on conserve.

[3] FR. FIELD, *Otium Norvicense*, Oxford, 1881, ιιι, p. 124. Cf. FL. JOSÈPHE, *Ant.* VI, 347: «C'est juste que ceux-ci reçoivent approbation».

[4] J. ROUFFIAC, *Recherches sur les caractères du grec dans le Nouveau Testament*, Paris, 1911, p. 39. Après 129 av. J.-C., ἐν ἀποδοχῇ τῇ μεγίστῃ γινομένους = jouir de la plus haute considération (*Inscriptions de Priène*, 108, 312; de même, 109, 234; vers 120 av. J.-C.). Cf. *Inscriptions de Magnésie*, 113, 21: εἶναι ἐν ἀποδοχῇ τῷ δήμῳ; *Corpus Inscriptionum Regni Bosporani*, 432 B: ἐπαίνου καὶ πλείστης ἀποδοχῆς ὑποστῆσαι; J. POUILLOUX, *Choix d'Inscriptions grecques*, Paris, 1960, n. 8, 7: ἀποδοχαί = les faveurs. POLYBE associe plusieurs fois ἀποδοχή et πίστις: «Alexon jouissait de leur faveur et de leur confiance» (ι, 43, 4; cf. ι, 5, 5).

[5] Οἵτινες μεγάλης ἀποδοχῆς καὶ παρὰ τοῦ πλήθους ἔτυχον.

13; de même *Fuga*, 129), est courante dans la littérature: αὐτὸς δὲ ὁ Στράτων ἀνὴρ γέγονε πολλῆς τῆς ἀποδοχῆς ἄξιος (DIOGÈNE LAERCE, v,64); «Si le point de départ est inconnu... toute la suite ne peut en aucune façon mériter assentiment et confiance» (POLYBE, I,5,5); à propos du tombeau du roi Osymandyas, «non seulement cet ouvrage méritait d'être loué par son immensité (τὸ μέγετος ἀποδοχῆς ἄξιος), mais il était encore admirable du côté de l'art» (DIODORE DE SICILE, I,47,4; cf. v,31: ἀποδοχῆς μεγάλης ἀξιοῦντες αὐτούς; xii,15: cette loi est «parfaitement juste et digne des plus grands éloges»); ἀνδρὸς ἔργον καὶ πολλῆς ἄξιον ἀποδοχῆς (HIÉROCLÈS, dans STOBÉE, *Flor.* 84, cap. iv, 27,20; t. iv, p. 662,2). C'est surtout à propos des hommes que l'acception «considération, haute estime», domine dans les inscriptions [1]; par exemple dans les décrets honorifiques. Celui de la ville d'Odessa, vers 45 av. J.-C., en faveur de Ménogénès, kaloskagathos qui a multiplié ses bienfaits en faveur de la cité et de sa région: παρὰ τῷ βασιλεῖ μεγάλης ἀποδοχῆς ἀξιοῦται (*Inscriptions de Bulgarie*, 43,13), ou de Ménas à Sestos: τῆς καλλίστης ἀποδοχῆς ἀξιούμενος παρ' αὐτῷ (DITTENBERGER, *Or.* 339,13–14), ou dans l'inscription d'Ephèse du IIe siècle qualifiant l'agonothète Priscus: ἀνδρὸς δοκιμωτάτου καὶ πάσης τειμῆς καὶ ἀποδοχῆς ἀξίου (IDEM, *Syl.* 867,20).

Par conséquent, la prédication apostolique mérite non seulement d'être acceptée par tous, mais encore qu'on lui reconnaisse le plus haut crédit (πᾶς intensif; cf. *I Tim.* vi,1). Elle est digne d'un respect religieux, celui que tout homme doit à la Vérité [2].

---

[1] Ἀποδοχή, ignoré des papyrus, appartient à la langue cultivée. Dans la rhétorique grecque, on qualifie de ἄξιος ἀποδοχῆς une parole, un discours appuyé sur des arguments et auquel on peut faire confiance, cf. I. C. T. ERNESTI, *Lexicon Technologiae Graecorum Rhetoricae*[2], Hildesheim, 1962, p. 226.

[2] W. A. OLDFATHER, L. W. DALY (*A Quotation from Menander in the Pastoral Epistles?* dans *Classical Philology*, 1943, pp. 202–204) ont relevé dans Térence le dit: «C'est un défaut commun à tous que dans la vieillesse nous sommes trop attachés aux choses», suivi de la sentence: «le dicton est vrai et il faut le mettre en pratique – *Et dictum est vere et re ipsa fieri oportet*» (*Adelphes*, 954); et comme Térence transpose Ménandre, nos auteurs supposent que ce dernier avait écrit πιστὸς ὁ λόγος καὶ πάσης ἀποδοχῆς ἄξιος, que les *Pastorales* auraient conservé plus exactement.

ἀποκυέω

«La convoitise, ayant conçu (συλλαμβάνειν), donne naissance au péché (τίκτειν), et le péché parvenu à son terme enfante la mort (ἀποκύειν)» [1]. Le Père des lumières «a voulu nous enfanter (ἀπεκύησεν) par une parole de vérité, pour que nous soyons comme des prémices de ses créatures» [2].

---

[1] *Jac.* I, 15. La métaphore est plusieurs fois attestée dans l'A. T.: «Celui qui porte en son sein l'injustice, qui conçoit un méfait et enfante un mensonge» (*Ps.* VII, 15; cf. G. J. THIERRY, *Remarks on various passages of the Psalms*, dans *Oudtestamentische Studiën*, XIII, 1963, pp. 77 sv.); «On conçoit le malheur et on enfante l'iniquité» (*Is.* LIX, 4); *Job*, XV, 35. Elle est aimée de Philon: «Nous parlons de la corruption et de l'enfantement des vertus...» (*Cher.* 42–46; cf. 57); «Le nom propre de l'imprudence est celle qui enfante, parce que l'intelligence de l'insensé... est toujours dans les douleurs de l'enfantement, lorsqu'elle désire les richesses, la gloire, le plaisir ou quelque autre objet» (*Leg. alleg.* I, 75); l'âme qui conçoit des pensées, des vices et des passions, a un pouvoir d'engendrement comparable à celui d'une femme qui conçoit et enfante (*Sacr. A. et C.* 103); toutes les vertus étant fécondes sont assimilables à des champs productifs ou à une mère qui se délivre de son fruit (*Quod deter.* 114), notamment la justice qui «met au monde un rejeton mâle (ἀποκεκύηκε), le raisonnement juste» (121), et la «prudence qui, telle une mère, met au monde (ἀποκυήσασα) la race capable de s'instruire par elle-même» (*Mut. nom.* 137). «Celui qui voit Dieu... mis au monde (ἀποκυηθέν) par la vertu» (*Post. C.* 63). Cf. *Test. Benj.* VII, 2: «La *dianoia* est enceinte des œuvres de Béliar».

[2] *Jac.* I, 18. Cf. *Deut.* XXXII, 18: «Tu dédaignes le Rocher qui t'a engendré et tu oublies le Dieu qui t'a mis au monde»; *Is.* LXVI, 7–11; engendrement métaphorique et collectif du peuple Israël. O. MICHEL, O. BETZ (*Von Gott gezeugt*, dans *Festschrift J. Jeremias*, Berlin, 1960, p. 22 et dans *NTS*, IX, 1963, pp. 129–130) indiquent des parallèles à Qumran. C. M. EDSMAN (*Schöpferwille und Geburt, Jk. I, 18. Eine Studie zur altchristlichen Kosmologie*, dans *ZNTW*, 1939, pp. 11–44; IDEM, *Schöpfung und Wiedergeburt. Nochmals Jac. I, 18*, dans *Spiritus et Veritas. Mélanges Kundzinu*, Auseklis, 1953, pp. 43–55) donne des références aux écrivains ecclésiastiques désignant par ce terme l'engendrement du Verbe par le Père ou de Jésus par la Vierge Marie (SAINT JUSTIN, *I Ap.* XXXII, 14; *II Ap.* VI, 5; SAINT IRÉNÉE, *Hér.* I, 1, 1; ORIGÈNE, *C. Cels.* V, 52 et 58; EUSÈBE, *Dém. ev.* III, 2, 50, etc.). A. v. HARNACK ne connaît que deux auteurs (Clément d'Alexandrie, *Paidag.* I, 45, 1 et Méthode d'Olympe, *Banq.* III, 8) qui emploient ce verbe à propos de l'engendrement baptismal (*Die Terminologie der Wiedergeburt und verwandter Erlebnisse in der ältesten Kirche. Texte und Untersuchungen*, XLII, 3; Leipzig, 1918, pp. 109, n. 2; 120, n. 2). Cf. L. E. ELLIOTT-BINNS, *James I, 18: Creation or Redemption?* dans *NTS*, III, 1957, pp. 148–

Le verbe ἀποκυεῖν (hap. b.), encore qu'ignoré de Fl. Josèphe, appartient à la langue cultivée hellénistique [1]. Il est très employé par Philon qui lui donne son acception précise et réaliste du dernier stade de l'engendrement: «accoucher», encore que ce soit au sens métaphorique [2]. Après la conception (συλλαμβάνειν) et la gestation (ἐν γαστρὶ ἔχειν, κύειν), la femme met au monde son enfant; le préfixe ἀπο- met précisément l'accent sur cette «délivrance». Si notre verbe composé inclut parfois ces deux phases précédentes, il faut donc normalement le distinguer du simple κύειν: «porter dans son sein, être ou devenir enceinte» [3], – opposé à τίκτειν (Is. LXI,4) – et plus encore du très général γεννᾶν [4], car il vise le moment où la mère, à l'issue de la gestation, met au monde son enfant pleinement formé et désormais capable d'une existence indépendante [5]. Il faut donc éliminer

---

161; surtout Y. Ysebaert, Greek Baptismal Terminology, Nimègue, 1962, pp. 108, 126, 139 sv., 150.

[1] Il est très rare dans les papyrus, BGU, 665, col. II, 19 (Ier s. de notre ère); Sammelbuch, 6611, 15, 20 (acte notarial de divorce, 120 ap. J.-C.), toujours au sens propre: mettre au monde; cf. IV Mac. xv, 17: «O femme, la seule qui ait mis au monde la piété parfaite».

[2] Philon, Fuga, 208: «Par un enfantement aisé (πραϋτόκοις ὠδῖσιν), tu accoucheras d'un enfant mâle (ἄρρενα γενεὰν ἀποκυήσεις); Post. C. 114: «Cette ombre, ces hallucinations incertaines accouchent (ἀποκυεῖται) d'un fils».

[3] Κυεῖν, concipere, se dit de la mère: «être grosse»; cf. une inscription de Delphes: οὔτε κύουσα γυνή (Suppl. Ep. Gr. XVI, 341, 7; R. Ferwerda, La signification des Images et des Métaphores dans la pensée de Plotin, Groningen, 1965, pp. 82 sv.); «toutes les femmes enceintes (πᾶσαι αἱ κυοῦσαι γυναῖκες) mettaient au monde des enfants mal conformés» (Plutarque, Publicola, XXI, 2); «On s'aperçut que la femme de son frère était enceinte (κύουσαν)» (Idem, Lycurgue, III, 1; cf. Alexandre, II, 5; LXXVII, 6); «Le septième jour... est mis au monde sans gestation, γεννηθεῖσαν ἄνευ κύσεως» (Philon, Vit. Mos. II, 210); Abraham eut commerce avec Agar «jusqu'à ce qu'elle ait conçu un enfant (ἄχρι τοῦ παιδοποιήσασθαι) et – comme les narrateurs les plus sûrs l'affirment– seulement jusqu'à ce qu'elle soit enceinte (ἄχρι τοῦ μόνον ἐγκύμονα γενέσθαι)» (Idem, Abr. 253). «L'essence de Dieu est de féconder (τὸ κύειν) et de produire toutes choses» (Corp. Hermét. v, 9). Il y a évidemment des acceptions plus larges (cf. Philon, «Une femme juive qui avait eu récemment un enfant, κυήσαντι, Vit. Mos. I, 16); selon Lucien, les habitants de la lune portent leurs enfants (κύουσι) dans la partie pansue de la jambe (Histoire vraie, 22). D'ailleurs, κύος = foetus; κυΐσκω = féconder (E. Boisacq, Dictionnaire étymologique de la Langue grecque², Heidelberg, in h.v.). Chez les Gnostiques, κύημα désignera l'engendrement spirituel ou pneumatique.

[4] Cf. C. Spicq, Théologie morale du Nouveau Testament, Paris, 1965, I, pp. 100 sv.; A. Schlatter, Der Brief des Jakobus, Stuttgart, 1956, p. 136.

[5] Cf. Philon: «Chez les femmes et chez toutes les femelles, quand approche le temps de la parturition (ἀποκυΐσκειν) on voit se former des sources de lait pour que leur cours fournisse aux nouveaux-nés les nourritures nécessaires et convenables»

le *genuit* de la Vulgate et retenir le *peperit* de la *Vieille Latine* (édit. Beuron, t. XXVI, p. 17). En choisissant ce verbe, saint Jacques a voulu signaler l'efficacité de l'action divine et le réalisme de l'engendrement baptismal. Les chrétiens ont acquis un mode d'être spirituel en vertu duquel ils seront aptes à mener une vie réellement nouvelle.

(*Plant.* 15); «Les Pythagoriciens comparent le nombre sept à la Femme toujours vierge et sans mère, parce qu'il n'a pas été enfanté et n'engendrera pas, ὅτι οὔτε ἀπεκυήθη οὔτε ἀποτέξεται» (*Leg. alleg.* I, 15); Dieu est père de ce monde, et on peut appeler mère la science avec laquelle il l'a engendré, «cette science ayant reçu la divine semence, après avoir conçu et mené à son terme son unique et bien-aimé fils, elle accoucha alors de notre univers sensible (ἀπεκύησε)» (*Ebr.* 30); «C'est une seule et même âme qui porte ces deux conceptions. Or, une fois mises au monde (ὅταν ἀποκυηθῶσι), elles doivent nécessairement se séparer» (*Sacr. A. et C.* 3). PLUTARQUE: «Valeria accoucha d'une fille (ἀπεκύησεν)» (*Sylla,* XXXVII, 7); «Il était en train de dîner... lorsqu'elle mit au monde un garçon (ἀποκυηθὲν ἄρρεν)» (IDEM, *Lycurgue,* III, 5); *Corp. Hermét.* «Le Noûs Dieu, étant mâle-et-femelle... enfanta d'une parole (ἀπεκύησε λόγῳ) un second Noûs démiurge» (I, 9); «Il enfanta un Homme semblable à lui, dont il s'éprit comme de son propre enfant» (*ibid.* I, 12).

ἀπόλαυσις

Ce substantif, ignoré des papyrus avant le VIᵉ siècle (cf. *P. Flor.* 296,11), n'est employé que deux fois dans le N. T., et selon la double acception qu'il revêt dans la langue profane. Dieu nous pourvoit de «toutes choses richement pour que nous en jouissions, εἰς ἀπόλαυσιν» (*I Tim.* VI,17). A l'opposé du manichéisme ascétique des docteurs hétérodoxes, saint Paul affirme l'optimisme de la Révélation vis-à-vis des biens de la terre que nous procure la Providence divine [1]. La finalité εἰς ἀπόλαυσιν était déjà exprimée par Philon et Fl. Josèphe pour désigner la nourriture, la subsistance, l'entretien de la vie [2]. En 68, le préfet d'Egypte Tiberius Julius Alexander promulgue un édit afin que ses sujets attendent avec plus de confiance «le salut et le bonheur matériel» de l'empereur évergète Galba [3]. Il s'agit de tirer profit, de jouir personnellement, de profiter d'un bien [4].

Cette jouissance, ce bien-être, ce plaisir vont s'étendre au bonheur sous toutes ses formes, que ce soient les réjouissances culinaires (FL. JOSÈPHE,

---

[1] *Act.* XIV, 17. Thème stoïcien, cf. C. SPICQ, *Théologie morale du Nouveau Testament*, Paris, 1965, I, p. 236.

[2] PHILON, *Vit. Mos.* II, 70: Moïse resta sur la montagne, «n'apportant rien de ce qui permet la nourriture strictement nécessaire, εἰς ἀναγκαίας ἀπόλαυσιν τροφῆς»; *Exsecr.* 135: «les gens prospères trouvent la vie désirable pour jouir de bonnes choses, εἰς ἀπόλαυσιν ἀγαθῶν»; cf. Dieu à Adam: grâce à ma Providence, toutes ces choses «contribuent au bien-être et au plaisir, πρὸς ἀπόλαυσιν καὶ ἡδονήν» (FL. JOSÈPHE, *Ant.* I, 46); *Ant.* VIII, 153: «ces biens convenablement disposés pour le plaisir et la joie, εἰς ἀπόλαυσιν καὶ τρυφήν»; XVI, 13: Hérode divertit Marcus Agrippa et ses amis avec toutes sortes de plaisirs et de nourriture. CLÉMENT DE ROME, *I Cor.* XX, 10: «Les sources intarissables, créées pour le plaisir et la santé, πρὸς ἀπόλαυσιν καὶ ὑγείαν».

[3] Τά τε πρὸς σωτηρίαν καὶ τὰ πρὸς ἀπόλαυσιν (*Sammelbuch*, 8444, 8; cf. G. CHALON, *L'Edit de Tiberius Julius Alexander*, Olten-Lausanne, 1964).

[4] Cf. jouir d'une succession ou des avantages de la royauté (FL. JOSÈPHE, *Guerre*, I, 111, 587) et le verbe ἀπολαύω fréquent dans les papyrus (*P. Herm. Rees*, 5, 10: ἀπολαύειν τῆς ἐπὶ σοὶ μεγίστης εὐφροσύνης) et les inscriptions, cf. le discours de Néron à Corinthe en 67: «un plus grand nombre d'hommes eût joui de mes faveurs, ἵνα μου πλείονες ἀπολαύωσι τῆς χάριτος» (DITTENBERGER, *Syl.* 814, 18; cf. *Or.* 666, 10); inscription sur une bague d'Homs: «Ἀπόλαυε χέρων – Jouis dans la joie» (*Inscriptions grecques et latines de la Syrie*, 2482).

Ant. XII,98), la *koinonia* conjugale (II,52), l'amour d'une femme [1], les joies de la jeunesse (*Inscriptions de Thasos*, 334,18), le divertissement des festivités [2], la satisfaction d'être propriétaire [3], la jouissance présente et durable de bonnes choses [4]. C'est en fonction de ces usages que l'on comprendra *Hébr.* XI,25: Moïse choisit d'être «maltraité avec le peuple de Dieu, plutôt que d'avoir pour un temps jouissance du péché» [5].

---

[1] Ἀπόλαυσις représentée sous les traits d'une femme jeune et élégante (*Inscript. gr. et lat. de la Syrie*, 871). Les Hébreux n'ont pas cherché à fuir l'enchantement de la beauté des filles Madianites et l'intimité de leurs relations (FL. JOSÈPHE, *Ant.* IV, 131).

[2] *Inscription d'Antiochos Ier de Commagène* (*Inscript. gr. et lat. de la Syrie* I, 150; cf. 12 = DITTENBERGER, *Or.* 383, 12. Cf. la signification technique *voluptas*: ἐπίτροπος ἀπὸ τῶν ἀ. (*ILS*, 8849; SUÉTONE, *Tib.* 42.)

[3] FL. JOSÈPHE, *Ant.* V, 95: τὴν ἀπόλαυσιν τῶν ὑπαρχόντων ὑμῖν ἀγαθῶν; cf. XIV, 160.

[4] FL. JOSÈPHE, *Ant.* II, 48, 161; IV, 178; toute sorte de satisfaction (*Guerre*, VII, 388). DIODORE DE SICILE, XVII, 67, 3; 75, 1, 6; 110, 5: les plaisirs de l'existence.

[5] IDEM, *ibid.* IV, 42: ἀφεὶς τὴν ἐκείνων ἀπόλαυσιν τῶν ἀγαθῶν ἐμαυτὸν, ἐπέδωκα ταῖς ὑπὲρ τούτων ταλαιπωρίαις; cf. II, 174: Dieu à Jacob: «Ce fils que tu penses avoir perdu (Joseph) a été préservé par ma Providence, et je l'ai conduit à une plus grande félicité, à peine différente de celle d'un roi». Démétrios et Antoine se laissèrent aller aux débauches (ἀπολαύσεις), PLUTARQUE, *Antoine*, XC (3), 1; cf. XCI (4), 5.

ἀπολείπω

Après avoir fait une rapide visite de la Crète, saint Paul laisse Tite sur place (*Tit.* I,5), et lorsque, prisonnier, il gagne Rome, il est obligé à Milet de laisser derrière lui Trophime malade (*II Tim.* IV,20). A cette acception d'ἀπολείπω «laisser en partant, quitter», on peut citer comme parallèles *I Mac.* IX,65: «Jonathan laissa son frère Simon dans la ville»; *II Mac.* IV,29: «Ménélas laissa pour le remplacer comme grand'prêtre son propre frère Lysimaque» [1]. On ne quitte pas seulement les personnes, mais on laisse aussi des objets, tel l'Apôtre qui a laissé sa pèlerine à Troas chez Carpos [2].

Cette nuance de perdre et de manquer, extrêmement fréquente, est péjorative [3]; elle exprime toute défaillance ou déficience [4], depuis le retard

---

[1] Cf. *II Mac.* x, 19; *I Mac.* x, 79; *Jug.* IX, 5: «Il ne resta que Jotham»; *II Rois*, x, 21; FL. JOSÈPHE, *Guerre*, II, 108: «On avait laissé Aristobule à dessein à Chypre pour le soustraire aux embûches»; IV, 107: «femmes et enfants furent laissés en arrière»; *Antiq.* VII, 218; *P. Athen.* 1, 4 (lettre d'Amyntas à Zénon, du 16 mars 257 av. J.-C.): ἀξιοῖ δὲ ἐν Μέμφει ἀπολειφθεὶς ἐργάζεσθαι; LUCIEN, *Le Navire*, 32: «Nous nous emparons facilement des villes ouvertes, où nous laissons des gouverneurs».

[2] *II Tim.* IV, 13 (sur la *paenula*, longue et lourde pèlerine épaisse, cf. C. SPICQ, *Pèlerine et Vêtements*, dans *Mélanges E. Tisserant*, Cité du Vatican, 1964, pp. 389–417); FL. JOSÈPHE, *Guerre*, I, 667: «Ptolémée lut une lettre laissée par Hérode à l'adresse de ses soldats»; III, 452: «ils quittèrent leurs montures»; *Antiq.* XVIII, 38: la cité; XIV, 354: la patrie; *Sammelbuch*, 6775, 2 (liste d'objets, de 257 av. J.-C.): ἐν Ἑρμουπόλει ἀπολελοίπαμεν; d'où, au sens abstrait et figuré: on laisse une opinion (PHILON, *Aet. mundi*, 7), un sujet de critique (vision de Maximus, dans ET. BERNAND, *Inscriptions métriques de l'Egypte gréco-romaine*, Paris, 1969, n. 168, 21), un souvenir (*Sag.* VIII, 13; x, 8; FL. JOSÈPHE, *Antiq.* xv, 298: Hérode laisse à la postérité un monument de sa philanthropie), une tâche à accomplir (FL. JOSÈPHE, *Guerre*, VII, 303).

[3] *Sir.* III, 13: «S'il a perdu l'esprit, sois indulgent»; FL. JOSÈPHE, *Ant.* XVI, 13: «Hérode n'omettait rien de ce qui pouvait plaire à Marcus Agrippa»; I, 115; 215; III, 102; IX, 236: «le roi ne manquait d'aucune vertu»; XI, 75; XII, 96; *Guerre*, III, 91: «il faut que nul ne manque à son rang»; 250: «rien ne manqua de ce qui peut terrifier les yeux ou les oreilles»; IV, 382: «ils laissaient les corps pourrir au soleil»; v, 200, 222; VII, 169, 186: «des sources d'eaux qui ne manquent pas de douceur». D'où le sens d'infériorité (*Ant.* XIV, 129; *C. Ap.* II, 39: une période d'un peu moins de trois mille ans). Chez quelques géomètres post-euclidiens, ἀπολείπειν, synonyme de καταλείπειν et de ὑπολείπειν désigne «l'effet d'une soustraction opérée sur des figures géométriques»

ou l'absence [1] jusqu'au renoncement et l'abandon, avec le sens d'égarement et de trahison [2]. C'est certainement dans cette acception de «déserter» que les anges, dont la demeure naturelle est le ciel, sont dits avoir «quitté leur propre lieu d'habitation» [3].

L'idée de partir [4] et peut-être l'emploi d'ἀπολείπειν pour exprimer qu'un défunt laisse en vie une postérité ou laisse derrière lui des biens [5] coïncident avec l'usage technique de ce verbe dans les testaments, tel qu'il est attesté dans les papyrus et les inscriptions [6]: le testateur «laisse» ses biens à ses héritiers. Ainsi, vers 200 av. J.-C., Epictéta: «Je dispose comme il suit – ἀπολείπω κατὰ τὰν γεγενημέναν – conformément à la recommandation qui m'a été faite par mon mari Phœnix» [7]; au IIe s. de notre ère, le testament

---

(CH. MUGLER, *Dictionnaire historique de la Terminologie géométrique des Grecs*, Paris, 1958, p. 77).

[4] *P. Tebt.* 10, 5; 72, 110; *P. Rein.* 109, 1: ἐὰν ἀπολίπῃ = en cas de défaillance (IIe s. av. J.-C.); *P. Osl.* 85, 17; *P. Mert.* 70, 32: si c'est encore dû (28 août 159 de notre ère).

[1] MÉNANDRE, *Dysc.* 402: «Gétas, mon garçon, tu es bien en retard»; FL. JOSÈPHE, *Ant.* IX, 135: «Il punirait de mort tout prêtre qui serait absent»; VI, 236: «le fils de Jessé avait été absent du repas».

[2] *Prov.* II, 17 (עָזַב); XIX, 27 (הָדַל); *Sir.* XVII, 25; *Is.* LV, 7; *UPZ*, 19, 6: «notre père avait déserté la communauté» (163 av. J.-C.); *P. Oxy.* 1881, 19: ne pas abandonner une cause en justice jusqu'à ce qu'elle soit parvenue à sa conclusion; 2711, 6; FL. JOSÈPHE, *Ant.* VII, 136: ils le laissaient combattre seul; *Guerre* IV, 393: «beaucoup de dissidents l'abandonnaient»; *Ant.* XIV, 346: Phasael ne pensait pas correct de lâcher Hyrcan; VIII, 335: ils ont abandonné le vrai Dieu; 296 (son culte); VI, 231: Jonathan à David: «Dieu ne t'abandonnera pas»; CLÉMENT DE ROME, *Cor.* III, 4: «chacun a abandonné la crainte de Dieu»; VII, 2: «Laissons donc les préoccupations vaines et inutiles».

[3] *Jude*, 6: ἀπολιπόντες τὸ ἴδιον οἰκητήριον. Dans les fragments grecs du *Livre d'Hénoch* retrouvés à Akhmîm, Hénoch reçoit cet ordre: «Va dire aux Vigilants du ciel qui, ayant quitté le ciel élevé... se sont souillés» (XII, 4); «pourquoi avez-vous quitté le ciel élevé?» (XV, 3). Dans *Hénoch slave*, «le diable s'était fait Satan quand il avait fui le ciel» (chap. XI, édit. A Vaillant, p. 103).

[4] POLYBE, II, 1, 6; FL. JOSÈPHE, *Guerre*, II, 13.

[5] FL. JOSÈPHE, *Ant.* VIII, 285: Abias laissait derrière lui vingt-deux fils; 272; XII, 282; *Guerre*, I, 572; 588: Hérode prendrait soin de ne laisser en vie aucun de ses enfants. En 36 de notre ère: «Mon mari est mort, me laissant trois enfants» (*P. Michig.* 236, 5 = *Sammelbuch*, 7568, 5); *BGU*, 1833, 5 (50 av. J.-C.), τὰ ἀπολελομμένα = les choses laissées par le défunt, l'héritage (*P. Mert.* 26, 9; *P. Rend. Harr.* 68, 8; *Sammelbuch*, 9790, 7; 10500, 13, 16, 24, 27; 10756, 13); cf. *P. Oxy.* 2111, 22–24; 2583, 4.

[6] Il est relevé surtout par J. H. MOULTON, G. MILLIGAN, *The Vocabulary of the Greek Testament*[2], Londres, 1949, *in h.v.*

[7] CH. MICHEL, *Recueil d'Inscriptions grecques*, Paris, 1900, n. 1001, col. I, 7; col. II, 3: «Je laisse (ἀπολείπω) le musée avec l'enclos» (R. DARESTE, B. HAUSSOULLIER, TH.

de Taptollion (*P. Wisc.* 13,6,7,11,13) ou *P. Oxy.* 105,3–4: «Si je meurs avec ce testament inchangé, je laisse comme héritière ma fille Ammonous..., objets, meubles, immeubles et toute autre propriété que je laisse»[1].

Cette valeur de «survie» ou de «reste», d'acquisition définitive est celle d'*Hébr.* IV, 6,9 où la participation au repos de Dieu demeure octroyé ou concédé aux croyants-fidèles[2], car la promesse de Dieu est aussi immuable qu'une *diathéké*; elle ne cesse pas. Mais, à l'inverse, «il ne reste plus de sacrifice pour les péchés» des apostats (x,26), car l'économie divine n'a rien prévu pour leur pardon.

REINACH, *Recueil des Inscriptions juridiques grecques*[2], Rome, 1965, II, p. 78); *P. Rein.* 96, 5; *P. Mil. Vogl.* 79, 14; 161, col. II, 7.

[1] L. MITTEIS, *Chrestomathie*, Leipzig-Berlin, 1912, n. 371, col. IV, 9 (époque de Néron): κληρονόμον γὰρ αὐτὸν τῶν ἰδίων ἀπολελοιπέναι; cf. n. 100, 17; *B.G.U.*, 1098, 49; 1148, 22; 1164, 18; FL. JOSÈPHE, *Guerre*, I, 71: «Jean avait tout légué à Aristobule».

[2] Cf. POLYBE, VI, 58, 9: ἐλπὶς ἀπολείπεται σωτηρίας.

ἀργός

Forme contracte de ἀεργός, l'adjectif ἀργός est l'opposé de ἐνεργός «actif, efficace» (cf. συνεργός: celui qui aide; εὐεργέτης, bienfaiteur), et signifie: «inactif, oisif, paresseux, qui ne travaille pas» quand il s'agit des personnes (cf. DIODORE DE SICILE, XVII, 79,3), «qui n'aboutit à rien, impuissant à faire quelque chose, stérile, inopérant, inefficace, infructueux» en parlant des choses. Ces acceptions sont constantes dans le grec classique [1] et dans la koinè. MÉNANDRE: «Il te traitera de: Peste, Feignant» (Dyscolos, 366); «ils me réduisirent à l'inaction» [2]; PLUTARQUE: «Marius ne passa pas cette période dans l'inaction» (Coriolan, XXXI,4); «Une multitude paresseuse et désœuvrée, ἀργὸν δὲ καὶ σχολαστὴν ὄχλον» (Solon, XXII,3; cf. XXXI,5, Pisistrate établit la loi sur l'oisiveté, τὸν τῆς ἀργίας νόμον; cf. Tib. Gracchus, 1,3). Dans Philon, la douzaine d'emplois d'argos signifie la vie paresseuse et indolente (Conf. ling. 43; Spec. leg. II,101), «l'âme la plus inerte (ἀργοτάτη) et la moins façonnée est échue à l'espèce des poissons» (Opif. 65; Lois allég. 1,32), la matière brute, non travaillée (In Flac. 148; Vit. Mos. II,136; Spec. leg. 1,21), la terre au repos, c'est-à-dire en friche (Spec. leg. II, 86,88). De même dans Fl. Josèphe: au moment des semailles «le peuple passa cinquante jours dans l'inaction» (Guerre, II,200); David décida de marcher contre les Philistins μηδὲν ἀργὸν μηδὲ ῥάθυμον ἐν τοῖς πράγμασιν [3].

Dans le vocabulaire papyrologique, ἀργός signifie presque toujours «inoccupé, inemployé», qu'il s'agisse des personnes [4] ou des choses: maison

---

[1] ARISTOPHANE, Grenouilles, 1498: διατριβὴν ἀργόν; nombreuses références dans LIDDELL, SCOTT, JONES, A Greek-English Lexicon, in h.v.

[2] Dyscolos, 443: ποιοῦσίν γέ με ἀργόν; «ce n'est pas un homme à se promener toute la journée sans rien faire, ἀργὸς περιπατεῖν» (ibid. 755); PHILOSTRATE, Gymn. 44: «au lieu d'être actif, on est paresseux, ἀργοὶ δὲ ἐξ ἐνεργῶν»; 58: «les athlètes d'un âge avancé doivent être exposés au soleil, étant couchés au repos (ἀργοὶ κείμενοι)», alors que les autres sont pleins de vigueurs (ἐνεργοί); cf. 34, 35.

[3] Ant. VII, 96; Guerre, VI, 44: «si vous restez oisifs avec des armes si puissantes»; IV, 309, une clameur vaine s'oppose à un secours effectif; Ant. XII, 378, une terre non ensemencée est argèn. Le sabbat ou l'année sabbatique sont des périodes de repos, de cessation de toute activité, Guerre, I, 60; II, 517; IV, 100; VII, 53; cf. II Mac. V, 25.

[4] P. Lond. 915, 8 (t. III, p. 27); B.G.U. 833, 5; P. Lugd.Bat. XI, 24, 19; Sammel-

ou lieu (*P. Med.* 67 col. I,7: οἶκος πρῶτος ἀργός; *P. Michig.* 620, 58, 60, 73, 83, 90, 107, 108, ἀργή κέλλα), coffre vide ou hors d'usage (*P. Oxy.* 1269 22), terre qui n'est pas ensemencée (*P. Strasb.* 144,5; cf. *P. S. I.* 837,7; DITTENBERGER, *Syl.* 884,23), pressoir d'huile qui n'est pas en état de marche [1], argent improductif: «ils disent que leur or reste inactif et qu'ils sont grandement lésés» (*P. Zén. Cair.* 59021,25: *Sammelbuch,* 6711; cf. 10257,18), enfin l'ὄνος ἀργός est l'animal qui ne sert à rien, opposé à d'autres qui portent des charges (*P. Lond.* 1170 verso, 474,483; *Sammelbuch,* 9150,38).

Les trois emplois d'*argos* dans l'A. T. ont plutôt le sens d'«inerte, improductif». Dieu ne veut pas que les œuvres de sa sagesse soient inopérantes, ἔργα ἀργά, c'est-à-dire créées en vain, restent stériles, sans être exploitées, improductives (*Sag.* XIV,5); les pieds des idoles sont inaptes à la marche (*Sag.* XV,15); on ne consulte pas le serviteur inerte ou paresseux sur un grand labeur (*Sir.* XXXVII,11), il faut le mettre à l'ouvrage afin qu'il ne reste pas oisif (*Sir.* XXXIII,28, ἵνα μὴ ἀργῇ).

Au moins sept sur huit des emplois du N. T. gardent ce sens d'inoccupé, désœuvré, inactif. Dans la parabole des ouvriers envoyés à la vigne, certains n'ont pas encore été embauchés et se tiennent sur la place «sans rien faire» (*Mt.* XX, 3,6). Les jeunes veuves qui n'ont plus de foyer à gouverner, ni d'enfant à élever et ne consacrent pas leur temps à la prière, deviennent oisives (ἀργαὶ μανθάνουσιν), et non seulement oisives, mais bavardes et indiscrètes (*I Tim.* V,13). Epiménide de Cnossos traitant les Crétois de «panses fainéantes» signifie que ce sont des goinfres qui s'engraissent à ne rien faire [2]. Selon *Jac.* II,20: «la foi sans les œuvres est stérile» [3], c'est-à-dire sans efficacité par rapport au salut; mais *II Petr.* 1,8 reconnaît: «Vous n'êtes pas inactifs et sans fruits (οὐκ ἀργοὺς οὐδὲ ἀκάρπους) pour la connaissance exacte de notre Seigneur Jésus-Christ».

Reste *Mt.* XII,36, sur lequel tous les commentateurs divergent [4]: «Toute

---

buch, 9604, 24, 7: "Αμμωνος ἀργου. – *P. Brem.* 13, 5: «καθήμεθα ἀργοί, nous sommes là sans travailler»; *B.G.U.* 1078, 6: οὐ γὰρ ἀργὸν δεῖ με καθῆσθαι (lettre de 39 de notre ère); *Sammelbuch,* 8247, 22: πορόεσθε ἕκαστος εἰς τὰ εἴδια καὶ μὴ γείνεσθε ἀργοί (vers 63 ap. J.-C.).

[1] Ἐλαιουργίου ἀργοῦ (*P. Amh.* 97, 9; *P. Flor.* I, 4; cf. *Sammelbuch,* 10278, 10–12). Au IIIe s., un dioecète écrit à un subordonné: «si tu es incapable de trouver le matériel disponible» (*P. Tebt.* 703, 159).

[2] *Tit.* I, 12; cf. THÉOPOMPE (dans ATHÉNÉE, XII, 527, a): les habitants de Pharsale les plus paresseux et les plus luxurieux de tous les hommes, ἀργότατοι καὶ πολυτελέστατοι.

[3] Leçon de B, tandis que א, A, Peshitta = νεκρά.

[4] Cf. J. VITEAU, *La «Parole oiseuse». Sur saint Matthieu XII, 36,* dans *La Vie Spirituelle, Supplément,* 1931, pp. 16–28; E. STAUFFER, *Von jedem unnützen Wort?*

parole oiseuse que l'on dira, on devra en rendre compte au jour du jugement». Comment comprendre πᾶν ῥῆμα ἀργόν? Comme E. Stauffer l'a indiqué, il semble bien qu'il faille rattacher cet avertissement à la Παιδεία στόματος de *Sir.* XXIII et à la *disciplina oris* des Qumraniens qui avaient le culte du silence [1]. On trouve, en effet, la locution λόγον ἀργόν dans FL. JOSÈPHE, *Ant.* XV,224 signifiant une parole ou un conseil qui ne porte pas à consé-quence, dont on ne tient pas compte, sans suite. Dans PHILON, *Somn.* 1,29, le son part de la pensée et «c'est dans la bouche qu'il devient articulé»; la langue joue le rôle de héraut et d'interprète de l'intelligence et «ne pro-duit pas un son qui ne soit que cela, n'aboutissant à rien (ἀργήν)»; cf. l'inter-diction de propos inconsidérés (*Spec. leg.* 1,53); *Sentences de Sextus*, 154: ῥήματα ἄνευ νοῦ ψόφος. Pythagore avait prescrit: «Qu'il te soit préférable de jeter sans motif une pierre qu'une parole sans œuvre, ἢ λόγον ἀργόν» (dans STOBÉE, *Ecl.* III, 34, 11; t. III, p. 684); cf. PINDARE, *Fragm.* 58: «Garde-toi de faire sonner devant tous d'inutiles paroles, τὸν ἀχρεῖον λόγον» [2]. On connaît enfin l'alternative fataliste posée par Chrysippe qui aboutit à l'abstention de toute initiative [3], c'est le théorème de l'ἀργὸς λόγος repris par Plutarque (*De Fato*, 11) et Cicéron [4]. Ainsi, non seulement *argos* est

---

dans *Gott und die Götter* (Festgabe E. Fascher), Berlin, 1958, pp. 94–102; L.-M. DE-WAILLY, *La Parole sans œuvre* (*Mt. XII*, 36), dans *Mélanges M.-D. Chenu*, Paris, 1967, pp. 203–219. – Il n'est pas sûr que ce logion soit à sa vraie place et fasse partie de la péricope polémique contre les Pharisiens.

[1] Cf. *Règle* VI, 11: «Dans la session des Nombreux que personne ne prononce une parole sans permission des Nombreux»; VII, 9, pénalité «pour celui qui prononce de sa bouche une parole grossière (*nbl*) et pour avoir coupé la parole à son prochain»; X, 21–24: «on n'entendra pas dans ma bouche de grossièretés»; *Doc. Dam.* X, 17: «le jour du sabbat, que personne ne dise de parole grossière (*nbl*) et méprisante». – De nombreux Pères de l'Eglise entendront *Mt.* XII, 36 de paroles mauvaises, cou-pables, honteuses ou calomnieuses (cf. J. VITEAU, L.-M. DEWAILLY); mais les Rabbins comprenaient les *debarîm betalîm* de paroles superflues, sans substance, légères, vaines (cf. STRACK-BILLERBECK, *Kommentar* I, p. 640). On devra rendre compte même du négatif, de ce qui n'a pas existé.

[2] Edit. VON ARNIM, *Stoic. Veter. Fragm.* II, 278, 19.

[3] Cf. l'esclave ἀχρεῖος (*Mt.* XXV, 30; *Lc.* XVII, 10), c'est-à-dire sans travail. «L'ad-jectif ἀχρεῖος... est difficile à rendre. Il se dit des hommes qui ne sont pas bons, ou plus bons, pour le service, des soldats dont l'âge ou les blessures appellent la réforme, au figuré des personnes dont on ne peut rien tirer ou dont on n'a plus rien à tirer» (E. DELEBECQUE, *Etudes grecques sur l'Evangile de Luc*, Paris, 1976, p. 106).

[4] CICÉRON, *Du Destin*, XII, 28–29: «Nous ne nous embarrasserons pas de ce qu'on nomme le *raisonnement paresseux;* en effet, les philosophes appellent *argos logos* un raisonnement qui nous conduirait à vivre dans l'inaction complète. Voici comment

associé couramment à «parole» au Ier siècle, mais il a toujours le sens d'inefficace, inactif. Il faut donc garder cette acception dans *Mt.* xII,36, qui est conforme à celle du contexte (porter du fruit bon ou mauvais, ℣. 33) et de tous les autres emplois bibliques, d'autant plus qu'elle est conforme à la théologie de la Parole dans l'Ancien et le Nouveau Testament: jamais la Parole de Dieu n'est sans effet (*Is.* LV,11), car elle est par définition ἐνεργής (*Hébr.* IV,12). De même celle des chrétiens aboutit nécessairement à l'*ergon* (*I Jo.* III,18; cf. *Philém.* 6); ce serait contradictoire à son dynamisme qu'elle soit inopérante, sans résultat. C'est ainsi que semble l'avoir compris *Didachè* II,5: «Ta parole ne sera pas vide (οὐ κενός λόγος), mais remplie d'effets» [1].

---

on pose la question: Si c'est votre destin de guérir de cette maladie, que vous fassiez ou non venir le médecin, vous en guérirez. Pareillement, si c'est votre destin de ne pas guérir de cette maladie, que vous fassiez ou non venir le médecin, vous n'en guérirez pas. Et l'un des deux est votre destin. Donc il ne sert à rien de faire venir le médecin».

[1] Cf. PLUTARQUE, *Du Bavardage*, 2: «la parole des bavards est inféconde et n'aboutit à rien»; *Lycurg.* XIX, 3: «l'intempérance de la langue rend le discours vide et dénué de sens».

ἀρχιποίμην

«La tâche de berger est si haute qu'on l'attribue justement non seulement aux rois, aux sages, aux âmes d'une pureté parfaite, mais encore à Dieu souverain» [1]. En Orient, Pasteur est, en effet, une désignation de fonction et un titre du souverain [2]; aussi bien est-il attribué à Moïse qui a conduit Israël dans ses pérégrinations [3], à David [4] et surtout à Dieu [5]. Jésus l'a revendiqué [6] et la foi du disciple l'a reconnu à l'ἀρχηγός du nouveau peuple de Dieu: «Le Dieu de la paix fit remonter d'entre les morts le Pasteur des brebis, le grand» [7].

---

[1] PHILON, *Agr.* 50. Après avoir défini ce qu'est un vrai berger, surveillant, guide et chef (§ 41 sv.), Philon établit que Dieu est le berger suprême (§ 49–66). Ailleurs, il compare le berger et le roi, *Vit. Mos.* I, 60 sv.; *Joseph*, 2; *Sacr. A. et C.* 49 sv. Cf. le Mebaqqer à Qumrân (*Doc. Dam.* XIII, 9).

[2] Cf. M. J. SEUX, *Epithètes royales akkadiennes et sumériennes*, Paris, 1967, pp. 244 sv., 251 sv. D. MÜLLER, *Der Gute Hirte*, dans *Zeitschrift für ägyptische Sprache und Altertumskunde*, LXXXVI, 1961, pp. 126 sv. Dans le prologue de son Code, Hammurabi se désigne comme Pasteur (col. I, 50–51), et il reprend dans l'épilogue: «Moi, je suis le pasteur apportant le salut... Sur mon sein, j'ai tenu les gens de Sumer et d'Akkad» (col. XXIV, 42–43, 49–52). J. JEREMIAS, ποιμήν dans *TWNT*, VI, 484–501; C. SPICQ, *Agapè* III, Paris, 1959, pp. 235 sv. (sur *Jo.* XXI, 15–17); J. DAUVILLIER, *Les Temps apostoliques*, Paris, 1970, pp. 147 sv.

[3] Cf. H. KOSMALA, *Hebräer – Essener – Christen*, Leiden, 1959, pp. 415 sv. R. LE DÉAUT, *La Nuit pascale*, Rome, 1963, p. 268; P. BILLERBECK, *Kommentar*, II, p. 209.

[4] *Les Paroles des Luminaires*, col. IV, 6 (cf. édit. M. BAILLET, dans *R.B.* 1961, pp. 205, 222); A. DUPONT-SOMMER, *Le Psaume CLI et son origine essénienne*, dans *Semitica*, XIV, 1964, p. 45.

[5] *Is.* XL, 11; *Ez.* XXXIV, 12 sv.; *Ps.* XXIII. Métaphore qui suggère la vigilance, la sollicitude, la bienveillance et le dévouement, cf. C. SPICQ, *Agapè. Prolégomènes*, Louvain-Leiden, 1955, p. 110; W. H. BROWNLEE, *Ezechiel's Poetic Indictment of the Shepherds*, dans *Harvard theological Review*, 1958, pp. 191–204; G. M. BEHLER, *Le bon Pasteur. Psaume XXIII*, dans *La Vie spirituelle*, 526; 1966, pp. 442–467; J. DUPONT, *Le Discours de Milet* (*Actes, XX, 18, 36*), Paris, 1962, pp. 143 sv.; 149 sv., 167.

[6] *Jo.* X, 14; cf. *Ez.* XXXVII, 26; *Zach.* XI, 14 sv. ; *Mt.* XXV, 32; XXVI, 31. L. SABOURIN, *Les noms et les titres de Jésus*, Bruges-Paris, 1963, pp. 71 sv. W. TOOLEY, *The Shepherd and Sheep Image in the Teaching of Jesus*, dans *Novum Testamentum*, VII, 1964, pp. 15–25.

[7] *Hébr.* XIII, 20. En hébreu, l'adjectif épithète suit le nom (cf. *Sir.* XXXIX, 6: Κύριος ὁ μέγας; *Hébr.* IV, 14: ἔχοντες οὖν ἀρχιερέα μέγαν; G. D. KILPATRIK, *The Order of*

Si le salut de tous les chrétiens est de suivre le «Berger gardien» de leurs âmes [1], les Presbytres des Eglises d'Asie-Mineure sont stimulés à se conduire comme des modèles par la pensée que «lorsque le chef des Pasteurs aura été manifesté vous recevrez l'immarcescible couronne, celle de la gloire» (*I Petr.* II,4). Le terme ἀρχιποίμην n'est pas une création du christianisme, encore qu'il soit ignoré de l'A. T. (cf. cependant son emploi par Symmaque pour traduire *noqéd* dans *II Rois*, III,4). Il apparaît pour la première fois dans le *Testament de Juda*, VIII,1: ἦσαν δέ μοι κτήνη πολλά, καὶ εἶχον ἀρχιποίμενα Ἱεράμ τὸν Ὀδολομήτην [2]. On le retrouve dans une inscription d'époque impériale sur une momie égyptienne: «Plénis le jeune, chef pasteur, a vécu... années» [3], et assez souvent dans des reçus de loyer ou des ordres de transfert; vers 270 de notre ère: «Aurelius Abous, fils d'Asemis, du bourg de Philadelphie, chef des bergers d'Antonius Philoxénos, le très puissant ancien *procurator*... à Aurelius Kalamos... J'ai reçu de toi, sur celles que tu détiens du notable (Antonius Philoxénos) douze chèvres que j'inscrirai parmi les entrées dans ma comptabilité» [4]; «Aurelius Abous... chef des bergers du bétail d'Antonius Philoxénos... à Aurelius Neilammon... J'ai eu de toi sur le bétail que tu as en location pour le compte du notable (Antonius Philoxénos) vingt-huit chèvres que j'inscrirai parmi les entrées du compte du notable (A. Ph.) en tant que livrées par toi» [5]. Le 21 mai 270, Dionysios écrit à Neilammon, locataire

---

some Noun and adjective Phrases in the New Testament, dans *Donum gratulatorium Eth. Stauffer*, Leiden, 1962, pp. 111 sv.). Ici, cette qualification, courante dans l'antiquité pour les souverains et les divinités (cf. C. SPICQ, *Les Epîtres Pastorales*[4], Paris, 1969, pp. 249, 269) exalte le Roi-Prêtre au-dessus de Moïse et de tous les Higoumènes qui, morts, n'ont pas encore été ressuscités (cf. H. KOSMALA, *op. cit.*, Leiden, 1959, pp. 415–417). Sur la construction participielle fréquente dans la prédication hellénistique (ὁ ἐγείρας...), cf. *Is*. LXIII, 11 (A. FEUILLET, *Le Baptême de Jésus*, dans *CBQ*, 1959, p. 472); J. DELLING, *Partizipiale Gottesprädikationen in den Briefen des Neuen Testaments*, dans *Studia Theologica*, XVII, 1963, pp. 34 sv.

[1] *I Petr.* II, 25: ἐπὶ τὸν ποιμένα καὶ ἐπίσκοπον τῶν ψυχῶν ὑμῶν est une hendiadys. Cf. A. ROSE, *Jésus-Christ, Pasteur de l'Eglise*, dans *La Vie spirituelle*, 1965, pp. 501–515.

[2] Le *ms*. A porte ἦν ὄνομα τοῦ ἀρχιποίμενος μου.

[3] *Sammelbuch*, 3507: Πλῆνις νεώτερος ἀρχιποιμένος ἐβίωσεν ἐτῶν... (d'après A. DEISSMANN, *Licht vom Osten*[4], Tübingen, 1923, pp. 77 sv.); au IIIᵉ-IVᵉ s., *P.S.I.* 286, 6; en 338: Καμήτι ἀρχιποιμένι (*P. Leipz.* 97, col. XI, 4).

[4] J. SCHWARTZ, *Une famille de Chepteliers au IIIᵉ s. p. C.*, dans *Recherches de Papyrologie* III, 1964, p. 56.

[5] *Ibid.*, p. 57.

du petit bétail: «Livre à Pékysis, chef des bergers, le petit bétail qui est chez toi et qui appartenait auparavant à Kyrilla, au nombre de cinquante moutons, mâles et femelles, à égalité, et de cinq chèvres et reçois de lui un accusé de réception» [1].

L'intérêt de ces textes est de souligner l'autorité, la compétence et la responsabilité du Pasteur-en-chef. Il exerce une haute surveillance sur les bergers et les troupeaux. C'est à lui de veiller à faire paître ceux-ci dans les meilleurs pacages, d'acquitter le salaire des pasteurs, d'assurer le payement des loyers, de restituer les animaux qui lui sont confiés. S'adressant aux presbytres-bergers, saint Pierre leur suggère donc qu'ils ne sont que des vicaires, devant exercer leur fonction en union avec le Christ «chef des Pasteurs», conformément à ses instructions et à son exemple.

---

[1] *Ibid.*, p. 66 = *Sammelbuch*, 8087, 7–8 (cf. P. COLLOMP, *Un bail de troupeau*, dans *Mélanges Maspéro*, Paris, 1955–57, II, p. 343). Cf. encore «Pekynis, chef des bergers... Aurelius Sabinus, chef des bergers», dans une reconnaissance de transfert (J. SCHWARTZ, *l. c.* p. 67, *l.* 2 et 13).

ἀρχιτέκτων

Saint Paul, ayant posé la fondation de l'Eglise de Corinthe [1], se compare
à un architecte expert qui est en droit d'exiger de ses successeurs qu'ils
adaptent leurs travaux à sa propre structure [2]. Il n'y a rien à dire philo-
logiquement sur l'*hap. N. T. architectôn*, sinon que sa transcription française ne correspond guère à notre architecte contemporain. C'est déjà
ce que suggère ici son office de poser un fondement; c'est ce que confirme
Sir. xxxviii,27: «Tout ouvrier et mécanicien qui travaillent jour et nuit» [3]
et l'usage papyrologique et épigraphique [4].

---

[1] *I Cor.* iii, 10 (cf. V. P. Furnish, *Fellow Workers in God's Service*, dans *JBL*,
1961, pp. 364–370; J. Pfammatter, *Die Kirche als Bau*, Rome, 1960, pp. 19–35).
La métaphore du fondement était courante dans la *diatribè*, cf. *Hébr.* vi, 1; Philon,
Somn. ii, 8: «Ces considérations préliminaires en guise de fondations, mais pour
construire le reste, le bâtiment proprement dit, suivons les directives de l'Allégorie,
l'architecte experte, σοφῆς ἀρχιτέκτονος»; (même épithète: σοφὸν ἀρχιτέκτονα, *Is.* iii,
3); *Gig.* 30; *Mut. nom.* 211; Epictète, ii, 15, 8–9: «Ne veux-tu pas poser les principes
et le fondement... ensuite établir sur ce fondement la fermeté et la stabilité de cette
décision? Mais si tu mets à la base un fondement pourri et croulant, il ne faut pas
construire»; cf. J. Weiss, *Der erste Korintherbrief*[10], Göttingen, 1925, p. 79; H. Muszyń-
ski, *Fundament, Bild und Metapher in den Handschriften aus Qumran. Studien zur
Vorgeschichte des ntl. Begriffs* θεμέλιος, Rome, 1975.

[2] Cf. *II Mac.* ii, 29: «L'architecte d'une maison doit s'occuper de toute la structure», τῆς ὅλης καταβολῆς = la fondation, au sens de bâtisse (cf. F. M. Abel, *Les Livres
des Maccabées*, Paris, 1949, *in h. l.*). L'architecte s'oppose ici au peintre ou au déco-
rateur qui orne le bâtiment construit.

[3] Πᾶς τέκτων καὶ ἀρχιτέκτων. Le τέκτων est le simple tâcheron, ouvrier ou artisan
travaillant le bois, menuisier ou charpentier (*P. Mil. Vogl.* 255, 5; *Prosop. Ptol.* v,
n. 13234–13294; Papyrus de Strasbourg, dans *Chronique d'Egypte*, 1963; p. 135,
l. 30; A. Orlandos, *Les matériaux de construction... des anciens Grecs*, Paris, 1966,
pp. 26 sv. C. Spicq, *Théologie morale du N. T.* i, p. 378, n. 2; ii, p. 525). L' ἀρχιτέκτων
peut être le contremaître, l'entrepreneur, quiconque dirige un travail, donc l'architecte, mais ici le mécanicien ou le machiniste (*P. Lond.* 2074, 2; 2173, 4, 8). Semblablement, Strabon associe charpentiers et forgerons auxquels n'est lié «aucune considération de beauté ou de noblesse», alors que le poète est homme de qualité (*Prolégomènes*, i, 2, 5). Cf. A. Bernand, *Pan du Désert*, Leiden, 1977, p. 192.

[4] Cf. W. Peremans, E. van 't Dack, *Prosopographia Ptolemaica*, Leiden, 1950,
n. 182–185, 528–542 (mentionne des Hyparchitectes); 1953, pp. 52–54. Sur Pathémis
architecte (*P. Petrie*, iii, 43), cf. Idem, *Prosopographica* (Studia Hellenistica ix),

Au début du IIe s. avant notre ère, Tésénouphos est un ingénieur ou mécanicien qui se plaint du manque d'entretien des machines (*P. Tebt.* 725,1, 12, 25). Quelque cent ans plus tard, Apollonios est ingénieur naval [1]; Onosandre désigne par ce terme le constructeur d'engins de siège (XLII,3). Au IIe s. de notre ère, on enregistre la déclaration d'un «architecte» qui est le chef de chantier (*P. Tebt.* 286,19). Mais il y a aussi des architectes proprement dits que l'on fait venir lorsqu'on veut construire une maison (*P. Zén. Cair.* 59233,2, 7; 59302,3), qui proposent des modifications au plan qu'on lui propose (59193, 3, 8) et qui veillent à ce que la demeure soit bien installée (59200, 3, κατασκευάζηται). Non seulement les Grecs leur votent des décrets honorifiques [2], mais on loue sans cesse leur sollicitude et leur dévouement [3].

L'architecte proprement dit a des compétences spéculatives et pratiques. Il travaille en liaison avec la commission constituée par la cité et il en demeure le conseiller technique [4]. Il établit les devis. Il se rend aux car-

---

Louvain, 1953, pp. 52–54: dans une adjudication faite par l'économe Hermaphilos en présence du scribe royal et de l'architecte; ce dernier passe après le scribe royal, mais a la préséance sur le délégué du scribe royal. J. COUPRY, *Inscriptions de Délos. Période de l'Amphictyonie attico-délienne*, Paris, 1972, n. 104, 4 (cahier des charges, conditions techniques imposées, frais divers, rétribution du sous-architecte, etc.).

[1] A. BERNAND, *Les Inscriptions grecques de Philae*, Paris, 1969, I, n. 39 (avec la note de l'éditeur); B. BOYAVAL, *Correspondance administrative de l'ingénieur Théodoros*, dans *Etudes sur l'Egypte et la Soudan anciens*, Lille-Paris, 1973, p. 195, *Sammelbuch*, 8322, 8323 (avec le commentaire de D. MEREDITH, dans *Chronique d'Egypte*, 1954, pp. 110 sv.). M. GUARDUCCI (*Epigrafia Greca*, Rome, 1969, II, pp. 192, 198, 214, 261) traduit ἀρχιτέκτων par *ingegnere;* le correspondant latin est *faber* (H. J. MASON, *Greek Terms for Roman Institutions*, Toronto, 1974, p. 26); cf. R. MARTIN, dans *Annuaire de l'Ecole des Hautes Etudes* (IVe section), 1973–1974, pp. 221 sv.

[2] En faveur d'Epicrate à Olbia (DITTENBERGER, *Syl.* 707, 8, 26), cf. *Syl.* 494, 3; *Sammelbuch*, 8580, 5, 16.

[3] *Epiméléia*, cf. *Suppl. Ep. Gr.* II, 480, 3 = *Corpus Inscriptionum Regni Bosporani*, Moscou-Leningrad, 1965, n. 1112: ἀνεκτίσθη τὸ τεῖχος ἐκ θεμελείων διὰ ἐπιμελείας Εὐτύχους ἀρχιτέκτονος; 1245, 17 (cf. 1249, 11; 1250, 17; 1252, 10; 1258); DITTENBERGER, *Syl.* 736, 90, 115. Ces honneurs s'expliquent parce que l'architecte a contribué à l'embellissement de la ville et a élevé un temple (DITTENBERGER, *Syl.* 695, 72; 972, 160), mais ils contrastent avec la modicité de l'honoraire: une drachme par jour: «Théodotos, architecte, reçoit un salaire annuel de 352 drachmes» (CH. MICHEL, *Recueil des Inscriptions grecques*, Paris, 1900, n. 584, 9; avec le commentaire de l'INSTITUT F. COURBY, *Nouveau choix d'Inscriptions grecques*, Paris, 1971, pp. 131 sv.).

[4] *P. Lille*, I, 24. «Harpalos était le plus industrieux dans la science qui réclame de l'habileté» (ET. BERNAND, *Inscriptions métriques de l'Egypte gréco-romaine*, Paris, 1969, n. 23, 2). Pour la reconstruction d'un temple de Déméter et de Kora, à Tanagra

rières pour choisir les matériaux [1], surveille la manière dont ils sont dégrossis et préparés pour leur mise en place, selon les modèles ou maquettes (*typoi*) qu'il a préparés. Il demeure le responsable du chantier et contrôle l'exécution des travaux, même les plus humbles. Il recrute, commande et surveille une multitude d'ouvriers spécialisés: carriers, maçons, lapicides, marbriers, forgerons, charpentiers, menuisiers, marqueteurs [2], etc., à qui il attribue leur salaire (cf. *Inscriptions de Lindos*, 419, 141); et comme il est souvent préposé à l'entretien courant des édifices, il reste en fonction plusieurs années de suite...

Cette évocation permet de mieux comprendre comment l'Apôtre peut se comparer à un ἀρχιτέκτων, qu'il faudrait sans doute mieux traduire par «constructeur» ou «bâtisseur» [3]: Responsable de l'ἔργων, il est en droit de demander aux prédicateurs qui viennent travailler sur son chantier et «ajouter à sa construction» [4], d'être strictement fidèles au «canon» qu'il a déterminé une fois pour toutes [5]. «L'architecte (ὁ οἰκοδόμος)... le peintre... le constructeur de navires... répartissent tous leurs matériaux de manière que l'ajustement et l'union de ces derniers donnent à l'ensemble de l'ouvrage de la solidité, de la beauté et de l'utilité» (PLUTARQUE, *Propos de Table*, I, 2, 5).

(IIIe s. av. J.-C.), «la commission (élue pour trois ans) édifiera le sanctuaire dans la ville, délibérant à ce sujet avec les polémarques et l'architecte» (R. DARESTE, B. HAUSSOULLIER, TH. REINACH, *Recueil des Inscriptions juridiques grecques*[2], Rome, 1965, II, n. XXXVI, 14); cf. le traité d'Archéologie de Vitruve; FR. SOKOLOWSKI, *Lois sacrées de l'Asie Mineure. Supplément*, Paris, 1962, n. 107, 25; IDEM, *Lois sacrées des cités grecques*, Paris, 1969, n. 5, 11–12; 41, 29; 42, 21; R. MARTIN, *Manuel d'Architecture grecque*, Paris, 1965, pp. 172–179; IDEM, *L'Urbanisme dans la Grèce antique*, Paris, 1956, pp. 69–71.

[1] Cf. J. A. LETRONNE, *Recueil des Inscriptions gr. et lat. de l'Egypte*, Paris, 1848, II, pp. 117–119, 231. A. BERNAND, *De Koptos à Kosseir*, Leiden, 1972, n. 41, 19 (avec le commentaire de l'éditeur, pp. 89 sv.).

[2] Cf. FR. CUMONT, *L'Egypte des astrologues*, Bruxelles, 1937, p. 106; L. ROBERT, *Etudes Anatoliennes*[2], Amsterdam, 1970, pp. 86 sv.

[3] Cf. *MAMA*, VIII, 564, 3: σοφιστὴς κτίστης τῶν μεγίστων ἔργων ἐν τῇ πόλει.

[4] *II Cor.* x, 12–18; cf. R. DEVREESSE, *La Deuxième aux Corinthiens*, dans *Mélanges E. Tisserant*, Cité du Vatican, 1964, I, pp. 143 sv. C. K. BARRETT, *Paul's Opponents in II Corinthians*, dans *NTS*, XVII, 1971, pp. 237 sv.

[5] En architecture, le κανών est «la règle». Cf. H. OPPEL, *ΚΑΝΩΝ*, Leipzig, 1937; L. WENGER, *Canon in den römischen Rechtsquellen und in den Papyri*, Vienne, 1941.

ἀστεῖος

Cet adjectif, dérivé de ἄστυ [1], se dit de l'aspect riant d'une région (STRABON, VI, 3, 5), de barbares raffinés (IDEM, *Prolégom.* I, 4, 9), de la bonne qualité du sang (HIPPOCRATE, *Alim.* 44), du vin fin [2], d'un homme de tact (FL. JOSÈPHE, *Ant.* VII, 147) et raffiné (PLUTARQUE, *Thémistocle,* II,4; *Alexandre,* V,8; *Phocion,* XXIX,5; cf. *Lycurg.* IV,7), du charme d'une femme, telle que Judith (XI,23), ou Suzanne (*Dan. Suz.* 7), de vêtements luxueux «aussi beaux que possible» (*P. Hib.* 54,15; de 245 av. J.-C.), voire même d'une solution élégante (*II Mac.* VI,23; cf. MÉNANDRE, *Sam.* 536).

Dans le N. T., il n'est employé que deux fois (*Act.* VII,20; *Hébr.* XI,23) à propos de Moïse, dont l'aspect gracieux et charmant à sa naissance est traditionnellement souligné depuis *Ex.* II,2, par PHILON (*Vit. Mos.* 1,18; cf. 15,48) et par Fl. Josèphe qui glose: παῖδα μορφῇ τε θεῖον (*Ant.* II,232). On l'entendra d'abord au sens le plus physique du terme, comme nous disons aujourd'hui qu'un «enfant est joli» [3]. Mais, sans parler de l'équivalence grecque entre beauté et bonté [4], ni même de la croyance en l'origine divine de la beauté, qui va de pair avec la vertu [5], on ne négligera pas la suggestion de Moulton-Milligan (*in h.v.*) se référant à l'acception stoïcienne

---

[1] «Ville» (*P. Oxy.* 2520, frag. 14, 6; 2619, frag. 28, 4); d'où ἀστῆς, le citoyen (*P. Oxy.* 2723, 3). Les ἀστεοί se distinguent des ξένοι (*P. Apol. Anô,* 48, 1; avec la note de l'éditeur). Au figuré, ἀστεῖος = de mœurs civilisées, policé, agréable, élégant (FL. JO-SÈPHE, *Ant.* IX, 26: la courtoisie des manières) s'oppose à ἀγρός: rustre, grossier. L'adverbe ἀστείως (*II Mac.* XII, 43) = agir avec délicatesse ou noblement; *Inscriptions de Bulgarie,* 1578, 5: écrire joliment.

[2] PLUTARQUE, *Quaest. conv.* 620 d: οἶνον ἀστεῖον; *P. Sorb.* 19, 1 (ordre de distribution de vin, en 255 av. J.-C.): «Donne à Phanésis, deux *kéramia* τοῦ ἀστειοτάτου οἴνου».

[3] Cf. MÉNANDRE, *Dyscol.* 658: «Quelle mine il va faire... Elle va être jolie!»

[4] Cf. C. SPICQ, *Théologie morale du N. T.,* Paris, 1965, I, pp. 146 sv. IDEM, *Les Epîtres Pastorales*[4], Paris, 1969, II, pp. 676 sv.

[5] PHILON, *Sacr. A. et C.* 63: «Il n'existe rien de beau qui ne vienne de Dieu ou ne soit divin»; *De Virt.* 217; PLUTARQUE, *Qu. plat.* 6; *Banquet des sept Sages,* 21; cf. R. FLACELIÈRE, *La Femme antique en Crète et en Grèce,* dans P. GRIMAL, *Histoire mondiale de la Femme,* Paris, 1965, I, p. 340.

de ὁ ἀστεῖος: l'homme accompli [1], presque équivalent de σπουδαῖος et τέλειος, et que l'on retrouve maintes fois dans Philon [2]. Il ne s'agit pas d'attribuer à Moïse petit enfant cette perfection spirituelle, mais son charme exceptionnel était l'indice du déploiement ultérieur d'une vertu éminente, comme l'indique la locution: «une âme vertueuse et bien née» (PHILON, *Vit. cont.* 72).

---

[1] Chrysippe avait intitulé un ouvrage: ὅρων τῶν τοῦ ἀστείου πρὸς Μητρόδωρον α' β' (v. ARNIM, *S.V. Fr.* II, 16, p. 8, 32). Aristote employait ἀστεῖος d'un mot d'esprit (*Rhét.* III, 10, 1410 *b* 7; 11, 1411 *b* 22) et d'un style élégant (III, 10, 1410 *b*, 17).

[2] PHILON, *Somn.* II, 240: ὁ ἀστεῖος «l'homme accompli... touche à l'espèce immortelle par sa vertu»; *Conf. ling.* 106: «Le caractère qui dès le premier instant de sa naissance a été doué d'une nature vertueuse et a été appelé Moïse, s'est établi dans le monde entier comme dans sa ville (ἄστυ) et patrie, parce qu'il est devenu citoyen du monde»; *Her.* 19; *Abr.* 214; (cf. M. ALEXANDRE, *Congressu eruditionis gratia*, Paris, 1967, p. 248). Cf. PLUTARQUE, *Démétrios*, XXXII, 7.

ἀσωτία, ἀσώτως

Composé de l'α privatif et de σόω, ἄσωτος signifierait normalement: qui ne peut être sauvé; donc «incurable»[1], et l'adverbe ἀσώτως «dans un état désespéré». Chez les philosophes et dans l'usage, l'ἀσωτία, litt. «vie perdue», est susceptible de deux acceptions, si étroitement liées l'une à l'autre qu'il n'est guère facile de les distinguer[2], tantôt la prodigalité, tantôt la vie dissolue. Le passage de l'une à l'autre est parfaitement expliqué par Aristote: «Nous appelons prodigues les incontinents et ceux qui se font dépensiers pour satisfaire leur intempérance. C'est ce qui fait que les prodigues ont si mauvaise réputation: ils ont en effet plusieurs vices à la fois... Au sens propre, le mot prodigue désigne celui qui n'a que cet unique trait vicieux de détruire ses moyens de subsistance»[3].

L'ἀσωτία, dissipation de la fortune et débauche, est très fréquemment associée aux beuveries dans les festins: «le Temple était rempli de débauches et d'orgies par des Gentils dissolus et des courtisanes» (*II Mac.* VI,4); «Ne vous enivrez pas de vin, on n'y trouve que libertinage»[4]. Athénée (IV,59–

---

[1] PLUTARQUE, *Quaest. nat.* 26; cf. *Alcibiade*, III, 1: Alcibiade enfant s'étant enfui, Périclès énonce: «S'il est sauf (σῶς), le reste de sa vie sera perdue (ἄσωστον)». R. C. TRENCH, *Synonyms*, p. 54; FOERSTER, dans *TWNT*, I, p. 504.

[2] Selon Platon: Les maximes menteuses amènent dans l'âme du jeune homme «l'insolence, l'anarchie, la prodigalité (ἀσωτίαν), l'impudence... et elles appellent la prodigalité magnificence» (*Rép.* VIII, 560 *e*); mais dans les *Lois*: «l'homme totalement perverti qui le plus souvent vit dans la débauche (ou la prodigalité? ὡς ἄσωτος), est tout à fait pauvre» (V, 743 *b*).

[3] ARISTOTE, *Eth. Nic.* IV, 1, 1120 *b* 31 sv. Cf. *Fragm.* 56 (Rose), cité par PLUTARQUE, *Pélopidas* III, 2; *De cupid. divit.* 527, *a; Eumène*, XIII, 11: «Ils transformèrent le camp en un lieu de débauche»; *Antoine*, X, 4.

[4] *Eph.* V, 18; *Test. Juda*, XVI, 1: φυλάξασθε... τὸν ὅρον τοῦ οἴνου· ἔστιν γὰρ ἐν αὐτῷ... ἐπιθυμίας, πυρώσεως, ἀσωτίας καὶ αἰσχροκερδίας. Cf. PHILON: «Le désir secrète des goinfres... des fervents d'un genre de vie déliquescent et dissolu qui trouvent leur plaisir dans les beuveries et les ripailles» (*Spec. leg.* IV, 91). Les buveurs «passent leur vie loin de la maison et du foyer; ils sont les ennemis de leurs parents, de leur femme, de leurs enfants, ennemis aussi de leur patrie, ils sont aussi hostiles à eux-mêmes. Une vie passée dans la boisson et le libertinage (ἄσωτος βίος) est une menace pour tous» (*Vit. cont.* 47). «Vitellius sortit du palais, ivre à la fin d'un banquet plus lascif que jamais (τῆς ἀσώτου τραπέζης)» (FL. JOSÈPHE, *Guerre*, IV, 651). «Charybde

67) a montré par maints exemples que l'ἄσωτος, non seulement dissipe ses biens, mais perd son temps, dégrade ses facultés et ses forces, se consume lui-même. Si bien que l'*asôtia*, synonyme de dérèglement et d'immoralité, opposée à la vertu (*arétè*), est devenu un thème littéraire et que l'on voit traité même dans les monuments figurés [1]. C'est en cette acception générale que l'*asôtia* désigne la vie païenne dans *I Petr.* iv,4: les païens trouvent souvent étrange que les convertis «ne courent plus avec eux au même torrent de libertinage».

Cette prodigalité dans les dépenses, ces mœurs dissolues, cette existence tapageuse est souvent dénoncée comme le vice des fils de famille, de la jeunesse dorée, depuis *Prov.* xxviii,7: «Celui qui fréquente les débauchés (*zalal*) fera le déshonneur de son père». C'est en ce sens qu'on n'admettra au Presbytérat qu'un père de famille dont les enfants «ne sont pas accusés de mauvaise conduite ou indisciplinés» [2].

On hésite à préciser la conduite du plus jeune fils de *Lc.* xv,13: διεσκόρπισεν τὴν οὐσίαν αὐτοῦ ζῶν ἀσώτως [3]. Parce que le fils aîné calomniera son cadet au ꙡ. 30: «ce tien fils a mangé ton bien avec des courtisanes», on entend que le prodigue a vécu dans la luxure. Mais notre Seigneur est beaucoup plus délicat et discret, et il faut traduire, avec le P. Lagrange: «Il dissipa toute sa fortune, par une vie de folles dépenses» [4]. La tradition l'a exactement dénommé «l'enfant prodigue» [5].

---

est un nom bien choisi pour la débauche dépensière insatiable de beuveries» (HÉRACLITE, *Allégories d'Homère*, LXX, 10). «Athènes offrait de maigres ressources à son intempérance (*asôtia*), il se ravitaillait en Macédoine» (PLUTARQUE, *Amour des richesses*, 5; 525 c). «Tous l'outrageaient, lui reprochant, entre autres choses, son *asôtia*, attendu qu'il avait le ventre gros» (DION CASSIUS, LXV, 20, 3). «Plautianus devenait le plus intempérant des hommes (ἀσωτότατός), au point de se livrer à la bonne chère et de se faire vomir, attendu que son estomac ne pouvait digérer les viandes et le vin, tant il le chargeait» (*ibid.* LXXV, 15, 7). «C'est un bon compagnon, apte à boire avec lui et propre à faire ribote en compagnie d'une joueuse de flute» (LUCIEN, *Philosophes à l'encan*, 12).

[1] Sur Ἀρετή opposée à Ἀσωτία, cf. FR. CUMONT, *Recherches sur le Symbolisme funéraire des Romains*, Paris, 1942, p. 423. Dans le *Tableau de Cébès*, 7, l'une des hétaïres Ἀσωτία est en compagnie d'Ἀκρασία, Ἀπληστία, Κολακεία.

[2] *Tit.* I, 6: μὴ ἐν κατηγορίᾳ ἀσωτίας ἢ ἀνυπότακτα; cf. la prostituée rebelle (*sârar*) de *Prov.* VII, 11.

[3] Cf. PHILON, *Provid.* II, 4: «Des parents ne restent pas indifférents à l'égard de leurs fils prodigues, τῶν ἀσώτων υἱέων ils prennent en pitié leur infortune, les entourent de soins, les comblent d'attentions» (d'après EUSÈBE, *Praep. Ev.* VIII, 14).

[4] M. J. LAGRANGE cite comme bon parallèle FL. JOSÈPHE, *Ant.* XII, 203: ὡς ἀσώτως ζῆν διεγνωκότι = ayant choisi de vivre d'une manière folle (contrat financier). C'est

aussi l'acception courante des papyrus: un himation garanti 2700 drachmes de cuivre πρὸς ἀσωτείαν (*P. Fay.* 12, 24; de 103 av. J.-C.); *P. Lugd. Bat.* xiii, 9, 6 (édit du Praeses de la Thébaïde sur les intérêts maxima; IVe s. ap. J.-C.); de même le verbe ἀσωτεύεσθαι «dissiper toutes ses ressources»; *P. Flor.* 99, 7 (Ier-IIe s. ap. J.-C.): ἐπεὶ ὁ υἱὸς Κάστωρ μεθ' ἑτέρων ἀσωτευόμενος ἐσπάνισε τὰ αὐτοῦ πάντα καὶ ἐπὶ τὰ ἡμῶν μεταβὰς βούλεται ἀπολέσαι κ.τ.λ.; *P.S.I.*, 41, 12 (IVe s.), une femme se plaint de son mari qui dilapide ses biens: ἀσαυτεύων [litt. ἀσαυδεύων] καὶ πράττων ἃ μὴ τοῖς εὐγενέσι πρέπι.

⁵ Au ᾱ. 13 correspond le ᾱ. 32: «Il était perdu, ἀπολωλώς». Il reste que le titre courant de la parabole de l'enfant prodigue n'exprime pas exactement son contenu, car c'est la parabole des deux fils, l'un pécheur l'autre fidèle, et qui révèle l'amour de Dieu pour l'un comme pour l'autre, quoique sous deux formes différentes.

ἀτακτέω, ἄτακτος, ἀτάκτως

Dans *I Thess.* v,14, saint Paul demande à la communauté de reprendre les frères qui vivent d'une manière déréglée (νουθετεῖτε τοὺς ἀτάκτους). Dans sa deuxième lettre, il prescrit plus sévèrement de se tenir à l'écart de tout frère qui mène une vie déréglée (ἀτάκτως περιπατοῦντος, *II Thess.* iii,6, 11), se donnant en exemple: «Nous n'avons pas eu une vie désordonnée parmi vous»[1]. Il n'y aurait pas à insister sur la signification d'ἄτακτος: «qui ne reste pas à sa place, qui est en dehors de l'ordre, indiscipliné», si un certain nombre d'exégètes ne proposait de le traduire par «oisif, paresseux»[2]. Mais l'usage du verbe, de l'adjectif et de l'adverbe dans la *koinè*, notamment au Ier siècle de notre ère, confirme qu'il s'agit de toute transgression du devoir ou d'une convention, des désordres de la vie en général; et il est décisif.

Au plan cosmique, la matière étant «désordonnée et confuse», Dieu l'amène à passer du désordre à l'ordre[3]. C'est surtout dans la langue militaire que l'on parlera d'officiers négligents (*P. Hib.* 198, 149; du IIIe s. av. J.-C.), d'une armée en désordre, de soldats indisciplinés ou insoumis[4].

---

[1] *II Thess.* iii, 7; cf. W. P. De Boer, *The Imitation of Paul*, Kampen, 1962, p. 126 sv. C. Spicq, *Théologie morale du Nouveau Testament*, Paris, 1965, ii, pp. 720 sv. F. M. Wiles, *The Divine Apostle*, Cambridge, 1967, pp. 24 sv.

[2] La sémantique de ce groupe de mots a été excellemment esquissée par B. Rigaux, *Saint Paul. Les Épîtres aux Thessaloniciens*, Paris-Gembloux, 1956, pp. 582 sv. Cf. C. Spicq, *Les Thessaloniciens «inquiets» étaient-ils des paresseux?* dans *Studia Theologica*, x, 1956, pp. 1–13.

[3] Philon, *Plant.* 3; *Opif.* 22: «La matière était par elle-même sans ordre (ἄτακτος), sans qualité, sans vie, sans homogénéité, mais pleine d'hétérogénéité, de désharmonie, de discordance»; *Aet. mund.* 75 «La nature du monde... est l'ordre du désordonné (τὴν τάξιν τῶν ἀτάκτων), l'accord du désaccordé, l'harmonie de l'inharmonieux, l'union du disparate...»; *Spec. leg.* i, 48. Cf. Ps. Archytas, dans Stobée, *Ecl.* i, 41, 2 (t. i, p. 278); Numénius, dans Eusèbe, *Praep. Ev.* xv, 17.

[4] Au IIIe s. av. J.-C., les habitants de Soles en Cilicie se plaignent: «la cité est occupée par les soldats campant en désordre, ὑπὸ τῶν στρατιωπῶν ἀτάκτως κατεσκηνωκότων» (B. Welles, *Royal Correspondence in the Hellenistic Period*, New Haven, 1934, n. 30, 4; reproduit dans *C. Ord. Ptol.*, n. 84; Thucydide, iii, 108, 3: «Ils chargeaient sans ordre et sans aucune discipline»; Enée le Tacticien, xv, 5; xvi, 2–4; Onosandre, x, 7 et 20; xxi, 7; xxvii; Fl. Josèphe, *Guerre*, i, 101: «l'armée d'Antiochus en désordre»; 382; ii, 517; iii, 77; *Ant.* xv, 150; xvii, 296; Plutarque, *Phocion*, xii, 3; Diodore de Sicile, xvii, 48, 4: soldats dispersés, égaillés. Au contraire, les éphèbes qui ont effec-

Aussi bien, désordonnée est l'épithète d'une multitude, de la foule [1]. Dans l'ordre politique, Fl. Josèphe oppose les hommes dont la vie est affranchie des lois et des règles (τῶν ἀνόμως καὶ ἀτάκτως βιούντων) à ceux qui sont soucieux de l'ordre et d'une loi commune [2]. Au plan social, si les fils ne subviennent pas à leurs parents dans la nécessité, une pénalité de mille drachmes leur sera imposée, selon la convention testamentaire [3]. Dans les contrats d'apprentissage, il est prévu que si l'apprenti s'est mal conduit ou s'il a été absent pour une raison ou une autre, il devra suppléer par des jours ouvrables supplémentaires [4].

L'acception morale est constante depuis le *Testament de Nephtali* II,9 prescrivant de tout faire «dans l'ordre et avec une bonne intention, dans la crainte de Dieu, de ne rien faire de désordonné (μηδὲν ἄτακτον ποιήσητε), hors du temps convenable», jusqu'à Jamblique qualifiant la passion de «désordonnée, fautive, instable» (*Les Mystères d'Egypte*, I,10 = 36,13). La morale consiste à ne pas laisser la raison suivre son courant d'une impétuosité désordonnée [5]. Les ἄτακτοι ἄνδρες (PHILOMÈNE DE GADARA, *Des*

---

tué des sorties dans la campagne avec discipline, εὐτάκτως (*IG*, II², 1011, 15); cf. L. ROBERT, *Opera minora selecta*, Amsterdam, 1969, II, p. 1076; IDEM, *La Carie* II, Paris, 1954, p. 289, n. 166.

[1] HÉRODIEN, IV, 14, 7: ἄτακτον πλῆθος. PHILON, *Praem.* 20: «Tout ce qu'il y a de désordonné (ἄτακτον), malséant, déréglé, sujet à caution, voilà ce que c'est que la foule, et sa fréquentation ne vaut rien pour qui vient juste de passer à la vertu»; FL. JOSÈPHE, *Guerre*, II, 649; *Ant.* XV, 152; *III Mac.* I, 19. Cf. la confusion d'un tumulte, θόρυβος ἄτακτος (PHILODÈME DE GADARA, *Du bon Roi*, col. IX, 27).

[2] FL. JOSÈPHE, *C. Ap.* II, 151; cf. PLUTARQUE, *Caton l'ancien*, XVI, 3: les censeurs avaient le droit de chasser du sénat celui qui menait une vie licencieuse et déréglée; *Cimon*, IV, 4.

[3] *P. Eleph.* II, 13 (285–284 av. J.-C.): ἡ πρᾶξις ἔστω ἐκ τοῦ ἀτακτοῦντος καὶ μὴ ποιοῦντος κατὰ τὰ γεγραμμένα (réédité par L. MITTEIS, *Chrestomathie* II, Leipzig, 1912, n. 311; commenté par P. MEYER, *Juristische Papyri*, Berlin, 1920, pp. 56–60).

[4] *P. Oxy.* 275, 24 (66 de notre ère); 725, 39 (183 ap. J.-C.); cf. *P. Osl.* 159, 9; *Sammelbuch*, 10236, 33 (36 de notre ère). La formule ἐάν τις ἀτακτήσῃ est de style lorsqu'on impose une correction ou une amende à la suite d'un manquement aux engagements d'un contrat ou à l'obéissance, *P. Zén. Cair.* 59596, 18; *BGU*, 1125, 8; *P. Wisc.* 4, 22 (août-sept. de notre ère); *Sammelbuch*, 9841, 7; (cf. *P. Oxf.* 10, 23).

[5] PHILON, *Sacr. A. et C.* 85; cf. 45: le νοῦς ne laisse pas les puissances irrationnelles «aller en désordre ni discorde, sans maître ni guide». L'insensé ne sait pas se conduire, à l'instar d'un cocher qui ne maîtrise pas ses chevaux; ceux-ci s'emportent dans une course folle (*Agr.* 74; cf. *Quod det. pot.* 141; *Leg. G.* 344). Philon qualifie l'ἄτακτος d'ἄφρων (*Agr.* 74), donc tout l'opposé de l'εὔτακτος qui est σώφρων (*IG*, IX, 750, 18; H. W. PLEKET, *Epigraphica* II, Leiden, 1969, n. 3, 43; B. 48). On aime louer cette qualité chez les *néoi* (*MAMA*, VI, 112, 4; 114, A 8; N. FIRATLI, L. ROBERT, *Les Stèles funéraires de Byzance gréco-romaine*, Paris, 1964, pp. 161–162), en particulier chez les éphèbes (*Suppl. Ep. Gr.* XIX, 86; 4: πάντες εὐτακτοῦντες καὶ πειθαρχοῦντες;

dieux, 1,7, 6) sont des ἀπαίδευτοι [1]. Diodore de Sicile va même jusqu'à assimiler la vie affranchie des normes de la morale à celle des bêtes sauvages: ἐν ἀτάκτῳ καὶ θηριώδει βίῳ καθεστῶτας σποράδην ἐπὶ τὰς νόμας ἐξιέναι (1,8, 1). Finalement, les *ataktoi* sont des rebelles, des désobéissants ou des insurgés [2], et même des fauteurs d'impiété; un règlement de Délos prévoit que les pèlerins pourraient se conduire mal en ces lieux sacrés [3].

En définitive, est *ataktos* ce qui est défectueux dans l'action, irrégulier, contre la règle; et comme, dans la vie chrétienne, l'«ordre» est fixé par Dieu ou les chefs de l'Eglise, le dérèglement peut être tantôt une insuffisance ou une note discordante, tantôt une infraction à la loi et un désordre moral. Les Thessaloniciens *ataktoi* s'émancipent à l'égard d'une règle de la vie communautaire. On peut penser à des fautes contre la charité fraternelle, à la propension à favoriser la discorde, au refus d'accepter les coutumes ou la discipline de l'Eglise. Certains «agités» semblent particulièrement turbulents, des brouillons qui troublent la paix (*I Thess.* IV,11–12). De toute façon, «ils ne marchent pas droit» (*Gal.* II,14). Ils sont «fautifs» et probablement obstinés.

96, 5; 116, 2; cf. XXI, 352, 11; 452, 8; 525, 20; CHR. PÉLÉKIDIS, *Histoire de l'Ephébie attique*, Paris, 1962, pp. 38, 181, 235). L'accent est alors sur la discipline (cf. J. et L. ROBERT, *Bulletin épigraphique*, dans *Rev. des Etudes grecques*, 1970, p. 453, n. 553). Les habitants de Rhamnonte votent un décret honorifique pour Dicaiarchos qui «a assuré correctement et avec zèle la garde de la citadelle et de ses habitants, se montrant discipliné (εὔτακτον παρέχων) lui et les soldats placés sous le commandement de son père» (J. POUILLOUX, *La Forteresse de Rhamnonte*, Paris, 1954, n. 15, p. 130). Dans le sport: «Si l'un des chefs ne présente pas ses coureurs en bon ordre, il sera passible à l'égard de la cité d'une amende de dix statères d'argent» (J. POUILLOUX, *Choix d'Incriptions grecques*, Paris, 1960, n. 11, 12). D'une façon plus large: «Que les traitements des professeurs soient régulièrement assurés» (*ibid.* 13, 10); «Me décernant un éloge pour ma vie rangée, mon esprit et ma sagesse» (ET. BERNAND, *Inscriptions métriques de l'Egypte gréco-romaine*, Paris, 1969, n. 114, col. III, 5).

[1] HÉRODIEN, VII, 9, 5; cf. PLUTARQUE, *Apoph. lac.* 54. Les Stoïciens employaient le substantif ἀτάκτημα au sens de faute morale, manquement à la discipline, infraction (cf. *Suppl. Epigr. Gr.* XIII, 521–59 = DITTENBERGER, *Or.* 483; traduction intégrale dans R. MARTIN, *L'Urbanisme dans la Grèce antique*, Paris, 1956, pp. 58 sv.).

[2] Edit du préfet d'Egypte Petronius Quadratus (*P. Hawara* 73, verso; édité par J. G. MILNE, dans *Archiv für Papyrusforschung*, V, 1913, p. 324); DITTENBERGER, *Syl.* 305, 80. ἀτακτέω = troubler l'ordre ou s'y soustraire, s'affranchir d'un règlement, susciter une révolte (DITTENBERGER, *Or.* 200, 6).

[3] ἀτάκτως ἀναστραφεῖ (F. SOKOLOWSKI, *Lois sacrées. Supplément*, Paris, 1962, n. 51, 4). Cf. *Sammelbuch*, 6152, 14: «Au moyen de voies de fait et des pires violences, *ils pénètrent tumultueusement* dans le Temple et commettent des actes sacrilèges»; *P. Fay.* 337 (IIe s.). PHILON, énumérant les vices du φιλήδονος range l'*ataktos* entre le séditieux et l'impie (*Sacr. A. et C.* 32).

αὐθάδης

La première qualité requise du candidat à l'*épiscopè*, c'est qu'il soit μὴ αὐθάδη (*Tit.* i,7). Les faux docteurs se présentent au contraire comme τολμηταὶ αὐθάδεις [1]. Il est bien difficile de préciser la signification d'un mot qui n'est pas éclairé par le contexte, d'autant plus que, dans le cas, le français n'a pas de correspondant exact. D'après l'étymologie (αὐτός + ἁνδάνω), il s'agirait de l'homme qui se complaît en soi (cf. FL. JOSÈPHE, *Ant.* v,39), donc suffisant et présomptueux. Cette infatuation et cet égocentrisme conduisent à l'arrogance et même à l'insolence [2]. Constamment, on caractérise l'αὐθάδης comme dur (σκληρός, *Gen.* xlix,3, 7; POLYBE, iv,21, 3; PLUTARQUE, *Lycurg.* xi,6) et violent [3].

Il ne s'agit donc pas seulement d'auto-satisfaction, mais d'une fierté ombrageuse, d'un caractère hautain qui, refusant d'écouter ce qu'on lui dit, s'obstine dans sa propre opinion [4]; tels le Pharaon et Pilate inflexibles et butés (PHILON, *Vit. Mos.* i,139; *Leg. G.* 301). Non seulement cet *authadès*

---

[1] *II Petr.* ii, 10. Ces τολμηταί sont des audacieux insolents, qui vont jusqu'à insulter «les gloires», entendons les «glorieux», c'est-à-dire les Anges (cf. J. STARCKY, *Psaumes apocryphes de la grotte 4 de Qumran*, 4 Q Ps^t *VIII, 12*, dans *R.B.* 1966, pp. 363–4; la désignation Κύριοι ἄγγελοι, dans *P. Princet.* 159, 9; *P. Osl.* 1, 44 et 246). Souvent αὐθάδης (αὐθάδεια) est associé à τόλμη (*P. Mich.* 174, 9; *P. Osl.* 22, 6; *Sammelbuch*, 9458, 11; 9527, 6).

[2] *Prov.* xxi, 24: on méprise autrui et on s'en moque; FL. JOSÈPHE, *Guerre*, vi, 172: «Jonathas, naturellement fanfaron, plein de mépris pour ses adversaires»; PLUTARQUE, *Lucull.* vii, 2. Cf. BAUERNFEIND, dans *TWNT*, i, p. 506; *B.G.U.* 2240, 7 et 11.

[3] Βίαιος, *P.S.I.*, 1323, 6; cf. *P. Fuad*, 26, 13: «Par son insolence et sa violence, il exerce une grande influence sur la région»; *P. Mich.* 426, 10: τῇ ἑαυτῶν βίᾳ καὶ αὐθαδίᾳ χρησάμενοι. Cette dernière locution est employée constamment dans les plaintes contre les agresseurs (*P. Isid.* 74 11; *P. Mert.* 91, 12; *P. Gen.* 31, 9; *P. Mich.* 231, 10; 426, 10; *BGU*, 1904, 12); *Sammelbuch*, 4284; 10218, 21: ἁρπαγῇ αὐθάδως ἀναστραφέντες (Ier-IIe s.); elle est commentée (*P. Tebt.* 16, 10) par ἦν ὑβρισμένος οὐ μετρίως (ligne 7; cf. FL. JOSÈPHE, *Ant.* xix, 236). Cf. CLÉMENT DE ROME, *Cor.* xxx, 8: «Impudence, arrogance, témérité pour les maudits de Dieu; bienveillance, humilité, douceur chez les bénis de Dieu»; PLOTIN, *En.* ii, 9, 9, ligne 55: «Grande est l'*authadéia* chez les hommes, fussent-ils auparavant humbles, modestes (μέτριος), simples profanes».

[4] «Le général ne doit être ni indécis (ἄστατος) ni si obstiné (αὐθάδης) comme s'il pensait que personne ne pourrait avoir une meilleure idée que la sienne» (ONOSANDRE, iii, 3); cf. M. GUILMOT, *Une lettre de remontrances*, dans *Chronique d'Egypte*, 1965, p. 239.

n'en fait qu'à sa tête mais il manque d'aménité, il est brutal [1] et agressif [2], pour le moins querelleur et chicanier [3]; au total: mal élevé. Aussi bien, dans son catalogue des vices du *De Sacrif. A. et C.* 32, Philon situe l'*authadès* entre le vaniteux et le vulgaire. De fait, FL. JOSÈPHE attribue ce comportement aux prisonniers (*Guerre*, IV,96), aux jeunes (*Ant.* IV,263; XVI,399) et aux esclaves (*Guerre*, II,356), par exemple à Agar, attendant un enfant et qui fait montre d'une fierté arrogante et insolente vis-à-vis de Sara (*Ant.* I,189). Chez Lucien et dans la littérature, c'est un trait constant du «misanthrope» [4], proprement invivable.

On voit donc que, «présomptueux» ou «arrogant» [5] ne rendent pas la densité de signification d'*authadès*, mais on comprend qu'un «intendant de Dieu» ne puisse avoir cette suffisance, cette infatuation, ce mauvais caractère, ces sentiments bas qui le confineraient dans un splendide isolement. A un être aussi insociable [6], on ne saurait confier la charge de Pasteur.

---

[1] THÉOPHRASTE, *Caract.* XV, 1–2: à la plus simple question, il répond: «Laisse-moi tranquille»; cf. PLUTARQUE, *Vie de Cimon*, VI, 2; Pausanias traitait ses alliés τραχέως καὶ αὐθαδῶς; IDEM, *Le Démon de Socrate*, 9.

[2] *P. Oxy.* 2563, 43; *Dai Papiri della Società Italiana*, Florence, 1965, n. 10, 11; *P. Lond.* 358, 12 (t. II, p.171). P. J. SIJPESTEIJN, *Einige Papyri aus der Gießener Papyrussammlung*, dans *Aegyptus*, 1966, p. 18. l. 21: ὃ τρέφω μέρος προβάτων ἁρπαγῇ αὐθάδως ἀναστραφέντες κτλ. STRABON, XI, 2, 16: «ὑπὸ αὐθαδείας καὶ ἀγριότητος, conséquence de leur arrogance et de leur férocité». Cf. CLÉMENT DE ROME, *Cor.* I, 1: révolte «attisée par quelques individus emportés et présomptueux».

[3] PHILON, *Abr.* 213: Les serviteurs de Lot «prirent des libertés, dans leur *authadéia*, et eurent des différends continuels avec les plus éminents des enfants du sage Abraham» dont le tempérament se caractérise par la πραϋπάθεια. Dans *Rer. div. her.* 21, la liberté de parole de Moïse vis-à-vis de Dieu est justifiée, φιλίᾳ μᾶλλον ἢ αὐθαδείᾳ. Cette nuance doit être soulignée dans *Tit.* I, 7, étant donné la prescription qui suit immédiatement: ni colérique ou emporté (μὴ ὀργίλον).

[4] Cf. J. BOMPAIRE, *Lucien écrivain. Imitation et Création*, Paris, 1958, p.171.

[5] FR. FIELD (*Otium Norvicense* III, Oxford, 1881, p. 134) justifie cette traduction par l'étymologie: *arrogans, qui sibi aliquid arrogat*, et cite ARISTOTE: σεμνότης ἐστὶν αὐθαδείας ἀναμέσον τε καὶ ἀρεσκείας (*Grande Morale*, I, 29). R. C. TRENCH (*Synonyms*, p. 349) rapproche ce terme de φίλαυτος et αὐτάρεσκος, l'opposant à εὐπροσήγορος: facile d'accès, affable (PLUTARQUE, *Praecepta ger. reipubl.* 31), et cite *Morale à Eudème* III, 7, 4: μηδὲν πρὸς ἕτερον ζῶν.

[6] Cf. STRABON, III, 4, 5: «Par *authadéia*, les Grecs refusent de se soumettre aux obligations mutuelles... Chez les Ibères cette *authadéia* atteint des proportions extrêmes, s'ajoutant à un caractère naturellement fourbe et sournois». PLUTARQUE (*Praecepta ger. reipubl.* 13; 808 d) cite Platon (*Ep.* IV, 321 b): chez les chefs d'état, «l'arrogance cohabite avec la solitude»; *Caton min.* LV, 6: «la fierté et l'arrogance hors de saison du fils de Pompée»; LVIII, 7: «Scipion, par présomption, méprisait les avis de Caton»; *Agis*, V, 3: «Epitadeus, de caractère arrogant»; *Cicéron*, XXVIII, 1: «Clodius, de caractère hardi et présomptueux».

αὐτόματος

En écrivant que la porte de fer de la prison de Jérusalem «s'ouvrit d'elle-même» à l'ange et à Pierre, non seulement saint Luc fait preuve une fois de plus de sa culture hellénistique, – l'expression étant courante –, mais il signale le caractère miraculeux de l'événement [1].

Plus délicate est l'exégèse d'αὐτόματος «spontané, qui se meut par soi-même» [2] dans la parabole du grain qui pousse sans qu'on y mette la main,

---

[1] *Act.* XII, 10: ἥτις αὐτομάτη ἠνοίγη αὐτοῖς. «Cet aoriste passif indiquerait que la porte s'est ouverte automatiquement, mais sous la poussée d'une force surnaturelle» (E. JACQUIER, *Les Actes des Apôtres*², Paris, 1926, p. 364). Plus exactement, cette ouverture spontanée des portes est traditionnellement signalée comme un prodige, aussi bien dans la littérature grecque qu'en Israël; cf. *Yoma* 39 *b*: «Nos rabbins enseignent: Quarante ans avant la destruction du Temple... les portes du sanctuaire s'ouvraient d'elles-mêmes, jusqu'à ce que Yohanan b. Zakkai leur fit ce reproche: Sanctuaire, sanctuaire, pourquoi t'épouvantes-tu toi-même?»; XÉNOPHON, *Helléniques*, VI, 4, 7: «On leur annonçait de leur ville que les portes de tous les temples s'y étaient ouvertes d'elles-mêmes, πάντες αὐτόματοι ἀνεῴγοντο»; PLUTARQUE, *Timoléon*, XII, 9: «Au moment où la bataille s'engageait, la porte sainte du temple s'était ouverte d'elle-même, αὐτόματοι διανοιχθεῖν»; DION CASSIUS, XLIV, 17; rêve prémonitoire de César, «les portes de la chambre où il dormait s'ouvrirent d'elles-mêmes, αὐτόμαται ἠνεῴχθησαν»; *ibid.* LX, 35: à la mort de Claude, les portes du temple de Jupiter Vainqueur s'ouvrent d'elles-mêmes (αὐτόματος); FL. JOSÈPHE, *Guerre*, VI, 293: «On vit la porte du Temple... bien qu'elle fût en airain et si massive que vingt hommes ne la fermaient pas sans effort au crépuscule, qu'elle fût fixée par les verrous munis de chaînes de fer et par des barres... s'ouvrir d'elle-même (αὐτομάτως ἠνοιγμένη)... Ce présage parût très favorable aux ignorants»; ARTAPAN, *De Judaeis*, τάς τε θύρας πάσας αὐτομάτως ἀνοιχθῆναι τοῦ δεσμωτηρίου καὶ τῶν φυλάκων (dans EUSÈBE, *Praep. Ev.* IX, 27, 23), etc.

[2] Cf. *Jos.* VI, 15: «Les murailles de la ville tombèrent d'elles-mêmes» (cf. FL. JOSÈPHE, *Guerre*, V, 292); *Sag.* XVII, 6: la colonne lumineuse, «Seul brillait pour eux un feu *automatè* (= allumé et s'alimentant de lui-même) et terrifiant» (cf. FL. JOSÈPHE, *Ant.* III, 207); cf. *II Rois*, XIX, 29; DIODORE DE SICILE, I, 8: «fléau qui n'est pas envoyé par les dieux, mais est venu tout seul» (FL. JOSÈPHE, *Guerre*, I, 373: calamités naturelles); MÉNANDRE, *Dysc.* 545: «d'elle-même l'affaire me ramène en ce lieu»; IDEM: «Il se présentera de lui-même, αὐτόματος οὗτος παρέσται» (dans PLUTARQUE, *Alexandre*, XVII, 7; cf. XXXIV, 2: πολιτεύειν αὐτονόμους, se gouverner d'après ses propres lois; XXXV, 11; LXXVII, 7); PHILOSTRATE, *Gymn.* 53: «Les lassitudes spontanées (des athlètes) sont un commencement de maladie» (citation d'HIPPOCRATE, *Apho-*

sans le concours du semeur: la terre agit seule [1]: L'homme dort nuit et jour «et la semence pousse et grandit, sans qu'il sache lui-même comment [2]. *D'elle-même* (αὐτομάτη), la terre produit d'abord l'herbe, puis l'épi, puis du blé plein l'épi» (*Mc.* iv,27–28). Le Seigneur n'a pas donné l'explication de cette parabole, et les interprétations qu'on en a données sont très divergentes [3], mais la position emphatique d'*automatè* (non traduit par la Peshitta) au début de la proposition semble indiquer que c'est le mot principal et que de sa traduction dépend l'intelligence de cet enseignement [4].

---

rismes ii, 5; édit. Littré, t. iv, p. 470); ONOSANDRE, x, 3: les soldats bien entraînés à se mettre rapidement en formation «pour ainsi dire, automatiquement, ὡς εἰπεῖν αὐτόματοι». L'adverbe αὐτομάτως: agir spontanément (FL. JOSÈPHE, *Guerre*, iii, 386). Αὐτόματος est exceptionnel dans les papyrus; *Stud. Pal.* v, n. 119, vers. i, 16 (IIIe s. de notre ère) est trop endommagé pour fournir un sens; l'autre exemplaire connu est du VIe s., *P. Strasb.* iv, 13: οἰκία μετὰ παντὸς τοῦ... χρηστηρίου καὶ δικαίου... αὐτομάτου = naturellement, cela va de soi. Dans une épitaphe (*Suppl. Ep. Gr.* viii, 474, 9): δ᾽ αὐτομάτης ... μελίσσης est traduit: «Le Printemps envoie ici le produit de l'abeille industrieuse» par E. BERNAND, *Inscriptions métriques de l'Egypte gréco-romaine*, Paris, 1969, p. 351.

[1] Ce n'est pas une allégorie, mais une parabole, propre à Marc, dont la pointe «insiste sur l'action du sol sans le concours du semeur» (M. J. LAGRANGE, *Evangile selon saint Marc*⁴, Paris, 1929, p. 116).

[2] *Mc.* iv, 27: ὡς οὐκ οἶδεν αὐτός, cf. H. SAHLIN, *Zum Verständnis von drei Stellen des Markus-Evangeliums*, dans *Biblica*, 1952, pp. 56–57; A. SUHL, *Die Funktion der alttestamentlichen Zitate und Anspielungen im Markusevangelium*, Gütersloh, 1965, pp. 154 av.

[3] Pour N. A. DAHL (*The Parables of Growth*, dans *Studia Theologica*, v, 1951, pp. 149–150) et J. JEREMIAS (*Les Paraboles de Jésus*, Le Puy-Paris, 1962, p. 154), ce serait «la Parabole du Paysan patient», mais la passivité de l'homme n'est là que pour mettre en valeur l'activité immanente de la nature. Selon H. BALTENSWEILER (*Das Gleichnis von der selbstwachsenden Saat*, dans *Oikonomia*, Festschrift O. Cullmann, Hambourg, 1967, pp. 69–75), ce serait «la Parabole du Paysan incrédule», histoire «grotesque» d'un semeur qui sème sans se soucier de la germination et de la moisson. K. WEISS (*Mk IV, 26 bis 29 – dennoch die Parabel vom zuversichtlichen Sämann*, dans *Biblische Zeitschrift*, 1929, pp. 50 sv.) montre bien que l'inactivité de l'agriculteur n'est qu'un élément secondaire de la parabole. Sur ὅταν δὲ παραδοῖ ὁ καρπός, cf. T. W. MANSON, *A Note on Mark IV, 28 f*, dans *Journal of theological Studies*, 1937, pp. 399–400. Pour la bibliographie, cf. J. DUPONT, *La Parabole de la Semence qui pousse toute seule*, dans *Recherches de Science religieuse*, 1967, pp. 367–392. W. G. KÜMMEL, *Noch einmal: Das Gleichnis von der selbstwachsenden Saat*, dans *Festschrift J. Schmid*, Freiburg, 1973, pp. 220–237; J. DUPONT, *Encore la parabole de la Semence qui pousse toute seule*, dans *Festschrift W. G. Kümmel*, Göttingen, 1975, pp. 96–108 (défend l'unité de la parabole).

[4] Ceci a été bien vu par R. STUHLMANN, *Beobachtungen und Überlegungen zu Markus IV, 26–29*, dans *N.T.S.*, xix, 1973, pp. 153–162, et déjà par D. BUZY, *Les Paraboles*,

Quelle est donc sa signification? Faut-il comprendre: la terre produit d'elle-même, indépendamment de l'activité de l'agriculteur, sans aucune coopération de l'homme? ou bien: sans cause visible, d'une manière indiscernable [1]?

Rappelons d'abord la croyance qu'à l'âge d'or «le sol fécond produisait de lui-même (αὐτομάτη) une abondante et généreuse récolte» [2], puis l'usage constant d'*automatos* pour exprimer la production spontanée d'une terre non cultivée, la croissance naturelle d'une semence, son énergie propre [3]. C'est ainsi qu'il désigne le regain dans *Lév.* XXV,5,11 (*saphiha*) et que Fl. Josèphe, comparant les sacrifices respectifs d'Abel et de Caïn, observe: «Dieu est honoré par les choses qui grandissent spontanément et selon la nature, τοῖς αὐτομάτοις καὶ κατὰ φύσιν» et non par les produits façonnés par l'ingéniosité humaine (*Ant.* I,54). Il signale que Judas Macchabée trouve le temple de Jérusalem dévasté «et les plantes grandissant d'elles-mêmes dans le sanctuaire» (*Ant.* XII,317). Philon oppose semblablement la production spontanée et l'art de l'agriculture [4]. Etant donné cet emploi dans

---

Paris, 1932, p. 49: «c'est la terre toute seule qui produit avec l'énumération de toutes les phases du blé qui lève... La leçon principale sera donc: c'est le royaume tout seul, par sa vertu propre, par son énergie divine qui se développera jusqu'à la dernière période de sa perfection». Cf. PLUTARQUE, *La Vertu peut-elle s'enseigner?* 1: «ce que la nature produit spontanément (αὐτομάτως) d'excellent»; DIODORE DE SICILE, XVII, 50, 6; «les porteurs de l'image du dieu avancent au hasard, là où le dieu conduit leur marche d'un signe de tête».

[1] Cf. PHILON, *Fuga*, 171: «Dans les produits spontanés de la nature que nous rencontrons, nous ne découvrons ni origines ni fins qui en seraient les causes en elles-mêmes; donc, l'origine ce sont les semailles, et le terme c'est la moisson». Le secret de la croissance n'est pas perceptible, de même que le mystère de la vie (*II Mac.* VII, 22; *Eccl.* XI, 5; *Ps.* CXXXIX, 13–18) et la nature du *pneuma* (*Jo.* III, 8).

[2] HÉSIODE, *Trav. et J.* 118; cf. HÉRACLITE, *Allégories d'Homère* VI, 5: «Les premiers hommes se nourrissaient... des fruits qui croissaient spontanément sur les arbres».

[3] FL. JOSÈPHE, *Vie*, 11: Bannus se contentait «pour nourriture de ce que la terre produit spontanément, τὴν αὐτομάτως φυομένην»; *Ant.* I, 49; III, 281. PHILÉMON, *Fragm.* 103: οὐδὲ φύεται αὐτόματον ἀνθρώποισιν... νοῦς ὥσπερ ἐν ἀγρῷ θύμος (dans STOBÉE, *Ecl.* II, 31, 17; t. II, p. 204).

[4] PHILON, *Opif. mundi*, 81: «On pourrait espérer que Dieu... fournirait au genre humain par une production spontanée des biens tout préparés... sans l'art de l'agriculture, ἄνευ τέχνης γεωργικῆς»; 167: «l'homme privé des biens spontanés que la terre avait appris à produire sans l'art de l'agriculture»; *Mut. nom.* 260: Au septième temps sacré (l'Année sabbatique), «il y aura un flux de biens spontanés (τῶν αὐτομάτων ἀγαθῶν), ils ne seront pas les produits d'un art institué, ils germeront par le fait d'une nature capable d'engendrer d'elle-même, suffisante à ses fins, et ils porteront leurs fruits naturels». Cf. DIPHILE, *Fragm.* 14: ἥκει φερόμεν' αὐτόματα πάντα τἀγαθά (dans ATHÉNÉE, IX, 370 e).

le lieu commun et contemporain de l'agriculture, il semble bien que dans la parabole de *Mc.*, Jésus insiste sur la merveille d'une graine qui pousse sans qu'on s'en occupe; vivante, elle réalise d'elle-même sa germination, sa croissance, sa fructification, grâce aux échanges mystérieux qui se font entre elle et le sol qui l'a reçue – ils sont associés: «c'est la terre toute seule qui produit» –. Ainsi le Royaume de Dieu sur terre a un dynamisme propre, une énergie immanente, une force vitale. Comme l'homme n'y est pour rien, on en peut conclure que cette vitalité innée vient de Dieu [1]. C'est même ce qu'indique le fait qu'elle ne tombe pas sous le sens; mais cette invisibilité n'est pas mentionnée pour elle-même; c'est un trait secondaire.

---

[1] C'est ce que dit PHILON, *Fuga*, 170: «Troisième définition du savoir spontané: c'est ce qui pousse de soi-même, τὸ ἀναβαῖνον αὐτόματον (ici, citation de *Lév.* xxv, 11). Les produits naturels ne requièrent aucun art, *puisque c'est Dieu qui les sème: grâce à son agriculture*, il fait mûrir, comme s'ils poussaient d'eux-mêmes, les produits qui ne poussent pas d'eux-mêmes, si ce n'est en ce sens qu'ils n'ont absolument pas besoin d'attention humaine»; cf. 168: ce qu'on tient de la nature, on le reçoit de Dieu. C'est Lui qui donne la fécondité (*Praem.* 9, 63, 160; *Abr.* 52–54) et qui fait croître (*I Cor.* III, 6; *II Cor.* IX, 10; cf. *Mt.* VI, 28). Philon aime exploiter métaphoriquement l' «automatisme» du savoir (*Fuga*, 166 sv., *Abr.* 6; *Somn.* I, 68) ou des vertus qui sont comme des semences innées dans le terrain de l'âme (*Lois allég.* I, 92) et riches de virtualités. De toute façon, tout ce qui surgit spontanément est fourni ou commandé par la Providence (FL. JOSÈPHE, *Ant.* I, 46), de sorte que «rien n'arrive fortuitement» (IV, 47), et si les murailles de Jéricho tombent toutes seules, c'est Dieu qui les fait tomber (V, 24). Il le faut bien, si un événement ne provient «ni de causes naturelles, ni du fait d'autrui, οὐκ αὐτομάτως οὐδὲ διὰ χειρὸς ἀλλοτρίας» (*Guerre*, I, 378).

αὐτόπτης

L'historien Luc évoque l'autorité des témoins oculaires du message évangélique prêché par Jésus dès le début de son ministère : οἱ ἀπ᾽ ἀρχῆς αὐτόπται καὶ ὑπηρέται γενόμενοι τοῦ λόγου [1]. Le substantif αὐτόπτης (*hapax* biblique, ignoré de Philon), dérivé de ὄψις (J. POLLUX, *Onom.* II,57–58), a souvent l'acception banale du spectateur qui voit de ses propres yeux, par opposition à l'«auditeur» d'une réputation ou d'une information [2]. Dans les papyrus magiques, il désigne la vision immédiate de la divinité [3]. Il est souvent employé par les écrivains médicaux [4] et peut avoir une signification juridique [5] à l'instar d'αὐτοψία : inspection personnelle [6].

---

[1] *Lc.* I, 2 (cf. A. FEUILLET, «*Témoins oculaires et Serviteurs de la Parole*», *Lc. I*, 2 *b*, dans *Novum Testamentum*, XV, 1973, pp. 241–259). αὐτόπται se rapporte aux faits (πραγμάτων), comme dans VETTIUS VALENS 260, 30 : πολλὰ δὲ κακῶν καὶ παθῶν αὐτόπτης γενόμενος τῶν πραγμάτων δοκιμάσας συνέγραψα. Cf. POLYBE, IV, 2, 2 : «Nous avons assisté nous-mêmes à certains faits, nous avons appris les autres de ceux qui les ont vus. Remonter plus haut dans le temps de façon à enregistrer des on-dit d'après les on-dit, cela ne nous a pas paru pouvoir procurer ni des appréciations ni même des énonciations solides (ἀσφαλεῖς)».

[2] PLATON, *Lois* X, 900, *a* : «Que tu connaisses ces spectacles par ouï-dire (δι᾽ ἀκοῆς) ou que tu en aies la vision toi-même de tes propres yeux (αὐτόπτης)»; XÉNOPHON, *Hell.* VI, 2, 31 : «Ce qu'il n'avait appris d'aucun témoin oculaire concernant Mnasippos, il craignait que ce fût pour le tromper qu'on répandit ce bruit... mais quand il reçut des informations claires...»; FL. JOSÈPHE, *Ant.* XVIII, 342 : «Anilaîos avait entendu la réputation de beauté de la femme du général parthe (ἀκοῇ τῆς εὐπρεπείας), mais quand il la vit de ses propres yeux (αὐτόπτης γενόμενος), il en devint amoureux»; XIX, 125 : «Antèios était attiré par le plaisir de voir Gaïus de ses propres yeux, ὑπὸ ἡδονῆς τοῦ αὐτόπτης γενόμενος Γαΐου»; *Guerre*, VI, 134 : César prétend être le témoin oculaire et l'arbitre de toutes les actions de ses soldats, γένηται δ᾽ αὐτόπτης καὶ μάρτυς ἁπάντων. A la fin du Iᵉʳ s. de notre ère, Théon écrit à sa sœur de ne pas s'inquiéter durant son absence : «αὐτόπτης γὰρ εἰμὶ τῶν τόπων καὶ οὐκ εἰμὶ ξένος τῶν ἐνθάδε, car je suis familiarisé avec les lieux et je ne suis pas un étranger ici» (*P. Oxy.* 1154, 8).

[3] *P. Lond.* 122, 85 (t. I, p. 119 = K. PREISENDANZ, *P.G.M.* II, p. 49) : ἐὰν θέλης καὶ αὐτοφαν(πτον) αὐτὸν ἐκάλεσε; cf. αὐτοπτικός (*ibid.* 121, 319; t. I, p. 94; K. PREISENDANZ, I, p. 14), *l.* 335 : αὐτοπτικὴ ἐὰν βούλης σεαυτὸν ἰδεῖν; de même ligne 727 (autres références dans FR. CUMONT, *L'Egypte des Astrologues*, Bruxelles, 1937, p. 165, n. 1; LIDDELL, SCOTT, JONES, *A Greek-English Lexicon*, in *h.v.*). Pour αὐτόπτως, cf. *P.S.I.* 1345, 7 : χαίρομαι ὡς ἵνα αὐτόπτως προσεκύνουν τὸν δεσπότην μου (VIᵉ-VIIᵉ s.).

[4] W. K. HOBART (*The medical Language of St. Luke*, Dublin-Londres, 1882, pp. 89–90) donne une douzaine de références à Galien (cf. notre moderne «autopsie»). XÉNOPHON, *Cyrop.* V, 4, 18 : «Cyrus ou bien examinait les blessés de ses propres yeux

Dans *Lc.* 1,2, l'*autoptès*, distinct du simple informateur qui s'intercale entre l'émetteur d'un message et son destinataire, est le témoin qualifié qui s'engage en affirmant et ce qu'il a vu et sa conviction, rendant ainsi la certitude possible. Il se porte garant de la vérité de l'Evangile. On doit donc comprendre ce terme au sens technique comme élément majeur de la documentation ou de l'information concernant les faits que l'historien se propose de décrire. Le témoin oculaire, qui a assisté aux événements, donne une relation conforme à la réalité [1]. Depuis Hérodote, les historiens grecs distinguaient dans leurs sources d'information ce qu'ils avaient entendu dire et ce qu'ils avaient vu personnellement [2]. Seule la présence

---

(αὐτόπτης) ou bien s'il ne pouvait le faire lui-même, il envoyait des gens pour les soigner».

[5] *P.S.I.* 1314, 9 (rapport d'épisképsis; Ier s. av. J.-C.): αὐτόπτην μάχιμον ἐφ' ἡμᾶς ἀποστείλας. Cf. H. SAHLIN, *Der Messias und das Gottesvolk. Studien zur protolukanischen Theologie*, Uppsal, 1943, pp. 40–42. Il serait très proche de μάρτυς; comparer *Jo.* 1, 34; xv, 27; xix, 35; *Act.* 1, 8; *I Jo.* 1, 1–2.

[6] *P. Mil. Vogl.* 24, 20: ὡς νῦν οὖν Δημήτριος γενόμενος παρ' ἐμὲ ἐξ αὐτοψίας (IIe s. de notre ère); *P. Tebt.* 286, 20: ἐκ τῆς αὐτοψίας ἣν ἐγὼ ἐπεῖδον (même date); *P. Oxy.* 1272, 19: ἀξιῶ ἐὰν δόξῃ σοι παραγενέσθαι ἐπὶ τὴν αὐτοψίαν (même date); *P. Strasb.* 259, 7 (lettre d'affaires, du IIIe s. Aller faire une vérification sur place); *P. Isidor.* 66, 6 et 10; 67, 8 (IIIe s. j'envoie faire une inspection); *P. Oxy.* 2233, 9 (IVe s.), ὥστε ἐκεῖσαι παραγενέσθαι πρὸς αὐτοψίαν; *P. Amh.* 142, 12; *P. Med.* 41, 6; ὅθεν ἐπὶ τὴν αὐτοψίαν παραγενόμενοι; la formule est technique.

[1] Cf. ἀκριβῶς (*Lc.* 1, 3; POLYBE, XII, 4 *d*). D. KURZ, *AKPIBEIA. Das Ideal der Exaktheit bei den Griechen bis Aristoteles*, Diss. Tübingen, 1970.

[2] HÉRODOTE, II, 99: «Jusqu'ici ce que je disais est tiré de ce que j'ai vu (ὄψις), des réflexions que j'ai faites (γνώμη), des informations (ἱστορίη) que j'ai prises. A partir de maintenant, je vais dire ce que les Egyptiens racontent, comme je l'ai entendu; il s'y ajoutera quelque chose aussi de ce que j'ai vu par moi-même (τῆς ἐμῆς ὄψιος)»; II, 5, 106, 122, 131: «Certaines gens racontent (τινες λέγουσι) l'histoire suivante... Tout ce récit n'est que sottise... Nous avons constaté nous-même (ἡμεῖς ὡρῶμεν)»; III, 12, VII, 129. A propos de la formation de la terre en Egypte: «Dans le domaine des choses humaines, les prêtres me dirent unanimement... Ce qu'ils disaient me parut exact... Je crois volontiers ceux qui en disent ce que j'ai rapporté et personnellement je suis tout à fait convaincu qu'il en est ainsi quand je constate (ἰδών)...» (II, 4–14); à propos de l'origine des Colchidiens: «Ce que je dis était mon opinion personnelle avant que je l'eusse entendu exprimer par d'autres (ἀκούσας ἄλλων)» (II, 104–105); description du lac Moeris: «Les gens du pays m'ont dit (ἔλεγον)... Comme je ne voyais nulle part (οὐκ ὥρων)... je demandai... Ils me dirent... Je n'eus pas de peine à croire ce qu'ils me disaient; car je savais pour l'avoir entendu raconter, qu'il s'était passé quelque chose de semblable à Ninive» (II, 149–150); THUCYDIDE, I, 22, 1–2: οἷς τε αὐτὸς παρῆν καὶ παρὰ τῶν ἄλλων. Les deux moyens d'information sont complémentaires. Cf. G. NENCI, *Il motivo dell' autopsia nella storiografia greca*, dans *Studi classici e orientali* 3, 1955, pp. 14–46; H. VERDIN, *L'importance des recherches sur la méthode critique des*

sur le théâtre des événements rend leur relation crédible: «Quant à l'histoire de la guerre, je l'ai écrite après avoir été acteur dans bien des événements (πολλῶν αὐτουργὸς πράξεων), témoin d'un grand nombre (πλείστων δ' αὐτόπτης γενόμενος); bref, sans avoir ignoré rien de ce qui s'y est dit ou fait» [1]. L'historien juif démarque ici Polybe: «En raison du fait que j'ai été non seulement le spectateur des événements (μὴ μόνον αὐτόπτης), mais pour les uns le collaborateur (συνεργός), pour les autres l'artisan (χειριστής), j'ai entrepris d'écrire pour ainsi dire une nouvelle histoire en prenant un nouveau point de départ (ἀρχὴν ἄλλην)» [2]. Selon Denys d'Halicarnasse, le mérite de Théopompe de Chio, auteur d'ouvrages historiques, est d'avoir été «témoin oculaire de la plupart des événements, πολλῶν μὲν αὐτόπτης γεγενημένος» [3]. Au Ier siècle enfin, Diodore de Sicile, décrivant le Golfe Arabique distingue les deux catégories de ses sources: ce qu'il a extrait des Annales royales conservées à Alexandrie, et les observations qui lui ont été communiquées par des témoins oculaires, τὰ δὲ παρὰ τῶν αὐτοπτῶν πεπωσμένοι [4]. Nul doute que *Lc.* 1,2 ne s'inscrive dans cette herméneutique historique. Ses *autoptai* ont tout le crédit des personnes qui ont été présentes aux faits, des observateurs dignes de foi [5].

---

historiens grecs et latins, dans *Antidorum W. Peremans sexagenario ab alumnis oblatum* (*Studia Hellenistica* XVI), Louvain, 1968, pp. 298–308; IDEM, *Notes sur l'attitude des historiens grecs à l'égard de la tradition locale,* dans *Ancient Society* I, 1970, pp. 183–200; IDEM, *De historisch-kritische methode van Herodotus,* Bruxelles, 1971, pp. 107–154; G. SCHEPENS, *L'Idéal de l'information complète chez les Historiens grecs,* dans *Rev. des Etudes grecques,* 1975, pp. 81–93.

[1] FL. JOSÈPHE, *C. Ap.* I, 55; cf. *Guerre,* III, 432: «Quand la nouvelle de la catastrophe de Jotapata parvint à Jérusalem, la plupart d'abord ne voulurent pas y ajouter foi... parce qu'aucun témoin oculaire ne venait confirmer ce bruit, διὰ τὸ μηδένα τῶν λεγομένων αὐτόπτην παρεῖναι».

[2] POLYBE, III, 4, 13. En XII, 25–28, Polybe critique les inventions de Timée de Tauromenion «historien sans culture» et ses informations livresques. Timée n'a rien vu (25 g 4). Il ne suffit pas d'avoir recours «aux ouvrages de ses devanciers, d'avoir passé son temps dans les bibliothèques et de faire provision d'érudition (*e* 4); «la vue est de beaucoup l'instrument d'observation plus véridique que l'ouïe» (27, 1). «Timée a renoncé entièrement aux renseignements de la vue» (27, 3). Cf. MARIE LAFFRANQUE, *L'ouïe et l'oreille. Polybe et les problèmes de l'information à l'époque hellénistique,* dans *Revue Philosophique,* 93, 1968, pp. 263–272.

[3] *Lettre à Cn. Pompée,* VI, 3. Cf. DION CHRYSOSTOME, VII, 1: τόδε μὴν αὐτὸς ἰδών, οὐ παρ' ἑτέρων ἀκούσας, διηγήσομαι.

[4] DIODORE DE SICILE, III, 38, 1. Ces *autoptai* peuvent être des voyageurs, des commerçants, des marins, des militaires, des chasseurs d'éléphants, des indigènes ou des explorateurs; cf. W. PEREMANS, *Diodore de Sicile et Agatharchide de Cnide,* dans *Historia* XVI, 1967, pp. 432–455.

[5] E. DELEBECQUE, *Etudes grecques sur l'Evangile de Luc,* Paris, 1976, pp. 66 sv.

ἀφιλάργυρος

L'amour de l'argent étant l'une des marques de l'appartenance au monde, *Hébr.* XIII,5 demande aux chrétiens persécutés: «que votre façon de vivre soit ἀφιλάργυρος». C'est un écho de *Mt.* VI,24: «Vous ne pouvez servir Dieu et l'argent». Parmi les qualités requises du candidat à l'*épiscopè*, la même vertu est requise (*I Tim.* III,3). Il n'y a pas grand'chose à ajouter aux attestations de ce terme fournies par Th. Nägeli et A. Deissmann [1], sinon qu'elles apparaissent soit dans les inscriptions honorifiques, soit dans des éloges de la vertu. La première mention est un décret honorifique de Priène, du IIe s. av. J.-C., malheureusement mutilé, mais que J. Rouffiac a raison de classer parmi «les expressions de la piété et de l'idéal moral», communes au vocabulaire épigraphique et néo-testamentaire [2]. Plus développée est l'inscription du delta égyptien du 3 mai 5 av. J.-C., ἀρετή τε καὶ φιλαγαθία καὶ ἀφιλαργυρία πρόδηλος γείνηται (*Sammelbuch*, 8267,44).

Que cette absence de cupidité soit une vertu hautement prisée, on le sait déjà par Diodore de Sicile, soulignant que Bias n'employa jamais sa puissance de parole pour acquérir des richesses (IX,11, ἀφιλαργυρία), mais surtout par l'énumération des qualités d'Antonin le Pieux: «Ecoute! En premier lieu, il avait l'amour de la sagesse, en second lieu il n'aimait pas l'argent, en troisième lieu, il aimait la vertu» [3]. Mais le meilleur parallèle à *I Tim.* III,3 est d'Onosandre (I,8) énumérant les qualités requises d'un général: il doit être ἀφιλάργυρος, car l'ἀφιλαργυρία garantit que le chef sera incorruptible dans le maniement des affaires. Beaucoup, en effet, qui font preuve de courage, sont aveuglés par l'argent. On en conclura que ce détachement de l'argent assurera la probité de l'évêque dans la gestion des biens matériels et sans doute aussi dans la dispensation des biens spirituels. On ne saurait être trop strict (δοκιμασθήσεται καὶ πρώτη ONOSANDRE, *l. c.*); d'où semblablement μὴ αἰσχροκερδῆ (*Tit.* I,7). Qu'il suffise de rappeler que Judas aimait l'argent (*Jo.* XII,6) de même que les Pharisiens (*Lc.* XVI,14, φιλάργυροι), et que Simon le magicien pensait «acquérir le don de Dieu à prix d'argent» (*Act.* VIII,20).

---

[1] TH. NÄGELI, *Der Wortschatz des Apostels Paulus*, Göttingen, 1905, p. 31; A. DEISSMANN, *Licht vom Osten*[4], Tübingen, 1923, p. 67.

[2] *Inscriptions de Priène*, 137, 5 (J. ROUFFIAC, *Recherches sur les caractères du grec dans le Nouveau Testament*, Paris, 1911, p. 84). Semblablement l'adverbe ἀφιλαργύρως dans des décrets honorifiques d'Istropolis (DITTENBERGER, *Syl.* 708, 17; Ier s. av. J.-C.), et de la région d'Athènes (*ibid.* 1104, 25, de 37/36 av. J.-C.).

[3] *P. Oxy.* 33, col. II, 11 (interview de l'empereur Marc-Aurèle): ἄκουε, τὸ μὲν πρῶτον ἦν φιλόσοφος, τὸ δεύτερον ἀφιλάργυρος, τὸ τρίτον φιλάγαθος (IIe s. ap. J.-C.).

ἀφοράω

Les chrétiens sont comme des athlètes qui concourent dans l'arène, où les stimulent et les applaudissent comme des «supporters» tous les croyants de l'ancienne Alliance (*Hébr.* XI–XII,1). Une fois la course commencée, l'athlète ne doit plus se laisser distraire par quoi que ce soit. Non seulement, il ne saurait regarder en arrière (*Lc.* IX,62) ni de côté et d'autre, mais il ne cesse de fixer le but, il y concentre toute son attention, et cet attachement exclusif est le secret de son endurance et de sa persévérance. C'est ainsi qu'*Hébr.* XII,2 demande aux disciples de «fixer attentivement les yeux» sur Jésus (ἀφορῶντες εἰς).

Ce n'est pas rendre justice à cet *hapax* biblique de le traduire par le simple «regarder», surtout dans une épître où les verbes de vision et de contemplation sont si nombreux, variés, et employés selon leur nuance propre [1]. Le premier sens d'ἀφοράω est: «regarder de loin» [2], et il est alors très proche d'ἀποβλέπω (*Hébr.* XI,26): de même que Moïse tenait le regard fixé sur la rétribution, le croyant de la nouvelle Alliance n'a l'esprit occupé que du grand Prêtre céleste (III,1, κατανοέω), dont chaque pas ici-bas en quelque sorte le rapproche (XII,22–24, προσεληλύθατε). Mais avec la particule εἰς, ce verbe indique que l'on tourne les yeux de différents points sur un même objet, auquel on fait face [3] et sur lequel finalement se fixe l'attention [4]. C'est ainsi que l'on regarde un modèle [5], un guide ou un chef [6],

---

[1] C. Spicq, *L'Epître aux Hébreux*, Paris, 1953, II, pp. 377 sv.

[2] Cf. Fl. Josèphe, *Ant.* I, 335: les deux femmes de Jacob sont envoyées pour voir de loin les actions des combattants; XI, 329; *Guerre*, V, 160: de la haute tour Psephinos à Jérusalem, on pouvait apercevoir de loin l'Arabie; V, 445; XV, 398.

[3] Fl. Josèphe, *Ant.* XI, 55; XV, 401; Lucien, *Philops.* 30: ὁ Ἀρίγνωτος δριμὺ ἀπιδὼν εἰς ἐπέ; *P. Oxy.* 2111, 17: Petronius Mamertinus ἀπιδὼν εἰς τὴν Ζωσίμην εἶνεν; *P.S.I.* 76, 7; ἀφοράν πρὸς τὴν σὴν λαμπρότητα.

[4] Fl. Josèphe, *Ant.* III, 36: le peuple avait les yeux fixés sur Moïse, εἰς αὐτὸν ἀφορῶντα; *Guerre*, V, 352: l'ancienne muraille de Jérusalem est garnie de spectateurs si attentifs, qu'ils se penchent en avant pour mieux voir. Cf. Plutarque, *Agis*, I, 4: les guetteurs de proue discernent mieux que les pilotes ce qui se présente à l'avant.

[5] Epictète, IV, 1, 170: εἰς ταῦτα ἀφόρα τὰ παραδείγματα.

[6] Fl. Josèphe, *Ant.* XII, 431: les soldats de Judas Macchabée après la mort de leur chef, ne considèrent rien d'autre...; ce στρατηγοῦ τοιούτου στερηθέντες est à rapprocher de l'*archégos* des chrétiens (*Hébr.* XII, 2).

surtout Dieu même [1]. L'abondance des attestations dans ce dernier cas indique qu'il s'agit d'une attitude spirituelle, aussi bien juive que païenne, celle de toute créature humaine face à son Créateur et Seigneur.

Elle implique d'abord et surtout une attention sélective, voire même une exclusivité : les prêtres, par exemple, refusant d'entendre les grands prêtres et les notables les exhortant à sacrifier en faveur des empereurs. Ils s'appuient sur le grand nombre et le concours des révolutionnaires; surtout ils regardent l'autorité d'Eléazar [2]. Quand on dit que «chacune des victimes expirait en fixant des regards obstinés vers le Temple» (FL. JOSÈPHE, *Guerre*, v,517; cf. vi,123) ou que «l'armée avait les yeux sur Titus» (vii,67, εἰς αὐτὸν ἀφεώρα), ou «quand il avait à donner un jugement, il ne considérait que la vérité» (*Ant.* vii,110), on comprend que ces contemplatifs se sont détournés d'autres considérations et ne se sont attachés qu'à celle qui leur tenait à cœur. C'est très exactement en ce sens que les croyants tournent et tiennent leur regard fixé sur leur *archègos* qui lui-même «au lieu de la joie qui était devant lui, endura une croix, dont il méprisa l'ignominie» (*Hébr.* xii,2).

ἀφοράω a encore l'acception de «considérer, réfléchir» [3], car la foi, démonstration de l'invisible (*Hébr.* xi,1), est une faculté de perception, elle «comprend» (ỹ. 3 : νοέω); mais cette «observation» n'est pas ici purement spéculative; ἀφοράω se dit d'un spectacle qui modifie les sentiments [4] et entraîne

---

[1] FL. JOSÈPHE, *C. Ap.* ii, 166: «Moïse a persuadé à tous de tourner les yeux vers Dieu comme vers la cause de tous les biens»; *Ant.* viii, 290: «Asanos, le roi de Jérusalem, était d'un excellent caractère, gardant le regard fixé sur la divinité (πρὸς τὸν θεῖον ἀφορῶν)», il ne faisait et ne pensait quoi que ce soit qui n'oriente son regard vers la piété et l'observance des lois; *IV Mac.* xvii, 10, épitaphe des martyrs macchabéens: «Ils ont vengé notre peuple en regardant vers Dieu (εἰς τὸν θεὸν ἀφορῶντες) et en endurant les tourments jusqu'à la mort»; EPICTÈTE, iii, 24, 16: «le regard fixé sur Zeus, il accomplissait toutes ses actions».

[2] FL. JOSÈPHE, *Guerre*, ii, 410 (μάλιστα δ' ἀφορῶντες εἰς τὸν Ἐλεάζαρον); EPICTÈTE, ii, 19, 29: «J'ai formé le dessein de vous rendre affranchis de toute contrainte et de toute entrave, libres... élevant vers Dieu votre regard dans tous les événements, grands et petits»; iii, 26, 11: «Est-ce là aussi l'habitude que tu as prise... de fixer ton regard sur les autres et de ne rien espérer de toi-même?»

[3] Contempler un spectacle (FL. JOSÈPHE, *Guerre*, i, 97; vi, 233), envisager une situation dans son ensemble (iv, 279; cf. *Ant.* ii, 42, 141, 336; vii, 350; PLUTARQUE, *Lycurg.* vii, 4; cf. ἀφίδω, *Philip.* ii, 23).

[4] FL. JOSÈPHE, *Guerre*, i, 142: «le spectacle de l'ordre parfait des Romains» inspire la crainte.

une orientation pratique [1], notamment dans les papyrus où, rarement utilisé, il a le sens de «tenir compte»: ἐὰν δὲ ἀφίδῃς ὅτι διαβάλλουσί σε (*P. Fuad*, 54,29, du IIe s.; *P. Oxy.* 1682,14; IVe s.); ἀφορῶν τὸ ἀπαραίτητον τῆς χρείας, considérant l'absolue nécessité de cette tâche (= en tenant compte), déployez votre zèle... (*P. Panop.* 11,46; IIIe s.). Telle est la pointe de l'exhortation d'*Hébr.* XII,2: les croyants, méditant sur la passion de Jésus, y trouvent le modèle de leur propre conduite, la source de leur *hypomonè*. Il n'y a qu'à suivre l'*archègos*. Le meilleur parallèle est de Plutarque: «Caton dit que dans les circonstances critiques, le sénat tournait les yeux vers lui (ἀφορᾶν.... πρὸς αὐτόν), comme les passagers d'un navire vers le pilote» (*Caton l'ancien*, XIX,7).

---

[1] Cf. ἀφίδω; *Jon.* IV, 5: Jonas assis hors de la ville attendait de voir ce qui arriverait; *IV Mac.* XVII, 23: le tyran Antiochos avait observé le courage et la patience des martyrs.

βαθμός

Dérivé de βαίνειν «s'appuyer sur», l'*hap*. N. T. βαθμός est un terme techni-que d'architecture: «un seuil [surélevé]» d'une porte ou d'un temple [1] et marche d'escalier [2]; d'où «degré», qu'il s'agisse du zodiaque et de cadran solaire [3], de généalogie (*P. Masp*. 169,10; VIᵉ s.; DION CHRYSOSTOME, XLI,6) et du temps: «La nature a produit les âges de la vie comme des degrés par l'intermédiaire desquels, pour ainsi dire, l'homme monte et descend» (PHILON, *Aet. mundi*, 58). De là, au sens métaphorique, *bathmos* désignera tout pas ou progrès vers un but, les échelons du vice ou de la vertu [4], une étape dans l'itinéraire de l'âme.

On se rapproche ainsi de *I Tim*. III,13 où les diacres «qui assurent bien leur service s'acquièrent un excellent rang, βαθμὸν ἑαυτοῖς καλόν»; sentence qui est presque une *crux interpretum*. On peut entendre que les diacres, à l'instar des candidats à l'*épiscopè* (III,1) n'auront pas à rougir de leurs fonctions; ils serviront sans complexe d'infériorité [5]; mais aussi qu'ils sont en situation d'être promus à un échelon supérieur. Th. Nägeli (*Der*

---

[1] *I Sam*. V, 5: «Les prêtres de Dagon et tous ceux qui entrent dans le temple de Dagon ne marchent pas sur le seuil de Dagon à Asdod... mais ils sautent par dessus»; *Sir*. VI, 36: «Si tu vois un homme intelligent, cours à lui dès l'aurore. Que ton pied use le seuil de sa porte». A Laodicée, Apollonia a fait construire «les degrés au-dessus des dallages» (*Inscriptions gr. et lat. de la Syrie*, 1259, 7; cf. 4034: «a fait faire le pave-ment avec des degrés»; *R.B.* 1895, p. 76). A Cyzique, c'est le soubassement sur lequel on élève une tour (CH. MICHEL, *Recueil d'Inscriptions Grecques*, n. 596, 10); A Didy-mes, cf. *Suppl. Ep. Gr*. IV, 453, 14. Les βαθμοί sont des bases de pierre (*Sammelbuch*, 3919, 8; R. MARTIN, *Manuel d'architecture grecque*, Paris, 1965, p. 207). Cf. la taxe sur les pas de porte (*P. Oxy*. 574; IIᵉ s. ap. J.-C.).

[2] FL. JOSÈPHE, *Guerre*, I, 420: «un escalier de deux cents degrés de marches»; V, 195, 206: «Quinze degrés conduisaient du mur des femmes au grand portail»; *Ant*. VIII, 140 (ou ἀναβαθμός); cf. A. ORLANDOS, *Les Matériaux de construction et la Tech-nique architecturale des anciens Grecs*, Paris, 1966, p. 62.

[3] *II Rois*, XX, 9–11; FL. JOSÈPHE, *Ant*. X, 29; VETTIUS VALENS, XXXI, 2; O. NEU-GEBAUER, H. B. HOESEN, *Greek Horoscopes*, Philadelphie, 1959, p. 152, n. 12.

[4] FL. JOSÈPHE, *Guerre*, IV, 171: «les échelons de l'audace»; *Corp. Hermét*. XIII, 9: «L'échelon que voici, mon enfant, c'est le siège de la justice». Cf. ATHÉNÉE I, 1 *c*: «se surpassant lui-même... il saute de degrés en degrés».

[5] Cf. P. DORNIER, *Les Epîtres Pastorales*, Paris, 1969, p. 65.

Wortschatz, p. 26) cite l'inscription de Mytilène: τοῖς τὰς ἀξίας βασμοῖς ἀνελόγησε (*IG*, ii,243,16); P. N. Harrisson les *Sentences* d'Hadrien, où l'empereur demande à un soldat qui veut entrer dans la garde prétorienne de faire d'abord ses preuves ἐν τῇ πολιτικῇ στρατείᾳ, καὶ ἐὰν καλὸς στρατιώτης γένῃ, τρίτῳ βαθμῷ δυνήσῃ εἰς πραιτώριον μεταβῆναι [1]. De toute façon, c'est une désignation honorifique dont on rapprochera la formule épigraphique à Sardes et à Sidè: ὁ λαμπρότατος κόμες πρώτου βαθμοῦ, *Vir clarissimus, comes primi ordinis* [2].

Le meilleur contexte est sans doute celui de Qumrân, où les étapes de l'accès aux charges et la détermination des préséances ou de l'ordre hiérarchique (*séréq*) sont si minutées: «les prêtres passeront en premier, par ordre, selon leur esprit, l'un après l'autre. Les Lévites passeront derrière eux, et tout le peuple passera en troisième, par ordre» [3]. «A la mesure de son intelligence et de la perfection de sa conduite, que chacun se tienne ferme à son poste pour s'acquitter du service dont il est responsable à l'égard d'un groupe plus ou moins étendu de ses frères. Ainsi reconnaîtra-t-on aux uns *une dignité plus élevée qu'aux autres*» [4].

Le βαθμὸς καλός diaconal semble dériver de l'enseignement du Seigneur sur l'*intendant fidèle* dans les petites choses, qui s'acquitte avec conscience d'un emploi subalterne et qui sera aussi fidèle dans des fonctions plus hautes. Le Maître l'établira sur toute sa domesticité et sur ses biens, il lui confiera le gouvernement de dix villes, la gestion ou dispensation des richesses spirituelles (*Lc.* xii,44 sv.; xvi,10 sv.; xix,17). C'est du moins en ce sens que notre texte a été compris et cité par le premier rituel romain d'ordination (*Tradition apostolique* d'Hippolyte de Rome) et par le rituel d'ordination du patriarcat d'Antioche (*Constitutions apostoliques*).

---

[1] Cf. *Suppl. Ep. Gr.* xxi, 505, 7; Eusèbe, *Hist. eccl.* iii, 21; *P. Tebt.* 703, 276: «Si tu es irréprochable dans ta conduite, tu seras pris pour digne d'avancement» (IIIe s. av. J.-C.).

[2] Cf. les textes cités par J. et L. Robert, *Bulletin Epigraphique*, dans *Rev. des Etudes grecques*, 1968, p. 518, n. 478.

[3] *Règle*, ii, 20; cf. 23: «le lieu de son lot». «On les inscrira dans l'ordre, l'un avant l'autre, chacun en proportion de son esprit et de ses œuvres, pour qu'ils obéissent tous l'un à l'autre, l'inférieur au supérieur..., qu'ils fassent avancer (litt. monter) chacun... ou rétrograder» (iv, 23–24). La progression n'est pas seulement celle de la connaissance (ix, 18; *Hymn.* xiv, 13) mais de l'honneur (comparer *I Tim.* v, 17).

[4] *Annexe à la Règle*, i, 18; cf. ii, 14–16 (édit. D. Barthélemy, J. T. Milik, *Qumran Cave I*, Oxford, 1955, p. 112). Le parallèle est relevé par W. Nauck, *Probleme des frühchristlichen Amtsverständnisses*, dans *ZNTW*, 1957, pp. 216 sv.; mais H. Braun est sceptique (*Qumran und das N. T.*, Tübingen, 1966, ii, pp. 199, 336).

βαρύς

Le sens de cet adjectif varie, selon les contextes, soit en bonne soit en mauvaise part [1]. Tantôt, il signifie «digne, important», comme certains commandements de la Loi, qui s'opposent à «secondaires» [2], ou les lettres de Paul, graves et fortes, qui en imposent [3]; tantôt, et le plus souvent, l'acception est péjorative, qualifiant des «fardeaux pesants», de lourdes charges, et des entreprises difficiles [4], voire même de «graves accusations» (*Act.* XXV,7).

---

[1] Le substantif βάρος désigne d'abord le poids (PHILON, *De Josepho,* 140: des poids inégaux; *Rer. div.* 146; *P. Oxy.* 3008, 12: «le poids est égal»), ce qui pèse, comme les bagages (*Juges,* XVIII, 21; cf. *Judith,* VII, 4; XÉNOPHON, *Econ.* XVII, 9; *Cyr.* III, 3, 42; l'adjectif signifie «lourd, pesant»; cf. la pierre (*Prov.* XXVII, 3), les mains (HOMÈRE, *Il.* I, 89; *Ex.* XVII, 12; *Job* XXIII, 2; XXXIII, 7), un vieillard (*I Sam.* IV, 18; *Job* XV, 10), le chargement des chameaux (PHILON, *Post. C.* 148).

[2] *Mt.* XXIII, 23, τὰ βαρύτερα (ἐντολὴ βαρεῖα-ἐλαφρά); cf. P. BILLERBECK, *Kommentar zum Neuen Testament,* Munich, 1922, I, pp. 900–905; J. BONSIRVEN, *Le Judaïsme palestinien,* Paris, 1935, II, pp. 73–80. Dans les Septante, βαρύς a souvent le sens de «considérable, nombreux» à propos d'un peuple ou d'une armée (*Nomb.* XX, 20; *I Rois,* III, 9; *II Rois,* VI, 14; XVIII, 17; *II Chr.* IX, 1; *I Mac.* I, 17, 20, 29; *IV Mac.* IV, 5; *Ps.* XXXV, 18; *Nah.* III, 3); cf. POLYBE I, 17, 3; on distingue l'infanterie lourde et l'infanterie légère (*ibid.* I, 76, 3); XÉNOPHON, *Cyr.* V, 3, 37.

[3] *II Cor.* X, 10, αἱ ἐπιστολαὶ βαρεῖαι καὶ ἰσχυραί s'oppose à la présence physique débile et à la parole qui ne compte pour rien (cf. PH. E. HUGHES, *Paul's second Epistle to the Corinthians⁴,* Grand Rapids, 1973, pp. 361 sv.); cf. la noblesse de caractère (PLUTARQUE, *Caton,* I, 6; XX, 2), la considération (*Agésilas,* VII, 1). Les «paroles lourdes» peuvent être graves (*Job* VI, 3) ou fortes comme les intonations (ARISTOTE, *Rhét.* III, 1, 29; cf. *I Sam.* V, 11; PHILON, *Lois allég.* I, 14; III, 51), ou pénibles: ἐδεξάμην βαρέα ῥήματα (*P. Princet.* 120, 3; *Sammelbuch,* 9616, verso 31); cf. 6263, 26: ἀλλὰ μὴ βαρέως ἔχε μου τὰ γράμματα νουθετοῦντα σε.

[4] *Ex.* XVIII, 12: «La chose est trop lourde pour toi, tu ne peux la faire à toi seul»; *Neh.* V, 18: «La corvée pesait lourd sur ce peuple» (cf. *Sammelbuch,* 6263, 20); *Sir.* XXXI, 2, une maladie grave (cf. *P. Tebt.* 52, 11; PHILON, *Opif. mundi,* 125; DIODORE DE SICILE, XVII, 31, 4). Dans les papyrus, βαρύς qualifie notamment les liturgies si onéreuses (*B.G.U.* 159, 3; *P. Oxy.* 2110, 9, 18, 33, 36; cf. *P. Michig.* 529, 18, λειτουργίας βάρος; *P.S.I.* 1103, 6; 1243, 20; *B.G.U.* 159, 5), des nécessités urgentes (*P. Oxy.* 2131, 12), ou l'état d'une femme «gravide» qui avorte en raison des coups qu'elle a reçus, τὴν μὲν Τάησιν βαρέαν οὖσαν ἐκ τῶν πληγῶν αὐτῶν ἐξέτρωσεν τὸ βρέφος (*P. Goodsp. Cair.* 15, 15). Τὸ βάρος «le fardeau» désigne couramment l'enfant que la mère porte en son

C'est en ce sens que les scribes et les pharisiens mettent de lourdes charges sur les épaules des hommes (*Mt.* XXIII,4, φορτία βαρέα), leur poids est écrasant et proprement insupportable [1], à l'instar des péchés qui pèsent sur la conscience plus qu'un pesant fardeau, ὥσει φορτίον βαρὺ ἐβαρύνθησαν ἐπ' ἐμέ (*Ps.* XXXVIII,4), du collecteur d'impôts qui oppresse le contribuable (*P. Michig.* 529,28,35-36; *P. Ant.* 100,11, ἐνοχλεῖν ὑμῖν ἔτι περὶ τούτου μοι βαρύ), ou de «l'injuste» qui portera de très lourdes charges, φέρουσα βαρύτατα (PHILON, *Agr.* 20). Cet assujettissement est si lié à l'homme qu'il fait parfois corps avec lui-même, comme cet homme du IIe-IIIe s. qui porte le joug du Judaïsme, οὗτος φέρων Ἰουδαϊκὸν φορτίον (*Corp. Pap. Jud.* 519,18; cf. *Tos. Berakot*, II,7).

Jésus, ayant affirmé que son joug était bénin et son fardeau léger (*Mt.* XI,30), *I Jo.* V,3 répète: αἱ ἐντολαὶ αὐτοῦ βαρεῖαι οὐκ εἰσίν [2]. On peut comprendre que ses préceptes ne sont pas écrasants, oppressants [3], ou qu'ils ne sont pas difficiles à accomplir [4]. Le meilleur commentaire est de Philon: «Dieu ne demande rien de lourd, de compliqué ou de difficile, mais quelque chose de simple et d'aisé: l'aimer comme Bienfaiteur, ou du moins le craindre comme Maître et Seigneur» [5]. Il semble que cette qualité des

---

sein, *P. Brem.* 63, 4 = *Corp. Pap. Jud.* 442; *Suppl. Ep. Gr.* VIII, 802: «elle portait le fruit de ses entrailles, et déposa son fardeau dans les douleurs»; XV, 876, 1: ἔσχατον ὠδίνων βάρος = l'ultime fardeau des douleurs (de l'enfantement); cf. PHILON, *Deus immut.* 15; mais aussi «le poids du jour et de la chaleur» (*Mt.* XX, 12), et tout ce qui accable (*Gal.* VI, 2; *P. Oxy.* 1062, 14; 2596, 10; *P.S.I.* 27, 7); cf. le poids des soucis (PHILON, *Vit. Mos.* I, 14; *Migr. Ab.* 14).

[1] Cf. POLYBE, I, 10, 6: «Ils craignaient qu'ils ne fussent des voisins bien gênants et redoutables, λίαν βαρεῖς καὶ φοβεροί»; *Anthol. Palat.* XI, 326: «Ne cherche pas à te montrer insupportable, μὴ πάντα βαρὺς θέλε»; PLUTARQUE, *Amour fraternel*, 16: les frères aînés peuvent se montrer insupportables et désagréables envers leurs cadets, βαρεῖς καὶ ἀηδεῖς.

[2] Cf. G. LAMBERT, «*Mon joug est aisé et mon fardeau léger*», dans *Nouvelle Revue Théologique*, 1955, pp. 963–969; N. LAZURE, *Les valeurs morales de la Théologie johannique*, Paris, 1965, pp. 134 sv.; H. D. BETZ, *The Logion of the Easy Yoke and of Res* (*Mt. XI, 28–30*), dans *J.B.L.* 1967, pp. 10–24.

[3] *Sir.* XL, 1: «Un joug pesant a été créé pour les fils d'Adam»; cf. XVII, 21: «une nuit pesante»; XIII, 2: βάρος ὑπὲρ σε μὴ ἄρῃς; *II Mac.* IX, 10: «le poids insupportable de son odeur»; Epitaphe de Dôris, à l'époque impériale: «La mort n'est pas lourde pour tous également. Mais celui qui est bon reçoit aussi pour finir une mort légère» (*Sammelbuch*, 8307, 6); au VIe s., ὡς βαρυτέρου ὄντος τοῦ ζυγίου (9400, 5).

[4] *Dan.* II, 11: «La chose que demande le roi est difficile (יקיר)»; *Sir.* XXIX, 28: insulte difficile à supporter; *Juges*, XX, 34: «la bataille fut rude»; PHILON, *Agr.* 120, les athlètes renversent à terre «des adversaires difficiles et lourds».

[5] *Spec. leg.* I, 299, οὐδὲν βαρὺ καὶ ποικίλον ἢ δύσεργον, ἀλλὰ ἁπλοῦν πάνυ καὶ ῥᾴδιον.

ordonnances ou des mandements soit traditionnelle: «les préceptes ne sont pas excessifs ni trops lourds (οὐ ὑπέρογκοι καὶ βαρύτεραι) pour les forces de ceux qui s'y conforment» (*Praem.* 80). Plus précisément, c'est l'idéal des gouvernants israélites et païens, mais trop souvent contredit par les faits. L'assemblée d'Israël à Sichem déclare à Roboam: «Ton père a rendu notre joug dur (ἐβάρυνεν); mais toi à présent allège la dure servitude de ton père et le joug pesant qu'il nous a imposé» [1]. Les Gadaréniens dénoncent Hérode dont les ordres sont trop sévères et tyranniques [2]. Pharaon publiait des ordonnances qui exigeaient des Juifs au delà de leurs forces (PHILON, *Vit. Mos.* I,37), tout comme Tarquin était «devenu odieux et insupportable au peuple» [3]. Mais Vespasien interdit d'accabler les provinces (*Inscript. gr. et lat. de la Syrie*, 1998,12, βαρύνεσθαι), et Tiberius Julius Alexander refuse de «grever l'Egypte de charges nouvelles et injustes» (*Sammelbuch*, 8444,5, βαρυνομένην καιναῖς καὶ ἀδίκοις εἰσπράξεσι). Si «le poids des affaires» repose sur les gouvernants [4], ceux-ci s'honorent en n'imposant pas de fardeaux trop lourds à leurs sujets (*Act.* xv,28; *I Thess.* II,7; *Apoc.* II,24).

Lorsque saint Paul prédit aux Anciens d'Ephèse: «Il entrera chez vous des loups pesants (λύκοι βαρεῖς) qui n'épargneront pas le troupeau» [5], il représente l'hérétique sous les traits de cet animal féroce et rapace [6], type des tyrans qui exploitent le peuple dans *Ez.* XXII,27; *Soph.* III,3;

---

[1] *I Rois* XII, 4, 11 (et toute la péricope XII, 1–14, reprise *II Chr.* x, 1–14 et FL. JOSÈPHE, *Ant.* VIII, 213); cf. *Nomb.* XI, 14, Moïse: «Je ne puis à moi seul, porter tout ce peuple, car il est trop lourd pour moi (*kabéd*)»; FL. JOSÈPHE, *Ant.* XIX, 362: un royaume est une lourde responsabilité, εἶναι βαρὺ βάσταγμα βασιλείαν.

[2] FL. JOSÈPHE, *Ant.* XV, 354, βαρὺν αὐτὸν ἐν τοῖς ἐπιτάγμασι καὶ τυραννικὸν εἶναι.

[3] PLUTARQUE, *Publicola*, I, 3: μισῶν καὶ βαρυνόμενος; cf. II, 4. βαρύς est l'épithète de la tyrannie, «fardeau intolérable d'une contrainte excessive» (PHILON, *Vit. Mos.* I, 39; cf. *Conf. ling.* 92: une discipline de fer), mais aussi de tout ce qu'on peut souffrir (*Gen.* XLVIII, 17; *Sag.* II, 15).

[4] PHILON, *Plant.* 56: «la charge accablante des soucis du gouvernement»; FL. JOSÈPHE, *Guerre* I, 461: τὸ βάρος τῶν πραγμάτων; IV, 616: τὸ βάρος τῆς ἡγεμονίας; PLUTARQUE, *Périclès*, XXXVII, 1; cf. *UPZ*, 110, 176; *P. Ryl.* 659, 4: Que chacun assume sa propre charge, ἕκαστον ὑπαντᾶν πρὸς τὰ ἴδια βάρη.

[5] *Act.* XX, 29; cf. G. W. H. LAMPE, «*Grievous Wolves*» (*Act. XX, 29*), dans B. LINDARS, St. S. SMALLEY, *Christ and Spirit in the New Testament* (in honour Ch. Fr. D. Moule), Cambridge, 1973, pp. 253–268; J. DUPONT, *Le Discours de Milet*, Paris, 1962, pp. 209 sv.

[6] Cf. HOMÈRE, *Il.* XVI, 352–355: les chefs des Achéens sont comme des loups malfaisants qui ravissent les chevreaux.

Prov. xxviii,15 (*hébr.* ours). Jésus les avait désignés comme λύκοι ἅρπαγες (*Mt.* vii,15; cf. *Jo.* x,12) qui ravagent le troupeau; ce qui est l'épithète des loups dans *Gen.* xlix,27, *Ez.* xxii,27, correspondant à l'hébreu טָרַף «mettre en pièces»: Benjamin est un loup qui déchire sa proie, mais on ne connaît aucun parallèle à «loup pesant» qui évoque les idées de violence et de nuisance [1], et que l'on peut rendre aussi bien par: dangereux, redoutable, vorace, féroce, rapace ou cruel.

---

[1] J. Pollux, *Onom.* v, 164 définit ὁ δὲ βίαιος . καλοῖτ' ἂν βαρύς, ἀλαζών, φορτικός; cf. *III Mac.* v, 1, ὀργὴ βαρεῖα; Philon, *Gig.* 51 «la tempête violente»; *Vit. Mos.* i, 119: «comme lapidés par le poids des grêlons»; Aristophane, *Grenouilles*, 1394: la mort, le plus cruel des maux, βαρύτατον κακόν; Plutarque, *Amour des richesses*, 5: «une maîtresse de maison accablante et cruelle»; *Délais de la Justice divine*, 12: «la pesante vieillesse»; *Démétrios*, x, 2: «rendu insupportable et odieux par l'importance démesurée des honneurs que lui votèrent les Athéniens»; xxviii, 4: Antigone «naturellement dur et dédaigneux»; xix, 4: «la lourdeur du corps»; *Antoine*, ii, 5: «lourde dette»; *Suppl. Ep. Gr.* xviii, 194: «lourde chaîne», qui s'oppose à la liberté; Apollonios de Rhodes, *Argon.* i, 272: «une vie pénible»; ii, 1008: «un dur travail», etc.

βατταλογέω

Avant d'enseigner le *Pater*, notre Seigneur prescrit: «Dans vos prières, ne rabâchez pas comme les païens [1], ils s'imaginent qu'en parlant beaucoup ils se feront mieux écouter» [2]. La recommandation semble rappeler *Eccl.* v,1: «Que ton cœur ne se presse pas de proférer une parole devant Dieu... Que tes paroles soient peu nombreuses» [3], et *Sir.* vii,14: «ne répète pas les paroles dans ta prière»; mais on ne peut donner une étymologie certaine de βατταλογεῖν [4]. A Schlatter, rappelant le sens de λέγειν «rassembler, recueillir» (cf. ποηλογεῖν, βλαστολογεῖν, βοτανολογεῖν, κριθολογεῖν) et de βάτος (syr. βατᾶ) «ronce», se base sur Philon (*Lois allég.* iii,253; *Somn.* ii,161; cf. *Vita Mos.* i,65) pour aboutir à la signification forcée de: se livrer à une occupation pénible et stérile [5]. Aussi, la plupart des modernes voit dans notre verbe un composé hybride de l'araméen *battalta* et du grec λόγος (au sens péjoratif, cf. σπερμολόγος, κοπρολόγος, συκολογέω) et s'appuient sur la *Syr. palest.* et la *Syr. Sin.* «ne soyez pas disant (débitant) *battalata* = des choses vaines» [6]. Il s'agirait alors du verbiage ou rabâchage, comme le

---

[1] La désignation *ethnicoi* est péjorative, cf. A. PELLETIER, *Fl. Josèphe adaptateur de la Lettre d'Aristée*, Paris, 1962, pp. 79 sv.

[2] *Mt.* vi, 7, traduction P. BENOIT (*Bible de Jérusalem*); M. J. LAGRANGE traduisait: «Lorsque vous priez, ne bredouillez pas comme les Gentils, car il leur semble qu'ils seront exaucés grâce à leur flux de paroles» (*Evangile selon saint Matthieu*[3] Paris, 1927, p. 123); E. BONNARD: «Ne multipliez pas de vaines paroles» (*Evangile selon saint Matthieu*, Neuchâtel, 1963, p. 79); la nouvelle version anglaise: «Do not go babbling on like the Heathen»; cf. F. W. BEARE, *Speaking with Tongues*, dans *J.B.L.* 1964, pp. 229 sv.

[3] Cf. A. BARUCQ, *Ecclésiaste*, Paris, 1968, pp. 101–102.

[4] Inconnu dans la langue grecque avant la *Vie d'Esope* (ἐν οἴνῳ μὴ βαττολόγει σοφίαν ἐπιδεικνύμενος, édit. A. WESTERMANN, *Vita Aesopi*, Brunswick, 1845, p. 47) et le commentaire d'Epictète par Simplicius au VIᵉ siècle (cité par J. J. WETTSTEIN, *in h.l.*); cf. G. DELLING, dans *TWNT*, i, pp. 397–398.

[5] A. SCHLATTER, *Der Evangelist Matthäus*, Stuttgart, 1948, p. 206; cf. H. HUBER, *Die Bergpredigt*, Göttingen, 1932, pp. 113 sv.

[6] Cf. *bata'*, *Lév.* v, 4; *Ps.* cvi, 33. FR. BLASS, A. DEBRUNNER, *Grammatik des neutestamentlichen Griechisch*[7], Göttingen, 1943, Appendice, n. 40; W. BAUER, *Griechisch-Deutsches Wörterbuch*[5], Berlin, 1958, col. 273; mais cf. le c.-r. de G. ZUNTZ, dans *Gnomon*, 1958, pp. 20–21.

préciserait le ꟾ. 8: Ils s'imaginent qu'ils seront exaucés grâce à leur flux de paroles [1]; la qualité vaut mieux que la quantité; mais c'est surtout la verbosité et le bavardage qui seraient dénoncés [2]. J. H. Moulton, G. Milligan (*in h. v.*) citent le surnom de Démosthène (βάτταλος), déversant des torrents de paroles. La battologie serait donc «la logorrhée, l'interminable flux de prières et de litanies» [3]; ce qui évoque le προφάσει μακρὰ προσευχόμενοι des scribes (*Mc.* XII,40). Ce n'est pas la longueur du temps de prière qui est dénoncée, puisque Jésus passait la nuit et s'attardait à prier (*Lc.* VI,12; XXII,14) et que son Eglise persévère dans la prière (*Act.* I,14; XII,5; *I Tim.* V,5 etc.), mais l'abus et la redondance des formules toutes faites, où le «cri du cœur» devient «des mots»!

Liddell-Scott-Jones (*Lexicon*) et M. J. Lagrange (*op. c.*) préfèrent voir dans ce mot une onomatopée, comme βατταρίζω «bredouiller» [4]; ce qui serait à rapprocher du «brouillage» des langues à Babel (*Gen.* XI,7–9), du «balbutiement» d'Isaïe [5] et de l'eau «glougloutant» de *Ez.* XLVII,2. A titre d'exemple de ces litanies sans significations, cf. l'incantation magique du IIIᵉ s., dont on rapprochera notre *abracadabrant*: «Démon, qui que tu sois,

---

[1] Ἐν τῇ πολυλογίᾳ (*Prov.* X, 19; *Job* XI, 2; cf. *I Rois*, XVIII, 26–29; *Is.* I, 15; *Sir.* VII, 14; MAURER, *in h.v.*, dans *TWNT*, VI, 546).

[2] Cf. περιττολογία, l'excès dans l'exposé, associé à ἄμετρον (dans DENYS D'HALICARNASSE, *Lettre à Cn. Pompée*, 2), à ἀλαζονεία (dans FL. JOSÈPHE, *Ant.* XIV. 111). Cf. πολυλογία, βραχυλογία, μακρολογία, dans *Sentences de Sextus*, n. 155–157. A bon droit, E. J. BICKERMAN oppose la simplicité des prières improvisées en Israël (*Bénédiction et Prière*, dans *R.B.* 1962, pp. 524 sv.). On peut évoquer la coutume des acclamations, quarante ou cinquante fois (cf. *Act.* XIX, 34. J. V. LE CLERC, *Des Journaux chez les Romains*, Paris, 1838, p. 420).

[3] D. BUZY, *Evangile selon saint Matthieu*, Paris, 1935, p. 75.

[4] HÉRODOTE, IV, 155: «L'enfant avait la parole embarrassée et bégayante... on lui donna le nom de Battos, παῖς ἰσχόφωνος καὶ τραυλός, τῷ οὔνομα ἐτέθη βάττος» (cf. FR. CHAMOUX, *Cyrène sous la monarchie des Battiades*, Paris, 1953, pp. 93–98); PLUTARQUE, *Les oracles de la Pythie*, 22: «On ne peut donner une prononciation claire à un bègue ou une belle voix à celui dont l'organe est faible. C'est pour cette raison, je crois, que Battos, qui était venu ici pour sa voix, reçut du dieu l'ordre d'aller fonder une colonie en Lybie, parce que, s'il était bègue et avait un organe faible, ses qualités d'esprit convenaient à un roi et à un homme d'Etat». Cf. le sobriquet βάτταρος «le Bègue» (*Inscriptions de Didymes*, 425, 4; cf. O. MASSON, *En marge du Mime II d'Hérondas: Les surnoms ioniens BÁTTAPOΣ et BATTAPᾶΣ*, dans *Rev. des Etudes Grecques*, 1970, pp. 356–361; L. ROBERT, *Noms indigènes dans l'Asie-Mineure gréco-romaine*, Paris, 1963, p. 193, n. 5).

[5] *Is.* XXVIII, 10–11 (W. H. HALLO, *Isaiah XXVIII, 9–13 and the Ugaritic Abecedaries*, dans *J.B.L.* 1958, pp. 324–338).

je t'adjure par le dieu Sabarbarbathioth, Sabarbarbathiouth, Sabarbar-bathioneth, Sabarbarbaphaï...»[1], ou «le nom secret Thoathoèthathoou-thaethôusthioaithithethointhô»[2]. Qu'il s'agisse de marmonner et de bre-douiller de façon inintelligible ou de babiller indéfiniment et sans réfléchir, le calembour et le résultat sont à peu près les mêmes (cf. HÉRODOTE, VII,35: λέγειν βάρβαρά τε καὶ ἀτάσθαλα). «Il faut y voir un flux de paroles inutiles comme font les gens peu cultivés qui exposent leur affaire à des hommes de loi... allusion aux frais d'éloquence que faisaient les païens pour per-suader les dieux» (M. J. Lagrange) et les «fatiguer» comme disaient les latins[3].

Les disciples de Jésus-Christ n'ont qu'à dire: «Notre Père» pour être exaucés[4].

---

[1] G. MILLIGAN, *Selections from the Greek Papyri*, Cambridge, 1927, n. 47; cf. C. BONNER, *Studies in magical Amulets*, Ann Arbor, 1950, pp. 68, 117, *passim*; cf. les prescriptions médico-magiques du *P. Antin.* 66, 45–46 ou l'amulette arabe (*Les Grottes de Murabba'ât*, Oxford, 1961, pp. 289–290).

[2] *P. Mert.* 58, 12–14 et les références données par les éditeurs (p. 24). On comprend que saint Paul ait préféré «prononcer cinq paroles avec mon intelligence que dix mille paroles 'en langue'» (*I Cor.* XIV, 19).

[3] *Fatigare deos*, cf. HORACE, *Od.* I, 2, 26 sv.; TITE-LIVE, I, 11, 2; SÉNÈQUE, *A Lucil.* IV, 2, 5; APULÉE, *Métam.* X, 26; MARTIAL, VII, 60, 3. Comparer PHÉRÉCRATES, *Fragm.* 137 *a* : τί δ' αὐτὸ λίαν ὧδε λιπαρεῖς θεόν (dans J. M. EDMONDS, *The Fragments of Attic Comedy*, I, Leiden, 1957, p. 258).

[4] F. BUSSBY (*A Note on...* βαττολογέω *in the Light of Qumran*, dans *The Expository Times*, LXXVI, 1964, p. 26) relève la signification de l'araméen *bâthal* dans *Esdr.* IV, 24: «le travail de la maison de Dieu fut stoppé», et son emploi dans un acte de vente (*Les Grottes de Murabba'ât*, n. 26, 5; cf. ἐγκόπτειν, dans *I Petr.* III, 7) où il signifie «sans effet légal», et commente: «N'usez pas de longues prières – comme les païens – et qui sont *sans effet*, tant que vous n'avez pas employé la bonne manière en invoquant le Dieu-Père.»

βέβαιος, βεβαιόω, βεβαίωσις

Βέβαιος – «ce sur quoi on peut marcher», d'où «solide, ferme, durable» et enfin «sûr, certain» –, qualifie souvent le λόγος: une parole fondée, autorisée, et par suite convaincante [1]. Cette fermeté-solidité comporte l'immutabilité lorsqu'il s'agit d'une promesse, d'une institution, de la parole de Dieu [2], et l'on en arrive à l'acception juridique «valide» et même «garantie», attestée surabondamment dans les papyrus et les inscriptions pour βέβαιος, le dénominatif βεβαιόω et βεβαίωσις [3]. C'est en ce sens fort que l'on enten-

---

[1] Βέβαιος est alors associé à πιστός (PLATON, Tim. 49 b) et ἀληθής (Phèdre, 90 c). Au IIIᵉ s. de notre ère, Sotas écrira à Satyros: «Crois-le, c'est sûr, puisqu'on peut le voir – πίστευε τὸ βεβαία, ἐπεὶ ἰδῖν ἔστιν» (P. Lugd. Bat. XIII, 19, 7). Sammelbuch, 5114, 20: ἐπὶ βεβαίῳ καὶ ἀμεταθέτῳ λόγῳ. Cf. PHILON, Sacr. A. et C. 93: «les simples paroles de Dieu, par leur certitude, ne diffèrent en rien des serments... C'est à cause de Dieu que le serment lui-même est sûr, ὁ ὅρκος βέβαιος»; Somn. I, 12: «Il n'y a rien dont on puisse être aussi sûr que de la nature illimitée et infinie de la sagesse».

[2] La constitution mosaïque est «ferme, inébranlable, immuable (βέβαια, ἀσάλευτα, ἀκράδαντα), ... solidement plantée... elle subsistera dans tout l'avenir comme si elle était immortelle» (PHILON, Vit. Mos. II, 14). FL. JOSÈPHE, C. Ap. II, 156: loi inébranlable de Moïse pour l'éternité; Guerre IV, 154: une loi solidement établie. La formule κυρία καὶ βεβαία se dit d'une ἐγγύη (P. Strasb. 50, 8), d'une διαθήκη (P. Lond. 77, 66) d'une ἀποχή (P. Flor. 95, 25; P. Leipz. 38, 6); cf. P. Gron. 10, 20: καὶ ἔστω ἡ χάρις κυρία καὶ βεβαία πανταχοῦ προφερομένη.

[3] Cette valeur a été relevée avec force par A. DEISSMANN, Bible Studies², Edimbourg, 1909, pp. 104–109. Cf. L. MITTEIS, Grundzüge, Leipzig-Berlin, 1912, II, 1, pp. 188 sv. R. TAUBENSCHLAG, The Law in Greco-Roman Egypt, New York, 1944, pp. 253–254. Cf. la lettre de Claude aux Alexandrins: «Je garantis aux éphèbes le droit de cité alexandrine» (P. Lond. 1912, 54); Sag. VI, 18: «L'observation des lois est la garantie de l'incorruptibilité»; Acte de vente, P. Rein. 42, 5 (garantie que l'objet vendu ou légué ne doit plus rien au fisc, Iᵉʳ-IIᵉ s. ap. J.-C.), B.G.U., 87, 18; 153, 23; K. A. WORP, Einige Wiener Papyri, Amsterdam, 1972, n. IX, 12–13: «Je te garantirai avec toutes les garanties ci-dessus précisées»; un contrat de louage: «les administrateurs des Kythériens garantissent (βεβαιοῦν) la location à Eucratès» (R. DARESTE, B. HAUSSOULLIER, TH. REINACH, Recueil des Inscriptions Juridiques Grecques², Rome, 1965, I, n. 13³, 22; cf. 13⁴ A, 13; 7, 108: «Garants et confirmateurs de la vente des terrains et de la maison». Un bail, P. Michig. 633, 29, 40; 634, 13. Dans une vente, la garantie assure l'acheteur contre le danger d'éviction (cf. ibid. II, p. 259); J. POUILLOUX, Choix d'Inscriptions grecques, Paris, 1960, n. 42, 10: «βέβαιον παρεχόντων οἱ βεβαιωτῆρες,

dra *Rom.* iv,16: βεβαίαν τὴν ἐπαγγελίαν, la promesse divine est non seulement ferme et immuable, ni même assurée à toute la postérité, mais elle lui est garantie; *Mc.* xvi,20: τὸν λόγον βεβαιοῦντος, le Seigneur fait plus que de confirmer la parole des Apôtres par les miracles qui l'accompagneront, mais il l'authentifie et la garantit. Du fait que la loi de Moïse a été promulguée par des anges, cette «parole» est valide et authentiquement divine (λόγος βέβαιος, *Hébr.* ii,2). A la transfiguration, l'apparition de Moïse et Elie évoque les annonces messianiques de l'A. T., celles-ci se trouvent plus certaines, leur véracité est garantie par la transfiguration de Jésus (βεβαιότερον... λόγον, *II Petr.* i,9).

C'est bien la langue du droit qu'emploie *Hébr.* ix,17, exploitant exceptionnellement dans la Bible *diathékè* au sens de testament, pour rendre compte de notre capacité à hériter des biens célestes: il fallait que le Christ, fils et héritier unique de Dieu, meurt pour que nous entrions en possession de son héritage; διαθέκη ἐπὶ νεκροῖς βεβαία: une disposition testamentaire n'est valide, n'a de force légale (ἰσχύει) et ne peut entrer en vigueur qu'à la suite du décès du testateur [1].

Quant au verbe βεβαιόω, il peut avoir l'acception d'«effectuer, réaliser» [2], et c'est en ce sens que l'on comprendra *Rom.* xv,8, εἰς τὸ βεβαιῶσαι τὰς ἐπαγγελίας: le Christ «a montré la véracité de Dieu, en accomplissant les promesses faites aux Pères»; *Hébr.* ii,3: «Le salut ayant été annoncé par le Seigneur... nous a été assuré par ceux qui l'ont entendu» [3].

---

que les garants apportent la garantie de la vente au nom du dieu, conformément à la loi» (acte d'affranchissement d'esclave; Delphes, IIe s. av. J.-C.); *P. Köln*, 55, 9. La formule βεβαιώσω πάσῃ βεβαιώσι est de règle dans les contrats, cf. *P.S.I.* 1130, 25 (25 de notre ère); *Sammelbuch*, 9109, 14 (an 31); *P. Fam. Tebt.* 27, 17–18; *P. Michig.* 188, 23; 189, 30; 259, 32 (an 33); *P. Princet.* 146, 18 (an 36); *P. Fay.* 92, 19 (IIe s.); *P. Osl.* 40, 45 etc. jusqu'au VIe s. (*P. Michael.* 40, 44; 45, 55; 52, 22, 43, etc.).

[1] On cite le testament de saint Grégoire de Naziance: «Mon testament que voici, je le veux ferme et valide, τὴν διαθήκην κυρίαν καὶ βεβαίαν» (*P. G.* xxxvii, 394). Hérode désigne César comme garant de son testament (Fl. Josèphe, *Guerre*, i, 669).

[2] Epictète, ii, 11, 24: «la philosophie consiste à examiner et à établir ces normes». J. Rouffiac (*Recherches sur les caractères du grec*, p. 48) a relevé cette *Inscription de Priène*, 123, 9: un magistrat ayant promis de faire une distribution de viande de bœuf lors de son entrée en fonction, a accompli sa promesse en faisant un sacrifice aux dieux, et en distribuant la viande à ceux qui étaient inscrits sur la liste, ἐβεβαίωσεν δὲ τὴν ἐπαγγελίαν παραστήσας μὲν τοῖς ἐντεμενίοις θεοῖς τὴν θυσίαν.

[3] Εἰς ἡμᾶς ἐβεβαιώθη: inauguré par le Christ, le salut est effectivement accompli, appliqué par les Apôtres aux convertis. Mais étant donné συνεπιμαρτυροῦντος τοῦ θεοῦ (ỹ. 4), la nuance de «garanti» doit être maintenue. Par leur hardiesse à certifier les faits dont ils se portent garants, en communiquant la grâce et en faisant des mira-

βεβαίωσις

Lorsque *Hébr.* vi,16 fait appel au serment, preuve juridique qui dirime une controverse entre adversaires [1]: εἰς βεβαίωσιν ὁ ὅρκος, la nuance de εἰς β. est: «définitif, sans opposition ni reprise ou contestation possible» et elle rappelle *Lév.* xxv,23, où Iahvé ayant affirmé que le sol de la Terre Sainte lui appartient «la terre ne se vendra pas εἰς βεβαίωσιν (צמיתת)»; Dieu demeurant le propriétaire, la cession de la propriété absolue est interdite [2].

Il reste que les applications morales de nos vocables sont fréquentes, au sens normal de fermeté, fixité, solidité (*I Cor.* 1,8; *II Cor.* 1,21; *Hébr.* iii,14; xiii,9; *II Petr.* 1,10), notamment à propos de la foi [3] ou de l'espé-

---

cles, les apôtres sanctionnent la vérité du message; leur proclamation inspire confiance. Cette double nuance de «garantir» et «accomplir» se retrouve dans *I Cor.* i, 6: «le témoignage du Christ a été affermi (ou accompli) parmi vous»; *Philip.* i, 7: «vous vous associez à ma grâce dans la défense et l'affermissement (ou la réalisation) de l'Evangile». *P. Mil. Vogliano*, 26, 13: le vendeur garantit libres de tous les impôts les aroures payés par l'acheteuse; *P. Michig.* 635, 13; cf. H. H. Hobbs, *Preaching Values from the Papyri*, Grand Rapids, 1964, pp. 33–36.

[1] Cf. Cl. Préaux, *La Preuve à l'époque hellénistique*, dans *La Preuve* (Recueils de la Société J. Bodin, xvi), Bruxelles, 1965, pp. 161–222. Cf. Fl. Josèphe, *Ant.* xvii, 42: βεβαιώσαντος δι' ὅρκων; Philon, *Abr.* 273: Dieu donne à Abraham une garantie par serment, τὴν δι' ὅρκου βεβαίωσιν; *Plant.* 82.

[2] Cf. G. Lumbroso, *Recherches sur l'Economie politique de l'Egypte*[2], Amsterdam, 1967, p. 78. Une «solide conversion» (Philon, *Vit. Mos.* i, 298) est une conversion décisive.

[3] *Col.* ii, 7: βεβαιούμενοι τῇ πίστει. Cette fermeté dérive des *Ps.* xli, 12; cxix, 28; elle est exaltée par Philon (*Praem.* 30: « Celui qui a... une foi inflexible et inébranlable: heureux celui-là en vérité et trois fois bienheureux») qui montre que la *bebaiôsis* est la caractéristique des lois de la nature, par opposition à la législation positive (*Quod omn. prob.*, 37); l'âme de l'ami de Dieu reçoit fixité, solidité et consistance (πῆξιν καὶ βεβαίωσιν καὶ ἵδρυσιν; *Lois allég.* ii, 55; cf. *Cher.* 13). Si les apparitions divines dans les choses du devenir se dissipent, celles qui se font par l'être inengendré peuvent rester stables, fermes, éternelles (μόνιμοι καὶ βέβαιοι καὶ ἀίδιοι, iii, 101). Il n'y a pas sur terre de lieu stable, où la sécurité de la fortune soit assurée (τὸ ἀκλινὲς τῆς εὐπραγίας ἐν βεβαίῳ, *Vit. Mos.* i, 30; cf. *Ebr.* 170). Βέβαιος est l'épithète du vrai et du bien (*Vit. Mos.* i, 95, 220; ii, 108; *Spec. leg.* i, 70, 77, 291; ii, 2, etc.), celle de l'amitié (Fl. Josèphe, *Ant.* vii, 203; xiv, 185; xv, 193; xix, 317). Plutarque, *Caton min.* i, 3: «caractère ferme à tous égards». Selon une épigramme de Nicomédie, deux époux réunis dans la même tombe, choisissent de s'aimer l'un l'autre constamment même parmi les morts, στοργὴν βεβαίαν κἀν φθιτοῖς αἱρούμενοι (S. Sahin, dans *ZPE*, 1975, p. 42, n. 125; 1976, p. 189). Cf. Diodore de Sicile, xvii, 51,2: le dieu accorde fermement (βεβαίως) ce qu'on lui a demandé.

[4] *II Cor.* i, 7; cf. *IV Mac.* xvii, 4. Fl. Josèphe, *Ant.* v, 176; viii, 8, 280; xv, 153; xvi, 238; *Guerre*, vii, 165, 413: βεβαίαν ἐλπίδα σωτηρίας.

rance bien fondée [4] et solidement attachée comme une ancre fixée dans le Saint des Saints céleste: ἀσφαλῆ τε καὶ βεβαίαν [1].

---

[1] Ἀσφαλής «qui ne glisse pas», employé en médecine du malade hors de danger et en voie de guérison (*P. Oxy.* 939, 5; cf. THUCYDIDE, I, 80, 1; N. VAN BROCK, *Recherches sur le Vocabulaire médical du grec ancien*, Paris, 1961, pp. 184 sv.), se dit de la sécurité d'une route (STRABON, IV, 6, 6; HÉLIODORE, *Ethiop.* VIII, 16, 1), ἀσφαλῶς de la sécurité d'un mouillage (STRABON, V, 4, 6) ou d'une escorte navale (DITTENBERGER, *Syl.* 581, 84), ἀσφάλεια de la sécurité des marins qui écoutent les pilotes (DION CASSIUS, XLI, 33). C'est un proverbe: «Si le vaisseau ne tient qu'à une ancre, le mouillage n'est pas sûr» (HÉRONDAS, *L'entremetteuse*, I, 41; cf. PLUTARQUE, *De la Vertu éthique*, 6; *Solon*, XIX, 2; PHILÉMON, *Fragm.* 213: ἐβάλετ᾽ ἄγκυραν καθάψας ἀσφαλείας εἵνεκα dans STOBÉE, *Flor.* XXX, 4; t. III, p. 664, 2); d'où «jeter l'ancre du salut» (HÉLIODORE, *Ethiop.* VIII, 6, 9). – L'association βέβαιον-ἀσφαλές est constante depuis *Sag.* VII, 23; PHILON, *Virt.* 216; *Praem.* 30; *Congr. erud.* 141; *Conf. ling.* 106; *Quis rer. div.* 314; cf. PLUTARQUE, *Caton l'anc.* XXI, 5: «Il investit ses capitaux dans des affaires solides et sûres»; POLYBE, XII, 25 a 2: «Il n'y aura rien de solide ni de sûr dans les dires de notre auteur»; *P. Rein.* 107, 5: ἡ ἀσφάλεια κυρία καὶ βεβαία; *P. Leipz.* IV, 18: ἀνέδωκεν... πρὸς τὴν κυρίαν ἀπὸ τούτων ἀσφάλειαν καὶ βεβαίωσειν.

βέβηλος, βεβηλόω

Dérivé de βαίνω «aller, venir», l'adjectif βέβηλος «accessible, profane», ignoré des papyrus, s'oppose à ἄβατος, ἱερός, ἁγνός «inaccessible, sacré», et se dit des lieux qui ne sont pas consacrés, où il est permis de mettre le pied; donc accessible à tout le monde (cf. PHILON, *Lois allég.* 1,62; FL. JOSÈPHE, *Ant.* III,181; *Guerre*, IV,182; THUCYDIDE, IV,97,3). Le correspondant exact serait profane (*pro-fano*): ce qui est en face ou en dehors du sacré. Appliqué à des personnes, il signifie: non initié, profane, impur [1], et revêt une valeur morale (PHILON, *Sacr. A. et C.* 138).

Dans la langue biblique, il est très péjoratif (*Ez.* XXI,30: βέβηλε ἄνομε!), il est associé à ἀνόσιος (*I Tim.* I,9; *III Mac.* II,2), à πόρνος (*Hébr.* XII,6), ἀνίερος (PHILON, *Sacr. A. et C.* 138; *Spec. leg.* IV,40); ἀκάθαρτος (*Spec. leg.* I,150), ἀμύητος (non-initié, PLUTARQUE, *Def. orac.* 16). Il revêt une acception technique: le profane s'oppose au sacré comme l'impur au pur [2]. Le verbe βεβηλοῦν, traduisant le *piel hilel*, a le sens de «profaner, souiller»; ce qui constitue une sorte de sacrilège [3]. Effectivement, le profanateur est un impie, à l'instar d'Esaü qui a renoncé aux prérogatives sacrées de sa πρωτο-

---

[1] Cf. E. BOISACQ, *Dictionnaire étymologique de la Langue grecque*, p. 112; P. CHANTRAINE, *Dictionnaire étymologique de la Langue grecque* p. 172. Dans FL. JOSÈPHE, *Guerre*, V, 18; VI, 271, ce mot désigne les laïcs, par opposition aux prêtres. Dans l'*Inscription de Thasos*, XVIII, 4: μήτε ἱρὴ μήτε βεβήλη peut s'entendre d'une «action sacrée ou profane» ou «privée ou publique».

[2] *Lév.* X, 10; *Ez.* XXII, 26 (PHILON, *Vit. Mos.* II, 158). Dans *I Sam.* XXI, 4: Les pains profanes s'opposent aux pains consacrés. Antiochus Epiphane «prit de ses mains impures (ταῖς μιαραῖς χερσίν) les vases sacrés et ramassa de ses mains profanes (ταῖς βεβήλοις χερσίν) les offrandes» du Temple de Jérusalem (*II Mac.* V, 16).

[3] On profane le sabbat (*Is.* LVI, 2, 6; *Ez.* XX, 13, 16, 21; XXII, 8; *I Mac.* I, 43, 45; II, 34; *Mt.* XII, 5); le nom de Dieu (*Lév.* XVIII, 21; XIX, 12; XX, 3; XXI, 6; *Is.* XLVIII, 11; *Ez.* XX, 9; XXXVI, 20–21; XXXIX, 7; *Am.* II, 7; *Mal.* I, 12); la sainteté de Iahvé (*Lév.* XIX, 8); le sanctuaire (*Act.* XXIV, 6; *Lév.* XXI, 23; XXII, 2, 15, 32; *Nomb.* XVIII, 32; *Ez.* XXIII, 29; *I Mac.* I, 48; II, 12; *II Mac.* VIII, 2; X, 5); ce qui est saint (*Ez.* XXII, 26; *Mal.* II, 11; *Soph.* III, 4); l'autel (*I Mac.* IV, 38, 44, 54); l'alliance (*Ps.* LV, 20; *Mal.* II, 10; *I Mac.* I, 63); le pays (*Jér.* XVI, 18; *Ez.* VII, 21–22); une descendance (*Sir.* XLVII, 20). Une femme profanée est prostituée (*Lév.* XXI, 7, 14) ou souillée (*Sir.* XLII, 10; cf. PHILON, *Spec. leg.* I, 102; FL. JOSÈPHE, *Ant.* XV, 90). Cf. un règlement cultuel de Cyrène (IVᵉ s. av. J.-C.): ἐς ἱαρὰ καὶ ἐς βάβαλα καὶ ἐς μιαρά (*Suppl. Ep. Gr.* IX, 72, 9; cf. *l.* 21: ὁσία παντὶ καὶ ἁγνῷ καὶ βαβάλῳ).

τοκία le constituant de plein droit héritier des promesses messianiques; c'est un parjure [1].

Dans les Pastorales, βέβηλος est une qualification de l'enseignement hétérodoxe et hérétique: «fables impies, contes de vieilles femmes» [2]. Or

---

[1] *Hébr.* XII, 16: πόρνος ἢ βέβηλος (cf. PHILON, *Spec. leg.* I, 102). Esaü est le type du φαῦλος, dont les concubines sont dévastatrices (*Congr. erud.* 54). La tradition juive a attribué les pires vices à Esaü (cf. C. SPICQ, *L'Epître aux Hébreux*, Paris, 1953, II, p. 401; J. DUNCAN M. DERRETT, *Law in the New Testament*, Londres, 1970, p. 120). Le *Codex Néophiti I*, sur *Gen.* XXV, 34, glose: «Esaü méprisa son droit d'aînesse, il nia la résurrection des morts et nia la vie du monde à venir». Philon le qualifie d'insensé (*Congr. erud.* 175; cf. 61), «éponyme de la déraison» (*Sacr. A. et C.* 17), «sauvage et violent, plein de feu et de passion» (*Praem.* 53). Pourquoi fût-il si criminel? D'après *Jubilès*, c'est qu'il avait violé le serment que lui avait fait jurer ses parents d'aimer Jacob et de ne lui faire aucun mal (XXXV, 24; XXXVI, 7–9; XXXVII, 1–21; cf. A. JAUBERT, *La notion d'Alliance dans le Judaïsme*, Paris, 1963, pp. 109 sv.). On sait comment s'accroissent les légendes, soit en bien comme dans le cas de Rahab (cf. C. SPICQ, *op. c.*, pp. 361 sv.), soit en mal (M. S. ENSLIN, *How the Story Grew: Judas in fact and fiction*, dans *Festschrift F. W. Gingrich*, Leiden, 1972, pp. 123–141).

[2] *I Tim.* IV, 7. Saint Thomas d'Aquin commente exactement «ineptae et inanes». A l'origine, ce sont les contes ou sornettes que les grands-mères ou les nourrices racontent aux petits enfants: croquemitaines ou fables d'Esope (Philon attribue aux mythologues la tradition prêtant à tous les animaux un langage commun, *Conf. ling.* 6); puis l'expression est devenue une qualification rhétorique et une injure de la polémique: ce qui défie le bon sens et suppose une incrédulité indigne d'un honnête homme (HÉLIODORE, *Ethiop.* IV, 5, 3), par exemple, à propos de la vie des âmes séparées sur la lune: «C'est bon à faire entendre à des femmes, à cause du romanesque» (PLUTARQUE, *De aud. poet.* 16 *e;* STRABON, I, 3; LUCIEN, *Philops.* 9). «Les récits qui circulent... sont plutôt des fables imaginées par des femmes et des magiciens» (ARISTOTE, *Hist. des animaux*, VIII, 24, 605 *a* 5). Selon Strabon, Eratosthène qualifiait la poésie d'Homère de racontars de vieille femme (*Géogr.* Prolégomènes, I, 2, 3). «Ces faits merveilleux apparaissent quelquefois aux hommes. C'est ce que... ont raconté non seulement ceux qu'on pourrait soupçonner d'inventer des fables, mais encore ceux qui avaient longtemps montré leur rigueur philosophique» (NUMÉNIUS, *Fragm.* 29; édit. Des Places, p. 80). Accueillir des balivernes est propre aux oreilles de femme (PHILON, *Post. C.* 166). «Dans ses propres explications, il est plein de visions, de prodiges, et de fables incroyables; en un mot d'une basse supercherie et de ce fantastique propre aux femmes» (POLYBE, XII, 24, 5). Galien accable de son mépris un certain Pamphile qui prescrit certaines incantations durant la cueillette des plantes médicinales, «cet individu a donné dans les contes de bonnes femmes et des pratiques d'Egyptiens radoteurs» (*De simpl. medicam. temp.* VI, prooem., dans C. G. KÜHN, *Medic. Graec. opera*, XI, 972; cf. ACHILLES TATIUS, *Leucippe et Clitophon* I, 8, 4). «Cette sottise sénile qu'on appelle volontiers le radotage» (CICÉRON, *Senect.* 36; cf. HORACE, *Sat.* II, 6, 77: *garrit anilis ex re fabellas;* QUINTILIEN, *Inst. orat.* I, 8); MINUTIUS FELIX, *Oct.* XI, 2: *aniles fabulas adstruunt;* ORIGÈNE, *C. Celse*, VI, 34: «Quelle vieille femme, prise de vin, fredonnant une fable pour endormir un bébé, n'aurait honte de chuchoter pareilles sornettes?».

le mythe est une invention gratuite (*II Petr.* 1,16) opposé à l'histoire vraie [1], contre lequel protestent maints auteurs du Ier siècle: Moïse exhorte «à repousser la fiction des mythes... provoquant une errance sans fin» (PHILON, *Virt.* 178); «les sophistes d'Egypte accordent aux mythes... plus d'attention qu'à l'évidence de la vérité» (*Migr. A.* 76); «Ceux qui ont répandu cette idée auraient sacrifié à l'invention mythologique plutôt qu'à l'histoire» [2]. Lorsque saint Paul qualifie le mythe de «profane», il dénonce son incompatibilité avec le sacré; c'est une profanation et une impiété que d'introduire dans la doctrine évangélique ces éléments humains, fictifs, hétérogènes à la religion (cf. *Hébr.* XIII,9: διδαχαῖς ξέναι), et qui ne favorisent pas l'authentique *eusébéia* [3].

Cette inanité est encore exprimée dans la prohibition des bavardages creux et profanes – τὰς βεβήλους κενοφωνίας (*I Tim.* VI,20; *II Tim.* II,16) – qui, sous couvert de doctrine, sécularisent et souillent la Vérité divine confiée à l'Eglise. Littéralement la κενοφωνία (attesté par les meilleurs *mss.* contre καινοφωνία) signifie: «des sons sans signification» (cf. *I Cor.* XIV,7–11), des mots inintelligibles comme ceux d'un bébé; d'où: des discours fumeux et vains qui ont l'inanité du vide [4]; désignés comme *mataiologia* (*I Tim.* 1,6; *Tit.* 1,10), ils seront stigmatisés par Plutarque comme de vains aboiements contre tout ce qu'on dit (*Tranq. an.* 468 *a*; *De aud. poet.* 39 *c*). Aussi bien, Archimède protestait: «J'ai voulu éviter de paraître à certains avoir proféré de vaines paroles (κένην φωνήν)» (*La méthode relative aux propositions mécaniques,* introd.).

Voilà comment les premiers chrétiens jugeaient le «profane» dans l'enseignement religieux.

---

[1] Cf. les textes cités dans C. SPICQ, *Les Epîtres Pastorales*[4], Paris, 1969, pp. 93 sv.

[2] STRABON, X, 3, 20; cf. 22–23; POLYBE, III, 38, 3: «Ceux qui en parlent ou en écrivent, n'en savent rien et ne font que raconter des fables». Plutarque hésite à raconter le mythe de Thespésios, à la pensée que son récit (λόγος) pourrait passer pour une fable (μῦθος) (*De Sera,* 561 b); «cette narration ressemble plus à une fable... qu'à un langage sensé» (*Le Démon de Socrate,* 21). – Le païen Firmicus Maternus écrira un ouvrage *Contre l'erreur des religions profanes!*

[3] *I Tim.* IV, 7. La piété des Esséniens se marquait à ceci: «Avant le lever du soleil, ils ne prononçaient pas un mot profane» (FL. JOSÈPHE, *Guerre,* II, 128).

[4] Comparer le lait ἄδολον de *I Petr.* II, 2 et οὐ καθαρόν d'Hippocrate (*Des Maladies,* IV, 55, 1). ἄδολον à peu près synonyme de καθαρόν dans *P. Lugd. Bat.* XVI, 7, 33.

βιάζομαι

Mt. XI,12: ἡ βασιλεία τῶν οὐρανῶν βιάζεται, καὶ βιασταὶ ἁρπάζουσιν αὐτήν;
Lc. XVI,16: ἡ βασιλεία τοῦ θεοῦ εὐαγγελίζεται καὶ πᾶς εἰς αὐτὴν βιάζεται.
Ces versets sont parmi les plus énigmatiques du N. T., et toute interprétation qu'on en propose ne peut être qu'une hypothèse. Ni les textes rabbiniques [1] ni les papyrus [2] ne permettent d'orienter l'exégèse. Celle-ci
s'efforce de déterminer si βιάζεται est un passif ou à la voie moyenne, et
doit être pris *in bonam partem* ou *in malam partem*; mais ces précisions
résultent de l'interprétation qu'on adopte.

Ce qu'il faut souligner, c'est que ces deux textes ne sont pas des parallèles réels; chaque évangéliste ayant, non seulement inséré le logion dans
un contexte différent, mais l'ayant compris à sa manière [3]. *Mt.* semble
plus primitif et palestinien, *Lc.* s'appliquant à un stade postérieur de la
propagation de l'Evangile. On ne peut donc expliquer un texte par l'autre;
chacun garde sa signification particulière [4].

Ce qui domine dans *Mt.* XI,12, c'est l'idée de violence contre le Règne
et d'effort ou d'agression de la part des hommes [5]. Toutes les anciennes
versions ont compris βιάζεται comme un passif; mais est-il transitif ou

---

[1] D. DAUBE, *The New Testament and Rabbinic Judaism*, Londres, 1956, pp. 285–300.

[2] J. H. MOULTON, G. MILLIGAN, *The Vocabulary of the Greek Testament*[2], Londres,
1949, p. 109.

[3] Cf. M. BLACK, *An Aramaic Approach to the Gospels and Acts*[2], Oxford, 1954,
pp. 84, n. 2; 264, n. 3.

[4] Sur l'exégèse de la proposition initiale des deux textes, cf. W. G. KÜMMEL,
«*Das Gesetz und die Propheten gehen bis Johannes*» – *Lukas XVI, 16 im Zusammenhang
der heilsgeschichtlichen Theologie der Lukasschriften*, dans *Verborum Veritas*, *Festschrift G. Stählin*, Wuppertal, 1970, pp. 89–102.

[5] Βιάζεται, βιασταί, ἁρπάζουσιν. Le couple βιάζομαι-ἁρπάζω se retrouve au moins cinq
fois chez Plutarque (H. ALMQVIST, *Plutarch and das Neue Testament*, Uppsal, 1946,
p. 38). Cf. A. H. M'NEILE, *The Gospel according to St. Matthew*, Londres, 1952, pp. 155
sv. Dans Fl. Josèphe, cf. l'étude précise et complète de W. E. MOORE, Βιάζω, Ἁρπάζω
and cognates in Josephus (dans *NTS*, XXI, 1975, pp. 519–543) = les premiers ayants
droit du royaume de Dieu s'en sont rendus indignes par leur violence; celle-ci est
contraire à la nature du royaume, qui ne peut être établi par la force des armes. Cf.
PLUTARQUE, *C. Gracchus*, XV, 4: «C'est par la violence et par le fer que se règlent
les procès».

intransitif? Dans les papyrus du IIIe–IIe s. avant notre ère, il s'emploie de la violation d'un droit, telle cette femme demandant une interdiction de construire: «Le susnommé venant sur ce terrain en violation de mes droits, y apporte de la brique et y creuse des fondations pour bâtir» (*P. Ent.* LXIX,4; cf. LV,17; *P. Tebt.* 779,5), ou un orphelin protestant contre les empiétements d'un voisin qui le méprise (*P. Ent.* LXVIII, 11). Tantôt il s'agit du droit du plus fort et de contraindre un adversaire malgré lui, sans sa permission; donc d'un abus de pouvoir et de causer un tort [1]. Tantôt il s'agit de violence proprement dite et de coup de force; le propriétaire qui s'adresse à un centurion en 31 de notre ère parce qu'il a subi une grande violence de la part de ses agresseurs (ἐπεὶ δὲ κατὰ πολλὰ βιάζονταί με), explique: καταβιαζόμενος δὲ καὶ συναρποζόμενος (*P. Oxy.* 2234,8,19; cf. *P. Fuad,* 26,33). Dans quelques papyrus et constamment dans les textes littéraires, le verbe s'emploie de forcer l'entrée d'une maison (*P. Tebt.* 804,9), d'un passage ou d'une ville [2].

---

[1] *P. Tebt.* VI, 20 = *C. Ord. Ptol.*, n. 47: «Quelques-uns s'emparent de terre sans contrats, ne paient pas les revenus y afférents» (circulaire de Ptolémée Evergète II, de 140/39 av. J.-C.); DITTENBERGER, *Syl.* 888, 24; *P. Zén. Cair.* 59451, 6: le chef de la police Léontiskos nous a contraint à aller faire des briques; *P. Tebt.* 780, 6; *P. Ryl.* 659, 9: les percepteurs de l'impôt veulent me contraindre; *P. Fay.* 20, 2; *P. Flor.* 296, 24: βιάσασθαί με παρὰ τὸν τοῦ δικαίου λόγον (VIe s. ap. J.-C.); *Sammelbuch,* 8033, 15: παρὰ τὸ καθῆκον βιαζόμενος; 7657, 15; 9328, 13: βιάζεται ἡμᾶς παρὰ τὸ ἔθος. FL. JOSÈPHE, *Ant.* IV, 143: βιάζεται τοὺς νόμους; XIV, 173: β. τὸ δίκαιον; MÉNANDRE, *Dyscol.* 253: «Contre la contrainte, c'est la loi qui le défend, et contre la persuasion, c'est son caractère»; PLUTARQUE, *Du Bavardage,* 2: «Les bavards prennent de force la parole»; *Phocion,* II, 9: «Dieu gouverne le monde sans user de violence»; IX, 7: «vous pouvez bien me forcer à faire ce que je ne veux pas»; *Caton min.* XVIII, 4: «ceux que l'on tentait de contraindre»; *Tib. Gracchus,* XIX, 4; *C. Gracchus,* VIII, 6: «Les notables invitèrent Livius Drusus à se joindre à eux, mais sans violence, sans heurter la foule»; XII, 7.

[2] *II Mac.* XIV, 41; PHILON, *Vit. Mos.* I, 108, 215; EPICTÈTE, IV, 7, 20: «pas de porte fermée pour moi, mais pour ceux qui veulent la forcer»; FL. JOSÈPHE, *Guerre* II, 262: s'emparer de force de Jérusalem; IV, 554: «Vespasien entre de vive force dans Hébron»; V, 59: «Titus s'efforce de se frayer un passage vers les siens»; 112: forcer l'entrée; *Ant.* XVII, 253: il avait essayé de prendre leurs forteresses par la force, etc.; THUCYDIDE, VII, 83, 5; DIODORE DE SICILE, II, 19, 7; XVII, 68, 2: les Macédoniens s'efforçant de passer, étaient obligés de reculer; POLYBE, V, 4, 9: forcer le passage. Souvent, dans l'A. T. et les écrivains qui s'en inspirent, βιάζεσθαι signifie «faire violence à une femme», *Deut.* XXII, 25 (חזק), 28 (תפש); *Esth.* VII, 8 (כבש); FL. JOSÈPHE, *Ant.* II, 58; IV, 252; VII, 152, 168; XI, 265; *C. Ap.* II, 201, 215; *Guerre,* I, 439. Le verbe est fréquent en chirurgie (cf. W. K. HOBART, *The medical Language of St Luke,* Dublin-Londres, 1882, p. 179). Sur le sens d'ἀποβιάζεσθαι «saisir» ou «s'approprier de force», cf. M.-Th. LENGER, *Le Fragment de Loi ptolémaïque P. Petrie III, 26,* dans *Studi*

En fonction de ces usages, on comprendrait *Mt.* xi,12 de la manière suivante: Depuis les jours de Jean le Baptiste jusqu'à maintenant, le Règne de Dieu est objet de violence, et des violents ou des forcenés le ravissent ou cherchent à le soustraire de force. Le logion serait celui de la violence attentatoire au règne, de la part des pharisiens, des zélotes, des sanhédrites, des puissances démoniaques, de quelque adversaire juif ou païen que ce soit, tout persécuteur (*Act.* v,26; xxi,35, βία; cf. *Gal.* i,13). Le Christ est un «signe contredit» (*Lc.* ii,34); Jean-Baptiste est en prison (*Mt.* xi,2), et c'est une caractéristique du Royaume de Dieu sur terre d'être opprimé par les violents, tout comme l'Eglise est attaquée violemment par les portes de l'enfer [1]. Il serait également possible de prendre le passif βιάζεται en bonne part et d'y voir une allusion à la force immanente au Règne de Dieu qui «se fraie un chemin» et se déploie en force [2], mais on ne voit plus le sens des «violents», qui feraient figure d'antagonistes à cette puissance

---

in onore U. E. Paoli, Florence, 1956, pp. 459–467, et M. Jager, M. Reinsma, *Ein mißverstandenes Gesetz aus ptolemäischer Zeit*, dans *P. Lugd. Bat.* xiv, pp. 114–115; mais aussi *Prov.* xxii, 22; xxviii, 24 (גזל) = dérober, s'approprier injustement.

[1] *Mt.* xvi, 18: on pourrait citer *Hébr.* xii, 3: Jésus a subi un violent assaut des pécheurs contre sa personne. En faveur de cette exégèse, cf. Schrenk, dans *TWNT*, i, pp. 608–613; A. Schlatter, *Der Evangelist Matthäus*, Stuttgart, 1948, pp. 368 sv. J. Bonsirven, *Le Règne de Dieu*, Paris, 1957, pp. 44 sv.; O. Betz, *Jesu Heiliger Krieg*, dans *Novum Testamentum*, 1957, pp. 116–137 (rapproche notre texte de la guerre eschatologique qumranienne et identifie les *biastai* aux *'rjsjm*, puissances démoniaques hostiles et leurs suppôts terrestres: les autorités étatiques qui prétendent garder l'empire du monde et s'opposent à l'essor du règne de Dieu, lui faisant «souffrir violence»); M. Brunec, *De legatione Joannis Baptistae, Mt. XI, 2–24*, dans *Verbum Domini*, 1957, pp. 321–331; F. W. Danker, *Luke XVI, 16: An Opposition Logion*, dans *JBL*, 1958, pp. 231–243 (Le royaume souffre violence dans un sens réel; il est comme victime d'une entrée forcée de la part des pécheurs; les pharisiens murmurant contre le salut accordé aux publicains et l'universalisme sotériologique. Les Rabbins estimaient que le Royaume de Dieu était susceptible de souffrir violence; ils employaient le verbe *kabhash* d'un prophète qui «fait violence» à son message en le taisant, comme Jonas a essayé de le faire; d'un rabbi qui fait violence à la *halakha* en l'interprétant mal ou en la répudiant; des Juges partisans en faveur d'un puissant; cf. Strack-Billerbeck, *Kommentar*, i, pp. 599 sv.); L. Ligier, *Péché d'Adam et Péché du monde*, Paris, 1961, pp. 87 sv.; G. Braumann, «*Dem Himmelreich wird Gewalt angetan*» (*Mt. XI, 12 par.*), dans *ZNTW*, 1961, pp. 104–109; J. Héring, *Remarques sur les Bases araméennes et hébraïques des Evangiles synoptiques*, dans *Revue d'Histoire et de Philosophie religieuses*, 1966, p. 28 (propose la traduction: le Royaume des cieux est opprimé et des violents tentent de le piller).

[2] M. J. Lagrange, *Evangile selon saint Matthieu*, Paris, 1927, p. 221; M. Black, dans *Expository Times*, lxiii, 1952, p. 290; C. Spicq, *Agapè* i, Paris, 1958, p. 165; R. Schnackenburg, *Règne et Royaume de Dieu*, Paris, 1965, pp. 72, 109 sv.

et «s'empareraient» du Règne au lieu de le «recevoir» (cf. cependant Fl. Josèphe, *Ant.* iv,121: faire violence à la volonté divine; *Guerre*, vi,108: «Je m'efforce de sauver les hommes condamnés par Dieu»).

* * *

La recension lucianique se présente tout autrement; non seulement les βιασταί ont disparu et il n'est plus question de saisir ou ravir le Royaume pour le piller (ἁρπάζω), mais la proposition principale est commandée par le verbe εὐαγγελίζεται [1], auquel on conservera son sens technique biblique: annoncer quelque chose d'heureux, une bonne nouvelle; par exemple l'octroi d'un bienfait ou une victoire; *bassér* comporte l'idée de joie; ici, c'est celle de la délivrance et du salut, dont Jean-Baptiste a été le premier annonceur (*Lc.* iii,18). Les Actes des Apôtres montreront que la prédication de l'Evangile, ouvrant la porte du Royaume, les croyants l'accueillent dans l'allégresse. Dès lors, comment comprendre la seconde partie du verset: πᾶς εἰς αὐτὴν βιάζεται? Il est difficile de penser qu'on est contraint et que l'on subit une violence en entrant dans le Royaume de Dieu [2]. Aussi bien, les commentateurs comprennent-ils βιάζεται au moyen, fréquemment usité dans les papyrus, soit en bonne part: «chacun s'efforce d'y entrer» ou en mauvaise part: «chacun use de violence à son égard»; cette dernière acception n'offrant pas de sens, car elle est trop universelle.

Ph. H. Menoud considère notre verbe comme un passif, propose de traduire: «chacun est expressément invité à y entrer» et justifie ce sens en parfaite harmonie avec la proposition précédente, par le sens affaibli que βιάζομαι a reçu au cours des siècles [3]. Effectivement, βιάζεσθαι dans

---

[1] La formule εὐαγγελίζεσθαι τὴν βασιλείαν τοῦ θεοῦ est propre à Luc (iv, 43; viii, 1; *Act.* viii, 12). Cette évangélisation ne s'adresse pas aux «adversaires», mais aux pauvres (*Lc.* vii, 22).

[2] A moins de se référer au *compelle intrare* de la parabole des invités discourtois (*Lc.* xiv, 23); mais d'une part ce trait purement parabolique ne doit pas être pris au sens littéral; d'autre part, ἀνάγκασον εἰσελθεῖν peut aussi bien être traduit: «invite-les à entrer».

[3] Ph. H. Menoud, *Le sens du verbe BIAZETAI dans Lc. XVI, 16*, dans *Mélanges Bibliques B. Rigaux*, Gembloux, 1970, pp. 207–212 (repris dans Ph. Menoud, *Jésus-Christ et la Foi*, Neuchâtel-Paris, 1975, pp. 125–130). Il reprend l'exégèse de F. Godet, *Commentaire sur l'Evangile de saint Luc*[3], Neuchâtel, 1889, ii, p. 259. Il reste que les fonctionnaires usaient de contrainte violente (*P. Tebt.* 61 *b*, 33; IIe s. av. J.-C.), recours habituel pour procéder par exemple à une assignation (*U.P.Z.* 110). Cf. W. Dahlmann, ʿH βία *im Recht der Papyri*, Cologne, 1968; R. Taubenschlag, *The Law of Greco-Roman Egypt*, Varsovie, 1955, pp. 446 sv.

les Septante traduit souvent *patzar* «presser quelqu'un à force de paroles, de prières» et a le sens d'*insister*, l'interlocuteur «acceptant» de bon gré la demande qui lui est faite et restant libre de la refuser (*Gen.* XXXIII,11; *Jug.* XIX,7; *II Sam.* XIII,25,27; *II Rois*, V,23); acception bien attestée dans la littérature [1] et confirmée par un papyrus de l'an 22 de notre ère, où Sérapion avoue être l'objet d'une affectueuse pression de l'amitié: «ἐγὼ δὲ βιάζομαι ὑπὸ φίλων γενέσθαι οἰκιακὸς τοῦ ἀρχιστάτορος ᾿Απολλωνίου. Je suis pressé par mes amis d'entrer au service d'Apollonios» [2]. Il semble bien que ce sens affaibli soit celui d'un règlement relatif au sanctuaire lycien de Mên Tyrannos au IIe s. de notre ère, où βιάζομαι a un sens absolu et réflexif: après avoir détaillé les purifications rituelles préalables (ail, viande de porc, abstinence sexuelle), le fondateur interdit d'offrir un sacrifice hors de sa présence ou sans sa permission (ἄνευ τοῦ καθειδρυσαμένου τὸ ἱερόν), et poursuit aussitôt: ἐὰν δέ τις βιάσηται, son offrande ne pourra plaire au dieu [3]. Il n'est pas question que le violateur pénètre de force dans le Temple, mais simplement qu'il manque au règlement et qu'il sacrifie «malgré tout» [4].

---

[1] FL. JOSÈPHE, *Guerre*, I, 83: «Le roi insiste pour savoir»; III, 393: «Quelques-uns se poussaient pour le voir de plus près»; pression psychologique ou morale, comme celle d'Elie contraignant le prophète par serment (*Ant.* V, 351), d'Hérode qui «ne cessait de vouloir contraindre Phéroras à se séparer de son épouse» (I, 578), des Romains qui «s'efforcent de faire rendre à Dieu des sacrifices» (VI, 101); «si l'on peut faire cette violence à la langue» (*C. Ap.* II, 165; cf. 150). Les circonstances peuvent vous obliger à prendre telle décision, mais sans aliéner la liberté: il fut forcé par un orage de camper dans les bourgades environnantes (*Guerre*, I, 330; cf. *Ant.* VII, 141; XII, 429); «je contraindrai Pharaon à ordonner l'exode» (*Ant.* II, 271); Titus demande à Simon et à Jean de ne pas le contraindre de détruire la ville (*Guerre*, V, 456); les remèdes que la maladie le forçait à prendre (*Ant.* XV, 246); la pression de la crainte (XIII, 316); faire violence à sa nature ou à la fatalité (*IV Mac.* II, 8; VIII, 24); XÉNOPHON, *Banquet*, II, 26; MÉNANDRE, *Dyscol.* 371: «Pourquoi tiens-tu si fort à te maltraiter, τί κακοπαθεῖν σαυτὸν βιάζῃ?». Agathoclès négociant avec les Thraces, les décida à ne faire aucun mal à la cité, μὴ βιάσασθαι τὴν πόλιν (INSTITUT F. COURBY, *Nouveau choix d'Inscriptions grecques*, Paris, 1971, n. VI, 19–20; vers 200 av. J.-C.).

[2] *P. Oxy.* 294, 16; cf. *P. Gies.* 19, 13: mon père m'a forcé de prendre de la nourriture (IIe s. ap. J.-C.). Aséneth contraint Joseph à accepter qu'elle lui lave les pieds (*Joseph et Aséneth*, XX, 3) = une douce violence! Cf. l'insistance des disciples d'Emmaüs παρεβιάσαντο αὐτὸν λέγοντες (*Lc.* XXIV, 29).

[3] DITTENBERGER, *Syl.* 1042, 8 (commenté par A. DEISSMANN, *Bible Studies*², Edimbourg, 1909, p. 258); cf. *Suppl. Ep. Gr.* XXIII, 76, 8: ἐὰν δέ τις βιαζόμενος πίνῃ (vers 400 av. J.-C.).

[4] Cf. *P. Wisc.* XIV, 14, de 131 de notre ère: Pannonios l'épitropos a enfreint les devoirs de sa charge, βιάσηται τὸν ληγᾶτον; XLVIII, 38.

Si l'on ajoute que βιάζομαι exprime non seulement l'obstination (*Jug.* XIII,15–16), mais la fermeté de la décision et l'ardeur à la réaliser [1], on comprendra *Lc.* XVI,16 en fonction de la *dynamis* contenue dans la prédication apostolique: le Règne de Dieu est annoncé avec puissance et absolument tout homme – non pas une catégorie quelconque – est pressé d'en prendre le chemin et d'y entrer; «chacun y force son entrée» [2].

---

[1] Cf. *Ex.* XIX, 24: «Que les prêtres et le peuple ne se ruent pas pour monter vers Iahvé» (*hâras*: faire irruption); POLYBE, I, 74, 5: «les éléphants se jetèrent sur le campement, βιασαμένων εἰς τὴν παρεμβολήν». Avec εἰς, β. a souvent une intention hostile ou péjorative; FL. JOSÈPHE, *Ant.* XII, 429: «il les força à fuir, εἰς φυγήν»; *Guerre*, III, 423: «ils s'empressèrent de gagner le large»; THUCYDIDE, I, 63, 1: «Aristeus décida de forcer l'entrée de Potidée, βιάσασθαι ἐς τὴν Ποτείδαιαν»; VII, 69, 4; *P. Hib.* 265, 3: βιάζονται εἰς τὸν Ἀρσινοίτην.

[2] Traduction de E. DELEBECQUE (*Evangile de Luc*, Paris, 1976, p. 105), qui cite la traduction de Black: «tout le monde le viole», harmonisant ainsi le verset avec *Mt.* XI, 12; et qui observe que «βία désigne aussi bien l'obligation que la violence»: on est moralement ou juridiquement contraint (IDEM, *Etudes grecques sur l'Evangile de Luc*, Paris 1976, p. 74). Cf. Διὸς βία, ου Θεοῦ βία, clause de force majeure, R. PINTAUDI, *Dai papiri della Biblioteca Medicea Laurenziana*, Florence, 1976, n. 6.

βλαβερός

Dérivé de βλάβη «dommage, nocivité» (*Sag.* XI,19), l'adjectif βλαβερός exprime ce qui fait du tort, comme le vinaigre aux dents et la fumée aux yeux (*Prov.* X,26). Les hommes qui cherchent à s'enrichir sont la proie de «désirs insensés et funestes, ἐπιθυμίας πολλὰς ἀνοήτους καὶ βλαβεράς» (*I Tim.* VI,9). Selon les contextes, βλαβερός évoquera les simples inconvénients [1], ce qui est nuisible [2] et même ce qui est désastreux (ARISTOTE, *Polit.* III,15,13; 1286 *b*). Rare dans les papyrus, il se dit de la détérioration d'une machine [3] ou de la santé [4].

Dans *I Tim.* VI,9, il faut l'entendre au sens fort, parce que «vertige et violence dévasteront la richesse» (*Sir.* XXI,4): au lieu de la multiplication des gains escomptés, la convoitise jamais rassasiée précipite les pertes qui aboutissent à la ruine [5]; par ailleurs, on donnera à l'adjectif la nuance judiciaire et pénale si fréquente du substantif βλάβη: pénalité, compensation pécuniaire [6]. La perdition éternelle (cf. εἰς ὄλεθρον καὶ ἀπώλειαν) serait comme la «compensation» du cupide qui a été comblé ici-bas; c'est du moins le jugement d'Abraham (*Lc.* XVI,25).

---

[1] *Ep. d'Aristée*, 255: «le bon conseil tient compte dans ses réflexions des inconvénients de la solution opposée».

[2] ARISTOTE, *Polit.* III, 16, 2; 1287 *a*: «il est nuisible pour les corps qu'on donne à des êtres inégaux égalité de nourriture ou de vêtement»; *Ep. d'Aristée*, 192: «Dieu montre à ceux qu'il n'exauce pas ce qui leur a été nuisible»; PLUTARQUE, *Si le Vice suffit...*, 4: le poison du Parthe n'est nuisible et nocif qu'à ceux qui y sont sensibilisés; *Phocion*, XII, 3: les soldats indisciplinés sont nuisibles pour les combattants.

[3] *P. Tebt.* 725, 5; communication d'un ingénieur du IIᵉ s. av. J.-C., μεγάλων βλαβερῶν ἐπιγεγενημένων.

[4] *P. Goodsp. Cair.* II, col. I, 6; fragment médical du IIᵉ s. ap. J.-C., ὡς βλαβερωτερόν; PLUTARQUE, *De la curiosité*, 1: «les passions maladives et funestes».

[5] Cet anéantissement des espoirs permet de qualifier les *épithumai* d'insensés (ἀνοήτους), épithète du riche qui se fie à sa fortune pour assurer son avenir (*Lc.* XII, 20, ἄφρων).

[6] *P. Goodsp. Cair.* XIII, 13: «en plus des dommages et des dépenses»; *P. Leipz.* 3, col. I, 14; 4, 29; 6, col. II, 15; *P. Flor.* 16, 18. Cf. A. BERGER, *Die Strafklauseln in den Papyrusurkunden*², Aalen, 1965, pp. 26 sv., 133, 186. D. HENNIG, *Die Arbeitsverpflichtungen der Pächter*, dans *Zeitschrift für Papyrologie und Epigraphik*, 1972, p. 115.

γνήσιος

Par opposition au fils adoptif, ou au bâtard (νόθος, *Hébr.* XII,8; MÉNANDRE, *Sam.* 236–7, 898; PHILON, *Somn.* II,47), γνήσιος qualifie le fils né dans un mariage légitime: «le titre d'enfant légitime appartient à celui qui est fils par le sang»[1]. Dans l'usage, cette acception juridique devient synonyme d'«authentique, vrai, réel», et c'est en ce sens que saint Paul s'adresse à Timothée γνησίῳ τέκνῳ ἐν πίστει (*I Tim.* I,2) et à Tite, γνησίῳ τέκνῳ κατὰ κοινὴν πίστιν[2]. A l'époque hellénistique, ce terme se charge d'une forte densité affective attestée notamment dans les papyrus et les inscriptions, signifiant alors «cher» ou «très aimé»[3].

I. – Il se dit des enfants, avec une nuance très tendre; Isaac est υἱὸς... γνήσιος, ἀγαπητὸς καὶ μόνος[4]; Meltinianos réserve leur place dans sa tombe à τὰ γνήσιά μου παιδία (*MAMA*, VIII,595; *Corp. I. Iud.* 739). Il se dit des femmes, mères ou épouses avec une nuance expresse d'amour: Ἀγελαΐδι γυναικὶ γνησίᾳ μνείας ἕνεκεν[5], des parents, τὸν γλυκύτατον καὶ γνήσιον πατέρα

---

[1] DÉMOSTHÈNE, *C. Léocharès*, XLIV, 49: τὸ μὲν γὰρ γνήσιόν ἐστιν, ὅταν ᾖ γόνῳ γεγονός. Le père par nature est πατὴρ γόνῳ, le père par adoption ποιητός (LYSIAS, *C. Agoratos* XIII, 91). *P. Vindob. Boswinkel*, V, 11: πρὸς γάμου κοινωνίαν τέκνων γνησίων σπορᾶς ἕνεκεν (avec la note de l'éditeur, *in h. l.*); *P. Oxy.* 1267, 15; cf. FR. SCHULZ, *Roman Registers of Births and Birth Certificates*, dans *Journal of Roman Studies*, 1942, pp. 78–91; 1943, pp. 55–64. M. SCHELLER, *Griech.* γνήσιος, *altind. jā́tya und Verwandtes*, dans *Festschrift Debrunner*, Berne, 1954, pp. 399–407.

[2] *Tit.* I, 4. Sur l'engendrement spirituel et la dénomination de fils impliquant celles de disciple et successeur, cf. P. GUTIERREZ, *La paternité spirituelle selon saint Paul*, Paris, 1968, pp. 225 sv. et *passim*.

[3] Cette signification a été relevée et fortement soulignée par L. ROBERT, *Hellenica* XIII, Paris, 1966, pp. 218 sv.

[4] PHILON, *Abr.* 168; cf. *Vit. Mos.* I, 15: la fille de Pharaon prend en pitié le petit Moïse «le cœur déjà tout rempli d'affection maternelle, comme si c'était son enfant à elle, ὡς ἐπὶ γνησίῳ παιδί»; *Spec. leg.* IV, 203: «le doux espoir d'engendrer des enfants légitimes»; *Omn. prob.* 87; *Corp. Inscr. Iud.* II, 739; *MAMA*, VIII, 220: Λούκιος Ἰωάνῃ ἀναγνώστῃ φιλτάτῳ καὶ γνησίῳ υἱῷ; cf. VI, 358; 368; VII, 427: τοῦ γνησίου μου τέκνου; 565; H. GRÉGOIRE, *Recueil des Inscriptions grecques-chrétiennes d'Asie Mineure*[2], Amsterdam, 1968, n. 74, 310.

[5] *Suppl. Ep. Graec.* VI, 232; cf. *P. Eleph.* 1, 3; *MAMA*, IV, 305: τῇ γλυκυτάτῃ τεκούσῃ Μελτίνῃ καὶ γνησίᾳ γυναικὶ Ἀμμίᾳ; I, 358. Le superlatif γλυκύτατος synonyme de φίλτατος «mon chéri» revient constamment comme épithète féminine (VII, 162,

(*B. C. H.* 1883, p. 274, n. 15; cf. PHILON, *Leg. G.* 62,71; *MAMA* I, 361, 365), des frères et des sœurs: «n'échange pas un vrai frère pour l'or d'Ophir»[1]; enfin des amis, des concitoyens, des compagnons et des «chers confrères»: γνήσιος ἐραστής [2]; «qu'ils n'oublient pas les vrais amis» [3]. C'est en ce sens que saint Paul écrit: «Toi, de ton côté, Syzyge, vrai 'compagnon', je te demande de venir en aide» à Evodie et Syntychè [4]. Outre le jeu de mots, la désignation est affectueuse [5]. Pour rendre cette nuance, on traduira *I Tim.* 1,2; *Tit.* 1,4: «cher et authentique enfant».

II. – De surcroît, γνήσιος s'emploie dans une acception religieuse des transmetteurs d'une révélation. Isis à Horus: «Il me fit jurer de ne transmettre la révélation, εἰ μὴ μόνον τέκνῳ καὶ φίλῳ γνησίῳ» [6]. Plus généralement, il qualifie l'interprète autorisé d'un enseignement: Aristote est «le plus

---

272, 274, 382, 390, 548; VIII, 252; *Inscriptions de Sidé*, 120; cf. H. KOSKENNIEMI, *Studien zur Idee und Phraseologie des griechischen Briefes*, Helsinki, 1956, pp. 97 sv.).

[1] *Sir.* VII, 18. Cf. P. Groning. 10, 9: ἡ ἐμὴ γνεσιωτάτη ἀδελφὴ Σενεπόνυχος; *P. Osl.* 132, 8; *P. Lond.* 992, 5; 1007, 10; 1244, 5; *P. Michael.* 45, 3: Κολλοῦθος γνήσιος αὐτοῦ ἀδελφὸς ἐκ τῶν αὐτῶν γονέων; *P. Oxy.* 48, 12: τοῦ μετηλλαχότος αὐτῆς γνησίου ἀδελφοῦ (86 de notre ère); 2584, 30: πρὸς τὸν ὁμογνήσιόν μου ἀδελφόν; *Sammelbuch*, 9395, 12; 9770, 10; *Suppl. Ep. Gr.* VIII, 621, 19: le «cher Philhermès, qui était pour moi un frère affectueux et véritable, non selon la nature – de ce point de vue il était mon cousin –, mais par sa tendresse»; *P. Herm.* 49, 3.

[2] Inscription de la région romaine (publiée par L. ROBERT, *Hellenica* IV, Paris, 1948, p. 33); *B.G.U.*, 86, 19: τὸν γνήσιον αὐτοῦ φίλον. FR. CUMONT, *Pontica*, n. XX, 26: ἐν πᾶσιν εὔστοργον καὶ γνήσιον φίλον... μνημονεύω.

[3] *P. Fuad*, 54, 34. M. NALDINI, *Il Cristianesimo in Egitto*, Florence, 1968, n. 58, 5: φίλον γνήσιον; B. LATYSCHEV, *Inscriptiones Antiquae²*, Hildesheim, 1965, IV, n. 425: Callisthène à Onésime, τῷ εἰδίῳ γνησίῳ φίλῳ; *P. Apol. Anô*, 24, 1: «J'ai déjà écrit à ta remarquable et noble Amitié, τῇ περιβλέπτῳ σου γνησίᾳ φιλίᾳ»; *P. Ness.* 47, 2: ἀσπάζω σε τὸν ἐμοῦ γνησίων φίλων ὄντα, δέσποτα; 68, 2, 7.

[4] *Philip.* IV, 3. Sur ce texte, cf. C. SPICQ, *Théologie morale du N. T.*, Paris, 1965, II, p. 587, n. 5. Pour le nom de Syntychè, cf. G. WAGNER, *Papyrus grecs de l'Institut français d'Archéologie orientale*, Le Caire, 1971, II, n. 7, 1.

[5] Γνήσιος est une qualification courante de l'attachement; cf. Décret de Ténos: γνησίαν ἔχοντι πρὸς πάντας φιλοστοργίαν (CH. MICHEL, *Recueil d'Inscriptions grecques*, 394, 49; milieu du Ier s. av. J.-C.); Décret de Sestos: πρὸ πλείστου θέμενος τὸ πρὸς τὴν πατρίδα γνήσιον καὶ ἐκτενές (*ibid.* 327, 7); Décret de Chersonèse: ἀγάπαν γνασίαν ἐνδείκνυται (B. LATYSCHEV, *op. c.* I, 359, 6 = L. ROBERT, *Opera minora selecta*, Amsterdam, 1969, I, p. 311, n. 2); Lettre des Héracléotès à Hadrien: πᾶσαι σπουδᾶι καὶ πάσᾳ φιλοστοργίᾳ κεχραμένοι γνασίαι (L. ROBERT, *ibid.*); *P. Lond.* 1917, 14: ἀγαπηταὶ γνησιώταται καὶ ἀξιώταται; *Inscriptions de Délos*, 1512: γνησίως καὶ προθύμως.

[6] Dans M. BERTHELOT, *Collection des anciens Alchimistes grecs²*, Londres, 1963, p. 34, 6; cf. A. J. FESTUGIÈRE, *L'expérience religieuse du médecin Thessalos*, dans *R.B.* 1939, p. 51; *La Révélation d'Hermès Trismégiste*, Paris, 1944, I, p. 259.

197

authentique disciple de Platon»[1]; plus spécialement, l'enfant légitime héritier du père et auquel ce dernier transmet son autorité et le commandement (PHILON, *Virt.* 59; *Leg. G.* 24; cf. *Spec. leg.* IV,184; FL. JOSÈPHE, *Ant.* XVII,45). Peut-être peut-on alors le rapprocher de la dignité aulique d'«ami du roi»; pour Eléazar, par exemple, le roi Ptolémée est un ami sincère[2]. Toujours est-il que ces dernières nuances s'adaptent excellement aux représentants de l'Apôtre à Ephèse et en Crète. Non seulement ils sont aimés tendrement de leur Père spirituel et les chrétiens les entoureront à ce titre de vénération[3], mais ils sont ses représentants doués d'une autorité légitime que nul ne sera en droit de contester, enfin ils sont les interprètes authentiques de sa doctrine, comme l'écho fidèle de la voix de Paul (cf. PHILON, *Vit. cont.* 72, et *II Tim.* III,10).

III. – Quand il s'applique aux choses, γνήσιος signifie qu'elles sont appropriées, adaptées à leur fin[4]; s'il s'agit d'un service, le rendre sincèrement est l'équivalent de le rendre efficacement[5]; et c'est ainsi qu'on entendra l'exhortation aux Corinthiens d'être généreux en faveur des Saints de Jérusalem: τὸ τῆς ὑμετέρας ἀγάπης γνήσιον δοκιμάζων (*II Cor.* VIII,1; cf. *P. Ant.* 188,16: τὸ γνήσιον ἐνδείξεσθαι; *P. Lond.* 1041,2: γνησίαν ἀγάπην).

---

[1] DENYS D'HALICARNASSE, *Lettre à Cn. Pompée,* 1: ὁ γνησιώτατος αὐτοῦ μαθητής; Claude aux Alexandrins: «Mon frère Germanicus s'adressant à vous, γνησιωτέραις ὑμᾶς φωναῖς» (*P. Lond.* 1912, 27; avec la note de I. BELL, *Jews and Christians in Egypt,* Londres, 1924, p. 31); PHILODÈME DE GADARA, *Adv. Soph., Fragm. y* III, 5: γνήσιος ἀναγνώστης; cf. *i³*, 11–12.

[2] *Ep. d'Aristée,* 41: φίλῳ γνησίῳ (avec le commentaire de A. PELLETIER, *Fl. Josèphe adaptateur de la Lettre d'Aristée,* Paris, 1962, p. 112; IDEM, *Philon in Flaccum,* Paris, 1967, p. 159); DITTENBERGER, *OGI,* 308, 7–8, 13–15: la reine attalide Apollonis et ses fils.

[3] Cf. l'inscription de Palmyre: γνησίως καὶ φιλοτείμως παράσταντα, publiée par CHR. DUNANT, *Le sanctuaire de Baalshamin à Palmyre,* Rome, 1971, n. 45 A, 3, et J. T. MILIK, *Dédicaces faites par les Dieux,* Paris, 1972, p. 74.

[4] *P. Gies.* 47, 4: ἐπὶ τῷ κατὰ τὰς εὐχὰς γνήσια καὶ λείαν ἄξια εὑρῆσθαι; 15: παραζώνιον γὰρ πρὸς τὸ παρὸν γνήσιον οὐκ εὑρέθη; cf. PHILON, *Provid.* II, 24: «la prescience des biens authentiques».

[5] PHILON, *Deus immut.* 116; *Det. pot.* 21; *III Mac.* III, 19: γνήσιον βούλονται φέρειν. Cette acception sera très fréquemment celle de l'adverbe γνησίως; cf. *II Mac.* XIV, 8: «le souci sincère (effectif) des intérêts du roi»; *Philip.* II, 20: «Je n'ai vraiment personne qui saura comme lui s'intéresser d'un cœur sincère (efficacement) à votre situation»; *P. Tebt.* 326, 11: προστήσεσθαι γνησίως τοῦ παιδίου = il protégera efficacement l'enfant; d'où le sens de: régulièrement, conformément à la règle (*P. Fuad,* 6, 10); *Sammelbuch,* 7655, 33; 9935, 15: οἷς ἀπ' ἀρχῆς τήν τε φιλίαν καὶ τὴν συμμαχίαν γνησίως συντετήρηκα; *P. Lugd. Bat.* XI, 7, 15.

Ils doivent prouver l'authenticité de leur charité, certes; mais leur aumône est «normale» [1]. Le geste extérieur et matériel ne faisant que traduire «comme il faut» l'exigence intérieure de l'amour. Mais il y a de la beauté et de l'honneur à se montrer «vrai» (cf. PHILON, *Post. C.* 102), en manifestant ses sentiments intimes: γνησίως καὶ ἐνδόξως [2].

---

[1] Cf. *BGU*, 248, 21: τὰ ἔργα τῶν ἀμπέλων ἰδίων γνησίως γενέσθω; *Inscriptions de Magnésie*, 188, 9: ἐν πάσαις ταῖς τῆς πατρίδος χρείαις γνησίως προνοήσαντα; DITTENBERGER, *Syl.* 708, 10: τειχοποιὸς ἀνδρηότατα μὲν καὶ γνησιώτατα τῆς ἐπιμελήας τῶν ἔργων προέστη; *Suppl. Ep. Gr.* IV, 600, 11.

[2] DITTENBERGER, *Syl.* 721, 42; *Suppl. Ep. Gr.* xv, 849, 3: «Ayant assisté avec noblesse et générosité (γνησίως καὶ φιλοτείμως) les marchands, les caravanes et les citoyens»; cf. POLYBE, IV, 30, 4: οἱ γνήσιοι τῶν ἀνδρῶν = les hommes bien nés. Aux VIe-VIIIe s., Γνήσιε = Votre Fraternité, est un titre de respect (*P. Apol. Anô*, 37, 12; cf. *P. Ant.* 188, 1; *P. Ness.* 75, 1).

δειλία, δειλιάω, δειλός

Associée à φόβος (*Sag.* IV,17), ἔκλυσις (*II Mac.* III,24), ἀνανδρία (cf. *IV Mac.* VI,20), ἀτολμία (PHILON, *Virt.* 25; FL. JOSÈPHE, *Ant.* IV,298; XV,142; ENÉE LE TACTICIEN, XVI,20), la pusillanimité ou lâcheté peut se définir: «une défaillance de l'âme causée par la crainte»[1]. Rarement mentionnée dans les papyrus, elle s'entend d'une simple réserve ou abstention[2], d'un manque de courage et de réaction, d'une sorte de torpeur[3], enfin d'un effroi (ταράσσω, *Ps.* LV,4; *Jo.* XIV,27; FL. JOSÈPHE, *Ant.* V,216) qui peut aller jusqu'à la panique et l'épouvante[4] devant un péril extrême.

I. - C'est cette peur psychologique que Jésus reproche aux apôtres terrifiés par la tempête (*Mt.* VIII,26; *Mc.* IV,40), car elle comporte une déficience morale[5]: ils n'ont pas encore la foi ou ils n'ont que peu de foi en la présence

---

[1] THÉOPHRASTE, *Caractères*, XXV, 1.

[2] Un condamné à mort écrit à l'empereur: «Je n'aurai pas peur de te dire la vérité» *P. Par.* 68 *c* 4); *P. Giess.* 40, 11; PHILON, *Omn. prob.* 21, 159; FL. JOSÈPHE, *Ant.* X, 5: «Par couardise, il ne vint pas lui-même, mais envoya trois de ses amis».

[3] *Lév.* XXVI, 36: «Je ferai venir en leur cœur la défaillance..., le bruit d'une feuille qui s'envole les poursuivra, ils fuiront comme on fuit l'épée et ils tomberont même sans qu'on les poursuive»; *Prov.* XIX, 15; *II Mac.* III, 24. MÉNANDRE: «Je deviens lâche, maintenant que l'affaire est toute proche» (*Samienne*, 125; synonyme de femmelette, pleutre, ἀνδρόγυνος; 128). PLUTARQUE, *Vie de Fabius*, XVII, 5: «la lâcheté et l'apathie de Fabius (δειλία καὶ ψυχρότης)»; *Cléomène*, XXXIII, 7: la poltronnerie de Ptolémée. Cf. *Antoine*, XCIII, (6), 4.

[4] *I Mac.* IV, 32: «Sème la panique dans leurs rangs, dissous la confiance qu'ils mettent dans leur force et qu'ils soient ébranlés par leur défaite» (prière de Judas Macchabée devant l'invasion de Lysias); FL. JOSÈPHE, *Guerre*, VI, 212: «Terrifiés dans cette seule circonstance» (récit d'anthropophagie); QUINTUS DE SMYRNE, *Suite d'Homère*, V, 187. «La couardise et la lacheté» des soldats (POLYBE, V, 85, 13).

[5] Pour les variantes textuelles, cf. V. TAYLOR, *The Gospel According to St. Mark*, Londres, 1952, p. 276. La *Syr. pal.* et *curet.* supprime le reproche, Jésus dit simplement «N'ayez pas peur» et ne parle pas de foi (cf. G. GANDER, *L'Evangile de l'Eglise*, Genève, 1970, I, p. 57). D'après le Siracide, le cœur du sage, consolidé sur des convictions réfléchies, sera sans peur le moment venu (XXII, 16); au contraire le cœur timide, aux convictions sottes, face à quelque crainte que ce soit, ne tient pas (XXII, 18; cf. J. HADOT, *Penchant mauvais et volonté libre dans la Sagesse de Ben Sira*, Bruxelles, 1970, p. 117); II, 12: «Malheur aux cœurs lâches et aux mains flasques», sans force pour lutter. Cf. *II Chr.* XIII, 7: «Roboam qui était jeune et d'un cœur faible (litt. mince, *raq*) ne put leur résister».

du Sauveur qui devrait les rassurer. Il y a une référence aux Sapientiaux: lorsqu'on s'appuie sur Dieu, il n'y a rien à craindre [1].

II. – Lorsque *Apoc.* xxi,8 situe les lâches et les infidèles dans l'étang de feu, elle vise les chrétiens au temps de la persécution qui, ayant peur de souffrir, renient leur foi. Il est constant que c'est devant la mort que se révèle le courage ou la lâcheté des hommes [2]; cette dernière se traduit par la fuite devant le danger [3], mais elle s'empare aussi bien de l'agriculteur paresseux (FL. JOSÈPHE, *Guerre*, III,42; *P. Tebt.* 58,27) et de l'athlète [4] que de tout cœur humain qui défaille, litt. «se fond» (*Is.* xiii,7, *mâsas*), même des Apôtres à la perspective des épreuves eschatologiques (*Jo.* xiv,27). On définit alors la lâcheté «une maladie plus grave que celle des corps, car elle détruit les facultés de l'âme» (PHILON, *Virt.* 26) et l'on s'accorde à y voir un vice majeur, propre aux âmes basses [5].

III. – «Ce n'est pas un esprit de pusillanimité que Dieu nous a donné, mais de force et de charité» (*II Tim.* I,7). Saint Paul encourage son jeune

---

[1] *Pahad; Ps.* xiv, 5: «Ils trembleront de crainte, là où il n'y a pas à craindre»; xxvii, 1: «Iahvé est le refuge de ma vie, par qui serai-je effrayé?»; lxxviii, 53: «Iahvé les conduisit en sécurité, ils ne tremblèrent pas»; *Sir.* xxxiv, 14: «qui craint le Seigneur ne redoute rien, il ne sera pas lâche, car son espoir c'est Lui»; *Test. Sim.* ii, 3; sur la peur du pilote dans la tempête, cf. FL. JOSÈPHE, *Guerre*, iii, 368.

[2] *Ps.* lv, 4: «Mon cœur est troublé en moi, la peur de la mort tombe sur moi»; *II Mac.* xv, 8: Judas Macchabée «engageait ceux qui étaient avec lui à ne pas redouter l'attaque des Gentils»; *IV Mac.* vi, 20–21: «Ce serait une honte si nous prolongions notre vie de quelques jours pour être, durant ces jours mêmes, par notre couardise, l'objet de la risée générale... si nous encourrions par notre lâcheté le mépris du tyran»; xiv, 4: «Nul de ces sept jeunes gens ne trembla, nul n'hésita devant le trépas»; FL. JOSÈPHE, *Guerre*, iii, 365: «il y a lâcheté à ne pas vouloir mourir quand il le faut»; vii, 382; *Ant.* vi, 215: Melcha craint pour la vie de son mari; PLUTARQUE, *Délais de la justice divine*, 11; associée à «mollesse» (19); à «poltronnerie» (*Comment se louer soi-même*, 13); *Alexandre*, 50, 10–11; 58, 4; *Phocion*, ix, 2–3 (synonyme d'ἄνανδρος et opposé à θαρσαλέος); *Caton min.* xxii, 3; lviii, 8; DIODORE DE SICILE, xvii, 15, 2: «A ceux qui ne voulaient pas mourir pour le salut de la cité, Phocion reprocha leur manque de virilité et leur lâcheté».

[3] MÉNANDRE, *Dyscol.* 123: «Je vous en prie, fuyez! – Ce serait une lâcheté (δειλία)»; PHILON, *Det. pot.* 37: «Nos ennemis traitent cette dérobade (ὄκνον) de lâcheté; pour nos amis c'est de la prudence».

[4] PHILOSTRATE, *Gymn.* 25: εἰ θαρσαλέος ἢ δειλός.

[5] *Sag.* ix, 14; xvii, 10; PHILON, *Agr.* 17; *Sacr. A. et C.* 15; ÉPICTÈTE, iv, 1, 109. Zénon (dans STOBÉE, *Ecl.* ii, 7, 5 *a*; t. ii, pp. 57–58); un auteur anonyme du Ier s. commente: δειλός· τὸν πόνον φεύγων (dans J. M. EDMONDS, *The Fragments of Attic Comedy*, Leiden, 1961, iii *a*, p. 368, n. 115 f). Cf. LUCIEN: «Je suis trop lâche et j'aurais trop de mal à supporter d'être loin de mes foyers» (*Le Navire*, 33).

et timide disciple à ne pas s'effrayer des difficultés de sa charge; plus précisément, il stimule «le beau soldat du Christ Jésus» (*II Tim.* ii,3) à engager et poursuivre le combat (*I Tim.* i,18) selon la maxime militaire traditionnelle, si l'on peut dire, depuis le Deutéronome: «Conquiers... Ne crains pas et ne t'effraye pas» [1]. Tous les lâches sont exclus de l'armée [2]; la poltronnerie étant le vice le plus contraire au courage du combattant (*Sir.* xxxvii,11; PHILON, *Vit. Mos.* i,233,235). Il va de soi que la force et la hardiesse sont requises éminemment du chef: «la lâcheté et la poltronnerie dans la vie privée apportent le déshonneur à ceux qu'elles possèdent, mais chez un général investi de responsabilités, elles deviennent une calamité publique et le plus grand malheur» (POLYBE, iii, 81,7).

---

[1] Parole de Iahvé à Moïse avant la conquête de la Terre promise (*Deut.* i, 21); Moïse au peuple: «Soyez forts et soyez courageux. Ne craignez pas et ne tremblez pas devant eux» (xxxi, 6), à Josué (xxxi, 8; *Jos.* i, 9; viii, 1); Josué au peuple (*Jos.* x, 25).

[2] *Deut.* xx, 8; *Jug.* vii, 3; *I Mac.* iii, 56: «A ceux qui avaient peur... il dit de s'en retourner chacun à sa demeure». La couardise disqualifie, PHILON, *Virt.* 22, 25; *Agr.* 154; PLUTARQUE, *Vie de Fabius*, vii, 6: «des soldats assez lâches pour se laisser prendre par l'ennemi»; *Paul-Emile*, xix, 4: «Héraclès ne reçoit pas les lâches sacrifices offerts par des lâches»; cf. ONOSANDRE, xiv, 1.

δειπνέω

Instituant l'eucharistie, le Seigneur bénit la coupe μετὰ τὸ δειπνῆσαι (*Lc.* xxii,20; *I Cor.* xi,25) et il promet à l'Eglise de Laodicée: «Si quelqu'un entend ma voix et ouvre la porte, j'entrerai chez lui et je dînerai avec lui (δειπνήσω) et lui avec moi» (*Apoc.* iii,20).

Les papyrus nous ont conservé un certain nombre d'invitations à dîner, soit dans une maison particulière, soit dans un temple [1], soit surtout à la *klinè* de Sarapis [2], dont on a rapproché les textes néo-testamentaires précités et la participation «à la table du Seigneur» (*I Cor.* x,21). Effectivement, le sacrifice païen était un repas qu'on offrait au dieu [3]; tantôt on reçoit le dieu lui-même à sa table, tantôt c'est la divinité elle-même qui invite à sa table dans l'*héraion* pour qu'on se réjouit avec elle [4]. Par exemple au mystère de Panamara, le prêtre de Zeus écrit aux Rhodiens: «Bien que le dieu invite à son festin tous les hommes et qu'à tous ceux qui viennent à lui il offre une table commune et des parts également honorables, cependant, comme il estime que votre cité a droit à des honneurs privilégiés... et du fait que nous communions ensemble aux mêmes choses saintes, je vous invite à venir vers le dieu, j'engage tous les membres de votre

---

[1] *P. Oxy.* 111: «Héraïs vous prie à dîner à l'occasion du mariage de ses enfants, demain cinq, à neuf heures»; *P. Oxy.* 2678 (dans le temple de Sabazios).

[2] *P. Oxy.* 110, 523, 1484, 1755, 2592; *P. Osl.* 157; *P. Yale,* 85: Ἐρωτᾷ σε Διονύσιος δειπνῆσαι τῇ κα εἰς κλείνην Ἡλίου μεγάλου Σαράπιδος ἀπὸ ὥρας θ ἐν τῇ πατρικῇ ἑαυτοῦ οἰκίᾳ (cf. M. Vandoni, *Feste pubbliche e private nei Documenti greci,* Milan, 1964, n. 138, 140–143, 145); *P. Fuad,* 76: «Sarapous t'invite à dîner pour le sacrifice en l'honneur de Dame Isis, dans sa maison, demain, c'est-à-dire le 29, à partir de la neuvième heure»; *P. Köln,* 57; *Sammelbuch,* 11049. Cf. J. F. Gilliam, *Invitations to the Kline of Sarapis,* dans *Collectanea Papyrologica* (in honor of H. C. Youtie), Bonn, 1976, i, pp. 315–324.

[3] A. J. Festugière, *Le Monde gréco-romain au temps de Notre-Seigneur,* Paris, 1935, ii, pp. 92 sv. *P. Oxy.* 3164, 3: ἱερὰ κλίνη.

[4] Cf. *P. Colon.* inv. 2555: καλεῖ σε ὁ θεὸς εἰς κλείνην γεινομένην ἐν τῷ θοηρείῳ αὔριον ἀπὸ ὥρας θ' (édité et commenté par I. Koenen, *Eine Einladung zur Kline des Sarapis,* dans *Zeitschrift für Papyrologie und Epigraphik,* i, 1967, pp. 121–126). Sur l'εὐφροσύνη de ces communions, cf. A. Laumonier, *Les Cultes indigènes en Carie,* pp. 258, 315 sv.; c'est proprement la joie des banquets, cf. L. Robert, *Hellenica* x, p. 199, n. 7; xi-xii, p. 13, n. 1.

cité à prendre part à la joie qu'il vous offre»[1]. C'est le dieu qui offre le repas et y préside; on répond à son appel; le fidèle est uni plus étroitement à son dieu.

Ces parallèles sont intéressants au plan linguistique et de l'histoire des religions, mais la formulation paulinienne peut s'inspirer plus directement de *Mal.* 1,7,12; *Ez.* xxxix,20; xliv,16.

---

[1] *Bulletin de Corr. Hell.* 1927, pp. 73–74, n. 11; cité et traduit par A. J. Festugière, *op. c.*, p. 173; cf. A. Deissmann, *Licht vom Osten*[4], Tübingen, 1923, p. 299. A. Bernand, *Paneion d'El-Kanaïs*, n. 59 bis. Sur la Théodaisia, Proixénia, xénika, Théoxénie; cf. D. M. Pippidi, *Scythica Minora*, Bucarest-Amsterdam, 1975, pp. 139 sv.

διερμηνεύω, έρμηνεία, έρμηνεύω

Selon *Lc.* XXIV,27, le Christ «expliquait (aux disciples d'Emmaüs), dans toutes les Ecritures, ce qui le concernait»[1]. C'est le seul emploi du verbe διερμηνεύειν dans les Evangiles. Il a normalement le sens de «traduire» une langue dans une autre, dans les textes profanes antérieurs[2], mais il est clair que Luc lui donne l'acception d'«interpréter», comme dans *II Mac.* 1,36: «Néhémie appela ce liquide nephtar, ce qu'on interprète par purification (ὃ διερμηνεύεται καθαρισμός), mais la plupart le nomment nephtai». Cet emploi est clairement attesté par Philon, qui connaît le sens strict de traduction[3], mais lui donne plus souvent une acception large: «Il traduira tes pensées» (*Migr. Ab.* 81); «ce que le langage exprime» (*Conf. ling.* 53; cf. *Migr. Ab.* 12). διερμηνεύω signifie alors: exprimer sa pensée par des mots[4]. C'est ainsi qu'il n'est pas permis d'exprimer en propres termes le nom de Dieu (*Leg. G.* 353; cf. *Megillah* III,41); l'exactitude de la pensée de l'homme le plus versé en doctrine s'exprime dans ses explications (*Vit. cont.* 31). Expliquer la genèse de la lumière, c'est en donner l'intelligence ou découvrir ce qu'on ignore (*Opif.* 31). Finalement, pour Philon comme pour saint Luc, ce verbe signifie «interpréter», et c'est ainsi que Jésus est comme Moïse «l'interprète des Livres» saints[5].

---

[1] E. Delebecque traduit: «Il éclaircit pour eux, au moyen de toutes les Ecritures, les choses à lui relatives» (*Evangile de Luc*, Paris, 1976).

[2] *Ep. Aristée*, 15: «Le code que nous avons l'intention... de traduire»; 308: «en présence des traducteurs, παρόντων τῶν διερμηνευσάντων»; 310: «Maintenant que la traduction a été faite correctement, avec piété et avec une exactitude rigoureuse». Une seule attestation papyrologique: les copies des rapports égyptiens au procès d'Hermas, ont été traduites en grec, ἀντίγραφα συγγραφῶν Αἰγυπτίων, διηρμηνευμένων δ'ἑλληνιστί (*U.P.Z.* 162, col. v, 4; de 116 av. J.-C.). Fl. Josèphe ignore ce verbe.

[3] *Lois allég.* III, 87: «Isaac se traduit: rire de l'âme, joie et bonheur» (cf. *Deus imm.* 144); une «traduction impeccable» (*Migr. Ab.* 73, τοῦ διερμηνεύοντες ἀπταίστως); «Le grand prêtre fut engagé à sélectionner des traducteurs pour la Loi» (*Vit. Mos.* II, 31).

[4] Cette acception est ignorée du N. T. Cf. *Mut. nom.* 56: la parole «incapable d'exprimer la moindre réalité»; 208: la parole a été instruite à exprimer saintement les «choses saintes d'une manière digne de Dieu».

[5] PHILON, *Post. C.* 1; *Spec. leg.* IV, 132. Cf. *Mut. nom.* 126: «Moïse a reçu un don considérable: l'interprétation (ἑρμηνείαν) et la prédication des saintes lois»; *Vit.*

Selon *Act.* ix,36: «une disciple du nom de Tabitha, ce qui traduit (ἡ διερμηνευομένη), se dit Dorcas». Dans les autres textes du N. T., cette traduction – que l'on peut transcrire par «c'est-à-dire» ou «ce qui signifie» – s'exprime par le verbe simple ἑρμηνεύω [1], surabondamment employé par Philon en cette acception de transcription en grec de la signification d'un mot hébreu [2].

Dans les papyrus, ἑρμηνεύω exprime le plus souvent la traduction d'un texte original dans une autre langue. Ainsi le testament de C. Longinus Castor écrit en latin a été traduit en grec: ἡρμήνευσα τὸ προκείμενον ἀντίγραφον (*B. G. U.* 326, col. ii,22 = *Sammelbuch*, 9298, 26); ἀντίγραφον ἑρμηνευθὲν Ἑλληνικοῖς γράμμασι (*P. Oxy.* 2231, 26–27); τὰ ἑρμηνευθῆναι τὸ γραμμάτιον ὃ διεπέμψαντε μοι (*P. Strasb.* 260,1); ἑρμήνευσα ἀπὸ Ῥωμαικῶν (*P. Ryl.* 62,30); ce qui suppose une correspondance stricte entre les deux textes. Mais celle-ci est plus large lorsqu'un avocat plaide pour son client: δι᾽ ᾽Ανουβίωνος ἑρμηνεύοντος εἶπεν (*Sammelbuch*, 8246, 38, 46), surtout lorsqu'il s'agit d'une explication, tel Isidoros: «Informé de façon sûre par des hommes qui

---

Mos. i, 1: «Moïse l'interprète des saintes Lois»; *Decal.* 175; *Mut. nom.* 125; Fl. Josèphe, *Ant.* iii, 87: Moïse *hermèneus* de Dieu. Le διερμηνευτής *I Cor.* xiv, 26 est le traducteur-interprète du charismatique qui parle une langue inintelligible.

[1] *Jo.* i, 42: «Tu t'appelleras Céphas, ce qui est traduit Pierre, ὃ ἑρμηνεύεται Πέτρος»; ix, 7: «La piscine de Siloé [mot] qui est traduit Envoyé»; *Hébr.* vii, 2: «Melchisédech se traduit (ἑρμηνευόμενος): roi de justice». Cf. *Esdr.* iv, 7: le texte de la lettre au roi Artaxerxès était écrit en araméen et traduit (καὶ ἡρμηνευμένην); *Job*, xlii, 18 (verset apocryphe): le texte se donne comme une traduction d'un livre syriaque (araméen): οὗτος ἑρμηνεύεται ἐκ τῆς Συριακῆς βίβλου; *Ep. Aristée*, 39: «des Anciens versés dans la connaissance de leur Loi, capables de la traduire». C. F. D. Moule (*La Genèse du Nouveau Testament*, Neuchâtel, 1971, pp. 183–187) attire l'attention sur Papias: «Matthieu réunit en langue hébraïque les *logia* (de Jésus) et chacun les interpréta (ἡρμήνευσεν) comme il en était capable» (Eusèbe, *Hist. eccl.* iii, 39, 16). Cf. Héliodore, *Ethiop.* iv, 11, 4: «lui faisant lire la bande que je traduisais au fur et à mesure scrupuleusement». Souvent on emploie le verbe μεθερμηνεύειν, *Mt.* i, 23; *Mc.* v, 41; xv, 22, 34; *Jo.* i, 38, 41; *Act.* iv, 36; xiii, 8 (ignoré de Philon).

[2] Près de 150 fois; cf. *Vit. Mos.* ii, 40; *Migr. Ab.* 20: «Hébreu se traduit par émigrant»; *Congr. er.* 51: «Israël signifie: voyant Dieu» (= *Somn.* ii, 173; *Abr.* 57; *Leg. G.* 4). Mais il y a des traductions libres (*Migr. Ab.* 169) et larges (*Lois allég.* i, 90), où l'interprétation laisse entendre une exégèse spirituelle; cf. *Congr. er.* 20. De même Fl. Josèphe, *Ant.* xii, 11: Ptolémée Philadelphe a traduit la Loi; 114; *C. Ap.* ii, 46: Il demande aux Juifs de lui envoyer des hommes pour lui traduire la Loi; *Guerre*, vii, 455: «Comment cela a-t-il été traduit, je laisse à mes lecteurs le soin de l'apprécier»; *Ant.* vi, 156; mais aussi *Ant.* vi, 230: «j'exprime ma pensée par des mots»; *Guerre*, v, 182: «Il est impossible de décrire dignement ce palais»; 393: «Je ne saurais relater dignement vos extravagances».

rapportent ce qu'ils savent, et après avoir moi-même transcrit tous ces faits, j'ai expliqué aux Grecs le pouvoir du dieu et du prince» [1]; enfin «traduire des sentiments», c'est les exprimer [2].

Il y a donc des traducteurs: les frères de Joseph «ne savaient pas que Joseph comprenait, car l'interprète était leur intermédiaire» [3]. Dans un pays comme l'Egypte, où se rencontraient une multitude de races [4], les ἑρμηνεῖς (cf. *Ep. Aristée*, 310, 318) n'étaient pas seulement des polyglottes, mais ils semblent avoir exercé une fonction officielle [5], tel cet Apollonios interprète des Ethiopiens établis en Egypte, et qui devait être appointé soit par les particuliers (*Sammelbuch*, 10743, du Ier s.), soit par l'Etat: ἑρμηνεὺς τῶν Τρυγοδυτῶν [6], car au Ier siècle l'interprétation était une charge publique [7]. Toujours est-il que les papyrus attestent souvent la présence

---

[1] Ἐγὼ πάντ' ἀναγραψάμενος ἡρμήνηυς' Ἕλλησι θεοῦ δύναμιν τε ἄνακτος (*Hymne à Isis; Suppl. Ep. Gr.* VIII, 51, 39 = *Sammelbuch*, 8141, 39; V. Fr. Vanderlip, *The Four Greek Hymns of Isidorus and the Cult of Isis*, Toronto, 1972, p. 74, qui comprend le moyen ἡρμήνηυσα: l'auteur s'explique dans sa propre langue). Cf. ligne 33: «Interprétant son nom, les Egyptiens l'appellent Porramanrès».

[2] *B.G.U.* 140, 20: cf. φιλανθρωπότερον ἑρμηνεύω. Antinous répond par le truchement d'un interprète (P. J. Sijpesteijn, K. A. Worp, *Fünfunddreißig Wiener Papyri*, Zutphen, 1976, n. VIII, 2–4); cf. *Sammelbuch*, 10288, II, 15.

[3] *Gen.* XLII, 23 (ἑρμηνευτής; hiphil de לִיץ). L'A. T. ignore ἑρμηνεύς. Le N. T. ignore ces deux termes. Philon n'use jamais du premier, auquel Moulton-Milligan ne pouvaient apporter d'exemple dans la *koinè*, mais cf. Fl. Josèphe, *Ant.* II, 72; Papias: Μάρκος ἑρμενευτὴς Πέτρου γενόμενος (Eusèbe, *Hist. eccl.* III, 39, 15).

[4] Ptolémée Evergète II, décide qu'il y aura des tribunaux différents selon que les procès opposent des Egyptiens à des Grecs, des Grecs aux Egyptiens ou des Egyptiens à des Egyptiens (*P. Tebt.* V, 207–220); cf. A. Théodoridès, *A propos de la loi dans l'Egypte pharaonique*, dans *Rev. int. des Droits de l'Antiquité*, 1967, pp. 107–156.

[5] Cf. *Corpus Inscriptionum Regni Bosporani*, Moscou-Leningrad, 1965, n. 698: Παιρίσαλος Σαυρόφου ἑρμενεύς. Il y a même un «interprète en chef», δι' ἐπιμελείας Ἡρακᾶ Ποντικοῦ ἀρχερμηνέως (*C.I.R.B.* 1053).

[6] Papyrus de Berlin, dans G. Lumbroso, *Recherches sur l'Economie politique de l'Egypte sous les Lagides²*, Amsterdam, 1967, p. 256.

[7] Cf. L. Moretti, *Inscriptiones graecae Urbis Romae*, Rome, 1972, n. 567: Ἄσπουργος ἑρμηνεὺς Σαρματῶν Βωσπορανός. R. Taubenschlag, *The Interpreters in the Papyri*, dans *Opera Minora*, Varsovie, 1959, II, pp. 167–170 (cite Plutarque, *Ant.* XXVII, 2); W. Peremans, *Über die Zweisprachigkeit im ptolemäischen Ägypten*, dans *Studien zur Papyrologie und antiken Wirtschaftsgeschichte*. Festschrift Oertel, Bonn, 1964, pp. 58 sv. Sur les interprètes royaux payés par le trésor, cf. U. Wilcken, *Actenstücke aus der königlichen Bank zu Theben* (Abhandl. der kgl. Preuß. Akad. der Wiss. zu Berlin, 1886, n. 9). Sur les traducteurs dans les synagogues, cf. *Megillah* II, 1; IV, 4; *Shabbath*, 115 a; S. Safrai, *The Jewish People in the First Century*, Assen-Amsterdam, 1976, II, pp. 930 sv.

et l'activité d'un ἑρμηνεύς τῆς κώμης[1]. Ils sont au service des personnes, non seulement du stratège (*Sammelbuch*, 9046, 308), mais aussi des particuliers[2]. Ils écrivent (*Stud. Pal.* XXII, 101,11), sont associés aux notaires (*P. Osl.* 183, 6, 8), traduisent du grec en latin ou du latin en grec (*B. G. U.* 140; 326; *P. Strasb.* 253,4; *P. Ryl.* 62,30; *P. Rend. Har.* 67, col. II,11) et plus tard du copte en grec (*P. Lond.* 77,69; t. I, p. 235; VIIIe s.). Ils semblent jouir de pouvoirs ou d'un crédit assez étendu, car ils servent d'intermédiaires: γεγράφαμεν δὲ καί Ἀπολλωνίῳ τῷ ἑρμηνεῖ περὶ τούτων (*Sammelbuch*, 7646,7; cf. *P. Ryl.* 563,7; *P. Zén. Cair.* 59065,2; *P. S. I.* 409,15). Ils interviennent dans les procès. Pour savoir, par exemple, si une femme a le droit de rester avec son mari, contre la volonté de son père, le juge prescrit: ἐκέλευσεν δι' ἑρμηνέως αὐτὴν (la femme égyptienne) ἐνεχθῆναί τί βούλεται, εἰπούσης παρὰ τῷ ἀνδρὶ μένειν κ.τ.λ. (*P. Oxy.* 237, col. VII,37), ou encore que le témoignage d'Ammônios, d'Antoninos et le Sarapiôna sera examiné δι' ἑρμηνέως[3]. Ce sont donc des personnages nombreux, influents, capables, ayant des initiatives et indispensables dans une société cosmopolite[4] et polyglotte[5].

---

[1] *P. Tebt.* 450; *P. Ross.-Georg.* V, 42, 4; ἑρμηνεύς Καρανίδος (*P. Athen.* 21, 11; *P. Michig.* 567, 15; *B.G.U.* 985, 10); ἑρ. Βακχιάδος (*P.S.I.* 879, 12).

[2] *P. Michig.* t. IV, n. 1841: Μύσθης ἑρμηνεύς; V, 321, 20: ἐν Ταλὶ ἑρμηνέως; *P. Strasb.* 41, 36: δι' ἑρμενέως Ἀμμώνιον καὶ Ἀντωνίνον κ. τ. λ. *P. Oxy.* 1517, 6: Θέων ἑρ.

[3] *P. Strasb.* 41, 3 (25 ap. J.-C.); cf. *P. Théad.* 14, 23: ὑδροφύλακες ἀπεκρείναντο δι' ἑρμηνέως; *P.S.I.* 1326, 4; *Sammelbuch*, 8246, 39–40. Cf. FR. CUMONT, *L'Egypte des Astrologues*, Bruxelles, 1937, p. 46, n. 3; cf. p. 177, n. 3 sur l'ἑρμηνέα γάμων.

[4] On se souviendra que ἑρμηνεία en musique désigne l'exécution (ce que nous appelons «l'interprétation») d'un air chanté ou de la mélodie jouée à la flûte ou sur la cithare, cf. Ps. PLUTARQUE, *De la Musique*, 32 et 36. Dans Philon, ἑρμηνεία est tantôt l'expression verbale (τοῦ λόγου τὰς ἑρμηνείας, *Rer. div.* 108; *Congr. er.* 17, 33; *Somn.* II, 262, 274; *Virt.* 193; *Det. pot.* 39, 68, 79, etc.), tantôt la traduction d'une langue dans une autre (*Vit. Mos.* II, 27; *Post. C.* 74, 120; *Somn.* II, 242), comme *Ep. Aristée*, 3, 120, 308. Acception constante des papyrus, notamment pour la traduction des testaments: Ἑρμηνία διαθήκης (*P. Lugd. Bat.* XIII, 14, 1; *B.G.U.* 326, col. I, 1; II, 15: ἑρμηνία κωδικίλλων διπτύχων; *P. Oxf.* VII, 12: ἑρμηνείας ἀντίγραφον; *Sammelbuch*, 7630, 8), des quittances (ὑπὲρ ἑρμηνίας, *Sammelbuch*, 9355, col. I, 3; II, 2; 10288, n. 2, 15), d'un écrit: Διοσκουρίδου χάρτην ἢ ἐνεγράφη τά τε ρωμαϊκὰ καὶ ἡ τούτων ἑρμηνεία (*P. Oxy.* 2276, 7; cf. 1466, 3: ἑρμηνεία τῶν Ῥωμαϊκων; 2472, 3; *P.S.I.* 1364 A et B; *P. Lund.* III, 9, 7, réédité *Sammelbuch* 8749, 7), d'une lettre comme celle de Dioclétien aux habitants de l'île d'Eléphantine: τῶν γραμμάτων ἑρμηνεία (*Sammelbuch*, 8393, 20) ou d'une audience devant un magistrat (*P. Théad.* 13, col. II, 1). En ce sens *Sir.* Prol. 20: «Vous êtes invités à en faire la lecture avec bienveillance et... à montrer de l'indulgence là où nous semblerions – malgré notre soin laborieux dans la traduction – rendre mal quelques-unes des expressions».

[5] En Palestine, les langues parlées sont très diverses au Ier s., non seulement

L'office propre de l'*hermèneus* est l'*hermènéia*. Si cette dernière a dans les écrits juifs un caractère sacré lorsqu'elle désigne la version grecque des Septante (cf. FL. JOSÈPHE, *Ant.* XII, 39, 87, 104, 106, 107, 108), elle implique aussi des «explications» fournies par le traducteur qui devient ainsi un interprète [1]. Ce n'est pas que celui-ci puisse exprimer ses propres conceptions [2], «le devin ne disait rien de personnel, il interprétait seulement les paroles d'un autre, quand le saisissait la présence divine» (PHILON, *Vit. Mos.* I,286); «les interprètes des rêves ont l'obligation de dire la vérité, car ils expliquent et proclament les oracles divins» (*De Josepho*, 95). Philon a élaboré une théologie de l'ἑρμηνεύς qui exerce une fonction religieuse, rattachée à la prophétie: «Les prophètes sont les interprètes de Dieu» [3]. C'est Dieu, en effet, qui équipe «le parfait interprète en faisant jaillir pour lui les sources du langage et en les lui révélant» (*Det. pot.* 44; cf. 68). «Au méchant, il n'est pas permis d'être l'interprète de Dieu, si bien qu'aucun homme mauvais n'est inspiré de Dieu» [4]. Seuls les vertueux «sont capables d'interpréter la signification des Saintes Ecritures» (FL. JOSÈPHE, *Ant.* XX,264).

En conclusion, en tenant compte d'une part du nombre et de l'importance des «interprètes» dans le monde profane du Ier siècle, d'autre part et surtout de la théologie juive, exaltant d'une manière insigne les traducteurs de la Bible hébraïque, devenue inintelligible pour les contemporains,

---

l'hébreu et l'araméen sont courants (cf. CH. RABIN, *Hebrew and Aramaic in the First Century*, dans S. SAFRAI, M. STERN, *The Jewish People in the First Century*, Assen-Amsterdam, II, pp. 1007–1040), mais le grec est commun: textes de Murabba'ât, inscription de Nazareth, des tombes, ossuaires et monnaies, titre de la Croix; les «Hellénistes» portent des noms grecs et parlent grec; plus de 450 inscriptions juives écrites en grec ont été retrouvées en Palestine etc. Cf. G. MUSSIE, *Greek in Palestine and the Diaspora*, *ibid.*, pp. 1040–1064.

[1] Cf. l'interprétation de la vision: Manè, Técel, Pharès, ἐστι δὲ ἡ ἑρμηνεία αὐτῶν (*Dan.* V, 1, selon les Septante); de Salomon: «Pour les chants, les proverbes, les paraboles, pour les interprétations, les contrées t'admirèrent» (*Sir.* XLVII, 17); cf. *Ep. Aristée*, 32: «une interprétation exacte du texte de la Loi»; FL. JOSÈPHE, *Ant.* I, 29: «j'apporte cette explication sur ce point».

[2] PHILON, *Vit. Mos.* II, 34: Quelle immense affaire de donner une traduction intégrale de lois dictées par des oracles, sans pouvoir retrancher, ajouter ou changer quoi que ce soit».

[3] *Spec. leg.* I, 65; II, 189; III, 7; IV, 49; *Praem.* 55; *Deus immut.* 138; *Vit. Mos.* II, 188, 191, 40: les traducteurs de la Loi sont plutôt des hiérophantes et des prophètes; cf. *Leg. G.* 99; *Quod deter.* 39–40; *Migr. Ab.* 84.

[4] *Rer. div.* 259; cf. *Det. pot.* 133. Les «mauvais interprètes» (*Migr. Ab.* 72) ne sont pas toujours véridiques (*Spec. leg.* IV, 60); «l'esprit des auditeurs ne peut suivre les explications débitées à toute allure et sans reprendre haleine» (*Vit. cont.* 76).

faisant aussi de Moïse l'interprète éminent de la révélation divine, associant enfin prophétie et interprétation, on comprend mieux *I Cor.* xii,30 où saint Paul fait de l'interprète un charismatique, et xiv, 5, 13, 27 où le parler-en-langue incompréhensible pour les auditeurs doit être traduit et expliqué en clair par un interprète, qui transpose la révélation divine dans un langage accessible[1]. S'il n'y a pas de διερμηνευτής (ῥ. 28) dans l'assemblée, le parleur-en-langue doit se taire ou prier pour obtenir de savoir interpréter (ῥ. 13). Ce qui suppose que le discours de l'extatique a un sens en lui-même. En tout cas, c'est le Saint-Esprit qui accorde le don d'interprétation des langues (*I Cor.* xii,10, ἑρμηνεία γνωσσῶν), et très vraisemblablement le διερμηνευτής ne se contentait pas de traduire purement et simplement ce qui était dit par le glossolale; il devait y ajouter s'il en était besoin les explications et les éclaircissements opportuns afin que ce charisme porte tous ses fruits d'édification (*I Cor.* xiv,26).

---

[1] Cf. J. G. Davies, *Pentecost and Glossolalia,* dans *The Journal of Theological Studies,* 1952, pp. 228–231.

δοῦλος, οἰκέτης, οἰκεῖος, μίσθιος, μισθωτός

On a tort de traduire δοῦλος par «serviteur», car on lui fait perdre son exacte signification dans la langue du Ier siècle. A l'origine, avant de désigner l'esclave, δοῦλος était un adjectif signifiant «non-libre», par opposition à ἐλεύθερος [1], et cette dichotomie restera fondamentale au Ier siècle: εἴτε δοῦλοι, εἴτε ἐλεύθεροι [2]. Gaius définit: «La principale distinction afférente au droit des personnes est que les hommes sont libres ou esclaves. De plus, parmi les hommes libres, les uns ingénus, les autres affranchis. Sont ingé-

---

[1] Fr. Gschnitzer, *Studien zur griechischen Terminologie der Sklaverei*, Wiesbaden, 1964, p. 6. La bibliographie de l'esclavage est surabondante. Outre les articles de dictionnaires et d'encyclopédies, cf. J. J. Koopmans, *De servitute antiqua et religione christiana capita selecta*, Groningen, 1920; M. Lambertz, *Zur Etymologie von δοῦλος*, *Glotta*, vi, 1, pp. 1–18; W. L. Westermann, *The Slave Systems of Greek and Roman Antiquity*, Philadelphie, 1955; S. Lauffer, *Die Bergwerkssklaven von Laureion*, Wiesbaden, t. i-ii, 1956–1957; M. I. Finley, *Slavery in Classical Antiquity*, Cambridge, 1960; Idem, *The Servile Statuses of Ancient Greece*, dans *Rev. int. des Droits de l'Antiquité*, 1960, pp. 165–189; G. Boulvert, *Les Esclaves et les Affranchis impériaux sous le haut-empire romain*, t. i-ii, Aix-en-Provence, 1964 (relève plus de trois mille inscriptions); L. Halkin, *Les esclaves publics chez les Romains*[2], Rome, 1965; C. Spicq, *Affranchissement juridique et Liberté de grâce*, dans *Théologie morale du N. T.*, Paris, 1965, ii, pp. 828–849; P. Petit, *La Paix romaine*, Paris, 1967, pp. 278, 374 sv.; C. Schneider, *Kulturgeschichte des Hellenismus*, Munich, 1967, ii, pp. 167 sv.; P. Chantraine, *Freigelassene und Sklaven im Dienst der römischen Kaiser*, Wiesbaden, 1967; Fr. Kudlien, *Die Sklaven in der griechischen Medizin der klassischen und hellenistischen Zeit*, Wiesbaden, 1968; G. Ramming, *Die Dienerschaft in der Odyssee*, Erlangen, 1973; G. Boulvert, *Domestique et Fonctionnaire sous le haut-empire romain*, Paris, 1974; *Actes du Colloque 1972 sur l'Esclavage* (Centre de Recherches d'Histoire ancienne, iii), Paris, 1974.

[2] *I Cor.* xii, 13; *Gal.* iii, 28; iv, 22–31; *Eph.* vi, 8; *Col.* iii, 11; *Apoc.* vi, 15; xiii, 16; xix, 18 (qui ajoute la distinction juive: petits et grands, cf. *Hébr.* viii, 11). P. *Hermop.* 18, 5: δοῦλος εἶ ἢ ἐλεύθερος; *Inscriptions gr. et lat. de la Syrie*, 51, 46; opposition δουλεία-ἐλευθερία (*Rom.* vi, 18–22; viii, 21; *I Cor.* vii, 21–22; ix, 19; *Gal.* v, 1; *II Petr.* ii, 16, 19; Philon, *Sacrif. A. et C.* 26; *Abr.* 251; *Quod omn. prob.* 136, 139; Fl. Josèphe, *Guerre*, vii, 336). Sur l'analogie des rapports: esclave-Seigneur, disciples-Maître, cf. *Mt.* vi, 24; x, 24–25; xviii, 27; xxiv, 45–50; xxv, 14–30; *Lc.* xii, 37–47; *Jo.* xiii, 16; xv, 20 (l'esclavage en Israël, cf. R. de Vaux, *Les Institutions de l'Ancien Testament*, Paris, 1958, i, pp. 125–140).

nus ceux qui sont nés libres; affranchis ceux qui ont été libérés d'une servitude conforme au droit» [1].

Le mot «esclave» fait avant tout allusion à une condition juridique,
celle d'un objet de propriété (res mancipi). Etre esclave, c'est être attaché
à un maître (δεσπότης; Mt. xiii,27; Lc. xiv,21; I Tim. vi,1; Tit. ii,9) par
un lien de sujétion – on est l'esclave de ce qui vous domine (II Petr. ii,19;
cf. Rom. ix,12) –. C'est un bien meuble que l'on achète, que l'on vend,
loue, donne ou lègue, que l'on peut posséder en co-propriété [2]; il peut
servir de gage ou d'hypothèque [3]; c'est une res ou un σῶμα (mâle ou femelle;
Apoc. xviii,13), assimilé aux animaux [4] étant comme eux ὑπὸ ζυγόν
I Tim. vi,1; cf. Gen. xxvii,40; Lév. xxvi,13; Deut. xxviii,48 etc.); et cette
nuance d'abjection est évoquée par la μορφὴ δούλου du Fils de Dieu incarné
(Philip. ii,7; cf. Mt. xx,27). Etant donné que les chrétiens ont été achetés
et payés par le Seigneur [5], saint Paul, ancien rabbin, c'est-à-dire théolo-

---

[1] Institutes, i, 9–11; cf. B.G.U. 1730, 14; R. TAUBENSCHLAG, The Law of Greco-
Roman Egypt, New York, 1944, pp. 50 sv., 73 sv.; Opera Minora i, Varsovie-Paris,
1959, pp. 11 sv., 105 sv., 332 sv., 601 sv.

[2] Mt. vi, 24; Act. xvi, 16 (τοῖς κυρίοις); cf. Git. iv, 5; xliii a; Chag. 4 a. Vers
100 av. notre ère, un esclave appartient en commun à trois frères (FR. DURRBACH,
Choix d'Inscriptions de Délos, Paris, 1921, p. 213); une esclave est partagée entre
cinq (Stud. Pal. xxii, 43); au IIIe s. un esclave appartient en commun à un frère
et à une sœur, venant de l'héritage paternel qui est resté dans l'indivision (P. Oxy.
1030, 5–6; cf. 716, 722; B.G.U. 1581; P.S.I., 1115, 1589; cf. I. BIEZUNSKA-MALOWIST,
Les esclaves en copropriété dans l'Egypte gréco-romaine, dans Aegyptus, 1968, pp. 116–
129). Mais, au plan psychologique, Euboulos avait déjà formulé l'axiome de Mt. vi,
24: ἀμφίδουλος = οὐδαμόθεν οὐδείς, l'esclave de deux maîtres est à tout moment l'esclave de personne (cf. J. M. EDMONDS, The Fragments of Attic Comedy, Leiden, 1959,
ii, p. 120).

[3] Une débitrice s'engage à ne pas aliéner ni grever d'aucune charge une esclave
fournie à titre d'ὑπάλλαγμα, tant que la dette ne sera pas payée (B.G.U. 1147; cf.
P. MEYER, Juristische Papyri, n. 45, 28).

[4] Inscription de Baetocécé: «Que les esclaves, le bétail (ἀνδράποδα δὲ καὶ τετράποδα)
et les autres animaux se vendent sur les lieux, sans impôt ni aucune exaction ou
réclamation» (Inscriptions gr. et lat. de la Syrie, 4028, 37–39 = DITTENBERGER, Or.
262). Doulos est la désignation du coq vaincu dans un combat de coq: «Je suis un
oiseau esclave. – As-tu été vaincu par quelque coq?» (ARISTOPHANE, Oiseaux, 70–71;
cf. Guêpes 1490); P. Oxy. 3151, 5, avec la note de l'éditeur M. W. Haslam, qui cite
PLUTARQUE, Moral. 762 f; Pélopidas, xxix, 11 (ἀλέκτωρ δοῦλος = coq vaincu); Alcibiade, iv, 3 etc.

[5] I Cor. vi, 20; vii, 23; Gal. iii, 13; iv, 5; Apoc. v, 9; xiv, 3 (E. PAX, Der Loskauf.
Zur Geschichte eines neutestamentlichen Begriffes, dans Antonianum, 1962, pp. 239–
278; St. LYONNET, L'emploi paulinien de ἐξαγοράζειν au sens de «redimere» est-il
attesté dans la Littérature grecque?, dans Biblica, 1961, pp. 85–89; W. ELERT, Redemptio
ab hostibus, dans Theologische Literaturzeitung, 1947, pp. 265–270); Rom. vii, 14:

gien-juriste ou juriste-théologien, transpose cette notion de servitude dans l'ordre surnaturel, et en retient surtout la mainmise radicale du Seigneur sur son fidèle; celui-ci, soumis à la volonté discrétionnaire de son Maître, sera essentiellement un individu dépendant. Aussi bien, tandis que seuls les hommes libres ou les affranchis citoyens ont droit aux *tria nomina*, l'esclave ne porte qu'un *cognomen*, mais sa personnalité est précisée par l'indication du nom de son propriétaire au génitif [1], à laquelle on ajoute souvent un titre désignant l'emploi qu'il a rempli au service de son maître (οἰκονόμος, *dispensator, medicus, balnearius* etc....). Lors donc que saint Paul se présente officiellement comme «Apôtre, esclave de Jésus-Christ», il proclame son appartenance exclusive et totale, non à quelque empereur d'ici-bas, mais au Seigneur du ciel et de la terre qui a sur lui tous les droits; plus précisément, il définit sa personnalité, son existence, sa mission, toute son activité en fonction du Christ, son Maître. Effectivement, si l'esclave est l'objet d'un droit réel, la *dominica potestas* [2], lui-même n'a pas de personnalité juridique [3], il n'est titulaire d'aucun droit: «servile caput nullum jus habet» (DIOGÈNE LAERCE, XVII,32); c'est le propriétaire des esclaves qui a la faculté de jouir de leur activité, qui a droit au fruit de leur travail; leurs *operae* sont les siennes, comme les fruits de l'arbre sont au propriétaire de l'arbre. C'est ainsi que le Maître récoltera la plus-value de ses biens due à l'industrie de ses *douloi* (*Mt.* XXV,14; cf. *Lc.* XIX, 13), que l'apôtre exerçant son ministère n'en attend aucun salaire (*I Cor.* IX,16–17), et que les δοῦλοι ἀρχεῖοι reconnaissent qu'ils ne sont que des esclaves,

---

πεπραμένος ὑπὸ τὴν ἁμαρτίαν; cf. *P. Hib.* 203, 10: διὰ τὸ πεπρακέναι μου σώματα δύο; *P. Abinnaeus*, 64, 12; *P. Princet.* 85, 11: τοῦ πεπραμένου δούλου.

[1] Chez les particuliers, le maître des esclaves est désigné par son *nomen;* chez les esclaves impériaux par Κυρίος ou Καῖσαρ, *Dominus;* Θάλαμος καὶ Χρηστὴ κυρίων Καισάρων δοῦλοι (*MAMA*, I, 29; cf. 28; 31 *a*); Λούκιος δοῦλος οὔρνας τοῦ Κυρίου (CAGNAT, *Inscript. gr. et lat.* IV, 529; cf. III, 256); Γενεᾶλις Καίσαρος δοῦλος οἰκονόμος (*C.I.L.* III, 333); οἰκονόμος τοῦ κουρίου ἡμῶν... Σεουήρου Περτίνακος (U. WILCKEN, *Chrestomathie*, II, n. 81, 13–14; cf. 79); *P. Oxy.* 735, 6; *P. Tebt.* 296, 11–12; *B.G.U.* 102, 1; cf. G. BOULVERT, *Les Esclaves*, pp. 11 sv., *Domestique*, p. 30). De même δοῦλος τοῦ ἀρχιερέως (*Mt.* XXVI, 51; *Jo.* XVIII, 26); ἑκατοντάρχου (*Lc.* VII, 2); τοῦ θεοῦ (*Act.* XVI, 17; *Tit.* I, 1; *I Petr.* II, 16), Κυρίου (*II Tim.* II, 24), Ἰησοῦ χριστοῦ (*II Petr.* I, 1; *Jud.* I, 1). Doulos est un nom propre dans un papyrus du IIIᵉ-IVᵉ s. (G. CASANOVA, *Conto di Affitti*, dans *Aegyptus*, 1974, p. 100) et *B.G.U.* 802, col. I, 26; III, 11, etc. de 42 ap. J.-C.

[2] Cf. W. L. WESTERMANN, *op. c.*, pp. 22 sv.

[3] L'esclave n'a pas de famille, étant privé de capacité matrimoniale (*conubium*); son union conjugale n'est qu'une union de fait (*contubernium;* cf. E. POLAY, *Die Sklavenehe im antiken Rom*, dans *Das Altertum*, 1969, p. 86); même ses enfants «nés à la maison» appartiennent à son propriétaire. L'esclave n'a pas de patrie – «notre *politeuma* est au ciel» (*Philip.* III, 20) – et il est considéré comme un étranger: aucun

dont la seule raison d'être est d'accomplir ce qui leur est commandé [1];
δούλους εἰς ὑπακοήν (*Rom.* VI,16).

S'il est vrai que «l'esclavage est une institution qui a essentiellement
pour but de mettre à la disposition d'une personne l'activité d'autres
personnes» [2], un lien attache le *doulos* à sa fonction; l'esclave est un «travailleur» [3] ou un outil animé (ὄργανον), et le plus important de son statut
est l'exécution de sa tâche au profit de son Maître. On relèvera cette nuance
dans la déclaration de la Vierge Marie: ἰδοὺ ἡ δούλη Κυρίου [4], dans la locution: «ses *douloi* les prophètes» (*Apoc.* X,7; XI,18; cf. I,1; *Act.* IV,29; XVI,17),
dans l'usage des Synoptiques qui évoquent les *operae* des esclaves (*Mt.*
XIII,28; XXI,34; XXII,3–4; XXIV,46; *Lc.* XV,22; XVII,7), «à chacun son ouvrage
ἑκάστῳ τὸ ἔργον αὐτοῦ» (*Mc.* XIII,34), dans la signification paulinienne du
verbe δουλεύειν: «accomplir une tâche, se consacrer à une œuvre, se dévouer
pour un maître» (*Act.* XX,19; *Rom.* VI,6; VII, 6, 25; XII,11; XIV,18; XVI,18;
Gal. V,13; *Col.* III,24; *Tit.* III,2), enfin dans la morale de la servitude, demandant aux esclaves chrétiens, non seulement d'obéir à leur maître (*Eph.*
VI,5; *Col.* III,22; *Tit.* II,9), mais de «servir» de bon cœur (*Eph.* VI,7; *I Tim.*
VI,2).

Les esclaves sont fort divers, du tâcheron au philosophe, du cultivateur
au médecin [5]. Dans l'administration impériale, les plus capables ont de

---

Romain ne peut être esclave à Rome; en Israël, cf. *Lév.* XXV, 44–45; *Ex.* XII, 44;
Lév. XXII, 11; à Alexandrie (*P. Hal.* I, 119); chez les Germains, cf. César, *Guerre des
Gaules*, IV, 15, 5; Tacite, *German.* 24.

[1] *Lc.* XVII, 10 (*Mt.* XXV, 30; cf. C. Spicq, *Théologie morale du N. T.*, II, pp. 749 sv.
A. M. Ward, *Unprofitable Servants*, dans *The Expository Times*, 81, 1970, pp. 200–
203); *P. Lond.* 1927, 3; cf. *Mt.* VIII, 9.

[2] G. Boulvert, *Domestique et Fonctionnaire*, p. 111; cf. pp. 180 sv.

[3] Cf. *Gal.* IV, 19; *Philip.* II, 22; E. Boisacq, *Dictionnaire étymol. de la Langue
grecque*, pp. 198, 1107 (viendrait du dorien δῶλος: activité). Dans *Lc.* XVII, 7–8, le
doulos a pour fonction de «servir» son propriétaire.

[4] *Lc.* I, 38; c'est l'acceptation de se consacrer à l'œuvre du salut, conformément
à la volonté de Dieu. Mais, en hébreu, *'ébéd* n'est pas seulement la désignation d'une
condition sociale, c'est aussi un titre d'honneur des dévots d'un culte (*Lc.* II, 29;
Act. II, 18; *II Tim.* II, 24; *I Petr.* II, 16; *Apoc.* XXII, 3) et des sujets d'un roi (ministres,
officiers, cf. *Mt.* XVIII, 23) qui sont à son service, éminemment le *'Ebéd Iahvé* (cf.
G. Sass, *Zur Bedeutung von δοῦλος bei Paulus*, dans *ZNTW*, 1941, pp. 24–32). En
Iran, les rois vassaux étaient qualifiés d' «esclaves (bandak) de leur suzerain», le roi
des rois. Se conformant au protocole arsacide, Tiridate dit à Néron: «Maître, moi,
descendant d'Arsace, frère des rois Vologèse et Pacorus, je suis ton esclave... Mon
sort sera ce que tu le feras, car tu es mon destin et ma Fortune» (Dion Cassius,
LXIII, 5, 2).

[5] Cf. l'esclave intendant, δοῦλος πραγματευτής (J. et L. Robert, *Bulletin épigraphique*, dans *R.E.G.* 1963, p. 167, n. 227).

l'avancement, l'emploi de *praegustator* conduit au poste de *tricliniarcha*
(*CIL*, xi,3612, n. 10, 68), celui de *vestitor* à *procurator* [1], etc. Or, au sein
même de la domesticité, il y a une hiérarchie: le maître établit sur toute
sa maisonnée le *doulos* fidèle et prudent (*Mt.* xxiv, 45, 47; *Lc.*
xii,41), qui dirige et surveille le personnel subalterne, et qui peut parvenir aux
plus hautes situations (*Mt.* xviii,23 sv.). L'idéal, c'est l'affranchissement,
et c'est le Christ qui libère les esclaves du péché [2], faisant de chaque fils
de Dieu un ἀπελεύθερος Κυρίου (*I Cor.* vii,22; cf. *Jac.* i,25; ii,12).

L'οἰκέτης est le plus souvent, lui aussi, un esclave [3], encore que bien des
textes ne permettent pas de l'identifier exactement (*Act.* x,7; *P. Lund*,
iv, 13,4), et qu'on le substitue à *doulos* comme moins déshonorant, comme
dans cette épitaphe d'un esclave noir: «C'est au décurion Pallas, chef
des travaux d'Antinoé, que la divinité m'a conduit, comme serviteur
(οἰκέτην), de la terre d'Ethiopie» [4]. D'après l'étymologie (οἰκία), l'οἰκέτης
serait le «domestique» au sens ancien du mot: celui qui vit à la maison et
fait partie de la famille (*famulus*), selon la définition de Philon: «les domestiques (οἱ οἰκέται)... sont constamment avec nous et partagent notre vie;

---

[1] Cf. G. Boulvert, *Les Esclaves et les Affranchis*, i, pp. 249, 605; W. L. Westermann, *op. c.*, p. 79; J. Schmidt, *Vie et Mort des Esclaves dans la Rome antique*, Paris,
1973, pp. 197–232.

[2] *Jo.* viii, 32; *II Cor.* iii, 17; *Gal.* v, 1, 13; cf. *Rom.* vi, 18, 22; viii, 2 (H. Fran-
cotte, *Mélanges de Droit public grec*[2], Rome, 1964, pp. 207 sv.; I. Biezunska-Malowist, *Les Affranchis dans les Papyrus de l'époque ptolémaïque et romaine*, dans *Atti
dell'XI Congresso intern. di Papirologia*, Milan, 1966, pp. 433–443; P. Petit, *op. c.*,
pp. 285 sv.; J. Gaudemet, *Institutions de l'Antiquité*, Paris, 1967, pp. 555 sv.; H.
Rädle, *Untersuchungen zum griechischen Freilassungswesen*, Munich, 1969; donne
la bibliographie). Les chrétiens pauliniens sont des esclaves affranchis, cf. C. Spicq,
op. c., ii, pp. 836 sv.

[3] Comparer *Lc.* xvi, 13 et *Mt.* vi, 24; *Rom.* xiv, 4: ἀλλότριον οἰκέτην; Philon,
Post. C. 138: «la Sagesse donne à l'*oikétès* le nom de *Kyrios*»; *Deus immut.* 64: «Des
oikétai indisciplinés et écervelés gagnent à avoir un maître qui les effraye»; *P. Hermop.*
18, 4: οἰκέτης ἐστὶν Πατρίκιος = Patricius est un esclave; *P. Lille*, 29, 1–2. Au IIIe siècle, un citoyen romain dans son testament affranchit deux de ses esclaves nées dans
la maison (*P. Oxy.* 2474, 29, οἰκέτας). Une inscription de Cyrène interdit aux fonctionnaires d'emprisonner des esclaves (οἰκέτας) sans avoir obtenu mandat des Chrématistes (*Suppl. Ep. Gr.* ix, 5, 68); *P. Vars.* 30, 16. Ména est constamment mentionné
(διὰ Μηνᾶ οἰκέτου) comme agissant sur l'ordre de son propriétaire, τῷ ἰδίῳ δεσπότῃ
(*P. Oxy.* 1896, 7; 1898, 11; 1976, 7; 1983, 5; 2420, 6; 2478, 6. Cf. F. Gschnitzer,
op. c., pp. 16 sv.

[4] *Sammelbuch*, 8071, 3 = W. Peek, *Griechische Vers-Inschriften*, n. 1167 = Et.
Bernand, *Inscriptions métriques*, n. 26. Désignation analogue des esclaves de Priène
prenant part aux réjouissances offertes au peuple (*Inscriptions de Priène*, Index,
pp. 271, 287).

ils apprêtent le pain, les boissons et les mets pour leurs maîtres (τοῖς δεσπόταις), servent à table» (*Spec. leg.* I,127). Les οἰκέται sont donc les «gens de maison» (*I Petr.* II,18; cf. le collectif οἰκετεία, *Mt.* XXIV,45) englobant tous les serviteurs, hommes et femmes, libres ou esclaves nés à la maison, au service du maître de maison, depuis les cuisiniers et les portiers, jusqu'aux intendants et aux pédagogues, mais non directement les travailleurs agricoles et les industriels [1].

L'adjectif οἰκεῖος pris substantivement ne désigne, au contraire, que les membres de la même famille, parents et proches [2]. *Eph.* II,19 l'oppose à étranger et métèque; *I Tim.* v,8 range les *oikeioi* parmi οἱ ἴδιοι: «ceux de la maison» sont un groupe plus proche parmi: «les siens» [3]. *Gal.* VI,10 désigne par ce terme tous les participants à la même foi [4]; les papyrus l'associent au frère (*B. G. U.* 1871,4), au fils (*Sammelbuch*, 8416,5), aux

---

[1] FL. JOSÈPHE, *C. Ap.* II, 181: «Les femmes mêmes et les serviteurs vous le diraient»; *Vie*, 341: «ton valet (ὁ σὸς οἰκέτης) trouva la mort dans cette fameuse affaire»; *P. Osl.* 111, 176: ἡ μήτηρ τοῦ ἀφήλικος καὶ οἱ οἰκέται αὐτοῦ; *P. Lugd. Bat.* XIII, 18, 8: ἐκπλεονεξίαν ἐγενάμην διὰ τοῦ ἀγαθοῦ σου οἰκέτου.

[2] L'*oikéios* est défini par la consanguinité dans *Lév.* XXI, 2: «la chair la plus proche de lui»; cf. *P. Lille*, 7, 5: «Je m'entretenais avec Apollonia, mon parent»; *P. Magd.* 13, 2: «Theudotos et Agathon sont parents de la mère de Philippos»; J. et L. ROBERT, *Bulletin épigraphique*, dans *R.E.G.* 1953, p. 174, n. 194; 1965, p. 147, n. 306.

[3] Cette équivalence οἱ οἰκεῖοι-οἱ ἴδιοι (déjà relevée par A. DEISSMANN, *Bible Studies*², Edimbourg, 1909, p. 123, n. 4) est constante, cf. *Anthol. Pal.* XVI, 281; *Inscriptions de Carie*, 13, 15; 189, 8: ἡ Κιδραμηνῶν πόλις ἐξ οἰκείων ἀναλωμάτων. Aurelius Heliodoros a fait réparer un tombeau pour sa femme Aurelia Flavia et pour ses affranchis, καὶ τοῖς οἰκείοις αὐτοῦ ἀπελευθέροις (*MAMA*, VI, 18; cf. IV, 19 c, 5: ἐξ οἰκίων γὰρ πόνων). Acte d'adoration des membres d'un thiase «se souvenant des leurs, μνησθέντες τῶν οἰκείων» (ET. BERNAND, *Les Inscriptions grecques de Philae*, Paris, 1969, II, n. 157, 9; cf. 171, 5). Cl. Tiberius Polycharmos a construit les salles annexes de la synagogue «de ses propres ressources» ou «à ses propres frais», ἐκ τῶν οἰκείων χρημάτων (B. LIFSHITZ, *Donateurs et Fondateurs dans les Synagogues juives*, Paris, 1967, n. x, 13 = *Corp. Inscript. Iud.* 694); FL. JOSÈPHE, *Ant.* IV, 88: sa propre armée, une troupe lui appartenant; cf. L. ROBERT, *Hellenica* III, p. 33.

[4] *Gal.* VI, 10: μάλιστα δὲ πρὸς τοὺς οἰκείους τῆς πίστεως (cf. *Inscriptions gr. et lat. de la Syrie*, 1517: «Diogène, parent [οἰκῖος] d'Eusèbe et d'Antonin, frères [ἀδελφῶν] à qui ce sépulcre appartient en commun»). On rapprochera ἑταῖρος, cf. FL. JOSÈPHE, *Vie*, 183; *P. Mil.* 129, 3; cf. *P.S.I.*, 1414, 22; 1447, 5; *Sammelbuch*, 6799, 7 (cf. *sodalis* «compagnon»; Res gestae divi Augusti, IV, 7; H. J. MASON, *Greek Terms for Roman Institutions*, Toronto, 1974, p. 50.) Les membres d'une même communauté religieuse sont ἑταῖροι (*Mt.* XXVI, 50; cf. FR. REHKOPF, dans *ZNTW*, 1961, pp. 109–115; W. ELTESTER, «*Freund, wozu du gekommen bist*», dans *Freundesgabe O. Cullmann*, Leiden, 1962, pp. 70–91); PHILON, *Plant.* 65; *Somn.* I, 111; *Vit. cont.* 13; *In Flac.* 2; *Corp. Pap. Jud.* III, p. 46.

amis [1], comme objet de φιλοστοργία (*P. Ant.* 100,2; cf. *Sammelbuch*, 7558, 35), et de «recommandation» auprès de personnages influents [2].

Parmi les domestiques attachés à la maison, il y a des salariés (μίσθιος, *Sir.* xxxvii,11); ces ouvriers, embauchés lorsqu'il y a du travail et renvoyés lorsqu'on n'a plus besoin d'eux, sont traités sans considération (*Lc.* xv,17,19); ce sont des ouvriers loués à gage [3] et dont l'existence est comparable à une servitude (*Job*, vii,1); mais on ne peut les appeler proprement «serviteurs», pas plus que le travailleur-journalier qui se loue dans une entreprise (*Mc.* i,20, μισθωτός), pour garder un troupeau (*Jo.* x,12) ou cultiver une terre [4]. L'accent est toujours mis sur leur rétribution, et de ce chef ils n'ont rien de commun avec les *douloi*. «L'ἐργάτης (le travailleur) *a droit* à sa nourriture» (*Mt.* x,10; *I Tim.* v,18; cf. *Jac.* v,4).

---

[1] *Sammelbuch*, 9532, 14; cf. *Prov.* xvii, 9; Plutarque, *Publicola*, iii, 1; *Inscriptions gr. et lat. de la Syrie*, 281, 4; Dittenberger, *Syl.* 591, 59: περὶ τῆς τῶν ἄλλων φίλων καὶ οἰκείων ἀσφαλείας; *Inscriptions de Magnésie*, xxxiii, 15: φιλίαν καὶ οἰκειότητα, l'amitié et les étroites relations qui existent entre les gens de Magnésie et ceux de Gonnoi.

[2] *P. Osl.* 55, 5; *P.S.I.* 383, 2; *P. Princet.* 101, 8; *P. Oxy.* 1869, 20; cf. J.-Cl. Fraisse, *Philia. La notion d'amitié dans la Philosophie antique*, Paris, 1974, pp. 128–149, 338 sv.

[3] *Lév.* xix, 13 (שָׂכִיר); xxv, 50; *Job*, xiv, 6; *Sir.* vii, 20; xxxiv, 22; *P. Isidor.* 74, 8; *P. Mert.* 91, 10; *P. Oxy.* 1886, 9; 1894, 12. C'est aussi le soldat qui sert pour de l'argent (*II Sam.* x, 6; *Jér.* xlvi, 21), le mercenaire (*I Mac.* vi, 29, μισθωτός).

[4] *P. Ant.* 89, 12; *P. Oxf.* 13, 37; *P. Michig.* 174, 13; *P. Osl.* 36, 2, 6; 91, 9, 30; mais aussi employé dans une administration publique (*P. Hermop.* 19, 6; *P. Rend. Har.* 79, 19; *P. Lugd. Bat.* ii, 6, 1), c'est un collecteur d'impôt (Cl. Préaux, *Les Ostraca Ch.-Ed. Wilbour*, n. 12, 2; G. Tait, Cl. Préaux, *Greek Ostraca*, ii, 461, 966, 967, 1066, 2224; S. J. de Laet, *Portorium*, Bruges, 1949, pp. 329, 361). Les μισθωταί sont normalement des fermiers d'Etat (μίσθωσις, ferme = *Sammelbuch*, 6800, 28; louage des bêtes de somme = *Inscript. gr. et lat. de la Syrie*, 1998, 11) qui afferment une exploitation agricole à bail (*B.G.U.* 1047, col. 3), et fournissent des cautions (*ibid.* 599), cf. N. Hohlwein, *Recueil de Termes techniques... de l'Egypte gréco-romaine*, Bruxelles, 1912, pp. 166 sv. S. L. Wallace, *Taxation in Egypt*, Princeton, 1938 (index, p. 505); D. Behrend, *Attische Pachturkunden. Ein Beitrag zur Beschreibung der μίσθωσις nach den griechischen Inschriften*, Munich, 1970.

δύσκολος, σκολιός

L'adjectif δύσκολος et l'adverbe δυσκόλως ne sont employés dans le N. T. qu'à propos des riches auxquels l'accès du royaume de Dieu est difficile (*Mc.* x,24) ou qui y entrent malaisément (*Mt.* xix,23; *Mc.* x,23; *Lc.* xviii, 24). Dans les textes littéraires contemporains, «l'escalade d'un mur est difficile» (FL. JOSÈPHE, *Guerre*, vi,36); «il est malaisé (δύσκολος) et même impossible (ἀδύνατον) à l'esprit défiant de recevoir une formation» (PHILON, *Praem.* 49); «C'est une cure difficile et malaisée (δύσκολον καὶ χαλεπόν) que la philosophie entreprend à l'endroit du bavardage» (PLUTARQUE, *Du bavardage*, 1). L'épigraphie évoque les temps difficiles ou troublés (DITTENBERGER, *Syl.* 409,33; *Or.* 339,54) et comment il est ardu, presque impossible d'exprimer une gratitude équivalente aux bienfaits reçus: ἐπειδὴ δύσκολον μέν ἐστιν τοῖς τοσούτοις αὐτοῦ εὐεργετήμασιν κατ' ἴσον εὐχαριστεῖν (*Or.* 458,18). Dans l'opposition εἰ δυνατὸν ἢ δύσκολον (FL. JOSÈPHE, *Ant.* vi,203), le difficile a le sens d'impossible (cf. ii,98; iii,72); mais on demande le secours de Dieu pour surmonter la difficulté (v,94; xi,134), et une âme noble y parvient (ii,40).

Dans les papyrus, il s'agit aussi de l'accès difficile d'une cité: δυσκόλως ἀνερχόμεθα εἰς πόλειν (*P. Princet.* 102,9; du IVᵉ s.), d'une action éventuellement impossible sans le secours d'autrui: «Si tu ne peux ouvrir le panier toi-même, car il s'ouvre avec difficulté, donne-le au serrurier, il te l'ouvrira» (*P. Oxy.* 1294,10); mais aussi la nuance de «fâcheux, occasion de chagrin ou de mécontentement»; un fils écrivant à son père et lui donnant des nouvelles de la maison, lui dit: οὐδὲν δύσκολον ἔνι ἐπὶ τῆς οἰκίας σου [1].

Appliqué aux personnes, le *dyscolos* est l'homme qu'on ne peut satisfaire, qui a mauvais caractère ou l'humeur chagrine [2]: «le mauvais cou-

---

[1] *P. Oxy.* 1218, 5: «il n'a y rien de fâcheux (de déplaisant ou de catastrophique?) à la maison»; cf. *B.G.U.*, 1881, 8; *P.S.I.* 566, 2 (repris *Sammelbuch*, 9220 *b*): ἐπεὶ οὖν δυσκόλως οὕτως ἡμῖν συναντῶσιν. PLUTARQUE, *Praecepta ger. reipubl.* 11, 806 *b;* 19, 815 *c; Phocion*, 11, 2: «δύσκολον τὴν ἀκοήν, les oreilles sont choquées».

[2] PLUTARQUE associe δύσκολος à βάσκανος (*Vie de Fabius*, 26, 3). Le type en a été décrit par MÉNANDRE, *Δύσκολος*, que son premier éditeur traduit: *L'Atrabilaire* (V. MARTIN, Coligny-Genève, 1958) et J. M. JACQUES, *Le Bourru* (Paris, 1963, pp. 33 sv.). Cf. CL. PRÉAUX, *Réflexions sur la misanthropie au théâtre. A propos du Dyscolos de Ménandre*, dans *Chronique d'Egypte*, 1959, pp. 327–341. C'est un homme à l'humeur

cheur» (Xénophon, *Cyr.* ii, 2, 2). Philon évoque le «valet de ferme, batail-
lant sous un maître grincheux et désagréable – δυσκόλῳ καὶ δυστρόπῳ – qui
l'oblige à faire souvent ce qui lui déplaît et qui ne l'accomplit qu'avec peine
et à contre-cœur»[1]. Dès lors, on rapprochera δύσκολος de σκολιός. Saint
Pierre demande aux gens de maison: «soyez, avec une crainte profonde,
soumis aux maîtres, non seulement aux bons et aux indulgents (τοῖς ἀγαθοῖς
καὶ ἐπιεικέσιν), mais aussi aux difficiles (καὶ τοῖς σκολιοῖς)» (*I Petr.* ii,18).
Le sens propre de σκολιός étant «tortueux, oblique»[2], on comprendra:
les maîtres bizarres, fantasques, voire même extravagants[3]; la *skolia*
s'oppose à la rectitude (εὐθεία) et pourrait se traduire: tout ce qui se dit
ou se fait à tort et à travers (cf. *Prov.* xxiii,33), en dépit du bon sens.

---

sauvage, farouche et solitaire, qui a la haine de ses semblables (34); «J'ai dit carrément
à tout le voisinage de ne pas m'approcher» (508); intraitable et mal commode (184,
242), il est pénible à supporter (747, 893); «un homme très inhumain et odieux envers
tout le monde..., au cours d'une vie déjà longue il n'a pas prononcé une seule parole
aimable»; toujours prêt à faire le coup de poing, il fait trembler ses proches (17, 205,
248, 517). On complétera ce portrait par les notations de Fl. Josèphe sur les paroles
(*Ant.* viii, 278) ou la conduite déplaisante (viii, 7, 217, 220; xi, 96) de tel ou tel à
l'égard de son entourage, et les usages de Plutarque: «Ce n'est pas se montrer
désagréable que d'écouter en silence sans formuler des éloges, contraires à l'évidence»
(*De la fausse honte*, 6); «La vie est pénible» (*Cons. Apoll.* 6; cf. 28); «Caton n'y gagna
que la réputation d'un fâcheux» (*César*, xiii, 6); «si tu es mécontent de ce qui se passe»
(*ibid.* xxxv, 7); lorsque la colère persiste et crée dans l'âme une disposition mauvaise
qu'on appelle irritabilité, on aboutit à «l'emportement, l'aigreur, la morosité (δυσκολίαν)»
(*Contrôle de la colère*, 3; cf. 13: φιλαυτία καὶ δυσκολία; 15: τῶν πικρῶν καὶ δυσκόλων;
16: la morosité du jugement); Cicéron était réputé acariâtre et morose (*Cicér.* 41, 6).

[1] Philon, *Somn.* i, 7; cf. *Spec. leg.* i, 306. On sait que le préfixe *dus* est péjoratif,
comme mé- ou mal- en français; cf. *dusgnôstos* (*P. Oxy.* 2457, 19), *dusnoétos* (*II Petr.*
iii, 16), *dusphèmia* (*II Cor.* vi, 8).

[2] Σκολιός se dit des chemins sinueux, pleins de détours (*Prov.* ii, 15; *Is.* xl, 4;
cf. *Lc.* iii, 5; J. A. Fitzmyer, *The Use of Explicit Old Testament Quotations in Qumran
Literature and in the New Testament*, dans *NTS*, vii, 1961, p. 318); les lieux accidentés
(*Is.* xlii, 16); Fl. Josèphe, *Guerre*, iii, 118: «les pionniers chargés de rectifier les
sinuosités de la route»; un morceau de bois tordu (*Sag.* xiii, 13), le serpent tortueux
(*Is.* xxvii, 1; *Sag.* xvi, 5; Aratus, *Phaen.* 70). Cf. Bertram, *in h. v.* dans *TWNT*,
i, pp. 405–410.

[3] Cf. Fl. Josèphe, *C. Ap.* i, 179: «Le nom de leur ville est tout à fait bizarre (πάνυ
σκολιόν ἐστιν), ils l'appellent Jerusalémé»; cf. *Job*, iv, 18 (*tâholâh*; verset cité par
Clément de Rome, *Cor.* xxxix, 4, que A. Jaubert traduit: «Il remarque des travers
dans ses anges»). Les Sapientiaux stigmatiseront l'homme tortueux (*Job*, ix, 20;
Prov. xvi, 28; xxii, 5; xxviii, 18), ses pensées l'éloignent de Dieu (*Sag.* i, 3), ses
paroles ne sont que fourberie et fausseté (*Prov.* iv, 24; cf. viii, 8); cf. un oracle ambigu
(Diodore de Sicile, xvi, 91).

Il se pourrait que ce fut la désignation de ce que nous appelons: des maîtres impossibles; jamais contents, et toujours bourrus; ils étaient de surcroît, à l'époque, brutaux. «Aucun serviteur ne restait; car, déjà dur de nature, il était devenu plus difficile encore (δυσκολώτερον) de par l'effet de la maladie» (ISOCRATE, *Eginét.* XIX,26).

La nuance morale est souvent plus péjorative. Depuis *Deut.* XXXII,5 (commenté par PHILON, *Sobr.* 10–11) et le *Ps.* LXXVIII,8, σκολιός désigne la génération dévoyée, perverse, rebelle (*Act.* II,40; *Philip.* II,15), dont se séparent les enfants de Dieu sans tache [1].

---

[1] Dans *P. Strasb.* 578, 10, *l'hapax* δυσκολωτάτῳ (neutre au superlatif) qualifie l'abus de confiance du boulanger Sérénos, qui aurait gardé pour lui le blé qu'il avait sollicité pour en faire son pain (3 juillet 505).

ἐγκαινίζω

Ce verbe qui signifie proprement «rénover», rarement usité dans le grec profane [1] est un beau cas de septantisme dans le N. T., où il n'est employé que deux fois et dans un sens religieux, par *Hébr.* ix,18: la première alliance «n'a pas été inaugurée sans du sang» [2]; x,20: le Christ «a inauguré pour nous une voie neuve et vivante à travers le voile» [3].

Dans les Septante, il traduit soit le *piel* de חָדַשׁ soit: חָנַךְ. Le premier verbe «réaliser quelque chose de neuf, refaire», s'emploie souvent au sens moral ou psychologique d'un nouveau commencement [4]; d'où «instaurer la royauté» (*I Sam.* xi,14), «remettre à neuf l'autel de Iahvé» (*II Chr.* xv,8); «restaurer la maison de Iahvé» (*II Chr.* xxiv, 4, 12). C'est en ce sens, semble-t-il, que l'effusion du sang donne validité à l'ancienne Alliance (*Ex.* xxiv) et l'inaugure (*Hébr.* ix,18).

Quant au verbe חָנַךְ, il exprime l'éducation première d'un enfant; on l'initie aux premiers pas dans la vie (*Prov.* xxii,6); de là: «commencer à mettre en usage» [5]. Dans l'usage, il se dit de l'inauguration de la maison de Dieu (*I Rois*, viii,63; *II Chr.* vii,5), et dans *I Mac.*, ἐγκαινίζειν désigne aussi bien la restauration de l'autel (iv,36; cf. *II Mac.* ii,19), et son inauguration (iv,54), la réparation des entrées et des chambres du Temple (iv,57) et rétablir le sanctuaire comme il était auparavant (v,1). De là, l'*Encènie*, «la fête de la Dédicace» (*Jo.* x,22) que Judas Macchabée avait prescrit de célébrer à partir du 25 du mois de Casleu [6].

---

[1] Cf. les références données par BEHM, *in h. v.* dans *TWNT*, iii, p. 455. On pourrait ajouter *UPZ*, 185, col. ii, 6 du IIe s. ap. J.-C., mais c'est une restitution.

[2] Cf. M. Mc NAMARA, *Targum and Testament*, Shannon, 1972, p. 128.

[3] Cf. A. PELLETIER, *Le «Voile» du Temple de Jérusalem*, dans *Syria*, 1955, pp. 289–307; IDEM, *La tradition synoptique du «Voile déchiré»*, dans *R.S.R.* 1958, pp. 161–180.

[4] *Ps.* li, 4: «Rénove en moi un esprit ferme»; civ, 30: la terre (au printemps); *Lam.* v, 21: «renouvelle nos jours comme ceux d'autrefois»; *Job*, x, 17: une hostilité; cf. *Sir.* xxxvi, 5: prodiges et merveilles.

[5] *Deut.* xx, 5: «Quel est l'homme qui a bâti une maison neuve et ne l'a pas encore inaugurée?».

[6] *I Mac.* iv, 59; reproduction de la cérémonie instituée par Salomon puis par Esdras lors de l'achèvement du sanctuaire (*II Mac.* ii, 9; *II Esdr.* vi, 16–17; *Néh.* xii, 27; cf. S. KRAUSS, *La fête de Hanoucca*, dans *Rev. des Etudes Juives*, 1895, pp. 24–

Puis donc que le Christ πρόδρομος (*Hébr.* VI,5) a frayé lui-même une voie d'accès de la terre au ciel et qu'il a parcouru le premier cette «voie neuve» [1], les siens peuvent s'y engager à sa suite. On peut donc dire qu'il l'a «inaugurée», puisqu'il l'a ouverte à la circulation; mais comme cette route mène au sanctuaire céleste et qu'elle est une «voie sacrée» que ne peuvent parcourir que les âmes croyantes purifiées du péché, ἐγκαινίζειν signifie aussi que le Christ a «consacré» cette voie qui sera celle du pèlerinage liturgique vers la Jérusalem céleste [2].

43; 204–219; STRACK-BILLERBECK, II, pp. 539 sv.). *Hanoucca* est traduit encore par ἐγκαίνισις, ἐγκαίνωσις (*Nomb.* VII, 88) ou ἐγκαινισμός (*Nomb.* VII, 10–11, 84; *II Chr.* VII, 10); ce dernier terme désigne «la dédicace de la statue qu'avait dressée le roi Nabuchodonosor» (*Dan.* III, 2–3), comme le «chant pour la dédicace de la Maison» (titre du *Ps.* XXX, 1).

[1] Cf. *Hébr.* IX, 12. Trajan «a fait creuser la nouvelle route Hadrienne, de Bérénice à Antinooupolis, à travers des régions sûres et plates... et l'a munie abondamment de distance en distance, de citernes, de stations, de bastions» (A. BERNAND, *Le Paneion d'El-Kanaïs*, Leiden, 1912, n. XII, 8, p. 61); M. BOUTTIER, *La condition chrétienne selon saint Paul*, Genève, 1964, p. 21.

[2] *Hébr.* X, 20. PHILON, *Cong. er.* 114 applique à l'âme rendant grâces à Dieu l' «*encènie* que l'on fête avec la dignité qui convient au sacré»; sur cette liturgie du culte spirituel, cf. A. JAUBERT, *La Notion d'Alliance dans le Judaïsme*, Paris, 1963, pp. 486–489.

ἐγκαταλείπω

Sur les dix emplois de ce verbe dans le N. T., la moitié sont dans des citations de l'A. T.; c'est dire que son sens sera à comprendre surtout en fonction de la langue des Septante. Et d'abord *Hébr.* xiii,5: «Lui-même a dit: Je ne te laisserai ni ne t'abandonnerai». A juste titre, les exégètes s'efforcent d'identifier la citation [1], très proche de *Jos.* i,5 et *Deut.* xxxi, 6,8; *I Chr.* xxviii,20, mais ni les temps ni les modes des verbes ne sont exactement les mêmes. Or notre texte est exactement identique à celui de Philon (*Conf. ling.* 166), qui se réfère à *Jos.* i,5. Il faut donc conclure que l'un et l'autre ont lu une recension des Septante différente de celle que nous possédons.

Au plan littéraire, on relèvera la quintuple répétition pléonastique de la négation qui renforce l'absolu de la pensée et donc la certitude du secours divin: Jamais, jamais, jamais, en quelque circonstance que ce soit, Dieu ne fera défaut. Au plan théologique, on ne saurait trop souligner que cette assertion de l'A. T. sous l'une ou l'autre forme est celle de l'immuable fidélité de la Providence [2], l'un des objets de la foi le plus essentiel d'Israël. Citant le *Ps.* xvi,10, saint Pierre pourra donc affirmer du Messie: «Tu

---

[1] P. Katz, *Οὐ μή σε ἀνῶ, οὐδ' οὐ μή σε ἐγκαταλίπω, Hebr. XIII, 5. The Biblical Source of the Quotation*, dans *Biblica*, 1952, pp. 523–525.

[2] Iahvé à Jacob (*Gen.* xxviii, 15), à Josué (*Jos.* i, 5), à Salomon (*I Rois*, vi, 13); Moïse à Israël (*Deut.* iv, 31; xxxi, 6), à Josué (*Deut.* xxxi, 8); David à Salomon (*I Chr.* xxviii, 20); les professions de foi des Psalmistes: «Tu n'abandonnes pas ceux qui te cherchent, ô Iahvé» (*Ps.* ix, 11; cf. xxvii, 9; xxxvii, 25, 28, 33; xxxviii, 21); «Elohim, tu ne m'abandonneras pas» (*Ps.* lxxi, 18; xciv, 14; cxix, 8); l'enseignement des sages: «la Sagesse n'abandonne pas le juste (Joseph) quand il fut vendu» (*Sag.* x, 13); «Qui a persévéré dans la crainte du Seigneur et a été abandonné?» (*Sir.* ii, 10; cf. li, 10, 20); la conclusion de l'histoire: «Il ne retire jamais de nous sa miséricorde; en le châtiant par l'adversité, il n'abandonne pas son peuple» (*II Mac.* vi, 16; cf. i, 5; *Is.* liv, 7). Les incrédules pensent que Iahvé les a abandonnés (*Is.* xlix, 14; *Ez.* viii, 12; ix, 9) et eux-mêmes l'abandonnent (*Juges*, ii, 12, 13; x, 6, 10, 13; *I Sam.* viii, 8; xii, 10; *I Rois*, ix, 9; xix, 10, 14; *II Rois*, xvii, 16; xxi, 22; xxii, 17; *I Chr.* xiv, 12; *II Chr.* vii, 19, 22; xii, 1, 5; xxiv, 18, 20, 24; *Esdr.* ix, 10; *Sir.* li, 8; *Is.* i, 4; lxv, 11; *Jér.* i, 16; ii, 13; v, 7; xvi, 11; xix, 4; xxii, 9; *Bar.* iii, 12; *Dan.* xi, 30). Mais le dieu d'Israël a promis de ne pas abandonner les siens (*Is.* xli, 9, 17; liv, 7) et «La-non-abandonnée» sera le titre de la nation élue (*Is.* lxii, 12; cf. lx, 15); et les croyants le confessent (*Esdr.* ix, 9; *Néh.* ix, 17, 19, 31).

n'abandonneras pas mon âme dans l'Hadès» (*Act.* II, 27,31), car l'abandon divin serait synonyme de rejet (*I Rois*, VIII,57; *II Chr.* XV,2; *Prov.* IV,6), une sorte de lâchage (*Job*, XX,13), dont il n'est pas pensable que le Fils de Dieu soit victime.

Pourtant, sur la croix, citant le *Ps.* XXII,2, Jésus s'est écrié: «Mon Dieu, mon Dieu, pourquoi m'as-tu abandonné?» [1]. Il exprime la totalité de sa déréliction, au moment où ses forces de résistance sont à bout (*Ps.* XXXVIII,10; LXXI,9; *Evangile de Pierre*, 19: «Ma force, ma force, tu m'as abandonné») et la mort imminente; mais il ne s'agit pas de désespoir [2]: le Messie est «abandonné à ses ennemis» (*Ps.* XXII,13 sv.) et à ce titre il peut dire que Dieu «reste au loin» (ȳȳ. 12,20), mais sa confiance reste entière (ȳȳ. 21 sv.); son épreuve est analogue à celle d'Ezéchias que «Dieu abandonna pour l'éprouver, afin de savoir tout ce qu'il y avait en son cœur» (*II Chr.* XXXII,31); et l'on sait que l'amour et la puissance de Dieu s'expriment dans le *peirasmos* des justes [3].

D'ailleurs, ἐγκαταλείπω, qui traduit le plus souvent עָזַב, a souvent comme ce dernier verbe un sens adouci: relâcher des liens, faire défaut [4]; et au passif: être laissé sans défense entre les mains d'un adversaire. Exprimant le contraste entre la puissance de Dieu et la faiblesse humaine par quatre antithèses, saint Paul écrit qu'il est poursuivi, harcelé, pressé et comme

---

[1] *Mt.* XXVII, 46; *Mc.* XV, 34; texte plus proche de l'araméen du Targum que de la version grecque officielle (cf. les variantes du texte, dans J. VOSTÉ, *De Passione et Morte Jesu Christi*, Rome-Paris, 1937, p. 303; P. GLAUE, *Einige Stellen, die die Bedeutung des Codex D charakterisieren*, dans *Novum Testamentum*, 1958, p. 314, et les commentaires de M. J. LAGRANGE, *in h. l.*; H. SAHLIN, *Zum Verständnis von drei Stellen des Markus-Evangeliums*, dans *Biblica*, 1952, pp. 62–66; J. GNILKA, «*Mein Gott, mein Gott, warum hast du mich verlassen?*», dans *Biblische Zeitschrift*, 1959, pp. 294–297). Pour l'explication théologique, cf. G. JOUASSARD, *L'abandon du Christ par son Père durant la passion, d'après la tradition patristique et les docteurs du XIIIe siècle*, Lyon, 1923; L. MATTHIEU, *L'abandon du Christ en croix*, dans *Mélanges de Science religieuse*, Lille, 1945, pp. 209–242; CH. JOURNET, *La quatrième Parole du Christ en croix*, dans *Nova et Vetera*, 1952, pp. 47–69; F. W. DANKER, *The Demonic Secret in Mark*, dans *ZNTW*, 1970, pp. 48–69.

[2] Cf. les excellentes notations de L. SABOURIN, *Rédemption sacrificielle*, Desclée De Brouwer, 1961, pp. 438 sv. (donne la bibliographie).

[3] *I Cor.* X, 13; *Hébr.* XII, 5–11. C'est à la fructification de l'épreuve – en l'espèce le salut des pécheurs – que l'on reconnaît son bienfait; cf. dans *Rom.* IX, 29, la citation d'*Is.* I, 9: «Si Iahvé des armées ne nous avait laissé des rescapés», nous serions comme Sodome et Gomorrhe (*Esdr.* IX, 15: «nous sommes un reste de réchappés»).

[4] Cf. «laisser» (*II Chr.* XXIV, 25: «le laissant en proie à de graves maladies»; *Ps.* XXXVII, 8), délaisser (*Sir.* VII, 30), négliger (*I Rois*, XII, 8, 13; *II Chr.* X, 13; *Is.* LVIII, 2; *Prov.* IV, 2; XXVII, 10).

traqué par ses adversaires: διωκόμενοι, ἀλλ' οὐκ ἐγκαταλειπόμενοι (*II Cor.* IV,9). Si l'on interprète la métaphore de la course ou d'une chasse à l'homme, on traduira: «pourchassés, mais non dépassés», mais si la référence est à la lutte, l'Apôtre n'est pas si malmené qu'il «renonce» (cf. *I Mac.* 1,42), qu'il soit *hors de combat* et abandonné, donc «éliminé» [1].

Si l'on quitte une personne, on s'en va aussi d'un lieu, notamment lorsqu'on s'enfuit [2]; on le laisse à l'abandon et on met souvent son propriétaire dans l'embarras [3]; l'un ne va pas sans l'autre [4]. Il arrive même qu'on délaisse le culte [5]. C'est ce qui arrivait à certains «Hébreux» se dispensant habituellement de participer aux réunions de la communauté [6], par égoïsme (refusant de se «donner» à la vie commune), par orgueil (dédaignant la société de leurs frères, cf. *I Cor.* XI,18–22; *Jude*, 19, ἀποδιορίζοντες), ou plutôt par crainte d'afficher leur foi en période de persécution, redoutant les représailles des autorités païennes (*Hébr.* X,32) et abandonnant la communauté à ses risques et périls sans lui apporter l'appui du nombre et du courage [7].

---

[1] Cf. *I Cor.* IX, 27; C. SPICQ, *L'image sportive de II Cor. IV, 7–9*, dans *Ephemerides theol. Lovanienses*, 1937, pp. 209–229.

[2] *II Rois*, VII, 7: «Ils avaient abandonné leurs tentes, leurs chevaux, leurs ânes, le campement tel qu'il était, et ils avaient fui pour sauver leur vie»; *II Chr.* XI, 14: les lévites quittent leurs banlieues et leurs possessions; on quitte terre, maison ou ville (*Lév.* XXVI, 43; *II Rois*, VIII, 6; *Is.* VI, 12; XVII, 9; XXIV, 12; XXXII, 14; *Jér.* IV, 29; IX, 18; XII, 7; *Ez.* XXXVI, 4; *I Mac.* I, 38; II, 28); ἐγκ. τὴν γεωργίαν (*P. Oxy.* 1124, 5; en 26 ap. J.-C.), τὴν ἰδίαν (*P. Oxy.* 488, 22; *P. Mert.* 92, 12 = *P. Isidor.* 138; cf. *Sammelbuch*, 10196, 7), τὴν ἐπικειμένην ἀσχολίαν (*P. Tebt.* 26, 16; de 114 av. J.-C.), τὴν παραμονήν (*P.S.I.* 1120, 5; contrat de service du Ier s.), τὸ κτῆμα (*P. Zén. Cair.* 59367, 37), un paiement (τὴν μίσθωσιν, *P. Ross.-Georg.* II, 19, 44; *P.S.I.* 32, 18; *P. Mil. Vogl.* 143, 17).

[3] Ἐνκαταλέλοιπαν τὸν παράδεισον ἔρημον καὶ ἀφύλακτον (*Sammelbuch*, 6002, 13; IIe s. ap. J.-C.; 10476,4). «Souéris a changé d'avis, elle a quitté l'oliveraie, elle est partie» (*P. Ryl.* 128, 11; de 30 ap. J.-C.); «par son départ, il m'a laissé en plan» (*UPZ*, 71, 8).

[4] Καὶ μήτε αὐτὸν καὶ τὴν χρείαν ἐγκαταλίπητε (*P. Tebt.* 721, 13; IIe s. av. J.-C.); ὁ ἀδελφός σου... λῃστῶν ἐπικειμένων ἐνκατελελοίπει με ἀποδημήσας (S. WITKOWSKI, *Epistulae privatae Graecae*², Leipzig, 1911, n. 47, 8). Entre 20–50 de notre ère, une femme porte plainte contre son mari: «Après m'avoir maltraitée, insultée, battue, il m'a quittée, me laissant dans le dénuement» (*P. Oxy.* 281, 21). FL. JOSÈPHE (*Vie*, 205) associe: quitter le pays et abandonner ses amis.

[5] WESSELY, *Stud.* XX, 33, 11: ἐνκαταλελοιπέναι τὰς θρησκείας; *Chrestomathie* I, 72,9: μηδένα δὲ τῶν ἱερέων ἢ ἱερωμένων ἐνκαταλελοιπέναι τὰς θρησκείας.

[6] *Hébr.* X, 25: μὴ ἐγκαταλείποντες τὴν ἐπισυναγωγὴν ἑαυτῶν.

[7] On commentera *Hébr.* X, 25, par le *Discours VI* de saint Jean Chrysostome,

C'est vraisemblablement ce même refus de se compromettre qui rend compte de l'abstention des chrétiens de Rome au dernier procès de saint Paul: «Dans ma première défense, personne ne m'a assisté, mais tous m'ont abandonné» (*II Tim.* iv,16). La faute doit être grave, puisque l'Apôtre ajoute immédiatement: «Que cela ne leur soit pas imputé!». De fait, les cinq emplois d'ἐγκαταλείπω dans Malachie traduisent בָּגַד «trahir, tromper, être infidèle» (ii,10–16), et depuis toujours l'A. T. interdisait d'abandonner un être cher ou vénéré [1].

C'est sans doute avec cette acception morale qu'il faut entendre *II Tim.* iv,10: «Démas m'a abandonné, ayant préféré le siècle présent» [2]. Mon *synergos* m'a lâché!

---

adressé « à ceux qui ont abandonné la synaxe» (A. WENGER, *Jean Chrysostome. Huit catéchèses baptismales*, Paris, 1957, pp. 215 sv.).

[1] *Sir.* vii, 30: «De toute ta force aime Celui qui t'a fait et ne délaisse pas ses ministres»; cf. *Deut.* xii, 19: «Garde-toi de délaisser le Lévite»; *Tob.* iv, 3: «Honore ta mère et ne l'abandonne pas»; *Prov.* xxvii, 10: «Ne délaisse pas ton ami»; *Sir.* iii, 16; ix, 10; xxix, 16: «l'ingrat abandonne celui qui l'a sauvé». – Depuis l'incendie de Rome en 64, les chrétiens, terrorisés, devaient se terrer. La couardise en ces conjonctures était courante: Héliodore refuse d'intervenir en faveur d'Appien comparaissant devant l'Empereur (*P. Oxy.* 33, 7 sv.). Libon, dénoncé comme tramant une révolution, «va de maison en maison implorant l'appui de ses proches et une voix qui s'élève en sa faveur; tous se récusent sous divers prétextes, mais en réalité par peur» (TACITE, *An.* ii, 29); «Qui de nous a songé à défendre Servius Sylla et Publius et M. Léca et C. Cornélius? Qui de ceux qui sont ici leur a prêté son assistance? Personne. Pourquoi cela? Parce que, dans les autres sortes de procès, les gens de bien pensent qu'ils ont le devoir de ne pas abandonner même des coupables, quand ils sont leurs amis; mais dans une accusation comme celle-ci, on serait coupable non seulement de légèreté, mais en quelque manière de participation au crime, si l'on défendait un homme que l'on soupçonne d'être impliqué dans un attentat contre la patrie» (CICÉRON, *Pro P. Sylla*, ii, 6).

[2] Cf. *Jos.* xxii, 3: «Vous n'avez pas abandonné vos frères». Elisée à Elie: «Je ne te quitterai pas» (*II Rois*, ii, 2); Joseph n'avait pas abandonné la vertu (FL. JOSÈPHE, *Ant.* ii, 40).

ἐγκομβόομαι

Dénominatif de κόμβος «nœud, boucle», cet *hap. b.* signifie «s'attacher, se nouer»[1]. Il évoque le tablier grossier (ἐγκόμβωμα) que les travailleurs ou les esclaves ajustaient ou agrafaient sur leur tunique pour la protéger[2]. *I Petr.* v,5 prescrit de boutonner ou de nouer sur soi (le verbe au moyen) l'humilité dans les rapports mutuels[3]. Il y a une réminiscence possible du geste symbolique de Jésus se ceignant d'un linge, à la manière d'un esclave, pour laver les pieds de ses apôtres[4]. On peut évoquer aussi l'écharpe que les esclaves portaient sur l'épaule pour les distinguer des hommes libres[5]. De toute façon, tout chrétien doit se présenter devant son prochain dans une attitude de modestie, de réserve, de renoncement à soi-même[6], grâce à une humilité solidement ajustée et manifeste.

---

[1] EPICHARME, *Fragm.* 7: εἰ γε μὲν ὅτι ἐγκεκόμβωται καλῶς (G. KAIBEL, *Comicorum graecorum Fragmenta*², Berlin, 1958, p. 92). APOLLODORE DE CARYSTÉE, *Fragm.* 4: τὴν ἐπωμίδα πτύξασα διπλῆν ἄνωθεν ἐνεκομβωσάμην (J. M. EDMONDS, *The Fragments of Attic Comedy*, Leiden, 1961, III A, p. 186).

[2] LONGUS, *Pastorales*, II, 33, 3: «l'enfant jette son tablier (ou: son surtout, ἐγκόμβωμα) et, léger dans sa tunique, prend sa course»; JULIUS POLLUX en décrit un type: τῇ δὲ τῶν δούλων ἐξωμίδι, καὶ ἱματίδιόν τι πρόσκειται λευκὸν, ὃ ἐγκόμβωμα λέγεται (*Onomast.* IV, 18, 119). Cf. les tabliers (σιμικίνθια) de saint Paul à Ephèse (*Act.* XIX, 12). CH. BIGG, *Epistles of St. Peter*, Edimbourg, 1901, pp. 190 sv.

[3] Pour la construction grammaticale, cf. J. N. D. KELLY, *A Commentary on the Epistles of Peter and of Jude*, Londres, 1969, p. 205.

[4] *Jo.* XIII, 5 (cf. A. CHARRUE, *Les Epîtres catholiques*, Paris, 1938, p. 471). Cette évocation expliquerait le choix de ce verbe exceptionnel, alors que le N. T., à la suite des Septante (*Ps.* CIX, 18–19) emploie ἐνδύειν à propos des vertus: se revêtir = se munir de foi et de charité (*I Thess.* v, 8; *Col.* III, 112), de force (*Lc.* XXIV, 49), endosser une panoplie d'armes de lumière (*Rom.* XIII, 12; *Eph.* VI, 11); ici, il s'agit de s'envelopper et de tenir serré, plus exactement: «enrobez-vous...».

[5] Cf. ED. G. SELWYN, *The First Epistle of St. Peter*, Londres, 1947, pp. 234, 423.

[6] *Rom.* XII, 16. La connexion humilité-modestie-amour du prochain était reconnue par les païens (cf. ST. REHRL, *Das Problem der Demut in der profan-griechischen Literatur*, Münster, 1961, pp. 136 sv.) et les juifs (*I QS*, v, 23–25; cf. M. S. ENSLIN, *The Ethics of Paul*, New York, 1957, pp. 254–276).

ἐκλύομαι

ἐκλύω «délier, relâcher, dissoudre» se dit de «répandre de l'eau» (*P. Tebt.* 49,6; 54,16; IIᵉ–Iᵉʳ s.) et dans des contextes balnéaires; au IIᵉ s. av. J.-C., Asclépiade se plaint d'une rixe dont il a été victime de la part des employés du bain, alors que, sérieusement malade, il sortait du bain épuisé, κἀμοῦ ἀναβάντος ἐγ βαλανείου ἐγλελυμένου (*P. Tebt.* 798,7). Hérode se détendait et finalement s'évanouit dans une baignoire pleine d'huile (FL. JOSÈPHE, *Guerre*, I,657).

Au passif, le verbe s'emploie souvent d'hommes à jeun, qui tombent d'inanition – défaillance que le Seigneur redoutait pour la foule qui l'avait suivi dans la montagne; ce qui l'incitera à multiplier les pains [1] – ou d'hommes exténués par une trop longue marche (*I Sam.* xxx,21, פָּגַר, au *piel*: trop faibles), la traversée d'un désert (*II Sam.* xvi,2 יָעֵף) ou après avoir combattu (*II Sam.* xxi,15, עָיֵף; *I Mac.* x,82); ils arrivent épuisés à l'étape [2]. Cette fatigue ou cette défaillance physique s'exprime par la locution: avoir les mains flasques, molles ou sans vigueur [3].

Mais il est dit aussi que le cœur faiblit [4] et le participe présent ἐκλυόμενος

---

[1] *Mt.* xv, 32 (aoriste subjonctif passif): μή ποτε ἐκλυθῶσιν ἐν τῇ ὁδῷ; *Mc.* viii, 3 (futur indicatif passif): ἐκλυθήσονται ἐν τῇ ὁδῷ. Cette faiblesse causée par la faim est constamment mentionnée dans l'A. T., cf. *Juges*, viii, 15: «pour que nous donnions du pain à tes hommes épuisés, τοῖς ἐκλελυμένοις (יָעֵף = être las, fatigué)»; *I Sam.* xiv, 28: «le peuple était épuisé (עוּף = être abattu, tomber en défaillance)»; *II Sam.* xvii, 29: «le peuple est épuisé par la faim, la fatique et la soif dans le désert»; non alimentés, les enfants s'affaissent (*Lam.* ii, 12, 19; עָטַף: être languissant); «comment pourrions-nous lutter... nous sommes exténués, n'ayant rien mangé aujourd'hui» (*I Mac.* iii, 17).

[2] *II Sam.* xvi, 14: «Le roi et tout le peuple qui était avec lui arrivèrent exténués, ἐκλελυμένοι». DIODORE DE SICILE, xiii, 77: la fatigue continuelle des rameurs retient les vaisseaux en arrière. On est fatigué aussi par l'abus des plaisirs, διὰ τὴν τρυφὴν ἐκλελυμένοι (FL. JOSÈPHE, *Ant.* v, 134).

[3] *Jos.* x, 6: μὴ ἐκλύσῃς τὰς χεῖρας σου (רָפָה, décliner, se relâcher); *II Sam.* iv, 1: les bras lui en tombèrent; xvii, 2: Achitophel dit à Absalom: «Je fondrai sur lui, alors qu'il est fatigué et qu'il a les mains flasques»; *II Chr.* xv, 7: «Soyez forts et que vos mains ne défaillent pas»; *Néh.* vi, 9; *Is.* xiii, 7; *Ez.* vii, 17.

[4] *Deut.* xx, 3, μὴ ἐκλυέσθω (רָכַךְ: être tendre, troublé, amolli); cf. *Testament Job*, xxx, 1.

s'entend aussi bien de la défaillance morale que de l'épuisement physique [1]
et signifie alors le manque de vigueur spirituelle, le relâchement provoqué
par la lassitude, le manque de courage: on s'abandonne; d'où la locution:
ἐξέλυσε τὸ πρόθυμον [2]. C'est son acception dans les parénèses néo-testamentaires: «Ayant entrepris de faire le bien, ne perdons pas courage;
au temps voulu nous récolterons, si nous ne nous laissons pas aller (μὴ
ἐκλυόμενος)» (Gal. VI,9); «Evaluez [ce qu'a souffert] celui qui a enduré de
la part des pécheurs vis-à-vis de sa propre personne une si grande contradiction, afin que vous ne vous lassiez pas, vos âmes se laissant aller» [3].
Les chrétiens, qui ont entrepris hardiment la course mais qui manquent
d'hypomonè, voient peu à peu leur courage fléchir et sont incapables de
poursuivre leur effort. Le plus difficile dans la vie chrétienne n'est pas
l'héroïsme d'un jour, mais la persévérance dans la fidélité à l'idéal le plus
élevé: l'imitation du Christ crucifié. D'où l'impératif présent: μηδὲ ἐκλύου,
citation de Prov. III,11 par Hébr. XII,5: «Ne te laisse pas aller» lorsque tu
subis les épreuves infligées par Dieu; l'éducation providentielle par la correction est ordonnée à votre bien.

---

[1] Prov. VI, 3: ἴσθι μὴ ἐκλυόμενος; Sir. XLIX, 24: Damas est débilitée. La fatigue
physique rend accessible à l'angoisse; le défaillant ou l'exténué est aussi le troublé
(Dan. VIII, 27, שׁמם) ou le déconcerté (I Mac. IX, 8). La fatigue entraîne un fléchis-
sement (Is. XLVI, 1). Cf. POLYBE, XX, 4, 7: οὐ μόνον τοῖς σώμασιν ἐξελύθησαν, ἀλλὰ
καὶ ταῖς ψυχαῖς; PHILOSTRATE, Gymn. 25: le pédotribe ne doit pas être bavard «afin
qu'il n'énerve pas la vigueur de l'art par son bavardage».

[2] FL. JOSÈPHE, Ant. XIII, 231, 233; X, 119; cf. XVII, 263: les soldats à l'esprit
abattu (τὰ φρονήματα ἐκλελυμένους); VIII, 284: Dieu brise la force (le moral autant que
la puissance guerrière) de l'armée. Cf. PHILON, Virt. 88: si l'on omet de payer le journalier sur le champ «il perd toutes ses forces sous le coup du chagrin, τοὺς τόνους ὑπὸ
λύπης ἐκλυθείς»; ÉPICTÈTE, II, 19, 20: «vous découvrirez que vous êtes... des Péripa-
téticiens bien mous, ἐκλελυμένους». Tandis que «les astres ne se relâchent pas dans
leurs gardes» (Sir. XLIII, 10), Esaü rejette le joug (Gen. XXVII, 40; פרק); cf. Tableau
de Cébès, 17; P. Hib. 198, 101; les soldats «se retirèrent» (II Mac. XIII, 16).

[3] Hébr. XII, 3: ταῖς ψυχαῖς ὑμῶν ἐκλυόμενοι (le participe parfait passif ἐκλελυμένοι
est substitué par P13,46, D*, Euthymius). Le terme est particulièrement heureux
dans ce contexte sportif (XII, 1–4; cf. C. SPICQ, L'Epître aux Hébreux, Paris, 1953,
II, pp. 382–390); on rapprochera Aristote (Rhét. III, 9, 1409 b) qui l'emploie à propos
des coureurs tout essoufflés qui s'effondrent, une fois passée la ligne d'arrivée: ἐπὶ
τοῖς καμπτῆρσιν ἐκπνέουσι καὶ ἐκλύονται, προορῶντες γὰρ τὸ πέρας οὐ κάμνουσι πρότερον.
Autres références dans C. SPICQ, Alexandrinismes dans l'Epître aux Hébreux, dans
R. B. 1951, p. 487.

ἐκτένεια, ἐκτενής, ἐκτενῶς

Ces termes expriment la tension et, au sens moral, un effort que l'on peut comprendre soit avec persévérance: «sans trêve, sans relâche, assidûment», soit avec intensité: «avec ferveur, empressement»; l'une et l'autre acception étant souvent conjointes et le contexte ne permettant guère de les distinguer. Dans l'A.T., qui ignore ἐκτενής (cf. *III Mac.* III,10; v,29), leurs emplois sont tous religieux, notamment à propos des grands cris de la prière qu'Israël pousse avec force et comme avec violence vers Dieu [1].

C'est aussi à propos de la prière que saint Luc emploie ἐκτενῶς: au jardin des oliviers, Jésus priait avec plus d'instance [2], et lorsque «Pierre était gardé en prison, une prière se faisait assidûment à Dieu pour lui par l'Eglise» [3]. Quant à la *I^a Petri*, elle demande aux baptisés: «Aimez-vous du fond du cœur les uns les autres intensément» [4], et répète: «Avant tout, ayez entre vous une intense charité» [5], qu'elle ait le maximum de ferveur et d'extension [6].

De fait, dans l'usage contemporain, surtout épigraphique, ἐκτενής, ἐκτενῶς désignent le souci constant de rendre service, le zèle exact et infa-

---

[1] *Judith*, IV, 12 (בחזקה); IV, 9; *Joël*, I, 14; *Jonas*, III, 8. Il n'y a que dans *II Mac.* XIV, 38, à propos de Razis qui a exposé son corps et sa vie pour le Judaïsme, où μετὰ πάσης ἐκτενίας a le sens de constance et d'assiduité. On en rapprochera *Act.* XXVI, 7: espérant l'accomplissement de la promesse de Dieu, les douze tribus servent Dieu, ἐν ἐκτενείᾳ νύκτα καὶ ἡμέραν λατρεῦον.

[2] *Lc.* XXII, 44: γενόμενος ἐν ἀγωνίᾳ ἐκτενέστερον προσηύχετο; M. J. Lagrange (*in h. l.*) fait observer que l'ἀγωνία n'est pas l'agonie, mais «l'anxiété ou l'angoisse causée par la crainte d'un mal menaçant et assez obscur pour qu'on ne sache que lui opposer».

[3] *Act.* XII, 5: προσευχὴ ἦν ἐκτενῶς γινομένη ὑπὸ τῆς ἐκκλησίας. L'adverbe est bien attesté par P⁷⁴, א, A*, B (Vulg. *sine intermissione*), mais A², E, H, L, P, Chrysostome lisent ἐκτενής, et D porte ἐν ἐκτενείᾳ.

[4] *I Petr.* I, 22: ἀλλήλους ἀγαπήσατε ἐκτενῶς; cf. C. SPICQ, *Agapè* II, Paris, 1959, pp. 312–324 (signale p. 317 n. 5 l'inexactitude des notices consacrées à cet adverbe par les lexicographes et les dictionnaires).

[5] *I Petr.* IV, 8: πρὸ πάντων τὴν εἰς ἑαυτοὺς ἀγάπην ἐκτενῆ ἔχοντες. Le motif donné est que la charité, mieux qu'un sacrifice expiatoire, «couvre multitude de péchés»; cf. C. SPICQ, *ibid.*, pp. 332–338; IDEM, *Les Epîtres de saint Pierre*, Paris, 1966, p. 150; A. PEREGO, *I peccati sono rimessi e non coperti anche secondo il salmo 31*, dans *Divus Thomas*, 1960, pp. 205–215.

[6] Cf. ὑπερεκτείνω (inconnu avant *II Cor.* X, 14) que E. B. Allo traduit: «se distendre».

tigable, une dilection empressée, et même la somptuosité des dons [1]; ce que l'on attribuerait aujourd'hui à un «amour fervent» (cf. *Rom.* XII,11). Faisant partie du lexique officiel des chancelleries, ἐκτένεια, ἐκτενῶς, ἐκτενής se trouvent surabondamment dans les décrets honorifiques [2], associés d'une manière privilégiée avec προθυμία, πρόθυμος, προθύμως, comme Hésychius et la *Souda* l'ont noté. En Thrace: «J'ai un très vif désir de

---

[1] Les citoyens de la ville d'Elaia se montrent prévenants vis-à-vis du roi Attale III étant donnés les bienfaits qu'ils en ont reçus, ὅπως ἐπὶ τοῖς γεγενημένοις ἀγαθοῖς τῷ βασιλεῖ ἐκτενεῖς οἱ πολῖται φαίνωνται (*Inscriptions de Pergame*, 246, 4); «qui a continuellement donné de nombreuses et grandes preuves de son dévouement à nous-même et aux affaires» (Lettre d'Antiochos III, dans L. JALABERT, R. MOUTERDE, *Inscriptions grecques et latines de la Syrie*, n. 992, 4). Le roi Seleucos, faisant l'éloge de son «ami honoré» Aristolochos, souligne qu'il «s'est employé avec toute la bonne volonté possible au service de notre père, de notre frère et de nous-même et, dans les circonstances les plus critiques, a donné des marques constantes de l'intérêt qu'il porte aux affaires du royaume» (M. HOLLEAUX, *Etudes d'Epigraphie et d'Histoire grecques*, Paris, 1942, III, pp. 199 sv.). *Inscriptions de Carie*, 166, 7: ἐκτενῶς ἑαυτὸν ἐπιδούς; P. FRISCH, *Die Inschriften von Ilion*, Bonn, 1975, n. 53, 4: ἐκτενῶς διάκειμαι; cf. 54, 4; H. ENGELMANN, *Die Inschriften von Kyme*, Bonn, 1976, n. 13, 84 et 102.

[2] Vers 216 av. J.-C., un décret amphictyonique des Delphiens: ἐκτενῶς πᾶσι τοῖς παραγινομένοις ποτὶ τὸν θεόν (DITTENBERGER, *Syl.* 538, 17). Décret honorifique rendu par une cité à un citoyen étranger qui s'est particulièrement dépensé pour elle: τὸ πρὸς τὴν πόλιν ἡμῶν ἐκτενές (*Inscriptions de Thasos*, 166, 6; que les éditeurs CHR. DUNANT, J. POUILLOUX rapprochent d'*OGIS*, 339, 7: καὶ πρὸ πλείστου θέμενος τὸ πρὸς τὴν πατρίδα γνήσιον καὶ ἐκτενές). Décret de Samothrace accordant proxénie et droit de cité à Hestiaios «afin que les Thasiens aussi connaissent... son zèle envers notre peuple, τὴν πρὸς τὸν δῆμον ἐκτένειαν, et la gratitude de notre cité» (*Inscriptions de Thasos*, 169, 26); Décret honorifique de Rhodes en faveur de Dionysodôros qui a eu constamment souci de fournir aux ambassadeurs tout ce dont ils avaient besoin, ἐποιεῖτο τὰν ἐκτενεστάτην πρόνοιαν (*ibid.* 172, 12). Vers 283 de notre ère, le préfet Aurélius Mercurius prescrivait au stratège d'Oxyrhynque d'inventorier les stocks de vivres: πρόνοιαν ποιήσῃ τοῦ ἐκτενῶς αὐτὰ τρέφεσθαι (*P. Oxy.* 2228, 40; cf. 2861, 4; *P. Panop.* I, 376). Ἐπέστειλα τοῖς ἀδελφοῖς μου...πρὸς τὸ ἐκτενῶς αὐτοῖς ὑπάρχειν τὰ τῆς εὐθενείας (*P. Michael.* 20, 2). Décret en l'honneur d'Eirénias qui «fait preuve en toutes circonstances du plus beau zèle pour les intérêts de la cité et donne son concours à tout ce qui touche à l'illustration et à la gloire de notre patrie» (INSTITUT F. COURBY, *Nouveau choix d'Inscriptions grecques*, Paris, 1971, n. 7, 3). Décret pour Isagoras, thessalien de Larissa qui a manifesté un zèle infatigable, φανερὰν ἐνδεικνύμενος τὰν ἰδίαν ἐκτένειαν (*Fouilles de Delphes*, III, 4, n. 49, 7; en 106 av. J.-C.; cf. 57, 6); συνπροσγεινόμενος ἐκτενῶς πολλὰ τῶν συμφερόντων (*Inscriptions de Bulgarie*, 43, 11; cf. 45, A 30); Décret honorifique de Iotapè: ἀγορανομήσαντος ἐκτενῶς (L. ROBERT, *Documents de l'Asie mineure méridionale*, Genève-Paris, 1966, p. 75 = G. E. BEAN, T. B. MITFORD, *Journeys in Rough Cilicia*, Vienne, 1970, n. 152, 6; 172, a 8); ἐκτενῶς ποτιφερόμενος εἰς τὸν δᾶμον (*Suppl. Ep. Gr.* XXII, 266, 7; cf. I, 180; XXIII, 447, 15; XXV, 105, 26; 112, 7, 42). D'après un décret des clérouques athéniens, Euboulos de

rendre service à tout le monde, προθυμίαν γὰρ ἐκτενεστάτην ἔχω τοῦ ποιεῖν εὖ πάντας (*Inscriptions de Thasos*, 186,10). Un décret de Lampsaque envoie aux magistrats de Thasos la liste des honneurs décernés à Dionysodôros qui «se montre plein d'empressement et de zèle pour les intérêts du peuple, ἐκτενῆ καὶ πρόθυμον ἑαυτὸν εἰ τὰ τοῦ δήμου παρασκευάζει πράγματα» (*ibid.* 171,14 = *Suppl. Ep. Gr.* XIII,458 et le commentaire de J. TRÉHEUX dans *B. C. H.* 1953, pp. 426–433); πᾶσι ἐκτενῆ καὶ πρόθυμον αὐτὸν πκρείχετο [1].

Vers 188, les Milésiens honorent le médecin Apollonios, ἐκτενῆ καὶ πρόθυμον ὁμοίως ἑαυτὸν παρείχετο κατά τε τὴν τέχνην (DITTENBERGER, *Syl.* 620, 8, 13); les Erythréens célèbrent leurs préteurs, ἐκτενεῖς καὶ προτύμους αὐτοὺς παρέσχοντο πρὸς τὴν τῆς πόλεως φυλακήν (*ibid.* 442,9; cf. *Sammelbuch*, 8855,10). Vers 200: ἐκτενῆ καὶ πρόθυμον ἐμ πᾶσι παρασκευαζόμενος (*Inscriptions de Priène*, 82,10–11; cf. 65,16); ἐκτενῆ καὶ πρόθυμον ἑαυτόν... παρέχεται (*Inscriptions de Magnésie*, 86,12 et 20); Décret en l'honneur de Boulagoras, «attendu que choisi à plusieurs reprises par le peuple comme représentant dans les procès publics, il n'a cessé de se montrer actif et zélé – ἐκτενῆ καὶ πρόθυμος – et il a procuré beaucoup d'avantages et de profits à la cité» [2]. Vers 130, une inscription de Pergame, ὅπως... νῦν ἰσοθέων ἠξιωμένος τιμῶν ἐκτενέστερος γίνηται τῇ προθυμίᾳ [3].

On relèvera semblablement l'association zèle et ardeur. Cf. une hydrophore d'Artémis: ἐκτενῶς καὶ φιλοτείμως (*Inscriptions de Didymes*, 375,8); πληρώσασα δὲ καὶ τὴν ὑδροφορίαν ἀξίως τοῦ γένους φιλοτείμως καὶ τὰ μὲν μυστήρια ἐκτενῶς τελέσασα (*ibid.* 381,8). Un décret de l'association athénienne des sôtériastes veut récompenser un certain Diodôros: ἡ σύνοδος ἀποδεξαμένη τὴν ἐκτένειαν καὶ φιλοτιμίαν αὐτοῦ [4]. Le conseil et la population de Sardes honorent une prêtresse Claudia Polla Quintilla qui, d'une part, a servi la divinité et la communauté régulièrement et avec zèle (κοσμίως, φιλοτείμως),

---

Marathon «chargé de plusieurs ambassades a, au prix d'efforts soutenus – ἀγωνισάμενος ἐκτενῶς – fait souvent prévaloir les intérêts des Athéniens de Délos» (J. POUILLOUX, *Choix d'Inscriptions grecques*, Paris, 1960, n. 5, 15). En 164 av. J.-C., le *Pap. Par.* 63, 12 prescrit: «καλῶς ποιήσεις τὴν πᾶσαν προσενεγκάμενος ἐκτένειαν καὶ προνοηθείς – Tu feras bien en apportant tout ton zèle et en prenant toute précaution –, ligne 46: ἀλλὰ μετὰ πάσης ἀκριβείας, τὴν ἐκτενεστάτην ποιήσασθαι, en agissant de la manière la plus correcte, tu feras toute diligence» (= *UPZ*, 110).

[1] FR. G. MAIER, *Mauerbauinschriften*, Heidelberg, 1959, n. 49, 46; cf. 44, 7; 46, 25; 48, 11.

[2] *Suppl. Ep. Gr.* I, 366, 21; J. POUILLOUX, *op. c.*, n. 3.

[3] R. CAGNAT, G. LAFAYE, *Inscriptiones graecae ad res romanas pertinentes*, Paris, 1927, n. 293, col. II, 38.

[4] DITTENBERGER, *Syl.* 1104, 28. Cf. L. ROBERT, *Le sanctuaire de Sinuri*, Paris, 1945, n. 41, 1.

d'autre part a assuré généreusement (ou constamment) de ses propres deniers les sacrifices publics [1]. En 218 av. J.-C., une lettre-décret des cosmes et de la cité de Gortyne exprime la reconnaissance de la ville au médecin Hermias de Cos qui, pendant cinq ans, s'est occupé «des citoyens et de tous les habitants avec zèle et constance – φιλοτιμίως τε καὶ ἐκτενίως – pour tout ce qui touchait son métier et tous les autres soins» [2].

De ces emplois il résulte que l'*ekténéia* néo-testamentaire est une intensité sans négligence ni défaillance, que ce soit dans la prière ou la charité fraternelle. Il ne semble pas que l'accent soit mis sur la durée, la persistance; c'est la ferveur, l'authenticité, la grandeur, une certaine somptuosité des sentiments [3] qui caractérise l'*agapè* chrétienne, empressée et généreuse. Pour mieux situer *I Petr.* 1,22; iv,8, on relèvera que dans les textes littéraires, ἐκτενῶς souvent lié à φιλοφρόνως [4] et ἐκτενής qualifient souvent

---

[1] Δημοτελεῖς θυσίας ἐπιτελέσασαν ἐκ τῶν ἰδίων ἐκτενῶς (*Inscriptions de Sardes*, 52, 11). Le *Koinon* des Crétois accorde la proxénie au légat des Samiens, παρεκάλει δὲ ἀμὲ ἐκτενίως καὶ φιλοτίμως καὶ ἀξίως αὐτοσαυτῶ (*Inscriptions de Crète*, ι, 24, 2; édit. M. GUARDUCCI, t. ι, p. 282). En 43 de notre ère, la corinthienne Junia Théodora est honorée par les Lyciens pour sa *philotimia*, sa *philostorgia* et son *ekténéia* (*Suppl. Ep. Gr.* xviii, 143, 4, 78).

[2] *Inscriptions de Crète*, iv, 168 (= J. POUILLOUX, *op. c.*, n. 15); cf. Décret trouvé à Panamara, dans L. ROBERT, *Opera Minora selecta*, Amsterdam, 1969, ι, pp. 246, 256, 259 n. 6; ιι, p. 746 (décret pour un gymnasiarque de Samos). *Inscriptions de Bulgarie*, 43, 11: φιλοτίμως καὶ συνπροσγεινόμενος ἐκτενῶς πολλὰ τῶν συμφερόντων ἡμεῖν συνκατασκευάζεται; DITTENBERGER, *Or.* 767, 6: ἱερατεύσας τε δὶς Καίσαρος τοῦ θεοῦ ἐκτενῶς καὶ φιλοτείμως; *IG*, x, 2, n. 4, 8–9; cf. n. 1, 6. – L'intensité du sentiment et de l'effort implique l'empressement: ἐν πᾶσιν ἐκτενῆ πεφηνότα καὶ σπουδαῖον (*Inscriptions de Priène*, cxiv, 33); ὁ δῆμος ἀποδεχόμενος αὐτοῦ τὸ φιλόσπουδον καὶ ἐκτενές (DITTENBERGER, *Or.* 339, 40).

[3] Cf. *III Mac.* vi, 41: μεγαλοψύχως τὴν ἐκτενίαν ἔχουσαν; DITTENBERGER, *Syl.* 800, 13: ἐν ταῖς λοιπαῖς δαπάναις πάσαις ἐκτενῶς καὶ μεγαλοψύχως; CH. MICHEL, *Recueil d'Inscriptions grecques*, n. 544, 4 et 6: ἐκτενῶς καὶ μεγαλομερῶς συνεστράφη (décret de Thémisonion en Phrygie, de 114 av. J.-C.; cf. les synonymes énumérés par J. POLLUX, *Onom.* iii, 118–119). Agatharchidès de Cnide estime que les Etoliens sont d'autant plus prêts que les autres hommes à mourir, qu'ils ont plus que les autres l'habitude de vivre intensément (dans ATHÉNÉE, xii, 527 c; cf. HIÉROCLÈS, dans STOBÉE, iv, 25, 53; t. iv, p. 643). Marc-Aurèle observera que pour bénéficier de l'enseignement de bons maîtres à domicile, il faut dépenser largement, δεῖ ἐκτενῶς ἀναλίσκειν (ι, 4, 3).

[4] La pythonisse d'Endor offre généreusement et amicalement à Saül sympathie et consolation, la seule chose qu'elle possédât dans son indigence, ὡς ἐν πενίᾳ τοῦτο παρέσχεν ἐκτενῶς καί φιλοφρόνως (FL. JOSÈPHE, *Ant.* vi, 341). POLYBE, viii, 21, 1: Ἀχαιὸς δὲ προσδεξάμενος ἐκτενῶς καὶ φιλοφρόνως τὸν Βῶλιν ἀνέκρινε διὰ πλειόνων ὑπὲρ ἑκάστου τῶν κατὰ μέρος. Décret honorifique de Delphes en l'honneur d'Euxène: διότι εὔχρηστον αὐτοσαυτὸν παρασκευάζοι καὶ ἐκτενῆ περὶ τοὺς ἐντυγχάνοντας αὐτῷ τῶν

l'amitié [1], à telle enseigne que οἱ ἐκτενέστατοι désigne les plus fervents amis (POLYBE, XXI,22,4). En 182 av. J.-C., Eumène II invite la cité de Cos à célébrer les Jeux en l'honneur d'Athéna Nicéphore, σὺν ἅπασι τοῖς ἐκτενεστάτοις ἡμῖν τῶν ῾Ελλήνων [2]. Arcésilas informe son ami Thaumasis qu'il a rédigé un testament en sa faveur, tellement celui-ci s'est montré empressé à son égard, τὸν εἰς ἐμ' ἐκτενῶς οὕτω πεφιλοτιμημένον (DIOGÈNE LAERCE, IV, 6,44). Attale II, écrivant vers 160 à Attis, prêtre du temple de Cybèle à Pessinonte, déclare: «Ménodore, que vous m'avez envoyé, m'a donné votre lettre toute fervente et amicale» [3]. Arbace «s'empressa de former des liaisons intimes avec les chefs de troupes des diverses nations, et réussit à se concilier leur amitié» (DIODORE DE SICILE, II, 24,3).

Mais l'intensité si généreuse et constante de la dilection fraternelle selon saint Pierre n'est possible qu'en fonction de la divine renaissance des enfants de Dieu. Ils participent d'un amour divin, ils en expriment la spontanéité et la ferveur.

πολιτᾶν καὶ φιλόφρων ὑπάρχει τᾷ πόλει (*Suppl. Ep. Gr.* II, 277, 5), dont on rapprochera le décret honorifique de Busiris, en 22–23 de notre ère, en faveur de son stratège: ἐκτενῶς καὶ φιλανθρώπως διακείμενος (*ibid.* VIII, 527, 5; cf. CH. MICHEL, *op. c.* 544, 30: τοὺς οὕτως ἐκτενῶς τε καὶ φιλανθρώπως ἀναστρεφομένους).

[1] En amitié, «l'un peut agir généreusement, l'autre être déficient; ὁ μὲν ἐκτενῶς ποιῇ, ὁ δ' ἐλλείπῃ» (ARISTOTE, *Grande morale*, II, 11, 1201 *a* 27). Le stoïcien Hiéroclès à propos du père et de la mère, ἕνεκα τῆς ἐν τοῖς ὀνόμασιν ἐκτενείας (cité par STOBÉE, IV, 27, 23; t. IV, p. 673). Dès le IIIe s. avant notre ère, le poète comique Macon emploie l'adverbe en liaison avec ἀγαπᾶσθαι = ἤδει δ' ὑπ' αὐτῆς ἐκτενῶς ἀγαπώμενος (dans ATHÉNÉE, XIII, 579 *e*).

[2] C. B. WELLES, *Royal Correspondence in the Hellenistic Period*, New Haven, 1934, n. 50, 2; cf. *ibid.* 52, 40: la bonne volonté du peuple à l'égard d'Eumène II est profonde et sincère, πρὸς ἡμᾶς ἐκτενεστάτην τε καὶ εἰλικρινῆ τὴν εὔνοιαν.

[3] ᾿Επιστολὴν... οὖσαν ἐκτενῆ καὶ φιλικήν (C. B. WELLES, *op. c.* 58, 4). Dans l'inscription de Kymè, n. XIII, 28, 54, 62, 78, l'*ekténéia* est associée à la *philagathia*; à *philanthropia*, dans L. Moretti (*Iscrizioni storiche ellenistiche*, Florence, 1976, II, n. 55, 2), à *eunoia* (*ibid.* 33, 7), à *épiméléia* dans *ZPE*, XXV, 1977, p. 270.

ἐκτρέπομαι

Très rare dans les papyrus [1], le verbe ἐκτρέπω n'est utilisé dans le N. T. qu'au passif au ou moyen. Il exprime un changement d'état ou de direction [2] et semble avoir eu au Ier siècle des nuances assez variables selon les contextes. Utilisé notamment dans le domaine moral ou religieux, il signifie qu'on s'écarte, dévie, se détourne d'une voie pour s'égarer, se fourvoyer et fuir dans une autre. C'est en ce sens qu'il est utilisé quatre fois dans les Pastorales, où il semble devenu un terme technique de la parénèse : les hétérodoxes s'écartent ou s'égarent dans un vain verbiage, ἐξετράπησαν εἰς ματαιολογίαν (I Tim. ι,6; aoriste second passif); les hérétiques détournant l'oreille de la vérité, se retourneront vers les fables, ἐπὶ δὲ τοὺς μύθους ἐκτραπήσοντας (II Tim. ιν,4 futur indicatif passif); Timothée doit fuir ces bavardages profanes [3]; de jeunes veuves se sont égarées à la suite de Satan (I Tim. ν,15, ἐξετράπησαν).

Les parallèles du Ier siècle, juifs ou païens, ont cette acception éthique : Les nouveaux riches ne voient pas la route devant eux et ils s'égarent dans des régions sans route frayée, εἰς ἀνοδίας ἐκτρέπονται (PHILON, Spec. leg. ιι,23); «Détourne-toi des eunuques (γάλλους ἐκτρέπεσθαι) et fuis la société

---

[1] Nous n'en connaissons que trois cas: une plainte à un prêtre de Tibère, en 33 de notre ère: il y a danger «que les champs avoisinants, qui ne sont pas petits, ne retombent dans l'inculture, εἰς ἄσπορον ἐκτραπῆναι» (P. Ryl. 133, 22). Même locution au IIe s. (P. Strasb. 259, 12). Au IVe s., le papyrus est mutilé: ἐκτραπῆναι τὰς... (Sammelbuch, 9136, 8).

[2] Dans son unique emploi dans l'A. T., il traduit הפך: «tourner, changer, passer d'un état à un autre»; Dieu change l'ombre de la nuit en aurore (Am. ν, 8). En optique, il désigne la déviation d'un mobile de sa trajectoire (CH. MUGLER, Dictionnaire historique de la Terminologie optique des Grecs, Paris, 1964, p. 133). Au sens péjoratif: «Ils tournèrent leurs pas de ce côté (ἐκτραπόμενοι), s'assirent et refusèrent d'avancer» (XÉNOPHON, Anab. ιν, 5, 15); FL. JOSÈPHE, Guerre, ι, 614: «Tous se détournaient, nul n'osait l'aborder» (Antipater à Césarée).

[3] I Tim. νι, 20: ἐκτρεπόμενος τὰς βεβήλους κενοφωνίας. Ici le participe présent moyen pourrait se traduire par «refuser» comme dans Fl. Josèphe (Ant. ι, 194: Les Sodomites refusant toute relation avec les autres; ι, 246: les jeunes filles refusèrent de leur donner à boire) ou mieux cette inscription: ἐνταῦθα δὲ ἐκτρέπεσθαι δεῖ τοὺς σοφιστικοὺς λόγους τούτους (publiée par H. USENER, Epikureische Schriften auf Stein, dans Rheinisches Museum, 1892, p. 445, n. 29, 7).

de ceux qui se sont privés eux-mêmes de leur virilité» (FL. JOSÈPHE, *Ant.*
IV,290). Les jeunes «se détournent des mœurs de leurs pères, ils s'engagent
sur la route inverse» (*ibid.* VI,34). «Roboam se fourvoyait dans des actions
injustes et impies, εἰς ἀδίκους καὶ ἀσεβεῖς ἐξετράπη πράξεις» (*ibid.* VIII,251;
εἰς indique la direction vers laquelle on se tourne; cf. v,98: «Si vous vous
détournez pour imiter d'autres nations»). Hyrcan, disciple des pharisiens,
leur demanda que s'ils remarquaient qu'il commettait quelque faute ou
déviait de la voie de la justice (τῆς ὁδοῦ τῆς δικαίας ἐκτρεπόμενον), ils le
corrigent (*ibid.* XIII,290). Dans son chapitre sur l'entraînement, Musonius
demande «d'éviter par tous les moyens les choses qui sont vraiment mauvaises» [1]. Th. Nägeli cite une inscription d'Oenoanda en Lycie, qui serait
très proche de *I Tim.* 1,6; VI,20: ἐκτρέπεσται δεῖ τοὺς σοφιστικοὺς λόγους [2].

ἐκτρέπομαι s'emploie aussi dans des contextes médicaux et chirurgicaux:
«sortir de sa place, déboîter, disloquer, disjoindre» [3], et c'est en ce sens
qu'on entendra *Hébr.* XII,13: «Que le boiteux ne dévie pas; qu'il guérisse» [4].

---

[1] Dans STOBÉE, *Ecloge* 29, 78 (t. III, p. 650, 18; édit. C. E. LUTZ, p. 54, 25). Cf.
EPICTÈTE, I, 6, 42: «se laissant entraîner (ἐκτρεπόμενοι εἰς) à des plaintes et à des
reproches contre Dieu».

[2] TH. NÄGELI, *Der Wortschatz des Apostels Paulus*, Göttingen, 1905, p. 19.

[3] Cf. HIPPOCRATE, *De Off. med.* 14, présice le traitement d'un membre luxé; on
le fera reposer sur un plan mou et régulier, «de telle sorte qu'il n'en résulte ni saillie,
ni incurvation, ni déviation vicieuses (μήτε ἐκτρέπηται)»; DIOSCORIDE, *Mat. medic.*
II, 15. Cf. C. SPICQ, *Alexandrinismes dans l'Epître aux Hébreux*, dans *R. B.* 1951, p. 488.

[4] Le boiteux est un infirme (cf. PHILON, *Mut. nom.* 187; *Congr. erud.* 164 sv.),
que la *Guerre des Fils de lumière* appelle «un ondoyant des genoux» (XIV, 6). Il représente le chrétien hésitant et timoré, menacé d'être complètement disloqué par les
épreuves et incapable de suivre la voie droite.

ἔκτρωμα

Après avoir énuméré les apparitions du Christ ressuscité aux Apôtres, saint Paul conclut: «En tout dernier lieu, comme à l'avorton, il a été vu même de moi; car moi je suis le plus petit des apôtres» (*I Cor.* xv,8–9). *Hapax* dans le N. T., ἔκτρωμα est employé trois fois dans les Septante, et toujours comme une comparaison. Aaron supplie Moïse en faveur de Miriam lépreuse: «Qu'elle ne soit pas comme le mort-né (ὡσεὶ ἔκτρωμα = מות), qui, à la sortie du sein de sa mère, a la moitié de son corps rongé» (*Nomb.* xii, 12). «Pourquoi n'ai-je pas été comme un avorton caché dans le sein de sa mère (ὥσπερ ἔκτρωμα) comme les petits qui n'ont pas vu la lumière?»[1]. L'homme riche qui a engendré cent fils, a vécu longtemps, mais dont l'âme n'est pas rassasiée et n'a même pas de sépulture, «mieux que lui vaut l'avorton, car dans la vanité il est venu et dans l'obscurité il s'en va, et dans l'obscurité son nom sera caché. Il n'a même pas vu le soleil et ne l'a pas connu» (*Eccl.* vi,3). Dans les trois cas, il s'agit de fœtus morts-nés, et cette acception physiologique ne peut éclairer la métaphore paulinienne[2].

Une seule attestation papyrologique, en 142 av. J.-C. Une femme juive, enceinte, se plaint d'avoir été attaquée par une autre femme, peut-être dans un village de Samarie, et il y a danger d'une fausse-couche pour son enfant[3]. Dans la littérature profane, le terme n'appartient pas à la langue

---

[1] *Job*, iii, 16: ἔκτρωμα traduit נפל que *Sota* 22 *a* définira: «un enfant dont les mois (dans le sein de sa mère) ne sont pas complets». Ici, c'est le fœtus qui «tombe» avant terme et ne vit pas (cf. *Ps.* lviii, 9; *Eccl.* vi, 3).

[2] Plus éclairant serait Philon, *Lois allég.* i, 76: «L'imprudence étant dans les douleurs n'enfante jamais: par nature, l'âme du méchant ne met au jour rien de viable; et ce qu'elle croit produire, se trouve être des avortons et des prématurés, ἀμβλωθρίδια... καὶ ἐκτρώματα», suit une citation de *Nomb.* xii, 12.

[3] *P. Tebt.* 800, 30: κινδυνεύει ὃ ἔχει ἐγ γαστρὶ παιδίον ἔκτρωμα γίνεσθαι μεταλλάξαν τὸν βίον; réédité dans *Corpus Papyrorum Judaicarum*, 133. Le verbe correspondant se retrouvera en 362 de notre ère, dans un contexte analogue: «à Thaèsis qui était enceinte ils ont occasionné par leurs coups l'avortement de leur enfant, αὐτῶν ἐξέτρωσεν τὸ βρέφος» (*P. Goodsp. Cair.* 15, 15). Cf. *Apocalypse de Pierre*, 26: «Des femmes étaient assises, ayant du pus jusqu'au cou. Vis-à-vis d'elles, il y avait des bébés qui avaient été mis au monde avant terme; assis, ils pleuraient... C'étaient celles qui avaient conçu contre leur gré et s'étaient fait avorter»; Diodore de Sicile, iii, 64, 4 (naissance de Bacchus): «Sémélé tomba sans vie et avorta. Jupiter s'empara de son fils

des gynécologues, et on ne peut guère citer qu'un texte d'Aristote [1] et la définition d'Hésychius: ἔκτρωμα · παιδίον νεκρὸν ἄωρον, ἐκβολὴ γυναικός.

La documentation étant pauvre et sans valeur pour éclairer *I Cor.* xv,8, des exégètes exploitent une notation du polygraphe J. Tzetzes au XIIᵉ siècle, voyant dans ἔκτρωμα un terme de mépris, et comprennent que l'Apôtre reprend un mot d'insulte que ses adversaires lançaient contre lui [2], à l'instar d'«ordure» (*peripséma*) dans *I Cor.* iv,13. Mais J. Schneider (*TWNT* ii, pp. 463–465) a bien montré que cette interprétation polémique ne cadrait pas avec l'évocation kérygmatique qui précède. Il semble donc préférable de voir dans ce mot une expression d'humilité, ainsi que l'ont comprise Ignace d'Antioche [3], les Pères Grecs et bon nombre de modernes [4].

---

né avant terme et le cacha dans sa cuisse. Le corps de l'enfant y prit son accroissement parfait»; iv, 2, 3. Eusèbe, *Hist. eccl.* v, 1, 45: «Ce fut une grande joie pour la vierge-mère [l'Eglise] de recevoir vivants ceux qu'elle avait rejetés morts de son sein, οὓς ὡς νεκροὺς ἐξέτρωσε» (texte exploité par E. Schwartz dans *Nachrichten der Gesellsch. der Wissenschaften zu Göttingen*, 1907, p. 276). Un règlement cultuel de Ptolemaïs en Egypte considère au Iᵉʳ s., la fausse-couche (ἐκτρωσμός) comme une souillure pour la mère (F. Sokolowski, *Lois sacrées des Cités grecques*, Supplément, Paris, 1962, n. 119, 5 et 10).

[1] Aristote, *Génér. anim.* iv, 5; 773 *b* 18: «Les fœtus se détachent comme dans le cas de ce qu'on appelle les fausses-couches, τοῖς καλουμένοις ἐκτρώμασιν»; cf. *Hist. anim.* vii, 3; 583 *b* 12: «On appelle 'écoulement' (ἐκρύσεις) l'avortement du fœtus dans les sept premiers jours, et 'fausse-couche' (ἐκτρωσμοί) l'expulsion dans les quarante jours»; cf. Hippocrate, *Du fœtus de sept mois*, 9 (édit. Littré, t. vii, p. 448).

[2] A. von Harnack, *Die Verklärungsgeschichte Jesu*, dans *Sitzungsberichte der preußischen Akademie der Wissenschaften zu Berlin*, 1922, p. 72, n. 3; A. Fridrichsen, *Paulus abortivus*, dans *Symbolae Philologicae O. A. Danielsson*, Uppsal, 1932, pp. 78–85 (expose l'histoire de l'exégèse, note que ἔκτρωμα exprime le résultat, non l'action); G. Björck, *Nochmals Paulus abortivus*, dans *Coniectanea Neotestamentica*, iii, 1938, pp. 3–8 (s'autorise du grec moderne pour traduire «monstre, objet d'horreur» et en faire un synonyme de τέρας et ἄμβλωμα); J. Munck, *Paulus tanquam abortivus*, dans A. J. B. Higgins, *New Testament Essays. Studies in Memory Th. W. Manson*, Manchester, 1959, pp. 180–193 (critique son dernier prédécesseur). C. K. Barrett, *A Commentary on the first Epistle to the Corinthians*, Londres, 1968, p. 344 souligne que cette expression de mépris des adversaires pouvait être fondée tant sur le physique de Paul (l'«homme de trois coudées» selon Chrysostome; «petit de taille» dans *Act. de Paul*, 3; cf. σαῦλος = homme qui se dandine en marchant) que sur sa présentation extérieure (cf. *Act.* xiv, 12; *II Cor.* x, 1, 10).

[3] Ignace d'Antioche: «Je rougis d'être compté parmi eux (les chrétiens de Syrie), car je n'en suis pas digne, étant le dernier d'entre eux et un avorton (ἔκτρωμα)» (*ad Rom.* ix, 2).

[4] Fr. Field, *Otium Norvicense* iii, Oxford, 1881, p. 110; F. Godet, *Commentaire sur la première Epître aux Corinthiens*, Paris-Neuchâtel, 1887, i, pp. 339 sv.; A. Plum-

Th. Boman relève la triple expression dépréciative: le dernier de la série – comme l'embryon – le plus infime des Apôtres (ἐλάχιστος, imperceptible); et il cite l'acception latine d'*abortivus* (nain, infantile, défaut de maturité) qui n'a pas été inconnue de Paul [1]. Effectivement, saint Irénée connaît une signification analogue: ἄμορφος καὶ ἀνείδεος, ὥσπερ ἔκτρωμα [2]. Puis donc qu'ἔκτρωμα, dérivé de ἐκτιτρώσκω «percer, déchirer», désignerait au sens propre le fœtus né d'une manière violente et prématurée; métaphoriquement, l'image paulinienne serait celle d'un corps arraché de force au sein d'une femme (la Synagogue). Paul exprimerait le caractère anormal et soudain de sa naissance à la foi chrétienne et au ministère apostolique. Son cas est bien différent de celui des Douze. Lui, Saul, était en quelque sorte un «prématuré», dans un état d'immaturité selon la gestation dans la grâce, «seulement un embryon spirituel» (TH. BOMAN, p. 49); il explique, en effet, immédiatement «puisque j'ai persécuté l'Eglise de Dieu» (Ⅴ. 9). Or dans les emplois d'ἔκτρωμα l'accent est toujours mis sur la naissance anormale, avant le temps, que le bébé soit mort ou vivant (Schneider). Il a fallu une intervention toute-puissante du Christ pour donner d'un coup à ce persécuteur et la foi et l'apostolat [3].

MER, *First Epistle of St. Paul to the Corinthians*, Edimbourg, 1911, p. 339. J. WEISS, *Der erste Korintherbrief*[10], Göttingen, 1925, pp. 351 sv.

[1] TH. BOMAN, *Paulus abortivus*, dans *Studia Theologica*, 1964, pp. 46–50, repris dans *Die Jesus-Überlieferung im Lichte der neueren Volkskunde*, Göttingen, 1967, pp. 236 sv. BILLERBECK (I, pp. 496 sv.; III, p. 471) signale quelques emplois d'ἔκτρ. pour désigner des disciples des Rabbins.

[2] IRÉNÉE, *Adv. Haer.* I, 4, 7 (cf. *Extraits de Théodote*, 68. Les Valentiniens désignèrent la matière comme ἔκτρωμα, transposant le mythe égyptien de la naissance d'Harpocrate «né avant terme et faible des membres inférieurs»; cf. A. TORHOUDT, *Een onbekend gnostisch systeem in Plutarchus' de Iside et Osiride*, Louvain, 1942, pp. 50–52, 96). Cf. dans la première moitié du Iᵉʳ siècle, le Ps. LONGIN: «Si un auteur craignait de ne pas se faire entendre au delà de sa vie et de son temps, nécessairement les conceptions de sa pensée ne sauraient aboutir qu'à des productions inachevées et aveugles, semblables à des avortons (ὥσπερ ἀμβλοῦσθαι), complètement incapables d'arriver à terme pour s'assurer le renom de la postérité» (*Du Sublime*, XIV, 3). En français, avorton désigne «le fœtus sorti avant terme du ventre de la mère», puis: qui s'est trouvé arrêté dans son évolution ou n'a pas atteint le développement normal de son espèce; enfin: être chétif, faible, mal conformé, être tout petit (P. ROBERT, *Dictionnaire... de la Langue française*, Paris, 1965, I, p. 376).

[3] Cf. L. DE GRANDMAISON, *Jésus-Christ*[13], Paris, 1931, II, pp. 378–379; J. BLANK, *Paulus und Jesus*, Munich, 1968, pp. 187–190. ἐκτιτρώσκω = causer un avortement, dans *P. Tebt. Tait.* 40, 2.

ἔλαττον (ἐλάσσων), ἐλαττονέω, ἐλαττόω

S'il est vrai qu'à l'époque hellénistique la géminée σσ remplace l'attique ττ [1], ce n'est pas une règle générale. Si elle s'applique le plus souvent dans les Septante [2], ἔλαττον l'emporte beaucoup plus sur ἐλάσσων dans les papyrus [3]. Le N. T. confirme la variété de cet usage, ayant deux fois ἐλάσσων (*Jo.* II,10; *Rom.* IX,12) et deux fois ἔλαττον (*I Tim.* V,9; *Hébr.* VII,7).

ἐλάσσων, très fréquent dans les comparaisons de grandeur [4], sert de comparatif à μικρός «le plus petit, moindre», et s'oppose soit à μείζων, pour désigner le cadet par rapport à l'aîné [5] ou à κρείττων: «le moindre est béni par le plus grand» [6], soit à καλόν: le moins bon vin se sert à la fin du repas [7],

---

[1] Cf. F. M. Abel, *Grammaire du grec biblique*, Paris, 1927, n. 4 *r*.

[2] Cf. ἔλαττον, *Ex.* XVI, 17–18; *Lév.* XXV, 16; *Nomb.* XXVI, 54; XXXIII, 54; XXXV, 8; *Dan.* II, 39; *II Mac.* V, 5; VIII, 9.

[3] On ne rencontre guère ἐλάσσων que dans *Sammelbuch*, 9225, 1 (fragment de loi du IIIe s. av. J.-C.), *P. Par.* 63, 28 (= *P. Petr.* III, p. 20, du IIe s. av. J.-C.) et au IIe-IIIe s. de notre ère, *P. Fuad* (Crawford), 18, 5; *P. Michig.* 501, 16; *B.G.U.* 1564, 12–13; 1663, 7; 1734, 12; *P. Giess.* I, 61, 18; *P.S.I.* 187, 10 (IVe s.); cf. E. Mayser, *Grammatik der griechischen Papyri aus der Ptolemäerzeit*, Leipzig, 1906, p. 223.

[4] Cf. Ch. Mugler, *Dictionnaire historique de la Terminologie géométrique des Grecs*, Paris, 1958, p. 169. *Gen.* I, 16; *Ex.* XVI, 17-18; *Prov.* XIII, 11; XXX, 24; *Dan.* II, 39.

[5] *Rom.* IX, 12 (citation de *Gen.* XXV, 23; צָעִיר); cf. *Jos.* VI, 25; *P. Ryl.* 77, 39: ἀναδεξάμενος τὴν μείζονα ἀρχὴν οὐκ ὀφείλει τὴν ἐλάττον' ἀποφεύγειν. Le terme revêt une valeur péjorative: «le moindre, infime», cf. *II Rois*, XVIII, 24; *Job*, XXX, 1; *Sag.* IX, 5: «Je suis trop petit pour comprendre le jugement et les lois»; *Is.* LX, 22; *P. Isid.* 73, 3: «nous qui sommes de petits fermiers». Cf. *C. Ord. Ptol.* 53, 70: «ceux qui exercent des charges dans les temples de moindre importance, ἐν τοῖς ἐλάσσοσιν ἱεροῖς»; 53, 96: «ils seront taxés à tarif réduit». Ménandre, *Dyscol.* 679: «Je me souciais moins que rien du blessé». *P. Tebt.* 88, 61; 1117, 1 = les prêtres inférieurs.

[6] *Hébr.* VII, 7; cf. *I Sam.* IX, 21; *Prov.* XXII, 16. Philon, *Lois allég.* II, 3; Plutarque, *Praecepta ger. reipubl.* 8; 804 a: ἠλαττοῦτο πολλῶν. Au Ier s. avant notre ère, Géminos écrit indifféremment ἔλασσον ou ἔλαττον, comme mesure d'espace ou de temps: «certains cercles sont tantôt plus grands, tantôt plus petits» (*Introduction aux Phénomènes* V, 30, 35; VI, 27; XIV, 3), «le plus petit déplacement (XIV, 4–5; XVII, 17; XVIII, 2); «l'écart est tantôt plus petit, tantôt plus grand» (V, 47); «les signes du zodiaque mettent moins de temps à se lever, ἐν ἐλάττονι χρόνῳ» (VII, 11; XIV, 2); «le plus petit début d'éclipse».

[7] *Jo.* II, 10. Sur ce verset, cf. P. W. Meyer, *John II, 10*, dans *J.B.L.* 1967, pp. 191–197; J. D. M. Derrett, *Law in the New Testament*, Londres, 1970, pp. 228–246; B. Lindars, *Two Parables in John*, dans *NTS*, XVI, 1970, pp. 318–324.

soit enfin à πλείων (*Ex.* xvi,17; *Nomb.* xxvi,54; xxxiii,54; *P. Michig.*
636,8); c'est ainsi qu'est employé adverbialement le neutre μὴ ἔλαττον
dans *I Tim.* v,9: une femme ne sera inscrite au groupe des veuves que si
elle a «au moins soixante ans» [1].

Le verbe dénominatif ἐλαττονέω «avoir moins ou trop peu, manquer»,
hapax du N. T. (*II Cor.* viii,15) est une citation d'*Ex.* xvi,18: celui qui
avait pris peu de manne, n'en manquait pas [2]. Il est rare dans les papyrus,
mais attesté dès 217 av. J.-C., le fraudeur dans une livraison de vin sera
obligé «à nous restituer la différence de 14 cruches manquantes, τὸ διάφορον
τῶν ἐλαττονούντων ιδ κεραμίων» (*P. Magd.* 26,12). En 11 av. J.-C., c'est le
manque du prix de 230 cotyles d'huile (*B. G. U.* 1195, 19), et au IIIe s.
de notre ère: «c'est mon bonheur et ma gloire de produire plus et de ne
rien perdre, πλέον ἐξευρεῖν καὶ μὴ ἐλαττονῖν» (*P. Oxy.* 2407,54).

ἐλαττόω a aussi le sens de «manquer, être privé de» [3], mais également
celui de «diminuer», comme l'infinitif présent passif dans *Jo.* iii,30: «Celui-

---

[1] La formule est usuelle: οὐκ ἐλάττους = pas moins d'un millier d'hommes, de cinq
mille, de vingt mille (*II Mac.* v, 5; viii, 9, 35; x, 18; xii, 4, 10; Diodore de Sicile,
xvii, 19, 15; 21, 6; 31, 2; 36, 6; 46, 4 etc.) et désigne souvent dans les papyrus un prix
inférieur à la somme totale ou convenue: «pas moins de 800 drachmes» (*P. Lugd.
Bat.* xiii, 14, 28; testament du IIe s. ap. J.-C.); *P. Achm.* 8, 17; *P. Oxy.* 237; col.
viii, 11: sous la menace, ceux à qui on réclame une dette sont tentés de consentir
de ce fait une «réduction» (138 ap. J.-C.); *P. Lille,* 29 col. i, 31; ii, 34: «pas moins de
deux témoins». J. Pouilloux, *Recherches sur l'Histoire et les Cultes de Thasos,* Paris,
1954, i, n. 141: les polémarques donneront aux garçons des jambières, une cuirasse...
«dont la valeur ne sera pas inférieure à trois mines, μὴ ἐλάσσονος ἄξια τριῶν μνῶν».
La tournure πλέον ἔλαττον signifie «à peu près, approximativement» (*P. Oxy.* 1895,
5, 8; 1907, 10; 2347, 6; P. J. Sijpesteijn, K. A. Worp, *Fünfunddreißig Wiener Papyri,*
Zutphen, 1976, n. 28,8; H. H. July, *Die Klauseln hinter den Maßangaben der Papyrusurkunden,* Köln, 1966, pp. 96 sv.). Le frère de Phoibammon doit acheter à Alexandrie
une robe d'Antioche «d'une valeur de 10 kératia plus ou moins» (*P. Fuad,* 74, 7);
cf. *B.G.U.* 1663, 7; *P. Hermop.* 34, 11: «deux aroures – plus ou moins – de terre ara-
ble»; *P. Isid.* 103, 9; *P. Mert.* 17, 14, 20; *P. Ross.-Georg.* ii, 14, 2 (Ier s. de notre ère);
v, 25, 2; 42, 7; *Sammelbuch,* 9253, 9; 9293, 11 etc.

[2] Verbe bien attesté dans les Septante, où il se dit des eaux du déluge qui décrois-
sent (*Gen.* viii, 3, 5; cf. Philon, *Aet. mund.* 120), des cinquante justes dont il manquera
peut-être cinq (xviii, 28), du pauvre qui ne paiera pas moins d'un demi-sicle (*Ex.*
xxx, 15; cf. *Lév.* xxv, 16; *Prov.* xi, 24). Diminution qui s'oppose à la multiplication
(*Jér.* xxx, 19); «Qui déteste le bavardage sera soustrait au mal» (*Sir.* xix, 6, 7), et
s'applique aux vaincus, «défaits» (*II Mac.* xii, 11; xiii, 19).

[3] *I Sam.* ii, 5; xxi, 16; *II Sam.* iii, 29; *Jér.* li, 18; *Ez.* xxiv, 10; *Ps.* xxxiv, 11:
«Ceux qui cherchent Iahvé ne manquent d'aucun bien»; *Sir.* xxxii, 24. On est privé
ou dénué de sagesse (*Sir.* xix, 23), d'intelligence (xix, 24; xxv, 2; xlvii, 23); on est
exempt (*Sir.* xxiii, 10; xxviii, 8; xxxviii, 24).

là doit grandir, mais moi diminuer» [1]. L'amoindrissement peut être monétaire [2] ou solaire (DION CASSIUS, XLV,17: «la lumière du soleil sembla diminuer et s'éteindre»), ou physique (PHILON, *Virt.* 46; *Aet. mund.* 65), mais aussi psychologique ou social. En 180 av. J.-C., Orthagoras d'Araxa est l'objet d'un décret honorifique parce que «envoyé en mission auprès de la confédération, il a bien mené les débats en paroles et en actes pour faire respecter les avantages de notre peuple et pour nous éviter de subir la moindre diminution, καὶ ἐν μηδενὶ ἐλαττωθῆναι» [3]. C'est un amoindrissement de qualité (*Sir.* XVI,23; PHILON, *Gig.* 27); «la science de la gymnastique n'est inférieure à aucun art» (PHILOSTRATE, *Gymn.* 1). C'est en ce sens que Dieu a abaissé légèrement, à peine (ἠλάττωσας βραχύ) l'homme par rapport aux anges (*Hébr.* II,7; citation du *Ps.* VIII,5).

---

[1] Cf. *Sir.* XVIII, 6: «Il n'y a rien à retrancher, rien à ajouter»; XLII, 21; cf. XXX, 24: «la jalousie et la fureur diminuent les jours»; XXXI, 30: «l'ivresse diminue la force»; XXXIX, 18. Dans les papyrus, le participe parfait passif avec la négation: μὴ ἠλαττουμένου (–νης) est une clause constante des contrats exprimant que le prêteur ou le bailleur ne subira aucune perte, aucun dommage ou préjudice dans le recouvrement de ce qui lui est dû, cf. «associé avec toi dans l'affaire relative au compte de la cité, je reconnais que tu ne subiras aucune perte par rapport à ce que moi et mon frère, nous te devons, ὁμολογῶ κατὰ μηδέν σε ἐλαττοῦσθαι περὶ ὧν ὀφείλομέν σοι ἐγώ τε καὶ ὁ ἀδελφός μου (*P. Oxy.* 2135, 5,15); μὴ ἐλαττουμένου σου τοῦ 'Απίωνος τοῦ καὶ Πετοσοράπιος ἐν τῇ πράξει ὧν ἄλλων ὀφείλω σοι (*P. Osl.* 40, 63; cr. 123, 33); μὴ ἐλαττουμένου σου ἐν οἷς ὠφείλησα τῷ ἀδελφῷ σου τῷ μετηλλαχότι Παυσανίᾳ ἐν τῇ πράξει (*P. Mert.* 14, 15); *P. Alex.* 7, 16; *B.G.U.* 1573, 29; *P. Ross.-Georg.* II, 18, 59; *P. Lugd. Bat.* VI, 9, 19; 20, 43 (= *Sammelbuch*, 6611; cf. 10787, 14; 10989, 35); 36, 7 (= *P. Hamb.* 67); 36, 18; *P. Fuad*, 35, 13 (de 48 ap. J.-C.; les droits de Thaèsis sont pleinement réservés dans le recouvrement de 80 drachmes prêtées par elle, avec garantie, à Petsiris); *P. Ryl.* 677, 11; *Arch. Sarap.* 2, 19; 39, 7; *P. Michig.* 562, 15; 615, 31, 34; *P. Tebt.* 382, 13 (entre 30 av. et 1 ap. J.-C.); *P. Vars.* 10 (cf. *Berichtigungsliste*, IV, p. 102, n. 10 I 25). Cf. G. HÄGE, *Die MH ΕΛΑΤΤΟΥΜΕΝΟΥ-Klausel in den griechischen Papyri Aegyptens*, dans *Proceedings of the twelfth intern. Congress of Papyrology*, Toronto, 1970, pp. 195–205; H. A. RUPPRECHT, *Studien zur Quittung im Recht der graeco-ägyptischen Papyri*, Munich, 1971, pp. 18 sv.

[2] *Nomb.* XXVI, 54; XXXIII, 54. Cf. la requête des prêtres de l'Abaton de Philae: «attendu qu'il résulte de ces abus que le sanctuaire s'appauvrit (ἐλαττοῦσθαι τὸ ἱερόν) et que nous courons le risque...» (*C. Ord. Ptol.* 52 = *Sammelbuch*, 8396, 28 = A. BERNAND, *Les Inscriptions grecques de Philae*, Paris, 1969, I, n. 19 et p. 190). ἐλασσώματος est la diminution foncière, la superficie improductive que l'on déduit des aroures pour lesquelles se fait la répartition des semences ou pour lesquelles on acquitte l'impôt foncier (*P. Bour.* 42, 32; *B.G.U.* 20, 8; *Archiv für Papyrusforschung*, 1976, p. 106).

[3] J. POUILLOUX, *Choix d'Inscriptions grecques*, Paris, 1960, n. 4, 53; cf. *Inscriptions de Magnésie*, 90, 15. PLUTARQUE, *Démosthène* XI, 1: «pour corriger ses défauts physiques (τοῖς σωματικοῖς ἐλαττώμασι); il eut recours aux exercices».

ἐμπίπτω

Dans le N. T., on tombe physiquement dans une fosse [1] et métaphoriquement dans des pièges [2], notamment dans les filets du diable (*I Tim.* iii,7), c'est-à-dire en son pouvoir [3]. Parce que le diable calomnie les élus et revendique à leur égard un rôle de tortionnaire (*Apoc.* xii,10; *I Cor.* v,5), on dira que l'orgueilleux «tombe sous la condamnation du diable», celui-ci étant l'exécuteur du châtiment [4]. Simultanément on tombe dans les tentations ou l'opprobre [5]; ἐμπίπτω a alors le sens de «rencontrer, se présenter»

---

[1] *Mt.* xii, 11; *Lc.* vi, 39 (εἰς βόθυνον), comme dans l'A. T., dans les puits de bitume (*Gen.* xiv, 10), dans une citerne (*Ex.* xxi, 33), dans une fosse (*Ps.* vii, 16; lvii, 7; *Prov.* xxvi, 27; xxviii, 10; *Eccl.* x, 8; *Sir.* xxvii, 26; *Is.* xxiv, 18; *Jér.* xlviii, 44), envisagés parfois métaphoriquement (*Prov.* xxii, 14). «Cnémon étant tombé dans le puits» (Ménandre, *Dyscol.*, hyp. 7; cf. Fl. Josèphe, *Ant.* iv, 283; *Vie*, 403; *P.S.I.* 829, 7.

[2] *I Tim.* vi, 9: «Ceux qui veulent être riches ἐμπίπτουσιν εἰς πειρασμὸν καὶ παγίδα. Les Pères de l'Eglise et les modernes distinguent les riches (*I Tim.* vi, 17 sv.) et ceux qui veulent le devenir (*Sir.* xxvii, 1: ὁ ζητῶν πληθῦναι; *Anth. Pal.* xi, 3: ἤθελον ἂν πλουτεῖν = J'aurais voulu être riche, comme Crésus le fut jadis; Juvénal, *Sat.* xiv, 176: *dives qui fieri vult*). Ils tombent (présent itératif) dans des injustices, des mensonges, des exactions, des escroqueries, des vols de toute nature, qui sont comme autant de pièges (symbole des ensorcellements de la passion, cf. E. Feuillatre, *Etudes sur les Ethiopiques d'Héliodore*, Paris, 1966, p. 80), à l'appât desquels les cupides ne savent pas résister; une fois pris, ils ne peuvent plus se dégager. Les Qumraniens font tomber dans les pièges ceux qui agissent en insensés (*Hymn.* iv, 12; cf. iii, 26) et précisent: «Les trois pièges de Bélial... luxure, richesse, profanation du sanctuaire. Celui qui échappe à l'un sera attrapé par l'autre» (*Doc. Dam.* iv, 15–19; cf. *Guerre des Fils de lumière*, xiv, 9; H. Kosmala, *The Three Nets of Belial*, dans *Annual of the Swedish Theol. Institute*, Leiden, 1965, pp. 91–113). Pour Lucien, les pièges qui accompagnent la richesse sont les voleurs, l'envie et la haine de la part de la multitude (*Le Navire*, 27).

[3] La locution est sapientiale: «Aman tomba dans le piège» (*Tob.* xiv, 10); *Prov.* xii, 13; *Sir.* ix 3; xxxviii, 15: «Celui qui pèche en présence de Celui qui l'a fait, qu'il tombe entre les mains du médecin!».

[4] *I Tim.* iii, 6: εἰς κρίμα ἐμπέσῃ τοῦ διαβόλου; cf. *Sir.* xxix, 19: «le pécheur, qui se jette comme caution... se jette dans les jugements, εἰς κρίσεις».

[5] *I Tim.* iii, 7; vi, 9. Cet usage métaphorique d'ἐμπίπτω εἰς est commun dans la langue biblique et profane: on tombe dans le malheur (*Prov.* xiii, 17; xvii, 20; xxviii, 14; *Sir.* iii, 26), dans l'oubli (*Sag.* xvi, 11), en captivité (*Is.* x, 4), dans le décourage-

qu'il s'agisse des choses ou des personnes [1], comme nous disons encore: je suis tombé sur un tel [2], que la conjoncture soit favorable ou non [3].

«Tomber entre les mains de...», être réduit à sa merci, est un biblisme, depuis Samson redoutant de tomber aux mains des incirconcis (*Juges*, xv,18) jusqu'au voyageur secouru par le Samaritain et qui était tombé aux mains des brigands (*Lc.* x,36). Toujours, on préfère tomber aux mains du Seigneur qui est miséricordieux qu'aux mains cruelles des hommes [4]. Le cri d'épouvante à la perspective de la condamnation de l'apostat dans *Hébr.* x,31 est exceptionnel: «Chose effroyable de tomber aux mains du Dieu vivant».

---

ment (XÉNOPHON, *Hell.* VII, 5, 6), les difficultés (*P. Edf.* 5, 20), une condition pénible (*P. Brem.* 48, 26; FL. JOSÈPHE, *Ant.* IV, 293; VII, 322; X, 212; XVIII, 118; *Vie*, 46 409), la maladie (*P. Col. Zén.* 10, 2; *P. Lugd. Bat.* XIII, 18, 16; Décret honorifique de Samos pour un médecin, IIe s. av. J.-C., dans J. POUILLOUX, *Choix d'Inscriptions grecques*, Paris, 1960, n. 14, 15; FL. JOSÈPHE, *Ant.* XIII, 422; XVII, 146), la folie (*P. Tebt.* 758, 4).

[1] *II Mac.* X, 35: «Ils massacrèrent quiconque se présentait devant eux»; *Prov.* XVII, 12 (פֶּגַשׁ); *Am.* V, 19 (יִפְגַּע); *P. Oxy.* 2148, 13: ἐὰν δέ σοι ἐμπέσῃ ὀψαρίδιν σιναπηρόν, ἀγόρασον (27 ap. J.-C.); FL. JOSÈPHE, *Ant.* XVI, 194; *Guerre*, I, 31, 142; IV, 180; V, 291; au sens d'échoir, *Juges*, XVIII, 1; cf. *P. Ant.* 44, 6.

[2] *P. Tebt.* 39, 20: «J'ai rencontré Sisoïs ici, près du temple de Zeus» (IIe s. av. J.-C.); *P. Philad.* 35, 22.

[3] ἐμπίπτειν a fréquemment le sens d'attaquer. *Joseph et Aséneth*, XXVII, 6: «Ils fondirent sur eux»; FL. JOSÈPHE, *Ant.* XIX, 14; *Guerre*, II, 508; III, 294; VI, 368; *P. Ryl.* 68, 9: «m'attaquant à la suite d'une dispute, elle me donna de nombreux coups» (89 av. J.-C.); *P. Tebt.* 772, 2: les sauterelles envahissent et détruisent tout. Cf. MÉNANDRE, *Dyscol.* 525: «Je me ruais à la tâche, ἐμπεσὼν πολύς». La Bible ignore l'acception financière «verser, dépenser», cf. *P. Lille*, 16, 5: «Il m'a dit qu'il était impossible que les quarante drachmes fussent payées au Trésor, mais qu'il fallait les verser au compte d'Hermaphilos»; I, col. II, 5, 17, 20; *P. Tebt.* 17, 9; *P. Oxy.* 494, 21.

[4] *II Sam.* XXIV, 14; *II Chr.* XXI, 13; *II Mac.* X, 17; *Suzanne*, 23; *Sir.* II, 18; VIII, 1; *Evangile de Pierre*, 48, le centurion et son entourage: «Il vaut mieux pour nous être responsables devant Dieu du plus grand crime que de tomber entre les mains du peuple des juifs». A Antinoopolis au VIe s. de notre ère: μὴ ἐμπεσεῖν εἰς χεῖρας τοῦ δεσπότου μου (*Sammelbuch*, 9616, *recto* 7). Pour «ces hommes qui tombent dans nos mains» dans *P. Tebt.* 703, 220, on a simplement τὰ ἐμπίπτοντα (IIIe s. av. J.-C.); cf. *II Mac.* XII, 24; FL. JOSÈPHE, *Vie*, 318; *Ant.* VI, 303.

ἔντευξις, ἐντυγχάνω

Le premier sens de ἐντυγχάνω est: rencontrer quelqu'un, l'aborder, se présenter devant lui [1]; d'où: s'adresser à quelqu'un, avoir un entretien avec lui sur tel ou tel sujet (POLYBE, IV,30,1; 76,9; PLUTARQUE, *Fabius*, XX,2); ainsi: «Conformément à ce que tu as écrit à propos de Zénon, j'ai interviewé Aphthométos» le stratège (*P. Ryl.* 568,4 = *Sammelbuch*, 7651); «Quelqu'un veut t'approcher... pour demander ta fille» (MÉNANDRE, *Dyscol.* 751; cf. 73); «Il a rencontré [et sollicité] le roi Eumène» (*Institut Fernand-Courby*, VII, 1,4); l'assemblée des Juifs s'adresse à Festus au sujet de Paul [2], et avant de formuler une prière on se met en présence de Dieu et on s'adresse à lui [3]. Cette entrevue, lorsqu'elle porte sur un tiers (notamment au cours d'une audience) a le plus souvent pour but de s'en plaindre et de l'accuser; ὁ ἐντετευχώς est le plaignant (*UPZ*, 118,23; cf. *I Mac.* X,64: οἱ ἐντυγχάνοντες; *P. Oxy.* 2281,3: ἐντυχόντος καὶ εἰπόντος; 2340,3; 2576,3; 2730,10; DITTENBERGER, *Or.* 664,10), celui qui intervient contre quelqu'un, et on peut traduire: «l'accusateur» [4]. Celui-ci procède parfois avec une certaine dis-

---

[1] *Dan.* VI, 13: «Ils allèrent donc trouver le roi»; *II Mac.* IV, 36. Interrogeant un oracle, l'impétrant demande au Ier siècle: «Dois-je rester à Bacchias? Le rencontrerai-je?» (*P. Fay.* 137, 3); *P. Col. Zén.* 51, 9: ἐνέτυχον Διογένῃ; *B.G.U.* 1774,15 (Ier s. av. J.-C.); *P. Harr.* 62, 16 (IIe s. ap. J.-C.); *P. Fuad*, 24, 2; *P. Ryl.* 653, 2; PLUTARQUE, *Cléomène*, XXXII, 2; *C. Gracchus*, VI, 4; *Démosth.* VIII, 1.

[2] *Act.* XXV, 24; *P. Michig.* 74, 2: «Je me suis entretenu avec Chairon du vin de Chios» (IIIe s. av. J.-C.); *Ep. d'Aristée*, 174: donner audience. On informe l'interlocuteur (*P. Théad.* 13, 5; *P. Panop.* II, 112). De ce sens de «prendre connaissance» (*P. Apol. Anô*, 29, 1; *Chrestomathie* II, 372, col. V, 2), ἐντυγχάνειν devient synonyme de «lire» (*II Mac.* II, 25; VI, 12; XV, 39). Cf. PHILON, *Spec. leg.* IV, 161; FL. JOSÈPHE, *Ant.* I, 15: «J'exhorte ceux qui liront ces livres...»; XII, 226; *P. Michael.* 26, 8; *Chrestomathie*, I, 26, 29: ἔντυχε βιβλειδίῳ δοθέντι μοι (IIe s. ap. J.-C.). Cf. R. LAQUEUR, *Quaestiones epigraphicae et papyrologicae selectae*, Strasbourg, 1904, pp. 15 sv.

[3] *Sag.* VIII, 20: ἐνέτυχον τῷ κυρίῳ καὶ ἐδεήθην αὐτοῦ; XVI, 28.

[4] *I Mac.* VIII, 32; X, 61, 63, 64; XI, 25; *Rom.* XI, 2: «Elie se plaint d'Israël à Dieu». Les attestations papyrologiques sont surabondantes: on présente la requête (*P. Oxy.* 1160, 19, 21; *P. Oxf.* 4, 14; *P. Ryl.* 678, 10) au roi (*UPZ*, 15, 7; 42, 16; 111, 8; *Sammelbuch*, 7447, 4), au préfet (*P. Mert.* 18, 29; *P. Fam. Tebt.* 24, 41; *Sammelbuch*, 8444, 5: édit du préfet Tiberius Julius Alexander du 28 septembre 68: «J'ai édicté formellement, sur chacune des requêtes, ce qu'il m'est permis de juger et de faire»; Décret du préfet L. Lusius Gete, en 54: «Les prêtres du dieu Soknopaios m'ont pré-

crétion, mais le plus souvent avec violence [1] et avec l'intention de nuire (*P. Ryl.* 563,5).

Venir vers quelqu'un pour lui parler peut être déterminé par une intention plus précise, à savoir: formuler une demande. D'où l'acception d'ἐντυγ-χάνω «prier, demander, solliciter»: «Moïse rencontrait Dieu d'une façon invisible, pour lui demander de les sauver...» (PHILON, *Vit. Mos.* 1,173); «Je te salue, mon Frère et je te demande... σέ, ἄδελφε, ἀσπάζομαι καὶ ἐντυγ-χάνω» (*P. Brem.* 10,5; IIᵉ s. de notre ère); «Nous avons déjà sollicité ta Vertu, Seigneur» (*P. Théad.* 20,3); νυκτὸς καὶ ἡμέρας ἐντυγχάνω τῷ θεῷ ὑπὲρ ὑμῶν (*B. G. U.* 246,12). C'est en ce sens d'«intercéder» qu'il est dit dans *Rom.* VIII,27,34; *Hébr.* VII,25 que le Saint-Esprit et le Christ-prêtre interviennent en faveur des chrétiens (ὑπὲρ ἡμῶν, αὐτῶν, ἁγίων). On peut comprendre qu'ils sont des personnages particulièrement qualifiés pour solliciter la miséricorde divine; mais d'après la sémantique d'ἐντ. et surtout dans *Hébr.*, l'accent est mis sur l'audience que la seconde et la troisième personne de la Trinité trouvent près de la première (cf. *Rom.* VIII,26: ὑπερεντυγχάνω). C'est plus qu'une rencontre: une présence, et l'intervention a le maximum de crédit (demander peut être synonyme d'ordonner, *P. Michig.* 522,4). Précisément le roi-prêtre éternel selon l'ordre de Melchisédech est accrédité auprès de Dieu pour prendre en mains la cause de ses disciples et solliciter pour eux le don de la grâce; la seule présence de son humanité au ciel est une *enteuxis* toujours actuelle.

Le substantif ἔντευξις a lui aussi le sens d'«entrevue» (*II Mac.* IV,8; *hap.* A. T.; cf. DIODORE DE SICILE, XVII, 76,3; 114,2), mais ses deux emplois dans le N. T. ont l'acception de «prière, supplication» [2]. *I Tim.* II,1: «Je demande en tout premier lieu que l'on fasse des supplications (δεήσεις),

---

senté une requête, disant qu'on les contraint à la culture forcée, je les en exempte», *Sammelbuch*, 8900, 10 = DITTENBERGER, *Or.* 664); au stratège (*P. Fuad*, 26, 18), à l'épistratège (*P. Fam. Tebt.* 37, 16; *P. Oxy.* 2563), au monarque (*ibid.* 43, 52), au dioecète (*P. Oxy.* 533, 25; *UPZ*, 113, 8), à l'*hégémon* (*Sammelbuch*, 8947, 3; *MAMA*, VIII, 554, 11), et on s'exprime par exemple comme cet avocat en faveur de son client: «Cet homme est un Arsinoïte. Quand il a été victime de coups, de violence et d'extorsion, il a porté plainte contre Chairémon...» (*P. Michig.* 365, 8; cf. 423, 2; 425, 10; 426, 12). Cf. FR. UEBEL, *Eingabe eines Frauenvormunds*, dans A. E. HANSON, *Collectanea Papyrologica... in honor of H. C. Youtie*, Bonn, 1976, p. 218.

[1] *P. Rein.* 7, 16: «Mon adversaire m'attaqua devant N... stratège du nome, et me harcela devant lui, m'accusant...» (IIᵉ s. av. J.-C.); *P. Hermop.* 20, 17: «J'ai fait cette *enteuxis* contre eux à mon Seigneur... pour qu'ils soient grandement châtiés»; *P. Oxy.* 2597, 7: οὐ κάμνει δέ σου ὁ ἀντίδικος ἐντυγχάνων.

[2] Pour l'usage littéraire profane, cf. *Ep. d'Aristée*, 252: le roi «donne satisfaction avec discernement aux requêtes présentées»; PHILON, *Quod deter.* 92: «l'esprit nous

des prières (προσευχάς), des intercessions (ἐντεύξεις), des actions de grâces (εὐχαριστίας), pour tous les hommes, pour les rois...» (cf. *I Tim.* IV,5). Cette association de *prière-enteuxis – gratitude* est conforme au formulaire papyrologique [1]. La requête officielle, selon O. Guéraud (*op. c.*, pp. XXII sv.), comprenait trois parties: *a)* un exposé des faits qui motivent la pétition [2]; le requérant est victime d'une injustice: ἀδικοῦμαι ὑπό: *Je suis lésé par N.* (*P. Ent.* 1,1; 2,2; 3,1 etc.); *b)* la demande proprement dite: δέομαι οὖν σου: *Je te prie donc* [3]; *c)* une sorte de remerciement anticipé, car en donnant satisfaction au solliciteur, le souverain fera acte de justice, de bienveillance ou de «philanthropie».

Cette supplique était normalement présentée par écrit [4] par le plaignant lui-même au bureau du stratège. Celui-ci la communique avec ses instructions aux fonctionnaires compétents (*P. Sorb.* 11,1: «Nous t'avons envoyé l'*enteuxis* que nous a remise Kalippos... Examine les affaires), qui se con-

---

permet d'adresser à Celui qui est requêtes et appels (ἐντεύξεις καὶ ἐκβοήσεις)»; PLUTARQUE, *Numa*, XIV, 12: «le législateur voulait nous habituer à ne pas faire nos prières à la divinité (μὴ ποιεῖσθαι τὰς πρὸς τὸ θεῖον ἐντεύξεις) quand nous sommes occupés et en passant, comme des gens pressés»; *Consol. Apoll.* 1: ἐντυγχάνειν σοι καὶ παρακαλεῖν. Clément de Rome définit sa lettre: une invitation (κατὰ τὴν ἔντευξιν) à la paix et à la concorde (*ad Cor.* LXIII, 2).

[1] «The use of this word in *I Tim.* II, 1; IV, 5, is readily explained by its constant recurrence in the papyri and inscriptions as a kind of 'vox sollemnis' for a 'petition' of any kind» (MOULTON, MILLIGAN, *Vocabulary, in h. v.*). Cf. P. COLLOMP, *Recherches sur la Chancellerie et la Diplomatique des Lagides*, Paris, 1926, pp. 51 sv.; O. GUÉRAUD, *ENTEYΞΕΙΣ. Requêtes et Plaintes adressées au roi d'Egypte au IIIe siècle avant J.-C.*, Le Caire, 1931; M. TH. CAVASSINI, *Exemplum vocis ἐντεύξεις in «Repertorio papyrorum graecorum»*, quae documenta tradunt Ptolemaicae aetatis, dans *Aegyptus*, 1955, pp. 299–324; R. BÖHM, *L'enteuxis de Varsovie (Papyrus Edfou VIII)*, Wiesbaden, 1955 (= *Sammelbuch*, 9302; cf. G. MANTEUFFEL, *Quelques textes provenant d'Edfou*, dans *The Journal of Juristic Papyrology*, 1949, pp. 103–105); A. DI BITONTO, *Le Petizioni al Re. Studio sul formulario*, dans *Aegyptus*, 1967, pp. 5–57; IDEM, *Le Petizioni ai funzionari nel periodo tolemaico. Studio sul formulario*, *ibid.*, 1968, pp. 53–107; H. J. MASON, *Greek Terms for Roman Institutions*, Toronto, 1974, p. 43.

[2] Ces requêtes ont lieu à propos d'héritage et de testament (*P. Ent.* 16–19), d'une dot (23), d'usurpation de logement (11), de vol (28–32), de salaire (47–48), de baux et contrats (54–63), de violences (72–83), d'enfants ingrats (25–26), contre les fonctionnaires du nome (*C. Ord. Ptol.* 76, 13), etc.

[3] *P. Ent.* 2, 6; 3, 6; 4, 7; *P. Tebt.* 769, 67; *P. Yale*, 46, col. II; 2, etc... Le verbe δέομαι est régulièrement employé à propos de l'envoi de l'*enteuxis*: δέομαι ἀποστειλαί μου τὴν ἔντευξιν (*P. Fay.* 11, 24; 12, 26; *P. Tebt.* 43, 33; 771, 22; *P. Yale*, 57, 8; etc.

[4] Cf. *P. Hib.* 205, 31; *P. Par.* 26, 5 (= G. MILLIGAN, *Selections from the Greek Papyri*, Cambridge, 1927, n. 5). Les requêtes se transmettent ainsi de fonctionnaire à fonctionnaire (*UPZ*, 107, 5; 108, 2; *Sammelbuch*, 8396, 14; 9897, *recto* 18; 10755, 5).

forment à ces ordres. Tantôt l'épistate fait le nécessaire pour que le plaignant obtienne justice, tantôt il tente une conciliation entre les parties. En cas d'échec, il renvoie l'affaire au stratège qui a la possibilité de faire juger le cas par les tribunaux; mais il y aura des procès où l'auteur de la requête, convoqué, ne se présentera pas (*P. Michig.* 534, 8, 10). Tout cela prend du temps, d'autant plus que les plaintes affluent [1], certaines étant réitérées par des requérants impatients [2]. On soupçonne les fonctionnaires de négligence [3]. Mais lorsque ceux-ci interviennent, ils doivent tenir compte des contre-plaintes (*P. Oxy.* 2597; *P. Mert.* 59,19), et même lorsqu'ils sont condamnés, les coupables parfois n'en tiennent aucun compte [4].

Ces avatars de la justice humaine ne sauraient se produire dans l'appel des chrétiens à la miséricorde de Dieu. Lorsqu'ils prient, ce n'est pas pour se plaindre d'un tiers, mais pour implorer un secours personnel. Ils peuvent déjà, dans leur demande, exprimer leur gratitude pour l'exaucement escompté [5]. Ainsi leur supplication est elle-même un culte [6]. C'est qu'ils ne

---

[1] Le 28 septembre 68, Tiberius Julius Alexander déclare: «Les cultivateurs de tout le pays m'ont souvent adressé des pétitions» (*Sammelbuch*, 8444, 46). De même en 232–236, *P. Michig.* 529, 43 sv. et l'édit d'Avidius Heliodorus (*P. Oxy.* 2954, 14). Le grand mérite de Démétrios, secrétaire du conseil fédéral des Magnètes: «à ceux qui avaient besoin d'un service et qui se présentaient à lui (ἐντυγχάνουσιν), il n'a cessé de se montrer égal pour tous» (Décret honorifique, dans *Suppl. Ep. Gr.* XXIII, 447, 10).

[2] Apostille du stratège ou de l'un de ses secrétaires, «afin qu'il ne présente pas plusieurs fois des requêtes sur le même sujet» (*P. Ent.* 75, 16). Le roi Ptolémée VI ayant décrété une amnistie demande au stratège de «veiller à ce que... les hommes n'aillent pas, lorsque nous arriverons sur place, *s'adresser à nous* en gens réellement lésés» (*C. Ord. Ptol.* 35, 9).

[3] «J'ai déjà présenté ma requête à Diophanès le stratège, par laquelle je l'informais de diverses choses... Ma requête fut apostillée... Il s'est jusqu'ici complètement désintéressé de moi» (*P. Ent.* 85, 2–3). «Je vous supplie donc, très grands dieux, de ne pas vous montrer indifférents au guet-apens où m'a pris cet homme impitoyable, mais d'intervenir en ma faveur et, si vous le jugez bon, d'ordonner que ma requête soit soumise à l'examen d'Apollodoros, l'un des premiers amis du roi, épistate...» (*P. Rein.* 7, 27). Cf. *P. Oxy.* 2754, 9.

[4] «J'ai porté plainte contre eux auprès de Stratios l'épistate, ils n'en ont tenu aucun compte» (*P. Ent.* 54, 7; cf. 63, 11). *P. Hib.* 205, 30–31; *P. Université de Californie* inv. 1583, 5, édité par J. G. KEENAN, *Petition from a Prisoner*, dans A. E. HANSON, *Collectanea Papyrologica... in honor of H. C. Youtie* I, Bonn, 1976, p. 97; cf. H. J. WOLFF, *Das Justizwesen der Ptolemäer*, Munich, 1962, p. 174, n. 50.

[5] Il n'y a pas de raison de voir dans l'*eucharistia* de *I Tim.* II, 1 la célébration de l'eucharistie. Il faut se souvenir que l'action de grâces était la fin même de la prière juive (J. BONSIRVEN, *Le Judaïsme palestinien*, Paris, 1935, II, p. 149; J. M. ROBINSON,

sollicitent plus les «rois» de la terre. Ils implorent pour ceux-ci la providence du Seigneur des cieux! C'est l'une des différences majeures avec les *enteuxeis* d'ici-bas.

Die Hodajot-Formel in Gebet und Hymnus des Frühchristentums, dans *Festschrift E. Haenchen*, Berlin, 1964, pp. 224, 231) et que les supplications romaines n'étaient pas seulement propitiatoires ou expiatoires, mais gratulatoires; ces dernières prenant une importance considérable au Ier s. (L. HALKIN, *La supplication d'action de grâces chez les Romains*, Paris, 1953). Cf. S. LYONNET, *Expiation et intercession*, dans *Biblica*, 1959, pp. 897 sv. P. WILLES, *Paul's Intercessory Prayers*, Cambridge, 1974, p. 18.

[6] Cf. au début du Ier s., l'association προσχυνεῖν-ἐντυγχανεῖν (*P. Oxy.* 2435, 61; *Sammelbuch*, 9788, 3).

ἐντολή

La force impérative d'ἐντολή «commandement, précepte», héritée de l'A. T. (cf. *Gen.* XXVI,5; *Deut.* VIII,1), subsiste dans la nouvelle Alliance (*Jo.* XI,57), encore que l'«ordre» soit mieux exprimé par ἐπιταγή (*Rom.* XVI,16; *I Cor.* VII, 6,25; *Tit.* II,15). Cependant, dans de nombreux textes johanniques, notamment dans le «Repas d'adieu» où est prescrit le devoir d'aimer (*Jo.* XIII,34; XIV, 21,23; XV,10, 14), on est tenté d'affaiblir la nuance juridique du vocable [1].

Le malaise se dissipe si l'on observe que dans les textes littéraires, ἐντολή signifie parfois une prescription pédagogique [2] et que dans la *koinè*, ce terme peut désigner le «mandat» [3]. Dans le droit public, il s'applique aux constitutions, lois, décrets, édits, règlements de l'administration officielle, aux ordonnances royales ou impériales [4], et tantôt s'entend d'une simple

---

[1] W. v. LOEWENICH, *Johanneisches Denken. Ein Beitrag zur Erkenntnis der johanneischen Eigenart*, dans *Theologische Blätter*, 1936, col. 273; L. A. WINTERSWYL, *Mandatum Novum. Über Wesen und Gestalt christlicher Liebe*, Colmar, 1941, pp. 11–12. Mais dans l'A. T., la «Loi» est l'expression de la volonté souveraine de Dieu et fixant aux hommes une règle de conduite (M. J. O'CONNEL, *The Concept of Commandment in the Old Testament*, dans *Theological Studies*, 1969, pp. 361–403; sur le lien νόμος-ἐντολή, cf. S. AALEN, *A Rabbinic Formula in I Cor. XIV, 33*, dans F. L. CROSS, *Studia Evangelica*, II, Berlin, 1964, pp. 513–525; N. LAZURE, *Les Valeurs morales de la Théologie johannique*, Paris, 1965, pp. 124–145). Le précepte porte aussi bien sur les sentiments intérieurs que sur les manifestations extérieures: ἀγάπη δὲ τήρησις νόμων αὐτῆς (σοφίας), et la *mitzvah* est souvent employée avec la signification de «charité»; cf. B. LIFSHITZ, *Donateurs et Fondateurs dans les Synagogues juives*, Paris, 1967, pp. 75, 78.

[2] PLATON, *Charm.* 157 *c;* PINDARE, *Fragm.* 54, 3 (édit. A. Puech).

[3] *P. Oxy.* 2771, 4, 6, 10 (mandat donné par une femme à son mari); *P. Cair. Isidor.* 2, 5: «faisant cette déclaration sur mandat de ma mère»; *Sammelbuch*, 7623, 5; *P. Yale*, 40, 10; *P. Leipz.* 38, col. I, 3–4: mandat confié à un avocat qui représente son client devant les tribunaux (cf. N. HOHLWEIN, *L'Egypte romaine*, Bruxelles, 1912, p. 221; P. COLLINET, *La Procédure par libelle*, Paris, 1922, pp. 70 sv., 79 sv.). Il semble que dans *Sir.* XXXIX, 31 on doive traduire: «Ils se font une joie d'exécuter les mandats du Seigneur».

[4] *P. Tebt.* 6, 10. Au marché d'Oxyrhynque il arrive chaque jour des règlements sur des futilités (*P. Osl.* 49, 8). Adressées à plusieurs destinataires qui en prennent connaissance, ces *entolai* sont des «circulaires» (*P. Lille*, 3, 55, 71; *P. Sorb.* 34, 13; *UPZ*, 106; *P. Zén. Cair.* 59491; *B.G.U.* 1794; *P. Tebt.* 26–27, 707). Cf. C. B. WELLES,

«recommandation» comme celle que Cyrus donne à Chrysentas qu'il envoie en mission (XÉNOPHON, *Cyr.* ii,4,30) ou de celle qu'Ausonios a reçue de la piété de son père Papnuthios (*P. Lond.* 1924,3; cf. *Arch. Sarapion*, 92,14; *Sammelbuch*, 6823, 18; 7987,9; 9156,4), tantôt il correspond aux *mandata principis* des romains [1]. Les *entolai* sont alors les *instructions* qu'une cité ou une personne donne à ses délégués [2], ou que le prince communique à ses officiers, soit pour déterminer l'exercice de leurs fonctions [3] soit aux fins d'informer leurs subalternes et leurs administrés, «pour exécution» [4].

Royal Correspondence in the Hellenistic Period, New Haven, 1934, p. 331; P. COLLOMP, *La Lettre à plusieurs destinataires*, dans *Atti del IV Congresso intern. di Papirologia*, Milan, 1936, pp. 199–207; E. BIKERMAN, *Institutions des Séleucides*, Paris, 1938, pp. 192 sv. IDEM, *Notes sur la chancellerie des Lagides*, dans *Rev. intern. des Droits de l'Antiquité*, 1953, pp. 251–267; M. TH. LENGER, *Les Vestiges de la Législation des Ptolémées en Egypte à l'époque romaine*, dans *Mélanges F. de Visscher*, Bruxelles, 1940, pp. 69–81.

[1] *UPZ*, 106, 109; *P. Tebt.* 703. R. TAUBENSCHLAG, *The Law of Greco-Roman Egypt in the Light of the Papyri*, New York, 1944, p. 9, n. 35 *b;* L. WENGER, *Die Quellen des römischen Rechts*, Vienne, 1953, p. 425. Le correspondant latin de *entolè* est *mandatum*, cf. H. J. MASON, *Greek Terms for Roman Institutions*, Toronto, 1974, pp. 43, 126, 131.

[2] Le peuple, qui envoie Démade comme ambassadeur auprès d'Alexandre, lui donne pour instruction (δοὺς ἐντολήν) de demander... (DIODORE DE SICILE, XVII, 15, 4). En 160/159 av. J.-C., les délégués «ont adressé (à Eumène II de Pergame) des demandes conformes aux instructions qu'on leur avait données, κατὰ τὰς δεδομένας αὐτοῖς ἐντολάς» (*Fouilles de Delphes*, III, 3, n. 239, 10); en 216 av. J.-C., dans un décret des Acarnaniens, les délégués se conforment aux instructions reçues, κατὰ τὰς δοθείσας αὐτοῖς ἐντολάς» (*IG*, IX, I², n. 583, 23); *P. Zén. Cair.* 59188, 7; *P. Princet.* 163, 5; 167, 7 (καθὼς ἐνέτειλάς μοι); 188, 20; *Corpus Papyrorum Judaicorum*, 442, 21; *P. Par.* 65, 18; *P. Tebt.* 413, 7: «Ne pensez pas, Madame, que je néglige vos instructions»; *P. Hermop.* 11, 4: «Je m'étonne comment tu as oublié mes instructions»; *Sammelbuch*, 10529, 13, 27.

[3] Selon Dion Cassius LIII, 15, 4, l'empereur Auguste donna «Quelques instructions (ἐντολάς τινας) aux procurateurs, aux proconsuls et aux propréteurs pour qu'en se rendant dans leurs provinces, leurs fonctions soient bien déterminées» (cf. G. P. BURTON, *The Issuing of Mandata to Proconsuls and a New Inscription from Cos*, dans *ZPE*, XXI, 1976, pp. 63–68). Ce sont des directives ou des *Notes de service;* cf. l'«Extrait des ordonnances de l'empereur Domitien adressées au procurateur Claudius Athénodore: ἐξ ἐντολῶν αὐτοκράτορος...» (*Inscriptions grecques et latines de la Syrie*, n. 1998, 1 et 22); B. GRENFELL, A. S. HUNT, *New Classical Fragments*, Oxford, 1897, n. 37, 7: ὁ τὴν ἐντολὴν ἐπιδεικνύσας (pour l'installation d'un fonctionnaire); E. P. WEGENER, *The Entolai of Mettius Rufus... Note on A. Kränzlein's article in J. J. P. 1952, pp. 195–237*, dans *Eos* (Symbolae R. Taubenschlag), 1956, pp. 331–353 (= *Sammelbuch*, 9050, v).

[4] LE BAS-WADDINGTON, 841 (réédité par L. ROBERT, *Etudes Anatoliennes²*, Amster-

Il est clair que nombre de «commandements» johanniques (plusieurs fois λόγος est substitué à ἐντολή, *I Jo.* ii,4–5; *Apoc.* iii,8,10; xii,17 etc.) doivent s'entendre selon ces acceptions. Jésus les a reçus de son Père, il les communique à ses Apôtres qu'il installe dans leur charge. Ce sont assurément des préceptes, mais qui concernent la doctrine (*I Jo.* iii,23) autant que la morale, et destinés à être publiés, notifiés à tous les croyants, afin de déterminer leurs pensées et leur conduite [1]. Finalement, le Christ ayant supprimé «la loi des préceptes» (*Eph.* ii,15), l'*entolè* de l'*agapè* résume l'institution de la nouvelle Alliance, «la loi du Christ» [2].

dam, 1970, p. 301); J. SCHWARTZ, G. WAGNER, *Papyrus Grecs de l'Institut français d'Archéologie orientale* iii, Le Caire, 1975, n. 54, 1 (instructions provenant du bureau de l'hypomnématographe); *P. Hib.* 205, 33; *Sammelbuch*, 9050, v, 1. Auguste avait choisi un Conseil «pour gérer les intérêts des Juifs, d'après les instructions données à Magius Maximus» (PHILON, *In Flac.* 74). U. WILCKEN (*Urkunden der Ptolemäerzeit*, Berlin, 1927, i, pp. 457 sv.) rapproche l'*entolè* du πρόγραμμα: ordonnance à un fonctionnaire avec ordre de la publier.

[1] *I Jo.* iii, 11 désignera le précepte d'aimer comme un *message* (ἀγγελία; cf. i, 5; παραγγελία, *I Tim.* i, 5, 18), qui remonte au Seigneur lui-même (*I Jo.* iv, 21). A. PELLETIER (*Fl. Josèphe adaptateur de la Lettre d'Aristée*, Paris, 1962) précisant le sens des différents termes de commandement (ἐπιτάττω, προστάττω, κελεύω, παραγγέλλω, προστίθημι), relève l'emploi accru de ἐντέλλομαι-ἐντολή à l'époque hellénistique, et cite un texte de Philon sur l'obéissance (conservé dans un *ms.* du Vatican, *Barberini* vi, 8 f. 101): le premier mérite du juste est d'accomplir ce qui lui est prescrit dans un esprit de courage et de piété envers Dieu; le second degré, c'est de ne pas attendre que Dieu commande au lieu d'inviter, car «commander, donner des ordres, c'est ce que font les maîtres à l'égard des esclaves; mais inviter, le fait d'amis (ἐντέλλονται δὲ φίλοι)» (p. 284). Cette valeur exhortative d'*entolè* ressort de sa synonymie avec παραίνεσις, en opposition à «ordre» et «défense» dans *Lois allég.* i, 93–96 (commentaire de *Gen.* ii, 16–17); cf. A. PELLETIER, *Le Vocabulaire du commandement dans le Pentateuque des Septante*, dans *Recherches de Science religieuse*, 1953, p. 522. Comparer *P. Oxy.* 1664, 11 où les prescriptions d'un ami sont considérées comme des faveurs, τὰς γὰρ ἐντολάς σου ἥδιστα ἔχων ὡς χάριτας λήμψομαι (IIIᵉ s. ap. J.-C.).

[2] *Gal.* vi, 2; cf. *I Tim.* vi, 14; *II Petr.* ii, 21; *Apoc.* xii, 17; xiv, 12. *entolè* rejoint donc la signification de *nomos* dans le Pentateuque des Septante et de son équivalent hébreu: révélation divine, alliance, en tant qu'elle enseigne ou instruit, et non en tant qu'elle ordonne ou commande, cf. L. M. PASINYA, *La notion de «Nomos» dans le Pentateuque grec*, Rome, 1973, pp. 141 sv.

ἐξαρτίζω, καταρτίζω

La culture biblique permet à l'homme de Dieu d'être accompli, équipé pour toute œuvre bonne, ἵνα ἄρτιος... πρὸς πᾶν ἔργον ἀγαθὸν ἐξηρτισμένος (*II Tim.* III,17).

a) L'*hapax* biblique ἄρτιος, assez rare dans la *koinè* et inconnu des papyrus, litt. «qui s'adapte», d'où: «bien agencé, proportionné à, qui s'emboîte exactement», se dit aussi bien des facultés intactes que des paroles qui conviennent dans une conjoncture donnée. En médecine, il caractérise le nouveau-né bien constitué dans toutes ses parties, et les vertèbres bien ajustées [1]. Les athlètes ambidextres ont une égale force et aptitude à frapper de chaque bras (PHILOSTRATE, *Gymn.* 41). On sait que cet adjectif signifie «pair» (EPICTÈTE, I, 28,3), que Philon commente ainsi: «quatre est un nombre pair, complet, plein» [2]. L'ensemble des biens extérieurs, du corps, de l'âme constitue «un bien équilibré et véritablement complet, ἄρτιον καὶ πλῆρες» (*Quod deter.* 7; cf. MARC-AURÈLE, I, 16,31: ἄρτιον καὶ ἀήττητον ψυχήν). On comprendra donc que le ministre de l'Evangile a «tout ce qu'il faut», une formation adéquate lorsqu'il a assimilé la Parole de Dieu; ce que précise la fin du verset.

b) «Etant parfaitement équipé (participe parfait passif) pour toute œuvre bonne». Le composé ἐξαρτίζω a deux sens; d'une part «achever, compléter» [3]; d'autre part «joindre exactement, ajuster à la perfection [4], adapter à une destination physique ou morale» [5]. Cette finalité est constamment

---

[1] N. VAN BROCK, *Recherches sur le Vocabulaire médical du grec ancien*, Paris, 1961, pp. 191 sv.

[2] PHILON, *Plant.* 125: ἄρτιον καὶ ὁλόκληρον καὶ πλήρη.

[3] *Act.* XXI, 5: «Lorsque nous eûmes achevé ces jours» (à Tyr). *P. Oxy.* 296, 7: πέμψον ἡμεῖν περὶ τῶν βιβλίον ἃ ἐξήρτισας = afin que tu puisses le compléter (Ier s. de notre ère); *P. Goth.* 15, 3: «μέρος ἐξηρτισμένον, part livrée» (deux *kolophonia* de vin, à Théônas); FL. JOSÈPHE, *Ant.* III, 139. D'où «accomplir, exécuter»: ὁ ἀνὴρ τὸ μνημῖον ἐξήρτισα ἐκ τῶν ἰδίων (L. MORETTI, *Inscriptiones graecae Urbis Romae*, Rome, 1972, I₁, n. 303).

[4] Cf. les épaulettes (*Ex.* XXVIII, 7).

[5] *Sammelbuch*, 7994, 30: εὗρον κελλάριον ἐξηρτισμένον (= 9834 *b* 24). Se dit des soldats (FL. JOSÈPHE, *Ant.* III, 4), des athlètes (*P. Osl.* 55, 12), des trirèmes (DIODORE DE SICILE, XIV, 19, 3) parfaitement bien équipés (cf. *ibid.* XIX, 77, 3: dix navires complètement équipés pour la guerre), surtout des machines en ordre de marche: μηχανῇ

soulignée dans les papyrus: on vend telle machine, par exemple, en bon
état, c'est-à-dire apte à rendre les services qu'on en attend (*P. Athen.*
17,9: σὺν τῇ οὔσι μηχανὴν ἐξηρτισμένην πᾶσι τοῖς σκεύεσι). Ainsi l'homme
de Dieu-bibliste n'est pas seulement parfait, accompli; mais propre à
toutes les tâches du ministère.

c) De ce chef ἐξαρτίζω est plus fort que καταρτίζω, encore qu'il en soit
parfois synonyme [1]. Le premier sens de ce dernier verbe est «mettre en
ordre, arranger un objet pour qu'il puisse servir»; ainsi les mondes furent
mis en place, organisés et garnis par une parole de Dieu [2]. Puis «mettre

---

ἐξηρτισμένη πάσῃ ξυλικῇ καταρτίᾳ καὶ σιδηρώσι (*P. Oxy.* 2713, 10 = *P.S.I.* 1072, 10);
Sammelbuch, 7167, 8; 9921, 7 (= *P. Rend. Harr.* 79); 10529, 14; *P. Michig.* 611, 9;
à restituer dans *B.G.U.* 2066, 13. Au plan moral «Moïse a minutieusement réglé cette
législation... πρὸς τρόπων ἐξαρτισμόν (*Ep. Aristée*, 144).

[1] H. T. KUIST, *Now the God of peace... make you perfect* (dans *The Biblical Review*,
1932, pp. 249–258; repris dans *Exegetical Footnotes to the Epistle to the Hebrews*, New
York, s. d., pp. 16–19) a signalé les usages de καταρτίζω dans la langue profane: 1°) à
propos du maître de maison qui offre une chambre à son hôte, il la prépare avec le
plus grand confort, il en fait une pièce parfaite pour le bien-être de son invité (εἰς
τὸν τῆς αὐλῆς καταρτισμόν, *P. Tebt.* 33, 12; de 112 av. J.-C.); 2°) quand une femme
assemble des pièces de tissu pour confectionner un vêtement, elle emploie le même
mot une fois son travail achevé: l'habit est prêt à être porté: ἃ ἐδωρήσατό σοι Παυσανίας
ὁ ἀδελφός σου πρὸ πολλοῦ ἐκ φιλοτιμίας αὐτοῦ κατερτισμένα (*P. Oxy.* 1153, 16; cf. 19;
Iᵉʳ s. de notre ère; 2593, 17: «pour le coût de la préparation», IIᵉ s. *P. Ryl.* 127, 28;
de 29 de notre ère); 3°) quand une maîtresse de maison ayant préparé un plat pour sa
famille annonce qu'il est prêt à être mangé (DIOSCORIDE, *Alexiphar.* praef.); 4°) du
pharmacien qui, grâce à un heureux mélange d'ingrédients, a composé une potion
pour guérir un malade; il qualifie le résultat de κατ.; sa «composition» est parfaite,
le remède prêt à prendre (NICANDRE, *Theriaca*, 954); 5°) du chirurgien ou du rebouteux
qui remet un membre disloqué, le remboîte et donne ainsi au patient la faculté d'user
à nouveau de son bras ou de sa jambe (GALIEN, XIX, edit. Kühn, p. 461); 6°) du potier
qui a façonné un vase prêt à être livré et apte à l'usage (*Rom.* IX, 22); 7°) du musicien
qui accorde son instrument juste avant de jouer; 8°) du marin qui a «paré» son voilier,
de la réparation d'un bateau (*P. Panop.* I, 167, 173, 181; II, 17), de l'amiral qui arme
une flotte ou du général qui équipe une armée prête à entrer en campagne (POLYBE,
I, 21, 4; 29, 1; 36, 5; III, 95, 2); 9°) du trésorier en mesure d'effectuer un payement
(*P. Tebt.* 6, 7; 24; 48; *Sammelbuch*, 8886, 10; 8889, 10); 10°) faire une fondation,
d'huile pour les saintes lampes d'un temple de l'Hérakléopolis (*B.G.U.* 1854, 3;
Iᵉʳ s. de notre ère); 11°) l'éducateur qui a donné une *paidéia* achevée à l'enfant peut
laisser celui-ci mener sa vie d'homme (PLUTARQUE, *Alex.* 7; *Thémist.* 2).

[2] *Hébr.* XI, 3; cf. *Ps.* LXXIV, 16; K. PREISENDANZ, *Papyri graecae magicae*, IV,
1147: ὁ θεὸς... τὸν κόσμον καταρτισάμενος. Sur *Hébr.* X, 5: «Tu m'as muni d'un corps»
comparé à l'original massorétique: «tu m'as creusé deux oreilles» (*Ps.* XL, 7), cf. les
commentaires et S. KISTEMAKER, *The Psalm Citations in the Epistle to the Hebrews*,
Amsterdam, 1961, pp. 43–44, 87, 141, 150.

en état, disposer», tels les vases de colère pour la perdition, c'est-à-dire mûrs ou tout prêts pour l'*apôléia* (*Rom.* ix,22). Enfin, «restaurer, raccommoder» des filets (*Mt.* iv,21; *Mc.* i,19) ou relever des murs en ruine (*II Esdr.* iv,12–13); on apporte des compléments à ce qui manque, par exemple aux déficiences de la foi (*I Thess.* iii,10), on redresse ou corrige un chrétien fautif (*Gal.* vi,1). Si l'on prend καταρτίζεσθε (*II Cor.* xiii,11) pour un impératif passif, on comprendra: laissez-vous amener à un état spirituel où il ne manque rien, ou: acceptez la correction; si on le considère comme un moyen: travaillez à votre redressement, collaborez à votre réfection... La nuance d'agencement, d'adaptation, d'ajustement de la racine ἄρτιος est maintenue dans *I Cor.* i,10 où les Corinthiens, divisés entre eux, sont exhortés à «être d'accord», en harmonie, comme bien emboîtés dans la même intelligence et la même façon de sentir (ἦτε δὲ κατηρτισμένοι).

Le verbe est donc devenu technique dans la parénèse primitive. Le Seigneur avait dit que «tout disciple bien formé (κατηρτισμένος) sera comme son maître» (*Lc.* vi,40). *Hébr.* xiii,21 demande: «Que le Dieu de la paix vous rende aptes à tout bien pour faire sa volonté» et *I Petr.* v,10 assure: «Le Dieu de toute grâce... lui-même vous équipera», arrangera tout au mieux (cf. *Ps.* lxviii,9; lxxx,16). L'évolution sémantique est parfaitement homogène.

ἐξηγέομαι

Traduisant le plus souvent l'hébreu סָפַר au *piel*, le sens certain de ce verbe dans la Bible est «raconter, narrer» [1]. On rapporte un songe à un compagnon (*Jug.* VII,13), comment Elisée avait ressuscité un mort (*II Rois,* VIII,5); la voix de la nature raconte la gloire de Dieu (*I Chr.* XVI,24; *Job,* XII,8; cf. XXVIII,27); «il était narré dans ces écrits et dans les Mémoires de Néhémie» (*II Mac.* II,13); «toute nation commentait les batailles de Juda» [2]. Dans ses cinq emplois, saint Luc ne connaît pas d'autre acception [3]. Il n'y a donc aucune raison de lui en substituer une autre dans *Jo.* I,18: «Un Fils Unique, Dieu, qui est dans le sein du Père, Celui-là l'a raconté» [4]. C'est le point culminant du Prologue; l'Evangile peut s'ouvrir, il est l'*exègèsis*, l'exposé, le récit de la Parole de Dieu par le Christ pour le monde. Sans doute, l'Evangéliste s'est-il souvenu de *Sir.* XLIII,31: «Qui donc a vu le Seigneur et pourrait le raconter (ἐκδιηγήσεται)?»

Cependant, il s'agit ici d'un enseignement religieux et le verbe est sans complément [5]. Or ἐξηγεῖσθαι s'emploie ainsi constamment au sens d'inter-

---

[1] Une fois, ἐξηγέομαι traduit l'*hiphil* de ידע: celui qui reconnaît ses fautes (*Prov.* XXVIII, 13), et une fois l'*hiphil* de ירה «indiquer, montrer; instruire, apprendre» (*Lév.* XIV, 57).

[2] *I Mac.* III, 26. L'ἐξήγησις est l'interprétation d'un songe (*Jug.* VII, 15, *misepâr*), une fois au sens péjoratif des «explications» ou radotage d'un sot (*Sir.* XXI, 16).

[3] *Lc.* XXIV, 35: les disciples d'Emmaüs racontent ce qui s'était passé sur la route; *Act.* X, 8: le centurion Corneille raconte à ses serviteurs sa vision, sans rien omettre (ἅπαντα); XV, 12, 14; XXI, 19: Barnabé et Paul rapportent les miracles que Dieu avait faits par leur ministère chez les Gentils.

[4] Ἐκεῖνος ἐξηγήσατο. La Vulgate a bien traduit: *Ipse enarravit*, de même que *Syr. Curet.*, Ephrem, Origène, Irénée, cf. Tertullien «ipse exposuit» (textes dans M. E. BOISMARD, «*Dans le sein du Père*», dans *R. B.* 1952, pp. 24–27; lequel se référant à l'idée première du verbe ἐξηγεῖσθαι «conduire, mener», traduit: «C'est lui qui a conduit», à savoir: au royaume de Dieu, p. 35). Cf. A. FEUILLET, *Le Prologue du quatrième Evangile*, Paris, 1968, pp. 134 sv. A. HANSON, *John I, 14–18 and Exodus XXXIV*, dans *N.T.S.* XXIII, 1976, pp. 97 sv.

[5] ἡμῖν a été ajouté par Tatien, la *Syr. cur.* et *palest.* On peut sous-entendre αὐτόν (cf. A. J. FESTUGIÈRE, *Observations stylistiques sur l'Evangile de S. Jean*, Paris, 1974, p. 133); mais l'emploi absolu de *exegeisthai* est normal: «Ce qu'était ce pouvoir de bien penser, l'auteur va [l'] expliquer (ἐξηγήσεται)» (PHILON, *Lois allég.* III, 21).

préter un oracle ou un songe: «Interrogeant le dieu sur la manière dont il faut enterrer les braves (morts à la guerre) et par quel honneur particulier, on les enterrera de cette manière comme le dieu l'aura expliqué, καὶ θήσομεν ᾗ ἂν ἐξηγῆται» (PLATON, *Rép*. v,469 *a* 4). Les exégètes sont les interprètes de ce que la divinité a transmis d'obscur ou d'inexpliqué [1]. L'Apollon de Delphes est «ce dieu, interprète traditionnel (πάτριος ἐξηγητής) pour tout homme en ces matières (la religion)... Il donne ses explications sur l'omphalos (ἐπὶ τοῦ ὀμφαλοῦ ἐξηγεῖται)» (*ibid*. IV,427 *c* 1 sv.). «Thésée chargea les nobles de connaître les choses divines... d'interpréter les coutumes profanes et religieuses (ὁσίων καὶ ἱερῶν ἐξηγητάς)» (PLUTARQUE, *Thésée*, XXV,2). J. Pollux définira: Ἐξηγηταὶ δὲ ἐκαλοῦντο οἱ τὰ περὶ τῶν διοσημείων καὶ τὰ τῶν ἄλλων ἱερῶν διδάσκοντες (*Onom*. VIII,124), et déjà Philon: «Une autre suggestion est faite par les interprètes de la Sainte Ecriture, τοῖς ἐξηγηταῖς τῶν ἱερῶν γραμμάτων» (*Spec. leg*. II,159), qui précise: «Les explications (αἱ ἐξηγήσεις) des Saintes Ecritures se font d'après les significations allégoriques» [2]. Semblablement, chez Fl. Josèphe ἐξηγεῖσθαι est un «terme technique pour l'interprétation de la Loi, telle qu'on la pratiquait dans le rabbinat» [3].

Les textes littéraires et papyrologiques associent les fonctions de ἱερεύς et ἐξηγητής; «le grand Pontife est chargé des fonctions d'exégète et d'inter-

---

[1] Sur l'institution des exégètes athéniens, interprètes des lois religieuses ancestrales, chargés d'expliquer les rites et les lois, dont ils surveillaient l'application, et que l'on allait consulter lorsqu'on était dans l'embarras (THÉOPHRASTE, *Caract.*, XVI, 6) pour savoir ce que l'on devait faire, J. DEFRADAS, *Les Thèmes de la Propagande delphique*, Paris, 1954, pp. 194–207; P. HERRMANN, *Ein ἐξηγητὴς Εὐμολπιδῶν in Eleusis*, dans *Z.P.E.* x, 1973, pp. 79–85.

[2] PHILON, *Vit. cont.* 78. On peut rapprocher le Logos ἑρμηνεύς (*Lois allég.* III, 207; *Mut. nom.* 208; *Deus immut.* 138; *Det. ins.* 40, 127, 133; *Migr. Abr.* 81: le logos est l'interprète de la pensée devant les hommes) et Moïse ἑρμηνεύς νόμων ἱερῶν (*Vit. Mos.* I, 1), «car le prophète est un interprète, c'est Dieu qui suggère intérieurement ce qu'il doit dire» (*Praem.* 55), ou ATHÉNÉE, I, 2 *a*: «Quant aux deipnosophistes censés assister au banquet, c'était d'abord Masurius, interprète des lois (νόμων ἐξηγητής)... au savoir encyclopédique». Mais surtout *Gen.* XLI, 8, 24 où Pharaon convoque tous les magiciens d'Egypte (חרטמם) pour interpréter ses songes, les Septante ont traduit «tous les exégètes». On a parfois compris le *mehoqqéq* du *Doc. Dam.* (VI, 2–11) comme un interprète de la Loi (*dorésh hattôrah*), en s'appuyant sur la Peshitta qui traduit ce mot par «interprète» (*mbadqâna'*), mais *Sir.* x, 5 le traduit par γραμματεύς, et jamais les Septante n'ont ainsi compris *dârasch*.

[3] A. SCHLATTER, *Der Evangelist Johannes*, Stuttgart, 1948, p. 36, qui cite FL. JOSÈPHE, *Ant.* XVII, 149; *Guerre*, I, 649; II, 162.

prète, ou plutôt de hiérophante» [1]. Appios Gemellos est prêtre et exégète de la ville [2]. On a appelé l'exégète: «un jurisconsulte du droit sacré» [3]. Il occupe en Egypte un rang élevé dans l'échelle des ἀρχαί, c'est un véritable directeur de la municipalité [4]. Toujours est-il que nulle part ἐξηγεῖσθαι ne signifie «donner une révélation», mais bien «narrer, exposer, décrire» (A. J. FESTUGIÈRE, *op. c.*). On comprendra donc que le Fils, par sa Personne et son enseignement, a présenté, exprimé et humainement traduit le mystère divin.

---

[1] PLUTARQUE, *Numa*, IX, 8; cf. DENYS D'HALICARNASSE, II, 73; DION CHRYSOSTOME, XII, 47: λέγω δὴ τὸν φιλόσοφον ἄνδρα, ἢ λόγῳ ἐξηγητὴν καὶ προφήτην τῆς ἀθανάτου φύσεως ἀληθέστατον ἴσως καὶ τελειότατον.

[2] *P. Michig.* 542, 17 (IIIᵉ s. de notre ère); *P. Oxy.* 56, 1; 477, 4; *P. Tebt.* 329, 4; 397, 3; *P. Flor.* 57, 76; *B.G.U.* 1070, 1; *Sammelbuch*, 9264, 5 (IIᵉ s.); sur l'exégète qui est aussi énarque et conseiller (*ibid.* 9216, 9; 10200, 5; *P. Oxy.* 54, 5) ou prytane (*P. Michig.* 623, 2), *archon* (à Coptos; *Rev. des Etudes grecques*, 1932, p. 230, n. 9; cf. à Samos, *ibid.* 1965, p. 149, n. 312), chargé de l'ἐπιμελεία τῶν χρησιμῶν (STRABON, XVII, p. 797), cf. N. HOHLWEIN, *L'Egypte romaine* (Mémoires de l'Académie royale de Belgique, VIII), Bruxelles, 1912, pp. 224 sv.

[3] P. JOUGUET, *La Vie municipale dans l'Egypte romaine*, Paris, 1911, pp. 196 sv.

[4] P. JOUGUET, *op. cit.*, pp. 293 sv., 316 sv. Cf. Apollonios exégète et bouleute, dans une liste de co-signataires d'un décret (*P. Oxy.* 3171, 14); Aurelius Antoninus exégète d'Alexandrie et ex-gymnasiarque (3187, 9). On offre une couronne à Aurelius Serenus pour son office d'exégète (ἐξεγητεία; 3177, 10; cf. 1413, 6); cf. ἐξηγητεύειν, 1112, 2; 3169, 171; 3198, 4; 3246, 7; 3248, 12; *P. Strasb.* 634, 6; *Corp. Papyr. Raineri*, V, 2, n. 5, 11; 6, 4; P. J. SIJPESTEIJN, K. A. WORP, *Fünfunddreißig Wiener Papyri*, Zutphen, 1976, n. II, 2: Καλλινείκου ἐξηγητεύσαντος Ἡρακλέους πόλεως τῆς ὑπὲρ Μέμφιν. I. DE LA POTTERIE, *La Vérité dans saint Jean*, Rome, 1977, I, pp. 213–228.

ἐπανόρθωσις

Entre autres bienfaits de la lecture assidue de l'Ecriture, il y a l'*épanor-thôsis* (*II Tim.* iii,16). Le terme est fréquent en épigraphie, à propos de la réparation d'une statue, de la restauration d'un sanctuaire (cf. *II Mac.* v,20), du relèvement d'une ville [1]. Dans les papyrus, il s'emploie de la correction d'un travail, de la rectification d'une erreur dans un document [2]. Ce sens de redressement des erreurs ou de l'ignorance est bien attesté en littérature [3].

Mais il semble que cette «correction» ait eu la double acception de ce mot français; d'une part: changement pour améliorer, ôter et punir des

---

[1] *I Mac.* xiv, 34; *Inscriptions de Sidè*, 107, 4; Strabon, xii, 579; xiii, 594; Ch. Michel, *Recueil*, 830, 4 (restauration de l'Artémision); J. Pouilloux, *Choix*, n. 29, 59 (τοῦ ἱεροῦ). Restauration d'un mur (*P. Ryl.* 157, 13; Dittenberger, *Or.* 710, 4; F. G. Maier, *Griechische Mauerbauinschriften*, Heidelberg, 1959, n. 44, 4), d'un pont ou de la chaussée (G. E. Bean, T. B. Mitford, *Journeys in Rough Cilicia*, Vienne, 1970, n. 251, 3); relèvement des ruines (V. Ehrenberg, A. H. M. Jones, *Documents illustrating the Reigns of Augustus and Tiberius*, Oxford, 1955, n. 20). Nombreux exemples épigraphiques dans L. Robert, *Hellenica* xii, pp. 510, 521, à propos d'inscriptions de Pharos en Dalmatie: εἰς ἐπανόρθωσιν τῆς πόλεως ἡμῶν. On rétablit des lois abolies (*II Mac.* ii, 22; Philon, *Leg. G.* 369).

[2] *P. Oxy.* 78, 29; 237, col. viii, 30; cf. Strabon, *Géographie. Prolégomènes*, ii, 4, 8. Le *corrector* est l'ἐπανορθώτης (ou le διορθωτής), l'équivalent du *legatus Augusti ad corrigendum statum* (H. J. Mason, *Greek Terms for Roman Institutions*, Toronto, 1974, p. 44). C'est le titre d'un commissaire éventuellement envoyé dans les provinces sénatoriales, mais aussi d'un officier impérial de haut rang, substitut du préfet (*P. Ryl.* 690, 7; *P. Cair. Isid.* 62, 24 = *P. Michig.* 220, 23; *P.S.I.* 1076, 2; *Sammelbuch*, 8913, 5; 9167, 24; *P. Merton*, 26, 6, avec la note de C. H. Roberts, *ibid.* pp. 157 sv.); Sur Aurelius Achilleus, de petite extraction, nommé *épanorthôtès* par le chef de la révolte L. Domitius Domitianus, pour être son délégué et le représenter en haute Egypte, cf. A. Stein, 'Επανορθώτης, dans *Aegyptus*, xvi, 1938, pp. 234–243; J. Schwartz, *L. Domitius Domitianus*, Bruxelles, 1975, p. 120.

[3] Polybe, i, 35, 1: «Enseignements qui contribueront à redresser les erreurs humaines, πρὸς ἐπανόρθωσιν»; *Ep. d'Aristée*, 130: «S'ils vivent avec des gens intelligents et sages, les hommes se redressent de l'ignorance et font des progrès dans leur manière de vivre». *P. Ryl.* 302, ἐπανορθωτῇ τῆς ἱερᾶς. Plutarque, *Tib. Gracchus*, ix, 3: «Si accommodante que fût la réforme, le peuple s'en contenta»; *Démosthène*, vi, 2: redresser des affaires compromises; viii, 2: apporter des retouches à un discours; *Cicéron*,

défauts [1]; d'autre part: conformité à une règle, justesse ou exactitude, voire perfection dans le comportement. C'est ainsi que Philon définit la morale: «l'éthique étudie l'*éparnothôsis* des mœurs humaines» (*Ebr.* 91) et que l'ἐπανόρθωσις βίου ou ἠθῶν n'est pas autre chose que la discipline des mœurs ou la droite conduite de la vie [2], voire même ce qui est normalement nécessaire à la subsistance et à la vie des hommes [3]. Quoi qu'il en soit, le meilleur parallèle à *II Tim.* III,16 serait PHILON, *Deus immut.* 182: Le Logos divin nous donne sans cesse des conseils «pour nous discipliner, nous assagir et rectifier notre vie, τῇ τοῦ παντὸς ἐπανορθώσει βίου».

IV, 6: corriger des fautes; POLYBE, V, 88, 3: «les revers deviennent cause de redressement».

[1] PHILON, *Conf. ling.* 171: «la punition freine et corrige les fautes»; 182; *Spec. leg.* III, 76: le violateur «pour redresser sa conduite offensante et attentatoire aux lois»; *Decal.* 174: «De nombreuses lois... ont été édictées pour redresser ceux qui sont sensibles à la correction»; *Sammelbuch,* 7696, 103. Dans l'édit de Tiberius Julius Alexander, le préfet a «redressé les innovations contraires aux grâces accordées par les Augustes» et «corrigé les [abus?]» (*Sammelbuch,* 8444, 44 et 46), mais à la ligne 7 il semble avoir simplement réglé les affaires courantes.

[2] PHILON, *Lois allég.* I, 85; *Mut. nom.* 70; *Vit. Mos.* II, 36. Dans *Ep. Aristée,* 126, A. Pelletier traduit πρὸς τὴν κοινὴν... ἐπανόρθωσιν, «pour l'avantage commun de tous ses compatriotes»; cf. 283; EPICTÈTE, III, 21, 15: «les mystères ont été institués pour notre instruction et la correction de notre vie, ἐπὶ παιδείᾳ καὶ ἐπανορθώσει τοῦ βίου»; cf. PLUTARQUE, *Phocion,* VI, 1; VII, 3–4.

[3] Τοῦ τὸν βίον τῶν ἀνθρώπων ἐπανορθώσαντος (*Pierre de Rosette;* DITTENBERGER, *Or.* 90, 2 = *Sammelbuch,* 8299). Sur ἀνορθόω, cf. C. SPICQ, *Théologie morale du N. T.,* II, p. 589, n. 1. Sur ὄρθωσις, ἐπανόρθωσις, cf. J. HOLT, *Les Noms d'action en –ΣΙΣ –ΤΙΣ),* Aarhus, 1940, pp. 110, 125, 161 sv.

ἐπερώτημα

Selon *I Petr.* III,21, le baptême n'est pas l'ablution d'une souillure physique, mais συνειδήσεως ἀγαθῆς ἐπερώτημα εἰς θεόν. Tous les commentateurs cherchent à préciser le sens de l'*hapax* biblique ἐπερώτημα et aboutissent aux acceptions les plus variées [1]. Beaucoup, rattachant ce substantif au verbe ἐπερωτᾶν (*Ps.* CXXXVII, 3, *schâ' al*), traduisent: «une demande qui s'adresse à Dieu» [2], et il est vrai que telle est l'acception dans la langue littéraire: «poser une question» [3].

Mais, d'une part, on ne voit guère comment insérer cette «prière» dans le sacrement baptismal; d'autre part cette interprétation ne correspond pas aux indices fournis par l'A. T. et l'épigraphie. La version de Théodotion sur *Dan.* IV,17: ῥῆμα ἁγίων τὸ ἐπερώτημα (aram. *sche' alta'*) invite à donner à ce mot le sens de «décision, résolution». Le *ms.* ℵ de *Sir.* XXXVI,3 a la variante ἐπερώτημα pour ἐρώτημα: «La Loi est digne de confiance comme la réponse de l'oracle» [4]. Il ne s'agit pas de «demande», mais de «déclaration»; surtout d'une «réponse oraculaire», ce qui est l'acception d'ἐπερώτασις

---

[1] La meilleure étude est celle de Bo REICKE, *The Disobedient Spirits and Christian Baptism*, Copenhague, 1946, pp. 143 sv., 182 sv. Cf. T. ARVEDSON, *Syneideseos agathès épérotéma*, dans *Svensk Exegetisk Arsbok*, 1950, pp. 55–59; R. E. NIXON, *The Meaning of «Baptism» in I Peter III, 21*, dans F. L. CROSS, *Studia Evangelica* IV, Berlin, 1968, pp. 437–441.

[2] J. MONNIER, *La première Epître de l'Apôtre Pierre*, Mâcon, 1900, p. 183: «le libre accès qu'une bonne conscience trouve auprès de Dieu»; H. WINDISCH, *Die katholischen Briefe*[3], Tübingen, 1951, p. 73; GREEVEN, *in h. v.* dans *TWNT*, II, 685 sv.; K. H. SCHELKLE, *Die Petrusbriefe*, Freiburg-Basel, 1961, p. 109.

[3] THUCYDIDE, III, 68, 1–2: «Les juges lacédémoniens pensèrent pouvoir s'en tenir à la question posée (τὸ ἐπερώτημα) sur les services rendus... Ils les firent comparaître et leur demandèrent encore (ἐρωτῶντες) s'ils avaient rendu un service à Lacédémone».

[4] Moulton-Milligan citent *P. Cair. Preis.* I, 16: ἐὰν γὰρ μηδὲν ἐπερώτημα ἦ ἐνγεγραμμένον, au sens de «stipulation» (IIᵉ s. ap. J.-C.), antérieur à *Codex Justin.* VIII, 10, 12, 3 *b*: ἐκ τῶν συμφώνων ἤτοι ἐπερωτημάτων; au IIIᵉ s. à Athènes: τὰ ἐπερωτημένα ὅ [τῷ δοκεῖ τ]ῶν καὶ ἱερατευκότων... τῷ θεῷ (*Suppl. Epigr. Gr.* I, 52, 14; repris et complété par L. VIDMANN, *Sylloge Inscriptionum religionis Isiacae et Sarapiacae*, Berlin, 1969, n. 30; liste de prêtres de diverses divinités). Le sens «sanction, décision» est celui de DITTENBERGER, *Syl.* 856, 6: κατὰ τὸ ἐπερώτημα τῶν κρατίστων Ἀρεοπαγειτῶν; 1008, 4: καθ' ὑπομνηματισμὸν τῆς ἐξ Ἀρείου πάγου βουλῆς καὶ ἐπερώτημα τῆς βουλῆς τῶν Φ.

dans *P. Oxy.* 1205,9 sv., *P. Lond.* 1660,42; Dittenberger, *Syl.* 977,1. Aussi bien, la majorité des modernes comprennent ἐπερώτημα au sens juridique d'engagement, stipulation [1], correspondant au formulaire d'accord entre les contractants: ἐπερωθεὶς ὡμολόγησα [2]; ce serait l'équivalent de *l'homologie* baptismale (*Rom.* x,10; *I Tim.* vi,12; *Hébr.* iv,14; x,23), l'engagement du croyant aux stipulations de l'Alliance, c'est-à-dire à soumettre toute sa vie à Dieu (cf. *I Petr.* 1,22: ὑπακοὴ τῆς ἀληθείας; *Hébr.* x,22). Ce serment d'allégeance est antithétique à la désobéissance des contemporains de Noé [3], celui d'un homme régénéré par la puissance de la résurrection du Christ, participée par le rite baptismal (*I Petr.* 1,3; *Rom.* vi,4; *Col.* ii,12).

---

[1] Fr. W. Beare, *The first Epistle of Peter*, Oxford, 1947, p. 149; Ed. G. Selwyn, *The first Epistle of St. Peter*, Londres, 1947, p. 205; W. J. Dalton, *Christ's Proclamation to the Spirits*, Rome, 1965, pp. 225 sv.; F. J. Leenhardt, *Parole - Ecriture - Sacrements*, Neuchâtel, 1968, p. 161; O. S. Brooks, *I Peter III, 21. The Clue to the Literary Structure of the Epistle*, dans *Novum Testamentum*, 1974, pp. 290–305.

[2] G. C. Richards, *I Petr. III, 21*, dans *The Journal of Theolog. Studies*, 1931, p. 77; cf. les textes papyrologiques, dans C. Spicq, *Théologie morale du N. T.*, Paris, 1965, I, p. 266, n. 3; Cl. Préaux, *De la Grèce classique à l'Egypte hellénistique. Ἐπερωτηθεὶς ὡμολόγησα et l'Alceste d'Euripide, vers 1119*, dans *Chronique d'Egypte*, 1967, pp. 140–144.

[3] *I Petr.* iii, 20 (cf. J. P. Levis, *A Study of the Interpretation of Noah and the Flood in Jewish and Christian Literature*, Leiden, 1968, pp. 103, 168 sv.). On rapprochera cette stipulation des baptisés de celle des Qumraniens pour être admis dans la communauté (*Règle* v, 8–10). Ils souscrivaient aux déclarations des prêtres et des lévites en répétant: *Amen, Amen* (i, 20, 24; ii, 10, 18–19).

ἐπιείκεια, ἐπιεικής

Les dictionnaires donnent comme signification: clémence, bienveillance, modération, équité, douceur, et les traducteurs des textes bibliques emploient le plus souvent: mansuétude, clémence, indulgence [1]. En un sens, tout dépend des contextes; mais l'usage de ces termes dans la *koinè*, qui les emploie avec prédilection, permet d'en discerner la valeur fondamentale. I.– Dans l'A. T., l'*épikie* est surtout un épithète de la justice (*Sag.* xii,18) et du gouvernement de Dieu (*II Mac.* ii,22; x,4) qui traite les hommes avec miséricorde (*Ps.* lxxxvi,5; *Bar.* ii,27; *Dan.* iii,42), et saint Paul exhortera les Corinthiens, διὰ τῆς πραΰτητος καὶ ἐπιεικείας τοῦ Χριστοῦ [2]. C'est dire que la justice va de pair avec la *clémence* [3], qualité des juges [4],

---

[1] H. Hemmer avait raison d'écrire: «Termes presque intraduisibles en français dans leur complexité de sens, et qui expriment un heureux mélange de mesure, de modération, d'équilibre, de finesse et d'énergie ou de force» (*Clément de Rome. Epître aux Corinthiens*, Paris, 1909, p. xxxvii). W. Barclay (*A New Testament Wordbook*, Londres, 1955, p. 38), après avoir noté qu' «il est extrêmement difficile de donner une traduction d'*épieikès*», observe que Moffat en a donné six différentes sur sept emplois. Ainsi dans Plutarque: Marcia, seconde femme de Caton «passait pour une honnête femme, ἐπιεικῆ δοκοῦσαν» (*Caton min.* xxv, 1 et 3); «une justice qui ne cède ni à la complaisance ni à la faveur, εἰς ἐπιείκειαν ἢ χάριν» (iv, 2); «avec douceur et modération, ἐπιεικῆ καὶ μέτρια» (xxvi, 4; liii, 6); «il faut associer dans le Gouvernement majesté et bonté, τὸ σεμνόν... τῷ ἐπιεικεῖ» (*Phocion*, ii, 8; cf. vii, 2); «Menillos, homme modéré» (xxviii, 1); «un homme de jugement sain» (xxxv, 3); «Tiberius était calme et doux, ἐπιεικὴς καὶ πρᾷος» (*Tib. Gracchus*, ii, 5; xiv, 5; cf. *Cléomène*, i, 2). ἐπιεικῶς exprime des relations cordiales (*Cléomène*, xxxvi, 2); *Cicéron*, xix, 6; xxi, 2, etc. Cf. J. Haring, *Die Lehre von der Epikie*, dans *Theologisch-praktische Quartalschrift*, 1899, pp. 579–600; 796–809; C. Spicq, *Bénignité, mansuétude, douceur, clémence*, dans *R. B.* 1947, pp. 333 sv.; L. J. Rilley, *The History, Nature and Use of Epikéia in Moral Theology*, Washington, 1948; G. Ciulei, *L'Equité chez Cicéron*, Amsterdam, 1972.

[2] *II Cor.* x, 1; cf. R. Leivestad, «*The Meekness and Gentleness of Christ*», dans *NTS*, xii, 1966, pp. 156–164.

[3] Ordre de gouverner les habitants, δικαιοσύνῃ δὲ καὶ ἐπιεικείᾳ διάγειν (*Inscriptions de Bulgarie*, 1960 e 44; Dittenberger, *Syl.* 880, 35; «les Corses vivent entre eux avec plus de modération et d'équité – βιοῦσιν ἐπιεικῶς καὶ δικαίως – qu'il n'y en a en général chez les barbares» (Diodore de Sicile, v, 26); Plutarque, *Alexandre*, xliii, 4; *César*, iii, 1; xv, 4; xxxv, 4; liv, 4; lvii, 4.

[4] Décret honorifique de Iasos pour des juges étrangers, dans L. Robert, *Opera Minora* iii, Amsterdam, 1969, p. 229; *Sammelbuch*, 11223, 11, 22.

vertu des législateurs (Philon, *Virt.* 148; *Spec. leg.* iv,23; *Leg. G.* 119)
et des rois (Fl. Josèphe, *Ant.* xv,14,177); à telle enseigne qu'Enée le
Tacticien demande que l'on choisisse comme chef τὸν ἐπιεικέστατον τε
καὶ φρονιμώτατον (*Polyor.* iii,4). Chez les supérieurs, *l'épikie* est une débon-
naireté qui modère l'inflexible sévérité du courroux [1], une équité qui corrige ce que la stricte application de la loi écrite pourrait avoir d'odieux
ou d'injuste [2]. Les solliciteurs y font appel [3], et au IIIᵉ s., «Clémentissime»
devient une désignation du Stratège [4].

II.– Cette clémence qui mitige les sanctions correspond en partie à *l'indul-
gentia* et à la *benignitas* romaine [5]; mais *l'épikie* hellénistique met d'abord

---

[1] Sénèque définit la clémence: «la douceur dont le supérieur fait preuve vis-à-vis
de l'inférieur», tandis que la mansuétude se pratique envers tous et vise davantage
les sentiments de l'âme sans référence à autrui (*De Clementia*, ii, 3).

[2] Platon, *Lois* vi, 757 *d*; Aristote, *Eth. Nicom.* v, 1137 *a* 31 sv.; *Rhét.* i, 13,
1374 *a* 26; Onosandre, *Prooem.* 6: «Ce n'est pas équitable (οὔτε ἐπιεικές) de démettre
sans le punir un général qui a subi un désastre total, sous prétexte que la Fortune
(τύχη) est responsable de tout»; *Le Stratège*, 2: «Qu'il ne soit pas si indulgent qu'on
le méprise». Diodore de Sicile, xix, 100, 1: «Les Barbares penseraient devoir leur
pardon, non à de la clémence (οὐ δι' ἐπιείκειαν), mais à l'incapacité de les vaincre».
La bibliographie et une bonne élucidation de cette notion sont données par G. Kisch,
Erasmus und die Jurisprudenz seiner Zeit, Bâle, 1960, pp. 14 sv., 475 sv. Cf. Ed.
Hamel, *La vertu d'Epikie*, dans *Sciences ecclésiastiques*, 1961, pp. 36–56.

[3] L'avocat Tertullus au très excellent Festus (*Act.* xxiv, 4); en 193 un résident de
Soknopaiou Nésos et un prêtre du dieu Sobek s'adressent au centurion Ammonios
Paternos afin d'obtenir de lui un jugement équitable, ἵνα δυνηθῶ τῆς ἀπὸ σοῦ ἐπικίας
τυχεῖν (*P. Michig.* 175, 22; cf. *P. Zén. Cair.* 59192, 4; 59626, 9; 59631, 11; *P. Oxy.*
67, 6; 2133, 4; 3126, col. i, 11; *P. Lugd. Bat.* xiii, 13, 14; *P. Isidor.* 70, 12; *Stud.
Pal.* xx, 86, 15; *P. Panop.* i, 88, 264, 335, 349, 369).

[4] Ἐπιεικεστάτος, *P. Michig.* 530, 24; *P. Gies.* i, 16, 9. Chez Diodore de Sicile,
l'épieikéia d'Alexandre est surtout une «modération» ou de la «pondération» (xvii,
4, 9; 36, 1; 66, 1), de la mansuétude (73, 1), la clémence du vainqueur (91, 7), et une
extrême bonté (38, 3; cf. 76, 1) qui accorde des bienfaits (69, 9; cf. xxvii, 16, 2).

[5] La *Clementia Caesaris*, Cicéron, *Marcell.* 11; *Lig.* 6, 10, 15; *Pro Deitotato*, 34;
Plutarque, *Caes.* 57, 4; Dion Cassius, 44, 6, 4; Sénèque, *Consol. ad Polyb.* xiii,
2 sv.; *Benef.* v, 16, 5; *Dial.* iv, 23, 4; H. Dahlmann, *Clementia Caesaris*, dans *Neue
Jahrbücher*, x, 1934, pp. 17 sv.; F. D'Agostino, *Epieikeia. Il Tema dell'equità nell'anti-
chità greca*, 1973; Tr. Adam, *Clementia Principis*, Stuttgart, 1970; L. Wickert,
Neue Forschungen zum römischen Principat, dans *Festschrift J. Vogt*, Berlin-New
York, 1974, ii, 1, pp. 67 sv.; O. Leggewie, *Clementia Caesaris*, dans *Gymnasium*,
1958, pp. 17–36; H. Gesche, *Datierung und Deutung der* Clementiae-Moderationi-
Despondien des Tiberius, dans *Jahrb. für Numismatik und Geldgeschichte*, 1971, pp. 37–
80; Gl. Downey, *Tiberiana*, dans H. Temporini, W. Haase, *Aufstieg und Niedergang
der römischen Welt*, Berlin-New York, 1975, ii, pp. 95–105. Cf. W. W. Buckland,

l'accent sur la modération et la juste mesure [1] ou, comme nous disons aujourd'hui «l'équilibre». C'est pourquoi ἐπιεικής et μέτριος sont si souvent associées [2], et que depuis toujours en Grèce l'ἀνὴρ ἐπιεικής est «l'honnête homme» ou l'«homme vertueux» [3]; il possède la τρόπων ἐπιείκεια [4]. Il semble bien que cette valeur fondamentale soit celle du candidat à l'épiscopat: qu'il soit équilibré dans sa mentalité et son comportement: il irradie la sérénité (*I Tim.* III,3) et celle des participants de la sagesse d'en haut (*Jac.* III,17). Ici encore, l'usage permet d'étoffer cette notion [5].

III. – Qui a de l'*épikie* est un être raisonnable, qui respecte les convenances [6].

A Text-Book of Roman Law[3], Cambridge, 1963, p. 55; F. BURDEAU, *L'Empereur d'après les Panégyriques latins*, dans *Aspects de l'Empire Romain*, Paris, 1964, pp. 41 sv.

[1] Tel ce conseiller exhortant Antoine à user en tout de modération, étant donnée sa qualité de consul (NICOLAS DE DAMAS, *Vie de César*, XXX, 15). Le Ps. PLATON définit l'épikie: «Condescendance à céder de ses droits et de ses intérêts; modération dans les rapports d'affaires; juste mesure de l'âme raisonnable en ce qui concerne le bien et le mal» (*Définitions* 412 *b;* cf. J. M. ANDRÉ, *L'Otium dans la vie morale et intellectuelle romaine*, Paris, 1966, p. 186).

[2] HYPÉRIDE, *Pour Euxénippe*, 12; FL. JOSÈPHE, *Ant.* XV, 182; PLUTARQUE, *Romulus*, XVI, 1; *Solon*, XXIX, 14; *Cor.* X, 5; XV, 4; *De la Vertu éthique*, 12; L. C. YOUTIE, *Urkunden aus Panopolis* III, dans *Zeitschrift für Papyrologie und Epigraphik*, X, 1973, p. 143, 11; 144, 22. Dans LUCIEN, *Philosophes à l'encan* 26: μέτριος, ἐπιεικής, ἁρμόδιος τῷ βίῳ, l'éditrice Th. Beaupère (Paris, 1967) traduit: «mesuré, comme il faut, il sait vivre» et commente: un gentleman.

[3] ARISTOTE, *Poét.* XIII, 1452 *b* (s'oppose au méchant, τοὺς μοχθηρούς); *Polit.* III, 10, 4, 1281 *a* 11, 15; 1282 *a;* *Constitution d'Athènes* XXVI, 1; XXVIII, 1; DÉMOSTHÈNE, *Sur la couronne triéarchique*, 51, 17; HÉRODOTE, I, 85; SOPHOCLE, *O.C.* 1127; PHILON, *Conf. ling.* 37: οἱ ἐπιεικέστεροι = les gens bien élevés; *Joseph et Aséneth*, 5; PLUTARQUE, *De la Vertu éthique*, 8; *Agésilas*, IV, 1; *Antoine*, XXIII, 2; XXVIII, 7.

[4] «La moralité naît dans l'âme quand modération et juste mesure (ἐπιεικείας καὶ μετριότητος) sont introduites par la raison dans les facultés et les émotions passionnelles» (PLUTARQUE, *Vertu morale*, 12). La flûte du serviteur de Caius Gracchus «donnait un ton doux et mesuré, ἐπιεικῆ καὶ πρᾶον» (*Contrôle de la colère*, 6). Sur un sarcophage, éloge de Trôilos loué pour sa science juridique et la douceur de son caractère, dans J. E. BEAN, T. B. MITFORD, *Journeys in Rough Cilicia*, Vienne, 1970, n. 48, 6.

[5] Plutarque définit: «l'*aner épieikès* se propose de témoigner à sa femme des égards et d'avoir avec elle des rapports conformes à la justice et à la *sôphrosynè*» (*De la Vertu morale*, 8). Le décret honorifique pour l'athlète M. Alfidius le qualifie d'*épieikestatos* (édit. R. Merkelbach, dans *Z.P.E.* 1975, p. 146, ligne 6). Les magistrats reconnaîtront que les martyrs mériteraient de vivre, en raison de leur épikie (*Martyre du prêtre Pionius*, V, 3; *de Conon*, II, 7; dans H. MUSURILLO, *The Acts of the Christian Martyrs*, Oxford, 1972, pp. 142, 188).

[6] *Anthologie Palat.* VI, 280, 3: «elle les a dédiées, comme il convenait, ὡς ἐπιεικές». Association d'ἐπιεικής et de πρέπον, PLATON, *Tim.* 67 *d;* PLUTARQUE, *Propos de Table*,

Tantôt l'accent est mis sur l'exactitude, la loyauté et la fidélité dans l'accomplissement d'une tâche [1]; tantôt et beaucoup plus souvent sur la douceur; d'où son union à la bonté (*I Petr.* II,18), à la paix (*Jac.* III,17; *Hénoch,* Fragm. gr. VI,5) et à la douceur-mansuétude: πραΰτης [2]. Il se révèle alors que l'*épikie* hellénistique est d'abord et avant tout une vertu du cœur, ouvert, conciliant et confiant à l'égard du prochain (STRABON, VI,3,9). Non seulement, elle est opposée à la méchanceté (FL. JOSÈPHE, *Ant.* X,83) et à la violence (PHILON, *Cher.* 37), mais, toute douceur et gentillesse (cf. PHILON, *Virt.* 81,125, ἥμερος), elle se laisse persuader et fléchir et se résigne même lorsqu'on est lésé [3]. Positivement, elle n'est guère séparable de la χρηστότης [4],

---

I, 1, 4–5; (cf. *Crassus*, XXII, 1). On se rappellera que ἐπιεικής, dérivé de ἔοικα, exprime fondamentalement l'idée de convenance avec un sens intellectuel et moral, et même normatif (cf. P. CHANTRAINE, *Dictionnaire étymologique de la Langue grecque*, Paris, 1970, p. 355).

[1] Les fonctionnaires et les serviteurs s'acquittent «convenablement» (ἐπιεικῶς) de leurs devoirs (*Inscriptions de Priène*, 119, 13; Iᵉʳ s. av. J.-C.), κοσμίως καὶ ἐπιεικῶς (inscription honorifique de Pergame; CHR. HABICHT, *Die Inschriften des Asklepieions*, Berlin, 1969, n. 55, 3), μετὰ πάσης ἐπιεικείας (*P. Abinnaeus* 9, 10), πίστεως καὶ ἐπιεικίας χάριν (*P. Mert.* 90, 13); *P. Oxy.* 1414, 23; *P. Tebt.* 484 (de 14 ap. J.-C.); *P.S.I.* 666, 9; *P. Nessa*, 33, 5. Tardivement on aura le couple σπουδή–ἐπιείχεια (ET. BERNAND, *Les Inscriptions grecques de Philae*, Paris, 1969, II, n. 194, 6; 216, 9; 219, 2; 220, 8 etc.).

[2] Les vents soufflent avec douceur (PHILON, *Cherub.* 37). Les Alchimistes recommandent équivalamment d'utiliser «un feu doux» c'est-à-dire: modéré (ἐπιεικής–πραέος; cf. M. BERTHELOT, *Collection des anciens Alchimistes grecs²*, Londres, 1963, II, pp. 73, 3; 78, 14; 86, 18; III, 350, 20). Au plan moral, *II Cor.* X, 1; *Tit.* III, 2; PHILON, *Quod deter.* 146; *Opif.* 103; DIODORE DE SICILE, XIX, 85, 3: «Il y avait chez ce prince une douceur et une indulgence extrême»; PLUTARQUE, *Cat. l'anc.* XX, 3 (de Socrate: ἐπιεικῶς καὶ πράως); *Périclès*, XXXIX, 1; *Pyrrhus*, XXIII, 3; *César*, LVII, 2; LUCIEN, *Alex.* 61; *Somn.* 10 (cf. H. D. BETZ, *Lukian von Samosata und das Neue Testament*, Berlin, 1961, pp. 209–210); DION CASSIUS, LIII, 6. A Aphrodisias, Antonius Zosas: βίῳ κεχρημένον καὶ χρώμενον πράῳ καὶ ἐπιεικεῖ (*MAMA*, VIII, 524, 7; cf. L. ROBERT, *Hellenica* XIII, p. 223). *P. Oxy.* 3007, 20–21.

[3] Sur l'alliance modération-douceur et force, cf. PHILON, *Sacr. A. et C.* 49; *Sag.* II, 19: «Eprouvons-le par la violence et la torture, afin de savoir ce qu'il en sera de son épikie»; à commenter par EPICTÈTE, III, 20, 11: «Mon voisin est méchant... mais pour moi il est bon, il exerce ma douceur et mon épikie»; cf. III, 23, 4. On rapprochera aussi les maîtres compréhensifs et indulgents de *I Petr.* II, 18, de PLUTARQUE, *Cor.* XXIV, 8: «En ce temps-là, les Romains traitaient leurs domestiques avec ménagement».

[4] *Ps.* LXXXVI, 5; *Ps. Salom.* V, 14; PHILON, *Praem.* 166; *Agr.* 47; PLUTARQUE, *Camille*, XIV, 2: «Marcus Cédicius, homme sage, homme de bien, ἐπιεικὴς δὲ καὶ χρηστός»; LUCIEN, *Alex.* 4.

[5] Selon Timagène d'Alexandrie, Aristobule était conciliant et très serviable: ἐπιεικής... καὶ πολλὰ χρήσιμος (FL. JOSÈPHE, *Ant.* XIII, 319); cf. PLUTARQUE, *Cat. l'anc.* XVI, 6; *P. Herm. Rees*, 20, 11 et 14; 56, 2; DITTENBERGER, *Or.* 364: ἐπιεικῶς καὶ εὐεργετικῶς.

de la complaisance serviable [5] et de la «philanthropie» [1], «inclination habi-tuelle du caractère à l'amitié envers les hommes» (Ps. PLATON, *Défin*. 412e).

IV. – Finalement, l'ἐπιείκεια néo-testamentaire n'est pas seulement modération et mesure, mais bonté, courtoisie, générosité. Davantage encore, elle évoque une certaine gracieuseté [2], de la bonne grâce. Le *Fragm.* 427 de Sophocle met en parallèle ἐπιεικής-χάρις [3]. Selon Origène, si Marie, supérieure en grâce à Elisabeth, prit l'initiative d'une visite et, lors de leur rencontre, salua la première sa cousine, la raison en est que la Vierge Marie était «pleine de délicatesse (ἐπιεικής) envers tous les êtres» [4].

Nous proposons donc de traduire l'adjectif neutre τὸ ἐπιεικές employé substantivement par «sympathique équilibre» [5] dans *Philip*. IV,5, que la Vulgate a rendu par *modestia*: «Que votre sympathique équilibre soit connu de tous les hommes». Cette réputation favorable et surtout cette séduction vont de soi [6]. Elles évoquent la possession de la terre par les *praeïs* (*Mt*. V,4).

---

[1] *II Mac*. IX, 27; *Ep. d'Aristée*, 290; PHILON, *Virt*. 81, 140, 148; *Vit. Mos*. I, 198; *Spec. leg*. II, 110; *In Flac*. 61; *Leg. G*. 352; *III Mac*. III, 15; POLYBE, V, 10, 1; PLUTARQUE, *Alcib*. IV, 6; *Flamin*. 24; *Romul*. XXXI, 2; *Cor*. XXX, 7; XXXI, 6; LUCIEN, *Imag*. 11; DIODORE DE SICILE, V, 34: «Envers les étrangers, les Celtibères sont doux et humains, ἐπιεικεῖς καὶ φιλάνθρωποι». Un médecin d'Héraclée, ζῶντα καλῶς καὶ ἐπιεικῶς καὶ φιλανθρώπως ἀξίως τῆς τῶν προγόνων ἀρετῆς (*Inscriptions de Carie*, LXX, 8 = *MAMA*, VI, 114); Agréophon, généreux bienfaiteur, est loué au IIe s. ap. J.-C. pour son caractère et ses vertus: ἐπιεικὴς καὶ φιλάνθρωπος πρὸς τοὺς οἰκέτας (P. HERRMANN, *Zwei Inschriften aus Kaunos und Baba Dag*, dans P. ROOS, *Opuscula Atheniensia*, X, 1971, pp. 36–39); cf. P. HERRMANN, *Ergebnisse einer Reise in Nordostlydien*, Vienne, 1962, n. 3, 10–11 (Sur la philanthropie, cf. C. SPICQ, *Les Epîtres Pastorales*⁴, Paris, 1969, II, pp. 657–684; R. LE DÉAUT, Φιλανθρωπία *dans la littérature grecque, jusqu'au Nouveau Testament*, dans *Mélanges E. Tisserant*, Cité du Vatican, 1964, I, pp. 255–294). Cf. PLUTARQUE, *Tranq. An*. 7: ἐπιεικεῖς καὶ χαρίεντες.

[2] Cf. L. H. MARSHALL, *The Challenge of New Testament Ethics*, Londres, 1946, pp. 305 sv. PLATON, *Banquet*, 210 *b*: une âme gentille habitant dans un corps dont la fleur n'a point d'éclat; PLUTARQUE, *Thésée*, XVI, 1: «Tauros, personnage d'un carac-tère rude et sauvage, ἀνὴρ οὐκ ἐπιεικὴς καὶ ἥμερος τὸν τρόπον»; PHILON, *Somn*. II, 165–167.

[3] Cité par R. A. GAUTHIER, *Aristote. L'Ethique à Nicomaque*, Paris-Louvain, 1959, II, p. 432.

[4] ORIGÈNE, *Fragm*. 18, sur *Lc*. I, 40. Pour le sens de ce terme chez Origène, cf. H. CROUZEL, *Origène. Homélies sur Luc*, Paris, 1962, p. 51.

[5] Cf. C. SPICQ, *Théologie morale du N. T.*, II, pp. 802 sv. La disposition harmo-nieuse du caractère et des mœurs (*Stimmung*) devient dans les rapports avec le pro-chain une humeur accommodante, une heureuse correspondance (*Übereinstimmung*).

[6] L'épikie de Cimon suscite la sympathie (PLUTARQUE, *Aristide*, 23, 2; cf. 25, 10); celle des orateurs suscite la confiance et fonde la crédibilité, DÉMOSTHÈNE, *Prologue*, XLV, 2; I. C. T. ERNESTI, *Lexicon Technologiae Graecorum Rhetoricae*², Hildesheim, 1962, p. 123.

ἐπίθεσις

La sémantique de l'*épithése* – qu'Hésychius explique: ὁ τῶν δύο ἀριθμὸς παρὰ τοῖς Πυθαγορικοῖς – est assez curieuse. Le sens propre d'ἐπίθεσις est «action de poser sur»; d'où *a*) application (d'un enduit) ou imposition des mains [1]; *b*) action de poser par dessus [2], d'appliquer, d'attribuer à, par exemple un épithète (cf. ARISTOTE, *Rhét.* III,2; 1405 *b* 21); *c*) action de mettre la main sur quelqu'un, de l'attaquer (cf. l'effort pour s'emparer de la tyrannie, DIODORE DE SICILE, XIII,92), donc: assaut, agression.

Cette dernière acception, péjorative, est presque la seule connue de l'A. T. On organise une conspiration (קֶשֶׁר, conjuration, trahison) contre Amasiahou (*II Chr.* XXV,27); s'apercevant que l'attaque venait de Lysimaque... tous opposèrent un choc désordonné (*II Mac.* IV,41); Jason à l'improviste dirigea une attaque contre la ville [3]. Ce sens est constant dans les papyrus qui n'emploient pas ce terme très souvent, depuis une lettre de 114 av. J.-C. relatant une attaque de deux personnes contre l'épistate [4]. Au 1er s. de notre ère, il s'agit presque toujours [5] de plainte officielle, par

---

[1] Seule acception connue du N. T., cf. *infra;* PHILON, *Lois allég.* III, 90: Jacob croise ses mains et pose la droite (τὴν δεξιὰν ἐπιτίθησις) sur Ephraïm le plus jeune, et la gauche sur Manassè le plus âgé; *Spec. leg.* I, 203: imposition des mains sur la victime.

[2] Addition (cf. ἐπίθημα = surenchère); *Ez.* XXIII, 11: Oholibah se livra à ses passions plus corrompues encore que celles de sa sœur, διέφθειρε τὴν ἐπίθεσιν (עַגְבָה, amour impudique) αὐτῆς ὑπὲρ αὐτήν; *Lettre d'Aristée*, 93: les prêtres mettent la victime sur l'autel.

[3] *II Mac.* V, 5: ἐπὶ τὴν πόλιν συνετελέσατο ἐπίθεσιν; XIV, 15: «Informés de l'agression des Gentils (τὴν ἐπίθεσιν τῶν ἐθνῶν), les Juifs... implorèrent Celui qui avait installé son peuple pour toujours»; FL. JOSÈPHE, *Vie*, 293: «armés de poignards... pour pouvoir nous défendre en cas d'attaque ennemie»; *Ant.* XVIII, 7: «Quand des *raids* sont faits par de grandes hordes de brigands»; *Lettre d'Aristée*, 101: «la défense des parages du sanctuaire... en cas d'attaque, de soulèvement ou d'invasion ennemie».

[4] *P. Tebt.* XV, 24: τὰ κατὰ τὴν ἐπιστατείαν ἐπιθέσεως; cf. en 109 av. notre ère, la plainte de Paésis contre des brigands qui ont pillé sa maison: «comme j'ai lieu d'attribuer ce coup à une machination (διὰ τῆς ἐπιθέσεως) de Konnos» (*P. Rein.* XVII, 9).

[5] Seule exception en 41, dans un contrat de location: «Je mesurerai et je paierai sans aucune pression ni subterfuge, ἄνευ πάσης ἐπιθέσεως καὶ εὑρησιλογίας» (*P. Michig.* 331, 1).

exemple contre l'esclave Euporos qui a violemment attaqué et frappé sa victime, en l'an 45 (*P. Oxy.* 283,15), ou contre des calomnies et de violentes attaques en 47–48 (*P. Michig.* v,231,7). Plus tard, une femme dénonce deux accapareurs qui l'ont attaquée outrageusement et dépouillée (*P. Oxy.* 1121,7; en 295 ap. J.-C.), et une victime d'un abus de pouvoir proteste devant l'*Ekdicos* (*P. S. I.* 872,4; VIᵉ s.).

Les quatre emplois d'ἐπίθεσις dans le N. T. ignorent les sens susdits, ils ont tous valeur religieuse et ont tous le complément ἡ ἐπίθεσις τῶν χειρῶν [1]. Par «l'imposition des mains», Jésus rendait la santé aux malades [2], bénissait les enfants (*Mt.* XIX,13) ou ses disciples (*Lc.* XXIV,50), comme le faisaient les patriarches sur leurs enfants et le grand prêtre sur le peuple (*Gen.* XLVIII,14; *Lév.* IX,22; *Sir.* L,20). Dans la primitive Eglise, ce geste est devenu le rite de la communication du Saint-Esprit (*Act.* VIII,17–18; *Hébr.* VI,2) ou d'un charisme (*I Tim.* IV,14; *II Tim.* I,6), celui de l'«ordination» des diacres et des presbytres (*Act.* VI,6). Puisqu'il communique au sujet ce que possède le donateur [3], il n'est pas seulement un protocole d'installation juridique aux postes de la hiérarchie ecclésiastique (*I Tim.* V,22), mais un sacrement qui assure la succession ininterrompue des ministres: le bénéficiaire recevant le même pouvoir que celui qui lui impose les mains [4].

---

[1] *Act.* VIII, 18; *I Tim.* IV, 14; *II Tim.* I, 6; *Hébr.* VI, 2. Sur le sens de cette locution, cf. C. SPICQ, *Les Epîtres Pastorales*⁴, Paris, 1969, II, pp. 722–730. A la bibliographie, ajouter F. CABROL, *Imposition des mains*, dans *Dictionnaire d'Archéologie chrétienne et de Liturgie*, VII, 1, col. 391–413; P. GALTIER, *Imposition des mains*, dans *Dictionnaire de Théologie catholique*, VII, 2, col. 1302–1425; J. K. PARRAT, «*The Laying on of Hands in the N. T.*», dans *Exposit. Times* 80, 1969, pp. 210–214; K. HRUBY, *La notion d'ordination dans la Tradition juive*, dans *La Maison-Dieu*, n° 102, 1970, pp. 30–56; G. C. VOGEL, *L'Imposition des mains dans les rites d'ordination*, ibid., pp. 57–72; K. GRAYSTON, *The significance of the word* Hand *in the New Testament*, dans *Mélanges bibliques B. Rigaux*, Gembloux, 1970, pp. 479–487; C. MAURER, ἐπιτίθημι, dans *TWNT*, VIII, pp. 161 sv.; E. LOHSE, χείρ, ibid. IX, pp. 417 sv.

[2] Ἐπιτίθημι, *Mc.* V, 23; VI, 5; VII, 32; VIII, 23, 25; *Lc.* IV, 40; XIII, 13.

[3] *I Tim.* IV, 14; *II Tim.* I, 6; cf. J. JEREMIAS, *Zur Datierung der Pastoralbriefe*, dans *ZNTW*, 1961, pp. 101–104; H. MAEHLUM, *Die Vollmacht des Timotheus nach den Pastoralbriefen*, Bâle, 1969, pp. 69 sv.; O. HOFIUS, *Zur Auslegungsgeschichte von* πρεσβυτέριον *I Tim. IV, 14*, dans *ZNTW*, 1971, pp. 128–129.

[4] Cf. ἐπιτίθημι = donner quelque chose à quelqu'un. XÉNOPHON, *Cyr.* IV, 5, 41: «Ordonnez-leur... de vous apporter tout cela... Faites peur à celui qui ne donnerait pas ce qui est prescrit»; *B.G.U.* 1208, 4 (27/26 av. J.-C.).

ἐπιμέλεια, ἐπιμελέομαι, ἐπιμελῶς

Ces termes n'offrent aucune difficulté de signification [1] et sont très abondamment utilisés dans la *koinè*, notamment dans les papyrus et les inscriptions; du moins les deux premiers. Par contre, ils sont rares dans le N. T. (qui ignore ἐπιμελητής). D'où l'intérêt de les vitaliser en quelque sorte par des parallèles profanes.

I. – A l'escale de Sidon, «Julius traitant Paul avec courtoisie ou amicalement (litt. avec humanité) lui permet d'aller chez ses amis et de recevoir leurs soins, ἐπιμελείας τυχεῖν» [2]. Les commentateurs observent que cette dernière locution est de l'excellent grec [3], mais faut-il traduire «soin, traitement» ou «bons offices, sollicitude»? Les deux acceptions sont également attestées. Depuis Platon [4], ἐπιμέλεια se dit de l'attention et des soins

---

[1] Pour la forme contracte du verbe et son emploi dans les papyrus, cf. B. G. MANDILARAS, *The Verb in the Greek non-Literary Papyri*, Athènes, 1973, p. 472. Sur DIODORE DE SICILE, XIX, 29, 3: «Antipater avait été désigné comme épimélète», c'est-à-dire régent, FR. BIZIÈRE commente: «Le terme *épimélète* 'commissaire', 'fondé de pouvoir' est assez vague et sa signification dépend du contexte, cf. W. A. FERGUSON, *Hellenistic Athens*, Londres, 1911, p. 47, n. 3» (*Diodore de Sicile. Bibliothèque historique*, livre XIX, Paris, 1975, p. 157). Cf. dans «le bâtiment», ἐπιμελητῶν τοῦ ἔργου (*P. Köln*, 52, 32 et 80; *P. Oxy.* 1450, 24).

[2] *Act.* XXVII, 3. G. MUSSIES (*Dio Chrysostom and the New Testament*, Leiden, 1972, p. 134) cite comme parallèles, DION CHRYSOSTOME I, 16–17; III, 55.

[3] PLUTARQUE, *Vie de Thésée*, XXVII, 6: «On raconte que les Amazones blessées furent envoyées secrètement à Chalcis par Antiope pour y être soignées, τυγχάνειν ἐπιμελείας»; PHILON, *Spec. leg.* III, 106: la victime des sévices s'alite et suit un traitement approprié (ἐπιμελείας τυχών) qui lui permet de se lever et de sortir de nouveau. En 288, dans une tentative pour réduire sur les domaines impériaux le personnel administratif (ils ne font rien de bon et mangent les bénéfices), un surintendant responsable choisira deux ou trois collaborateurs qui porteront leur attention sur l'état de la trésorerie, αἱ ταμιακαὶ οὐσίαι τῆς προσηκούσης ἐπιμελείας τεύξονται (*P. Oxy.* 58, 22); τετευχὼς πάσης ἐπιμελείας (*P. Oxy.* 91, 19; IIe s. ap. J.-C.); *P. Leipz.* 31, 20; *Sammelbuch*, 10621, 20 (IIIe s.); cf. autres parallèles dans F. FIELD, *Otium Norvicense*, Oxford, 1881, III, p. 89.

[4] PLATON, *Lois*, IV, 720 *d*: l'esclave «décharge son maître du souci des malades, τῶν καμνόντων τῆς ἐπιμελείας»; DITTENBERGER, *Syl.* 943, 10: διὰ τὰν ἐπιμέλειαν... τῶν καμνόντων. Dans *Lc.* X, 34–35, ἐπιμελέομαι indique les soins donnés au corps, cf. *infra* II, pp. 273 sv.

donnés à un malade ou à un infirme, et cette acception est retenue par les écrivains médicaux, notamment Hippocrate et Galien [1]. Au IIIe s. avant notre ère, un décret de Cos honore un médecin: ἐπιμέλειαν ἐποιεῖτο τῶν πολιτᾶν κατὰ τὰν τέχναν τὰν ἰατρικάν, et le loue: ἐπαινέσαι... εὐνοίας ἕνεκεν καὶ ἐπιμελείας [2]. A Gortyne, le médecin Hermias a soigné pendant cinq ans les citoyens, les métèques et les alliés, ἐπιμέλειαν ἐποιήσατο καὶ ἔσωσε ἐς μεγάλων κινδύνων (*Inscriptions de Crète* IV, n. 168,15; p. 231). Les soins donnés au patient peuvent l'être non seulement par un médecin, mais par toute personne dévouée de son entourage: ἐπειδήπερ πᾶσαν ἀνάπαυσιν καὶ ἐπιμέλειαν ἐποίησάς μοι ἐν τῷ ἐμῷ νόσῳ καὶ γήρῳ (Testament, *P. Masp.* 67154, B 19 sv.) et s'entendent alors de toutes les formes de dévouement que l'on prodigue à un vieillard ou un infirme.

De là, *épiméléia* s'emploie de l'application que l'on met et des soins que l'on donne à une tâche quelconque: le bibliothécaire qui complète les livres et répare ceux qui sont en mauvais état (*Lettre d'Aristée*, 29,317), l'entretien des canaux, des berges (*P. Panop.* II,223) et des terres (I,403), d'un vignoble (*P. Lugd. Bat.* XIII,16,8), d'une palmeraie (*ibid.* VIII,21), la culture des légumes (*P. Panop.* I,249–250), tous les travaux agricoles (*Lettre d'Aristée*, 107; *P. Mert.* X,17: τὴν ἄλλην γεωργικὴν ἐπιμέλειαν πᾶσαν ἐπιτελείτω, du 28 juillet 21 ap. J.-C.; *P. Tebt.* 703,66, de 260 av. J.-C.), l'irrigation (*P. Oxy.* 2767,10), l'élevage des chevaux (*P. Oxy.* 2480,97: εἰς ἐπιμέλειαν τῶν ἵππων; cf. *P. Alex.* 12,20), du bétail (PHILON, *Provid.* II,27), l'érection d'une statue par les Agonothètes (*Inscriptions de Carie*, 79,11, τὴν ἐπιμέλειαν τῆς ἀναστάσεως ποιησαμένων; cf. *Inscriptions de Lindos*, 472,10; 474,8), quelque «affaire» que ce soit [3], qu'il s'agisse des devoirs du roi (*Lettre d'Aristée*, 245; DITTENBERGER, *OGIS*, 383,49: ἐμαῖς ἐπιμελείαις) ou des hommes d'état (ARISTOTE, *Polit.* III,5,10), ou envers un mort (testament: πρὸς τὴν ἐπιμέλειαν τοῦ σώματός μου; *P. Lugd. Bat.* XIII,14,28; *P. Oxy.* 2857,19,

---

[1] Cf. W. K. HOBART, *The Medical Language of St. Luke*, Dublin-Londres, 1882, pp. 269 sv., surtout N. VAN BROCK (*Recherches sur le vocabulaire médical du grec ancien*, Paris, 1961, pp. 236 sv.) qui observe que ἐπιμέλεια a le sens de «traitement» et parfois de «pansement» (HIPPOCRATE, *Des articulations*, 11).

[2] DITTENBERGER, *Syl.* 943, 4, 16, 24; cf. L. COHN-HAFT, *The Public Physicians of Ancient Greece*, Northampton, 1956, p. 90.

[3] *II Mac.* XI, 23: πρὸς τὴν τῶν ἰδίων ἐπιμέλειαν; *P. Amh.* II, 64, 12; *P. Oxy.* 1070, 22. Les commissaires de l'Amphiaraion d'Oropos en 329/8, élus par le peuple «pour s'occuper du concours et de tout ce qui concerne la fête (ἐπὶ τὴν ἐπιμέλειαν τοῦ ἀγῶνος) s'en sont bien occupés et avec zèle (καλῶς καὶ φιλοτίμως ἐπεμελήθησαν)» (DITTENBERGER, *Syl.* 298, 12; cf. *Prov.* XIII, 4); K. A. WORP, *Einige Wiener Papyri*, Amsterdam, 1972, n. 14, 6. DIODORE DE SICILE, XVII, 7, 2; 65, 3; 114, 1.

du 17 mai 134), d'occuper ses loisirs (*Sag.* XIII,13), «présider au service des dieux» (DÉMOSTHÈNE, *C. Androtion*, 78: πρὸς τοὺς θεοὺς ἐπιμελείας), entretenir décemment un sanctuaire [1], desservir les tentes d'ibis (*P. Fuad*, XVI,5 = *Sammelbuch*, 9628,1), surveiller des fonctionnaires [2] etc.

D'une façon privilégiée, *épiméléia* se dit d'une charge ou d'une fonction publique (DINARQUE, *C. Philoclès*, III,15–16; *I Mac.* XVI,14: «Simon soucieux de ce qui regardait l'administration de leurs villes»; *P. Fuad*, 20,5; *P. Isidor.* 79,8). Il n'est pas rare que les responsables justifient leur tournée d'inspection, parce qu'elle est conforme aux devoirs de leur charge: τοῦτο γὰρ ἡ ἐπιμέλειά μου (*P. Oxf.* III,3; 142 de notre ère; *P. Oxy.* 2560,11: κατὰ τὴν αὐτοῦ ἐπιμέλειαν), auxquels il n'est pas permis de manquer (*P. Oxy.* 2228,43). On connaît par exemple l'ἐπιμέλεια τῶν ἐφήβων [3] et l'obligation des officiers d'observer leurs devoirs [4], mais dans leurs inscriptions honorifiques les cités louent les fonctionnaires qui ont fait preuve de diligence, tel Agathoclès vers 200 av. J.-C., qui s'est montré à Istros «plein d'ardeur dans l'exercice des magistratures, dans les *services publics* et dans les conseils [5]. Si l'on exalte ce «souci de bien faire» (*Lettre d'Aristée*,

---

[1] Décret des Acarnaniens en 216 av. J.-C. qui s'engagent à l'entretien du sanctuaire d'Apollon à Actium; J. POUILLOUX, *Choix d'inscriptions grecques*, Paris, 1960, n. 29, 25.

[2] Prêt d'argent du 28 août 44: «Archidicaste, préposé à la surveillance (τῇ ἐπιμελείᾳ) des chrématistes et des autres tribunaux» (*P. Fuad*, 44, 1; cf. *P. Mil. Vogliano*, 26, 1); *P. Leipz.* 10, col. I, 1; *P. Oxy.* 281, 2 (en 20–50); *P. Michig.* 528, 2; 614, 10; *P. Fam. Tebt.* 20, 3 (accord amiable de 120/1); *Sammelbuch*, 9145, 1 (achat d'esclave, sous Commode). Cf. les ἐπιμεληταὶ οἴνου (*B.G.U.* 2296, 1; *P.S.I.* 820; *P. Ant.* 108), les ἐπιμεληταὶ ἐσθῆτος qui lèvent des fournitures pour l'armée (*P. Strasb.* 618; N. LEWIS, *Inventory of Compulsory Services*, New Haven-Toronto, 1968, *in h. v.*); à ce titre, l'*épiméléia* est une intendance, cf. J. et L. ROBERT, *Bulletin épigraphique*, dans *R.E.G.* 1976, p. 516, n. 549.

[3] ARISTOTE, *Constitution d'Athènes*, XLII, 2–3; *IG*, X, 2, n. 236, 238: ἐπιμελουμένου τῶν ἐφήβων; cf. CHR. PÉLÉKIDIS, *Histoire de l'Ephébie attique*, Paris, 1962, pp. 132–136. Sur ὁ ἐπιμελητής τῆς πόλεως d'Athènes au Ier s., cf. P. GRAINDOR, *Athènes de Tibère à Trajan*, Le Caire, 1931, pp. 80 sv.; sur l'ἐπιμέλεια ἐσθῆτος, *P. Leipz.* 60, 5, 11.

[4] Lettre de Ptolémée IV Philopator à un gouverneur de province du IIIe s. av. J.-C.: σοὶ καθῆκον ἦν πᾶσαν ἐπιμέλειαν ποιεῖσθαι (B. WELLES, *Royal Correspondence*, New Haven, 1934, n. 30, 12).

[5] ἔν τε ταῖς ἀρχαῖς καὶ ταῖς ἐπιμελείαις (INSTITUT F. COURBY, *Nouveau choix d'Inscriptions grecques*, Paris, 1971, n. VI, 7. Cf. le Hierothésion d'Arsameia: τούτων ἐπιμέλειαν καὶ προστασίαν ἱερεῦσιν ἐπέτρεψα (dans H. WALDMANN, *Die kommagenischen Kultreformen*, Leiden, 1973, p. 84, 75). Dans le latin du Ier s., «la *cura* ce sont les soins attentifs du *princeps*, sa sollicitude pour l'Etat» (J. BÉRANGER, *Principatus*, Genève, 1973, p. 187).

18), c'est qu'il implique de bonnes dispositions (*ibid.* 282), beaucoup d'attention [1], des efforts (MÉNANDRE, *Dyscol.* 862), de la sollicitude (PHILON, *Provid.* II,99; *P. Princet.* 151,18; *Sammelbuch*, 8858,10) et du zèle (XÉNOPHON, *La chasse*, I,8,17; *P. Tebt.* 769,5).

On comprend dès lors que ce terme soit employé de façon privilégiée des soins et du dévouement que les parents ou les nourrices prodiguent aux enfants. Telle Termouthis élevant le petit Moïse πολλῆς ἐπιμελείας (FL. JOSÈPHE, *Ant.* II,236); le 21 mai 26 de notre ère, dans l'engagement d'une nourrice, «obligation est faite à la déclarante de donner complètement assistance et soin au nourrisson, comme il lui incombe» (*P. Rein.* 103,17; cf. *B. G. U.* 1106,28, de 13 av. J.-C.; *Sammelbuch*, 9534,17: τὰ τέκνα ἡμῶν ἐπιμελείας τυγχανέτο, finale d'une lettre du IIIᵉ s. ap. J.-C.). Tout est dit dans cette lettre chrétienne du IIIᵉ–IVᵉ s., où Thonis assure à son très cher Heracleüs: «Je prendrai soin de lui comme si c'était mon propre fils» [2]. Cette évocation de l'ampleur de la tâche [3], de l'absolu du dévouement et du don du cœur ne devra pas être oubliée dans la charge de l'épiscope éphésien, *I Tim.* III,5.

II. – Le verbe ἐπιμελέομαι a lui aussi une acception médicale, attestée par le seul saint Luc dans le N. T.: après avoir pansé le blessé, le bon Samaritain le conduit à l'hôtellerie où il prend soin de lui (καὶ ἐπεμελήθη αὐτοῦ), sans doute en le veillant pendant la nuit, et au moment de le quitter, il recommande à l'hôtelier: «prends soin de lui, ἐπιμελήθητι αὐτοῦ» (*Lc.* x,34–35). Il ne semble pas qu'il s'agisse ici de fournir des remèdes ou d'un traitement proprement médical, mais de vigilance, de dévouement ou d'hygiène au sens le plus large. C'est du moins en ce sens que le verbe est surabondamment attesté dans les lettres papyrologiques, sous la forme quasi stéréotypée: ἐπιμέλου σεαυτοῦ ἵν' ὑγιαίνῃς [4]. Parfois, on précise qu'il s'agit de la santé des enfants [5].

---

[1] *P. Wisconsin*, xxxiv, 22, 29; cf. décret en l'honneur d'un phrourarque en 170 av. J.-C., à Lepsia: «Qu'il soit l'objet des attentions du peuple, εἶναι αὐτὸν ἐν ἐπιμελείᾳ παρὰ τῷ δήμῳ» (INSTITUT F. COURBY, *op. c.*, n. IV, 19; cf. *ibid.* VII, B 12, à Milet en 167–160). PLUTARQUE, *Tib. Gracchus*, III, 1: l'exercice des magistratures.

[2] *P. Oxy.* 1493, 10 = M. NALDINI, *Il Cristianesimo in Egitto*, Florence, 1968, p. 165.

[3] MÉNANDRE, *Dyscol.* 38: «elle nous a inspiré de la sollicitude à son égard»; 228: «pour que nous protégions cette petite». La promptitude du cœur se manifeste, *P. Athen.* 15, 1 (fin du Iᵉʳ s.).

[4] *P. Mert.* 62, 13 (6 ap. J.-C.); *P. Princet.* 186, 16 (28 ap. J.-C.); *P. Michig.* 464, 16: «ne te fais pas de souci pour nous, mais prends soin de toi-même» (99 de notre ère); *P. Fay.* 119, 24 (100 ap. J.-C.); *P.S.I.* 1312, 10 (IIᵉ s. av. J.-C.); *P. Lond.* 42, 32; *P. Ryl.* 664, 3; *P. Iand.* 104, 11; *P. Bad.* 35, 27; *P. Oxy.* 294, 30–31; 1479, 13 (Iᵉʳ s. av. J.-C.); 1154, 6; *Corp. Ord. Ptol.* 60, 16; *P. Yale*, 40, 3; 42, 38; *Sammelbuch*, 7659, 8

On veille sur les personnes [1], comme on «s'occupe» de telle ou telle affaire [2], qu'il s'agisse de copier une lettre (*I Mac.* xi,37) ou de Dieu qui «s'occupe des affaires humaines» [3], d'Abel soucieux de justice (FL. JOSÈPHE, *Ant.* i,53) ou des sujets qui doivent observer les lois (*ibid.* viii,297: τῶν νομίμων ἐπιμελησομένους). Dans le vocabulaire épigraphique, cette nuance d'accomplir une tâche est prépondérante [4]. En 287 av. J.-C., un décret d'Athènes honore le poète Philippidès qui «s'est occupé (ἐπιμελήθη) de tous les autres concours et sacrifices au nom de la cité... en prenant sur ses revenus personnels» (DITTENBERGER, *Syl.* 374,45); «que les magistrats chargés de l'administration s'occupent (ἐπιμεληθῆναι) de la couronne et de la proclamation» (*ibid.* 374,67). En 271/0, ce sont les taxiarques qui sont honorés, car «ils se sont occupés chacun de sa propre tribu» (*Suppl. Ep. Gr.* xiv, 64,13). En 158 de notre ère, un règlement de Gazôros en Macédoine pour l'exploitation des domaines publics notera: «Il existe des gens voulant bien consentir à s'en occuper et à en tirer une part de récolte» [5].

(11 février 49 ap. J.-C.); 8257, 5 (IIe s. av. J.-C.); 8754, 39 (49/48 av. J.-C.); 9259, 38 (12 janv. 229 av. J.-C.), etc., cf. N. VAN BROCK, *op. c.*, pp. 237 sv. G. ZECCHINI, *Lettera di Sosibios ad Archias*, dans *Aegyptus*, 1974, pp. 105–106. On voit comment l'acception médicale demeure dans l'usage plus commun d'ἐπιμ. dans *De Provid.* ii, 22, où Philon opposant la médecine du corps à celle de l'âme écrit: «Ceux qui se sont adonnés à une contrefaçon de culture n'ont pas suivi l'exemple des médecins, ὅσοι δὲ νόθου παιδείας ἐπεμελήθησαν...».

[5] *P. Oxy.* 744, 6: παρακαλῶ σε ἐπιμελήθι (*l.* -ήθητι) τῷ παιδίῳ (Ier s. av. J.-C.); *P. Rein.* 109, 5: «Veille à ta santé et à celle de tes enfants» (131 av. J.-C.).

[1] *P. Athen.* 60, 13: ἐπιμέλου δὲ Τιτόας καὶ Σφαίρου (époque ptolémaïque).

[2] *P. Hermop.* v, 18: ἐπιμελούμενοι τῶν πραγμάτων ὁμοῦ καὶ τῶν λειτουργημάτων (IVe s.); *P. Mert.* 24, 13; *P. Oxy.* 2190, 21; *P. Hib.* 253, 8; *Sammelbuch*, 6768, 9.

[3] PHILON, *Provid.* ii, 112: τὸν θεὸν τῶν ἀνθρωπίνων ἐπιμελεῖσθαι πραγμάτων.

[4] Dans un décret du IIIe s. av. J.-C. en l'honneur d'un agoranome de Parion: ἐπεὶ οὖν καθῆκόν ἐστιν τοῖς συνέδροις ἐπιμελεῖσθαι τῶν καλῶν καὶ ἀγαθῶν ἀνδρῶν (DITTENBERGER, *Syl.* 596 = P. FRISCH, *Die Inschriften von Ilion*, Bonn, 1975, n. iii, 19). «L'expression 'prendre soin de quelqu'un (ou de quelque chose)' – ici *IG*, xii, 23–27: ἐπιμέλεισθαι αὐτῶν – est classique pour caractériser une fonction confiée soit à une sorte de 'commissaire' (c'est ainsi qu'on pourrait traduire ἐπιμελητής, qui est un peu l'équivalent du *curator* romain), soit à un magistrat, soit au Conseil. Elle se rencontre fréquemment dans les décrets honorifiques dès le Ve siècle [en note, références à ARISTOTE, *Constitution d'Athènes*, xlii, 2; C. PÉLÉKIDIS, *Histoire de l'Ephébie antique*, Paris, 1962, p. 107, n. 8; 132, n. 2; 135, n. 2; DITTENBERGER, *Syl.* 158, 16–17; 207, 17–18; 262, 17–18]» (P. GAUTHIER, *Symbola. Les étrangers et la justice dans les Cités grecques*, Nancy, 1972, p. 254). Sur les *épimélètes* dans les papyrus, cf. W. PEREMANS, E. VAN'T DACK, *Prosopographia Ptolemaica*, Louvain, 1975, viii, pp. 78 sv.

[5] INSTITUT F. COURBY, *Nouveau choix d'Inscriptions grecques*, Paris, 1971, n. xxviii, 13; cf. viii, 24: Décret d'Argos en faveur des Rhodiens: «Que les ambassadeurs veillent à ce que soit proclamée la couronne... que s'en occupent le trésorier

On comprend donc en quel sens saint Paul peut écrire: «Si quelqu'un ne sait pas gouverner sa propre maison comment prendra-t-il soin d'une église de Dieu?» (*I Tim.* III,5), car d'une part *épiscopos* – c'est de cette fonction qu'il s'agit ici – est un titre donné aux gouverneurs (dans les villes colonisées), à certains magistrats (dans les villes autonomes) et à de hauts fonctionnaires d'associations [1], tel l'*épiscopos*-administrateur de l'association des 'Αμεινιχεῖται à Délos [2], et d'autre part ἐπισκοποῦ signifie «prendre soin» (*P. Oxy.* 2838,9; du 4 février 62). Sans doute, ce terme ne dit rien sur l'objet de cette fonction d'intendance et de surveillance, mais il évoque la diligence autant que la prudence d'un *responsable* de la maison de Dieu et de son culte [3]. Non seulement l'épiscope veille sur la communauté et s'en occupe, mais il pourvoit à ses besoins spirituels et il y consacre ses forces [4].

---

et les Quatre-Vingts». Philippe de Macédoine demande à Agathoclès d'administrer la Perrhébie: διαφθεροῦντα Περραιβοὺς καὶ τῶν ἐκεῖ πραγμάτων ἐπιμελησόμενον (ΤΗΕΟ-POMPE, *Frag.* 81; dans ΑΤΗΕΝΕΕ, VI, 260). L'agorète de la cité veille à l'approvisionnement régulier de la foire en marchandises (ἐπιμελομένου τοῦ τῆς πόλεως ἀγορητοῦ; *Inscriptions grecques et latines de la Syrie*, 4028, 35).

[1] H. BELLEN, '*Επίσκοποι*, dans *Der Kleine Pauly*, Stuttgart, 1967, II, col. 323.

[2] *Inscriptions de Délos*, 1522; cf. PH. BRUNEAU, *Recherches sur les cultes de Délos*, Paris, 1970, pp. 630 sv. Philon «commissaire de la grande association du Grand Dieu Pramarrès» (*Sammelbuch*, 1269, 10; en 104 av. J.-C.). A Ephèse, il y a un «épimélète du secrétariat de Julius Philométor» et un «épimélète de l'Olympiade» (cf. L. ROBERT, *Sur des Inscriptions d'Ephèse*, dans *Revue de Philologie*, 1967, p. 43), comme à Olympie un «épimélète de Zeus» (*Inscriptions d'Olympie*, n. 65, 3; 80, 5; 437, 11; 468, 3; *Suppl. Ep. Gr.* XVII, 199).

[3] Aristote désignait les charges ou fonctions publiques comme des services (ἐπιμέλειαι), *Polit.* VI, 8, 3 sv. 1321 *a* sv. Parmi les magistratures indispensables (ἀναγκαῖαι ἐπιμέλειαι), il y a celles qui sont responsables des affaires religieuses (1322 *b*). Les références dans C. SPICQ, *Les Epîtres Pastorales*[4], Paris, 1969, I, pp. 445 sv. Les prêtres, en particulier, s'occupent du temple et des sacrifices: ἐπιμελείσθωσαν αὐτῶν ἱερεῖς (DITTENBERGER, *OGIS*, 383, 187); ἐπιμελεῖσθαι τῆς θυσίας (F. SOKOLOWSKI, *Lois sacrées des Cités grecques*, Paris, 1969, n. 93, 35; 96, 19; 103, 11; 136, 5; 171, 6, 9, 12; 177, 6, 115). Cf. à Délos, «ce soin (de la répartition des victimes) reviendra aux commissaires successivement en charge pour le sacrifice, ἐπιμελεῖσθαι τοὺς ἀεὶ γινομένους ἐπιμελητὰς τῆς θυσίας» (F. DURRBACH, *Choix d'Inscriptions de Délos*, Paris, 1921, n. 21, 29); à Athènes: ὅπως ἂν οἱ ἀστυνόμοι οἱ ἀεὶ λαγχάνοντες ἐπιμέλειαν ποιῶνται τοῦ ἱεροῦ (DITTENBERGER, *Syl.* 375, 10). Sur les épimélètes du temple (*P. Strasb.* 463 ter, 2 etc.), cf. P. ROESCH, *Thespie et la Confédération béotienne*, 1965, p. 202; J. AUBONNET, *Aristote. Politique*, Paris, 1973, II, 2, p. 304, n. 5. En Ibérie, «les prêtres s'occupent aussi des affaires de droit à l'égard des peuples voisins, ἐπιμελοῦνται καὶ τῶν πρὸς τοὺς ὁμόρους δικαίων» (STRABON, XI, 3, 6).

[4] Cf. MÉNANDRE, *Dyscol.* 212: «Occupe-toi de ton père, ἐπιμελοῦ τε τοῦ πατρός; 240: «Prends soin de ma sœur; 618: «Occupe-toi de ce qu'il lui faut»; *P. Oxy.* 2969, 8: πᾶσαν ἐπιμέλιαν καὶ ὑπηρεσίαν... ἀδιαλίπτως.

έπιμελῶς

III. – C'est ce que pourrait confirmer l'emploi de l'adverbe ἐπιμελῶς dans la *koinè* [1], mettant l'accent sur l'attention (d'un auditeur, *Ep. Aristée*, 81), l'assiduité que l'on dépense dans un culte (MÉNANDRE, *Dyscol.* 37), les efforts déployés dans une conversion (stèle de Moschiôn, *Sammelbuch*, 8026,16 = *S. E. G.* VIII,464), les soins que l'on prend pour éduquer des enfants (*Prov.* XIII,24, *piel* de שׁחר: ἐπιμελῶς παιδεύει; FL. JOSÈPHE, *Ant.* XVII,12; cf. *P. S. I.* 405,20), pour purifier un temple (*ibid.* XII,318), à l'égard du prochain (*P. Oxy.* 1581,14), engraisser des bœufs (*P. Fay.* 121,7) et fixer exactement un supplicié sur la roue, en lui disloquant les vertèbres (*IV Mac.* XI,18). Dans ce dernier cas, le terme correspond à l'hébreu אספרנא de *II Esdr.* VI, 8, 12,13: «strictement». Cette application (*P. Oxy.* 1675,15), cette diligence et ce zèle ont quelque chose d'exclusif; c'est ainsi que l'objet des pensées de l'homme n'était que le mal, dans *Gen.* VI,5 où ἐπιμελῶς traduit l'adverbe de restriction רק. C'est ainsi que l'on entendra *Lc.* XV,8; la femme qui a perdu une drachme «la cherche soigneusement jusqu'à ce qu'elle l'ait trouvée, ζητεῖ ἐπιμελῶς ἕως οὗ εὕρῃ»; elle ne fait que cela, elle cesse ses autres occupations – comme le pasteur qui laisse les 99 brebis fidèles – et se consacre totalement et exclusivement à cette recherche, jusqu'au bout...

---

[1] Attesté dès le IIIᵉ s. av. J.-C. (*P. Heidelberg*, 196, 1, inv.; cf. E. SIEGMANN, *Literarische griechische Texte der Heidelberger Papyrussammlung*, Heidelberg, 1956, p. 41). Pour ses emplois médicaux, cf. DIOSCORIDE, *Mater. med.* I, 24; GALIEN, *Aliment. Comm.* III, 21: καὶ δεῖ τὸν ἰητρὸν ἀκριβῶς καὶ ἐπιμελῶς νοῦν προσέχειν. W. K. HOBART, *op. c.*, p. 270.

ἐπιποθέω

Le N. T. ignore le verbe ποθέω. On sait l'amour de la *koinè* pour les composés, censés avoir une plus grande «expressivité», voire même sonorité [1], mais les doctes disputent ici sur la nuance du préfixe ἐπι-, marquant soit l'intensité, soit l'orientation [2]. De surcroît, si le sens «soupirer, languir après quelqu'un ou quelque chose» est bien attesté dans les Septante, les nuances sont multiples, autant que les correspondants hébraïques [3]. Ce qui est notable cependant c'est que ce désir ne connote pas seulement l'avidité, mais une anxiété et parfois de la crainte, en tout cas cette insatisfaction propre au désir qui tend à acquérir ce qu'il ne possède pas encore et dont le manque le fait souffrir [4].

---

[1] Cf. M. Zerwick, *Graecitas biblica*[2], Rome, 1949, pp. 106 sv. ἐπιποθέω est inconnu des papyrus (à l'exception d'une lettre chrétienne du Ve s.: «A ma dame et tante chérie, Taré, Κυρίᾳ μου καὶ ἐπιποθέτῃ θείᾳ Τάρῃ, salut en Dieu», *P. Bour.* 25, 1; cf. M. Naldini, *Il Cristianesimo in Egitto*, Florence, 1968, n. 78), et, semble-t-il, des inscriptions. Dans une épitaphe, très mutilée, de Daphné du Ve s. de notre ère, on pourrait, à la rigueur, restituer la désignation d'un défunt: τῷ ἐπι[ποθουμένῳ], cf. L. Jalabert, R. Mouterde, *Inscriptions grecques et latines de la Syrie*, n. 997.

[2] C. Spicq, 'Επιποθεῖν, *Désirer ou Chérir?*, dans *R.B.* 1957, p. 186, n. 1; cf. F. M. Abel, *Grammaire du grec biblique*, Paris, 1927, n. 44 *n*, R.

[3] Sur les onze emplois d'ἐπιποθεῖν dans l'A. T., neuf correspondent à huit verbes hébreux différents. Ils signifient «épargner, ménager» (*Deut.* xiii, 9; *Sir.* xiii, 14, חמל), «trembler, voleter» comme l'aigle au-dessus de ses oisillons (*Deut.* xxxii, 11, רחף), «être haletant» comme la biche après les cours d'eau (*Ps.* xlii, 2 ערג), «languir» après les parvis de Iahvé (*Ps.* lxxxiv, 3, כסף *au niphal*), «être avide» de ses commandements (*Ps.* cxix, 131, יאב) et du salut (*Ps.* cxix,174, תאב), mettre «une vaine espérance» dans la rapine (*Ps.* lxii, 11, הבל), être broyé, rongé par la pensée des jugements divins (*Ps.* cxix, 20, גרס). Dans *Sir.* xxv, 21: γυναῖκα μὴ ἐπιποθήσῃς peut être traduit: «la femme, ne la convoite pas» ou «ne t'éprends pas d'une femme»; cette dernière valeur serait celle de *Sag.* xv, 19 protestant contre l'adoration des animaux divinisés: «Ils n'ont rien de beau, comme les autres animaux, pour qu'on s'attache à eux»; traduire ici ἐπιποθῆσαι par «désirer» n'offrirait guère de sens, car il ne s'agit ni d'esthétique ni de cuisine, mais de culte. Philon entend ce verbe d'un vif désir (*De Opif.* 10; *Abr.* 48, 195), mais le rapproche de l'*agapè*: «Ceux qui cherchent Dieu et aspirent à le trouver (οἱ γὰρ ζητοῦντες καὶ ἐπιποθοῦντες θεὸν ἀνευρεῖν) se complaisent (ἀγαπῶσι) dans la solitude qui lui est chère» (*Abr.* 87).

[4] Cf. le regret inutile du roi qui aurait désiré avoir Dioxippe près de lui, mais ce dernier s'était suicidé (Diodore de Sicile, xvii, 101). Dans le grec classique, πόθος

La variété ou l'imprécision des acceptions d'ἐπιποθεῖν dans le N. T. est encore plus grande que dans les Septante. Elle dépend du contexte, mais aussi de la personnalité de chaque écrivain. Le sens de «désirer intensément» est manifeste dès le premier écrit néo-testamentaire [1] : «Dieu désire avec jalousie cet esprit qu'il a fait habiter en nous» [2]. Il réclame ce qui lui appartient, mais son φθόνος exprime l'exclusivité de son amour. Au plan humain, les nourrissons sont avides du lait maternel (*I Petr.* ii,2), tout comme l'instinct de la biche la porte vers l'eau vive [3]. Les sept autres emplois néo-testamentaires sont pauliniens, dont cinq expriment l'ardente aspiration, soit celle de revoir des êtres chers (*I Thess.* iii,6; *Rom.* i,11; *Philip.* ii,26; *II Tim.* i,4; cf. ἐπιποθία, *Rom.* xv,23), soit d'endosser le corps de gloire sans avoir à se dévêtir du corps de chair [4].

Par contre, cette valeur de «désirer» ne peut être maintenue dans *II Cor.* ix,14 où la nuance de tendre affection est certaine: la prière des saints de Jérusalem, reconnaissants de la collecte des Corinthiens, «manifeste la tendresse qu'ils vous portent (ἐπιποθούντων ὑμᾶς)». Plus net encore *Philip.* i,8: μάρτυς γάρ μου ὁ θεός, ὡς ἐπιποθῶ πάντας ὑμᾶς ἐν σπλάγχνοις Χριστοῦ

---

exprime le sentiment nostalgique d'une absence, cf. J. Gagnepain, *Les Noms grecs en –ΟΣ et en –Ā*, Paris, 1959, p. 69.

[1] Cf. C. Spicq, *Agapè* i, Paris, 1958, p. 187.

[2] *Jac.* iv, 5. Ce verset difficile peut être traduit de bien des manières (cf. *R. B.* 1957, p. 189; *Agapè* iii, p. 105; O. J. Seitz, *Two Spirits in Man*, dans *NTS*, iv, 1959, p. 86; J. Michl, *Der Spruch Jakobusbrief IV, 5*, dans *Festschrift J. Schmid*, Regensburg, 1963, pp. 167 sv. S. S. Laws, *Does Scripture speak in vain? A Reconsideration of James IV, 5*, dans *NTS*, xx, 1974, pp. 210–215). Notre interprétation est la même que celle d'Ed. Schweizer (dans *TWNT*, vi, 445) qui donne comme parallèles *Doc. Dam.* v, 11; vii, 3; *Testament Nepht.* (hébr.) x, 9; *b. Schabb.* 152 b: «Nos maîtres enseignent: l'esprit retourne à Dieu qui l'a donné. Rends-le lui comme il te l'a donné; il te l'a donné en pureté, rends-le en pureté» (cf. J. Jeremias, Ἐπιποθεῖ, dans *ZNTW*, 1959, pp. 137–138). Le *pneuma* est l'esprit de vie infusé par Dieu: «l'esprit retourne à Dieu qui l'a donné» (*Eccl.* xii, 7); «Grâce à l'esprit que tu as mis en moi» (*Hodayot*, xvi, 11; xv, 22; iv, 31: «l'esprit que Dieu a créé pour lui»; Fl. Josèphe, *Guerre*, iii, 372: «Si quelqu'un expulse de son propre corps le dépôt de Dieu (l'âme que Dieu y a déposée)...»; *Sentence de Sextus*, 21: «Sois certain que ton âme est comme un dépôt que tu as reçu de Dieu», etc. A la mort on rend son esprit à Dieu (*Jo.* xix, 30; cf. Th. Boman, *Das letzte Wort Jesu*, dans *Studia Theologica*, 1963, pp. 103–119).

[3] *Ps.* xlii, 1; cf. Epictète, iii, 24, 53: ἐπιποθεῖς καὶ μάμμην καὶ κάμπτει; C. Spicq, *Les Epîtres de saint Pierre*, Paris, 1966, p. 79.

[4] *II Cor.* v, 2. E. B. Allo (*Seconde Epître aux Corinthiens*, Paris, 1937, p. 124) soulignant que l'Apôtre gémit de sa condition mortelle (στενάζομεν), observe que ἐπιποθέω «connote chez Paul, toujours ou presque toujours, le regret accusé d'un éloignement ou d'une absence».

Ἰησοῦ, Dieu m'est témoin que je vous chéris tous dans les entrailles du Christ Jésus [1]. Dès lors, il y a toutes chances que dans la complexité des sentiments qui animent les Corinthiens repentants (crainte, zèle, vindicte) leur ἐπιπόθησις ne soit pas «un ardent désir», mais bien un sincère ou solide attachement à l'Apôtre [2], avec la nuance d'anxiété ou de peine que comporte le verbe dans les Septante.

Saint Paul a donc marqué de sa psychologie ἐπιποθέω et ses dérivés, l'imprégnant d'une vive sensibilité. Tantôt il s'agit d'un penchant, d'une inclination, tantôt d'une tendresse fervente, d'une émotion qui vous prend aux entrailles, toujours d'un amour et en bonne part. Ces nuances sont d'ailleurs celles de ποθέω-πόθος [3].

---

[1] Cf. ἐπιπόθητος dans *Philip.* IV, 1: ὥστε, ἀδελφοί μου ἀγαπητοὶ καὶ ἐπιπόθητοι, «ainsi donc, chers Révérends Frères et chéris, ma joie et ma couronne»; APPIEN, *Hisp.* 43: ἐπιποθήτους ἐν τοῖς ὕστερον πολέμοις πολλάκις γενομένους, parallèle à Ῥωμαίων ἔσονται φίλοι. La *Souda* donne comme synonyme: ἐπιποθία· ἡ ἀγάπη (*Lexicon;* édit. A. ADLER, Leipzig, 1931, II, p. 374).

[2] *II Cor.* VII, 7, 11. C'est Tite qui «annonce» à Paul ce changement de disposition des Corinthiens. Ce verbe ἀναγγέλλειν est heureusement choisi, car il «s'applique normalement dans les décrets à un rapport qui est fait par des gens revenant de l'étranger, tels des ambassadeurs ou des théores ou aussi des citoyens en voyage» (L. ROBERT, *Hellenica* XI, Paris, 1960, p. 115).

[3] Electre embrassant Oreste: «Bien-aimé, ton nom cher et si doux, ὦ ποθεινὸν ἥδιστον... ὄνομα» (EURIPIDE, *Oreste*, 1045; cf. 1082). Anacréon: «Les amours de Canope, πόθους Κανώβου» (T. BERGK, *Poet. Lyrici Gr.* III, p. 1053, n. XIII, 20); πόθος = amour (PHILON, *De Josepho*, 157; MUSÉE, *Héro et Léandre*, 29; MÉNANDRE, *Misouménos*, 214 = *P. Oxy.* XXXIII, p. 31). Dans une lettre de recommandation du VIe-VIIe s., le destinataire est qualifié de μεγαλοπρεπῆ ποθεινότητα = A votre magnificence très aimée (*P. Gen.* inv. 28; cf.V. MARTIN, *Letter of Recommendation*, dans *The Journal of Egyptian Archaeology*, 1954, p. 74); cf. ἀγαπητοῖς καὶ ποθεινοτάτοις ἀδελφοῖς ἐν Κυρίῳ (G. LEFÈBVRE, *Recueil des inscriptions grecques-chrétiennes d'Egypte*, Le Caire, 1907, n. 380, 7–8; du IVe s.); ἡ γνησιωτάτη καὶ πολυπόθητος... θυγάτηρ (*IG*, X, 2; n. 403); ἀγαπητὲ καὶ ποθεινότατε πάτερ (*P. Gies.* 55, 17–18). Sur un sarcophage romain: τῷ ποθεινοτάτῳ υἱῷ Κοκκηΐος Ἰουλιανὸς Συνέσιος (L. MORETTI, *Inscriptiones graecae Urbis Romae*, Rome, 1972, n. 306, 2). Sur une plaque de marbre trouvée dans une catacombe juive de Rome, «Vernaclus et Archigenia filio desiderantissimo fecerunt» (*Corpus Inscriptionum Iudaicarum*, n. 35*); or dans le latin post-classique le participe présent *desiderantissimus* est devenu synonyme de *carissimus*. Dans l'*Anthologie palatine*: τέκνα πόθος = les enfants sont un objet d'amour (IX, 360, 7), «tu m'as appris à aimer un taureau» (456, 1). D'après la mythologie phénicienne de Sanchonathon, traduite par Philon de Byblos, Cronos et Astarté ont engendré *Pothos* et *Eros* = désir et amour (EUSÈBE, *Praep. Ev.* I, 10, 24).

ἐπιστομίζω

Tite devra «fermer la bouche» aux insubordonnés, vains discoureurs et trompeurs d'esprit (*Tit.* 1,11). L'*hapax* biblique [1] ἐπιστομίζω, litt. «mettre quelque chose sur la bouche», signifie «mettre le mors à un cheval», mais se disant aussi bien des hommes que des animaux, il correspond à nos verbes museler et baillonner. Métaphoriquement, fermer la bouche à quelqu'un c'est le faire taire, lui imposer le silence.

Ce verbe, ignoré des papyrus, appartient à la langue cultivée. Il a d'abord une acception rhétorique: dans une discussion, on ne permet pas à l'adversaire de se défendre, il est incapable de répondre: «Alors qu'il devait, disait-il, nous fermer la bouche, à nous qui parlions contre lui» (DÉMOSTHÈNE, *Sur l'Halonnèse*, 33); «Il s'est laissé si bien entortiller par tes discours qu'il a dû recevoir le mors, faute d'avoir osé dire ce qu'il pensait» (PLATON, *Gorg.* 482 *e*); «J'ai à mon actif un exploit capable... de fermer la bouche de mes ennemis» [2].

L'acception morale est celle de Philon: «la raison bridera (ἐπιστομιεῖ) et refrènera l'impétuosité et le cours de la passion» (*Lois allég.* III,155); «les joies extrêmes, tout comme les grands chagrins, nous baillonnent» (*Quis rer. div.* 3); le sens moral «nous condamne à l'intérieur de nous-mêmes, sans même nous laisser ouvrir la bouche, retenant et bridant la langue (ἐπιστομίζων) grâce aux rênes de la conscience, il contient sa course présomptueuse et sans frein» (*Quod deter.* 23). Pensée semblable dans Plutarque: «le lien est comme un mors imposé à la partie irrationnelle de l'âme... Quand le Génie tire les rênes en arrière, il provoque ce qu'on appelle le

---

[1] Comparer φιμόω (*Mt.* XXII, 34: Jésus impose le silence aux Pharisiens), φράσσω (*Rom.* III, 19: toute bouche est fermée par les témoignages des Ecritures). Les héros de la foi ont fermé la gueule des lions (*Hébr.* XI, 33; cf. *Jug.* XIV, 6; *I Sam.* XVII, 34–35; *II Sam.* XXIII, 20; *Dan.* VI, 23; *I Mac.* II, 60); cette victoire sur les animaux sauvages, QUINTUS DE SMYRNE l'attribue à la pensée et à la science (*Suite d'Homère*, V, 247 sv.).

[2] ARISTOPHANE, *Caval.* 845. Cf. LUCIEN, *Philosophes à l'encan*, 22: «La toile de mes raisonnements qui me sert à paralyser mes interlocuteurs, à leur fermer la bouche (ἀποφράττω), à les réduire au silence (σιωπᾶν), en leur mettant une vraie muselière (φιμόν)». Autres références dans LIDDELL, SCOTT, JONES, *A Greek-English Lexicon*², Oxford, 1948, *in h. v.* Cf. PLUTARQUE, *Praec. ger. reipubl.* XIV, 810 *e;* PHILOSTRATE, *Soph.* II, 30, 2.

repentir des fautes...; l'âme éprouvant la douleur du coup se sent à l'intérieur bridée par son seigneur; puis, ainsi châtiée, elle devient docile et
maniable comme un animal apprivoisé» (*Démon de Socrate*, 22; cf. *Vie
d'Arat.* 1).

Dans *Tit.* I,11, il ne s'agit pas seulement de réduire les hétérodoxes au
silence, mais de réduire à l'obéissance les «insubordonnés»; de sorte que
le meilleur parallèle serait celui de: mettre un frein à la rébellion, dans
Fl. Josèphe, *Ant.* XVII,252, où Varus laisse une légion à Jérusalem pour
stopper l'agitation révolutionnaire des Juifs, τὴν Ἰουδαίων νεωτεροποιίαν
ἐπιστομιοῦντας [1].

---

[1] Comparer le rôle du mors pour dompter un animal, le conduire à sa guise, dans
Jac. III, 3: «Nous mettons les freins à la bouche des chevaux pour que ceux-ci nous
obéissent»; cf. *Ps.* XXXII, 9; Sophocle, *Antig.* 477. – Saint Paul ne dit pas comment
on peut imposer le silence aux bavards ésotériques; mais à coup sûr la correcte exégèse
de la Parole de Dieu est l'argument le plus décisif: «Tales homines doctor ecclesiae,
cui animae populorum creditae sunt, Scripturarum debet ratione, superare et silentium illis... imponere» (saint Jérôme).

ἐπισυναγωγή

«A propos de la parousie de notre Seigneur Jésus-Christ et de notre réunion à lui, ἡμῶν ἐπισυναγωγῆς ἐπ' αὐτόν» (*II Thess.* II,1), saint Paul demande aux Thessaloniciens de ne pas se laisser agiter hors du bon sens. *Hébr.* x,25 exhorte ses lecteurs à ne pas déserter leur réunion, «d'autant plus que vous voyez approcher le jour». Dans les deux cas, le texte ou le contexte est eschatologique, comme dans l'*hap.* A. T.: «le lieu (où est caché l'arche) sera inconnu jusqu'à ce que Dieu ait opéré le rassemblement de son peuple – ἕως ἂν συναγάγῃ ὁ θεὸς ἐπισυναγωγὴν τοῦ λαοῦ... γένηται» (*II Mac.* II,7), la restauration d'Israël après la Dispersion [1].

Ἐπισυναγωγή n'est attesté qu'une fois avant notre ère dans la langue profane [2] et ne semble guère avoir de différence avec συναγωγή [3], qui, à l'instar de οἶκος (*I Tim.* III,15), désigne tantôt le rassemblement de la communauté [4], tantôt le lieu où se tient cette réunion [5]. Les chrétiens l'ont parfois employé

---

[1] Le verbe ἐπισυνάγω, fréquent dans la littérature, les inscriptions et les papyrus (*P. Michig.* 232, 14; *P. Tebt.* 704, 21; *Sammelbuch*, 6664, 11, etc.) est aussi employé eschatologiquement dans *Mt.* XXIV, 28 (*Lc.* XVII, 37); XXIV, 31 (*Mc.* XIII, 27).

[2] Au sens de «collecte» (d'argent), dans *C.I.G.* XII, 4; suppl. n. 1270; cité par A. DEISSMANN, *Licht vom Osten*[4], Tübingen, 1923, p. 81. Au IIᵉ s. ap. J.-C., cf. PTOLÉMÉE, *Tet.* 44; titre du IIIᵉ livre de la *Clef des Songes* d'Artémidore; cf. B. RIGAUX, *Les Epîtres aux Thessaloniciens*, Paris, 1956, pp. 647 sv.

[3] Cf. SCHRAGE, *in h. v.*, dans *TWNT*, VII, 798, 840.

[4] *I Mac.* XIV, 28: «en la grande assemblée des prêtres, du peuple, des princes de la nation et des anciens du pays, on nous a notifié ceci»; cf. II, 42: «la congrégation des Asidéens»; VII, 12; *Sir.* IV, 7. Dans la seconde moitié du Iᵉʳ s. av. J.-C., le meeting ou la session d'un σύνοδος se tient dans la proseuchè: ἐπὶ τῆς γενηθείσης συναγωγῆς ἐν τῇ προσευχῇ (*P. Ryl.* 590, 1 = *C.P.J.* 138; cf. *Sammelbuch*, 8267, 3; de 5 av. J.-C.; M. HENGEL, *Proseuche und Synagoge*, dans G. JEREMIAS, *Tradition und Glaube. Festgabe K. G. Kuhn*, Göttingen, 1971, pp. 170, 182), à comparer au «rassemblement» pour la fête des Tabernacles: ἐπὶ συλλόγου τῆς σκηνοπηγίας, à Bérénice en Cyrénaïque (*C.I.G.* III, 5361), au testament d'Epictète de Théra, en Crète: ὥστε γίνεσθαι τὰν συναγωγὰν ἐπ' ἀμέρας τρεῖς ἐν τῷ Μουσείῳ (*IG*, XII, 3, n. 330, 118 sv.; entre 210–195). En 6 av. J.-C., la συναγωγή est le rassemblement du σύνοδος des Alexandrins pour célébrer le culte impérial ἐν τῷ Παρατόμῳ (*B.G.U.* 1137, 2; cet endroit d'Alexandrie n'a pas encore été identifié).

[5] *Suppl. Ep. Gr.* XVII, 823, 3: συναγωγὴ τῶν Βερνεικίδι Ἰουδαίων (56 de notre ère).

en ce dernier sens pour désigner leur «église»[1]; mais dans *Hébr.* x,25, l'épisynagogue est un terme religieux, désignant non pas un «regroupement» ou une société quelconque, mais une «réunion cultuelle», à fréquence plus ou moins fixe, d'Hébreux chrétiens dans un lieu déterminé, dans telle «maison» d'une ville inconnue[2]; dans *II Thess.* ii,1, la réunion avec le Christ aura lieu au ciel.

---

[1] *Jac.* ii, 2 (avec les Commentaires *in h. l.*, notamment J. B. Mayor, *The Epistle of St. James*[3], Londres, 1910, p. 82); cf. la discussion de J. B. Frey à propos de l'inscription de Tafas (*C. I. I.* n. 861); J. Y. Campbell, *The Origin and Meaning of the Christian Use of the Word EKKΛHΣIA*, dans *J.T.S.* 1948, pp. 130–142.

[2] Cf. H. Kosmala, *Hebräer - Essener - Christen*, Leiden, 1959, pp. 347 sv. A la différence de la [συνα] γωγὴ Ἑβρ[αίων] de Corinthe (A. Deissmann, *Licht vom Osten*[4], Tübingen, 1923, p. 13), l'ἐπισυναγωγή de *Hébr.* désigne peut-être la réunion des juifs chrétiens d'origine palestinienne, distincte de l'assemblée de tous les croyants dans la même ville (cf. C. Spicq, *L'Epître aux Hébreux*, Paris, 1952, i, pp. 224–225); comparer ἐπισυνάγειν des enfants et des élus comme «triés sur le volet» (*Mt.* xxiii, 37; xxiv, 31; cf. *Lc.* xvii, 37). – On opposera aux *Hébreux* qui désertent leurs réunions, Eléazar «qui aimait la communauté, φιλοσυναγωγός» (*Corp. Inscript. Iudaicarum*, 321).

ἐπιφαίνω, ἐπιφάνεια, ἐπιφανής

A part de rares emplois profanes (*Ez.* XVII, 6; *Dan.* XII, 22; XV, 13), le verbe ἐπιφαίνω dans les Septante a Dieu pour sujet. A l'exception de *Soph.* II, 11, où cette manifestation est celle d'une vengeance (יָרֵא, *niphal*), il s'agit d'interventions bienfaisantes qui suscitent joie et allégresse (*II Mac.* III, 30; PHILON, *Somn.* I, 71). Tantôt, ce sont des apparitions (*Gen.* XXXV, 7; *Ez.* XXXIX, 28, גְּלָה), tantôt des resplendissements (*Deut.* XXXIII, 2, זָרַח; PHILON, *Mut. nom.* 6, 15), le plus souvent une illumination (*Ps.* CXVIII, 27, אוֹר, *hiphil*), et la prière des psalmistes est que Dieu fasse briller sa face sur ses serviteurs (*Ps.* LXVII, 1; LXXX, 4, 6, 8; CXIX, 135; *Dan.* IX, 17; *Nomb.* VI, 25).

I. – Dans le N. T., cette valeur de «briller, éclairer», celle du grec profane [1], est attestée par *Act.* XXVII, 20 où, pendant la tempête ni le soleil ni les étoiles ne se montrèrent pendant plusieurs jours; et elle demeure dans le premier des trois autres emplois qui sont religieux: Zacharie annonce que le Messie se lève «pour éclairer (Ambrosiaster: *illuxit gratia Dei*) ceux qui sont dans les ténèbres» [2] du péché; le salut est une illumination.

Cette nuance ne peut être exclue de *Tit.* II, 11: ἐπεφάνη ἡ χάρις τοῦ θεοῦ ἡ σωτήριος πᾶσιν ἀνθρώποις, qui résume l'Evangile et atteste la réalisation de la prophétie du *Benedictus*. La grâce, faveur miséricordieuse (*hésèd*), bienveillance gratuite, bienfaisance active (*I Cor.* XV, 10; *II Cor.* VI, 1)

---

[1] ᾿Επιφαίνω-ἐπιφάνεια, étymologiquement: «ce qui se montre à la surface, ce qui paraît sur» (TIMÉE DE LOCRES, 101 *d; EUCLIDE Elem.* I, 15; PLUTARQUE, *Arat.* 3; *P. Erz. Rainer*, I, col. VII, 11, 15; IX, 4; XIII, 3 dans *Mitteilungen aus der Papyrussammlung der Nationalbibliothek in Wien*, Vienne, 1932, pp. 23 sv., 42); «apparition» du jour (POLYBE, III, 94, 3), des ennemis (I, 54), d'Esther dans l'éclat de sa majesté (*Esth.* V, 1 *c*); venue d'un être cher ou vénéré (*P. Hermop.* VI, 4; *Sammelbuch*, 9152, 8). ᾿Επιφαίνεσθαι désigne «le commencement de la visibilité d'un objet soit par son entrée dans le champ visuel d'un observateur, soit par un changement dans la quantité de lumière rayonnée ou réfléchie par lui» (CH. MUGLER, *Dictionnaire... de la Terminologie optique des Grecs*, Paris, 1964, p. 165). Dans DIODORE DE SICILE, le verbe a souvent le sens de «se montrer, paraître» (XVII, 25, 6; 68, 7; 99, 4).

[2] *Lc.* I, 79 (H. SCHÜRMANN, *Das Lukasevangelium*, Freiburg-Basel, 1969, p. 92). Le Christ se définira comme «la lumière qui vient dans le monde» (*Jo.* III, 19; VIII, 12; IX, 5; XII, 45), et il a de fait «illuminé la vie» (*II Tim.* I, 10).

est quasi personnalisée dans l'intervention salvatrice du Christ [1]. La bonté généreuse de Dieu, invisible de sa nature, est apparue aux yeux de tous les hommes sous une forme saisissable (*I Jo.* i, 1–2), a été soudain manifestée à un moment historique déterminé. L'aoriste passif second ἐπεφάνη (cf. *Tit.* iii, 4), placé en vedette, suggère la soudaineté de l'apparition et son effet de surprise, comme une lumière qui tout à coup perce les ténèbres [2]. Mais comme l'épiphanie sotériologique s'entend à l'époque hellénistique d'une intervention bienfaisante du roi ou des dieux [3], cette nuance de

---

[1] *Tit.* iii, 4: ὅτε ἡ χρηστότης καὶ ἡ φιλανθρωπία ἐπεφάνη τοῦ σωτῆρος ἡμῶν θεοῦ.

[2] A. J. VERMEULEN, *Le développement sémasiologique d'ἐπιφάνεια*, dans *Graecitas et latinitas Christianorum primaeva*, Supplementa i, Nimègue, 1964, pp. 14 sv. On évoquera la clarté de Bethléem (*Lc.* ii, 9); saint Paul a pu songer à l'apparition lumineuse qui l'a converti sur le chemin de Damas.

[3] Θεοῦ ἐπιφάνεια = l'assistance de Dieu (*Lettre d'Aristée*, 264); DIODORE DE SICILE, v, 49, 5; *Inscriptions de Magnésie*, xxxii, 14: les délégués de Magnésie «ont exposé aux Epirotes l'apparition de la déesse»; Artémis est épiphane (*Inscriptions de Cos; IG*, xii, 4; DITTENBERGER, *Syl.* 557, 5), *Zeus Panamaros* ἐπιφανέστατος (*BCH*, 1931, p. 98); avec Hécate, ils sont ἐπιφανέστατοι θεοί (PH. LE BAS, W. H. WADDINGTON, *Inscriptions grecques et latines*, Paris, 1870, n. 519–520); *Sammelbuch*, 6152, 5; 6153, 6; DITTENBERGER, *Or.* 383, 65–67, 86; 194, 23; K. KÉRÉNYI, *Apollon – Epiphanien*, dans *Eranos-Jahrbuch*, xiii, 1946, pp. 11–48. Par ses épiphanies dans son temple d'Epidaure, Asclépios multiplie les guérisons (DITTENBERGER, *Syl.* 1169, 34; A. DEISSMANN, *Licht*[4], pp. 317, 318 n. 1. Les miracles sont des ἐναργεῖς ἐπιφάνειαι (DITTENBERGER, *Syl.* 867, 35); cf. C. SPICQ, *Agapè* iii, Paris, 1959, pp. 21–37; A. J. FESTUGIÈRE, *Personal Religion among the Greeks*, Los Angeles, 1954. – A la mort de son frère, Démétrios de Phalère célèbre τὰ ἐπιφάνεια τοῦ ἀδελφοῦ, l'honorant ainsi comme θεὸς ἐπιφανής (ATHÉNÉE, xii, 542 *e*). Jules César est «le dieu manifeste, [né] d'Arès et d'Aphrodite, et le sauveur commun de la vie humaine» (inscription d'Ephèse, DITTENBERGER, *Syl.* 760, 6), comme Claude (*Inscriptions de Magnésie*, 157 *c*), Caligula (DITTENBERGER, *Syl.* 799, 9; M. MALAISE, *Les conditions de pénétration et de diffusion des Cultes égyptiens en Italie*, Leiden, 1972, pp. 396 sv.), Constantin (*P. Ant.* 36, 3), Dioclétien et Maximin (*ibid.* 38, 25; 106, 8; *P. Mert.* 88, col. ii, 3; *P. Osl.* 37, 27; *P. Lugd. Bat.* ii, 5, 4; xvi, 2 et 22; cf. *P. Mert.* 31, 19; *P. Princet.* 79, 1; *Die Inschriften von Erythrai und Klazomenai*, Bonn, 1973, n. 520, 4; cf. n. 223, 5), Licinianus (*P. Goth.* 6, 17), Crispus (*P. Oxy.* 1425, 2), Valérien (*P. Ryl.* 110, 21) etc.; on a une centaine de textes qualifiant un souverain d'épiphane. «Le dieu se 'manifeste' comme 'sauveur' dans ses interventions bienfaisantes en faveur des humains. Ce langage religieux s'est tout naturellement appliqué aux rois divinisés. Ils sont les θεοὶ ἐπιφανεῖς, la manifestation concrète du secours que la divinité prête aux hommes; ils rendent visible la présence bienfaisante des dieux. Leur visite (παρουσία) dans une cité est aussi une ἐπιφάνεια de la divinité tutélaire dont ils sont en quelque sorte l'incarnation. Ainsi se rapprochent les termes παρουσία et ἐπιφάνεια qui, dans ce contexte des joyeuses entrées hellénistiques, deviennent à peu près synonymes» (J. DUPONT, *L'Union avec le Christ suivant saint Paul*, Bruges-Louvain-Paris, 1952, p. 74). Sur les «*šelamîm*

gratuite et gracieuse générosité peut être évoquée par l'adjectif σωτήριος;
elle est sûrement celle de *Tit.* III, 4.

II. – Le substantif ἐπιφάνεια au Iᵉʳ s. évoque à la fois une lumière ou
splendeur et un secours effectif [1]. En *II Mac.* il désigne les manifestations
célestes (II, 21; XIV, 15; XV, 27), de bon augure pour le peuple de Dieu
(V, 4) mais redoutables pour ses ennemis (III, 24; XII, 22). C'est ainsi que
«le Seigneur Jésus anéantira l'Impie τῇ ἐπιφανείᾳ τῆς παρουσίας αὐτοῦ»
(*II Thess.* II, 8): sa présence visible ou son second avènement sera celui
d'une victoire, analogue à celle de l'empereur qui fait sa visite ou joyeuse
entrée dans une cité accordant des bienfaits (*philanthropa*) à ses sujets [2],
mais châtiant aussi ses adversaires. Cette condamnation des infidèles est
encore incluse dans *I Tim.* VI, 14; *II Tim.* IV, 1. Mais l'acception aulique
est accentuée dans les Pastorales, où l'«épiphanie» essentiellement glorieuse
(*Tit.* II, 13), donc lumineuse [3], est celle du Κύριος, du Σωτήρ, du Μέγας et
Μόνος Θεός et de sa Βασιλεία [4]. La vie chrétienne consiste à attendre cette
manifestation (*Tit.* II, 13) comme on se prépare à une visite et que l'on
attend une rétribution; mais ici dans la perspective d'une joie suprême,
puisque cette venue du Seigneur coïncidera avec la participation à sa béatitude.

---

de votre apparition – σωτηρίου ἐπιφανείας ὑμῶν» (*Am.* V, 22), cf. S. DANIEL, *Recherches
sur le vocabulaire du Culte dans les Septante*, Paris, 1966, pp. 283–286.

[1] Vie et lumière, parfois bonheur, sont à peu près synonymes (*Jo.* I, 4 sv.; *Apoc.*
XXI, 23; XXII, 5); cf. F. N. KLEIN, *Die Lichtterminologie*, Leiden, 1962, pp. 61 sv.;
H. CONZELMANN, φῶς, dans *TWNT*, IX, pp. 339 sv.

[2] DENYS D'HALICARNASSE, II, 68; DION CHRYSOSTOME, XXXII, 41. Cf. F. PFISTER,
Epiphanie, dans PAULY-WISSOWA, *R. E. Suppl.* IV (1924) col. 277–323; CHR. MOHR-
MANN, *Epiphania*, Nimègue-Utrecht, 1953; IDEM, *Note sur doxa*, dans *Festschrift
A. Debrunner*, Berne, 1954, pp. 321–328; E. PAX, *Epiphaneia*, Munich, 1955; E. STAUF-
FER, *Le Christ et les Césars*, Colmar-Paris, 1956, pp. 9–31; L. CERFAUX, J. TONDRIAU,
Le Culte des Souverains, Paris, 1957, pp. 422, 498; P. BESKOW, *Rex Gloriae. The
Kingship of Christ in the Early Church*, Stockholm-Uppsal, 1962, pp. 61 sv.; D. LÜHR-
MANN, *Epiphaneia*, dans *Festgabe K. G. Kuhn*, Göttingen, 1971, pp. 185–199; BULT-
MANN, LÜHRMANN, ἐπιφαίνω, dans *TWNT*, IX, 8–11.

[3] Cf. *Rom.* V, 2; *Col.* I, 27; III, 4; *I Petr.* V, 4; *Inscriptions de Sardes*, 42, 3; DITTEN-
BERGER, *Or.* 763, 19–20; EPICTÈTE, III, 22, 29; PLUTARQUE, *Tranq. Anim.* 11: δόξα
καὶ ἐπιφάνεια.

[4] *I Tim.* VI, 14; *Tit.* II, 13; *II Tim.* I, 10; IV, 1, 8; cf. *P. Oxy.* 1357, 36. Dans *I Cor.*
VIII, 5–6, saint Paul opposait le Seigneur Jésus aux souverains terrestres; dans ses
dernières épîtres, la venue de Jésus, «manifestation d'amour», est antithétique aux
épiphanies impériales (cf. C. SPICQ, *Agapè* III, pp. 34 sv.); «il y a un autre Roi, Jésus»
(*Act.* XVII, 7)!

III. – Déjà l'A. T. avait qualifié Iahvé de véritable épiphane qui s'était illustré par la défense de son peuple [1]. L'adjectif ἐπιφανής [2] n'est usité qu'une fois dans le N. T., à propos du «Jour du Seigneur» (*Act.* ii, 20); il garde le sens du *niphal* de יָרֵא (*Joël*, ii, 11; iii, 4; *Mal.* iii, 22): manifestation redoutable! mais aussi avec la nuance d'irrécusable.

---

[1] *II Mac.* xv, 34: τὸν ἐπιφανῆ κύριον (cf. *III Mac.* v, 35; F. M. ABEL, J. STARCKY, *Les Livres des Maccabées*, Paris, 1961, pp. 64 sv.); *Soph.* ii, 11; *Mal.* i, 14. C'est l'épithète d'un temple splendide (*II Mac.* xiv, 33; cf. FL. JOSÈPHE, *Ant.* xvi, 136), d'un ange de Dieu (*Jug.* xiii, 6), d'une ville ou des Chaldéens redoutables (*Hab.* i, 7; *Soph.* iii, 1), de la grandeur d'âme d'Eléazar (*II Mac.* vi, 23).

[2] Dans les inscriptions, se dit constamment de l'endroit le plus en vue, le mieux exposé pour y transcrire un décret (*MAMA*, vi, 5, 22; *Inscriptions de Thasos*, clxx, 35; *Inscriptions de Gonnoi*, 101, 12; pierre de Rosette, dans DITTENBERGER, *Or.* 90, 38). Dans les papyrus, désigne un souverain (*P. Michig.* 636, 2; 643, 3; 645, 21; 646, 3) «dieu manifeste» (cf. *supra*, p. 285, n. 3; CH. PICARD, *ΘΕΟΙ ΕΠΙΦΑΝΕΙΣ. Note sur les apparitions des dieux*, dans *ΞΕΝΙΑ. Hommage international à l'Université nationale de Grèce*, Athènes, 1912, pp. 67–84). De 87 à 160, il fait partie de la titulature constante du Roi des Rois Arsace (*P. Dura*, 18, 1 et 12; 19, 1; 20 ,1; 22, 1; 24, 1); cf. *P. Ryl.* 617, 3, 6, 14; 656, 1, 4; 709, 2 etc. D'où les nuances de «célèbre» (DIODORE DE SICILE, xvii, 78, 1; 96, 2), renommé, réputé (*ibid.* 34, 5; 108, 4), donc glorieux (65, 5), éclatant (89, 1; 100, 2). Néoptolème, ἀνὴρ ἐπιφανής, est un officier distingué (25, 5; cf. 102, 3; 107, 6); cf. οἱ ἐπιφανέστατοι τῶν ἡγεμόνων, l'élite des officiers (89, 1).

ἐρεθίζω, ἐρίζω, ἐριθεία, ἔρις

Ces termes, non-attestés ou rares dans les papyrus, appartiennent à la langue cultivée; leur fréquence est notable dans la Bible où ils revêtent souvent une acception religieuse, en bonne ou en mauvaise part.

I. – ἐρεθίζω «mettre en mouvement, provoquer, exciter», a pour sujet le ζῆλος de la charité des Corinthiens qui a «stimulé» la générosité de leurs frères: ὁ ὑμῶν ζῆλος ἠρέθισεν τοὺς πλείονας (*II Cor.* IX, 2); mais, au sens péjoratif, l'autorité trop pointilleuse ou vexatoire des parents peut «exaspérer» les enfants [1].

II. – Le verbe dénominatif ἐρίζω «lutter contre, être en querelle, rivaliser avec» [2] n'est employé qu'une fois dans le N. T. à propos du Messie; tout discrétion et mansuétude, il refuse de provoquer des discussions et des querelles: οὐκ ἐρίσει οὐδὲ κραυγάσει [3]. Depuis *Sir.* VIII, 2; XI, 9: μὴ ἔριζε était prescrit au sage; ici, la nuance est plutôt celle de débats d'école, de disputes entre maîtres, de rivalités personnelles [4].

---

[1] *Col.* III, 21 (cf. *Deut.* XXI, 20: בּוֹר, υἱός... ἀπειθεῖ καὶ ἐρεθίζει); c'est la leçon de B, P⁴⁶; mais ℵ, A, D*, G, K, de nombreux minuscules lisent παροργίζετε, sans doute sous l'influence d'*Eph.* VI, 4; le parallélisme des deux textes montre que ces verbes sont synonymes. – Tous les emplois des Septante sont péjoratifs, soit dans le sens de courroucer, irriter (*Prov.* XXV, 23: ἐρεθίζει πρόσωπον; *I Mac.* XV, 40; *II Mac.* XIV, 27; cf. FL. JOSÈPHE, *Ant.* IV, 169: provoquer la colère), soit se préparer et s'exciter au combat (*Dan.* XI, 10, 25; *hitpael* de גרה; cf. FL. JOSÈPHE, *Guerre*, II, 414; *Ant.* XX, 175). PHILON, *Ebr.* 16: «*se rebeller* (contre la vertu) atteint l'extrême pointe du mal». Dans un combat de taureaux qu'organise une ville de Carie, on précise que l'une de ces bêtes est «excitée» (par quelque objet ou couleur ou procédé qui la rend furieuse?), ἀπὸ τοῦ ἐρεθιζομένου ταύρου (LE BAS-WADDINGTON, *Inscriptions grecques et latines*, n. 499, 9).

[2] D'où ἐριστικός: qui aime la discussion pointilleuse, disputeur. Sur l'engouement pour la lutte éristique, cf. J. DUCHEMIN, *ΑΓΩΝ dans la Tragédie grecque*², Paris, 1968, pp. 15 sv.

[3] *Mt.* XII, 19. C'est une citation d'*Is.* XLII, 2 (cf. C. SPICQ, *Agapè* I, p. 69, n. 3), mais d'après une autre version que la Septante (cf. J. GRINDEL, *Matthew XII, 18–21*, dans *CBQ*, 1967, pp. 110–145).

[4] FL. JOSÈPHE, *Guerre*, IV, 396: l'un et l'autre «rivalisaient à qui s'assurerait le plus riche butin»; cf. *P. Oxy.* 2230, 7: débattre un prix (119 ap. J.-C.); *P. Princet.* 118, 15: contester (IIᵉ s.); *B.G.U.* 1043, 5: ὥστε ἔτι μοι ἐρίζις (IIIᵉ s.). *Prov.* XXXI, 19: ses doigts excitent le fuseau. L'excitation prend la forme de la rébellion dans

III. – Inconnu des Septante et de la langue grecque avant le N. T. [1], ἐριθεία est employé sept fois dans le N. T., dont deux fois dans des catalogues de vices (*II Cor.* xii, 20; *Gal.* v, 20) en même temps que ἔρις, ce qui laisse entendre que celui-là n'a pas la même signification que celui-ci et n'en dérive pas. Comme beaucoup de noms abstraits en -εία, il a été formé à partir d'un verbe en -εύω; en l'espèce ἐριθεύομαι «travailler pour un salaire» [2]. Le ἔριθος est le travailleur à gage, le journalier; il se dit notamment des tisserands et des fileurs [3]. Par conséquent, à l'origine ἐριθεία «travail rétribué» a un bon sens; mais il en est venu à désigner ce qui est accompli uniquement pour des motifs intéressés: Qu'est-ce que cela rapporte? D'où l'acception: manœuvre pour obtenir un poste ou une magistrature, non pour servir l'Etat, mais pour en retirer honneur et profits. De là, deux autres significations: se disputer avec un autre, intriguer pour se procurer des avantages, ou: ambition personnelle, ne poursuivre que son intérêt propre.

Ces nuances de brigue – contestation – chicane apparaissent dans tous les textes du N. T. τοῖς δὲ ἐξ ἐριθείας καὶ ἀπειθοῦσι τῇ ἀληθείᾳ [4]. Dans *II Cor.* xii, 20; *Gal.* v, 20, ἐριθεῖαι suit ζῆλος, θυμοί, et sont donc associées aux animosités. A Philippes, c'est l'esprit de parti et de rivalité qui anime les adversaires de Paul; leur «zèle apostolique» est en fait une manœuvre

---

I Sam. xii, 14-15; *II Rois*, xiv, 10. Une inscription de Deir el Menas: καὶ ἔριζε καὶ μὴ φθόνει (dans E. PETERSON, *ΕΙΣ ΘΕΟΣ*, Göttingen, 1926, n. 84, 9).

[1] A l'exception de deux emplois d'Aristote (*Polit.* v, 3; 1302 *b* 4; 1303 *a* 14), où il s'agit d'intrigue pour obtenir une charge officielle par des moyens suspects. Emploi analogue dans PHILON, *Leg. G.* 68: «Le seul gouvernement qui soit stable est celui où il n'y a ni contestation ni intrigue, ἀφιλόνεικος καὶ ἀνερίθευτος», où les chefs n'ont pas d'ambition personnelle. ἐριθεία n'est attesté dans les papyrus que par *P. Sorb.* 34, 9 (IIIᵉ s.), trop mutilé pour qu'on discerne le sens.

[2] J. H. MOULTON, W. F. HOWARD, *A Grammar of New Testament Greek*, Edimbourg, 1929, ii, pp. 339; W. BARCLAY, *A New Testament Wordbook*, Londres, 1955, pp. 39–41; F. BÜCHSEL, dans *TWNT*, ii, pp. 657 sv.

[3] Cf. *Tob.* ii, 11: «Mon épouse Anna travaillait à des ouvrages de femme (ἠριθεύετο)»; HÉLIODORE, *Ethiop.* i, 5, 3: «C'est là que les femmes filent la laine (ἐριθεύουσιν)»; *P. Hib.* 121, 34: ἐρίθοις ἐρίων; *Sammelbuch*, 9680, 4; cf. συνέριθος: «avec ma compagne de travail» (*P. Magd.* 35, 3). Par rapprochement populaire avec l'étymologie d'ἔριον «laine»; cf. l'interdiction du port de vêtement de laine aux prêtres (*Gnomon de l'Idiologue*, 71, 75) et dans certains cultes (FR. SOKOLOWSKI, *Lois sacrées des Cités grecques*, Suppl., Paris, 1962, n. 56, 2).

[4] *Rom.* ii, 8: l'esprit de contestation conduit à la rébellion, «c'est le procédé du serpent dans *Gen.* iii, 1: contester ce que Dieu a dit, pour en faire à sa tête» (FR. J. LEENHARDT, *L'Epître de saint Paul aux Romains*, Neuchâtel, 1957, p. 46).

pour s'emparer de sa place et obtenir des avantages personnels [1]. *Jac.* III, 14 et 16 unissent encore ζῆλος-ἐριθεία; ils stigmatisent ce «zèle amer», cet «esprit de brigue» qui vont «à l'encontre de la vérité» [2] et ont si souvent troublé la vie des communautés primitives, dont l'idéal est pourtant ἵνα ἤρεμον καὶ ἡσύχιον βίον διάγωμεν (*I Tim.* II, 2).

IV. – Les Grecs ont divinisé la Dispute ou l'Emulation qu'ils considéraient comme le «ressort» du monde et l'une des forces primordiales [3]. Ils avaient le culte de la rivalité [4]. Mais si, dans la langue profane, ἔρις est pris tantôt en bonne part (liée à νεῖκος), tantôt en mauvaise part (liée à ζῆλος), et peut avoir le sens de colère (*Ep. Aristée*, 250; *P. Grenf.* I, 1, 21: «sache que j'ai un cœur invincible lorsque la colère me prend»), ses neuf emplois dans le N. T. sont tous péjoratifs. La querelle ou la discorde, fruit d'un échauffement (cf. *Sir.* XXVIII, 11), celui de la jalousie ou de la colère, est devenue un péché chrétien. Plus exactement, elles étaient déjà mentionnées dans le catalogue de vices de *Sir.* XI, 4 (après θυμὸς καὶ ζῆλος) et comme châtiments des pécheurs (XL, 9). L'union ζῆλος-ἔρις se retrouve dans les

---

[1] *Philip.* I, 17; II, 3; cf. J. GNILKA, *Die antipaulinische Mission in Philippi*, dans *Biblische Zeitschrift*, 1965, pp. 258–276; A. F. J. KLIJN, *Paul's Opponents in Philippians III*, dans *Novum Testamentum*, 1965, pp. 278–284; A. E. HARVEY, *The Opposition to Paul*, dans F. L. CROSS, *Studia Evangelica* IV, Berlin, 1968, pp. 319–332; C. SPICQ, *Agapè* II, pp. 244, 249.

[2] Sur *Gal.* V, 20, saint Jérôme commente: «Est autem ἐριθεία, cum quis semper ad contradicendum paratus stomacho delectatur alieno; et muliebri jurgio contendit, et provocat contendentem. Haec alio nomine apud Graecos φιλονεικία appellatur».

[3] ANTONINUS LIBERALIS, *Métamorphoses*, XI, 3; sur l'aspect double d'Eris, cf. J. P. VERNANT, dans *Rev. Philol.* 1966, pp. 253 sv. C'est Eris qui lança la pomme destinée à la plus belle des déesses; cf. P. GRIMAL, *Dictionnaire de la Mythologie grecque et romaine*, Paris, 1951, p. 147.

[4] «En toute occasion, dès qu'on peut établir une comparaison entre deux personnes sur un point particulier, les Grecs instituent un concours, décernent des rangs, sinon des prix. Une bataille a-t-elle lieu, on met en parallèle la valeur individuelle ou collective des combattants. Donne-t-on au théâtre des représentations dramatiques, un jury classe les poëtes, les acteurs, les chorèges. On va jusqu'à opposer les morts. Cet esprit agonistique était éminemment favorable à la vie sportive» (J. DELORME, *Gymnasion*, Paris, 1960, p. 460). Le premier sens homérique d'ἔρις «ardeur au combat», conservé au Ier s. (cf. FL. JOSÈPHE, *Ant.* XIV, 470, la nation se rassemble μετὰ πολλῆς δὲ προθυμίας καὶ ἔριδος), apparaît dans une épigramme pour un vainqueur aux concours de Némée, vers 200 av. J.-C.: «Tous les compétiteurs, de leurs chars, poussèrent pour le concours – εἰς ἔριν ἀντ[ίπαλοι] – leurs rapides chevaux» (INSTITUT F. COURBY, *Nouveau choix d'Inscriptions grecques*, Paris, 1971, n. 35). J. Ebert préfère lire: εἰς ἔριν ἀνί[οχοι], *Griechische Epigramme auf Sieger an... Agonen*, Berlin, 1972, n. 64.

listes pauliniennes de péchés [1]; ceux-ci, issus du paganisme, sont le fait d'hommes charnels que la grâce n'a pas encore spiritualisés [2].

Ces ἔρεις sont tantôt des discussions qui dégénèrent en querelles (cf. *Ps.* cxxxix, 20) et finalement en sectes et en schismes (*Gal.* v, 20), tantôt la discorde qui éclate en opposition et en lutte proprement dite. Dans les Pastorales, c'est le vice des faux-docteurs; ils ont la passion de la polémique [3]. Aveuglés par la vanité, ils sont remplis d'animosité et de jalousie envers les autres docteurs qu'ils considèrent comme des rivaux [4]; d'où l'aigreur de leurs querelles (*I Tim.* vi, 4).

---

[1] *Rom.* i, 29; *I Cor.* iii, 3; *II Cor.* xii, 20; *Gal.* v, 20 (M. J. LAGRANGE, *Le catalogue de vices dans l'Epître aux Romains*, dans *R.B.* 1911, pp. 534–549; S. WIBBING, *Die Tugend- und Lasterkataloge im Neuen Testament*, Berlin, 1959, pp. 113 sv). Dans *Philip*, i. 15, les adversaires de Paul proclament la Parole par esprit de rivalité, διὰ φθόνον καὶ ἔριν; cf. *I Tim.* vi, 4. Ce couple est constant dans la langue rhétorique et politique pour stigmatiser les méfaits de l'envie haineuse; le φθόνος «cherche toujours à salir et à dénigrer» (HÉRACLITE, *Allégories d'Homère*, vi, 3); «il surgit contre tout ce qui est noble, ceux qui sont toujours trop sages» (DENYS DE SINOPE, dans STOBÉE, xxxviii, 2; t. iii, p. 708) et qui nous sont supérieurs (THUCYDIDE, vi, 78; cf. FL. JOSÈPHE, *Vie*, 80, 122–123); «le pire de tous les maux» (MÉNANDRE, dans STOBÉE, xxxviii, 29; t. iii, p. 714). Aux références données dans *Agapè* ii, p. 246, n. 3–7, ajouter PLUTARQUE, *Aristide*, vii, 2; *Caton l'ancien*, xvi, 4; PHILON, *Vit. Mos.* i, 247; *Spec. leg.* iii, 3; *Jos.* 5; FL. JOSÈPHE, *Vie*, 122–123; «L'envie mal intentionnée, φθόνου κακοζήλου» (ET. BERNAND, *Inscriptions métriques de l'Egypte gréco-romaine*, Paris, 1969, n. 114, 13; cf. n. 122, 4); W. C. VAN UNNIK, *ΑΦΘΩΝΩΣ.ΜΕΤΑΔΙΔΩΜΙ*, Bruxelles, 1971, pp. 12 sv.; IDEM, *De ἀφθονία van God in de oudchristelijke Literatuur*, Amsterdam-Londres, 1973 (donne notamment les références à Philon, pp. 40 sv.).

[2] *Rom.* xiii, 13; *I Cor.* iii, 3. Cf. U. WILCKEN, *Weisheit und Torheit. Eine exegetisch-religionsgeschichtliche Untersuchung zu I Kor. 1 und 2*, Tübingen, 1959; J. C. HURD, *The origin of I Corinthians*, Londres, 1965, pp. 96–107; N. A. DAHL, *Paul and the Church at Corinth according to I Cor. I, 10–IV, 21*, dans W. R. FARMER, *Christian History and Interpretation: Studies presented to J. Knox*, Cambridge, 1967, pp. 313–335.

[3] *Tit.* iii, 9: association ἔρεις–μάχας (cf. PHILON, *Quis rer. div.* 246: «les disputes dogmatiques des sophistes») comme XÉNOPHON, *Cyr.* ii, 3, 15: «Je vous convie à vous lancer dans la compétition pour ce genre de combat avec ces [rivaux] si bien éduqués, εἰς ἔριν ὁρμᾶσθαι ταύτης τῆς μάχης».

[4] Denys d'Halicarnasse admire qu'en jugeant Platon, rhéteurs et philosophes «ne cédaient ni à l'envie, ni à la haine, mais à l'amour de la vérité» (*Lettre à Cn. Pompée*, 1; cf. 3). Dans la Cispadane, la population ombrienne et les éléments tyrrhéniens menaient une sorte de lutte pour la prépondérance, et si une nation «entreprenait une expédition contre un territoire étranger, l'autre par esprit de rivalité (ἔρις) ne manquait pas d'envahir à son tour les mêmes lieux» (STRABON, v, 1, 10).

ἔσοπτρον

Le miroir tout à fait primitif fut la nappe de l'eau recueillie dans une écuelle de bronze (cf. musée d'Athènes; *Joseph et Aséneth*, XVIII, 7; JAMBLIQUE, *Les Mystères d'Egypte*, II, 10). Au Ier s., l'*ésoptron* est un disque, rond ou légèrement elliptique, poli [1], fait d'un alliage de cuivre et d'étain (*Ex.* XXXVIII, 8; cf. *Is.* III, 23; PHILON, *Migr. A.* 98; *Vit. Mos.* II, 139), parfois d'argent (*P. Oxy.* 1449, 19) et même d'or [2], avec une poignée de métal, d'ivoire ou d'émail [3], et qui sert à réfléchir des images d'objets ou de personnes [4].

---

[1] *Guerre des fils de lumière* v, 4–5: «Tous tiendront des boucliers de bronze, polis à la façon des miroirs»; v, 11: «Ces glaives seront en fer de choix, purifié au creuset, et luisant comme un miroir».

[2] Cf. NETOLICZA, art. *Κάτοπτρον*, dans PAULY-WISSOWA-KROLL, *R.E.* XI, 1, pp. 29 sv.; GANSCHINIETZ, art. *Κατοπτρομαντεία*, *ibid.*, pp. 270 sv.; G. E. MYLONAS, dans *Studies presented to D. M. Robinson*, Saint Louis, 1951, pp. 565–567.

[3] Cf. les reproductions réunies par G. BENEDITE, *Miroirs*, Le Caire, 1907; FR. ENDELL, *Antike Spiegel*, Munich, 1952. L'*ésoptron* est mentionné dans des listes d'articles (*P. Oxy.* 978; IIIe s.), à deux ou trois volets (δίπτυχος,τρίπτυχος; *Stud. Pal.* XX, 15, 10; *P. Mert.* 71, 4), ce dernier en bronze est évalué à 12 drachmes en 160–163. C'est un objet de toilette féminine, plus ou moins précieux, dont on fait un cadeau; au IIe s., Dionysios écrit à sa sœur: «Reçois de notre père Chaeremon un miroir, des tablettes pour écrire et une tunique de Tapsois» (*P. Oxy.* 2787, 4). Après avoir noté que celui qui se regarde dans un miroir n'a pas besoin que quelqu'un l'informe de son aspect, comment il est. Il est lui-même son propre témoin, un chrétien du IVe s. ajoute: καὶ γὰρ ὡς δι' ἐσόπτρου κατῖδες τὴν πρὸς σέ μου ἔμφυτον στοργὴν καὶ ἀγάπην τὴν ἀεὶ νέαν (*P. Oxy.* 2603, 17–19 = M. NALDINI, *Il Cristianesimo in Egitto*, Florence, 1968, n. 47); ce qui semble partager l'opinion courante que tout miroir a la propriété de garder quelque trace de ce qui a été réfléchi sur sa surface (cf. C. SPICQ, *Agapè* II, p. 97, n. 2; aux citations données, ajouter Bythus de Dyrrachium, dans PLINE, *Hist. nat.* XXVIII, 23).

[4] Les mathématiciens se demandaient : «Comment voyons-nous? Quelle est la cause de l'image dans le miroir?» (DIOGÈNE LAERCE, VII, 1, 133; cf. A. LEJEUNE, *Recherches sur la Catoptrique grecque*, Bruxelles, 1957). La bibliographie est donnée par J. BEHM, *Das Bildwort vom Spiegel, I Kor. XIII, 12*, dans *R. Seeberg Festschrift*, Leipzig, 1929, I, pp. 314–342; H. RIESENFELD, *Etude bibliographique sur la notion biblique d'ΑΓΑΠΗ*, dans *Coniectanea neotestamentica*, v, 1941, pp. 30 sv.; N. HUGEDÉ, *La Métaphore du Miroir dans les Epîtres de saint Paul aux Corinthiens*, Neuchâtel-Paris, 1957; CH. MUGLER, *Dictionnaire historique de la Terminologie optique des Grecs*,

Dans la Bible, l'*ésoptron* n'est employé que métaphoriquement; de la sagesse «miroir sans tache de l'activité de Dieu» (*Sag.* VII, 26) ou du sage dont la perspicacité réussit à découvrir les véritables sentiments du prochain au delà des manifestations trompeuses, à l'instar d'un «polisseur de miroir» qui nettoie le métal facilement oxydable, et en découvre la vraie nature sous le vert-de-gris ou la rouille qui la dissimule [1]. Au même plan psychologique, *Jac.* I, 23 compare le chrétien qui écoute la Parole de Dieu, mais ne la met pas en pratique, «à un homme qui considère dans un miroir le visage de sa nativité (de son origine: son moi authentique, τὸ πρόσωπον τῆς γενέσεως αὐτοῦ). De fait, il s'est regardé, mais il est parti et aussitôt il a oublié comment il était». Le miroir est donc un instrument de connaissance; mais pour que cette information soit utile moralement, elle doit permettre de corriger les défauts, d'effacer les taches [2].

Paris, 1964, pp. 146, 175; H. URNER-ASTHOLZ, *Spiegel und Spiegelbild*, dans *Dankesgabe an R. Bultmann*, Tübingen, 1964, pp. 643–670; G. KITTEL, αἴνιγμα, dans *TWNT*, I, pp. 177–179; C. SPICQ, *Agapè* II, pp. 95–100.

[1] *Sir.* XII, 11: «Sois (pour ton ennemi) comme un ἐκμεμεχὼς ἔσοπτρον; sache que la rouille ne restera pas jusqu'au bout»; cf. A. MARMORSTEIN, *Le Miroir dans la vie religieuse juive* (Studii e materiali di Storia delle Religioni, VIII), Rome, 1932, pp. 125 sv.; H. L. GINSBERG, *The original Hebrew of ben Sira XII, 10–14*, dans *JBL*, 1955, p. 93. – On a parfois vu dans ce texte une allusion au «miroir magique» (cf. au IIIe-IVe s., SOSIME, Περὶ ἀρετῆς πρὸς θεοσέβειαν, cité par H. REITZENSTEIN, *Historia Monachorum*, Göttingen, 1916, p. 247) qui reflète les dispositions secrètes et permet de discerner les vrais et les faux amis: le miroir se brouille ou se rouille lorsqu'on a affaire à un dissimulateur (A. DELATTE, *La Catoptromancie grecque et ses dérivés*, Liège-Paris, 1932); cf. l'interprétation talmudique de *Gen.* XLIV, 5, dans F. CUNEN, *Les Pratiques divinatoires attribuées à Joseph d'Egypte*, dans *Revue des Sciences religieuses*, 1959, pp. 396–404.

[2] Pensée déjà exprimée dans PLATON: «Dieu est le meilleur miroir des choses humaines pour qui veut juger de la qualité de l'âme et c'est en lui que nous pouvons le mieux nous voir et nous connaître» (*Alcib. maj.*, dans STOBÉE, *Ecl.* III, 21, 24; t. III, p. 576); EURIPIDE: «Quant aux mortels pervers, le temps les révèle à son heure, en leur présentant son miroir comme à une jeune fille» (*Hippolyte*, 429). Courante chez les Stoïciens; cf. EPICTÈTE, II, 14, 21: «A moins que le miroir ne fasse tort aussi à l'homme laid, parce qu'il le montre à lui-même tel qu'il est»; III, 22, 51: «Vois-tu comment tu dois entreprendre une affaire aussi importante? Commence par prendre un miroir, regarde tes épaules, tes reins, tes cuisses...»; BIAS: «Regarde comme dans un miroir tes propres actions, ἵνα τὰς μὲν καλὰς ἐπικοσμῇς, τὰς δὲ αἰσχρὰς καλύπτῃς» (dans STOBÉE, *Ecl.* XXI, 11; t. III, p. 558); SÉNÈQUE, *Natur. Quaest.* I, 17, 4; *Ira*, II, 36, 1; PHILON, *Abr.* 153; *Decal.* 105; dans *Spec. leg.* I, 219; *Migr. A.* 190, non seulement l'esprit «entrevoit comme dans un miroir la vérité», mais il perçoit l'avenir. Les meilleurs parallèles à *Jac.* I, 23 sont *De Josepho*, 87: «Depuis qu'il brille à nos yeux (le modèle d'une vie vertueuse), voici que nous apercevons notre dérèglement, comme

I Cor. XIII, 12 oppose notre connaissance actuelle de Dieu (ἄρτι) «à travers un miroir» à la vision éternelle après la mort, «alors (τότε), ce sera face à face». Depuis l'article de Kittel (*TWNT*, I, pp. 117 sv.) relevant que pour les Rabbins le miroir n'est jamais mentionné comme donnant une vision indistincte, c'est le symbole de la révélation prophétique, une vision en esprit, on insiste sur la clarté de la connaissance que donnent les miroirs sans défaut [1], et c'est bien en ce sens que l'image est employée *II Cor.* III, 18 [2]. Mais on ne peut oublier les textes hellénistiques observant les modifications de l'objet dans son image spéculaire, surtout si le miroir est concave ou convexe, ou tout simplement terni [3]. Or l'opposition à la contemplation πρόσωπον πρὸς πρόσωπον montre que pour saint Paul la vision dans un miroir est imparfaite. De fait, on n'y atteint pas l'objet lui-même, mais son reflet, non la réalité, mais une apparence, une image, une reproduction (εἴδωλον, PLUTARQUE, *Ad princ. iner.* 5), une réfraction (ἀνάκλασις, IDEM, *Erotic.* 20; *Visage du rond de la lune*, 23) qui peut même être illusoire.

---

dans un miroir, et nous rougissons de nous-mêmes», surtout *Vit. Mos.* II, 139: «Que celui qui va faire ses ablutions se rappelle que la matière première de cet ustensile (le bassin de bronze) était des miroirs, afin que lui aussi puisse voir distinctement sa propre âme comme dans un miroir et que, s'il apparaît quelque disgrâce venant d'une passion effrénée ou d'une volupté... il puisse la soigner, la guérir et recouvrer une beauté authentique et non bâtarde».

[1] PLUTARQUE, *Le Visage du rond de la lune*, 3: «La pleine lune elle-même, grâce au poli et à l'éclat de sa surface, est le plus beau et le plus pur de tous les miroirs»; *Quaest. conv.* VIII, 3; CLÉMENT DE ROME, *Cor.* XXXVI, 2; *Testament Job*, XXXIII, 8. Cf. N. HUGEDÉ, *La métaphore du Miroir dans les Epîtres de saint Paul aux Corinthiens*, Neuchâtel-Paris, 1957. D. H. GILL, *Through a Glass darkly: A note on I Cor. XIII, 12*, dans *CBQ*, 1963, pp. 427–429 (cf. F. W. DANKER, *ibid.* 1964, p. 248), cite PLUTARQUE, *Is. et Osir.* 76 unissant miroir et énigme; mais les adverbes αἰνιγματικῶς, αἰνιγματωδῶς signifient: voir d'une manière confuse, obscurément (cf. C. SPICQ, *Agapè* II, p. 100). La connaissance par énigme est caractéristique du Pythagorisme; cf. R. JOLY, *Le Tableau de Cébès et la philosophie religieuse*, Bruxelles, 1963, pp. 55, 58, 66, 70.

[2] Cf. J. DUPONT, *Le Chrétien, miroir de la Gloire divine d'après II Cor. III, 18*, dans *R.B.* 1949, pp. 392–411.

[3] PTOLÉMÉE, *Opt.*, liv. 3 et 4. SEXTUS EMPIRICUS mentionne ces miroirs qui renversent l'image de celui qui s'y contemple, le montrant pieds en haut et tête en bas (*Pyrrh. Hypotyp.* I, 48); PLUTARQUE, *Sur les oracles de la Pythie*, 21; *Le Visage du rond de la lune*, 23: «Ces miroirs, tout le monde le sait, sont éraillés, encrassés, raboteux». Des cratères d'argent que Ptolémée Philadelphe fit fabriquer pour le temple de Jérusalem, «tout objet qu'on approchait y réfléchissait son image plus dictinctement que dans les miroirs» (*Ep. d'Aristée*, 76; cf. FL. JOSÈPHE, *Ant.* XII, 81); cf. R. FERWERDA, *La signification des images et des métaphores dans la pensée de Plotin*, Groningen, 1965, pp. 9–23.

C'est bien différent de voir Dieu «tel qu'il est» (*I Jo.* iii, 2) ; de toute façon, l'image est inférieure à l'objet, et celui-ci ne fait qu'une apparition fugitive (PHILON, *Lois allég.* iii, 100–101) ; or voir ou connaître Dieu, c'est demeurer en lui (*I Jo.* iv, 11–12). On peut même dire, du moins dans le langage de l'amour qui est celui de *I Cor.* xiii, que le miroir fait écran entre le regard qui s'y porte et la saisie effective de Dieu [1], ce qui est l'authentique «connaissance» biblique [2].

---

[1] «L'expression *panîm êl panim*, qui correspond au sens étymologique de vis-à-vis, ne veut pas dire seulement face à face, mais bien plutôt, en se regardant l'un l'autre» (P. DHORME, *L'emploi métaphorique des noms des parties du corps en hébreu et en akkadien*, Paris, 1923, p. 43).

[2] Le meilleur commentaire demeure J. DUPONT, *Gnosis. La connaissance religieuse dans les Epîtres de saint Paul*, Louvain-Paris, 1949, pp. 119–148; cf. S. LYONNET, *L'Etude du milieu littéraire et l'exégèse du Nouveau Testament*, dans *Biblica*, 1954, pp. 494 sv.; H. CONZELMANN, *Der erste Brief an die Korinther*, Göttingen, 1969, pp. 268 sv.

ἑταῖρος

On ne sait comment traduire exactement ce terme, désignant «quelqu'un qui est avec un autre»[1] et dont la nuance doit être appréciée d'après le contexte: compagnon, camarade, ami, cher ou bon ami. Ces désignations ne sont pas exactement synonymes[2], encore que les Septante aient traduit par ce vocable רֵעַ «le prochain» ou l'un de ses dérivés[3], à l'exception de *Cant.* I, 7 où les *habèrim* sont les compagnons ou les favoris du roi[4]. Il y a un monde entre le compagnon de l'autruche (*Job*, XXX, 29), les proches de Zimri (*I Rois*, XVI, 11) et l'éphémère compagnon d'un homme en colère (*Prov.* XXII, 24) d'une part, et les camarades de travail (*Eccl.* IV, 4) qui sont

---

[1] C. RENGSTORF, ἑταῖρος, dans *TWNT*, II, p. 697; H. J. KAKRIDIS, *La notion de l'amitié et de l'hospitalité chez Homère*, Thessalonique, 1963, pp. 47 sv.; les *mss.* ont souvent confondu ce terme avec ἕτερος; cf. *Sir.* XI, 6; XLII, 3; *Mt.* XI, 16; *P. Lond.* 1912, 105, 108; *P. Ant.* 107, 3; *P. Michig.* 428, 9; *P. Mert.* 39, 10. PLUTARQUE, *Caton min.* XXV, 1 et 4: «Munatius, ami et familier de Caton, ἑταῖρον καὶ συμβιωτήν»; *Tib. Gracchus*, X, 1: «Marcus Octavius, ami et familier de Tiberius, ἑταῖρον καὶ συνήθη» (cf. *Démétr.* IV, 1). Tullus est un des amis les plus intimes de Cicéron (*Cicér.* XXIX, 3; cf. XLII, 1); mais «Publius Nigidius un des compagnons de Cicéron dans l'étude de la philosophie» (*ibid.* XX, 3).

[2] Cf. PHILON, *Somn.* I, 111: φίλος γὰρ καὶ γνώρισμος καὶ συνήθης καὶ ἑταῖρος ἡμῖν ἐστιν (λόγος) = la raison est pour nous un ami, un familier, un intime, un compagnon. L'association ἑταῖρος καὶ φίλος est courante (*Sir.* XXXVII, 2, 4, 5; XL, 23; XÉNOPHON, *Anab.* VII, 3, 30; PHILON, *Vie cont.* 13); cf. ἑταῖρος καὶ ἀδελφός (*P.S.I.* 973, 10; cf. 839, 8); συντρόφους καὶ ἑταίρους (DITTENBERGER, *Syl.* 798, 7; de 37 ap. J.-C.). Dans *Joseph et Aséneth*, XXIII, 4–5, les compagnons d'armes (*hétairoi*) deviennent ἀδελφοὶ καὶ φίλοι (ἑταιρία au sens de «troupe, bande», cf. notre «compagnie», *P. Princet.* 169, 5; P. J. SIJPESTEIJN, K. A. WORP, *Fünfunddreißig Wiener Papyri*, Zutphen, 1976, n. 2, 10). Très rarement, on ajoute le possessif: τῷ ἐμῷ ἑταίρῳ (*Sammelbuch*, 7951, 7; du IIᵉ s. ap. J.-C.); cf. une lettre du IVᵉ s., ἄσπασαι τοὺς ἑταίρους καὶ τοὺς σοὺς πάντας (*P.S.I.* 834, 8); *P. Michig.* 624, 4: «j'ai envoyé le memorandum par notre camarade Eudaimon».

[3] *II Sam.* XIII, 3; *I Rois*, XVI, 11; *Job*, XXX, 29; *Prov.* XXVII, 17; *Eccl.* IV, 4. בוֹרֵעַ (*Jug.* XIV, 11) = compagnon; רֵעָה (*II Sam.* XV, 37; XVI, 17) = l'ami; l'*hitpael* de רעה (*Prov.* XXII, 24) = l'associé.

[4] ἑταῖρος τοῦ βασιλέως (*I Rois*, IV, 5; *Dan.* V, 1; cf. PHILON, *In Flac.* 2) désignant un fonctionnaire de Salomon ou de Baltazar, serait l'équivalent de l'ami du roi (φίλος τ.β.) de l'époque hellénistique (DIODORE DE SICILE, XVII, 57, 1; 72, 1; 77, 5; 100, 2; 114, 2); cf. C. SPICQ, *Agapè* III, p. 240; πρῶτος ἑταίρων (L. MORETTI, *Iscrizioni Storiche Ellenistiche*, Florence, 1976, n. 113, 3 et p. 107).

d'authentiques amis, aimant se réunir (*Sir.* xl, 23), partageant leurs joies et leurs peines [1], vibrant en parfaite harmonie (*Cant.* i, 7; cf. viii, 13) d'autre part.

Dans le N. T., ce vocable n'est employé que par saint Matthieu, toujours au singulier et au vocatif: Ἑταῖρε [2]. Dans la parabole des ouvriers envoyés travailler à la vigne, où le propriétaire répond à la revendication d'un journalier, il faut traduire: «Camarade» (*Mt.* xx, 13), car ἑταῖρος est la désignation courante des travailleurs agricoles (*P. Oxy.* 1859, 2; 1911, 157; 2195, 134; *P.S.I.* 955, 17) et les rapports des deux hommes ne sont empreints d'aucune cordialité particulière [3]. Par contre, dans la parabole des noces royales, la nuance affective est certaine: «Ami, comment es-tu entré ici sans avoir un costume de noce?» [4].

La traduction de la Vulgate: «Amice, ad quid venisti?» [5] a fait fortune,

---

[1] *Sir.* xxxvii, 4–5; Epictète, i, 11, 31; Plutarque, *Démétr.* xxxviii, 8; *Ant.* xxviii, 7; xl, 6. Au IIe s. de notre ère «l'ensemble de ses compagnons gémit sur la destinée» d'un anonyme mort à dix-huit ans (*Suppl. Ep. Gr.* viii, 372, 9); les compagnons d'Héras de Memphis l'ensevelissent (*Sammelbuch*, 7423, 11). Cf. A. J. Voelke, *Les rapports avec autrui dans la Philosophie grecque*, Paris, 1961, p. 57.

[2] Cette interpellation dans la conversation est traditionnelle (cf. Aristophane, *Guêpes*, 1238; Théognis, 753: φίλ' ἑταῖρε; Philon, *Plant.* 65). Judas Macchabée s'adresse à ses troupes: ὦ ἑταῖροι (Fl. Josèphe, *Ant.* xii, 302) comme Josèphe harangue ses compagnons: ἑταῖροι (Idem, *Guerre*, iii, 262), et Plutarque ponctue ses *Propos de table* (i, 1, 1: ὦ ἑταῖρε = Mon cher; ii, 10, 1; iii, 6, 4.)

[3] «Le maître a lieu d'être mécontent; cependant, il emploie une expression qui est condescendante, comme lorsqu'un ingénieur dit à un ouvrier: Camarade» (M. J. Lagrange, *Evangile selon saint Matthieu*[3], Paris, 1927, p. 389). «On emploie cette apostrophe en parlant à quelqu'un dont on ignore le nom; elle est à la fois pleine de bonté et de reproche: mon vieux, camarade. Dans les trois passages du N. T. où elle apparaît... celui à qui on l'adresse s'est rendu coupable de quelque chose» (J. Jeremias, *Les Paraboles de Jésus*, Le Puy-Lyon-Paris, 1962, p. 141). ἑταῖρος se dit des compagnons d'Ulysse (Philon, *Vit. cont.* 40), de ceux qui accompagnent un messager (*P. Ness.* 66, 7; *P. Apol. Anô*, 39, 2) ou un voyageur (*Sammelbuch*, 9399, 10). Pour mémoire, cf. l'*hétaira* (Ménandre, *Dyscol.* 59).

[4] *Mt.* xxii, 12. Nous ne sommes plus à la campagne, et la courtoisie est de rigueur. Le *hétairos* peut devenir ennemi, cf. *Sir.* xxxvii, 2; Philon, *Lois allég.* ii, 10: «il arrive quelquefois que les alliés sont traîtres et transfuges, et comme dans l'amitié les flatteurs se révèlent non de bons compagnons, mais des ennemis, ἀντὶ ἑταίρων ἐχθροί»; iii, 182.

[5] *Mt.* xxvi, 50. Sur ce ἐφ' ὃ πάρει, cf. *Agapè* i, p. 177, n. 8; W. Spiegelberg, *Der Sinn von ἐφ ὃ πάρει in Mt. XXVI, 50*, dans *ZNTW*, 1929, pp. 341–343; A. Deissmann, *Licht vom Osten*[4], Tübingen, 1923, pp. 100–105; Fr. Rehkopf, *Mt. XXVI, 50: ETAIPE, EΦ Ο ΠΑΡΕΙ*, dans *ZNTW*, 1961, pp. 109–115; W. Eltester, *Freund, wozu du gekommen bist*, dans *Neotestamentica et Patristica. Freundesgabe O. Cullmann*, Leiden, 1962, pp. 70–91.

et nul ne doute pratiquement que Jésus ait qualifié Judas, au jardin des Oliviers: «Mon ami»! Pourtant, Ἑταῖρε doit être ici plus nuancé. On se rappellera d'abord que *hétairos* désigne le disciple d'un maître (XÉNOPHON, *Mém.* II, 8, 1) et l'adhérent à un parti (FL. JOSÈPHE, *Vie*, 124). Il suppose une solidarité étroite, souvent des liens profonds. Dans le Talmud, il correspondra à חָבֵר et qualifiera un membre du corps des scribes, c'est l'associé ou l'assistant, le collègue [1]. Ainsi, le Seigneur a pu rappeler au traître qu'il faisait partie du collège apostolique [2], et la nuance est plutôt celle de compagnon: «Tu m'embrasses, avec ce que tu viens faire!» [3].

---

[1] Cf. RENGSTORF, *l. c.*; STRACK-BILLERBECK, *Kommentar*, I, pp. 496 sv.; *b. Sanh.* 5 *a; b. Sota* 22 *b;* DITTENBERGER, *Or.* 573, 1 (cf. *Corp. Pap. Jud.* III, p. 46). Dans PHILON, *Somn.* II, 245: τις τῶν ἑταίρων Μωυσέως = quelqu'un de l'entourage de Moïse. Cf. J. NEUSNER, *The Fellowship (Haburah) in the Second Jewish Commonwealth*, dans *The Harvard Theological Review*, 1960, pp. 125–142; J. JEREMIAS, *Jérusalem au temps de Jésus*, Paris, 1967, pp. 337 sv.

[2] En ce sens, *Evangile de Pierre*, 26 (après la mort de Jésus): «Quant à moi, je m'affligeais avec mes compagnons (μετὰ τῶν ἑταίρων) et blessés jusqu'au cœur, nous nous tenions cachés». Mais ici avec l'accent d'un supérieur à son subordonné (cf. FL. JOSÈPHE, *Ant.* XI, 101); «compagnon, un homme qui vous appartient» (H. J. KAKRIDIS, *op. c.*, p. 76). Sans doute au sens de collègue dans *P. Strasb.* 330, 1; *P.S.I.* 1445, 2: τῷ ἑταίρῳ... Le traité entre Atarnée et Erythrée, en 342–341, est conclu par Hermias, l'ancien employé de banque d'Euboulos (cf. D. E. W. WORMELL, *The literary Tradition concerning Hermias of Atarneus*, dans *Yale Classical Studies*, V, 1935, pp. 57–92) καὶ οἱ ἑταῖροι (DITTENBERGER, *Syl.* I, 229, 1) qui peuvent être ses associés dans la banque, des chefs militaires, des représentants de petits états voisins, mais plus probablement des amis politiques ou des (con)disciples, cf. R. BOGAERT, *Banques et Banquiers dans les Cités grecques*, Leiden, 1968, p. 243; F. SARTORI, *Le Eterie nella vita politica ateniese del VI e V secolo a. C.*, Padoue, 1957.

[3] C'est la traduction de M. J. LAGRANGE, *op. c.*, p. 503.

ἑτεροζυγέω

Aux Corinthiens s'accommodant de contacts démoralisants, voire de compromissions, avec le milieu païen (fréquentation des temples, mariages mixtes?), saint Paul prescrit: «Ne faites pas d'attelage disparate avec les infidèles»[1]. Le verbe ἑτεροζυγέω, litt. «tirer le joug d'un autre côté que son compagnon» et au figuré: «contracter une alliance mal assortie, se mal accoupler» est un *hapax* biblique, rarement utilisé par les écrivains ecclésiastiques[2]; c'est l'inverse de συζυγεῖν. Sa 'signification s'éclaire un peu par les adjectifs ἑτερόζυγος, attesté une seule fois dans les papyrus: on a confisqué les biens de Démétrios, dont «deux vases dépareillés, Ἀντιπατρίδια ἑτερόζυγα δυο (*P. Zén. Cair.* 59038,12); terme de grammaire, il signifie «décliné ou conjugué irrégulièrement»; puis ἑτερόζυξ: «qui a perdu son compagnon de joug, dépareillé»; Cimon exhorta les Athéniens «à ne pas permettre que la Grèce devînt boiteuse (χωλήν) et que leur ville fût privée de sa rivale, μήτε τὴν πόλιν ἑτερόζυγα περιιδεῖν γεγενημένη» (PLUTARQUE, *Cimon*, XVI, 10).

De même donc que dans un attelage, la disparité des deux animaux les empêche de tirer le joug de la même manière et avec la même force, de même on ne peut imaginer une alliance entre la lumière et les ténèbres, entre le

---

[1] *II Cor.* VI, 14: μὴ γίνεσθε ἑτεροζυγοῦντες ἀπίστοις. C'est une interprétation allégorique de *Lév.* XIX, 19: «Tu n'accoupleras pas ton bétail avec [un animal fait pour] un autre joug (τὰ κτήνη σου οὐ κατοχεύσεις ἑτεροζύγῳ, בכלאים)»; cf. le *Codex Neophiti* I: «Vous n'accouplerez point votre bétail de deux espèces». Ce verset est cité par PHILON qui y voit une prohibition de l'adultère: «Ne pas accoupler de bestiaux avec un partenaire de race différente, τὰ κτήνη μὴ ὀχεύειν ἑτεροζύγοις» (*Spec. leg.* IV, 203), et par FL. JOSÈPHE exposant la constitution de Moïse: βουσὶν ἀροῦν τὴν γῆν, καὶ μηδὲν τῶν ἑτέρων ζῴων σὺν αὐτοῖς ὑπὸ ζεύγλην ἄγοντας (*Ant.* IV, 228). *Deut.* XXII, 10 avait repris cette interdiction de mélanger les espèces différentes, et STRACK-BILLERBECK (III, p. 521) renvoient au traité *Kila' îm*, «Mélanges hétérogènes», prohibant les mélanges de tissus dans un vêtement, de semences dans un champ, d'animaux différents (par ex. cheval et âne) dans un attelage (VIII, 2–4).

[2] Cf. quelques exemples dans H. WINDISCH, *Der zweite Korintherbrief*[2], Göttingen, 1924, p. 213. «A cause de ζυγός, qui veut dire non seulement «joug», mais «fléau de balance, balance», Théophylacte a compris ainsi cette phrase: Ne soyez pas trop inclinés vers les païens» (E. B. ALLO, *Seconde Épître aux Corinthiens*, Paris, 1937, p. 184).

Christ et Béliar, entre les païens et les croyants dans la conduite pratique de leur vie; ce serait une collaboration incongrue [1], qui suppose d'une part que les πιστοί sont une «nouvelle création» (*II Cor.* v, 17), et d'autre part que le déséquilibre pencherait en faveur des mœurs païennes [2]: s'allier aux infidèles, c'est en réalité porter le joug qui est celui d'un autre, ἑτεροζυγεῖν [3]. D'où le refus de tout compromis.

---

[1] L'exhortation à fuir le commerce des païens est fréquente: *Rom.* xii, 2; *I Cor.* v, 9; *Gal.* v, 1: «Ne vous réduisez pas de nouveau sous un joug de servitude» (cf. K. H. RENGSTORF, *Zu Gal. V, 1,* dans *Theologische Literaturzeitung,* 1951, col. 659–662); *Eph.* v, 7, 11; surtout *I Petr.* iv, 2–4. Ce séparatisme des chrétiens, analogue à celui des Qumraniens, est précisément un des traits de cette péricope (*II Cor.* vi, 14–vii, 1) qui a tant d'affinités de vocabulaire et de doctrine avec les textes de la Mer Morte; cf. J. A. FITZMYER, *Qumrân and the Interpolated Paragraph in II Cor. VI, 14–VII, 1,* dans *C.B.Q.* 1961, pp. 271–280 (repris dans J. A. FITZMYER, *Essays on the Semitic Background of the N. T.,* Londres, 1971, pp. 205–217); P. BENOIT, *Qumrân et le Nouveau Testament,* dans *N.T.S.* vii, 1961, pp. 279, 282; E. KAMLAH, *Die Form der katalogischen Paränese im Neuen Testament,* Tübingen, 1964, p. 28; J. GNILKA, *II Cor. VI, 14 – VII, 1 im Lichte der Qumranschriften und des Zwölf-Patriarchen-Testamentes,* dans *Festschrift J. Schmid,* Regensburg, 1962, pp. 86–99 (repris dans J. MURPHY O'CONNOR, *Paul and Qumran,* Londres, 1968, pp. 48–68); H. D. BETZ, *II Cor. VI, 14 – VII, 1: An Anti-Pauline Fragment?,* dans *J.B.L.* 1973, pp. 88–108.

[2] Cf. le datif ἀπίστοις (A. PLUMMER, *Second Epistle of St. Paul to the Corinthians²,* Edimbourg, 1925, p. 206); mais ce datif d'accompagnement est normal avec les verbes signifiant fréquenter, s'entretenir, ressembler; cf. F. M. ABEL, *Grammaire du Grec biblique,* Paris, 1927, § 45 *k.*

[3] Cf. G. GODET, *La seconde Epître aux Corinthiens,* Neuchâtel, 1914, p. 211. Dans ce verbe composé, le second élément «gouverne» le premier, cf. F. BLASS, A. DEBRUNNER, *Grammatik des neutestamentlichen Griechisch⁴,* Göttingen, 1913, n. 119, 1.

εὐγενής

I. – Dans la parabole des mines, un homme de haute naissance (ἄνθρωπος τις εὐγενής) s'en va dans un pays lointain pour y recevoir la royauté (*Lc.* XIX, 12), à l'instar d'Archelaüs prétendant au trône, qui s'en fut à Rome et n'en rapporta que le titre d'ethnarque (FL. JOSÈPHE, *Ant.* XVII, 299 sv.). Dans la parabole parallèle des talents, l'*anthropos* n'est pas autrement qualifié (*Mt.* XXV, 14), mais il s'agit d'un homme très riche, grand négociant, gros brasseur d'affaires, banquier ou armateur, qui dispose de sommes considérables. La comparaison des deux textes invite à ne pas trop préciser la valeur juridique d'εὐγενής qui, pour les oreilles palestiniennes de l'époque, pouvait aussi bien signifier la grandeur (cf. *Job*, I, 3: *gâdol*), la noblesse d'une dignité (*II Mac.* X, 13) et la richesse (cf. *Mt.* XXV, 14). Puisque Luc met en scène un prétendant à la royauté, *eugénès* ne peut signifier que «noble, de descendance royale» [1].

---

[1] En Palestine, la noblesse est représentée *a*) par la dynastie hérodienne, «la cour»; *b*) par l'aristocratie laïque, tels que les «hommes excellents» (*nedîbîm*, *Nomb.* XXI, 18; *Prov.* VIII, 16), puissants et riches; «de bonne naissance» (*horîm*, *Is.* XXXIV, 12; *Eccl.* X, 17), les notables ou dignitaires de toute nature, officiers civils ou militaires, chefs qui siègent à la porte de la ville (*sarîm*, *Job*, XXIX, 9; cf. R. DE VAUX, *Les Institutions de l'Ancien Testament*, Paris, 1958, I, pp. 108 sv., 186 sv.), magistrats (ἄρχοντες; FL. JOSÈPHE, *Guerre*, II, 237), «les premiers des habitants de Jérusalem par la dignité et la naissance» (IDEM, *Ant.* XX, 123); par exemple Joseph d'Arimathie, membre distingué du Sanhédrin (*Mc.* XV, 43, εὐσχήμων; terme que les papyrus appliquent aussi aux riches propriétaires fonciers); «les juifs de qualité» ou «de classe élevée» (FL. JOSÈPHE, *Guerre*, VI, 113), les «Hiérosolymites de rang élevé» dont les fils participaient au chant des lévites pendant le sacrifice quotidien (*Tos.* 'Arakin, II, 2); cf. les Hiérosolymitaines de rang élevé qui nourrissent et entretiennent des enfants pour le service de la vache rousse (*b. Ketubot*, 106 *a*) ou présentent un breuvage anesthésique aux condamnés à mort (*b. Sanh.* 43 *a*); surtout les Anciens, chefs des familles les plus influentes: οἱ πρῶτοι τοῦ λαοῦ (*Lc.* XIX, 47); *c*) par l'aristocratie sacerdotale opposée, aux prêtres ordinaires, c'est-à-dire le grand prêtre et les «prêtres en chef» de Jérusalem, membres des familles pontificales, ἐκ γένους ἀρχιερατικοῦ (*Act.* IV, 6). Les *eugeneis* sont associés aux grands prêtres par FL. JOSÈPHE (*Guerre*, VI, 114). Cf. J. JEREMIAS, *Jérusalem au temps de Jésus*, Paris, 1967, pp. 129 sv., 140 sv., 250 sv., 301 sv. Pour J. J., la parabole des mines s'adresserait vraisemblablement aux notables hiérosolymites, plus particulièrement aux scribes qui ont en main les clefs du Royaume de Dieu (*ibid.* p. 452).

II. – Dans la langue hellénistique, εὐγενής ne se dit pas seulement de la noblesse de la naissance [1], mais aussi de celle des sentiments, du caractère, des mœurs. Cnémo reconnaît: «Gorgias m'a ouvert les yeux, sa conduite a été celle du plus noble cœur» [2], car il a agi d'une façon désintéressée et par sympathie. Dans le peuple juif, ceux qui avaient l'âme noble méprisaient les consignes d'Antiochus Epiphane (FL. JOSÈPHE, *Ant.* XII, 255). Il y a évidemment des degrés dans la vertu ou l'aptitude [3]; d'où le comparatif et le superlatif si souvent employés [4], et c'est ainsi que les Juifs de Bérée «étaient plus nobles [de caractère] que ceux de Thessalonique» [5], par l'accueil et la cordialité dont ils firent montre à l'égard des apôtres.

---

[1] XÉNOPHON, *Hell.* IV, 1, 7: «Son père était d'excellente race (πατρὸς δ' εὐγενεστάτου), possédant la puissance»; THÉOPHRASTE, *Caract.* XXVIII, 2: «Sa mère est une noble Thrace...; d'ailleurs toutes les femmes de cette espèce sont nobles dans leur patrie»; PHILON, *Jos.* 106: «Le roi reconnaît à son apparence qu'il a devant lui un homme libre et de noble origine, ἄνδρα ἐλεύθερον καὶ εὐγενῆ»; FL. JOSÈPHE, *Ant.* X, 186: «Nabuchodonosor prit les jeunes juifs de la plus noble naissance, εὐγενεστάτους»; DIODORE DE SICILE, IV, 21, 2 (εὐγενής correspond au latin *patricius*, cf. H. J. MASON, *Greek Terms for Roman Institutions*, Toronto, 1974, p. 50); *P. Oxy.* 1206, 11: un garçon de deux ans adopté «ne sera pas réduit en esclavage, parce qu'il est bien-né, et fils de parents bien-nés et libres, διὰ τὸ εὐγενῆ αὐτὸν εἶναι καὶ ἐξ εὐγενῶν γονέων ἐλευθέρων» (en 335); 2177, 56; *Suppl. Ep. Gr.* II, 294, 11, Décret de Delphes du Ier s. de notre ère: «Que Télésagoros ait accès à l'exercice de toute magistrature ou de toute prêtrise, quelle qu'elle soit, à laquelle ont accès les familles nobles de Delphes»; *Sammelbuch*, 6258, 1; *Inscriptions grecques et latines de la Syrie*, 281, 2: «Grégorios, pieux rejeton d'une noble race», etc.

[2] MÉNANDRE, *Dyscol.* 723: ἀνδρὸς εὐγενεστάτου; cf. F. W. DANKER, *Menander and the New Testament*, dans *NTS*, X, 1964, p. 366; *Sammelbuch*, 9077, 12; *P. Princet.* 169, 2. Lorsqu'une assemblée du IIIe s. crie par trois fois «Noble syndic», elle ne loue pas ses origines, mais sa bonne administration (*P. Oxy.* 2407, 3, 11, 18). L'épithète se décernera aux femmes (*Sammelbuch*, 6951, 7; 7519, 1; 9077, 12; *P. Strasb.* 279, 10; *P. Lugd. Bat.* XVI, 8, 7; *P. Ness.* 21, 11; 22, 24, 33; 46, 7), au noble tombeau de Ioânnia (*Sammelbuch*, 8085, 3), et l'adverbe εὐγενῶς signifie qu'on a exercé noblement les fonctions publiques (*Sammelbuch*, 7871, 5; 8334, 19, de 39 av. J.-C.; cf. R. HUTMACHER, *Das Ehrendekret für den Strategen Kallimachos*, Meisenheim am Glan, 1965) ou que l'on meure en beauté (*II Mac.* XIV, 42; *IV Mac.* VI, 22, 30; IX, 22; XII, 14; XIII, 11).

[3] Toubias envoie à Apollonios quatre esclaves d'une classe supérieure, καὶ τῶν εὐγενῶν τέσσαρα (*P. Zén. Cair.* 59076, 5).

[4] L. ROBERT, *La Carie* II, Paris, 1954, n. 58: ἕνα τῶν εὐγενεστάτων καὶ εὐσχημονεστάτων; IDEM, *Etudes Anatoliennes*[2], Amsterdam, 1970, p. 299; εὐγενεστάτην Ἡράκλειαν (épigramme de Sparte); pp. 259, 304, 342: ἄνδρα εὐγενῆ καὶ τῆς πρώτης τάξεως (base de la statue de M. Aur. Apellas, au IIe s.); *P. Grenf.* I, 53, 33: τίνος εὐγενέστερος ἐστι (IVe s.; cf. U. WILCKEN, *Chrestomathie*, Leipzig-Berlin, 1912, n. 131). *Sammelbuch*, 10074, 11: ἐπὶ τοῦ εὐγενεστάτου Ἰωσηφίου ἐξάρχου Τάλμεως.

[5] *Act.* XVII, 11: οὗτοι δὲ ἦσαν εὐγενέστεροι τῶν ἐν Θεσσαλονίκῃ (cf. EB. NESTLE,

III. – La communauté de Corinthe s'est recrutée dans l'ensemble [1] parmi les classes pauvres et obscures de la société. Dans l'une des sections les plus oratoires de sa première lettre [2], saint Paul le souligne: «Regardez votre appel à vous, Frères: pas beaucoup de sages selon la chair (σοφοί), pas beaucoup de puissants (δυνατοί), pas beaucoup d'hommes bien-nés (εὐγενεῖς)» (*I Cor.* I, 26). Les convertis ne sont pour la plupart ni des intellectuels, ni des gens en charge, ni des descendants des anciennes familles de la cité. A l'origine, les nobles s'identifiaient aux *eupatrides* «bien nés»; les *eugéneis* «fils de nobles pères» forment un groupe (*génos*), une sorte de corporation familiale – comme celle des Bacchiades à Corinthe, qui avaient pour règle de se marier entre eux –, dotée de privilèges religieux et même militaires [3]. Peu à peu, cette classe acquiert la puissance de la richesse, surtout foncière (cf. les *géomores*), encore qu'elle ne dédaigne pas de tirer du commerce maritime un supplément de ressources; son influence politique s'accroît [4]. Au Ier s., ces «bien-nés» constituent la bourgeoisie urbaine, une noblesse ou aristocratie patricienne, qui exerce le patronat, et forme la classe dominante et gouvernante de la cité avec tout le prestige social qu'elle comporte. Ce sont les gens «connus» (cf. *nobilis*) avec valeur laudative, «les bons, les

---

dans *ZNTW*, 1914, pp. 91–92); auxquels sont associés les femmes grecques distinguées, τῶν Ἑλληνίδων γυναικῶν τῶν εὐσχημόνων (῎. 12; cf. ῎. 4; xiii, 50).

[1] Il y avait cependant des riches (cf. *II Cor.* viii–ix), et des chrétiens de classe élevée, comme Eraste trésorier de Corinthe (*Rom.* xvi, 23; *II Tim.* iv, 20; cf. C. Spicq, *Les Epîtres Pastorales*⁴, Paris, 1969, p. 822. Comparer Σώσιμος οἰκονόμος τῆς πόλεως, Thessalonique, dans *IG*, x, 2, n. 150, 16–18; G. E. Bean, T. B. Mitford, *Journeys in Rough Cilicia*, Vienne, 1970, n. 91) ou Crispus le chef de la Synagogue (*Act.* xviii, 8; *I Cor.* I, 14).

[2] Cf. J. Weiss, dans *Theologische Studien B. Weiss dargebracht*, Göttingen, 1897, pp. 203 sv.; J. Bohater, *Inhalt und Reihenfolge der «Schlagworte der Erlösungsreligion» in I Kor. I, 26–31*, dans *Theologische Zeitschrift*, iv, 1948, pp. 252–271.

[3] Les chevaliers; sur la τιμή, apanage religieux des grandes familles, cf. L. Gernet, *Recherches sur le Développement de la Pensée juridique et morale en Grèce*, Paris, 1917, pp. 295 sv.

[4] L'association: δυνατοί-εὐγενεῖς est courante. La *potestas* est toute forme d'autorité reconnue par le droit à une personne sur une autre personne ou sur des biens. Sur les différentes classes sociales en Grèce, cf. H. Jeanmaire, *Couroi et Courètes*, Lille, 1939, pp. 119 sv.; H. Strassburger, *Nobiles*, dans Pauly-Wissowa, *R.E.* xvii, 1, col. 781–901. A Rome, cf. J. Gaudemet, *Institutions de l'Antiquité*, Paris, 1967, pp. 304 sv. (donne la bibliographie): «Les *nobiles* se distinguent par leur situation sociale, naissance dans les familles curules, richesse, suite nombreuse de clients et d'amis, participation au pouvoir politique et puissance de fait; mais aussi par leurs qualités personnelles, intellectuelles et morales (*virtus*)» (p. 305; cf. pp. 535 sv.); J. Gagé, *Les Classes sociales dans l'Empire romain*, Paris, 1964, pp. 82–106, 390–399.

meilleurs» (ἄριστοι), qui priment sur les autres (φρόνιμοι, ἰσχυροί, ἔνδοξοι, *I Cor.* IV, 10).

Εὐγενής-εὐγένεια qui reviennent à satiété dans les inscriptions, ne sont donc pas une qualité politique, mais une situation sociale. Aristote s'était demandé «quels sont ceux qu'il faut appeler nobles (εὐγενεῖς)» et quelle est la valeur de la noblesse? Il cite l'opinion du sophiste Lycophron: «il n'existe aucune différence entre ceux qui sont nobles et ceux qui ne le sont pas»[1], puis Socrate: «sont nobles ceux qui ont pour parents des gens de bien», et enfin Simonide: «les *eugéneis* sont les descendants des riches des temps passés». Finalement, le Stagirite conclut: «la noblesse, c'est l'excellence de la lignée» (STOBÉE, *Flor.* LXXXVI, chap. XXIX, A, 25; t. V, p. 712), et il précise: «Ceux qui ont une longue ascendance d'ancêtres vertueux ou d'ancêtres riches sont considérés comme de meilleure naissance (εὐγενέστεροι) que ceux dont la possession de ces biens est toute récente... Le noble, ce peut être l'homme de bien (εὐγενὴς ὁ ἀγαθὸς ἀνήρ), mais plus précisément les nobles sont ceux qui ont une longue ascendance d'ancêtres riches ou d'ancêtres vertueux» (*ibid.* C, 52; t. V, p. 723; cf. *Rhét.* II, 15; 1390 *b* 21 sv.; *Polit.* III, 13, 1283 *a* 34 sv.). Cette valeur morale sera uniquement retenue par Philon: la noblesse, c'est la pratique de la vertu[2].

Les rares *eugéneis* corinthiens sont donc ceux qu'on appelait en France au début de ce siècle «les gens bien», une classe fondée sur la dignité et objet de considération[3]; l'élément moral y est confondu intimement avec l'élément social.

---

[1] Dans STOBÉE, *Flor.* LXXXVI, chap. XXIX, A, 24 (t. V, p. 710). Les fragments du Περὶ εὐγενείας aristotélicien ont été publiés par P. M. SCHUHL, *Aristote. De la Richesse, De la Prière, De la Noblesse, Du Plaisir, De l'Education,* Paris, 1968, pp. 83–133.

[2] PHILON, *Virt.* 198. C'est la vertu et le vice qui différencient le noble du non-noble. Le Περὶ εὐγενείας de l'Alexandrin comprend les § 187–227. Cf. *Sobr.* 56: Les nobles, «c'est la race de ceux que Dieu aime».

[3] A la fin du IIe s., à Rome, un certain Appien s'adressant à l'Empereur: «J'en appelle en raison de ma noblesse et de mes droits – ὑπὲρ τῆς ἐμαυτοῦ εὐγενείας καὶ τῶν ἐμοὶ προσηκόντων ἀπαγγέλλων». – L'Empereur: «Comment cela?» – Appien: «Parce que je suis noble et gymnasiarque, ὡς εὐγενὴς καὶ γυμνασίαρχος» (*P. Oxy.* 33, col. IV, 15–v, 4). Dans les adresses: γράφω οὖν τῇ εὐγενείᾳ σου (*P. Gen.* 50, 14; *P. Princet.* 169, 2). Comparer à Rome, sous l'Empire les *honestiores* «personnes de condition», qui sont à un échelon élevé (*gradus*) de la hiérarchie sociale, des «personnages» pourvus d'un *honor,* d'une fonction publique (*splendidior persona, major persona, vir spectatae auctoritatis, altior*); cf. G. CARDASCIA, *L'Apparition dans le droit des classes d' «Honestiores» et d' «Humiliores»,* dans *Rev. Historique de Droit français et étranger,* 1950, pp. 305–337, 461–485.

εὐδία, χειμών

Le «beau temps»[1] n'est mentionné qu'une fois dans le N. T., et en opposition au «mauvais temps», comme il n'est pas rare dans les textes profanes [2]. «Le soir venu, vous dites: Beau temps (εὐδία), car le ciel est rouge; et le matin: de l'orage aujourd'hui (χειμών), car le ciel est rouge et menaçant» [3]. L'εὐδία, c'est le ciel serein, le temps clair, une atmosphère calme [4]. De là, la signification dérivée, ignorée de la Bible: sérénité de l'âme (EPICTÈTE, II, 18, 30), «le miel de la félicité» (PINDARE, Olymp. I, 98), la paix et la tranquillité de l'ordre dans une cité [5]: «des multitudes cherchent à trouver le calme, ζητοῦντες εὐδίαν εὑρεῖν» (PHILON, Spec. leg. I, 69).

---

[1] Εὐδία est un hapax de l'A. T.: «comme le givre sous le beau temps, ainsi se fondront tes péchés» (Sir. III, 15); la gelée blanche disparaît aux premiers rayons d'un soleil de printemps.

[2] ARISTOTE, Hist. an. VI, 19, 551 a: certains insectes naissent de la rosée qui tombe sur les feuilles, «le fait est naturel au printemps, mais se produit souvent aussi en hiver (τοῦ χειμῶνος), quand il fait beau (ὅταν εὐδία) et que le vent est du midi pendant plusieurs jours»; IX, 40, 627 b: «les abeilles prévoient le mauvais temps (χειμῶνα) et se replient vers la ruche alors qu'il fait encore beau (ἐν τῇ εὐδίᾳ)»; XÉNOPHON, Hell. II, 4, 14: «En plein beau temps (ἐν εὐδίᾳ), les dieux font la tempête (χειμῶνα ποιοῦσιν)»; Anab. V, 8, 19–20: «Je vois pour vous le temps au beau; mais quand il y a tempête et que la mer déferle...»; PHILON, Gig. 51: «on s'étonne que quelqu'un puisse garder sa sérénité au milieu de la tempête (ἐν χειμῶνι εὐδίαν)»; PLUTARQUE, Consol. Apoll. 5: «des moments où la mer est calme, d'autres où elle est agitée par la tempête, εὐδίαι τε καὶ χειμῶνες».

[3] Mt. XVI, 2–3 (pour l'idée, G. MUSSIES, Dio Chrysostom and the N. T., Leiden, 1972, p. 70, rapproche D.C. VII, 70; XXXVIII, 18). Les palestiniens savent discerner le temps qu'il fera, selon que le ciel s'empourpre, le soir, à l'occident (le temps restera au beau fixe), ou le matin à l'orient (signe d'orage). On peut prévoir une tempête, cf. FL. JOSÈPHE, Ant. VI, 91; DIODORE DE SICILE, XVII, 10.

[4] ARISTOTE, Hist. an. VIII, 12, 597 a: «quand les cailles arrivent, si le temps est calme (ἐὰν μὲν εὐδία) ou que le vent souffle du nord, elles vont deux par deux et marchent bien»; cf. HÉRONDAS, Mimes, I, 28: on trouve en Egypte «pouvoir, ciel serein (ou: paix; εὐδίη), gloire». Au plan maritime: Les pêcheurs aperçoivent des bancs de poisson «qui cherchent leur nourriture en surface par mer calme et beau temps» (ARISTOTE, op. c., IV, 8, 533 b); P. Oxy. 1223, 12 (IVe s. de notre ère).

[5] ESCHYLE, Sept contre Th. 795. Les partisans d'Hyrcan pourront vivre en paix, ἐν εὐδίᾳ διάζειν (FL. JOSÈPHE, Ant. XIV, 157); Αἴγυπτον εἰς εὐδίαν ἀγαγεῖν = pour

Quant à χειμών, il a une double acception. D'abord l'hiver, opposé à l'été (*Hénoch*, III, 1), depuis *Cant.* II, 11: «Voilà l'hiver (סְתָו) passé»[1], jusqu'à *Jo.* x, 22 où l'on célèbre la fête de la Dédicace en hiver. C'est la saison froide [2] où l'on chauffe les salles de bain (*P. Flor.* 127, 7) et le gymnase quotidiennement (*Inscriptions de Priène*, 112, 98; du Ier s. av. J.-C.), où l'on utilise les provisions (*P. Alex.* I, 7). Tout déplacement est pénible ou dangereux, et le Seigneur demande de prier pour que la fuite des chrétiens n'ait pas à se faire à une telle époque (*Mt.* XXIV, 20; *Mc.* XIII, 18); les traversées maritimes, fût-ce celle de l'Adriatique, sont spécialement périlleuses, et saint Paul demande à Timothée: πρὸ χειμῶνος ἐλθεῖν [3].

Χειμών désigne aussi de façon générale le mauvais temps (*P. Hib.* 198, 114): la pluie froide qui vous laisse tout tremblant (*I Esdr.* IX, 6) et dont on cherche à s'abriter (*II Esdr.* x, 9, גְּשָׁם), les pluies d'averse (*Job*, XXXVII, 6), la tempête plus ou moins violente [4], qui est devenue le symbole des difficultés humaines [5].

---

amener la sérénité en Egypte (pierre de Rosette; DITTENBERGER, *Or.* 90, 11); *P. Tebt.* 700, 34 (IIe s. av. J.-C. = *C. Ord. Ptol.* no 50).

[1] DIODORE DE SICILE, I, 41; *P. Brem.* 63, 31: «Je demeure nu pour cet hiver». *Sir.* XXI, 8: «qui amasse des pierres pour l'hiver», temps impropre à la construction; cf. cependant *P. Zén. Cair.* 59643, 3; *P. Lille,* 1, rect. 14 (plan et devis de travaux au IIIe s. av. J.-C.) : ἐὰν μὲν κατὰ χειμῶνα συντελῆται τὰ ἔργα = si les travaux sont terminés pendant l'hiver; pour l'entretien de la vigne, διὰ χειμῶνος (*P.S.I.* 1338, 8).

[2] *P. Tebt.* 278, 46 (début du Ier s. de notre ère): χιμὼν γάρ ἐστι, ψῦχος πολύ = c'est l'hiver, il fait très froid; cf. *P. Michig.* 514, 20; *P.S.I.* 1420, 20.

[3] *II Tim.* IV, 21. On n'hésitait pas cependant le cas échéant à affronter les tempêtes de l'hiver (FL. JOSÈPHE, *Ant.* XIV, 376). L'ambassade des Alexandrins à Rome, en 39–40, traverse la Méditerranée «en plein hiver», sans se douter «combien une tempête à terre est un adversaire de beaucoup plus terrible qu'une tempête en mer» (PHILON, *Leg. G.* 190). Mégas demande à Olympios de revenir avant l'hiver (*P. Hermop.* 11, 27; cf. *P. Ryl.* 692, 18), mais Terentianus demande à son père de lui apporter divers objets quand il viendra εἰς τὸν χειμῶναν (*P. Michig.* 476, 30; IIe s. ap. J.-C.).

[4] *Act.* XXVII, 20: χειμῶνός τε οὐκ ὀλίγου; FL. JOSÈPHE. *Ant.* XIV, 377; χειμῶνι σφοδρῷ; *P. Zén. Cair.* 59052, 5 et 12; MÉNANDRE, *Sam.* 376: «une tempête imprévue» opposée à la navigation par beau temps (ἐν εὐδίᾳ).

[5] *IV Mac.* xv, 32: «Tu as noblement supporté la tempête pour la cause de la piété»; *Testament Zab.* VI, 8; PHILON, *Congr. erud.* 93: «Abraham fit naître le calme là où régnait la tempête».

εὐεργεσία, εὐεργετέω, εὐεργέτης

I. – Dans l'A. T., ἡ εὐεργεσία se dit des bienfaits accordés soit par Dieu (*Sag.* XVI, 11; *Ps.* LXXVIII, 11, עֲלִילָה = les hauts faits) même aux pécheurs (*II Mac.* VI, 13), soit par le roi [1]. Il est donc normal que saint Pierre désigne par ce mot le «miracle» de la guérison du boîteux de la Belle Porte [2]. Mais l'εὐεργεσία implique bonté, gentillesse, libéralité [3], qui peut s'étendre, sans acception des personnes, εἰς πάντας ἀνθρώπους (*P. Osl.* 127, 11; *B.G.U.* 970, 8). C'est ainsi que les esclaves chrétiens serviront avec foi et amour leurs maîtres croyants qui «bénéficient de leur dévouement» ou «reçoivent leurs bons services» [4]. Alors que l'esclave est pour le profane

---

[1] *II Mac.* IX, 26; cf. *IV Mac.* VIII, 17; *Ep. d'Aristée*, 205: Comment le roi peut-il rester riche? Rép. «en s'attirant par sa bienfaisance l'affection de ses sujets». Les Milésiens veulent que leurs amis à Cos soient informés de leurs bienfaits: περὶ τῶν ὑπὸ τοῦ δήμου πεπραγμένων εἰς αὐτοὺς εὐεργεσιῶν (DITTENBERGER, *Syl.* 590, 34; vers 196).

[2] *Act.* IV, 9; cf. FL. JOSÈPHE, *Ant.* VI, 211: «ne pas faire du mal à un homme qui nous a fait le très grand bienfait de nous rendre la santé».

[3] *Sag.* XVI, 24; cf. *Inscriptions de Magnésie*, 32, 16: «les services et les bienfaits dont les gens de Magnésie ont gratifié les Grecs» (IIIe s. av. J.-C.). Décret en l'honneur de Pallantion, dont les citoyens «montrent les bienfaits que se sont rendus dans le passé les deux cités (Argos)» (*Suppl. Ep. Gr.* XI, 1084, 8); DIODORE DE SICILE, XIX, 67, 1: «les bienfaits de Cratésipolis la faisaient adorer de ses soldats»; 86, 3: «le prince était très généreux, εὐεργετικός»; Alexandre multiplie les bienfaits (XVII, 24, 1; 69, 9; 94, 3; 108, 6), tout comme Ptolémée (103, 7). PLUTARQUE, *Cor.* XI, 2; *P. Michig.* 521, 13; *P. Ross.-Georg.* III, 16, 2; *Sammelbuch*, 8797, 7; HERMÈS TRISMÉGISTE, I, 30: «Je gravais en moi-même le bienfait de Poimandrès». Il est d'usage dans les pétitions que le plaideur fasse appel à la bienveillance de celui qu'il sollicite, tel cet avocat s'adressant en 85 de notre ère à l'*euergésia* du Préfet en faveur de son client: τῆς σῆς εὐεργεσίας δεόμενος ἐντυγχάνει σοι (*P. Flor.* 61, 14; cf. *P. Oxy.* 899, 19; 2133, 5; 2342, 33; *P. Fay.* 20, 16; *P. Ryl.* 96, 10; *P. Fuad*, 26, 31; 27, 34; *Sammelbuch*, 9421, 31; 9489, 8); CL. GATTI, *Aspetti della εὐεργεσία nel mondo ellenistico*, dans *Parola del Passato*, 1967, pp. 192–213.

[4] *I Tim.* VI, 2. Il n'est pas facile de traduire οἱ τῆς εὐεργεσίας ἀντιλαμβανόμενοι; ce verbe traduisant dans la Septante quatorze mots hébreux différents. Etymologiquement, il évoque une correspondance ou une réaction (opposée ou harmonieuse, *Gen.* XLVIII, 17; *Is.* XLIX, 26; *Ps.* III, 5; cf. FL. JOSÈPHE, *Guerre*, VII, 316; *Ant.* V, 194); d'où «coopérer, prendre part, prêter son concours» (*I Chr.* XXII, 17; cf. THUCYDIDE, II, 61, 4; DION CASSIUS, XLVI, 45; *P. Tebt.* 709, 12; 786, 20), et finalement «s'occuper de, se consacrer à une tâche» (*I Rois*, IX, 9; cf. *P. Bour.* X, 4; *P. Osl.* 93, 21; *Arch.*

un *sôma* ou une *res*, saint Paul rend les *douloi* chrétiens capables d'une εὐεργεσία et transforme l'obéissance de l'infâme servitude en noble bienfait. L'*euergésia*, à l'époque, évoque un don gracieux, royal, impérial ou divin (cf. POLYBE, v, 11, 16), les générosités accordées par les supérieurs (*P. Fam. Tebt.* 15, 72; *P. Théad.* 20, 7) ou les mécènes [1]. Publiant le 28 septembre 68 l'édit du préfet T. Julius Alexander, le stratège de l'oasis de Thébaïde le préface: «Je vous ai communiqué la copie de l'édit... afin qu'en ayant pris connaissance, vous jouissiez de ses bienfaits» [2]. Le préfet lui-même déclare qu'il met tout son soin pour que la ville continue à jouir «des bienfaits qu'elle tient des Augustes, ἀπολαύουσαν τῶν εὐεργεσιῶν» (*l.* 4), et termine en évoquant «la bienfaisance et la prévoyance constante (des empereurs) qui sont cause de notre salut à tous» [3]... Depuis *I Tim.* vi, 2, les maîtres deviennent les obligés de leurs esclaves [4]!

II. – Le verbe εὐεργετεῖν, huit fois employé dans les Septante, n'a que Dieu pour sujet: le Seigneur fait du bien [5]. On en tiendra compte dans

---

Sarap. 2, 13; *Sammelbuch*, 7558, 20; 8855, 10; 9049, 8). Les deux emplois du N. T. signifient «prendre en charge, subvenir» (*Lc.* i, 54; *Act.* xx, 35) qui est le sens le plus fréquent des Septante (*Lév.* xxv, 35; *II Chr.* xxviii, 15; *Ps.* xviii, 36; xx, 2; *Sir.* iii, 12; xxix, 9, 20; *Judith*, xiii, 5 = *II Mac.* xiv, 15, etc.).

[1] D'où sa fréquence dans les décrets honorifiques: εὐεργεσίας ἕνεκα (*Inscriptions de Thasos*, 183, 3; cf. 192, 11: modèle pour les siècles à venir; 237, 5; *Inscriptions de Carie*, 56, 8: εἰς τὴν πατρίδα εὐεργεσίας, en 73–74 de notre ère; *Sammelbuch*, 7738, 7; 8303, 4; G. PFOHL, *Griechische Inschriften*, Munich, 1965, n. 68, 2; 70, 4). Délos honore Aglaos de Cos qui use «des avantages offerts par sa valeur personnelle, mais aussi de ceux qu'offre le sort pour faire du bien aux hommes autant qu'il le peut» (F. DURRBACH, *Choix d'inscriptions de Délos*, Paris, 1922, n. 92, 29). P. FRISCH, *Die Inschriften von Ilion*, Bonn, 1975, n. 62, 5: ἀρετῆς ἕνεκεν καὶ εὐσεβείας τῆς εἰς τὸ ἱερὸν καὶ εὐεργεσίας τῆς εἰς τὸν δῆμον; cf. 72, 4; 75, 4; 81, 5; 85, 7. Auguste loue Agrippa, ταῖς ἰδίαις ἀρεταῖς καὶ εὐεργεσίαις πάντων ἀνθρώπων κατεκράτεις (*P. Köln*, 10, 13); de même Ptolémée iii, *IG*, ix, 1, 1², 56 (cf. *Chronique d'Egypte*, 1975, p. 313).

[2] ἵν' εἰδότες ἀπολαύητε τῶν εὐεργεσιῶν (*Sammelbuch*, 8444, 2 = *B.G.U.* 1563; G. CHALON, *L'édit de Tiberius Julius Alexander*, Olten-Lausanne, 1964, p. 27).

[3] *L.* 65; cf. *Sammelbuch*, 9489, 8: ἀποδοθῆναί μοι εἰς τὸ δυνηθῆναί με ἐκ τῆς σῆς εὐεργεσίας. PLUTARQUE, *Démétr.* ix, 1: εὐεργέτην καὶ σωτῆρα.

[4] Sénèque montrait aussi que les sentiments magnanimes du serviteur transforment son service en bons offices et en bienfaits (*De Benef.* iii, 18–20).

[5] *Ps.* xiii, 6 (גֹּמֵל); lvii, 2 (גֹּמֵר); cxvi, 7 (ou cxiv selon les Sept.); *Sag.* iii, 5; xi, 5, 13; xvi, 2; *II Mac.* x, 38). De même PHILON, *Mut. nom.* 18; *Ep. Arist.* 190, 210; mais aussi le roi (§ 249; FL. JOSÈPHE, *Ant.* xiv, 370; *IV Mac.* viii, 6), qui, ce faisant, imite Dieu (*Ep. Arist.* 44, 281; Ps. LONGIN, *Du sublime*, i, 2: «Il eut raison celui qui déclara que ce qui rapproche des cieux c'est la bienfaisance et la pratique de la vérité»; STRABON, x, 3, 9: «On prétend très justement que les hommes atteignent la perfection dans l'imitation des dieux quand ils font du bien»; DION CHRYSOSTOME, ii, 26; ELIEN, *Var. Hist.* xii, 59).

l'exégèse d'*Act.* x, 38, où l'on peut voir un septantisme: Jésus de Nazareth «allait de lieu en lieu en faisant du bien (εὐεργετῶν) et guérissant tous ceux qui étaient sous la puissance du diable» [1]. Cette universalité dans la bienfaisance et cette victoire sur le mal sont d'un autre ordre que celles de l'empereur régnant [2].

III. – A l'époque hellénistique, *évergète* garde évidemment à l'occasion sa signification banale de «bienfaiteur» [3], mais il devient une dénomination technique du bienfaiteur-protecteur d'une cité [4], d'un peuple [5], de l'huma-

---

[1] Εὐεργετεῖν = εὐ-ποιεῖν (cf. H. BOLKESTEIN, *Wohltätigkeit und Armenpflege im vorchristlichen Altertum*, Utrecht, 1939, pp. 95 sv., 144 sv., 297, 392, 400, 433 sv.). Dans les pétitions au dioecète, à l'exégète, au stratège ou au préfet, ce verbe est employé presque exclusivement et abondamment dans les papyrus de l'octroi de la justice, d'une aide, d'un secours plus ou moins gracieux: ὦν χάριν ἀξιοῦμεν περὶ πάντων τούτων διαλαβεῖν ὅπως τύχωμεν τῶν παρὰ σοῦ δικαίων καὶ ὦμεν εὐεργετημένοι (*P. Ryl.* 119, 34–36; Iᵉʳ s. ap. J.-C.); 617, 11; *P. Tebt.* 302, 31 (en 71–72); 326, 16; *P. Michig.* 232, 28 (de 36 ap. J.-C.); 422, 37: ὃ ὑπὸ σοῦ τοῦ Κυρίου εὐεργετημένος; 524 16, (98 ap. J.-C.); 525, 33; 534, 3; 629, 15; *P. Mil. Vogl.* 27, col. I, 23; *P. Lugd. Bat.* VI, 37, 22; 43, 50; *B.G.U.* 2012, 27; 2064, 21; *Stud. Pal.* 49, 22; *P. Fuad*, 27, 34 (44 ap. J.-C.); *P. Oxy.* 899, 45; 2131, 18; 2133, 28; 2234, 25; 2411, 37; *P. Théad.* 20, 13: «Nous demandons maintenant de nous montrer la bienveillance conforme aux lois et aux ordonnances des gouverneurs et autres fonctionnaires». «Sachant bien que [tous ceux qui sont élus] obtiendront des faveurs à la mesure de leurs bienfaits» (J. POUILLOUX, *Choix d'Inscriptions grecques*, Paris, 1960, n. 20, 18–19, du IIIᵉ s. av. J.-C.). B. G. MANDILARAS, *The Verb in the Greek Non-Literary Papyri*, Athènes, 1973, n. 455.

[2] Néron: ὁ ἀγαθὸς δαίμων τῆς οἰκουμένης, σὺν ἄπασιν οἷς εὐεργέτησεν ἀγαθοῖς τὴν Αἴγυπτον... ἔπεμψεν ἡμεῖν Τιβέριον Κλαύδιον Βάλβιλλον (DITTENBERGER, *Or.* 666, 2–7).

[3] *Sag.* XIX, 14; *P. Oxy.* 38, 13 (de 49–50; réédité dans *Aegyptus*, 1966, p. 237); 486, 27; 2479, 1: τῷ ἐμῷ ἀγαθῷ εὐεργέτῃ καὶ δεσπότῃ δέησις καὶ ἱκεσία. A Smyrne, une certaine Antonia, peut-être la fille de Marc-Antoine, est qualifiée d'εὐεργέτις (DITTENBERGER, *Or.* 377); cf. la femme qui a rendu service à Alexandre (DIODORE DE SICILE, XVII, 24, 2). A. PASSONI DELL'ACQUA, *Euergetes*, dans *Aegyptus*, 1976, pp. 177–191.

[4] *II Mac.* IV, 2: εὐεργέτης τῆς πόλεως. Cf. *Inscriptions de Pergame*, 413, 414, 416, 425. Décret d'Istros: «Attendu qu'Agathoclès... descendant d'un père qui a été bienfaiteur, ne cesse de se montrer homme de bien envers la cité» (INSTITUT F. COURBY, *Nouveau choix d'Inscriptions grecques*, Paris, 1971, n. 6, 3–4; 7, 13); XÉNOPHON, *Hell.* VI, 1, 4, Polydamos tient ce discours à Lacédémone: «Pour moi, qui tiens de mes ancêtres, depuis un temps immémorial, les titres de proxène et de bienfaiteur de votre cité».

[5] *P. Ent.* IV, 11, rect.; XV, 10; XXIX, 15; XXXII, 14; XXXIII, 10; XXXVIII, 11 etc. «Attendu que le roi Eumène, ami de notre peuple et son bienfaiteur par tradition ancestrale» (*Fouilles de Delphes*, III, 3, n. 237, 3). Au IIIᵉ s., «les habitants de Philae et de la région des Douze Schènes» dédient une statue en l'honneur de «leur bienfaiteur» Caracalla (A. BERNAND, *Les Inscriptions grecques et latines de Philae*, Paris, 1969, II, n. 179, 10). C'est une formule courante de chancellerie; cf. P. COLLOMP,

nité entière (*P. Oxy.* 2342, 37; *P. Ryl.* 617, 6; *Sammelbuch*, 6674, 3). On l'attribuera donc d'abord aux dieux et aux déesses bienfaiteurs et bienfaitrices de leurs fidèles (*Inscriptions de Magnésie*, 62, 23; *P. Ross.-Georg.* v, 6, 4), notamment à Artémis, protectrice de la ville (*ibid.* 31, 19, 23; 38, 35). Une dédicace de L. Ioulios Seouèros est consacrée Ἀρτέμιδι καὶ Ἀπόλλωνι καὶ Λητοῖ εὐεργέταις [1]. En Egypte, en Syrie et à Rome, le titre de Θεοὶ Εὐεργέται s'applique aux rois. Le décret de Canope, le 7 mars 238: «Plaise aux prêtres du pays que les honneurs rendus auparavant dans le sanctuaire (d'Osiris) au roi Ptolémée et à la reine Bérénice, dieux bienfaiteurs, et à leurs parents, dieux Frères, et à leurs grands-parents, dieux Sauveurs, soient augmentés» [2]. Le plus souvent, on acclame le prince comme «sauveur et évergète», par exemple Antiochus en Syrie [3]. En 334 av. J.-C., les Priéniens décernent ce titre au roi Antigone (*Inscriptions de Priène*, 2, 6). César le reçoit des habitants de Délos (*Inscriptions de Délos*, I, 1587), de Mytilène (*IG*, XII, 2, 151), de Mégare (*IG*, VII, 62), de Karthaia (*IG*,

---

Recherches sur la Chancellerie et la Diplomatique des Lagides, Paris, 1926, pp. 97 sv.; C. Spicq, *Agapè* III, Paris, 1959, p. 41, n. 3; J. Aubonnet, *Aristote. Politique*, Paris, 1973, t. II, 2, p. 204.

[1] F. Cumont, *Studia Pontica*, Bruxelles, n. 146 *a*. Nombreuses références dans L. Robert, *Le sanctuaire de Sinuri près de Mylasa*, Paris, 1945, p. 23. Au IIᵉ s., Isis et Sérapis sont σωτῆρας ἀγαθούς, εὐμενεῖς, εὐεργέτας (U. Wilcken, *Chrestomathie*, 116, 6; réédité par E. Bernand, *Inscriptions métriques de l'Egypte gréco-romaine*, Paris, 1969, n. 165). La déesse Rome: θεὰν Ῥώμην τὴν εὐεργέτιν τοῦ κόσμου (R. Merkelbach, *Dea Roma in Assos*, dans *Zeitschrift für Papyrologie und Epigraphik*, 1974, p. 280). Une cité égyptienne se nomme Εὐεργέτις (*P. Oxy.* 1025, 2582; *P. Princet.* 126; *P. Köln*, 55; *Sammelbuch*, 7338, 1 et 16). Bien entendu, le vrai Dieu est σωτήρ τε καὶ εὐεργέτης, μακαριότητος (Philon, *Spec. leg.* I, 209; cf. *Lois allég.* II, 56; *Opif. mundi*, 169; *Congr. er.* 38, 97, 171; *Sobr.* 55).

[2] Dittenberger, *Or.* 56, 20–21 = *Sammelbuch*, 8858. Dédicace au roi Ptolémée III et à la reine Bérénice «dieux Evergètes» (A. Bernand, *op. c.*, n. 3, 3); «Au roi Ptolémée et à la reine Cléopâtre sa sœur et à la reine Cléopâtre sa femme, dieux bienfaiteurs, et à tous les dieux et déesses de Philae et de l'Abaton» (*ibid.* n. 15, 1–3, vers 135; 16, 2; 17, 2; 19, 21); *Corp. Ord. Ptol.* 51, 4–6; *Corp. I. Iud.* 1442, 5; *Sammelbuch*, 7453, 3; 8925; 10186, 3; Cl. Wehrli, *Un témoignage des ΘΕΟΙ ΕΥΕΡΓΕΤΑΙ dans le Culte dynastique pour l'année 145/4*, dans *Zeitschrift für Papyrologie und Epigraphik*, XV, pp. 8–10; B. Funck, *Die Wurzel der hellenistischen Euergetes-Religion im Staat und die Städte des Seleukos Nikator*, dans E. Ch. Welskopf, *Hellenische Poleis*, Leiden, 1974, t. III.

[3] Dittenberger, *Or.* 239. Antiochus Iᵉʳ de Commagène, dans l'inscription de Sofraz Köy: ὁ κτίστης καὶ εὐεργέτης (*ZPE*, XX, 1976, p. 213, *l.* 5). Le peuple de Laodicée érige une statue «du roi Antiochus VIII Epiphane... son sauveur et bienfaiteur» (F. Durrbach, *Choix d'Inscriptions de Délos*, Paris, 1921, n. 122); cf. *Esther*, VIII, 12 *n*: «Mardochée notre sauveur et continuel bienfaiteur»; *P. Oxy.* 2563, 47.

XII, 5, 555; cf. Philon, *Quod omn. prob.* 118), puis Auguste «le premier, le plus grand et l'universel bienfaiteur» (Philon, *Leg. G.* 149), à Thespie en 30–27 (*IG*, VII, 1836) et à Philae en 13–12 (*Sammelbuch*, 8897, 1), Claude (*Suppl. Ep. Gr.* XIV, 703; *Inscriptions de Pergame*, 378), Néron [1], «le roi des rois Arsace» en 87 de notre ère (*P. Dura*, 18, 1, 12; 19, 1; 20, 1; 22, 1; 24, 1, 21), Vespasien [2], Trajan: τὸν παντὸς κόσμου σωτῆρα καὶ εὐεργέτα (*IG*, XII, 1, 978; *Inscriptions de Corinthe*, n. 102, 7; cf. 503, 4. Dans *Sammelbuch*, 8438, 4, il faut lire εὐσεβείας *l.* εὐεργεσίας; cf. *Chronique d'Egypte*, 1967, p. 212).

La dénomination se démocratise et équivaut à nos «décorations» modernes. A Tralles, on honore le préfet du prétoire Fl. Caesarius qui a été *soter* et évergète «en toutes choses» (Le Bas-Waddington, *Inscriptions grecques et latines*, n. 1652 *d*, 7–8); exactement comme le préfet d'Egypte en 55–60 (*Sammelbuch*, 7462, 16); Laodicée honore le «légat propréteur, patron et bienfaiteur de la cité, en retour et reconnaissance de ses continuels bienfaits» (*Inscriptions grecques et latines de la Syrie*, n. 1258; cf. 4010, 8). A Sardes, le gouverneur T. Julius Celsus Polemaeanus, gouverneur de Cappadoce, évergète et *soter* de la cité (*Inscriptions de Sardes*, 41, 10); à Lindos, la prêtresse d'Athéna, *soter* et *evergetis* (*Inscriptions de Lindos*, 394, 11; en 10 de notre ère); à Athènes, Démétrius de Phalère (Plutarque, *Démétr.* VIII, 7; IX, 1); à Chypre, le préteur et grand prêtre Polycrate (*Suppl. Ep. Gr.* XX, 196) et le procurateur Flavios Boethos (*ZPE*, 1976, p. 135, *l.* 8);

Tarquin trouvait normal qu'un bon roi puisse être appelé évergète, père, sauveur (Denys d'Halicarnasse, IV, 32, 1; cf. Polybe, IX, 36, 5); cf. H. Bolkestein, *op. c.*, p. 399; E. Skard, *Zwei religiös-politische Begriffe: Euergetos-Concordia*, Oslo, 1932; A. D. Nock, *Soter and Euergetes*, dans J. E. Johnson, *The Joy of Study* (Mélanges F. C. Grant), New York, 1951, pp. 127–148.

[1] Τῷ σωτῆρι καὶ εὐεργέτῃ τῆς οἰκουμένης (Dittenberger, *Or.* 668, 5, inscription de l'Arsinoïte; 239, 5; 301, 3). Dans son discours à Corinthe du 28 nov. 67, Néron dit: ce n'est pas la pitié, c'est l'affection seule qui me fait généreux envers vous (δι, εὔνοιαν εὐεργετῶ); et je rends grâces à vos dieux, de m'avoir donné l'occasion d'être si grandement bienfaisant (ὅτι μοι τηλικαῦτα εὐεργετεῖν παρέσχον)» (Dittenberger, *Syl.* 814, 21, 24), «Néron... Soleil nouveau qui illumine les Hellènes, a résolu d'être le bienfaiteur de l'Hellade (προειρημένος εὐεργετεῖν τὴν Ἑλλάδα)» (*l.* 35). P. Bureth, *Les Titulatures impériales dans les papyrus, les ostraca et les inscriptions d'Egypte*, Bruxelles, 1964, p. 35. Néron appelait Corbulon *pater* et *euergétès* (Dion Cassius, LXIII, 17, 5). Pour Agrippa, cf. H. W. Pleket, *The Greek Inscriptions in the 'Rijks» museum van Oudheden' at Leyden*, Leiden, 1958, pp. 13 sv.

[2] La population de Tibériade le nomme «sauveur et bienfaiteur» (Fl. Josèphe-*Guerre*, III, 459); de même les habitants de Philae et de la Dodécaschène, en 69–79 (*Sammelbuch*, 8901, 3). Cf. L. Cerfaux, J. Tondriau, *Le Culte des Souverains*, Paris-Tournai, 1957, à l'index, p. 498.

à Mytilène, Potamos: évergète, *soter* et *ktistès* de sa patrie (DITTENBERGER, *Syl.* 754; Ier s. ap. J.-C.). Un prytane (*P. Oxy.* 41, 23–24), un harpiste (DITTENBERGER, *Syl.* 738, 14–15), ou quelque donateur qui fournit de l'huile au gymnase est gratifié de cette appellation (*Inscriptions de Carie*, n. 11, 7; 175 *a* 3; *MAMA*, VI, 105, 165). Il n'en reste pas moins que la catégorie des *euergetai* est l'objet d'honneurs [1], on célèbre des sacrifices et des jeux publics en leur nom, on exprime ainsi la gratitude envers leur dévouement et leur générosité [2].

Evidemment, la flatterie et l'adulation n'étaient pas étrangères à ces promotions. «Les subordonnés de Flaccus lui donnaient du 'maître, bien-

---

[1] Un rhéteur ou un littérateur qui s'entremet auprès des autorités romaines en faveur de sa patrie, est honoré par celle-ci comme un «nouveau fondateur» avec culte et sépulture à l'intérieur de la cité, à l'agora ou au gymnase, et reçoit de Rome le droit de cité (cf. L. ROBERT, *Opera minora selecta* IV, Amsterdam, 1974, p. 103), un bienfaiteur qui distribue du blé ou offre des banquets est acclamé comme τροφεύς «nourricier» et ἀριστεύς (L. ROBERT, *Hellenica* XI-XII, pp. 569 sv.). «Seuls d'entre les Grecs, les Thébains étaient honorés comme des Bienfaiteurs (ὡς εὐεργέτας τιμᾶσθαι) à la cour de Perse, où devant le Grand Roi on disposait des fauteuils pour les ambassadeurs thébains» (DIODORE DE SICILE, XVII, 14, 2). En raison des secours qu'ils apportèrent à Cyrus, le peuple «appelé primitivement Ariaspes porte maintenant le nom de Bienfaiteurs (Εὐεργέτας)» (*ibid.* 81, 1), avec les privilèges honorifiques que ce titre comporte.

[2] Cf. L. ROBERT, *Opera minora*, Amsterdam, 1969, I, pp. 63–64; PHILON, *Vit. Mos.* II, 198; *In Flac.* 81: «Les magistrats qui gouvernent bien ne font pas semblant d'honorer les *Euergetai*, mais les honorent réellement»; *Quod omn. prob.* 118: «la fidélité de peuples entiers à l'égard de bienfaiteurs défunts les a engagés à supporter délibérément l'annihilation». «Que tous sachent que le peuple d'Histiée sait honorer ses bienfaiteurs» (DITTENBERGER, *Syl.* 493, 15); «le peuple sait témoigner à ses Evergètes la gratitude que méritent les bonnes actions qu'ils ont faites» (*ibid.* 374, 51; Décret d'Athènes, en 287 av. J.-C., pour le poète Philippidès). Un décret d'Istros au IIIe s. av. J.-C. honore trois ambassadeurs: «Plaise au Conseil et au peuple de les inscrire, eux et leurs descendants, au nombre des bienfaiteurs du peuple, de les couronner» (*Suppl. Ep. Gr.* XVIII, 288, 13–15; cf. XIV, 647, 6; 650, 6; 651, 2). A Gonnoi en Thessalie: «Il convient au peuple de ne rien négliger de ce qui concerne les honneurs et la reconnaissance envers ceux qui choisissent d'être les bienfaiteurs du peuple» (B. HELLY, *Gonnoi*, Amsterdam, 1973, n. 109, 17); «Tous les privilèges qui appartiennent aux autres proxènes et évergètes de la cité» (*ibid.* 41, 23; cf. 3, 4; 18, 6; 20, 9; 33, 5; 34, 5). Au IVe s. av. J.-C., Eudemios de Platées est compté «au nombre des bienfaiteurs du peuple d'Athènes, lui et ses descendants» (DITTENBERGER, *Syl.* 288, 25–28). *Inscriptions de Pergame*, 418, 419; *Sammelbuch*, 10026, 4; 10029, 4; 10034, 4; 10195, 12. Gélon «fut de toutes parts salué pour ainsi dire d'une seule voix (par les Syracusains) du nom de bienfaiteur, de sauveur et de monarque» (DIODORE DE SICILE, XI, 26). Fl. Optimus, τὸν εὐεργέτην καὶ σωτῆρα τῆς ἐπαρχίας (C. H. E. HASPELS, *The Highlands of Phrygia*, Princeton, 1971, I, n. 87).

faiteur, sauveur' et autres titres semblables» (PHILON, *In Flac.* 126; cf. *Leg. G. 22*). L'archiprêtre Apollonios ne craint pas de dire d'Auguste aux Grecs d'Asie: «La Providence a produit l'Empereur qu'elle a rempli de vertu, pour en faire *un bienfaiteur de l'humanité;* ainsi, elle nous a envoyé à nous et aux nôtres un sauveur qui a mis fin à la guerre... Non seulement il a dépassé *les précédents bienfaiteurs,* mais il ne laisse à ceux de l'avenir aucun espoir de l'emporter sur lui»[1]. Cet *isothéisme*[2] ou θεία εὐεργεσία du prince (*P. Hib.* 274, 7; *P. Strasb.* 245, 17–18) ne pouvait que choquer une conscience objective. Aussi bien, dans l'édit de 19 de notre ère aux Alexandrins, Germanicus est catégorique: «Je refuse absolument ces acclamations odieuses qui s'adressent à un dieu. Elles ne conviennent qu'à celui qui est réellement le Sauveur et le Bienfaiteur de tout le genre humain, mon Père (Auguste) et à sa mère»[3].

C'est dans ce contexte qu'on doit lire *Lc.* XXII, 25: «Les rois des nations les gouvernent en maîtres (κυριεύουσιν), et ceux qui exercent sur elles le pouvoir reçoivent le nom de: Bienfaiteurs (Εὐεργέται)». Cette absence de toute critique et cette légère ironie sont bien du Seigneur. Cette discrétion même[4] ne rend que plus absolue la prescription d'abaissement des ministres de l'Eglise: comme des serviteurs (℣℣. 26–27).

---

[1] *Inscriptions de Priène*, 105, 34, 38; cf. J. ROUFFIAC, *Recherches sur les caractères du grec dans le N. T.*, Paris, 1911, p. 67–73; J. et L. ROBERT, *Bulletin Epigraphique*, dans *Rev. des Etudes Grecques*, 1968, p. 436, n. 135. «César était célèbre par ses bienfaits et sa munificence» (SALLUSTE, *Conjuration de Catilina*, LIV, 2). L'empereur Gaius était «regardé comme le sauveur et le bienfaiteur» (PHILON, *Leg. G.* 22). Les Romains se disaient οἱ κοινοὶ εὐεργέται (DITTENBERGER, *Syl.* 630, 17–18; 705, 46; cf. L. ROBERT, *Etudes Epigraphiques et Philologiques*, Paris, 1938, p. 25). A l'époque d'Auguste, le peuple d'Assos célèbre «la divine Rome, la Bienfaitrice de l'univers, θεὰν ʽΡώμην τὴν εὐεργέτιν τοῦ κόσμου» (R. MERKELBACH, *Die Inschriften von Assos*, Bonn, 1976, n. XX, 2), tout comme les Déliens (*OGIS*, LIX, 1) et à Lagina-Stratonikéia (*ibid.* 431, 135). Cf. Πτολεμαῖς Εὐεργέτις, *P. Tebt.* 350, 3; 580; 587; *P. Duke* inv. G. 170 (*Collectanea Papyrologica in honor of H. C. Youtie*, I, p. 177).

[2] Τοῖς ἄλλοις θεοῖς καὶ τοῖς κοινοῖς εὐεργέταις ʽΡωμαίοις (DITTENBERGER, *Syl.* 705, 46; Sénatus-consulte de 112 de notre ère; cf. 117, 15). Nombreuses références dans L. ROBERT, *Etudes Anatoliennes*[2], Amsterdam, 1970, p. 448.

[3] A. S. HUNT, C. C. EDGAR, *Select Papyri* II, Londres, 1934, n. 211. Plutarque sera plus absolu dans cette critique, cf. *De Alexandri Magni fortuna aut virtute*, II,5.

[4] Il est notable que les inscriptions juives qui exaltent si souvent les donateurs et bienfaiteurs semblent éviter intentionnellement le qualificatif d'évergète. STRACK-BILLERBECK ne commentent pas le verset.

εὐθυμέω, εὔθυμος, εὐθύμως

S'il est vrai que le *thumos* désigne l'âme ou le cœur comme principe de la vie ou siège des sentiments, les composés avec εὐ- recevront leur acception précise du contexte immédiat et de l'usage contemporain. Mais on ne voit pas pourquoi les traductions modernes préfèrent celle de «courage» dans *Act.* XXVII, 22, 36. Au cours de la tempête, en effet, saint Paul invite ses compagnons au calme et à la confiance – παραινῶ ὑμᾶς εὐθυμεῖν – «car il n'y aura parmi vous aucune perte d'hommes, mais seulement [celle] du vaisseau». Ce n'est pas une exhortation à la vaillance, mais à retrouver son sang-froid. Peu après, l'Apôtre demande à chacun de prendre de la nourriture, il prend du pain et rend grâces à Dieu; «alors, tous rassurés (et non: encouragés; εὔθυμοι δὲ γενόμενοι πάντες), prirent aussi de la nourriture» [1]. Il faut donc traduire εὐθυμέω par «rassurer, réconforter» [2] comme l'indiquent les papyrus.

Au début du IIe s., Eutychidis écrit à son père: «Au sujet de l'orge de Thallou, rassure-toi, car je l'ai vendue» (*P. Amh.* 133, 4; réédité *Arch. de Sarapion* 92). Au IVe s., Hermodôros à son frère: «Sois rassuré au sujet de nos enfants Anysios et Aphtonios, car ils sont en bonne santé» [3]. Mais dans

---

[1] Cf. Antiochus conseillant à Lysias de tendre la main aux Juifs, afin que «connaissant le parti adopté par nous, ils soient rassurés (εὔθυμοί τε ὦσι)» (*II Mac.* XI, 26). Semblablement par sa propagande optimiste à Tibériade, Pétronius «faisait de son mieux pour rassurer la foule (εὐθυμεῖν τὸ πλῆθος)» (FL. JOSÈPHE, *Ant.* XVIII, 284). Le Seigneur fait que ce qui nous afflige devient réconfortant (*P. Oxy.* 1874, 19; cf. 939, 19; *Sammelbuch,* 6222, 10). L'*euthumia* consisterait précisément «à se libérer de la tension qui accompagne l'effort» (J. M. ANDRÉ, *L'Otium dans la vie morale et intellectuelle romaine,* Paris, 1966, p. 148, n. 12).

[2] Cf. PHILON: «Joseph fait d'abord ouvrir tous les greniers, avec l'intention de rassurer les hommes par cette vue» (*De Jos.* 162); l'intendant «rassura [les frères de Joseph] par des paroles obligeantes et aimables» (*ibid.* 198; cf. 199). Phasael meurt content et rasséréné «puisque je laisse vivant un vengeur pour punir mes ennemis» (FL. JOSÈPHE, *Guerre* I, 272: εὔθυμος ἄπειμι = *Ant.* XIV, 369: εὐθύμως).

[3] *P. Herm.* 5, 15: εὐθύμει ἐπί; cf. VI, 11; *P. Ant.* 44, 15; *P. Mil.* 84, 1 (= *Sammelbuch,* 9441). La nuance de contentement et de joie est accentuée *P. Iand.* 13, 18: ἵνα μετὰ χαρᾶς σε ἀπολάβωμεν καὶ εὐθυμῆσαι δυνώμεθά σε; *P. Lond.* 1244, 7 (t. III, p. 244): παρακαλῶν τὸν θεὸν ἵνα σαι ἀπολάβω εὐθυμοῦντα καὶ εὐπυγ᾽ μοῦντα; 1927, 10; cf. *P. Lund,* II, 4, 8 (= *Sammelbuch,* 8091, 18); *P. Oxy.* 1593, 2: εὐθυμοῦντί σαι καὶ

les lettres, εὐθυμέω est très fréquemment associé à ὑγιαίνω, et il est d'usage de souhaiter à ses correspondants à la fois d'être en bonne santé et de garder «bon moral». Si Sérénos Antonia termine simplement sa lettre à sa mère, au IIIᵉ s., εὐθύμει κυρία (*P. Ross.-Georg.* iii, 2, 32; les éditeurs traduisent «Sei gutes (sic) Mutes»; cf. *P. Oxy.* 2156, 24; *P.S.I.* 1248, 2, 27), la fin de l'épitaphe d'Artémidora morte à quarante-huit ans, Εὐθύμει est traduite par l'éditeur E. Bernand: «Sois consolée» (*Inscriptions métriques de l'Egypte*, n. 58, 9), à rapprocher de l'épigramme funéraire: ΕΥΘ [...] (*Inscriptions de Crète* i, 292, n. 2) à lire sans doute εὐθύμει (cf. R. MERKELBACH, dans *Zeitschrift für Papyrologie und Epigraphik* xii, 1973, p. 206). Au IVᵉ s., εὔχομαι ὑγιαίνοντί σοι καὶ εὐθυμοῦντι (*P. Hermop.* v, 3; cf. 29; 4, 6; 14, 5; *P. Alex.* 30, 5); πρὸ μὲν πάντων εὔχομαι τῷ ὑψίστῳ θεῷ περὶ τῆς σῆς ὑγίας καὶ ὁλοκληρίας, ἵνα ὑγιένοντά σε καὶ εὐθυμοῦντα ἀπολάβῃ τὰ παρ' ἐμοῦ γραμματίδια (*P. Leipz.* 111, 5); «Que ma lettre te trouve en bonne santé et avec bon moral» (*P. New York*, 25, 4; cf. *P.S.I.* 825, 4); εὐχόμενος τῇ θείᾳ προνοίᾳ ὑγιαίνοντί σοι καὶ εὐθυμοῦντι (*P. Lond.* 409, 6–7, réédité *Arch. Abin.* 10, 7; cf. 36, 7, repris de *P. Gen.* 53); ὑγίενα τά σε καὶ εὐθυμοῦντα (*P. Ross.-Georg.* iii, 9, 21; cf. 10,5). Du Fayûm, au VIᵉ s., πρὸ μὲν πάντων εὐχὰς καὶ δέησις ἀναπέμπω πρὸς τὸν Θεόν μου καὶ σωτῆραν ἡμῶν τὸν Χριστὸν ὅπως ὑγιένοντας ὑμᾶς καὶ εὐθυμοῦντάς μοι συνήθως διατηρήσιν[1]. Sans nouvelles de sa mère et de ses frères, le médecin Eudaïmon leur écrit: «Vous ne m'avez pas consolé en me rassurant sur votre santé» (*P. Fuad*, 80, 7). C'est que l'*euthumia* serait précisément un terme médical employé par les docteurs pour encourager le malade à reprendre force et espoir[2]; ce serait presque: la relaxation.

C'est d'abord en fonction de ces nuances que l'on traduira *Jac.* v, 13: «Quelqu'un parmi vous est-il dans la peine[3]? Qu'il prie. Quelqu'un est-il de bonne humeur (εὐθυμεῖ), qu'il chante des hymnes. Quelqu'un parmi vous est-il malade? Qu'il appelle les presbytres de l'Eglise...». L'*euthumia* n'est

---

εὐδαιμονοῦντι; *P. Apol. Anô*, 70, 5: «Je n'ai pas le cœur à rien écrire d'autre des peines qui m'accablent».

[1] *P. Grenf.* 61, 7–13; cf. *P. Gen.* 53, 7; *P. Gies.* 54, 3; *P. Oxy.* 2731, 19. La formule est particulièrement employée par les chrétiens, cf. M. NALDINI, *Il Cristianesimo in Egitto*, Florence, 1968, n. 38, 6; 44, 4; 57, 5; 65, 7; 73, 4; 77, 22; 78, 5; 90, 5; 97, 4; cf. n. 11, 18; 58, 7; 89, 15, 24; 92, 15.

[2] Les références sont données par W. K. HOBART, *The Medical Language of St. Luke*, Dublin-Londres, 1882, pp. 279–280. Pour Hippocrate, notamment dans *Epidémies* ii et vi, l'*euthumie* est une bonne disposition intérieure, une bonne humeur courageuse, une bienveillance optimiste qui dilate le cœur et maintient ou favorise l'apparition de cet équilibre intérieur qu'est la santé.

[3] Sur κακοπαθέω, cf. C. SPICQ, *Théologie morale du N. T.*, i, p. 361, n. 3.

315

pas la joie, mais la sérénité, ce que *Prov.* xv, 15 exprime par «le cœur content», des sentiments optimistes, pleins d'allant et enjoués qui s'exprimeront aisément en chants [1]; ce que Sénèque dénomme à l'époque «l'assiette stable de l'âme» [2] et qui est, à ce titre, un idéal de la morale [3]. Ainsi, la bonne humeur ou le bon moral du chrétien n'est pas seulement l'absence de souffrance ou d'angoisse [4], mais un équilibre psychologique serein et confiant.

L'adverbe εὐθύμως, ignoré des papyrus, est employé par saint Paul s'adressant à Felix: «Sachant que depuis plusieurs années tu es juge de cette nation, c'est avec confiance que je parle pour ma défense» (*Act.* XXIV, 10). Le meilleur parallèle est celui du perse Phéraulas: «une chose surtout m'inspire du courage pour cette lutte contre les homotimes, c'est que nous serons jugés par Cyrus, juge impartial» (XÉNOPHON, *Cyr.* II, 3, 12). Le ton de la voix a peut-être précisé la nuance, qui pourrait être également celle

---

[1] Cf. PLUTARQUE, *Propos de Table*, I, 1, 4: «Ces plantes communiquent aux convives bonne humeur et gaieté»; *Agésilas*, II, 5: l'entrain; *P. Ryl.* 439: αὖθις μετ' εὐθυμίας τὸ θεοφιλέστατόν σου πρόσωπον ἀπολαβεῖν; *Hymne à Isis*: «En entendant mes prières et mes hymnes les dieux m'ont donné en échange le bonheur (εὐθυμίαν) comme marque de reconnaissance» (*Sammelbuch*, 8139, 34 = E. BERNAND, *Inscriptions métriques de l'Egypte gréco-romaine*, 175 b; cf. V. F. VANDERLIP, *The Four Greek Hymns of Isidorus and the Cult of Isis*, Toronto, 1972, p. 35: ἀνταπέδωκαν ἐμοὶ εὐθυμίαν χάριτα).

[2] SÉNÈQUE, *De Tranq. anim.* I, 18 sv.; II, 3 sv.). L'εὐθυμία est la *tranquillitas animi*. Panétius (cf. A. GRILLI, *La data di composizione del Περὶ εὐθυμίας di Panezio*, dans *Acmè*, IX, 1956, pp. 3–6), Plutarque et le pythagoricien Hipparchos ont écrit un περὶ εὐθυμίας (STOBÉE, *Flor.* CVIII, 44, 81; t. v, pp. 980–984; cf. H. BROECKER, *Animadversiones ad Plutarchi libellum ΠΕΡΙ ΕΥΘΥΜΙΑΣ*, Bonn, 1954, pp. 20 sv.; H. THESLEFF, *The Pythagorean Texts*, Abo, 1965, pp. 89 sv.). De même Démocrite (Περὶ εὐθυμίης) qui se fixait comme but «l'εὐθυμίαν – οὐ τὴν αὐτὴν οὖσαν τῇ ἡδονῇ précisait-il – καθ' ἣν γαληνῶς καὶ εὐσταθῶς ἡ ψυχὴ διάγει, état de sérénité qu'il appelait encore εὐεστώ» (TH. BEAUPÈRE, *Lucien. Philosophes à l'encan*, Paris, 1967, II, p. 71, citant DIOGÈNE LAERCE, IX, 45). Pour les Stoïciens, il s'agit de quiétude, de paix intérieure, voire de vie heureuse; en tout cas d'égalité d'humeur gardée dans des conjonctures diverses, et même avec une nuance d'entrain et même de joie. Cela correspondrait assez bien à notre bonne humeur.

[3] MARC-AURÈLE, III, 16, 4: «L'homme de bien vit avec droiture, modestie et bonne humeur (εὐθύμως)». Cf. A. GRILLI, *Il problema della Vita Contemplativa nel mondo greco-romano*, Milan, 1953; R. JOLY, *Le thème philosophique des genres de vie dans l'Antiquité classique*, Bruxelles, 1956, pp. 10 sv.

[4] Il est notable que le N. T. ignore le découragement (ἀθυμία; cf. THUCYDIDE, II, 51, 4), l'abattement (δυσθυμίη, HIPPOCRATE, *III Epidém.* 62, 5), l'accablement (καταφορή, *ibid.* 82, 16–17). Les mélancoliques meurent découragés (ἄθυμοι, *ibid.* 112, 11; cf. 134, 5). L'*euthumia* s'oppose à l'inquiétude (cf. *P. Oxy.* 939, 19), comme l'ardeur au découragement (XÉNOPHON, *Hell.* VII, 4, 24).

de: volontiers, de bon cœur [1]. De toute façon, c'est une *captatio benevolentiae* conventionnelle [2].

---

[1] *Sammelbuch*, 8444, 5: «l'Egypte contribue de bon cœur (εὐθύμως) à l'approvisionnement... afin qu'avec plus de confiance (εὐθυμότεροι) vous attendiez tout, le salut comme le bonheur matériel du bienfaiteur Auguste». Cf. XÉNOPHON, *Cyr.* ii, 2, 27: «les bons soldats s'attacheront de meilleur cœur (εὐθυμότερον) à la vertu»; FL. JOSÈPHE, *Ant.* x, 174: les prisonniers, se voyant sur le point d'être délivrés, sont remplis de joie (εὐθύμως); 258: Daniel supporte son sort avec sérénité (εὐθύμως).

[2] Cf. M. DIBELIUS, *Studies in the Acts of the Apostles*, Londres, 1956, p. 171; E. HAENCHEN, *Die Apostelgeschichte*, Göttingen, 1956, p. 587, qui rappelle la brutalité de Felix, «per omnem saevitiam ac libidinem jus regium servili ingenio exercuit» (TACITE, *Hist.* v, 9).

εὐκαιρέω, εὐκαιρία, εὔκαιρος, εὐκαίρως

Tous ces termes, qui appartiennent à la langue hellénistique, sont employés abondamment dans les papyrus, et presque exclusivement dans les lettres privées; ils faisaient donc partie du langage courant. Dans le N. T., le verbe εὐκαιρέω: «trouver du temps, employer son temps», non employé par les Septante, est dit des auditeurs de Jésus qui n'ont pas eu le temps ou le loisir de manger [1], des Athéniens qui passent leur temps à dire ou à écouter ce qui est le plus nouveau (*Act.* XVII, 21), et d'Apollos, refusant de se rendre sur le champ à Corinthe: «il ira [chez vous], lorsqu'il aura le temps» [2], ou: lorsqu'il en trouvera soit l'occasion soit l'opportunité [3].

Le substantif εὐκαιρία se dit tantôt du «bon moment» [4], de la conjoncture propice, de l'occasion favorable [5], par exemple Judas cherchant une occasion pour livrer Jésus [6], tantôt du moment précis où le secours arrive

---

[1] *Mc.* VI, 31; cf. *P. Par.* 46, 18: αὐτὸς δέ,ὡς ἂν εὐκαιρήσω, παραχρῆμα παρέσομαι πρὸς σέ (IIe s. av. J.-C.; réédité par St. Witkowski, *Epistulae privatae graecae*, Leipzig, 1911, n. 47; et *UPZ*, 71); *P.S.I.* 425, 28; 973, 8: ἐὰν εὐκαιρήσῃς διὰ τὸ μικρὸν πρᾶγμα; *B.G.U.* 2064, 19; *P. Oxy.* 2979, 7 (3 av. J.-C.). B. G. Mandilaras, *The Verb in the Greek Non-Literary Papyri*, Athènes, 1973, n. 813.

[2] *I Cor.* XVI, 12: ἐλεύσεται δὲ ὅταν εὐκαιρήσῃ; cf. *P. Zén. Cair.* 59124, 7: αὐτὸς παραγενόμενος ὡς ἂν εὐκαιρῇς; 59045, 3: ὡς ἂν εὐκαιροῦντα λάβῃς εἰσαγαγὼν αὐτόν (réédité *Sammelbuch*, 6788).

[3] *P. Lond.* 1925, 3: εὐκαιρηθεὶς τοῦ συντείνοντος πρὸς τὴν θεοσέβειάν σου; *P. Eleph.* 29, 7: ἐὰν δὲ μὴ εὐκαιρῇς τοῦ διαβῆναι; *P. Gies.* 67, 14 (avec la note de l'éditeur P. M. Meyer). Dans *P. Brem.* 63, 29: ὅτε οὐκ εὐκαιρῶ = ici, je n'ai aucun bon temps. Phrynichus définit: Εὐκαιρεῖν οὐ λεκτέον, ἀλλ᾽ εὖ σχολῆς ἔχειν, et cite Chion, *Epist.* 17; Plutarque, *Apopht. Lac.* p. 215; *Quaest. Rom.* 41; Athénée, VI, 109, 553 etc.

[4] Cf. Ménandre, *Dyscol.* 129: «sache-le bien, en toute chose, pour réussir, il faut choisir le bon moment»; *Z.P.E.* XXIV, 1977, p. 128.

[5] Démétrius à Jonathan: «Je te comblerai d'honneurs toi et ta nation dès que j'en trouverai l'occasion, ἐὰν εὐκαιρίας τύχω» (*I Mac.* XI, 42); tantôt il s'agit d'un bienfait opportun (*Ps.* CXLV, 15, ἐν εὐκαιρίᾳ; Fl. Josèphe, *Ant.* XV, 315: τὴν τῆς χάριτος εὐκαιρίαν), tantôt de l'occasion d'une mort (*ibid.* XVIII, 54) ou d'une vengeance (*ibid.* XV, 59; XX, 76). Dans le lexique stoïcien, l'εὐκαιρία est l'*opportunitas temporum*, le temps propre à l'action, cf. D. Tsekourakis, *Studies in the Terminology of Early Stoic Ethics*, Wiesbaden, 1974, pp. 56 sv.

[6] *Mt.* XXVI, 16; cf. *Mc.* XIV, 11 (εὐκαίρως). Presque toujours, dans les papyrus, l'écrivain cherche et trouve l'occasion de faire porter sa lettre au destinataire (*P. Brem.* 15, 28: départ du bateau; *P. Oxy.* 1300, 2; 1861, 1; *P. Osl.* 59, 1; *P.S.I.* 299, 2; *P.*

(*Ps.* IX, 10; X, 1; traduit עֵת), et dont on profite: les heures de loisir (*Sir.* XXXVIII, 24), tantôt d'une vie «heureusement employée» (PLUTARQUE, *Consol. Apol.* 17); ce qui deviendra chez les Byzantins et dans le grec moderne: le jour chômé (cf. τῆς εἰρημένης εὐκαιρίας, *P. Ant.* 94, 23).

L'adjectif εὔκαιρος est employé exactement dans le même sens, du jour propice où l'on reçoit aide et assistance [1], d'une position favorable (*II Mac.* XIV, 29; cf. *Ep. Aristée*, 115) et d'une circonstance appropriée où l'on peut mettre ses projets à exécution [2]; on profite de la conjoncture convenable [3]. C'est ainsi que le «jour propice, γενομένης ἡμέρας εὐκαίρου» de *Mc.* VI, 21 fut le jour favorable attendu par Hérodiade pour réaliser son dessein de se débarrasser de Jean-Baptiste.

Apol. Anô, 54, 1; *P. Fuad*, 88, 1; 89, 1: «ayant saisi l'occasion du messager, j'ai cru devoir vous écrire...»; *Abin. Arch.* 8, 7: «trouvant l'occasion de deux ou trois chameaux pour transporter du vin»; 30, 3; 38, 3; *Sammelbuch*, 6097, 6; 7247, 27; 8027, 11; 9287, 1 etc.), ou il ne trouve pas le temps: «J'écris ma lettre la nuit, ayant trouvé une occasion, mais je suis incapable de l'envoyer» (*P. Michig.* 476, 20; cf. *Sammelbuch*, 7872, 15), et il promet d'écrire à une autre occasion (*P. Ross.-Georg.* 21, 10). Sous le règne de Trajan, un soldat promet de venir, s'il trouve l'occasion de mettre son projet à exécution, mais il ne l'a pas encore trouvée (*P. Michig.* 203, 7, 10, 20; cf. 214, 27; *B.G.U.* 665, col. II, 4: εὐκαιρίαν δὲ οὐκ ἔχει, Ier s. ap. J.-C.). Comparer l'*hapax* bibl. ἀκαιρέω (au moyen) dans *Philip.* IV, 10: les sentiments des Philippiens envers l'Apôtre «refleurissent», mais l'*occasion leur manquait* de les manifester.

[1] *Ps.* CIV, 27; *Hébr.* IV, 16: εἰς εὔκαιρον βοήθειαν; cf. DITTENBERGER, *Or.* 762, 4: βοηθείτω κατὰ τὸ εὔκαιρον (IIe s. av. J.-C.), *Syl.* 693, 12: βοηθείτω ὡς ἂν ᾖ εὔκαιρον (cf. O. MONTEVECCHI, *Quaedam de graecitate psalmorum cum papyris comparata*, dans *Proceedings of the IX International Congress of Papyrology*, Oslo, 1961, pp. 296sv.). Le mot est cher aux stoïciens, cf. P. M. SCHUHL, «*De l'instant propice*», dans *Revue Philosophique*, 1962, pp. 69–72.

[2] *II Mac.* XIV, 29, Nicanor «épiait une occasion favorable pour accomplir cet ordre au moyen d'un stratagème». ONOSANDRE, X, 19: bien informé, le général pourra déployer une stratégie opportune (εὐκαίρῳ στρατηγίᾳ); cf. XXXVI, 6. Εὔκαιρος se dit, comme le substantif, de l'occasion de faire partir une lettre (*P. Oxy.* 2156, 3); mais dans la correspondance de Zénon (au IIIe s. av. J.-C.), il a un sens beaucoup plus large, et il faudrait traduire εἰ (ou ἐὰν) εὔκαιρόν σοι ἔστι (*P. Zén. Cair.* 59371, 11, réédité *Sammelbuch*, 6770; 59416, 5; *P. Michig.* 51, 5; 72, 3; 487, 14), non pas «si tu as l'occasion», mais «si cela t'est possible, si cela te convient, si c'est faisable» (*P. Ryl.* 563, 5; réédité *Sammelbuch*, 7646, 5); nuance qu'on retrouve *P. Brem.* 18, 8); celle de bon temps (*ibid.* 63, 3; cf. 11, 3) et de bonne santé (*P. Oxy.* 1861, 3) sont également attestées.

[3] Cf. MÉNANDRE, *Dyscol.* 232: «Ce n'est pas le moment (μὴ... εὔκαιρον) de se trouver dans leurs jambes». Dans *Ep. Aristée*, 203, 238, le roi ne pose des questions que lorsqu'il juge le moment opportun. Démétrius III surnommé *Eukairos*, l'opportun, était appelé par ses ennemis *Akairos*, l'intempestif (FL. JOSÈPHE, *Guerre*, I, 92). DIODORE DE SICILE, XVII, 52, 2: Alexandrie est très favorablement située.

L'adverbe εὐκαίρως situe l'action «en temps voulu» (*Sir.* XVIII, 22) au bon moment (*Sammelbuch*, 6786, 28; *P. Zén. Cair.* 59498, 15; 59508, 5), celui où l'on a chance de réussir ou d'être bien accueilli [1]. Timothée, timide, se montrant trop réservé dans l'exercice de sa charge, saint Paul l'engage à proclamer la Parole de Dieu «à temps, à contre-temps» [2], donc sans tenir compte du bon ou du mauvais accueil des auditeurs, des circonstances favorables ou défavorables, alors qu'humainement, au plan prudentiel, il y a des moments où il faut parler et d'autres où il faut s'abstenir [3].

---

[1] Cf. *P. Lond.* 33, 23 (réédité *UPZ*, 39; cf. 40, 17); *P.S.I.* 742, 5. Démosthène, *Prologues*, 37; Fl. Josèphe, *Guerre*, I, 618: «Varus est là opportunément».

[2] *II Tim.* IV, 2: ἐπίστηθι εὐκαίρως ἀκαίρως; l'absence de copule rend l'oxymoron plus énergique (cf. le latin: *volens nolens, concordia discors, per fas et nefas*). Sur ἀκαίρως cf. *Sir.* xx, 19: un «conte (raconté) à contre-temps»; Fl. Josèphe, *Ant.* xii, 6: une superstition hors-de-saison; Thucydide, v, 65, 2: «zèle intempestif»; Plutarque, *Pompée*, LXVII, 5: «une franchise intempestive»; LXXV, 4. Léonidas d'Alexandrie: «Les paysans n'ont que faire, après la moisson, de pluie intempestive – ὄμβρος ἄκαιρος – et les matelots du zéphyr, une fois rentrés au port» (*Anthol. Palat.* XI, 9). Dans la lettre du fils repenti (IIe s. ap. J.-C.): ἀκαίρως (*l.* ἀκαιρέως) πάντα σοι διήγηται (*B.G.U.* 846, 14 (réédité A. S. Hunt, C. C. Edgar, *Select Papyri*, Londres, 1952, n. 120); cf. C. A. Wilson, *New Light on the Gospels*, Londres, 1970, pp. 96 sv.

[3] S. Jean Chrysostome explique que la source coule toujours, même si personne ne vient y puiser (*Hom. III in Laz. et Div.*). Platon avait demandé de discerner l'opportunité et l'inopportunité de certaines formes de discours (*Phèdre*, 272 a; cf. Isocrate, xv, 311); εὐκαιρία serait un terme de rhétorique désignant les moments où il faut parler, cf. I. C. T. Ernesti, *Lexicon Technologiae Graecorum rhetoricae*[2], Hildesheim, 1962, p. 140; G. H. Whitaker, dans *The Expository Times*, t. xxxiv, 1923, p. 333.

εὐμετάδοτος

Aux riches, saint Paul demande «de faire du bien (ἀγαθοεργεῖν), d'être riches en belles œuvres (πλουτεῖν ἐν ἔργοις καλοῖς), d'être largement donnant (εὐμεταδότους), d'avoir le sens social (κοινωνικούς)» (*I Tim.* VI, 18) ; les quatre verbes expriment la vertu du riche : la générosité ; il sera donnant.

Μεταδιδόναι signifie : communiquer à quelqu'un ce qui nous est propre (*Rom.* I, 11 ; *I Thess.* II, 8). Etant donné l'amour de la *koinè* pour les composés, il est possible que le préfixe εὐ-μετάδοτος (*hapax* bibl., ignoré des papyrus) n'ajoute aucune valeur spéciale au simple ; mais il est plus probable qu'il accentue soit la nuance de libéralité [1], soit la facilité, la promptitude et la joie à rendre ses richesses utiles aux autres (cf. *Act.* XX, 35 ; *Sag.* VII, 13 : la sagesse communique sans regret – ἀφθόνως μεταδίδωμι – ce qu'elle a appris sans arrière-pensée) ; auquel cas il transformerait le simple «partage» en vertu proprement dite.

L'enseignement est chrétien, Jean-Baptiste ayant prescrit de faire spontanément part de ses biens aux nécessiteux [2], et saint Paul de travailler «de ses mains afin d'avoir de quoi donner à celui qui est dans le besoin» (*Eph.* IV, 28). Mais il correspond à la morale tant juive que païenne, qui distinguait la richesse aveugle et la richesse lucide ou clairvoyante, cette dernière allant de pair avec la sagesse [3], et partageant volontiers ses biens (PHILON, *Fuga*, 29). C'est celle d'un héros de Ménandre : «L'argent, chose

---

[1] Cf. MARC-AURÈLE, I, 14, 4 : l'empereur a appris du péripatéticien Severus τὸ εὐποιητικὸν καὶ τὸ εὐμετάδοτον ; cf. VI, 48 : «Quand tu désires te réjouir le cœur, considère la large libéralité de l'un de tes compagnons, τοῦ δὲ τὸ εὐμετάδοτον». Selon *Rom.* XII, 8, celui qui donne du sien (ὁ μεταδιδούς) doit le faire avec libéralité (ἐν ἁπλότητι) ; comparer Vettius Valens associant γίνονται δὲ συνετοί, ἁπλοι εὐμετάδοτοι, ἡδεῖς φιλοσυμβίωτοι κ.τ.λ. (XLVI, 24).

[2] *Lc.* III, 11 (μεταδιδόναι) ; cf. H. SCHÜRMANN, *Das Lukasevangelium*, Freiburg-Basel, 1969, p. 168, qui donne les références à l'A. T. et au rabbinisme. F. FIELD (*Otium Norvicense*, Oxford, 1881, p. 129) cite une scholie sur Platon : κοινὰ τὰ τῶν φίλων · ἐπὶ τῶν εὐμεταδότων.

[3] PLATON, *Lois*, I, 631 c ; PHILON, *Sobr.* 40 ; cf. *Agr.* 54 ; *Abr.* 25 ; *Virt.* 5 ; *Congr. er.* 71 : κοινωνικὸν ἀρετή ; EPICTÈTE : «La nature de l'homme est de faire le bien (εὖ ποιεῖν), d'être utile aux autres» (IV, 1, 122), d'avoir l'instinct social et d'être généreux (τὸ κοινωνικόν, IV, 11, 1 ; cf. PHILON, *Decal.* 14).

fragile. Si tu es sûr qu'il sera à ta disposition pour toujours, garde-le, sans partager avec personne (μηδενὶ τούτου μεταδιδούς). Mais si tu n'en es pas le maître et que tu dois tout, non pas à toi-même, mais à la *Tychè*, pourquoi t'en montrerais-tu jaloux?... Tu dois en user généreusement, venir en aide à tous, faire le plus possible d'heureux par tes propres moyens. Voilà qui est impérissable... Donne à pleines mains, partage (μεταδίδου)... de bon cœur» [1].

---

[1] MÉNANDRE, *Dyscol.* 797–819. A la ligne 809, Sostrate ajoute: «Si jamais tu éprouves un revers de fortune, voilà qui te vaudra même traitement à ton tour. Il vaut mieux avoir devant soi un ami manifeste que des richesses invisibles que tu tiens enterrées»; ce qui évoque la prudence de l'intendant avisé: se faire des amis avec l'argent dont on dispose afin que, lorsqu'il fera défaut, ils nous reçoivent dans les tentes éternelles (*Lc.* XVI, 9).

εὐπειθής

Cet *hapax* biblique est inséré dans les attributs de la vraie sagesse:
«La sagesse d'en-haut est d'abord pure (ἀγνή), puis pacifique (εἰρηνική),
modérée (ἐπιεικής; cf. *supra*, pp. 264 sv.), conciliante (εὐπειθής), pleine de
miséricorde et de bons fruits» (*Jac.* III, 17). La Vulgate a traduit *suadibilis*.

A première vue, il s'oppose à ἀπειθής «indocile»[1] et à δυσπειθής «difficile
à persuader, indiscipliné»[2]. Depuis Platon, il désigne celui qui obéit aux
lois[3], et dans Fl. Josèphe une troupe disciplinée[4]; mais cette obéissance
s'assouplit dans Philon[5] et surtout dans Epictète où le sage se laisse persuader par la raison (III, 12, 13: εὐπειθὴς τῷ λόγῳ) et où il entre «dans le
rôle de frère, d'être déférent, d'avoir de la complaisance (εὐπείθεια), de la
bienveillance dans ses paroles»[6]. Il y a donc dans l'*eupeithéia* au Ier s.
une bonne volonté d'entente avec le prochain; ce n'est pas une obéissance
passive, mais une disposition à accepter ce qui vous est proposé et à s'y
conformer volontiers[7]. Précisément, dans les papyrus, εὐπειθής a toujours

---

[1] *Lc.* I, 17; *Act.* XXVI, 19; *Rom.* I, 30; *Tit.* I, 16; *II Tim.* III, 2. FL. JOSÈPHE, *Guerre*,
II, 577; PHILON, *Virt.* 15. Eusébios, dans STOBÉE, *Flor.* XLVI, 5, 29 (t. IV, p. 204).

[2] FL. JOSÈPHE, *Guerre*, II, 92: «le caractère du peuple, impatient de toute autorité et indocile à ses lois»; *Ant.* IV, 11: dans les revers, de grandes armées deviennent
ingouvernables et indisciplinées.

[3] PLATON, *Lois*, I, 632 *b*: «Le législateur... doit distribuer des honneurs à ceux qui
obéissent aux lois, et infliger aux délinquants (δυσπειθέσι) des peines fixes»; VII, 801 *d*.
Acception constante d'εὐπείθεια dans *IV Mac.* V, 16: «Nous ne reconnaissons pas de
plus forte contrainte que celle de l'obéissance à notre Loi (πρὸς τὸν νόμον ἡμῶν εὐ-
πειθείας)»; IX, 2; XII, 6; XV, 9: «la vertu de ses fils, leur obéissance à la Loi augmen-
tait encore la tendresse» de leur mère; cf. VIII, 6: «Je fais couvrir de bienfaits ceux
qui m'obéissent (τοὺς εὐπειθοῦντάς μοι)».

[4] FL. JOSÈPHE, *Guerre*, II, 577: les Romains devant leur force invincible à la
discipline (εὐπειθείᾳ), Josèphe s'efforça de rendre ses troupes disciplinées (εὐπειθές);
III, 15; V, 122; DIODORE DE SICILE, XVII, 53, 4; 74, 3.

[5] Les instructions et les directives de la législation «pressent les gens doucement
s'ils sont dociles (εὐπειθεῖς), rudement s'ils sont indociles (ἀπειθεστέρους)» (*Virt.* 15).

[6] EPICTÈTE, II, 10, 8; PLUTARQUE, *Agésilas*, II, 2: «Il montrait une telle docilité
et une telle mansuétude que ce n'était jamais la crainte mais le respect qui lui faisait
exécuter les ordres reçus». Cf. PLATON, *Lois*, IV, 718 *c*: les lois doivent s'assouplir
par rapport à la vertu, ὡς εὐπειθεστάτους πρὸς ἀρετὴν εἶναι.

[7] Cf. l'édit réprimant, en 49 de notre ère, les abus des fonctionnaires: «Je vous

la nuance juridique d'accord ou de consentement. En 44 de notre ère, Taorseus est d'accord pour renoncer, en faveur de sa demi-sœur, à sa part sur un vieil immeuble légué par sa mère; elle n'intentera aucune réclamation «parce qu'elle est d'accord»[1]. En 58, une femme Ammonarion et sa fille Ophelous, acceptant de recevoir d'Antiphane une certaine somme d'argent en guise de dot, stipulent: «Nous sommes d'accord l'une avec l'autre sur ceci: A. et O. ont donné leur consentement et ont reçu d'Antiphane...»[2].

La liaison avec ἐπιεικής dans *Jac.* III, 17 invite à donner à εὐπειθής une signification voisine; la sagesse est accessible aux raisons qu'on lui fournit, se laisse volontiers convaincre, consent aux indications qu'on lui donne, se veut conciliante. C'est ainsi que le concevait Musonius: le fils εὐπειθής écoute les conseils de ses parents et les suit de bon gré (ἑκουσίως), lorsque ces conseils sont bons et réalisables[3]. Les papyrus confirment cette acception: «être consentant, satisfait». Dans une inscription à l'éphébie de Bacchias au IIᵉ s., «Je verrai que le gymnasiarque est satisfait quand il reviendra de son voyage»[4]. Au IIIᵉ s., un secrétaire est engagé après qu'on lui a fixé ses obligations et ses gages: «Valérius est satisfait du salaire et de toutes les dépenses (arrangements pris pour couvrir ses frais)» (*P. Michig.* 604, 22). Une entente concernant un remplacement dans la liturgie de la sitologie: «Aurélius Sarapion... est satisfait par Philosarapis en ce qui concerne tous les frais de la sitologie, εὐπιθὴς γενόμενος ὑπὸ Φιλοσαράπιδος περὶ τῶν τῆς σειτολογίας ἀναλωμάτων πάντων» (*P. Oxy.* 2769, 26); εὐπειθὴς κατὰ πᾶν γεγονὼς ὑπὸ τοῦ Σαραπίωνος (*B.G.U.* 1130, 5; de 4 av. J.-C.).

---

fais parvenir la copie de la lettre du Seigneur Préfet avec l'édit qui y est annexé, afin qu'en ayant pris connaissance, vous vous y conformiez (ἵν' εἰδότες αὐτὰ καὶ εὐπειθῆτε) et ne fassiez rien de contraire à ses dispositions» (DITTENBERGER, *Or.* 665, 5); cf. CHARONDAS, dans STOBÉE, *Flor.* XLIV, 2, 24 (t. IV,ʹ p. 152): πατράσιν εὐπειθοῦντας καὶ σεβομένους.

[1] *P. Michig.* V, 351, 16: διὰ τὸ εὐπιθῆ γεγονέναι; *P. Mil. Vogl.* 26, 5: Dioscoros, persuadé sans contrainte par l'acheteuse Sérallion, souscrit: εὐπειθὴς ὑπὸ τῆς Σεραλλίου γεγονώς; la formule est constante, cf. *P. Michig.* 604, 22; *B.G.U.* 1163, 7 (17 av. J.-C.); 1104, 23 et 1155, 17 (10 av. J.-C.); *P. Oxy.* 2769, 26; *Sammelbuch*, 6291, 6.

[2] *P. Oxy.* 268, 6: συνχωροῦμεν πρὸς ἀλλήλους ἐπὶ τοῖσδε, ὥστε ἡ 'Αμμωνάριον καὶ ἡ 'Ωφελοῦς εὐπιθεῖς γεγονυῖαι καὶ ἀπεσχηκυῖαι παραι τοῦ 'Αντιφάνους.

[3] MUSONIUS, dans STOBÉE, *Flor.* LXXIX, 51 (t. IV, p. 634, 3 sv.); cf. C. F. LUTZ, *Musonius Rufus «the Roman Socrates»*, dans *Yale Classical Studies*, X, 1947, p. 102, 18 sv.

[4] Edité par R. COLES, *New Documentary Papyri from the Fayûm*, dans *The Journal of Juristic Papyrology*, XVIII, 1974, p. 178.

εὐπερίστατος

Les composés avec εὐπερι- sont fréquents (-βληπτος, -γραφος, -κοπτος, -νόητος, -τρεπτος, etc.), mais l'unique attestation de εὐπερίστατος est celle de *Hébr.* XII, 1: la vie chrétienne est comparée à une course d'endurance, et – comme tout sportif – le croyant doit s'alléger d'une part de toute charge ou fardeau (ὄγκον) qui freinerait son élan et d'autre part des *entraves* qui provoqueraient sa chute, τὴν εὐπερίστατον ἁμαρτίαν [1].

Les traductions que l'on propose sont multiples et sont toujours plus ou moins glosées.

a) La Peshitta (le péché qui est toujours près de nous, *tajjeb*), Théophylacte, Bengel, Moulton-Milligan voient dans l'adjectif verbal un dérivé de περίστασις au sens d'«occasion fâcheuse» [2], et ils donnent toute sa force à l'article τὴν...ἁμ. Ce péché qui circonvient, serait celui de surprise dont on est perpétuellement menacé [3]; cf. *Gen.* IV, 7: «le Péché est tapi à la porte»!

b) A juste titre, à la suite de la Vulgate (*circumstans nos*) et de Théodoret, les modernes préfèrent voir dans cet adjectif un dérivé de περιΐστημι «entourer», non pas au sens passif, «dont nous pouvons aisément nous

---

[1] P[46], 1739, quelques *mss.* de la *Vetus Itala* lisent εὐπερίσπαστον (cf. *I Cor.* VII, 35), variante soutenue par F. W. Beare (*J.B.L.* 1944, p. 390) et longuement discutée par G. Zuntz, *The Text of the Epistles*, Londres, 1953, pp. 25 sv.

[2] Cf. περίστασις au sens péjoratif de «calamité, détresse»; *II Mac.* IV, 16: «ils se trouvèrent dans des situations pénibles»; la traduction de Symmaque du *Ps.* XXXIV, 18 (les Septante ont θλῖψις: de toutes leurs angoisses il les délivre. Cf. Polybe, II, 48: θλιβόμενος ὑπὸ τῆς περιστάσεως). En 168 av. J.-C., Isias écrit à son frère Héphaestion: «tu n'as pas même donné un regard à notre misérable condition, εἰς τὴν ἡμετέραν περίστασιν» (*P. Lond.* 42, 21 = t. I, p. 30 = *UPZ*, 59 = A. S. Hunt, C. C. Edgar, *Select Papyri* I, Londres, 1952, n. 97). Epictète, II, 6, 17: «Nous appelons cela: de dures circonstances»; Marc-Aurèle, IX, 13: «Aujourd'hui, je suis sorti de tout embarras, ou plutôt j'ai expulsé tout embarras» cf. ἀπερίστατος, Epictète, IV, 1, 159: «l'exemple d'un homme vivant seul (ἀνδρὸς ἀπεριστάτου) sans femme ni enfant qui auraient pu le faire fléchir et le détourner de ses projets»; Polybe, VI, 44: ἀπερίστατοι ῥᾳστῶναι; Diodore de Sicile, III, 51; cf. F. F. Bruce, *The Epistle to the Hebrews*, Grand Rapids, 1964, pp. 349 sv.

[3] «Potest intelligi occasio peccandi, quae quidem est in omne quod circumstat, scilicet in mundo, carne, proximo, daemone» (S. Thomas d'Aquin, *in h. l.*).

débarrasser, facile à éviter» [1], mais au sens actif: le péché qui nous encombre, facilement enveloppant [2], qui assiège ou obsède et, si l'on veut, s'insinue aisément par les yeux, l'oreille, le toucher, la langue, la pensée [3].

---

[1] Hésychius, εὐπερίστατον· εὔκολον, εὐχερῆ; cf. Chrysostome, τὴν εὐκόλως περίστασιν δυναμένην παθεῖν.

[2] O. Michel, *Der Brief an die Hebräer*[10], Göttingen, 1957; H. Montefiore, *A Commentary on the Epistle to the Hebrews*, Londres, 1964, p. 124: «the sin which readily clings to us». J. Héring (*L'Épître aux Hébreux*, Neuchâtel, 1954, p. 112) traduit «qui nous handicape si facilement» et note: «comme ce verset évoque les combats du stade, on pourrait rapprocher le verbe περίστημι de l'expression ὑπερβαίνω, qui est un terme technique des lutteurs signifiant 'enjamber' ou entourer les jambes. Voir Daremberg et Saglio, *Dictionnaire des Antiquités grecques et romaines*, III, 2, p. 1340».

[3] Théodoret, ὡς εὐκόλως συνισταμένην τε καὶ γινομένην.

εὐποιία

Qu'il s'agisse de la bienfaisance proprement dite, associée à la κοινωνία (*Hébr.* XIII, 16; cf. *Mc.* XIV, 7) ou des dons concrets qui en résultent, le mot n'offre aucune difficulté. J. Pollux, V, 32, 140 donne comme synonymes: εὐεργετεῖν, εὐποιεῖν, χαρίζεσθαι, ⌈δωρεῖσθαι, διδόναι; mais, à part deux décrets en l'honneur de Zosime (*Inscriptions de Priène*, 112, 19; 113, 76 [84 av. J.-C.]), l'εὐποιία est inconnue avant notre ère [1], comme J. Pollux l'observe: τὸ γὰρ εὐποιία, οὐ λίαν κέκριται; οὐ δὲ φιλοδωρίαν οὔπω εὗρον ἐν τοῖς κεκριμένοις (*ibid.*). Philon (*Mut. nom.* 24) et Fl. Josèphe (*Ant.* II, 261) rattachent l'*eupoiia* à l'*euergésia;* et ce dernier fait de celle-là l'équivalent de notre «aumône» (*Ant.* XIX, 356; XX, 52); tandis qu'Epictète l'associe à la justice (dans STOBÉE, *Flor.* XLVI, 5, 80; t. IV, p. 224).

Elle n'est pas attestée dans les papyrus avant le IIIe s., notamment dans des lettres chrétiennes [2].

---

[1] Cf. H. BOLKESTEIN, *Wohltätigkeit und Armenpflege im vorchristlichen Altertum*, Utrecht, 1939, p. 102.

[2] *P. Oxy.* 1773, 34 (réédité, M. NALDINI, *Il Cristianesimo in Egitto*, Florence, 1968, n. 10); *P. Lond.* 1244, 8 (t. III, p. 244: ta mère m'a mis au courant de ta bienfaisance; IVe s.); *P. Oxy.* 2194 (Ve-VIe s., réédité J. O'CALLAGHAN, *Cartas cristianas griegas del siglo V*, Barcelone, 1963, n. 54). Cf. la lettre païenne du IVe s., «Tu dois savoir que nous avons introduit l'esclave ni sous ton père, ni en raison de ta bienfaisance» (*P. Ross.-Georg.* III, 8, 9). Cf. *Inscriptions de Pergame*, 333, 7 (compte d'architecte): ἐν βίῳ δὲ καλὸν ἔργον ἐν μόνον· εὐποιία.

εὐπορέω, εὐπορία

Εὐπορέω, dans la langue biblique, désigne ce dont on dispose [1], avoir de
quoi, être à même (cf. *Lév.* xxv, 26, 49; hiphil de נָשַׂג, avec: «la main»),
et de là: procurer le succès, réussir (*Sag.* x, 10). Selon *Act.* xi, 29 les disciples
d'Antioche résolurent (ὥρισαν) de venir au secours des frères de Jérusalem,
«suivant ce que chacun d'eux possédait, εὐπορεῖτό τις», c'est-à-dire: «chacun
selon ses moyens».

Cette condition d'agir suivant ses possibilités, d'après les ressources que
l'on possède est attestée dans des papyrus tardifs; au VIIIe s., «celui qui
détiendrait un calfat (fugitif) ou le cacherait aurait à verser 1000 solidi,
s'il en a les moyens, ἐὰν εὐπορεῖ» (*P. Apol. Anô*, 9, 9; cf. *P.S.I.* 1266, 8);
au VIe s., une mère qui a souffert et travaillé pour faire vivre sa fille n'a
maintenant plus les moyens de subvenir à ses besoins (*P. Oxy.* 1895, 7).
On est pourvu de nourriture (*P. Lond.* 1674, 20; Fl. Josèphe, *Ant.* xvii,
214), d'eau (*P. Oxy.* 2410, 7; 120 ap. J.-C.), de ceintures (*P. Michig.* 464, 18;
en 99 de notre ère), d'armes (Fl. Josèphe, *Vie*, 28), de droits que l'on a
la faculté d'exercer (*P. Ryl.* 162, 27; en 159 de notre ère)... D'une façon
générale, εὐπορέω signifie «être prospère, riche» [2], avec la nuance du français moderne: «avoir des facilités», une aisance qui permet de disposer à
son gré de son avoir.

Le substantif εὐπορία a uniquement cette acception de «ressource, richesse». Démétrius fait observer aux orfèvres d'Ephèse: «de ce travail
vient notre ressource, ἡ εὐπορία ἡμῖν ἐστίν» [3]. En 185 de notre ère, le Cosmo-

---

[1] *P. Oxy.* 1068, 3: «n'ayant pas trouvé de bateau disponible dans le nome Arsinoïte,
j'ai écrit...»; *P.S.I.* 299, 18; cf. *P. Ross.-Georg.* iii, 9, 4: avoir l'occasion souhaitée;
P. Flor. 367, 8, 17; *B.G.U.* 2130, 4; *Sammelbuch*, 9690, 24.

[2] *P. Ryl.* 28 15, (IVe s.): un esclave ou un pauvre qui prospère grandement (μεγάλως
εὐπορήσει) après son dénuement; Ménandre, *Dyscol.* 284: «Si tu es très riche (εἰ σφόδρ'
εὐπορεῖς), ne te fie pas trop à ta richesse»; 769: «C'est dans ce rôle surtout qu'un homme
se révèle, lorsque tout en étant riche (εὐπορῶν), il prend sur lui de s'assimiler à un
pauvre»; cf. Ch. Michel, *Recueil d'Inscriptions grecques*, 984, 9 (IIe s. av. J.-C.):
εἰς ταῦτα προεὶς εὐπορῶν πλεονάκις ἐκ τῶν ἰδίων; Dittenberger, *Syl.* 495, 66: εἰς
δὲ ταῦτα χρείας παρασχέσθαι τοὺς εὐπορουμένους.

[3] *Act.* xix, 25; cf. *Sammelbuch*, 7696, 70: ὅποταν ἔχῃ εὐπορίαν; *l.* 101: ὁ τῆς εὐπορίας
λόγος; *P. Oxy.* 2238, 27: la garantie de nos ressources et de nos possessions; *P. Grenf.*
ii, 72, 10: ἐξέσται σοι χρήσασθαι κατὰ παντοίας μου εὐπορείας.

grammate écrit au Stratège: «Je te soumets les noms suivants comme étant aptes financièrement» à exercer la liturgie [1]. Mais précisément certains assujettis protestent contre de telles nominations, par exemple Orsénouphis protestant qu'il n'a pas les moyens d'y faire face: «mes ressources ne s'étant pas accrues depuis lors jusqu'à maintenant» [2].

---

[1] *P. Michig.* 536, 10: ὄντας εὐπόρους καὶ ἐπιδιδίους = *Arch. Isid.* 125, 8. Sur l'adjectif εὔπορος (opposé à ἀπορία, cf. XÉNOPHON, *Anab.* II, 5, 9), cf. MÉNANDRE, *Dyscol.* 39: «un jeune homme fils d'un père fort riche, μάλ' εὐπόρου πατρός»; 807: «enrichir (εὐπόρους ποεῖν) le plus de gens possibles par tes propres moyens». En Egypte, les *euporoi* sont les personnes de condition aisée, aptes à remplir des charges, tandis que les *aporoi* sont incapables de payer les πορεῖαι, taxes et impôts.

[2] Μηδεμιᾶς οὖν μοι, Κύριε, εὐπορίας προσγενομένης ἐκ τότε μέχρι νῦν (N. LEWIS, *Leitourgia Papyri*, Philadelphie, 1963, n. V, 39; réédité *Sammelbuch*, 10196; de 180 ap. J.-C.). Cf. *P. Philad.* I, 46: «dans le village, certains liturges se trouvèrent à bout de ressources (ἐξασθενησάντων), six aroures de terre royale avaient été attribués à ceux des tisserands qui étaient dans l'aisance (τοῖς εὐπόροις)»; *P. Oxy.* 71, col. I, 17: οὐδεμία δέ μοι ἑτέρα εὐπορία ἐστὶν ἢ τὰ χρήματα ταῦτα (IIIᵉ s.). FL. JOSÈPHE, *Guerre*, VII, 445: Catullus fit égorger «tous les Juifs connus pour leurs ressources financières, εὐπορίᾳ χρημάτων».

εὐπρέπεια

La fortune du riche est aussi aléatoire que «la belle apparence de l'aspect» de la fleur qui sera desséchée par le vent brûlant: ἡ εὐπρέπεια τοῦ προσώπου (*Jac.* I, 11). Cet *hapax* du N. T. est fréquent dans les Septante, où il exprime la majesté de Dieu (*Ps.* XCIII, 1: גֵּאוּת; CIV, 2: הָדָר), de sa gloire (*Bar.* V, 1), de sa demeure (*II Sam.* XV, 25: נָוֶה; *Job*, V, 24; XXXVI, 11: נְעִים; *Ps.* XXVI, 8: מָעוֹן), de ses fêtes (*Sir.* XLVII, 10), de son cheval de guerre (*Zach.* X, 3: הוֹד). Iahvé en fait participer son peuple (*Ez.* XVI, 14; *Ps.* L, 2), et sa sagesse est plus éclatante que le soleil (*Sag.* VII, 39).

Ces emplois mettent l'accent sur l'éclat de la noblesse royale [1], le charme de la beauté [2], le faste d'une vie opulente [3].

---

[1] *Sag.* V, 16: τὸ βασίλειον τῆς εὐπρεπείας; *Testament Job*, 33: νῦν ὑποδείξω ὑμῖν τὸν θρόνον μου καὶ τὴν δόξαν καὶ τὴν εὐπρέπειαν τὴν οὖσαν ἐν τοῖς ἁγίοις; DITTENBERGER, *Syl.* 880, 19: l'*euprépéia* des θειότατοι αὐτοκράτορες (IIIᵉ s.); cf. *P. Goth.* 37, 8: εὐπρεπεστάτου ἄρχοντος (VIIᵉ s.); *P. Mid.* 77, 11 = *Sammelbuch*, 9509 (IIIᵉ s.). Cf. *Actes de Thomas*, 80: τίνα ἐνθυμηθῶ περὶ τῆς σῆς εὐπρεπείας Ἰησοῦ.

[2] *Sir.* XXIV, 14: «comme un olivier de belle apparence dans la plaine»; FL. JOSÈPHE, *Ant.* IV, 131: les jeunes Hébreux étaient captivés par le charme des filles madianites. DIODORE DE SICILE, XIX, 2, 6: «L'enfant devint séduisant de traits (τὴν ὄψιν εὐπρεπής) et robuste de corps»; XVII, 91, 5: bien conformé; 93, 3; 108, 1: une belle prestance. La chambre d'Aséneth était μέγας καὶ εὐπρεπής (*Joseph et Aséneth*, II, 3); elle-même était ὡραία καὶ εὐπρεπής (*ibid.* I, 6). Dans une lettre chrétienne du IVᵉ s., qui semble se référer à *Jac.* I, 23, l'homme qui se regarde dans un miroir et connaît ainsi son aspect, peut comparer celui-ci à ce que d'autres hommes lui disent de sa beauté et de sa distinction (*P. Oxy.* 2603 11; réédité par M. NALDINI, *Il Cristianesimo in Egitto*, Florence, 1968, n. 47; cf. *Actes de Thomas*, 36). Dans PHILON, *Aet. mund.* 126 et ÉPICTÈTE, I, 8, 7, il s'agit de l'élégance du langage; dans PLUTARQUE, *Pyrrhos*, 23, 7 d'un prétexte honorable.

[3] Comparer εὐπροσωπέω «faire bonne figure, avoir un fier maintien» ou «se faire bien voir, jouer un beau rôle» (*Gal.* VI, 12), que maints commentateurs déclarent inconnu dans le grec profane, mais A. DEISSMANN (*Licht*⁴, p. 76) le signalait dans une variante hexaplaire du *Ps.* CXLI, 6 et dans la lettre de Polémon à son frère Menchès, en 114 av. J.-C., lui demandant de ne pas diminuer son rapport relativement au précédent «ὅπως εὐπροσωπῶμεν, de façon que nous puissions faire bonne figure» (*P. Tebt.* 19, 12); cf. *B.G.U.* 1787, 12: ἐὰν δοκιμάζῃς ἀξίαν πρὸς τὴν ἡμετέραν εὐπροσωπίαν.

εὐπρόσδεκτος

Saint Paul connaît l'adjectif δεκτός «accepté, admis par quelqu'un», par exemple à propos d'Epaphrodite qui lui a remis l'offrande des Philippiens «parfum de bonne odeur, sacrifice que Dieu reçoit et trouve agréable» [1]. Il se dit du temps favorable, propice (*Lc.* IV, 19), et c'est ainsi que les Septante ont traduit par καιρῷ δεκτῷ, l'époque du bon plaisir divin, de sa bienveillance, de sa faveur (*be 'éth raṣôn*) d'*Is.* XLIX, 8. Mais lorsque l'Apôtre cite exactement ce texte dans *II Cor.* VI, 2 et commente: Ἰδοὺ νῦν καιρὸς εὐπρόσδεκτος, ἰδοὺ νῦν ἡμέρα σωτηρίας, le choix du composé est certainement intentionnel et il faut lui donner une valeur intensive (εὖ-προσδέχομαι): «Voici, à présent, le temps très favorable, le plus acceptable qui soit» [2].

Εὐπρόσδεκτος se dit encore de la bonne volonté (προθυμία), de la promptitude à donner qui est «fort bien reçue» de Dieu, quelle que soit la grandeur du don (*II Cor.* XIII, 12), ou de l'aumône (διακονία) des Eglises des Gentils «fort appréciée» des saints de Jérusalem (*Rom.* XV, 31; le simple δεκτός serait ici presque un non-sens); mais surtout de l'offrande que constituent les païens, προσφορά «très agréable» à Dieu (*Rom.* XV, 16); les sacrifices spirituels étant particulièrement bien reçus du Seigneur, grâce à la médiation de Jésus-Christ, qui est leur condition d'accès aisé et sûr à Dieu [3]. La nuance superlative d'εὐπρόσδεκτος dans la nouvelle Alliance est confirmée par sa substitution au simple δεκτός qualifiant les sacrifices anciens (*Lév.*

---

[1] *Philip.* IV, 18, ὀσμὴν εὐωδίας (*Gen.* VIII, 21; *Ex.* XXIX, 18; *Lév.* II, 2; *Ez.* XX, 41; *Eph.* V, 2), θυσίαν δεκτήν, εὐάρεστος τῷ θεῷ. Ce dernier adjectif est presque de rigueur à propos des sacrifices, qui doivent «plaire à» Dieu, avoir son agrément, cf. *Rom.* XII, 1; *Hébr.* XIII, 16.

[2] Il n'est pas étonnant que *F* et *G* aient négligé le composé et aient repris δεκτός.

[3] *I Petr.* II, 5: εἰς... θυσίας εὐπροσδέκτους θεῷ διὰ Ἰησοῦ Χριστοῦ. On cite d'ordinaire ARISTOPHANE, *Paix*, 1054; mais c'est en réalité une scholie tardive sur ce texte (cf. PLUTARQUE, *Praec. ger. reipubl.* 801 *c*). Il vaut mieux citer le règlement relatif au culte de Mén, en attique, du IIe s. ap. J.-C., cf. DITTENBERGER, *Syl.* 1042, 8: ἐὰν δέ τις βιάσηται ἀπρόσδεκτος ἡ θυσία παρὰ τοῦ θεοῦ (réédité par F. SOKOLOWSKI, *Lois sacrées des Cités grecques*, Paris, 1969, n. 55); cf. τῶν εὐπροσδέκτων... κ... ἱερᾶς (J. G. TAIT, *Greek Ostraca*, I, C, n. 121). Εὐπρόσδεκτος n'est attesté dans les papyrus qu'au VIe s., dans deux lettres de moines, faisant appel «aux prières toutes saintes et agréées – ἐν πανοσίαις καὶ εὐπροσδέκταις εὐχῆς –» de leur Maître spirituel (*P. Fuad*, 89, 6; cf. 88, 6).

I, 3; *Is.* LVI, 7), et par l'accentuation de *I Tim.* II, 3: «τοῦτο καλὸν καὶ ἀπόδεκτον ἐνώπιον τοῦ σωτῆρος ἡμῶν θεοῦ. Cela est excellent et agréable aux yeux de Dieu notre sauveur» (cf. v, 4). L'essentiel n'est pas de préparer et de présenter une oblation, mais bien qu'elle plaise à Celui qu'on veut honorer et qu'Il l'agrée [1].

---

[1] E. G. SELWYN (*The First Epistle of St. Peter*, Londres, 1947, p. 162) observe que cet agrément des sacrifices par Dieu était de grande importance aux yeux des Juifs. Il était ratifié par le feu qui descendait parfois sur la victime (*Gen.* xv, 17; *Lév.* IX, 24), ou symbolisé par le feu qui brûlait en permanence sur l'autel (*Lév.* VI, 5); cf. *Apoc.* VIII, 3–4.

εὐσχημόνως, εὐσχημοσύνη, εὐσχήμων

Avoir un bon σχῆμα peut s'entendre de l'apparence, du maintien extérieur, d'une conduite morale correcte, d'une haute classification sociale. L'accent est tantôt sur la décence de la tenue, tantôt sur l'ordre et la beauté, tantôt sur la respectabilité et la noblesse.

Saint Paul a toujours tenu à ce que les chrétiens se conduisent d'une manière digne et honorable, entendant εὐσχημόνως au sens moral – qui implique la bonne tenue [1] –, soit dans leur vie privée [2], soit publiquement, de sorte que les païens puissent apprécier la qualité et la bienséance de leur conduite [3], soit enfin dans leurs assemblées liturgiques où tout doit se faire

---

[1] Les textes profanes entendent souvent l'εὐσχημοσύνη de l'extérieur décent, de la tenue convenable. Panthée «surpassait toutes les femmes de son entourage par la noblesse de son maintien» (XÉNOPHON, *Cyr.* v, 1,5). L'échanson Sacas «verse le vin avec adresse et de bonne manière» (*ibid.* i, 3, 8; cf. DITTENBERGER, *Syl.* 717, 14: ἤραντο ταῖς θυσίαις τοὺς βοῦς εὐσχημόνως, 100 av. J.-C.; *Inscriptions de Priène*, 55, 14). En ce sens, les parties nobles du corps, tête ou mains (τὰ δὲ εὐσχήμονα) n'ont pas besoin d'être habillées, comme les membres moins nobles (τὰ ἀσχήμονα ἡμῶν) qui reçoivent ainsi de la décence (*I Cor.* xii, 23–24).

[2] *Rom.* xiii, 13: ὡς ἐν ἡμέρᾳ εὐσχημόνως περιπατήσωμεν. D'après le contexte, cette «dignité» qui convient au grand jour s'oppose au laisser-aller, au négligé et à l'indécence de la «tenue de nuit». Cf. EPICTÈTE, ii, 5, 23: «Tu t'es bien comporté en la circonstance (εὐσχημόνως ἀνεστράφης)» s'oppose à ἀσχημοσύνη; FL. JOSÈPHE, *Ant.* xv, 102: se comporter dans telle situation d'une manière respectable. DITTENBERGER, *Syl.* 1019, 7: ἀναστρέφεται... εὐσχημόνως (IIIᵉ s. av. J.-C.); CH. MICHEL, *Recueil d'inscriptions grecques*, 1559, 3, 26 (Décrets des Orgéons du Pirée, IIᵉ s. av. J.-C).; *Suppl. Ep. Gr.* xxv, 597, 4: ἐν τᾷ ἐπιδαμίᾳ τὰν ἀναστροφὰν ἐποήσαντο εὐσχημόνως. Cf. *Prov.* xi, 25: l'homme violent manque de dignité; POLYBE v, 110, 11: battre en retraite sans honneur (οὐκ εὐσχήμονα).

[3] *I Thess.* iv, 12: ἵνα περιπατῆτε εὐσχημόνως πρὸς τοὺς ἔξω. Cf. *Ep. d'Aristée*, 284: «Quelle conduite adopter dans les moments de détente?... Se donner le spectacle des scènes dignes et décentes de l'existence, τὰ τοῦ βίου μετ' εὐσχημοσύνης καὶ καταστολῆς»; EPICTÈTE, iv, 9, 11: «Convertis-toi à l'honnêteté, ἀφελοῦ σαυτὸν εἰς εὐσχημοσύνην». La faveur d'Isis accorde une vie honorable ou embellie: ἵν' εὐσχήμων βίος εἴη (*Sammelbuch*, 8138, 7; réédité V. F. VANDERLIP, *The Four Greek Hymns of Isidorus and the Cult of Isis*, Toronto, 1972, p. 17). A propos des enfants, *P.S.I.* 1310, 20, 32, 44; cf. J. SCHWARTZ, G. WAGNER, *Papyrus Grecs de l'Institut français d'Archéologie orientale* iii, Le Caire, 1975, n. 52, 25. εὐσχημόνως répond à *honesta missione* (H. J. MASON, *Greek Terms for Roman Institutions*, Toronto, 1974, p. 50).

«décemment et en bon ordre»[1]. L'εὐσχημοσύνη est une valeur reconnue de toute conscience humaine, au moins depuis Socrate qui ne recherchait «que ce qu'il est honnête de faire, τὸ εὔσχημον σκοπεῖ» (EPICTÈTE, IV, 1, 163; cf. 12, 6), et louée à l'envi à l'époque hellénistique dans les opuscules ou les inscriptions. Le Ps. Hippocrate a écrit un Περὶ εὐσχημοσύνης (édit. Littré, IX, pp. 226-244) montrant que cette vertu fait l'honneur et la bonne réputation du médecin[2]. Clément d'Alexandrie l'exigera des femmes (II Pédag. 31, 1; 33, 1), chez qui elle devient une certaine élégance; ἐποιήσαντο δὲ καὶ τὴν παρεπιδημίαν καλὴν καὶ εὐσχήμονα καὶ ἀξίαν ἀμφοτέρων τῶν πόλεων (Inscriptions de Magnésie, 101, 15; IIe s. av. J.-C.); les vierges d'Athènes, en 98-97: πεπομπευκέναι κατὰ τὰ προστεταγμένα ὡς ὅ τι κάλλιστα καὶ εὐσχημονέστατα[3]. L'Apôtre pourra donc justifier auprès des Corinthiennes son éloge de la virginité, sans autre commentaire ou explication: «Je vous dis cela... en vue de la bienséance, πρὸς τὸ εὔσχημον» (I Cor. VII, 35); dans sa pensée, il s'agit moins d'honnêteté que de dignité et d'honorabilité, presque d'une parure; en tout cas d'une disposition à être fixé et assidu près du Seigneur[4].

---

[1] I Cor. XIV, 40: πάντα δὲ εὐσχημόνως καὶ κατὰ τάξιν γινέσθω; MUSONIUS, VIII (édit. C. E. Lutz, p. 62, 19): τάξιν δὲ καὶ κόσμον καὶ εὐσχημοσύνην περιποιεῖ; cf. IV Mac. VI, 2: Eléazar, dépouillé de ses vêtements, «restait paré de la noblesse qui rayonne de la piété»; DITTENBERGER, Syl. 736, 42: ῥαβδοφόροι δὲ ἔστωσαν... ὅπως εὐσχημόνως καὶ εὐτάκτως ὑπὸ τῶν παραγεγενημένων πάντα γίνηται (92 av. J.-C.; Règlement des Mystères d'Andanie, réédité F. SOKOLOWSKI, Lois sacrées des Cités grecques, Paris, 1969, n. 65). Décret honorifique pour un prêtre d'Esculape (IIe s. av. J.-C.): πεποίηται δὲ καὶ τὴν ἀναστροφὴν εὐσχήμονα καὶ ἁρμόττουσαν τεῖ ἱερωσύνει (Suppl. Ep. Gr. XVIII, 24, 3; cf. XXI, 464, 9: συνετέλεσαν καλῶς καὶ εὐσχημόνως). DIODORE DE SICILE, XIX, 33, 2: les femmes ne pouvaient décemment (εὐσχημόνως) abandonner ceux qu'elles avaient d'abord choisis comme mari. Dans la réponse d'un oracle du IIe siècle: ὁ βίος σου ἐπὶ τὸ βέλτιον ἔστε καὶ εὐσχημόνως τὸ ζῆν ἕξεις (R. P. SALOMONS, Einige Wiener Papyri, Amsterdam, 1976, n. 1, 5). Servilia, sœur de Caton, ne se conduisait pas mieux (εὐσχημονέστερα) que son autre sœur (PLUTARQUE, Caton min. XXIV, 4).

[2] Ayant des affinités stoïciennes et épicuriennes, ce traité doit dater du début de la période hellénistique, cf. Cl. PRÉAUX, Médecins de cour dans l'Egypte du IIIe siècle avant J.-C., dans Chronique d'Egypte, 1957, p. 314.

[3] DITTENBERGER, Syl. 718, 11; cf. 547, 36: προδιδοὺς ἀργύριον εἰς ἐσθῆτα, ἀεὶ προνοούμενος τῶν ὑφ' αὐτὸν τεταγμένων τῆς εὐσχημοσύνης (211 av. J.-C.); Or. 339, 32; CH. MICHEL, Recueil d'Inscriptions Grecques, n. 545, 9: τό τε ἦθος κοσμιότητι καὶ εὐσχημοσύνη (IIe s. av. J.-C.); une jeune fille, Nana, est l'objet d'un décret honorifique des habitants de Kidrama parce qu'elle a séjourné dans leur ville de façon digne, διὰ εὐσχήμονα παρ' αὐτοῖς ἐπιδημίαν (J. et L. ROBERT, Inscriptions de Carie, n° 186, 7-8; cf. B. LIFSHITZ, Inscriptions grecques d'Olbia, dans Zeitschrift für Papyrologie und Epigraphik, IV, 1969, p. 247). P. Zén. Michig. 46, 9; P. Zén. Cair. 59360, 6.

[4] La nuance de beauté et d'honorabilité est relevée dans un décret honorifique

Effectivement, l'adjectif εὐσχήμων se dit très fréquemment dans les papyrus d'une classe spéciale d'habitant, la plus considérée et la plus aisée d'un village ou d'une ville [1]. Les εὐσχήμονες sont les notables, qui sont soumis aux liturgies [2]; puis le terme deviendra comme un titre de noblesse [3] et finalement de simple politesse: «Je veux prendre bail de toi, sur ce qui appartient à la noble dame» [4]. Un personnage, néokoros de Sarapis, ancien stratège et sénateur d'Alexandrie, est qualifié d'εὐσχήμων [5].

---

des Iliens en faveur de Nicandre «épistate» des Poimanéniens, ὃς καὶ παραγενόμενος εἰς τὴν πόλιν ἡμῶν τήν τε ἐνδημίαν ποιεῖται καλὴν καὶ εὐσχήμονα καὶ ἀξίαν τοῦ τε ἡμετέρου δήμου καὶ τῆς ἑαυτοῦ πατρίδος... εὔτακτον παρέχεται καὶ ἄμεμπτον (P. FRISCH, *Die Inschriften von Ilion*, Bonn, 1975, n. 73, 6–10; de 80 av. J.-C.); cf. *B.G.U.* 2347, 4; *P. Flor.* 228, 5: noble, digne. L'adjectif εὐσχήμων a parfois la nuance d' «adapté, accommodé à». Au IIᵉ s. av. notre ère, dans un décret des Clérouques athéniens de Lemnos, à propos de l'érection d'une statue: ὅπου ἂν δόξῃ εὐσχήμον εἶναι (CH. MICHEL, n. 1510, 5).

[1] *B.G.U.* 381, 1; 926, 5; (= *Sammelbuch*, 8444, 6; 68 ap. J.-C.): «imploré par les pétitionnaires... gens les plus distingués aussi bien que cultivateurs du pays, qui se plaignaient...»; cf. 1713, 3; titre des destinataires d'une notification officielle: εὐσχήμοσι καὶ πρεσβυτέροις (*P. Strasb.* 245, 5); *B.G.U.* 147, 1: Ἀρχεφόδοις καὶ εὐσχήμοσι κώμης; 926, 5: ἵνα παραγενομένων τῶν κρατίστων εὐσχημόνων μηδεμία μέμψις γένηται. U. WILCKEN, *Griechische Ostraca*, Leipzig-Berlin, 1899, II, n. 1153, 3: πέμψατε τοὺς εὐσχήμονας τοὺς ἐπὶ τῶν παρολκημάτων (?).

[2] *Sammelbuch*, 8267, 20 (5 av. J.-C.), 7534, 6 (réédité *P. Lugd. Bat.* I, 5): «σὺν τοῖς ἐξ εὐσχημόνων, avec les représentants des notables»; ils constituent un comité qui contrôlera une location; *P. Brem.* 2, 2; *P. Oxy.* 2182, 23 «les notables qui ont été désignés» (IIᵉ s. ap. J.-C.), par ex. pour déterminer la superficie de terres arables (U. WILCKEN, *Chrestomathie*, n. 238, 2). *P. Petaus*, 87, 1; *B.G.U.* 194, 6; *P. Lond.* 301, t. II, p. 256: ἐξ εὐσχ[ημόνων]; cf. les frais engagés pour la visite de leurs Excellences, sans doute les propriétaires du domaine (P. J. SIJPESTEIJN, *The Family of the Tiberii Julii Theones*, Amsterdam, 1976, n. 7, 5); E. RABEL, W. SPIEGELBERG, *Papyrusurkunden der öffentlichen Bibliothek der Universität zu Basel*, Göttingen, 1970, n. II, 5: τοῖς λοιποῖς ἐξ εὐσχημόνων χαίρειν. N. HOHLWEIN (*Recueil des Termes techniques relatifs aux Institutions politiques et administratives de l'Egypte romaine*, dans *Bulletin de l'Académie roy. de Belgique*, Bruxelles, 1912, p. 256) définit «Εὐσχήμων, Epithète désignant tout individu jouissant d'un revenu suffisant pour être rangé dans la catégorie des personnes astreintes aux fonctions liturgiques», mais qui peuvent être rayées des listes si leurs ressources diminuent.

[3] *P. Oxy.* 2340, 18: «Epimachos déclare qu'Isidore n'est pas un tisserand, mais un parfumeur, un homme bien, εὐσχήμονα ἄνθρωπον» (cf. H. C. YOUTIE, *Scriptiunculae*, Amsterdam, 1973, pp. 311, 416). Au cours d'une comparution devant le préfet, la sentence est prononcée: ἄξιος μὲν ἧς μαστιγωθῆναι, διὰ σεαυτοῦ κατασχὼν ἄνθρωπον εὐσχήμονα καὶ γυναῖκαν (*P. Flor.* 61, 61; en 86–88 de notre ère); DITTENBERGER, *Syl.* 795 A 5: τὴν παρεπιδημίαν ἐποιήσατο εὐσχήμονα καὶ ἀξίαν τειμῆς (29 ap. J.-C.).

[4] *Recherches de Papyrologie*, III, p. 64, *l.* 5; cf. p. 56, *l.* 11; p. 58, *l.* 13: «pour le compte du notable Antonius Philoxénos»; *P. Flor.* 16, 20; *P.S.I.* 1310, 20, 32, 44

C'est en ce sens que *Mc.* xv, 43 qualifie Joseph d'Arimathie de «membre distingué du Conseil», et que les femmes distinguées d'Antioche de Pisidie et de Bérée sont mentionnées *Act.* xiii, 50; xvii, 12.

(IIᵉ s. av. J.-C.); L. ROBERT, *Documents de l'Asie mineure méridionale*, Genève-Paris, 1966, pp. 74–75. Εὐσχήμων est le titre d'un magistrat, gardien de la bonne tenue dans la cité (*P. Ryl.* 236, 15; *P. Michig.* 620, 41, 224, 272, 285).

⁵ *P. Alex.* 12, 11, 17 (sur le titre de Κυρία donné à une femme, mère, sœur, tante etc. cf. A. C. BANDY, *The Greek Christian Inscriptions of Crete*, Athènes, 1970, p. 70); cf. *P. Yale*, 83, 16; *P. Oxy.* 2986, 12 (les éditeurs traduisent: Gentleman); *P. Lund*, iv, 13, 18; *P. Athen.* 56, 6 (l'éditeur donne des références papyrologiques, p. 393); *P. Hamb.* 37, 7: Claudius Antoninus, σὺ γὰρ ἀληθινὸς φιλόσοφος καὶ εὐσχήμων γεγένησαι (IIᵉ s. ap. J.-C.); *Inscriptions de Magnésie*, 164, 3: décret honorifique de Moschion, ἄνδρα φιλότειμον καὶ ἐνάρετον καὶ ἀπὸ προγόνων εὐσχήμονα καὶ ἤθει καὶ ἀγωγῇ κόσμιον. G. E. BEAN, T. B. MITFORD (*Journeys in Rough Cilicia*, Vienne, 1970, n. 12 *a* 3): ἄνδρα εὐσχήμονα καὶ πρῶτον τῆς πόλεως; cf. *ibid. b* 4: ἀνὴρ εὐσχήμων καὶ ἀγαθός. A Iotapè, un jeune homme est honoré: τάγματος βουλευτικοῦ, ἔτι καὶ πολείτην Σιδητῶν, γονέων εὐσχημονεστάτων καὶ φιλοτείμων, ἀρετῆς ἕνεκεν καὶ εὐνοίας τῆς εἰς ἑαυτόν (*CIG*, 4412 *b*, cité par L. ROBERT, *Hellenica*, xiii, p. 49). Dans un sens affaibli, on dira d'une maison-nette qu'elle est «solide et de bonne apparence» (PHILOSTRATE, *Gymn.* 35). Au total, l'*euskhémosunè* est aussi bien le fruit de l'éducation familiale (C. PANAGOPOULOS, *Vocabulaire et Mentalité dans les* Moralia *de Plutarque*, dans *Dialogues d'Histoire ancienne* iii, Paris, 1977, p. 212) qu'une vertu civique (L. MORETTI, *Iscrizioni storiche ellenistiche*, Florence, 1976, n. 33, 25–26).

εὐψυχέω

Saint Paul envoie Timothée près des Philippiens «afin d'être encouragé à mon tour par les nouvelles que j'aurais de vous» (*Philip.* II, 19). Telle est la traduction normale de l'*hapax* biblique εὐψυχέω, rare dans la littérature classique et hellénistique [1], où il exprime la vaillance dans les combats, le réconfort dans l'épreuve (FL. JOSÈPHE, *Ant.* VI, 241: le roi réconforte Esther défaillante). Il est surabondamment employé dans les épitaphes, comme celle de Sérapias: «Des caractères gravés et une stèle commémorative de ta vertu, voilà ce que tu as laissé en montant au pays des bienheureux. Eh bien, bon courage, Sérapias» [2]. Le plus souvent, c'est un simple vœu associé au nom du défunt ou qui termine l'inscription, par exemple: Εὐθηνία εὐψύχι [3]. On l'emploie donc dans les lettres de condoléance: «Courage!» [4]. Même les Juifs de Rome se conforment à l'usage: «A Euthychianos, archonte, son digne époux. Aie bon courage. Qu'avec les justes soit ton sommeil» (*Corp. Inscript. Iud.* 110); «Ci-gît Iunia, fille d'Antipas, âgée de 2 ans, 4 mois... jours. Aie bon courage, sois joyeuse, Εὐψύχει εὐφρόνει» (*ibid.* 303).

---

[1] L'Ancien Testament ne connaît que εὐψυχία, du courage de Judas et de ses compagnons dans les combats livrés pour la patrie (*II Mac.* XIV, 18; cf. *IV Mac.* VI, 11: le courage d'Eléazar faisait l'admiration de ceux qui le torturaient; DITTENBERGER, *Syl.* 1073, 30: ἐπὶ τοσοῦτον δὲ καὶ ἀρετῆς καὶ εὐψυχίας ἦλθεν, 117 ap. J.-C.; XÉNOPHON, *Art de la chasse*, X, 21: «faire montre de sa bravoure»; POLYBE, I, 57, 2); εὔψυχος: autour de Judas se groupent οἱ εὔψυχοι τῇ καρδίᾳ (*I Mac.* IX, 14; cf. PHILOSTRATE, *Gymn.* 9: pancratistes et pugilistes ne doivent pas s'exposer au reproche de lâcheté, ὡς μὴ εὔψυχον; THUCYDIDE, II, 11, 5: Vaillant pour attaquer; *P. Oxy.* 2656, 400); εὐψύχως: la mère des sept fils supporte vaillamment la mort de ses enfants le même jour (*II Mac.* VII, 20). *Sammelbuch*, 9017, n. 18, 6-7: supporter avec courage (une maladie?), λοιπὸν εὐψύχως δεῖ φέρειν.

[2] E. BERNAND, *Inscriptions métriques de l'Egypte gréco-romaine*, Paris, 1969, n. 52, 3; cf. n. 76, col. III, 3: «Heraïs, tu as bon courage, arrivée au terme de la douce lumière».

[3] *Sammelbuch*, 6092; cf. 2134, 4230, 4229, 5631, 6093, 6238, 6239, 6585, 6697, etc. *Inscriptions grecques et latines de la Syrie*, 90, 701–703, 756–757, 885–887, 972–975. Parfois: ἄλυπε εὐψύχει (*ibid.* 838, 934, 1029; *Sammelbuch*, 6829, 7797).

[4] Lettre d'un fils à sa mère du Ier-IIe s. (G. WAGNER, *Papyrus grecs de l'Institut français d'Archéologie orientale*, Le Caire, 1971, II, n. XI, 3; *P. Oxy.* 115, 2: Εἰρήνη Ταοννώφρει καὶ Φίλωνι εὐψυχεῖν; cf. *Ostraca Tait-Préaux*, 2056. Au sens de «se faire fort de», cf. *Sammelbuch*, 9017, n. 12, 2: εὐψυχῶ ἀποδῶναι (160 ap. J.-C.).

Cette nuance de joie et, comme nous disons: de bon moral est attestée à l'époque de Claude ou de Néron dans une lettre d'une femme à son mari: ἐγὼ γὰρ οὐχ ὀλιγωρῶ, ἀλλὰ εὐψυχοῦσα παραμένω (*B.G.U.* 1097, 15), ou dans l'assurance de la pierre d'un édifice nouvellement construit et qui déclare: «Je suis placé pour la joie (πρὸς εὐψυχίαν) de ceux qui habitent ici» (*Inscriptions grecques et latines de la Syrie*, 1653, 3); nuance qui n'est pas à exclure de *Philip.* II, 19, dont on rapprochera la lettre d'Heraklammon à son fils Kallistos au IIᵉ siècle: ταχέως οὖν μοι γράψον ἵνα εὐψυχῶ (*P. Oxy.* 2860,17); le cœur du père sera réconforté, rafraîchi et joyeux de recevoir enfin un mot de son enfant, dont jusqu'ici il n'avait reçu aucune réponse à ses lettres.

L. Robert, commentant *IGR*, IV, 860, 12 célébrant un stratège de nuit «ayant fait des générosités dans des fêtes pour les 'bonnes nouvelles' avec magnanimité – ἐπιδιδόντα ἐν εὐαγγελίοις εὐψύχως», illustre la valeur psychologique et morale de cet adverbe: «D'après le Liddell-Scott-Jones, on croirait que c'est un *hapax* de Xénophon, *Hipparch.* 8, 21; on voit par le Thesaurus que l'adverbe est bien attesté chez Polybe et Diodore; il y a le sens de 'courageusement', qu'il a aussi dans le décret de Lété sur les succès militaires d'un questeur (*Syllogè*, 700), comme εὐψυχία dans un décret des Eléens pour un pancratiaste (*Syllogè*, 1073, 30–31), comme εὐψυχότατος pour un jeune Spartiate vainqueur dans le concours d'endurance sous le fouet à l'autel d'Artémis Orthia, comme, à Sparte encore, l'εὐψυχία καὶ πειθαρχία ἐν τοῖς πατρίοις Λυκουργείοις ἔθεσιν, 'courage endurant et obéissance' (*IG*, V, 1, 549). L'adverbe dans notre inscription ne peut avoir que le sens de 'magnanimité et générosité'. Je rapproche un décret d'Acraiphia sous Claude, que j'ai publié *BCH*, 1935, pp. 338–340; les considérants de ce second décret commencent par cette rhétorique: τῆς ὀφιλομένης ἅπασι τιμῆς τοῖς εἰς τὴν πατρίδα εὐψύχως διατηθεῖσιν... ἀξίους ὄντας μεταλαμβάνειν (*l.* 37–40), 'étant dignes de recevoir leur part de l'honneur qui est dû à tous ceux qui sont disposés de façon magnanime envers la patrie'; il s'agit de trois citoyens qui ont consenti à assumer dans des circonstances très difficiles (ἐν τῇ τῆς χώρας ἀπωλείᾳ) la polémarchie, l'agoranomie et la fourniture d'huile, et qui ont fait de multiples générosités de blé, d'argent et d'huile aux débitants, cuisiniers et boulangers, et aux autres. C'est le même sens dans *III Maccabées*, VII, 18: τοῦ βασιλέως χορηγήσαντος αὐτοῖς εὐψύχως τὰ πρὸς τὴν ἄφιξιν πάντα ἑκάστῳ εἰς τὴν ἰδίαν οἰκίαν» [1].

---

[1] L. Robert, *Les Inscriptions*, dans J. des Gagniers, *Laodicée du Lycos. Le Nymphée*, Québec-Paris, 1969, pp. 272–273.

ζημία, ζημιόω, κέρδος, κερδαίνω

Dans l'A. T., ζημία (עֹנֶשׁ) et ζημιοῦν (עָנַשׁ) ont toujours le sens d' «amende, contribution» [1], «condamner à une amende, punir» [2]; acception fréquente dans les papyrus [3], mais ignorée dans le N. T., à l'exception de *Lc.* ix, 25:

---

[1] *II Rois*, xxiii, 33; *Prov.* xxvii, 12; *II Mac.* iv, 48: ceux qui avaient pris la défense de la cité «subirent cette peine injuste». *Corpus Inscript. Iud.* 709: «Ils n'auront à craindre aucun procès ni aucune amende ni punition quelconque» (IIᵉ s. av. J.-C.). Dans un contrat de location des domaines de Zeus Téménitès, à Amorgos, au IVᵉ s. av. J.-C., le preneur paie la totalité des amendes en même temps que le loyer (*IG*, xii 7, 62, *l.* 47).

[2] *Ex.* xxi, 22; *Deut.* xxii, 19; *I Esdr.* i, 34; *Prov.* xvii, 26; xix, 19; xxi, 11; xxii, 3. Pour l'étymologie araméenne (*zyny, zyyn'*) de ζημία, cf. O. Szemerényi, *Etyma Graeca III (16–21)*, dans *Mélanges de Linguistique et de Philologie grecques*, P. Chantraine, Paris, 1972, p. 247.

[3] ζημία, *P. Tebt.* 894, frag. iii, 13 (compte d'une association, du IIᵉ s. av. J.-C.): Naaron a à payer une amende en plus de sa souscription; *P. Ryl.* 674, 8 (compte privé, IIᵉ-Iᵉʳ s. av. J.-C.); *C. Ord. Ptol.* 71, 9 (ordonnance d'amnistie de Ptolémée Aulète, vers 60 av. J.-C.): «Ils seront exonérés des amendes encourues»; *UPZ*, 180 *a*, col. xv, 4; *P. Mil.* 212 *r*, col. vi, 18; amende de Jean Sergios (*P. Ross.-Georg.* v, 46, 4), de Paulos et de Jacob (*P. Apol. Anô*, 84, 5–6; enregistrement d'une série de versements des percepteurs de taxes); au sens de pénalité, cf. *P. Michig.* 231, 14 (pétition au stratège, en 47–48); *P. Panop.* ii, 235: les percepteurs ne se contenteront pas de pénalités financières; *P. Ross.-Georg.* iv, 15; col. i, 1; *Apokrimata*, 6: «nous révoquons les pénalités imposées aux Alexandrins ou Egyptiens» (réédité *Sammelbuch*, 9526). Le verbe ζημιόω exprime aussi l'imposition d'une amende (*UPZ*, 70, 18; *Sammelbuch*, 8030, 25, 28, de 47 de notre ère; 8267, 51; de 5 av. J.-C.). Comptes d'un agonothète à Lébadée (IIᵉ s. av. J.-C.): «J'ai infligé à Platon, fils d'Aristokratès, de Thèbes, l'agonothète qui m'a précédé, pour n'avoir pas rendu les comptes de son agonothésie, l'amende prévue par la loi (ἐζημίωσα) de 10 000 drachmes» (*Institut F. Courby, Nouveau choix d'Inscriptions grecques*, Paris, 1971, n. 22 C, 29; cf. *ibid. l.* 44: délai supplémentaire pour rendre les comptes; *l.* 58: l'amende sera levée et déclarée nulle, mais s'ils ne rendent pas les comptes, l'amende sera validée), mais se dit aussi d'infliger un châtiment (*P. Fam. Tebt.* 24, 90), le plus souvent sévère: Tiberius Julius Alexander prescrit: «la cause ne pourra plus être ramenée en jugement, sinon celui qui aura fait cela sera puni sans rémission, ἀπαραιτήτως ζημιωθήσεται» (*Sammelbuch*, 8444, 40), notamment de la peine capitale, *P. Tebt.* v, 92; *P. Hib.* 198, 159; *P. Tebt.* 699, 21; *C. Ord. Ptol.* 13, 19; 41, 14; 43, 21; 53, 92: «ceux qui conviendront à ces dispositions seront punis de mort»; 55, 22; *IG*, II², 43, 129: ζημιούντων δὲ αὐτὸν θανάτῳ (IVᵉ s. av. J.-C.).

«A quoi sert-il à l'homme d'avoir gagné le monde entier, s'il s'est perdu lui-même ou a été condamné, ἑαυτὸν δὲ ἀπολέσας ἢ ζημιωθείς;»[1]. L'*apôléia* est le terme technique de la perdition éternelle (cf. *Jo.* xii, 25); si Luc, à la différence des parallèles (*Mt.* xvi, 26; *Mc.* viii, 36), ajoute ζημιωθείς, il veut signifier qu'il ne s'agit pas d'une simple privation, mais d'une pénalité, d'un châtiment positif.

Dans la *koinè* littéraire et populaire, ζημία-ζημιόω signifient «dommage» avec une extension très diversifiée [2]. *P. Tebt.* 420, 4: «Vous savez que je suis sans reproche (ἀπὸ ζημίας)»; la prostituée est un fléau (PHILON, *Spec. leg.* iii, 51); la pédérastie lèse les amants (*Vie cont.* 61, ἐζημίωσε; *P. Tebt.* 947, 2; II⁰ s. av. J.-C.); s'associer au méchant devient «la pire calamité» (*Migr. A.* 61, μεγίστη ζημία); «ceux qui sont rebelles à la Loi divine subissent de très graves dangers pour le corps et pour l'âme» (*Virt.* 182); «l'homme qui tue un domestique... ampute sa fortune du prix de cet homme» (*Spec. leg.* iii, 143; cf. FL. JOSÈPHE, *Ant.* xi, 214); «ils considèrent un manteau très cher comme un grand gaspillage» (*Somn.* i, 124); tantôt il s'agit de tort (*Gig.* 43; *Post. C.* 184), de détriment (*Virt.* 169), de déficit (*P. Oxy.* 2023, 4, 9); tantôt de ruine (*Vit. Mos.* ii, 53; *Migr. A.* 172), de conséquence funeste (*Deus immut.* 113). «Hyrcan l'ayant soustrait au danger et au châtiment (ζημιῶσθαι τοῦ κινδύνου καὶ τῆς κολάσεως)» (FL. JOSÈPHE, *Ant.* xv, 16). C'est en ce sens que saint Paul associe ὕβρις et ζημία pour évoquer les périls et les pertes de la cargaison et du navire, au cours de la tempête (*Act.* xxvii, 10, 21), qu'il regarde tout comme nul et sans prix en comparaison de la possession du Christ (*Philip.* iii, 8), qu'il n'a pas lésé les Corinthiens dont la tristesse a eu de si heureux fruits (*II Cor.* vii, 9); mais le mauvais prédicateur dont l'ouvrage sera consumé par le feu, subira une perte ou un dommage (*I Cor.* iii, 15), celui de la stérilité de son travail qui ne sera pas rétribué: il sera privé de son salaire [3].

---

[1] Comparer EPICTÈTE, ii, 10, 15: «Si tu perdais ta science de la grammaire ou de la musique, tu regarderais cette perte comme un dommage, ζημίαν ἡγοῦ τῆς ἀπώλειαν αὐτῆς». F. FIELD (*Otium Norvicense*, Oxford, 1881, iii, p. 42) comprenait ἀπολέσας d'une perte totale, et ζημιωθείς d'une perte partielle. Il traduisait «and lose himself, or be cast away». Sur ce ῵, cf. H. SCHÜRMANN, *Das Lukasevangelium*, Freiburg-Bâle-Vienne, 1969, pp. 546 sv.

[2] ζημία est souvent synonyme de βλάβη, cf. PHILON, *Migr. A.* 172; FL. JOSÈPHE, *Guerre*, ii, 605; *B.G.U.* 316, 32; *Stud. Pal.* xx, 122, 12: μήτε ἐνάξειν περὶ ζημίας ἢ περὶ βλάβης; 128, 13; *Inscriptions grecques et latines de la Syrie*, 262, 25–26.

[3] La nuance de châtiment n'est peut-être pas à exclure. L. Robert a publié une épitaphe chrétienne de Catane: Ἰάσων πρεσβύτερος, μηδὲν ζημιώσας τὴν ἐντολήν, ἠγόρασεν ἑαυτῷ καὶ τοῖς τέκνοις ἑαυτοῦ τὴν κοῦπαν ταύτην (*Bulletin épigraphique*, dans *Rev. des Etudes Grecques*, 1960, p. 212, n. 459).

Dans la langue commerciale et la *diatribè*, ζημία-ζημιόω s'oppose normalement au gain et au profit, κέρδη-κερδαίνω [1]. Or le Seigneur a utilisé métaphoriquement cette balance des comptes ruineuse pour enseigner que le gain de tout l'univers serait nul si l'on se perdait soi-même [2]; ce que saint Paul, faisant allusion au chemin de Damas, s'applique à lui-même: les avantages qu'il avait dans le judaïsme (κέρδη), il les a tenus pour désavantage (ζημίαν) à cause du Christ [3]; «Je tiens tout pour désavantageux au prix du gain suréminent qu'est la connaissance du Christ Jésus. Pour lui, j'ai accepté de tout perdre... afin de gagner le Christ, ἵνα Χριστὸν κερδήσω» (*Philip.* III, 8).

Le but du commerçant est de gagner de l'argent, de faire des bénéfices: «Nous trafiquerons et nous ferons du gain» [4]. Mais κέρδος s'emploie de toutes sortes d'avantages et d'obtentions [5]. S'il y a de bas profits ou des

---

[1] A. STUMPFF (ζημία, ζημιόω, dans *TWNT*, II, p. 891) cite la définition de ces deux termes par ARISTOTE, *Eth. Nic.* V, 7, 1132 *b* 2 sv. cf. XÉNOPHON, *Cyr.* II, 2, 12: «sans chercher un profit personnel (κέρδει), sans qu'il en coûte à ceux qui les entendent (μήτ' ἐπὶ ζημία)»; ÉPICTÈTE, III, 26, 25: «Quand on a jeté dehors un vase intact et qui peut servir, quiconque le trouve l'emportera et pensera que c'est un gain (κέρδος ἡγέσεται); mais de toi... tout le monde croira que c'est pure perte (πᾶς ζημίαν)»; cf. FL. JOSÈPHE, *Ant.* IV, 274: «Ils trouvent immoral de profiter de la perte (de l'argent perdu) d'un autre»; *Guerre*, II, 605: «Loin de moi de considérer comme un gain ce qui est préjudice à l'intérêt commun». Opposition usitée dans le rabbinisme, cf. STRACK-BILLERBECK, I, p. 749.

[2] *Mt.* XVI, 26; *Mc.* VIII, 36 (cf. A. BÉA, *Lucrari mundum – Perdere animam*, dans *Biblica*, 1933, pp. 435–447). La pensée était déjà fortement exploitée par PHILON, *Ebr.* 20–33; cf. en outre *Vit. Mos.* II, 53: «considérant comme très avantageux ce qui causait leur ruine complète»; *Mut. nom.* 173: «Pharaon, présentant les dommages comme des avantages...»; *Leg. G.* 242: «le souci de tant de multitudes n'est pas une question de lucre, mais une question de piété»; cf. SCHLIER, κέρδος, κερδαίνω, dans *TWNT*, III, pp. 671–672.

[3] *Philip.* III, 7; «ces profits ne sont pas seulement anéantis, ils sont devenus des pertes; leur signe mathématique a passé du plus au moins» (P. BONNARD, *L'Epître de saint Paul aux Philippiens*, Neuchâtel-Paris, 1950, p. 63); cf. J. GNILKA, *Der Philipperbrief*, Freiburg-Bâle-Vienne, 1968, p. 191). *Philip.* I, 21: τὸ ἀποθανεῖν κέρδος.

[4] *Jac.* IV, 13: ἐμπορευσόμεθα καὶ κερδήσομεν; FL. JOSÈPHE, *Guerre*, II, 590: «affaire où il réalisa de gros bénéfices»; P. *Oxy.* 1477, 10: εἰ κερδαίνω ἀπὸ τοῦ πράγματος; P. *Michig.* 507, 13: si nous gagnons, tu en profiteras; P. *Flor.* 142, 8; MÉNANDRE, *Dyscol.* 720: «les calculs qu'ils faisaient pour s'enrichir».

[5] *Ep. Aristée*, 270: «Ne pas se fier... à ceux qui ne voient en tout que leur profit»; ÉPICTÈTE, I, 28, 13; III, 22, 37: être délivré d'une femme encombrante ou infidèle; FL. JOSÈPHE, *Ant.* II, 31: avantage de ne pas avoir souillé ses mains dans le sang; *Guerre*, V, 74: «les Romains gagneront à nos querelles de prendre la ville sans effusion de sang»; cf. *Ant.* V, 135: ἡδονή τοῦ κερδαίνειν. P. *Panop.* II, 149, 151: Que le vin ne profite pas aux malfaiteurs; *P.S.I.* 1128, 30; *Stud. Pal.* XX, 283, 3.

gains sordides [1], il y a aussi le gain des âmes, et κερδαίνειν est devenu un terme religieux, voire apostolique et missionnaire, depuis la correction fraternelle par laquelle on «gagne son frère» (*Mt.* XVIII, 15), et l'adaptation de saint Paul à chaque catégorie d'hommes «afin de gagner le plus grand nombre» (*I Cor.* IX, 20–22), jusqu'aux maris réfractaires à la Parole de Dieu qui seront gagnés sans parole par le comportement de leur épouse chrétienne (*I Petr.* III, 1). De tels textes n'ont évidemment pas de parallèle profane.

---

[1] *Tit.* I, 11: αἰσχρὸν κέρδος; POLYBE, VI, 46, 2–5: μηδὲν αἰσχρὸν νομίζεσθαι κέρδος; 47, 5; DION CHRYSOSTOME, IV, 6; XXXI, 32, 138; PHILON, *Spec. leg.* IV, 121: «un profit injuste».

ζωγρέω

Formé de ζωὸν-ἀγρέω, et défini par la *Souda:* ζωγρεῖ·ζῶντας λαμβάνει [1], ce verbe signifie «capturer vivant, faire grâce de la vie» et appartient au vocabulaire de la chasse et de la guerre [2]. Ses huit emplois dans l'A. T. ont tous une acception militaire [3], ses deux emplois dans le N. T. sont métaphoriques, évoquant le poisson ou le gibier pris au filet [4].

Après la pêche miraculeuse, «Jésus dit à Simon: Ne crains point, désormais ce sont des hommes que tu prendras» [5]. C'est moins un ordre qu'une prophétie annonçant la tâche apostolique à laquelle le disciple se consacrera exclusivement (cf. *Lc.* xviii, 28–29). Ce ne seront plus des poissons morts qu'il attrapera pour les manger, mais des hommes vivants qu'il

---

[1] Cf. P. CHANTRAINE, *Etudes sur le Vocabulaire grec*, Paris, 1956, p. 51.

[2] Ignoré des Inscriptions et des Papyrus. Mais le substantif ζωγρία attesté en 117 av. J.-C., καὶ πολλοὺς μὲν αὐτῶν ἐν χειρῶν νομαῖς ἀπέκτεινεν, οὓς δὲ ζωγρίαι συνέλαβειν (DITTENBERGER, *Syl.* 700, 30), et *Nomb.* xxi, 35: «Ils battirent Og, roi de Basan... au point qu'on ne lui laissa pas un survivant»; *Deut.* ii, 34; *II Mac.* xii, 35: Dosithée «se rendit maître de la personne de Gorgias, et... il l'entraîna de force en vue de capturer vivant ce maudit, βουλόμενος τὸν κατάρατον λαβεῖν ζωγρίαν».

[3] Alors que les Israélites ont tué tous les Madianites mâles, faisant prisonniers les femmes et les enfants, Moïse demande: «Avez-vous donc laissé vivre (ou *épargné:* ἐζωγρήσατε) toutes les femelles?» (*Nomb.* xxxi, 15, 38); «des villes... que Iahvé te donne en héritage, tu ne laisseras vivre aucun être animé, car tu dois les vouer à l'anathème» (*Deut.* xx, 16); Rahab demande aux espions israélites: «Jurez-moi que vous laisserez vivre (ou épargnerez) la maison de mon père, ma mère, mes frères et mes sœurs» (*Jos.* ii, 13; vi, 25; cf. ix, 20; *II Sam.* viii, 2; toujours ζωγρέω traduit חיה au *piel* ou au *hiphil*); «les fils de Juda capturèrent vivants (חיים שבה) dix mille vivants, qu'ils amenèrent au sommet de la Roche, et qu'ils précipitèrent du sommet de la Roche: ils crevèrent tous» (*II Chr.* xxv, 12).

[4] Cf. ζωγρεῖον: la cage ou le vivier pour les poissons. L'image de la pêche d'hommes (ARISTÉNÈTE, *Ep.* ii, 1) déjà utilisée par *Hab.* i, 14–15; *Jér.* xvi, 16 (cf. *Prov.* vi, 26), se retrouve à Qumrân (cf. *I QH*, ii, 29; iii, 26; v, 8; *Doc. Dam.* iv, 15 sv.) notamment sous la forme du filet (cf. M. HENGEL, *Nachfolge und Charisma*, Berlin, 1968, p. 86, n. 150–151); mais c'est le diable qui est représenté comme un chasseur d'hommes...

[5] *Lc.* v, 10: ἀνθρώπους ἔσῃ ζωγρῶν; substitué à ποιήσω ὑμᾶς γενέσθαι ἁλεεῖς ἀνθρώπων de *Mc.* i, 17; *Mt.* iv, 19. Cf. J. MÁNEK, *Fishers of Men*, dans *Novum Testamentum*, 1958, pp. 138–141; CH. W. F. SMITH, *Fishers of Men*, dans *Harvard Theol. Review*, 1959, pp. 187–203; R. PESCH, *La Rédaction lucanienne du logion des pêcheurs d'hommes*, dans *L'Evangile de Luc. Mémorial Lucien Cerfaux*, Gembloux, 1973, pp. 225–244.

capturera; non point – à l'instar des prisonniers – pour les asservir, mais pour leur donner la liberté et la vraie vie [1].

Dans la littérature grecque, ζωγρέω s'oppose le plus souvent à un verbe signifiant tuer, massacrer, anéantir: «Les Perses massacrèrent un grand nombre des Massagètes et firent les autres prisonniers» (HÉRODOTE, I, 211); «Les Syracusains avaient ou faits prisonniers un grand nombre d'hommes ou les avaient tués» (THUCYDIDE, VII, 41, 4); «Telle était la colère des Crotoniates, qu'ils ne voulurent faire aucun prisonnier, ils tuèrent tous les fuyards» [2]. Le sort de ces captifs est fréquemment funeste: chargés d'entraves (HÉRODOTE, I, 66; POLYBE, V, 77), il n'est pas rare qu'ils ne soient finalement exécutés: «Sept cents hommes du parti populaire, pris vivants (ζωγρήσαντες) furent mis à mort; un seul échappa, mais fut mutilé» (*ibid.* VI, 91); «De tous les ennemis que les Scythes capturent vivants, ils en sacrifient un sur cent» [3]. Mais «être pris vivant», c'est non seulement échapper au massacre immédiat et «être épargné» [4], mais garder l'espoir d'une libération (HÉRODOTE, V, 77). Voilà pourquoi les vaincus supplient leur vainqueur de leur laisser la vie [5]. C'est bien la nuance du verbe dans *Lc.* V, 10:| garder le captif en vie, lui faire grâce et miséricorde et même le ranimer [6].

---

[1] La pêche a changé d'objet; mais la cohérence de la métaphore réside dans la permanence de la profession (cf. Vulg. *eris capiens*). On sait combien les premiers chrétiens ont aimé représenter les emblèmes du pêcheur et des petits poissons nés dans l'eau du baptême, cf. F. J. DÖLGER, *IXΘΥΣ. Das Fisch-Symbol in frühchristlicher Zeit*, Münster, 1928–1932.

[2] DIODORE DE SICILE, XII, 10, 1; cf. XI, 22; POLYBE, I, 34, 8; III, 102, 2: Marcus attaquant les Carthaginois ordonne de ne faire aucun prisonnier. Cf. STRABON XI, 11, 6: Alexandre poursuivait Bessos et Spitaménès, il captura vivant le premier (ζωγρίᾳ δ' ἀναχθέντος), mais le second se fit tuer par les barbares (διαφθαρέντος).

[3] HÉRODOTE, IV, 62; cf. V, 86; DIODORE DE SICILE, XVIII, 16, 2: «Perdiccas fit au delà de cinq mille prisonniers... parmi lesquels se trouva Ariarathès, qu'il ordonna de mettre en croix, ainsi que tous ses parents, après les avoir cruellement torturés»; 40, 3. Cf. P. DUCREY, *Le traitement des Prisonniers de Guerre dans la Grèce antique* Paris, 1968, pp. 29–33.

[4] THUCYDIDE, III, 66, 2: «Ceux qui vous tendaient les mains et que vous aviez faits prisonniers, vous aviez promis de les épargner et vous les avez supprimés»; IV, 57, 3; XÉNOPHON, *Hell.* I, 5, 14.

[5] HOMÈRE, *Il.* VI, 46: Adraste, saisissant les genoux de Ménélas, le supplie: «Prends-moi vivant, fils d'Atrée, agrée une honnête rançon»; prière semblable de Dolon à Ulysse (X, 378). POLYBE, III, 84, 10: «La cavalerie survenant et leur perte ne faisant aucun doute, ils levaient les bras et suppliaient d'être épargnés, δεόμενοι ζωγρεῖν».

[6] Cf. HOMÈRE, *Il.* V, 698: «Le souffle de Borée ranime (ζώγρει) le cœur» de Pélagon qui défaille (κεκαφηότα); *Anthol. Palat.* IX, 597, 6: «l'habile Philippe m'a rendu la vie en me guérissant de cette cruelle maladie».

Les textes profanes cités révèlent surtout la cruauté des vainqueurs à l'égard de leurs prisonniers qu'ils torturent et réduisent en esclavage, quand ils ne les exécutent pas; et c'est ainsi que le diable jette ses filets sur les pécheurs [1], les tient captifs (ἐζωγρημένοι), asservis à sa volonté (*II Tim.* ii, 26).

---

[1] Cf. *Is.* xxiv, 17 (*Lc.* xxi, 35). Qumrân dénonce l'empire ou la domination de Bélial (*I Q. S.* i, 18, 24). Alors que Cléopâtre est sur le point d'être prise par Proculeius, envoyé de César, une des femmes enfermées avec elle s'écria: «Malheureuse Cléopâtre, te voilà prise, ζωγρεῖ» (PLUTARQUE, *Antoine*, lxxv, 3).

ζωογονέω

Ce verbe a deux acceptions qui ne sont pas toujours séparables. La première qui est attestée par les Septante est celle de «laisser en vie», opposé
à «tuer»: Le Pharaon «maltraita nos pères, jusqu'à leur faire exposer leurs
bébés, pour qu'ils ne vécussent pas, εἰς τὸ μὴ ζωογονεῖσθαι» (*Act.* vii, 19)
est une citation d'*Ex.* i, 17, 18, 22. «David ne laissait en vie (ἐζωογόνει)
ni homme ni femme» (*I Sam.* xxvii, 9, 11; cf. *Juges*, viii, 19; *I Rois*, xxi,
31; *II Rois*, vii, 4; toujours חיה au *piel* ou au *hiphil*).

En cette acception, ζωογονέω est un terme technique de la botanique
(THÉOPHRASTE, *Origine des Plantes*, iii, 22, 3; iv, 15, 4; *Histoire des Plantes*,
viii, 11, 2), attesté dans les papyrus, dès l'an 13 de notre ère [1], et il est
associé presque toujours aux IIIe-IVe siècles à εὐθαλέω exprimant la bonne
croissance, une belle végétation. Le 29 mars 323, Origène et ses compagnons
jurent au logistès Dioscouride qu'ils ont pourvu à l'irrigation régulière
de l'arbre πρὸς τὸ ζωογονεῖν καὶ εὐθαλεῖν διὰ παντός [2], ce qui semble être une
formule stéréotypée.

Mais littéralement ζωογονέω signifie «produire ou engendrer un vivant,
faire vivre» [3] et dans cette acception il a presque toujours Dieu pour sujet,
comme dans *I Tim.* vi, 13: «Je t'enjoins en face de Dieu, qui donne la vie
à toutes choses, τοῦ θεοῦ τοῦ ζωογονοῦντος» [4]. Cet attribut divin est celui de

---

[1] *P. Oxy.* 1188, 21, 23: deux branches mortes, d'un arbre perséa vivant, ἀπὸ
ζωογονούσης περσέας κλάδους. L'orthographe ζωογονεῖν se partage en parties égales avec
ζῳογονεῖν dans les papyrus (comparer βοαύλων-βαύλων). Cf. O. MONTEVECCHI, *Continuità
ed Evoluzione della Lingua greca nella Settanta e nei Papiri*, dans *Actes du Xe Congrès
intern. de Papyrologues*, Varsovie-Cracovie, 1964, p. 43. Sur le perséa, arbre égyptien
(STRABON, xvi, 4, 4; *P. Oxy.* 1976; *P. Panop.* ii, 211, note; *P. Michig.* inv. 4001, 10,
édité par R. W. DANIEL, dans *Z.P.E.* xxiv, 1977, p. 83), cf. L. KEIMER, *Die Garten-
pflanzen im alten Ägypten*, Berlin, 1924, pp. 35 sv. PH. DERCHAIN, *Le lotus, la man-
dragore et le perséa*, dans *Chronique d'Egypte*, 1975, pp. 83 sv.

[2] *P. Oxy.* 2767, 17; les éditeurs traduisent «for it to propagate and to grow always»
(on pourrait aussi bien entendre: pour qu'il vive et prospère); 2969, 14; 2994, 10;
P.S.I. 1338, 18 (contrat de travail pour une vigne, en 299): ἐπιμελείᾳ... εὐθαλοῦσα
καὶ ζωογονοῦσα τῶν παρεχον (*l.* παρεχομένων) μοι μοσχευμάτων.

[3] Très employé par les écrivains médicaux, cf. les références dans W. K. HOBART,
The Medical Language of St. Luke, Dublin-Londres, 1882, p. 155.

[4] א, K, L, G, de nombreux minuscules lisent ζωοποιοῦντος (la confusion est normale,

I Sam. II, 6: «Le Seigneur fait mourir et il fait vivre, Κύριος θανατοῖ καὶ ζωογονεῖ» et de la littérature profane: Dieu est l'engendreur, ὁ ζωογονῶν [1].

Ces emplois aident peut-être à déterminer le sens du paradoxe de *Lc.* XVII, 33: ἐὰν ἀπολέσει ζωογονήσει αὐτὴν (ψυχήν); celui qui consent à la perte ou destruction de sa vie, la conservera, la préservera. C'est l'acception des exégètes modernes; mais pour que la sentence ait une signification, il semble qu'il ne faille pas exclure la nuance: «il la revivifiera», il conservera ou engendrera une nouvelle vie; car les vivants – τὰ ζωογονοῦντα – peuvent avoir plusieurs modes d'exister ou de disparaître (*Lév.* XI, 47).

---

cf. *II Rois*, V, 7; *Deut.* XXXII, 39: ἐγὼ ἀποκτενῶ καὶ ζῆν ποιήσω). Il semble que la foi chrétienne s'oppose ici aux dévotions du culte impérial: chaque sujet considérait le prince «comme l'origine de sa vie et de son existence» (*Inscriptions de Priène*, 105, 10, 32).

[1] MOULTON-MILLIGAN citent *P. Lond.* 121, 529 (t. I, p. 101; papyrus magique du IIIᵉ s.; invocation au Soleil: Κύριε θεὲ μέγιστε ὁ τὰ ὅλα συνέχων καὶ ζωογονῶν καὶ συνκρατῶν τὸν κόσμον (réédité K. PREISENDANZ, *Papyri graecae magicae*, Leipzig-Berlin, 1931, t. II, p. 24); cf. K. PREISENDANZ, *ibid.* IV, 1162 (t. I, p. 112); 1754 (p. 128): «Celui qui insuffle dans toutes les âmes une raison vivifiante, εἰς τὰς ψυχὰς πάσας ζωογόνον ἐμπνέοντα λόγισμον»; 1614 (p. 124): «sur l'ordre d'Hélios il engendre les êtres vivants, ἐξωογόνησε τὰ ζῷα σου ἐπιτρέψαντος»; *Corp. Hermét.* IX, 6: «Il n'est rien que le cosmos (divin) n'engendre à la vie (ζωογονεῖ); par son mouvement même il vivifie tous les êtres (πάντα ζωοποιεῖ)». Sur la divinité, comparée à un semeur ou un planteur (φυτουργός), cf. A. J. FESTUGIÈRE, *Le Dieu inconnu et la Gnose*, Paris, 1954, pp. 220–224. R. BULTMANN (ζωογονέω, dans *TWNT*, II, p. 876) cite LUCIEN, *Amours*, 19: Aphrodite «a amené à la vie tout ce qui respire, ἱερὰ τῶν ὅλων φύσις»; *Dial. Deor.* 8, de l'engendrement chaste par Zeus, παρθένον ζωογονῶν.

ἡγούμενος

Dérivé de ἡγέομαι, ce participe présent signifierait normalement «conducteur, guide, celui qui commande», mais la variété de ses emplois lui donne la plus large acception. Dans *Mt.* II, 6, il désigne le Messie, «chef qui doit paître mes brebis» (= *Mich.* V, 2: ἄρχοντος; cf. *Gen.* XLIX, 10); dans *Act.* XV, 22, Judas-Barsabbas et Silas sont ἄνδρας ἡγουμένους ἐν τοῖς ἀδελφοῖς, dont on rapprochera les trois hauts fonctionnaires de *Dan.* VI, 2 (cf. *II Chr.* VII, 18), «les hommes choisis» et considérés de *I Chr.* VII, 40; surtout cette catégorie d'hommes glorieux en Israël, «chefs du peuple par leurs conseils» [1]; leur prudence les désigne comme messagers dans des affaires délicates (*II Chr.* XVII, 7; *I Mac.* IX, 35; XIII, 8).

ὁ ἡγούμενος est le chef, tel Joseph en Egypte [2], celui qui possède une supériorité quelconque (*Lc.* XXII, 26; *Philip.* II, 3). Dans l'A. T., il s'agit d' «hommes sages, intelligents, instruits» (*Deut.* I, 13; *Sir.* IX, 17), puissants (*Sir.* XLI, 17), parmi lesquels on choisit les chefs de tribus [3], et d'abord le roi [4] et le général (*Juges*, XI, 6; *B* a ἀρχηγός; *I Rois*, XVI, 16; *I Mac.* XIII, 53),

---

[1] *Sir.* XLIV, 4; cf. R. W. Skehan, *Staves and Nails and Scribal Slips* (*Ben Sira XLIV, 2-5*), dans *Bulletin of the American School of Oriental Research*, 1970, pp. 66–71.

[2] *Act.* VII, 10 (cf. *Sir.* XLIX, 15). Les Lycaoniens identifient saint Paul à Hermès parce qu'il était «le maître de la Parole» (*Act.* XIV, 12). On cite comme parallèle Jamblique, *Les Mystères d'Egypte*, I, 1, où Hermès est le Seigneur du langage, ὁ τῶν λόγων ἡγεμῶν (cf. A. J. Festugière, *La Révélation d'Hermès Trismégiste*, Paris, 1944, I, p. 73; Kleinknecht, λέγω, dans *TWNT*, IV, p. 86. Ajouter Denys d'Halicarnasse, *I*re *Lettre à Ammaeus*, 7: Lorsque Aristote vivait près de Platon «il n'avait encore jamais été chef d'école, οὔτε σχολῆς ἡγούμενος».

[3] *Deut.* V, 23 (associé aux Anciens); *I Sam.* XV, 17; *II Chr.* V, 2 (associé aux Archontes); cf. chef du peuple (*II Sam.* VI, 21; *I Chr.* XI, 2; XVII, 7; *I Esdr.* I, 49; *I Mac.* III, 55; V, 6, 18; *II Mac.* X, 21); chef sur Israël (*I Sam.* XXV, 30; *I Rois*, I, 35; XIV, 7), des Tyriens (*Sir.* XLVI, 18).

[4] David (*I Sam.* XXV, 30); Saul (*II Sam.* II, 5), Salomon (*II Chr.* IX, 26), Jéhu (*I Rois*, XVI, 2); Ezéchias (*II Rois*, XX, 5); cf. *II Chr.* XI, 22; *Judith*, V, 3; *Ez.* XLIII, 7. Nicolas de Damas, *Frag.* LXVI, 62 désigne Cyrus par ce titre (dans C. Müller, *Fragmenta Historicorum Graecorum*, III, p. 404); cf. Epictète, II, 13, 27. Appien appelle L. Cassius tantôt ὁ τῆς Ἀσίας ἡγούμενος (*Mithr.* 17), tantôt τῆς Ἀσίας ἀνθύπατος (*ibid.* 24), tantôt ὁ περὶ τὸ Πέργαμον Ἀσίας ἡγούμενος (*ibid.* 11); cf. *Inscriptions de Bulgarie*, 876, 6; 1569, 3; Dion Cassius, LXXVIII, 15: *peregrinorum princeps.* Cf. un préfet, ἐπὶ Ἰουλίου Κασσίου τοῦ διασημοτάτου ἡγουμένου τοῦ Ἑλλησπόντου (P. Frisch, *Die*

ou stratège (*I Mac.* xiii, 42; xiv, 35, 41). Mais l'*higoumène* peut désigner des grades fort divers: le prince (*Jos.* xiii, 21; *II Sam.* iii, 38; *II Chr.* xix, 11; *Ez.* xliv, 3), le gouverneur et le magistrat (*Ez.* xxiii, 6, 12; *Dan.* ii, 48; iii, 3; *Mich.* iii, 9; *Mal.* i, 8); le préfet (*II Chr.* xvii, 2), le «président de la maison de Dieu» (*I Chr.* ix, 11, 20), le surintendant (*I Chr.* xxvi, 24; xxvii, 4, 16; *II Chr.* xxxi, 13), le commissaire en chef (*Jér.* xx, 1). Dans les forces armées, on distingue le commandant en chef (*Judith,* v, 5; vii, 8; *II Chr.* xx, 27), «le chef de mille» (*I Chr.* xii, 21), «le chef de cinquante» (*I Rois,* i, 9, 13), «le chef des coureurs» (*I Rois,* xiv, 27; cf. les carriers sous les ordres d'un higoumène, *Inscriptions de Didymes,* ii, 39, 51). Toujours, ce terme désigne celui qui a l'autorité et prend l'initiative, le guide qui a la responsabilité d'une entreprise commune [1], notamment le chef de la cité (*Sir.* x, 2) et de la nation, que Dieu lui-même prépare à cette charge [2].

Ces emplois aident à déterminer le fonction des *Higoumènes* dans *Hébr.* chargés de la communauté [3], ils sont évidemment analogues aux προϊστάμενοι (*I Thess.* v, 12; *I Tim.* iii, 4–5), qui ont des dons de gouvernement (κυβερνήσεις, *I Cor.* xii, 28; *Rom.* xii, 8), et qui donnent leurs soins aux fidèles comme les pasteurs à leurs brebis (ἐπιμελεῖσθαι, *I Tim.* iii, 5) ou des *oikonomoi* de la maison de Dieu [4]. L'auteur de *Hébr.* les salue, parce qu'ils sont dignes de respect (*Hébr.* xiii, 17, 24; cf. Clément de Rome, *Cor.* xxi, 6: τοὺς προηγουμένους ἡμῶν αἰδεσθῶμεν; Fl. Josèphe, *Guerre,*

Inschriften von Ilion, Bonn, 1975, n. 97, 12). Lettre de Severius Alexander τοῖς ἐπιτρόποις καὶ τοῖς ἡγουμένοις τῶν ἐθνῶν (*P. Oxy.* 3106, 3). Dans Diodore de Sicile, l'acception est surtout militaire: commandant de garnison (xvii, 8, 7), satrape à la tête des cavaliers (19, 4; cf. 19, 6; 48, 3), Darius commandant l'aile gauche (59, 2; cf. 60, 5), le commandant des gardes du corps (61, 3), le chef de l'armée (65, 4), les chefs de la flotte (107, 1).

[1] *I Mac.* ix, 30. Ptolémée de Mendès: les Juifs quittèrent l'Egypte sous la conduite de Moïse, Μωσέως ἡγουμένου (dans Th. Reinach, *Textes... relatifs au Judaïsme²,* Hildesheim, 1963, n. 46). Synonyme de πρωτοστάτης «celui qui conduit le front des combattants, dans Asclépiodote: ὁ δὲ ἡγούμενος ὠνόμασται καὶ πρωτοστάτης (*Tactique,* ii, 3; restitué par les éditeurs Köchly et Rüstow; cf. ii, 10: ἡγούμενος = τηλάρχης).

[2] *Sir.* xvii, 17: «A chaque nation, Dieu a préparé un chef». Il peut s'agir d'un roi temporel ou d'un prince céleste, cf. R. Meyer, λαός, dans *TWNT,* iv, p. 40; H. Bietenhard, *Die himmlische Welt im Urchristentum und Spätjudentum,* Tübingen, 1951, pp. 109 sv.; L. Hackspill, *L'Angéologie juive à l'époque néo-testamentaire,* dans *R.B.* 1902, p. 546.

[3] Cf. *Sir.* x, 2: «Tel le chef de la cité, tels seront tous ses habitants». Cf. J. Delorme, dans *Le Ministère et les Ministères selon le N.T.,* Paris, 1974, p. 321.

[4] Cf. *Lc.* xii, 42; *I Cor.* iv, 1; ix, 17; *Tit.* i, 7. Didyme l'Aveugle: «Ceux qui guident les peuples comme des brebis (οἱ ἡγούμενοι τῶν λαῶν) par le sacerdoce et l'enseignement en sont les pasteurs (ποιμένες)» (sur *Zach.* iv, 41; cf. iv, 51).

ι, 271: «Il mourut en parfait héros par une fin qui correspondait à la conduite de toute sa vie»), il demande de garder leur mémoire (̌v. 7) et de leur obéir [1]. La Vulgate a traduit *praepositi*. Il faut se rappeler, qu'à l'époque hellénistique, dans les royaumes Lagide et Séleucide, l'*higoumène* est un terme technique désignant quiconque gère les affaires d'une ville, en a la garde ou la protection [2], ou encore «le Président d'une assemblée», objet de la considération de tous [3].

Comme on ne dispose d'autre parallèle néo-testamentaire que *Lc.* XXII, 26 (parallèle à ὁ μείζων), le mieux est de transcrire *Higoumènes*, titre devenu traditionnel des Supérieurs de monastères (*P. Rein.* 107, 1; *P. Ness.* 45, 1; 46, 3, etc.). Si l'on traduit, on hésitera entre *Dirigeants* si l'on veut garder la valeur étymologique, ou *Présidents* si l'on est sensible à l'usage papyrologique, où ce terme désigne le responsable ou le chef d'associations diverses, également qualifié d'ἐπιμελητής [4]. On connaît par exemple l'ἡγούμενος

---

[1] L'higoumène a autorité, il commande, cf. *II Mac.* XIV, 16, 20; CLÉMENT DE ROME, *Cor.* I, 3.

[2] Cf. E. BIKERMAN, *Institutions des Séleucides*, Paris, 1938, pp. 64, 80; F. CUMONT, *L'Egypte des Astrologues*, Bruxelles, 1937, pp. 39, 71. Il semble que ἡγούμενος soit moins marqué politiquement et plus discret que ἡγέμων soulignant la dignité: «prince» (FL. JOSÈPHE, *Ant.* XII, 223; XIX, 217), «gouverneur impérial» (*Ant.* XV, 405), procurateur ou préfet (*Ant.* XVIII, 55 = Ponce Pilate; celui-ci est qualifié de *praefectus Iudaeae* dans l'inscription découverte en 1961 à Césarée, cf. *JBL*, 1962, p. 70). Toutefois les *higouménoi* sont les gouverneurs païens (dans CLÉMENT DE ROME, *Cor.* V, 7; XXXII, 2; XXXVII, 2–3; LI, 5; LV, 1; *P. Oxy.* 896, 26) ou des préfets de province (*P. Oxy.* 1020, 5; 1119, 17), mais ce sont des «chefs» proprement dits (FL. JOSÈPHE, *Guerre*, II, 434) et ils sont qualifiés de «très éminents» (*P. Oxy.* 1186, 1; 1722, 1; *P. Panop.* I, 78, 126, 143, 385). L. Robert définit exactement: «Le terme ἡγούμενοι désigne l'ensemble des 'autorités romaines' dans leur variété» (*Opera minora selecta*, Amsterdam, 1969, II, p. 329; cf. H. J. MASON, *Greek Terms for Roman Institutions*, Toronto, 1974, p. 151).

[3] *Sir.* XXXIII, 19: «Ecoutez-moi, grands du peuple (μεγιστᾶνες), Présidents de l'assemblée (οἱ ἡγούμενοι ἐκκλησίας), prêtez l'oreille»; XXXIX, 4: «Au milieu des grands il servira, en présence des chefs il paraîtra»; *Ep. Aristée*, 309–310: «Les Anciens... ainsi que les chefs du peuple firent cette déclaration». Cf. V. A. TCHERIKOVER, A. FUKS, *Corpus Papyrorum Judaicarum*, Cambridge, Mass. 1957, p. 9; M. GUERRA Y GOMEZ, *Episcopos y Presbyteros*, Burgos, 1962, pp. 322 sv.; A. PELLETIER, *Fl. Josèphe adaptateur de la Lettre d'Aristée*, Paris, 1962, pp. 186–188.

[4] *P. Michig.* 245, 5 (en 47 ap. J.-C.; cf. CL. PRÉAUX, *A propos des Associations dans l'Egypte gréco-romaine*, dans *Rev. intern. des Droits de l'Antiquité*, I, 1948, pp. 189–198). Ces statuts ou νόμοι seraient d'origine grecque, cf. A. E. R. BOAK, *The Organization of Guilds in Greco-Roman Egypt*, dans *Transactions of the American Philological Association*, 1937, pp. 212–220. Au pluriel, les *higouménoi* sont «les autorités, les ma-

γερδίων τῆς κώμης (*P. Grenf.* ii, 43, 9, au Ier s.; *P. Bon.* 20, 21, de 69–70), celui de l'assemblée du village: Onnophréos, ἡγούμενος συνόδου κώμης Τάνεως¹ – ces présidents étant associés et parfois à identifier avec les πρεσβύτεροι ² – et l'*higoumène* de corporations religieuses: «Athénodôros, τῷ ἡγουμένῳ τῶν ἱερέων τῆς Σεκνεπαίου Νέσου» ³.

Il résulte de tous ces textes que la charge d'Higoumène n'était pas une

---

gistrats» (*Inscriptions de Pergame*, 536, 7; *Inscriptions de Carie*, 6, 9; DITTENBERGER, *Syl.* 748, 21; *Suppl. Ep. Gr.* xviii, 143, 5 et 52; de 43 de notre ère à Corinthe. Cf. L. ROBERT, *Etudes Anatoliennes*², Amsterdam, 1970, p. 51; M. G. COLIN, *Fouilles de Delphes* iv, 3, p. 102, n. 2); mais au singulier, ἡγούμενος est plutôt le fonctionnaire subalterne (*P. Ryl.* 196, 9; IIe s.), tel le commissaire de police (*P. Yale*, 62, 1; *Sammelbuch*, 9630, 1 = *Zeitschrift für Papyrologie und Epigraphik*, vi, 1970, p. 11; *B.G.U.* 2016, 1), le chef du personnel au bureau du stratège, un prévôt (*P. Oxy.* 294, 19; en 22 de notre ère; *P. Lugd. Bat.* 26, verso 1), le chef des *phylacitès* (*P. Tebt.* 731, 1), un surveillant (*P. Flor.* 382, 15; *P. Oxy.* 43 recto; col. vi, 14), donc un «épiscope».

¹ *B.G.U.* 1648, 3 (IIe s.); *P. Tebt.* 484 verso: Εὔτυχος ἡγούμενος κώμης Τεβτύνεως; *P. Grenf.* ii, 67, 2: ἡγ... κώμης Βακχιάδος; *P. Alex.* 6, 3: ἡγ... κώμης Σεκνεπαίου Νέσου; *Sammelbuch*, 10619, 3. C'est à ce fonctionnaire que les cultivateurs adressent leur requête (*P. Michig.* 523, 15; en 66 de notre ère; 524, 12; en 98). Cf. *P. Fuad*, 18, 1: «Ἡρακλείδης Ἁρμιώσιος ἡγούμενος, Héracleidès, fils d'Harmiôsios, président» (14 octobre 53). L'éditeur J. Scherer commente: «ἡγούμενος... Le titre est, en général, déterminé par un génitif: ἡγούμενος ἱερέων, κώμης, γερδίων; cf. *B.G.U.* 2239, 1: Setabous chef des Anciens de Soknopaiu Nésos (17 de notre ère). Dans *P. Tebt.* 573, le mot est employé sans aucune précision; mais il n'y a pas d'équivoque, car il a été question précédemment d'une σύνοδος; de même *B.G.U.* 1615, *l.* 6 où il s'agit de l'association des tisserands. Ici, au contraire, le sens n'est pas évident, et l'on hésite entre deux explications. Ou bien Héracleidès est le 'président de l'association du village', mais dans ce cas on attendrait ἡγούμενος κώμης συνόδου (*P. Tebt.* 401, *l.* 23) ou du moins ἡγούμενος κώμης (*P. Tebt.* 484, verso. Cf. W. L. WESTERMANN, *Entertainment in the Villages of Greco-Roman Egypt*, dans *J.E.A.* 1932, p. 23). Ou bien Héracleidès est le président du collège des πρεσβύτεροι δημοσίων γεωργῶν: dans ce cas, on comprendrait mieux que ἡγούμενος ne soit pas précisé. Mais l'existence d'un *président du collège des Anciens* n'est attestée, à notre connaissance, par aucun autre document, et cette explication, comme la précédente, laisse place au doute. Dans *P. Fay.* 110, 26 et DITTENBERGER, *Or.* 671, l'emploi absolu de ἡγούμενος donne lieu à une difficulté analogue d'interprétation.»

² Cf. *P. Ryl.* 122, 7–8; 125, 3; 196, 9; *B.G.U.* 392, col. ii, 6: διὰ τῶν ἱερέων πρεσβυτέρων Τανεφρις; cf. *P. Michig.* 226, 3, 9; 344, 1: «Horos, fils de Petermouthis, président des anciens des cultivateurs publics du village de Kerkesephis» (Ier s.); *Z.P.E.* 1975, p. 144, n. 4; 1976, pp. 196 sv.

³ Au Ier s., dans K. A. WORP, *Einige Wiener Papyri*, Amsterdam, 1972, n. 12, 1; en 66, *P. Lond.* 281, 2 (t. ii, p. 184), ἡγ. ἱερέων Σοκνοπαίου Νήσου; en 87, *P. Lugd. Bat.* ii, 1, 31: περὶ τῶν τοῦ ἱεροῦ ἡγουμένων καὶ πρεσβυτέρων αἰτίας ἐχόντων; vers l'an 1, *P. Tebt.* 525: Παεῦς ἡγούμενος ἱερέων.

sinécure. Celui-ci est élu pour ses hautes capacités [1]. Il a la charge de l'administration générale de l'association et il détient l'autorité, il convoque et préside les réunions, fournit la boisson au banquet mensuel, gère les fonds (*P.S.I.* 1265), commande (*II Mac.* xiv, 16, 20), et on doit lui obéir [2]; il prend des mesures coercitives contre les délinquants [3] et inflige des pénalités. Il est normal qu'en 124 av. J.-C., il soit fait mention de la σπουδὴ τῶν ἡγουμένων (*P. Tebt.* 700, 30), encore qu'au IIe s. ap. J.-C., un certain Dios qui attend l'arrivée de l'higoumène pour aplanir ses difficultés, escompte en même temps «l'aide des dieux» (*P. Alex.* 25, 15). Ces données fournissent quelque analogie avec la charge des responsables des communautés chrétiennes au Ier s., «ils se donnent de la peine», et saint Paul demande «de les considérer avec une estime infinie, ὑπερεκπερισσοῦ» (*I Thess.* v, 13; cf. *Didachè*, iv, 1).

---

[1] «Homme excellent, ἄνδρα ἀγαθώτατον» (*P. Michig.* 244, 4); ἄνδρα λόγιον (*P. Lond.* 2710, 5; cf. C. Roberts, T. C. Skeat, A. D. Nock, *The Gild of Zeus Hypsistos*, dans *The Harvard Theological Review*, 1936, pp. 39–89; J. Seyfarth, dans *Aegyptus*, 1955, p. 17).

[2] «Tous obéiront au Président» (*P. Michig.* 244, 15); cf. *P. Petaus*, 34, 20: εἰς τὸ βῆμα τοῦ ἡγεμόνος (*l.* ἡγουμένῳ) Ἁρπάλου. Polybe, i, 45, 4: πειθαρχεῖν τοῖς ἡγουμένοις; cf. 67, 4; Plutarque, *Praecepta ger. reipubl.* xxi, 816 *f*.

[3] Il peut «appréhender sur la place publique ou dans la maison (du coupable) et livrer à la justice» (*P. Michig.* 244, 11 sv.). Cf. *P. Michig.* 245, 43 (statuts d'une association de marchands de sel; cf. M. Boak, *An Ordinance of the Salt Merchants at Tebtunis*, dans *American Journal of Philology*, 1937, pp. 210–219), 246, 1; 247, 1 (tous de la première moitié du Ier s.). Sur *P. Wisconsin*, 38, 40, 43, 75, l'éditeur P. J. Sijpesteijn commente: «With ἡγούμενος the person who collects the daily amounts is meant. He could be a πράκτωρ, cf. *P. Ryl.* ii, 9–10 note; *P. Yale*, I, 62 introduction».

ἡδέως, ἥδιον, ἥδιστα, ἡδύς

ἡδύς, s'emploie du vin (*Esth.* ι, 7; *P. Zén. Cair.* 59110, 29; *P. Lond.* 2056, 4), d'une offrande agréable à Dieu (Fl. Josèphe, *Ant.* xii, 47), d'un doux enfant (*Corp. Inscript. Iudaicarum*, 126), d'un homme agréable à fréquenter (*P. Hermop.* 3, 5; cf. *P. Brem.* 55, 9; *P. Ryl.* 706, 14) et de «la vie douce»[1]. Au comparatif ἥδιον, qui ne se trouve que dans *Sir.* xxii, 11, demandant de «pleurer plus doucement ou moins tristement sur un mort, car il repose: ἥδιον κλαῦσον ἐπὶ νεκρῷ», on cite comme parallèle la lettre du proconsul Paulus Fabius Maximus, en 9 av. J.-C., proposant aux Grecs d'Asie Mineure, d'introduire un nouvel anniversaire d'Auguste «le même pour tous, il serait plus agréable à l'humanité (ἥδειον δ' ἂν ἀνθρώποις) si chacun y joignait le plaisir de son entrée en fonctions»[2].

Quant à l'adverbe ἡδέως[3], il désigne cette sorte d'indifférence aimable des auditeurs devant quelque conférencier (*II Cor.* xi, 19; Polybe, v,

---

[1] Epitaphe de Sérapias: «Nous te sommes reconnaissants, car tu nous a rendu la vie douce, ἐπεὶ βίον ἡδὺς ἔδικας» (E. Bernand, *Inscriptions métriques de l'Egypte gréco-romaine*, Paris, 1969, n. 52, 5). Epitaphe d'un juriste chrétien à Euménia en Phrygie, au IIIe s.: «Hâtez-vous, réjouissez votre âme en toute occasion, car la vie est douce» (*Suppl. Ep. Gr.* vi, 210, 36; cf. L. Robert, *Hellenica*, xi-xii, Paris, 1960, pp. 414, 427); *P.S.I.* 1242, 4 (Ier s.). Cf. Euripide, *Phoenix*: «Nulle terre n'est plus douce que celle qui nous a nourris» (dans Stobée, *Ecl.* iv, 39, 10 = t. iv, p. 723). Plutarque, *Phocion*, x, 5: «le même homme comme le même vin peut avoir tout ensemble de l'agrément (ἡδύν) et de l'âpreté»; cf. x, 9; *Caton min.* xiv, 8: «tu reviendras plus aimable (ἡδίων)»; *Tib. Gracchus*, x, 4: une loi agréable au peuple (cf. ii, 3); *C. Gracchus*, xix, 3: Cornélia se montrait très agréable avec ses visiteurs.

[2] *Inscriptions de Priène*, 105, 19; cf. *B.G.U.* 372, col. i, 15: ἵνα δὲ τοῦτο προθυμότερον καὶ ἥδιον ποιήσωσιν; réédité par U. Wilcken, *Chrestomathie*, n. 19 (édit de M. Sempronius Liberalis, en 154 ap. J.-C.); *P. Strasb.* 275, 6; *Inscriptions grecques et latines de la Syrie*, 718, 81, 92: «Je le ferai d'autant plus volontiers» (Lettre d'Octave); cf. ἡδυτέραι τῇ φωνῇ (*UPZ*, 77, col. i, 17; IIe s. av. J.-C.); la demande d'envoi d'un remède: φάρμακον δακνηρὸν καὶ ἕτερον ἡδύτερον (*P. Osl.* 54, 9; du IIe s. ap. J.-C.; sur ce comparatif, cf. Ed. Mayser, *Grammatik der griechischen Papyri*, t. i, p. 298). ἥδυσμα est un «condiment» (Aristophane, *Guêpes*, 496; cf. J. Jouanna, *Hippocrate. La nature de l'homme*, Berlin, 1975, p. 305).

[3] Dans l'A. T., ἡδέως se dit du sommeil (*Prov.* iii, 24), des eaux dérobées (*Prov.* ix, 17), des plaisirs de la table (*Tob.* vii, 10, 11; cf. *Ep. Aristée*, 198: «afin qu'en passant au banquet, nous ayons de l'agrément» cf. *P. Tebt.* 758, 18: «c'est agréable d'être ivre et d'être protégé», IIe s. av. J.-C.), du temps passé agréablement (*II Mac.* xi, 26), d'un cœur content (*Esth.* i, 10), même dans le labeur et la mort (*II Mac.* ii, 27; vi, 30; cf. *IV Mac.* x, 20).

36, 6; 37, 12), comme le réel plaisir qu'on y peut goûter (*Mc.* VI, 20; XII, 37). Ménandre l'emploie fréquemment [1], de même que les papyrus, dont Moulton-Milligan donnent de nombreux exemples [2]. Il est d'usage que l'auteur d'une lettre demande à son correspondant de lui préciser ce qu'il désire, il l'exécutera volontiers. En 250 av. J.-C.: γράφε δὲ καί, ἐάν τινος τῶν παρ' ἡμῖν χρείαν ἔχῃς, ὅτι γὰρ ἡδέως ποιήσομεν (*Sammelbuch*, 7648, 8); au IIᵉ s. de notre ère: περὶ δὲ καὶ σὺ ὧν θέλεις δῆλου μοι, ἡδέως ποήσοντι [3]. On goûte ou non de l'agrément dans la société d'autrui (*Sammelbuch*, 4317, 10; 7572, 20; *P. Oxy.* 298, 33; 1218, 12). Le mot entre aussi dans les formules de salutation [4], et prend les nuances de: volontiers, de bon cœur ou de bon gré (*P. Lugd. Bat.* XVI, 31, 4), agréablement, avec plaisir, comme dans cette épitaphe d'un esclave noir: «Apprends, étranger, que je suis Fortuné, car j'ai obtenu de la Fortune tout ce qui est agréable aux mortels» (*Sammelbuch*, 8071, 18; cf. *Suppl. Ep. Gr.* VIII, 464, 22).

L'adjectif ἥδιστα, que saint Paul emploie dans le sens «de très grand cœur» (*II Cor.* XII, 9, 15), recouvre toutes les acceptions précédentes. «Le roi Agrippa à Joseph son ami très cher, salut. C'est avec beaucoup de plaisir que j'ai lu votre lettre» (FL. JOSÈPHE, *Vie*, 365); «Ecris-moi ce que tu désires, et je serai très heureux de le faire» (*P. Oxy.* 1061, 21; de 22 av. J.-C.); «Je te salue de grand cœur» (*P. Oxy.* 933, 5), on reçoit avec grand plaisir (*P. Lond.* 897, 8; t. III, p. 207; en 84 de notre ère); on dilue dans du vin très doux (*P. Oxy.* 234, 39).

---

[1] MÉNANDRE, *Dyscol.* 9: «Au cours d'une vie déjà longue, le *Dyscolos* n'a pas prononcé une seule parole aimable»; 136: «on voyait bien qu'il ne m'accompagnait pas de bon cœur (οὐχ ἡδέως)»; 270: «Souffrirais-tu que je te parle un peu sérieusement? – Très volontiers, parle (μάλ' ἡδέως, λέγε)»; 658: «Je serais content de le voir»; 726: «Il l'a pourtant sauvé de bonne grâce»; *L'Abeille*, 435.

[2] Notamment la lettre de l'empereur Claude remerciant une association de gymnastes qui lui ont envoyé une couronne d'or pour commémorer sa victoire sur les Bretons: τὸν πεμφθέντα μοι ὑφ' ὑμῶν ἐπὶ τῇ κατὰ Βρεττάννων νείκῃ χρυσοῦν στέφανον ἡδέως ἔλαβον (*P. Lond.* 1178, 13; t. III, p. 216); cf. *P. Lugd. Bat.* I, 13, 4: «Notre Seigneur Arpebekis reçoit avec très grand plaisir (ἥδιστα παρά σου λαμβάνει) le parfum de votre part»; Ἔχησα ἡδέως (L. MORETTI, *Inscriptiones graecae Urbis Romae*, Rome, 1973, II, n. 786); συνβίῳ ἡδίστῃ (*ibid.* 855). *P. Gies.* 73, 4: Εκομισάμην σου τὴν ἐπιστολὴν ἡδέως; *P. Strasb.* 400, 3. PLUTARQUE, *Phocion*, III, 2: «les primeurs, on les voit avec plaisir». DIODORE DE SICILE, XVII, 9, 4; 56, 2: accueillir avec plaisir.

[3] *P. Oxy.* 113, 30. Dans deux lettres chrétiennes, *P. Grenf.* II, 73, 20: «fais-moi savoir ce que tu désires, je le ferai volontiers» (IIIᵉ s.); *P. Oxy.* 1162, 11 (IVᵉ s.); cf. M. NALDINI, *Il Cristianesimo in Egitto*, Florence, 1968, n. 21, 51, 87.

[4] *P. Oxy.* 531, 3: ἡδέως σε ἀσπαζόμεθα πάντες οἱ ἐν οἴκῳ (IIᵉ s. ap. J.-C.); *P. Brem.* 10, 4: ἡδέως σε, ἄδελφε, ἀσπάζομαι (cf. la correction, dans *Berichtigungsliste der griechischen Papyrusurkunden*, t. IV, p. 10).

ἤπιος

Inconnu de l'A. T., exceptionnel dans les papyrus, ἤπιος n'est employé que deux fois et par saint Paul dans le N. T. Aux Thessaloniciens, il rappelle que s'il avait pu leur être une charge (ἐν βάρει) en tant qu'apôtre du Christ, il a été tout affabilité à leur égard [1], à l'instar d'une mère qui nourrit ses enfants et les choie. A Timothée, il prescrit : «Un serviteur de Dieu ne doit pas se battre, mais être affable avec tous» [2]. Dans les deux cas, ἤπιος désigne un mode de la pédagogie et de l'autorité apostolique, sans âpreté ni zèle amer : saint Paul manifeste une bonté maternelle, l'évêque d'Ephèse n'aura rien de blessant ni de sarcastique dans ses paroles, ni de rigide dans son attitude [3], ni d'intolérant dans ses rapports avec autrui : *gentil envers tous,* fussent-ils des contestataires, des opposants [4].

---

[1] *I Thess.* II, 7 : ἀλλὰ ἐγενήθημεν ἤπιοι ἐν μέσῳ ὑμῶν. Bon nombre de papyrus et la Vulgate lisent νήπιοι, mais le contexte l'exclut (cf. C. SPICQ, *Agapè* III, p. 107; B. RIGAUX, *Epîtres aux Thessaloniciens, in h. l.*). Cf. A. J. MALHERBE, «*Gentle as a Nurse*». *The Cynic Background to I Thess. II*, dans *Novum Testamentum*, 1970, pp. 203–217; CH. CRAWFORD, *The «Tiny» Problem of I Thessalonicians II, 7 : The case of the curious Vocative,* dans *Biblica*, 1973, pp. 69–72. – Les Latins ont traduit par *mitis* (Cyprien, Augustin, Ambrosiaster), *mansuetus* (Ambroise), *lenis, quietus* (Jérôme); mais il faut respecter les nuances des vocables apparentés : ἀγαθωσύνη est la bonté pure et simple; εὔνοια, la bienveillance; χρηστότης la bénignité; πραΰτης la mansuétude; ἐπιείκεια, le sympathique équilibre ou la clémence; ἠρεμιότης, la tranquillité et le calme; λειότης, l'amabilité (λεῖος : un crâne lisse, SOPHOCLE, *Ichn.* 359; la mer calme, HÉRODOTE, II, 117); ἀστειότης, l'urbanité, le charme; ἡμερότης, la douceur, celle des mœurs policées opposées à la grossièreté des malotrus (PHILON, *Vie cont.* 9). ἤπιος serait «affable» ou débonnaire, encore que ce terme ait de nos jours une acception péjorative, «doux jusqu'à la faiblesse»; mais sa valeur ancienne incluant les nuances de douceur, bienveillance, bonté, correspondrait exactement à l'usage grec, cf. LA FONTAINE, *Fables,* III, 4 : «Il devait vous suffire que votre premier roi fut débonnaire et doux»; BOSSUET, *Serm. Quinq.* 2 : «Jésus, le débonnaire Jésus, il plaint nos misères».

[2] *II Tim.* II, 24 : οὐ δεῖ μάχεσθαι, ἀλλὰ ἤπιον εἶναι πρὸς πάντας. Le verbe μάχομαι est souvent employé au sens métaphorique de «se chamailler, se quereller» (cf. J. M. JACQUES, *Ménandre. La Samienne*, Paris, 1971, p. LIII). EPICTÈTE, IV, 5, 1 : «Le kalokagatos ne se dispute lui-même avec personne et, autant qu'il le peut, en empêche les autres».

[3] On évoquera le leitmotiv des *Inscriptions d'Ašoka :* «le roi ami des dieux, au regard amical»; cf. Artigamos, σώφρων, νέος, ἤπιος (*Inscriptions de Bulgarie*, 221, 1).

[4] Il ne s'agit pas, en effet, d'obtenir une victoire personnelle et de s'imposer par «la manière forte», mais de proposer et de faire accueillir la vérité de l'Evangile. Le Messie, qui était tout discrétion, se refusait à la violence. *Is.* XLII, 1–4; *Mt.* XII, 18–21; *I Petr.* II, 23; cf. C. SPICQ, *Agapè* I, pp. 68 sv. (O. CULLMANN, *Christologie du Nouveau Testament*, Neuchâtel-Paris, 1958, pp. 49 sv., 60, 63; M. A. CHEVALIER,

C'est dire que l'ἠπιότης néo-testamentaire n'est pas tant une vertu de la vie intime et familiale [1] – et encore moins de nurserie – que l'attitude requise d'un chef de communauté: vis-à-vis d'adversaires résolus à discuter et à combattre, le bon Pasteur garde une attitude courtoise et calme, bien propre à apaiser les emportés et les agressifs, une *douceur désarmante* [2]. Dans le paganisme et le judaïsme, elle est d'abord un attribut divin: θεὸς... ἀνθρώποισι δ' ἠπιούτατος (EURIPIDE, *Bacch.* 861); le pythagoricien Sthénidas de Locres: «Il est naturel que le premier dieu ait été considéré comme le père des dieux et le père des hommes, surtout pour cette raison qu'il est débonnaire pour tous les êtres qu'il a créés – ὅτι ἤπιος πρὸς πάντα τὰ ὑπ' αὐτῷ γενόμενα ἐντί – et qu'il est pour tous indistinctement le nourricier, le maître – τροφεὺς, διδάσκαλος – qui enseigne tout ce qui est bon» (dans STOBÉE, VII, 63; t. IV, p. 271). Philon prête à Iahvé ces paroles: «Je suis ἤπιος par nature, et favorable aux suppliants authentiques» (*Vit. Mos.* I, 72). Zeus «débonnaire pour les hommes, ὁ δ' ἤπιος ἀνθρώποισι, leur envoie des signes infaillibles» (ARATUS, *Phénom.* 5); Létô «éternellement douce, débonnaire aux hommes et aux dieux immortels, douce dès le premier jour, clémente entre toutes dans l'Olympe» [3]. Dans une invocation à Isis, du IIᵉ s., cette tendresse est parallèle à la φιλοστοργία, vertu des souverains [4]: ἐν Καλαμίσι ἠπίαν, ἐν τῇ Καρήνῃ φιλόστοργον [5]; épithète qui convient particulièrement aux divinités salvatrices: Apollon, Asclépios, Hygiéia [6].

L'Esprit et le Messie dans le Bas-Judaïsme et le Nouveau Testament, Paris, 1958, pp. 46–48, 72 sv.

[1] Parfois, ἤπιος se dit du père à l'égard de son fils (PHILODÈME DE GADARA, *Traité du bon Roi*, VI, 24). Pour Philodème, ce serait la vertu modératrice de la colère, τὰς τῶν ἠπιωτάτων φαρμάκων ὑπομένει προσαγωγάς (*De la Colère*, XIX, 19; cf. *De la Piété*, XCV, 11); cf. l'épitaphe d'un médecin à l'époque impériale: νούσοις ἤπια φάρμακα πᾶσσιν (L. ROBERT, *Bulletin épigraphique*, dans *R.E.G.* 1950, p. 218, n. 241 a). Cf. Ἤπιος comme nom propre, *P. Fay.* 67, 4 (80 ap. J.-C.); J. BAILLET, *Inscriptions grecques et latines... à Thèbes*, Le Caire, 1920, n. 145. Ἠπιόδωρος (*P. Zén. Cair.* 59437; *B.G.U.* 1896; *P. Tebt.* 858 etc.). Ἠπιόθαλμος (*Sammelbuch*, 8439).

[2] Cf. *Jac.* III, 18: «Un fruit de justice dans la paix est semé pour ceux qui répandent la paix». Dans la plupart de ses emplois, ἤπιος est qualifié vis-à-vis de l'entourage ou d'un grand nombre d'hommes; par exemple, Bérénice, πᾶσιν δ' ἤπιος (THÉOCRITE, XVII, 5).

[3] HÉSIODE, *Théog.* 407: μείλιχον αἰεί, ἤπιον ἀνθρώποισι, καὶ ἀθανάτοισι θεοῖσιν, μείλιχον ἐξ ἀρχῆς, ἀγανώτατον ἐντὸς Ὀλύμπου.

[4] Cf. C. SPICQ, *ΦΙΛΟΣΤΟΡΓΟΣ* (à propos de *Rom. XII, 10*), dans *R.B.* 1955, pp. 497–510.

[5] *P. Oxy.* 1380, 11, cf. 86, 155. Seule attestation papyrologique, *P. Oxy.* 2161, 7 (fragment des Δικτυουλοί d'Eschyle), avec le commentaire de E. SIEGMANN, dans *Philologus*, 1948, pp. 90–93.

[6] ἤπιε Ἄπολλον (*Sammelbuch*, 8511, 2); cf. K. KEYSSNER, *Gottesvorstellung und*

C'est tout autant une vertu royale, qu'Assuérus a revendiqué [1]. Il revient aux Maîtres de faire preuve «d'affabilité et de mansuétude» (PHILON, *Decal.* 167). Philodème de Gadara en est d'accord: διὰ κρίσιν φαίνηται πρᾶος, διὰ μὲν τὴν ἠπιότητα φιλῆται (*Traité du bon Roi*, VII, 13–14; cf. VI, 24). Selon Hécatée, «après la bataille de Pharsale, Ptolémée devint maître de la Syrie, et beaucoup des habitants informés de son affabilité et de son humanité – τὴν ἠπιότητα καὶ φιλανθρωπίαν – voulurent partir avec lui pour l'Egypte» (FL. JOSÈPHE, *C. Ap.* I, 186). Lorsque l'empereur Auguste se laissait emporter par la colère, toujours Mécène l'apaisait: τῆς τε γὰρ ὀργῆς αὐτὸν ἀεὶ παρέλυε, καὶ ἐς τὸ ἠπιώτερον μεθίστη [2]. Au Vᵉ s., Léontios, préfet du prétoire d'Illyrie, se fera un titre de gloire d'avoir été débonnaire et bienveillant envers les juges intègres, autant que terrible aux fauteurs d'injustice [3]. Dans le chapitre consacré aux dénominations royales, J. Pollux énumère: Περὶ βασιλέως ἐπαίνων λέγε: πατήρ, ἥπιος, πρᾶος, ἥμερος, προνοητικός, ἐπιεικής, φιλάνθρωπος, μεγαλόφρων (*Onom.* I, 2, 40). La première séquence vient probablement d'Homère [4]. Il va de soi que l'*èpiotès* est praticable par les particuliers. Moulton-Milligan citent cette inscription tombale: μειλείχιον πάντεσσι καὶ ἥπιον ἀνθρώποισι [5]. Le fait est qu'elle est le plus souvent associée à ἵλαος et μείλιχος. Philon l'insère entre ἡμερότης et φιλανθρωπία (*Sacr. A. et C.* 27). Finalement, tandis que le νήπιος est l'enfant en bas âge ou mineur, subordonné à une autorité ou ayant besoin d'un protecteur, le ἥπιος jouit de la capacité paternelle et civique, c'est un être majeur doué d'une force bienfaisante et d'une sage raison [6].

Lebensauffassung im griechischen Hymnus, Stuttgart, 1932, pp. 93–95; E. DES PLACES, *La Religion grecque*, Paris, 1969, pp. 76, 78, 235; cf. pp. 84, 265.

[1] *Esther*, III, 13; cf. C. SPICQ, *Bénignité, Mansuétude, Douceur, Clémence*, dans *R.B.* 1947, p. 332.

[2] DION CASSIUS, LV, 7; cf. 17: τοῖς ἠπίοις φαρμάκοις. Cf. EUSÈBE: «Au commencement de son règne, Néron était plus débonnaire, ἠπιώτερον» (*Hist. eccl.* II, 22, 8).

[3] Κριντῆρσι γάρ εἰμι ἥπιος εἰθυδίκοις, τοῖς δ' ἀδίκουσι δέος (*Epigramme de Gortyne, l.* 4, publiée par L. ROBERT, *Hellenica* IV, pp. 14–16).

[4] HOMÈRE, *Od.* II, 47, 230; V, 8, 12; XV, 152; cf. *Il.* VIII, 40; XXII, 184; XXIV, 770. D'après les historiens des religions, le panthéon homérique est calqué sur la royauté féodale mycénienne, de sorte que les dieux d'Homère empruntent leur caractère aux personnalités et rois contemporains, cf. W. K. GUTHRIE, *Les Grecs et leurs dieux*, Paris, 1956, pp. 142 sv.

[5] Rééditée intégralement par E. BERNAND: «Alors qu'il avait déjà accompli vingt-deux ans, le jeune Sarapion à la barbe naissante s'est vu entraîner chez Hadès par la funeste Parque de mort, lui qui était doux et amène envers tout le monde» (*Inscriptions métriques de l'Egypte gréco-romaine*, Paris, 1969, n. 79).

[6] Cette conclusion est celle de M. LACROIX, *ΗΠΙΟΣ-ΝΗΠΙΟΣ*, dans *Mélanges A. M. Desrousseaux*, Paris, 1937, pp. 261–272.

ἡσυχάζω, ἡσυχία, ἡσύχιος

Avant de devenir une expression de la vertu, ces termes – dont on ignore l'étymologie – signifient soit le silence, soit la tranquillité, et il n'est pas toujours possible de dissocier cette double acception.

I. – Les Juifs entendant parler Paul en langue hébraïque «firent encore plus silence, μᾶλλον παρέσχον ἡσυχίαν» (*Act.* XXII, 2). Docteurs de la Loi et Pharisiens sont réduits au silence par la sagesse de Jésus et «se tinrent cois»[1]. Mais si les auditeurs de Pierre, après avoir entendu de celui-ci le récit de la conversion du centurion Corneille, «gardèrent le silence» (*Act.* XI, 18, ἡσύχασαν), faisant taire leurs objections, il faut plutôt traduire: «ils s'apaisèrent», puisqu'il est dit immédiatement après «et ils glorifièrent Dieu», évidemment à haute voix. De même saint Paul ne se laissant pas persuader de renoncer à monter à Jérusalem, les frères se taisent, en ce sens qu'ils n'insistent plus, mais plus exactement: «nous restâmes tranquilles, *disant:* que la volonté de Dieu se fasse» (*Act.* XXI, 14). C'est que le silence ne s'entend pas tant d'absence de bruit et de parole que de calme et de tranquillité[2]. C'est ainsi que la femme – tel un disciple à l'école d'un maître – doit recevoir «l'instruction en silence (ἐν ἡσυχίᾳ), en toute

---

[1] *Lc.* XIV, 4: οἱ δὲ ἡσύχασαν (*Mc.* III, 4: ἐσιώπων); cf. PHILON, *Provid.* II, 101: «Dans notre incapacité de dépister la nature et les propriétés de chaque phénomène, nous restons cois»; *Vie cont.* 75: au début du repas des Thérapeutes, «un grand silence s'établit»; *Abr.* 29: «Six de nos facultés battent l'appel aux armes sans fin ni trêve... Ce sont les cinq sens et le langage articulé... bavardant, bouche sans frein, sur des milliers de sujets qu'il fallait passer sous silence»; 174: «restant muet d'émotion»; *Job*, XXXII, 1 (*schabath*), les trois hommes cessèrent de discuter avec Job; *I Mac.* I, 3: la terre se tut devant Alexandre; *Prov.* XI, 12 (*hârasch*): «l'homme intelligent garde le silence, ἡσυχίαν ἄγει». FL. JOSÈPHE, *C. Ap.* II, 114. «Eumène était porté en litière à l'écart de l'armée, afin d'éviter le bruit (ἐν ἡσυχίᾳ) en raison de ses insomnies» (PLUTARQUE, *Eum.* XIV, 6); cf. *Pompée*, XXIII, 2; XLVIII, 7; LXXIII, 1; *Caton min.* XLIV, 5: «ses paroles furent écoutées avec calme»; XII, 3: «entrer dans la ville sans bruit»; *Phocion*, XXXIV, 9: garder le silence; *Cléomène*, XXXVIII, 10: «en silence et avec calme, σιωπῇ καὶ μεθ' ἡσυχίας»; *Démosthène*, XVII, 1; *Cicéron*, IV, 3.

[2] Cf. *Ep. d'Aristée*, 301: les Septante se réunissent dans l'île de Pharos «magnifique séjour entouré de silence (πολλῆς ἡσυχίας)», «dans leur quartier si agréable par sa tranquillité (διὰ τὴν ἡσυχίαν)» (307); PLUTARQUE, *Alexandre*, VI, 6: «Alexandre rejetant tranquillement sa clamyde».

soumission (ἐν πάσῃ ὑποταγῇ)»[1]. C'est une prescription plus psychologique et religieuse que physique: une attitude d'attention et de réceptivité[2].

II. – Dans les Septante et les papyrus, l'acception la plus fréquente de ἡσυχία-ἡσυχάζω est de rester calme, tranquille[3]; le repos s'oppose à l'agitation, à la guerre ou au danger[4]. On dit constamment que le pays, la ville, la population fut tranquille pendant tant d'années, pour signifier

---

[1] *I Tim.* II, 11 (cf. *I Cor.* XIV, 34: σιγάτωσαν); II, 12: «Je ne permets pas à la femme d'enseigner, ni de gouverner l'homme, mais qu'elle se tienne tranquille (ἀλλ' εἶναι ἐν ἡσυχίᾳ)», c'est-à-dire: sans intervenir, et comme «sans bouger»; cf. PLUTARQUE, *Pompée*, LXVIII, 4–7: πολλὴν ἡσυχίαν s'oppose à κίνησιν καὶ θόρυβον et μετὰ βοῆς; LXIX, 3.

[2] La *Souda* appelle μαθήτριαι les pupilles de Sapho (s. v. Σαπφώ). Or un papyrus du grammairien Kallias de Mytilène (*P. Col.* inv. 5860) précise que celle-ci enseignait en toute tranquillité non seulement les jeunes filles distinguées de son île, mais aussi celles qui venaient d'Ionie: ἡ δ' ἐφ' ἡσυχίας παιδεύουσα τὰς ἀρίστας οὐ μόνον τῶν ἐγχωρίων, ἀλλὰ καὶ τῶν ἀπ' Ἰωνίας (M. GRONEWALD, *Fragmente aus einem Sapphokommentar*, dans *Z.P.E.* XIV, 1975, p. 115 = Frag. I, 7). Cf. PHILON, *Somn.* II, 263: «Vient-on à dire quelque chose qui mérite d'être écouté? Bande ton attention, ne contredis pas et fais silence (ἐν ἡσυχίᾳ), conformément au précepte de Moïse (*Deut.* XXVII, 9): Tais-toi et écoute»; *Quis rer. div.* 13: «Lorsque l'intelligence décide de n'accorder son attention à aucun des objets qui la sollicitent de l'extérieur ou qui sont engrangés en elle, lorsqu'elle garde le calme et reste dans le silence (ἠρεμίαν ἀγαγὼν καὶ ἡσυχάσας), toute tendue vers celui qui parle, se taisant (σιωπήσας) selon l'ordre de Moïse, alors elle sera capable d'entendre avec une pleine attention»; 14: «Donc pour les ignorants, le silence (ἡσυχία) est chose utile». Cf. *Prov.* I, 33: «Celui qui m'écoute, vivra tranquille sans redouter aucun mal». *P. Lond.* 44, 17 (= t. I, p. 34; de 161 av. J.-C., réédité *UPZ*, 8): à grands cris, il me tira de mon repos dans le Temple.

[3] Se dit des choses: «Quand se repose la terre», où tout s'assoupit sous l'effet du vent chaud (*Job*, XXXVII, 17); «Des cieux tu fais entendre la sentence, la terre a peur et reste tranquille» (*Ps.* LXXVI, 9). Après la tempête, la mer s'apaise (*Ps.* CVII, 30). Les eaux se calment et ne sont plus troublées (*Ez.* XXXII, 14). L'animal repose sur sa litière (*Job*, XXXVII, 8). Le glaive de Iahvé est sans repos (*Jér.* XXIX, 6). La querelle s'apaise (*Prov.* XXVI, 20); cf. PHILON, *Abr.* 210.

[4] *Ex.* XXIV, 14: «Moïse dit aux Anciens: Restez ici au repos, jusqu'à ce que nous revenions vers vous»; *Jos.* V, 8; *Ruth*, III, 18: «l'homme ne sera tranquille que s'il a terminé l'affaire aujourd'hui»; *Job*, III, 26: «Je ne suis ni tranquille ni calme, je ne me repose pas: c'est l'agitation qui vient»; *Prov.* VII, 11, les pieds de la prostituée ne restent pas dans sa maison. Cf. *P. Fuad*, 86, 10: un moine intrigant, capable de toutes les calomnies, «s'il trouve audience auprès du très éminent général et consul, il ne pourra se tenir tranquille, mais il soulèvera des nuages de poussière de toutes manières contre les monastères et contre chacun de nous». PHILON, *Ebr.* 97: «Les éléments qui nous constituent tantôt sont paisibles (ἠρεμεῖ)... S'ils sont en repos (ἡσυχία) règne une paix profonde; sinon c'est une guerre inexpiable». Vercingétorix se tint tranquille, assis aux pieds de César, au moment de sa reddition (PLUTARQUE, *César*, 27; cf. 21), mais «les Romains ayant vu les ennemis sortir de leurs tentes ne se tinrent pas tranquilles» (DENYS D'HALICARNASSE, *Hist. rom.* XXXVIII, 49).

la durée de la paix dont ils jouissent [1] : les gens paisibles habitent en sécurité et en repos (*Ez.* XXXVIII, 11; שֶׁקֶט). L'acception est classique, puisque Thucydide emploie ἡσυχία, ἡσυχάζω de l'*inaction*, du «temps de paix» opposé au combat (III, 6, 1; 12, 1; 66, 21; 71, 1; 106, 3); c'est celle de *II Mac.* XIV, 4: «Ce jour-là, Alcime ne fit rien de plus, τὴν ἡμέραν ἐκείνην ἡσυχίαν ἔσχε» et celle de *Lc.* XXIII, 56: «le jour du sabbat, les femmes demeurèrent en repos, selon le précepte». De là vient que ἡσυχία signifie aussi le calme intérieur, opposé à l'inquiétude et à la crainte [2]. Qui écoute le rapporteur ne trouvera jamais la tranquillité (*Sir.* XXVIII, 16; cf. *B.G.U.* 1764, 11), mais les bons restent toujours tranquilles (*Prov.* XV, 15). Iahvé porte ses regards sur eux (*Is.* LXVI, 2) et il donne l'*hèsychia* (*I Chr.* XXII, 9). «Les enfants du grand Dieu vivront tranquillement (ἡσυχίως) autour du Temple» (*Or. Sibyl.* III, 702).

III. – Il y a repos et repos. De même que l'*hèsychia* ne signifie pas un mutisme absolu, il n'implique pas non plus la cessation de toute activité. Saint Paul exhorte les Thessaloniciens à travailler μετὰ ἡσυχίας [3], pour

---

[1] *Juges*, III, 11, 30; V, 32; VIII, 28; XVIII, 7, 27; *II Rois*, XI, 20; *I Chr.* IV, 40; *II Chr.* XIV, 1; XXIII, 21; *Zach.* I, 11; *I Mac.* VII, 50; IX, 57–58; XI, 38, 52; XII, 2; XIV, 4; STRABON, IV, 6, 9; PLUTARQUE, *Cléomène*, XI, 2: «dès que la tranquillité serait assurée»; DIODORE DE SICILE, XII, 26, 2–4; l'accent est surtout sur l'immobilité (XVII, 116, 3), voire l'inertie (62, 7); les fantassins, l'arme au pied, ne bougent plus (112, 1, 4) et la mère de Darius cesse de s'agiter (59, 7).

[2] *Is.* VII, 4: «Veille à être calme et ne crains pas»; *Jér.* XXVI, 27: «Jacob sera tranquille, sans personne qui l'inquiète»; *Job*, XI, 19: «Tu seras en repos et personne qui te combatte»; XIV, 6; XXXII, 6; *Lam.* III, 26: Il est bon de prendre patience et d'attendre dans le calme le secours de Iahvé; *Inscriptions de Lindos*, 2 D, 69: ποτέταξε ἡσυχίαν ἔχειν περὶ αὐτᾶς. Dans les papyrus, ἡσυχία s'emploie presque toujours dans les pétitions, où le plaignant déclare que son adversaire ne lui a pas laissé de paix, mais l'a terrorisé (*P. Isidor.* 73, 13), ou qu'avant de s'apercevoir qu'il était lésé il était complètement tranquille, qu'il avait l'esprit en repos (*P. Rein.* 7, 15; de 141 av. J.-C.) ou qu'étant mineur «il n'a pas agi», n'a pas porté plainte (*P. Isidor.* 63, 13; réédité *Sammelbuch*, 9185), ou que son adversaire ne s'était pas manifesté jusqu'alors, cf. *P. Théad.* 19, 13: un orphelin dénonce les agissements de la sœur de son grand-père paternel, «elle paraît avoir vécu plus de soixante ans, durant lesquels jusqu'à ce jour elle s'est toujours tenue tranquille» (cf. *P. Oxy.* 237, col. VI, 3; *P. Zén. Cair.* 59852, 7). Parce que la victime est incapable de supporter ces injures ou ces violences, elle porte plainte, selon une formule stéréotypée: ὅθεν οὐ δυνάμενος ἡσυχάζειν ἐπιδίδωμι (*P. Tebt.* 330, 8; *P. Osl.* 22, 10; *P. Strasb.* 241, 22; *P.S.I.* 1248, 21). Mais de nouveaux villageois s'engagent à maintenir la paix et à garder une conduite convenable, μετὰ ἡσυχείας καὶ τῆς πρεπούσης καταστάσεως (*P. Mert.* 98, 6; cf. *P.S.I.* 52, 20). Cf. *P. Adler*, 1 col. II, 2 (R. TAUBENSCHLAG, *Die Geschäftsmängel im Rechte der Papyri*, dans *Opera Minora*, Varsovie, 1959, II, pp. 197–207).

[3] Μετὰ ἡσυχίᾳ, cf. *Sir.* XXVIII, 16; DITTENBERGER, *Syl.* 1109, 65: μετὰ δὲ πάσης

manger leur propre pain (*I Thess.* III, 12), à «vivre dans le calme (ἡσυχάζειν), à vous occuper de vos propres affaires, à travailler de vos mains» (IV, 11), c'est-à-dire sans excitation, ni dispute, ni curiosité vaine, sans se mêler de ce qui ne les regarde pas [1]. L'acception est nettement morale. Le meilleur parallèle est philonien, opposant l'homme de bien à «l'homme du commun, dont la vie se passe à se mêler d'affaires, court place publique, théâtres, tribunaux, conseils et assemblées, réunions et conciliabules de toutes sortes; il laisse aller sa langue en narrations sans mesure, sans issue, sans conclusion; il confond et brouille tout, mêlant le vrai au faux, à ce qui se dit ce qui ne se dit pas, le privé au public, au sacré le profane, au sérieux le ridicule, pour n'avoir pas appris à rester en repos (ἡσυχίαν); ce qui le cas échéant est l'idéal; et il dresse les oreilles par excès d'affairement besogneux» [2].

IV. – Finalement, c'est toute la vie chrétienne qui doit se dérouler dans un climat de paix et de sécurité, censé favorable à l'éclosion ou au développement de la vertu [3]. Les croyants doivent prier pour les autorités constituées, ἵνα ἤρεμον καὶ ἡσύχιον βίον διάγωμεν [4]. Synonyme ici d'ὅπως [5],

---

εὐκοσμίας καὶ ἡσυχίας (réédité par F. SOKOLOWSKI, *Lois sacrées des Cités grecques*, Paris, 1969, n. 51); *P. Osl.* 22, 16: μετὰ πάσης ἡσυχίας ζῆν (cf. M. DAVID, *Berichtigungsliste der griechischen Papyrusurkunden*, Leiden, 1958, III, p. 120; 1964, IV, p. 57).

[1] MOULTON-MILLIGAN rapprochent *B.G.U.* 372, col. II, 14 (IIᵉ s. ap. J.-C.): ἄλλοις δὲ τῶν ποτε προγραφέντων ἡσυχάζουσιν καὶ ἐν τῇ οἰκείᾳ τῇ γεωργίᾳ προσκατέρχουσι μὴ ἐνοχλεῖν. Cf. Vinicius: «il vivait en sûreté – τὴν ἡσυχίαν ἄγων – tranquillement occupé de ses propres affaires» (DION CASSIUS, LX, 27).

[2] PHILON, *Abr.* 20; cf. 27: «Les gens du commun recherchent le mouvement, mais ceux qui tiennent en honneur la vertu recherchent une vie calme et tranquille, stable et paisible»; 216: Abraham «mit sa noblesse dans une vie tranquille»; *Vit. Mos.* I, 49: Moïse «se fut employé à mener une vie tranquille et sans éclat, passant inaperçu aux yeux de la plupart des hommes, ne cherchant à se produire en public que pour se concilier... les personnages les plus notables». La nuance de stabilité est nette dans *Vit. Mos.* I, 177: «les deux bords de la brèche... restent immobiles et se tiennent en repos, ἠρέμει καὶ ἡσύχαζε»; *Job*, XXXIV, 29: Si Dieu se repose, qui l'ébranlera?

[3] PHILON, *Quis rer. div.* 257: «Extase désigne le repos et le calme de l'intellect, τὴν ἡσυχίαν καὶ ἠρεμίαν τοῦ νοῦ». Cf. *P.S.I.* 41, 23: σωφρονεῖν καὶ ἡσυχάζειν.

[4] *I Tim.* II, 2. FL. JOSÈPHE, *Guerre*, I, 201: «Les populations vivaient dans la tranquillité (καθ' ἡσυχίαν βιώσονται)... en jouissant de la paix générale (κοινῆς εἰρήνης)»; PLUTARQUE, *Oracles de la Pythie*: «Il règne une grande paix et un grand calme, πολλὴ εἰρήνη καὶ ἡσυχία»; *Phocion*, VIII, 1: «Phocion menait toujours sa politique en vue de la paix et de la tranquillité, πρὸς εἰρήνην καὶ ἡσυχίαν»; *C. Gracchus*, I, 1: «Caïus vécut tranquille chez lui, καθ' ἑαυτὸν ἡσυχίαν ἔχων διέτριβεν»; I, 7: μεθ' ἡσυχίας ἠρεμένῳ ζῆν. *Alexandre*, LXV, 1: «ceux qui vivaient entre eux dans le calme, καθ' αὐτοὺς ἐν ἡσυχίᾳ ζῶντας». Au VIᵉ s., un père justifiera une rupture de fiançailles, parce qu'il désire que sa fille mène une vie calme et tranquille, βούλεσθαί με εἰρηνικὸν καὶ ἡσύχιον βίον διάξαι τὴν ἡμῖν θυγατέρα (*P. Oxy.* 129, 8). Sertorius a le désir d'aller vivre paisi-

ἵνα marque le résultat: que la communauté chrétienne, exempte d'épreuves, puisse se développer dans le calme et la tranquillité. L'adjectif ἡσύχιος [1] renforce l'idée de paix (ἤρεμον), et accentue l'importance d'une liberté extérieure sans entrave et de la sérénité des cœurs. Le contexte politique et social sans trouble favorise la vie de l'âme [2]. Les femmes chrétiennes, selon *I Petr.* III, 4 ont le charme du silence et de l'apaisement – τοῦ πραέως καὶ ἡσυχίου πνεύματος –, tout le contraire de l'agitation, de l'impatience, de l'énervement, notamment de la manie de la discussion [3]. Discrétion et tranquillité vont de pair [4]. Grâce à ce calme pacifiant et religieux, l'épouse

---

blement (ζῆν ἐν ἡσυχίᾳ), débarrassé de la tyrannie et des guerres (PLUTARQUE, *Sert.* IX, 1; cf. *César*, VII, 9); il était «fait pour mener une vie tranquille» (XXII, 12). Selon *Testament d'Abraham*, 1, le patriarche ζήσας ἐν ἡσυχίᾳ καὶ πραότητι καὶ δικαιοσύνῃ.

[5] Cf. A. FRIDRICHSEN, *Exegetisches zu den Paulusbriefen*, dans *Serta Rudbergiana*, Oslo, 1931, pp. 26–29; T. MURAOKA, *Purpose or Result? ὥστε in Biblical Greek*, dans *Novum Testamentum*, 1973, pp. 205–219.

[1] J. et G. ROUX (*Un décret du politeuma des Juifs de Berenikè en Cyrénaïque*, dans *Rev. des Etudes grecques*, 1949, p. 284) publient l'éloge de Marcus Titius au Ier s. av. notre ère: «Il ne cesse de témoigner, dans sa conduite, la douceur de son caractère, ἐν τε τῇ ἀναστροφῇ ἡσύχιον ἦθος ἐνδικνύμενος» (= *C.I.G.* III, 5361, 13); cf. l'épitaphe de Cyrilla: «maintenant tu occupes le paisible séjour des immortels» (*Sammelbuch*, 4230, 2; cf. 9138, 4; cf. *Inscriptions de Bulgarie*, 741, 8). Hésiode: les hommes de l'âge d'or ignoraient la guerre et vivaient tranquilles (ἥσυχοι, *Trav. et Jours*, 119); PLATON, *Charm.* 160 *b*: ἡσύχιος, ὁ σώφρων βίος. A l'époque hellénistique, Ἡσύχιος (traduction du nom de Noah) et Ἡσύχις sont des noms propres juifs et grecs (B. LIFSHITZ, *La vie de l'au-delà dans les Conceptions juives*, dans *R.B.* 1961, p. 403; M. SCHWABE, B. LIFSHITZ, *Beth She 'arim*, II, Jérusalem, 1967, p. VIII b. L. ROBERT, *Noms indigènes dans l'Asie Mineure gréco-romaine*, Paris, 1963, p. 622). Ἡσυχίδες est un nom de prêtresse des Euménides (CALLIMAQUE, *Frag.* 681).

[2] Cf. PLUTARQUE: «Paul-Emile se tint tranquille (ἡσυχίαν εἶχε) uniquement occupé du culte des dieux et de l'éducation de ses enfants» (*Paul-Emile*, VI, 8); *Numa*, XX, 4: «Sous le règne de Numa, les villes... se mirent toutes à désirer vivre en paix... en élevant tranquillement leurs enfants et en vénérant les dieux»; AMMIEN MARCELLIN, XVI, 10, 2. En 377, le décret constitutif de la seconde confédération athénienne visait à ce que «Sparte laisse les Grecs vivre tranquilles dans la liberté et l'indépendance... afin que soit et reste effective pour toujours la paix générale» (G. POUILLOUX, *Choix d'Inscriptions grecques*, Paris, 1960, n. 27, 10 sv.).

[3] Cf. *Sir.* XXVIII, 16; *I Tim.* II, 11–12; l'opposition de la femme acariâtre et de la femme silencieuse, *Sir.* XXV, 12–XXVI, 14.

[4] Cf. la stèle de Moschiôn: personnifiée, elle est censée composer l'éloge du mort: «Il m'a recommandé de me tenir discrète, συνέπεισεν ἡσυχάζειν» (*Suppl. Ep. Gr.* VIII, 464, 12; du IIe-IIIe s. Réédité par E. BERNAND, *Inscriptions métriques de l'Egypte gréco-romaine*, Paris, 1969, n. 108). Cf. «Aséneth ouvrit doucement la porte» (*Joseph et Aséneth*, 10, 9); des rosées qui «nourrissent doucement» la terre (PLUTARQUE, *Sertorius*, VIII, 4).

peut espérer gagner même sans parole le mari qui ne croit pas à la Parole de Dieu (*I Petr.* III, 1).

V. – L'*hèsychia* hellénistique a donc une très grande extension: *a*) le repos, dans un lit (*Joseph et Aséneth*, 10, 8; 25, 3), dans le tombeau (*Job*, III, 13: νῦν ἂν κοιμηθεὶς ἡσύχασα), celui des jours de détente (*Esth.* IV, 21: je ne porte pas le diadème «les jours où je me repose»), surtout de la période de la retraite, tel le secrétaire Pamouthios qui a exprimé le désir de résilier ses fonctions, de se retirer des affaires (τῶν πραγμάτων) étant donné son mauvais état de santé et de prendre du repos: καὶ ἡσυχάσαι [1]. *b*) Cette tranquillité d'esprit et de cœur, cette existence calme, à l'abri du trouble et des dangers, est le vœu de tous les citoyens (DION CHRYSOSTOME, VI, 34: μηδέποτε δὲ ἡσυχίαν δυναμένους ἄγειν; THUCYDIDE, I, 71, 3; V, 26, 5; PHILON, *Praem.* 128; *Test. Aser*, VI, 6), des époux (*P. Oxy.* 129, 8), de tout homme sage (*P.S.I.* 41, 23), tel Sertorius (PLUTARQUE, *Eumène*, XXI, 1). *c*) Si Epictète s'adresse «à ceux qui recherchent la tranquillité et le loisir, ἐν ἡσυχίᾳ διάγειν» (IV, 4; cf. I, 10, 2: ἐν ἡσυχίᾳ καὶ ἀταραξίᾳ), il voit dans ce désir une occasion de dépendance vis-à-vis d'autrui, contraire à l'ataraxie (cf. PLATON, *Républ.* VI, 496 *d*; EPICURE, selon PLUTARQUE, *Mor.* 465 *f*). Mais les Latins élèvent l'*otium cum dignitate* à la hauteur d'un idéal [2]. *d*) Ce repos est même une vertu religieuse, car il est propre à Dieu qui est le modèle du sage [3]. Par son détachement des biens créés, il devient chez Philon un propre de la vie contemplative, pratiquée par les Esséniens silencieux (FL. JOSÈPHE, *Guerre*, II, 130), et une spiritualité monastique: «Si vous voyez un moine cheminer seul, avec un air qui respire l'humilité, la modestie, le calme et

---

[1] *P. Oxy.* 128, verso 2; cf. *Inscriptions grecques et latines de la Syrie*, 992, 13, en 189 av. J.-C.: «Nous avons voulu le retenir auprès de nous comme collaborateur. Mais souvent il nous a représenté la faiblesse de son corps, à la suite de continuels malaises et nous a prié de le laisser vivre dans le repos (ἐφ' ἡσυχίας γενέσθαι), de sorte que dans le reste de sa vie il jouisse sans interruption d'un bon état de santé». EPICTÈTE, I, 10, 2: «Un préfet de l'annone à Rome... se promettait de passer le reste de sa vie dans le calme et la tranquillité».

[2] PHILODÈME DE GADARA: σοφοὶ καὶ φιλόσοφοι ἐν ἡσυχίᾳ βαθείᾳ καὶ δικαιοσύνῃ (*Rhét.*, frag. 27; édit. Sudhaus, II, p. 162). Cf. L. ALFONSI, *Otium e Vita d'amore negli Elegiaci augustei*, dans *Studi in onore di A. Calderini*, Milan, 1956, I, pp. 187–209 (donne la bibliographie); J. M. ANDRÉ, *Recherches sur l'Otium romain*, Paris, 1962; IDEM, *L'Otium dans la Vie morale et intellectuelle romaine*, 1966.

[3] Cf. EPICTÈTE, III, 13, 7: «Zeus, seul avec lui-même et dans le calme... vit dans les pensées qui conviennent à ce qu'il est» (cf. A. JAGU, *Saint Paul et le Stoïcisme*, dans *Rev. des Sciences religieuses*, 1958, p. 234); JAMBLIQUE, *Les Mystères d'Egypte*, II, 3, 72: l'*érémia* convient aux dieux, l'*hèsychia* aux anges, ταραχὴ καὶ ἀταξία aux démons. Cf. R. JOLY, *Le Thème philosophique des genres de vie*, Bruxelles, 1956, p. 141.

ἡσύχιος

la tranquillité – ταπεινὸν καὶ πρᾶον καὶ ἡσύχιον καὶ ἤρεμον – enviez le bonheur
de cet homme» [1].

---

[1] Saint Jean Chrysostome, *Parallèle entre le roi et le moine*, 4; cf. W. E. Crum,
H. G. Evelyn White, *The Monastery of Epiphanius at Thebes*, New York, 1926,
n. 162, note 13; J. Meyendorff, G. Palamas, *Défense des saints Hésychastes*, Louvain,
1959; I. Hausherr, *L'Hésychasme. Etude de spiritualité*, dans *Orientalia christiana
periodica*, 1956, pp. 247–285; Idem, *Hésychasme et Prière*, Rome, 1966, pp. 163–
237; J. Leclercq, *Otia monastica*, Rome, 1963. Chion d'Héraclée (*Lettres*, xvi, 5) dit
qu'il veut vivre dans le calme pour la contemplation, selon l'enseignement de son
maître Platon (ἀνδρὶ ἡσυχίας ἐραστῇ). Aux citations de Plutarque, on ajoutera: Démétrios arrivant au Pirée «fit signe du haut de son vaisseau qu'il demandait le calme et le
silence, αἴτησιν ἡσυχίας καὶ σιωπῆς» (*Démétrios*, viii, 6). Le philosophe Stilpon était
réputé pour la vie tranquille qu'il avait choisi de mener, ἐν ἡσυχίᾳ καταβιῶναι (*ibid.*
ix, 9); «l'armée retrouvait de l'ordre et du calme, κόσμον... καὶ ἡσυχίαν» (*Antoine*,
xlix, 1); «ils franchirent tranquillement le cours d'eau, καθ᾽ ἡσυχίαν» (*ibid.* xlix,
3), etc.

θάλπω

On peut dire que ce verbe a quatre acceptions; *a*) au sens propre: «réchauffer, tenir au chaud», il s'applique aux choses [1], à l'animal qui couve, tient ses œufs au chaud (*Deut.* XXII, 6), et à l'homme: «Suis-je constitué à cet effet de rester couché et de me tenir au chaud sous mes couvertures» (MARC-AURÈLE, V, 1, 1); *b*) au sens métaphorique, réchauffer de son affection, c'est-à-dire «réconforter» (cf. θαλπωρή: réconfort), et qui n'exclut pas l'acception première: les biches sont réconfortées et exemptes de crainte par la protection de leur mère (*Job*, XXXIX, 3); Abisag la Sunamite réchauffe et réconforte David (*I Rois*, I, 2, 4; cité par FL. JOSÈPHE, *Ant.* VII, 343); les défunts trouvent le réconfort d'un tertre qui les recouvre légèrement [2]; *c*) traduire son amour, brûler, en parlant de la passion, ou manifester un tendre attachement [3], tel Hérode Atticus faisant ériger une statue à son cousin et disciple Polydeukiôn: ὁ θρέψας καὶ φιλήσας ὡς υἱόν [4]. C'est l'acception des deux emplois néo-testamentaires, où saint Paul choie les Thessaloniciens comme une mère ses enfants (*I Thess.* II, 7) et déclare: «Personne n'a jamais haï sa propre chair; on la nourrit au contraire et on lui marque sa tendresse. C'est justement ce que le Christ fait pour l'Eglise» (*Eph.* V, 29). C'est l'acception tardive des papyrus byzantins; dans les contrats de mariage, le fiancé s'engage vis-à-vis de sa femme: θάλπειν καὶ τρέφειν

---

[1] THÉOCRITE, V, 31; XXV, 249. Du vin qui fermente: τὴν δὲ πρώτην πάνυ θαλπεισοῦσαν ἐκέλευσα αὐτήν (Ier-IIe s., P. J. SIJPESTEIJN, *Einige Papyri aus der Gießener Papyrussammlung*, dans *Aegyptus*, 1965, p. 6, *l.* 7; réédité *Sammelbuch*, 10211); cf. θάλπος «chaleur»; l'adjectif θαλπνός «qui réchauffe».

[2] Epitaphe de l'évergète Apollônios, dans E. BERNAND, *Inscriptions métriques de l'Egypte gréco-romaine*, Paris, 1969, n. 6, 23 (= *Suppl. Ep. Gr.* VIII, 768); Epitaphe d'Aphrodisia: «ce siège sacré de Perséphone me réconforte» (*ibid.* 35, 4).

[3] THÉOCRITE, XIV, 38: θάλπε φίλον, «va réchauffer un autre ami».

[4] J. POUILLOUX, *La forteresse de Rhamnonte*, Paris, 1954, n. 50, 6. On en rapprochera la «restitution» d'une épitaphe romaine par G. Klaffenbach (*Studies presented to D. M. Robinson*, 1953, II, pp. 289–290): Ἐνθάδε κεῖται πᾶσιν ποθινός Εὐετέων, Ἀμασεὺς καὶ Ψεκάδος θάλ[πε]ται μνήμη, mais cette dernière lecture «aurait besoin d'être soutenue par des parallèles» (J. et L. ROBERT, *Bulletin épigraphique*, dans *R.E.G.* 1954, p. 189, n. 284).

καὶ ἱματίζειν αὐτήν (*P. Masp.* 6 B, 132), ἀγαπᾶν καὶ θάλπειν καὶ θεραπεύειν [1].
d) Dans ces usages, il faut inclure la dernière signification: «donner ses soins», qui s'emploie aussi bien des personnes que des choses: le stratège Callimaque τὴν πόλιν ἔθαλψε, comme un bon père pour la vie de sa famille [2] et le Dux du *P. Lond.* 1674, 100 (cf. 1727, 11; 1729, 16).

---

[1] *P. Rainer*, 30, 20. Cf. *Sammelbuch*, 4658, 12. La nuance de douce bienfaisance est gardée dans μητρῴηι λαμπάδι θαλπόμενον: «Il vit, Memnon... et il élève sa grande voix... quand le flambeau maternel (le soleil levant) le réchauffe» (*Sammelbuch*, 8354, 3; cf. A. et E. BERNAND, *Les Inscriptions du Colosse de Memnon*, Le Caire, 1960, n. 62, 3).

[2] DITTENBERGER, *Or.* 194, 5 = *Sammelbuch*, 8334, 5 (42 av. J.-C.) = R. HUT-MACHER, *Das Ehrendekret für den Strategen Kallimachos*, Meisenheim, 1965.

θαρσέω (θαρρέω), θάρσος

Le verbe dénominatif θαρσεῖν (ionien; θαρρεῖν, attique) est toujours employé à l'impératif dans le Nouveau Testament, conformément à la plupart des emplois des Septante [1]. Il signifie, en effet, «avoir confiance,
du courage, ne pas avoir peur», et c'est le contexte qui détermine la nuance [2].

---

[1] L'accoucheuse dit à Rachel: «Ne crains pas, car c'est encore un fils pour toi»
(*Gen.* xxxv, 17; ירא avec la négation); Moïse au peuple: «N'ayez pas peur» (*Ex.* xiv,
13; xx, 20); Elie à la veuve de Sarepta (*I Rois*, xvii, 13), la femme de Ragouël à Sarra
(*Tob.* vii, 17); Holopherne à Judith (*Judith*, xi, 1, 3); le roi à Esther (*Esth.* v, 7); Darius
à Daniel dans la fosse aux lions: ἕως πρωὶ θάρρει (*Dan.* vi, 17); les prophètes à Israël
(*Joël*, ii, 21, 22; *Soph.* iii, 16; *Ag.* ii, 5; *Zach.* viii, 13, 15), notamment dans le «livre
de consolation»: Prends courage, mon peuple, enfants, Jérusalem (*Bar.* iv, 5, 21, 27,
30). Cf. PHILON, *Vit. Mos.* ii, 252: «Hardis, ne vous découragez pas, restez debout,
l'esprit ferme, dans l'attente de l'aide invincible de Dieu»; *Joseph et Aséneth*, xv,
2, 3, 5: «Courage, Aséneth, le Seigneur t'a donnée à Joseph pour épouse»; *Hénoch*,
102, 4; *IV Mac.* xiii, 11: «Courage, frère, disait l'un. Et un autre: Supporte noblement»;
xvii, 4. DIODORE DE SICILE, xix, 58,6: «Antigone exhorta ses soldats au courage»;
81, 2: «la foule lui cria d'avoir confiance»; xvii, 25, 4.

[2] La valeur de confiance – celle du mari en sa femme (*Prov.* xxxi, 11; בטח; A, B
= θαρσεῖ; S = θαρρεῖ) – peut revêtir une certaine audace, celle de la Sagesse aux portes
de la ville, θαρροῦσα λέγει (*Prov.* i, 21), et c'est la plus commune dans les papyrus,
où l'auteur d'une lettre exprime sa confiance au destinataire: τῇ σῇ δικαιοκρισίᾳ,
δέσποτα ἡγεμών, θαρρῶν (*Sammelbuch*, 7205, 4); ἐπὶ τὴν σὴν ἀνδρείαν καταφεύγω θαρρῶν
τεύξεσθαι τῶν προσόντων μοι δικαίων (*P. Oxy.* 1468, 9); θαρρῶν τῇ ἀγαθῇ σου προαιρέσει
γράφω (*P. Ryl.* 696, 2; cf. *P. Oxy.* 1872, 4); θαρσῶν δὲ γεγράφηκα (*Sammelbuch*, 7656, 6;
B.G.U. 1080, 14); θαρρῶ οὖν, ἄδελφε, ὅτι οὐκ ἀμελεῖς μου (*Greek Ostraca, Michigan*, édit.
L. Amundsen, n. 91, 10); πιστεύω γὰρ ἀκριβῶς καὶ θαρρῶ ὡς οὐδέν τι ἀηδὲς οὐδ' ἄτοπον
συμβήσεται τοῦ θεοῦ... πρὸς πᾶσαν πρᾶξιν (*P. Hermop.* 6, 19; cf. 2, 17; DÉMOSTHÈNE,
xix, 3: θαρσέω καὶ πιστεύω; POLYBE, iii, 11, 8: θαρρεῖν καὶ πιστεύειν); XÉNOPHON,
Cyr. v, 1, 6; θαρσέων καθίζεν = assieds-toi sans crainte (sur un tombeau. Epigramme
de Théocrite, dans *Anth. Palatine*, xiii, 3, 4); *P. Lond.* 981, 12 (t. iii, p. 241): θαρροῦμεν
ταῖς προσευχαῖς σου (IVe s.). Il ne s'agit pas seulement de sécurité et d'être tranquille
(XÉNOPHON, *Cyr.* i, 3, 18; PLUTARQUE, *Sertorius*, xviii, 7; *Sammelbuch*, 9026, 6:
οὐκ ἐθάρρησα δὲ τὸν τοσοῦτον λόγον ὑποστῆναι ἄνευ τῆς σῆς γνώμης; IIe s.), mais de courage.
Tiberius J. Alexander en 68: «Je veux que la population reprenne courage et cultive avec
zèle» (*Sammelbuch*, 8444, 56). Hermias: «Je suis venu et j'ai repris courage, ἥκω καὶ τεθ-
άρρηκα» (A. BATAILLE, *Les Inscriptions grecques du Temple de Hatshepsout à Deir
el-Bahari*, Le Caire, 1951, n. 139, 2); «ὄμμα... ψυχῆς θάρσει, œil... de mon âme, prends
courage» (interprétation d'un songe, de 160 av. J.-C.; *P. Par.* 51, 10 = G. MILLIGAN,

Il est de style dans les récits de miracle, celui du paralytique: «Aie confiance, mon enfant, tes péchés sont pardonnés» (*Mt.* IX, 2), de la femme hémorroïsse (*Mt.* IX, 22), de l'aveugle de Jéricho (*Mc.* X, 49). Lorsque les Apôtres, croyant voir un fantôme marchant sur la mer, sont effrayés, Jésus les rassure: θαρσεῖτε, ἐγώ εἰμι, μὴ φοβεῖσθε (*Mt.* XIV, 27; *Mc.* VI, 50), dont on rapprochera l'ordre de César au pilote terrifié par la tempête: θαρρῶν ἴθι πρὸς τὸν κλύδονα· Καίσαρα φέρεις καὶ τὴν Καίσαρος τύχην (PLUTARQUE, *Vie de César*, 38, 5; cf. *Antoine*, XLVIII, 6).

Ce verbe exprime, en effet, le courage à déployer au milieu des périls ou à la simple perspective d'une épreuve: le martyre, l'exil, le mépris, ce qui contrarie notre vouloir ou exige un effort, une entreprise difficile et aléatoire, telle que plaider un dossier (*P. Oxy.* 237, col. VIII, 17; PHILON, *Post. C.* 38: «Si l'on porte contre vous une accusation d'impiété, courage! θαρρεῖτε»), s'exposer hardiment au froid (Ps. HIPPOCRATE, *Du Régime*, III, 68, θαρσέων; cf. 74: se livrer à ces exercices, θαρρεῖν), voire même de «s'attaquer en pionnier à une science» (STRABON, *Géographie*, Prolégomènes, I, 1, 4) et surtout la bravoure ou la hardiesse dans les combats [1],

---

Selections from the Greek Papyri, Cambridge, 1927, n. 6); Octave invite les habitants de Rhosos à lui adresser leurs demandes, sans crainte, hardiment (θαρροῦντες, *Inscriptions grecques et latines de la Syrie*, n° 718, 93), tout comme le roi de l'*Ep. d'Aristée*, 272. Il y a même de l'audace dans l'agressivité de tel et tel homme «enhardis par leur richesse»: θαρρῶν ὁ αὐτὸς ῎Ισακις τοῖς χρήμασι αὐτοῦ καὶ τοῦ πλούτου, βούλεταί μ[α]ι ἐξελάσαι ἀπὸ τῆς κώμης (*P. Cair. Goodsp.* 15, 19; *P. Isidor.* 75, 10; réédité *Sammelbuch*, 9184, 10; *P. Oxy.* 68, 19). Aïon rendu audacieux par l'état de mes affaires et ma position économique défavorable, θαρσῶν τοῖς ἐμοῖς πράγμασι καὶ τῇ κακοτροπίᾳ ἐματοῦ (*Arch. Abin.* 50,18; réédité *Sammelbuch*, 9690); FL. JOSÈPHE, *Ant.* XX, 175: ᾿Ιουδαῖοι τῷ πλούτῳ θαρροῦντες; *Guerre*, I, 189, Mithridate est «enhardi» par le supplément de forces qu'il reçoit d'Antipater; PLUTARQUE, *Pompée*, LXXII, 6: «une présomption insensée»; *Alexandre*, XXXI, 3; XXXII, 4; XXXIII, 3; *César*, XLIV, 10; LII, 4.

[1] Cf. QUINTUS DE SMYRNE, *Suite d'Homère*, XI, 282: «C'est l'audace (θάρσος) qui entraîne les hommes dans la tuerie»; XII, 254, 273; XIII, 121; cf. II, 39: «mieux vaut cent fois mourir en braves (θαρσαλέως) que de fuir à l'étranger»; X, 209; XII, 72: «seule la bravoure donne l'avantage au combat»; 253; cf. III, 186: «Paris harangue ses hommes pour leur rendre courage (θαρσύνεσκε)»; IV, 85; XII, 253. Crainte et témérité s'excluent (φόβει καὶ θάρρῃ, ARISTOTE, *Histoire des Animaux*, VIII, 1; 588 *a* 22), et θαρρεῖν fait partie du lexique militaire (*II Chr.* XVI, 8; PLUTARQUE, *Eumène*, IX, 5; XVII, 3). L'empereur mourant encourage son neveu à être vaillant (θαρρεῖν) et à ne pas craindre Vitellius (PLUTARQUE, *Otho*, XVI, 2; *Alexandre*, LVIII, 2); «Qu'ils eussent hardiesse et courage (θαρροῦσι καὶ προθυμουμένοις) et en temps et lieu, il leur donnerait sans danger la victoire» (IDEM, *Camille*, XXIII, 4); cf. *Coriolan*, XXVII, 7; XXXII, 7; «La hardiesse est vraiment le commencement de la victoire, ἀρχὴ γὰρ ὄντως τοῦ νικᾶν τὸ θαρρεῖν» (*Thémistocle*, VIII, 2); *Timoléon*, IX, 1: «Enhardie par ces signes divins, la flotte fit diligence pour traverser la mer» (cf. STRABON, II, 5, 12); «Hannibal rendit courage à

que ce soient ceux de la guerre, de la vie humaine [1], ou de l'initiation aux mystères de salut [2], où l'exhortation à la vaillance à affronter les périls, dans un long et périlleux voyage dans l'au-delà jusqu'à l'épreuve suprême du jugement, implique une espérance d'immortalité [3]. Dans tous les cas, l'impératif veut donner du courage à celui qui va subir une épreuve. Telle est la nuance de *Jo.* XVI, 33, où Jésus annonçant aux Apôtres des persécutions, les exhorte à ne pas lâcher pied: «Dans le monde, vous aurez à endurer. Mais, hardis (ou: soyez braves, θαρσεῖτε), moi j'ai vaincu le monde». De même, *Act.* XXIII, 11: «Le Seigneur se présentant à Paul [4] dit: Aie courage, car de même que tu as rendu témoignage à Jérusalem sur ce qui me regarde, il faut aussi que tu rendes témoignage à Rome» (on dira d'une

---

ses hommes (εὐθαρσεῖς)» (POLYBE, III, 54, 3; cf. 60, 13); THUCYDIDE, IV, 25, 9; ENÉE LE TACTICIEN, *Polyor.* XVI, 3 et 5; PLUTARQUE, *Pompée*, LXXV, 3; DIODORE DE SICILE, XIX, 109, 4: «Reprenant courage (πάλιν θαρρήσαντες) ceux du camp soutinrent le combat de front»; PLUTARQUE, *Caton min.* LX, 1; *Cléomène* XXXVIII, 8: Cratésicleia conduite au supplice est accompagnée et encouragée par sa bru, καὶ θαρρεῖν παρακαλοῦσα.

[1] Le Δαίμων exhorte les humains qui commencent leur existence: Ayez courage, θαρρεῖν, ἔφη · διὸ καὶ ὑμεῖς θαρρεῖτε (*Tableau de Cébès*, XXX, 2), repris par la Tempérance et l'Endurance (XVI, 3). «Ἀλλὰ σὺ θάρσει, ἐπεὶ θεῖον γένος ἐστὶ βροτοῖσιν. Mais toi, prends courage, puisqu'ils sont de race divine les mortels» (*Vers d'or*, pythagoriciens, 63). SOPHOCLE, *Electre*, 174: θάρσει μοι, θάρσει, τέκνον · ἔτι μέγας οὐρανῷ Ζεύς; MANILIUS, IV, 16: *Nascentes morimur, finisque ab origine pendet.*

[2] FIRMICUS MATERNUS: θαρρεῖτε, μύσται, τοῦ θεοῦ σεσωσμένου · ἔσται γὰρ ἡμῖν ἐκ πόνων σωτηρία (*De errore prof. Relig.* XXII, 1). *Inscription de Maronée*, 11: «C'est avec confiance que je m'avance» (cf. Y. GRANDJEAN, *Une nouvelle arétologie d'Isis à Maronée*, Leiden, 1975, pp. 42 sv.). θαρρεῖν n'est pas seulement un verbe technique du rituel des initiations, il est employé dans les romans avec valeur symbolique et religieuse: à l'impératif, de la part de personnages représentant des initiés ou la divinité s'adressant à des individus éprouvés; comme participe, il exprime que des individus ont bénéficié de l'aide du dieu; cf. R. MERKELBACH, *Roman und Mysterium in der Antike*, 1962, pp. 100, 141, 173, 212, 231; M. SIMON, θάρσει οὐδεὶς ἀθάνατος, dans *Rev. de l'Histoire des Religions*, 1936, pp. 188–206; R. JOLY, *L'exhortation au courage (ΘΑΡΡΕΙΝ) dans les Mystères*, dans *Rev. des Etudes grecques*, 1955, pp. 164–170.

[3] Cf. F. CUMONT, *Recherches sur le Symbolisme funéraire des Romains*, Paris, 1942, pp. 76 sv. IDEM, *Lux Perpetua*, Paris, 1949, p. 404.

[4] Ἐπιστὰς αὐτοῦ ὁ Κύριος; cf. *Inscriptions de Didymes*, 496 a 4: οἱ θεοὶ ἐνφανεῖς δι' ἐπιστάσεων γεγένηνται (IIᵉ s. ap. J.-C.); les dieux surviennent et se présentent (cf. παριστάναι, *Act.* XXVII, 23). Les textes sont cités par A. WIKENHAUSER, *Die Traumgesichte des Neuen Testaments in religionsgeschichtlicher Sicht*, dans *Pisciculi F. J. Dölger dargeboten*, Münster, 1939, pp. 320–333, et commentés par L. ROBERT, *Hellenica* XI-XII, Paris, 1960, p. 544. – De *Jo.* XVI, 33; *Act.* XXIII, 11, on rapprochera la valeur juridique de πατρίαν θαρρῆν dans les *Inscriptions d'Olympie*, II, 1, où ce verbe est presque synonyme de: garantir l'inviolabilité (cf. le commentaire par G. GLOTZ, *La solidarité de la famille dans le Droit criminel en Grèce*, Paris, 1904, p. 257).

vision qu'elle est «encourageante», cf. Plutarque, *Pompée*, lxviii, 3). Dans les deux cas, l'exhortation est motivée, ce qui est traditionnel[1], et vise un danger de mort[2].

C'est, en effet, surtout face à la mort qu'il faut se montrer intrépide (τὸ θάρσος, Epictète, ii, 1, 14; θάρρει, Ménandre, *Dysc.* 692; Fl. Josèphe, *Ant.* vii, 266: σύ τε, εἶπεν, ὦ Σαμουί, θάρρει καὶ δείσῃς μηδὲν ὡς τεθνηξόμενος; cf. *I Mac.* iv, 35). Selon le *Codex Bezae*, dans sa réponse à la prière du bon Larron, Jésus lui aurait dit: θάρσει (*Lc.* xxiii, 43). Il n'est pas rare de voir une épitaphe, même rédigée en latin, se terminer par θάρσει[3] et notamment par θάρσει· οὐδεὶς ἀθάνατος, même sur des tombes juives et chrétiennes[4]; car ce n'est pas seulement une exhortation à accepter le sort commun[5], mais une audacieuse confiance dans l'avenir éternel: grâce à la foi, l'homme surmonte l'appréhension de la mort. C'est en ce sens eschatologique que saint Paul, en exil, tant qu'il est domicilié dans son corps, prend courage (θαρροῦντες, θαρροῦμεν), préférant aller prendre domicile près du Seigneur[6]. Cette énergie, le chrétien la puisera dans la certitude de la présence et de l'assistance du Seigneur, qui prévaut contre l'angoisse ou le sentiment d'être abandonné: «Nous pouvons dire hardiment (θαρροῦντας): c'est le Seigneur qui est mon aide, je ne craindrai pas»[7].

---

[1] Cf. *Tob.* viii, 21 (ms. *S*): «Aie confiance, mon enfant, je suis ton père et Edna est ta mère; nous sommes près de toi. Aie confiance, mon enfant»; *Esth.* v, 7: «Qu'y a-t-il Esther? Je suis ton frère, aie confiance, tu ne mourras pas»; *Joël*, ii, 21: «Ne crains pas, ô sol, jubile et réjouis-toi, car Iahvé agit grandement», etc.

[2] Cf. P. Pokorný, *Romfahrt des Paulus und der antike Roman*, dans *ZNTW*, 1973, pp. 240 sv.

[3] *Sammelbuch*, 8370, 3; *Corp. Inscript. Iud.* 1009, 1039, 1050-52, 1110, 1125; M. Schwabe, B. Lifshitz, *Beth She' arim*, ii, Jérusalem, 1967, n. 22, 29, 39–41, 43, 77, 84, 88–89, 193.

[4] Cf. *Inscriptions grecques et latines de la Syrie*, 343, 2662, 4059; *Corpus Inscriptionum Iudaicarum*, 314, 335, 380, 401, 450, 539; cf. 782, 788, 1209 etc... E. Bernand, *Inscriptions métriques de l'Egypte gréco-romaine*, Paris, 1969, n. 156. J. Delling, *Speranda futura. Jüdische Grabinschriften Italiens über das Geschick nach dem Tode*, dans *Theologische Literaturzeitung*, 1951, col. 521–526. Parfois l'épitaphe chrétienne tempère la formule, comme sur une stèle de Tisiyeh, au sud de Bosra: οὐδὶς ἐπὶ γῆς ἀθάνατος (F.-M. Abel, *Inscription chrétienne du Ghor es-Safy*, dans *R.B.* 1931, p. 98); cf. M. Simon, *l. c.*, p. 194.

[5] Cf. l'épitaphe chrétienne de Phrygie: «Il n'y a qu'un Hadès pour tous», dans L. Robert, *op. c.*, p. 415.

[6] *II Cor.* v, 5, 8 (J. Dupont, *L'Union avec le Christ suivant saint Paul*, Bruges-Louvain-Paris, 1952, pp. 158 sv.); K. Preisendanz, *Papyri graecae magicae*, iv, 718–724.

[7] *Hébr.* xiii, 6: «οὐ φοβηθήσομαι does... look more like *be afraid* ['linear' sense] than

L'acception stoïcienne de θαρρέω se retrouve dans *II Cor.* VII, 16; X, 1–2, où l'Apôtre se réjouit «de pouvoir, en toute chose, s'enhardir avec» les Corinthiens, de leur parler – sans diplomatie – avec la liberté et l'autorité évangélique, et donc de leur faire entendre des vérités pénibles. On lui reprochait d'être timide dans le face-à-face, mais hardi ou intraitable, tranchant une fois éloigné [1]; or il proteste qu'il est prêt à faire preuve de hardiesse si les conjonctures l'exigent. Philon avait montré que, lorsqu'on s'adresse à Dieu, la piété (*eulabéia*) pouvait s'allier avec une certaine audace (τὸ θαρρεῖν, *Quis rer. div.* 22) et celle-ci à la crainte de dire ce que l'on pense (*ibid.* 28); Epictète prônait la conciliation de la prudence et de la hardiesse – εὐλαβῶς ἅμα δὲ θαρρούντως –; elles semblent contraires, mais en réalité elles ne se contredisent pas (II, 1, 1).

Lorsque saint Paul, enfin, arrivant au Forum d'Appius et aux Trois-Tavernes, rencontre les frères de Rome venus le saluer «en les voyant, il rendit grâces à Dieu et reprit courage, ἔλαβε θάρσος» [2].

---

become afraid ['*punctiliar*' action]» (C. E. D. MOULE, *An Idiom Book of New Testament Greek*, Cambridge, 1953, pp. 10, 22); cf. *P. Oxy.* 1492, 15; *IV Esdr.* VI, 33; PHILON, *Fuga*, 82: «un des sages d'autrefois a eu le courage d'affirmer...»; *Praem.* 95; PLUTARQUE, *Agésilas*, XXVIII, 2: «Epaminondas répliqua hardiment»; *Démosth.* IX, 3. On rapprochera le raffermissement ou l'énergie (θάρσος, אמ־ץ) de *Job*, IV, 11; XVII, 9; FL. JOSÈPHE, *Ant.* IX, 55; DION CHRYSOSTOME, XXXII, 21, ou l'hymne à Isis (Ier s. av. J.-C.), qui fortifie et donne une puissance divine au milieu des guerres et des crimes, mais il y en a peu qui reçoivent du courage: ὀλίγοισι δὲ θάρσος ἔδωκε (*Suppl. Ep. Gr.* VIII, 550, 18 = *Sammelbuch*, 8140 = V. F. VANDERLIP, *The Four Greek Hymns of Isidorus and the Cult of Isis*, Toronto, 1972, p. 49).

[1] *II Cor.* X, 1: ἀπὼν δὲ θαρρῶ εἰς ὑμᾶς; ỿ. 2: δέομαι δὲ τὸ μὴ παρὼν θαρρῆσαι; cf. *Sammelbuch*, 7656, 5: εἰ καὶ ἀπὼν εἰμί, ἀλλ' ὅμως θαρσῶ. Aristote observait que «les mouvements de hardiesse ou de peur... s'accompagnent de chaleur ou de froid» (*Mouvement des animaux*, 8, 701 b).

[2] *Act.* XXVIII, 15. Cf. T. KLEBERG, *Hôtels, Restaurants et Cabarets dans l'Antiquité romaine*, Uppsala, 1957, pp. 63 sv., 67.

θεοδίδακτοι, θεόπνευστος

Les Thessaloniciens «théodidactes» sont *instruits par Dieu* à s'aimer les uns les autres (*I Thess.* IV, 9). «θεοδίδακτος. C'est un hapax du N. et de l'A. T. Il est signalé dans *Prolegomenon Sylloge*, p. 91, 14, H. Rabe, 1931. On le retrouve dans BARN. XXI, 6, important pour dépendance, ATHÉNAGORE, *Leg.* II, 32; THÉOPH. *Ad Autol.* II, 9, et les Pères grecs. Il est formé sur le mode de θεο-στυγής, *Rom.* I, 30; θεό-πνευστος *II Tim.* III, 16, et ses éléments se trouvent rassemblés dans *Joh.* VI, 45, qui repose sur *Is.* LIV, 13; *Jér.* XXXI, 33. Saint Paul pourrait avoir eu ces passages dans la mémoire. Comparer aussi *Ps. de Sal.* XVII, 35, et *Matth.* XXIII, 8. Il faut surtout rapprocher *I Cor.* II, 13: διδακτοῖς πνεύματος»[1]. G. Mussies (*Dio Chrysostom and the N. T.*, Leiden, 1972, p. 202) cite D. C. IV, 41: πάλιν δὲ ὅταν λέγῃ (Homère) 'διοτρεφεῖς' τοὺς βασιλέας καὶ 'διιφίλους', ἄλλο τί οἴει λέγειν αὐτὸν ἢ τὴν τροφὴν ταύτην ἣν ἔφην θείαν εἶναι διδασκαλίαν καὶ μαθητείαν.

Pour exprimer le caractère sacré des Ecritures, leur origine divine et leur vertu active pour sanctifier les croyants, saint Paul a peut-être forgé l'adjectif verbal θεόπνευστος «soufflé, insufflé par Dieu»[2]. On sait que πνέω dans le

---

[1] B. RIGAUX, *Saint Paul. Les Epîtres aux Thessaloniciens*, Paris-Gembloux, 1956, p. 517. Cf. E. VON DOBSCHÜTZ, *Die Thessalonicher-Briefe*[7], Göttingen, 1909, pp. 176 sv. MOULTON-MILLIGAN rapprochent l'homérique αὐτοδίδακτος dans CAGNAT (*Inscriptiones Graecae* IV, 176: εἰμὶ μὲν ἐκ Παρίου Ὄρτυξ σοφὸς αὐτοδίδακτος) et θεόγνωστος dans *P. Oxy.* 237, col. VI, 29: ἀλλὰ σὺ ὁ κύριος τῇ θεογνώστῳ σου μνήμῃ καὶ τῇ ἀπλανήτῳ προαιρέσει ἀνενεγκὼν τὴν γραφεῖσάν σοι ὑπὸ τοῦ στρατηγοῦ ἐπιστολήν.

[2] *II Tim.* III, 16. Il faut vraisemblablement restituer le verbe ἐστί, non après γραφή, mais avant ὠφέλιμος: «Toute Ecriture inspirée par Dieu est utile...»; *théopneustos* est épithète et non attribut, pour les raisons exposées par C. SPICQ, *Les Epîtres Pastorales*[4], Paris, 1969, t. II, pp. 794 sv. PHILON fut le premier à employer les verbes ἐπιπνεῖν, καταπνεῖν (ἐπιθειάζω) de l'inspiration des Ecritures, et Fl. Josèphe le substantif ἐπίπνοια (*C. Ap.* I, 37), conformément à l'usage profane (*Inscriptions de Magnésie*, 100 *a* 12: le peuple fut induit par insufflation divine – θείας ἐπιπνοίας – à construire un temple en l'honneur d'Artémis). Les emplois connus de *théopneustos* sont tous postérieurs au Iᵉʳ s., PLUTARQUE, *De plac. Philos.* V, 2: songes inspirés par les dieux; VETTIUS VALENS, IX, 1: l'élément divinement insufflé dans l'homme, ἔστι δέ τι καὶ θεῖον ἐν ἡμῖν θεόπνευστον δημιούργημα (cf. A. J. FESTUGIÈRE, *L'Idéal religieux des Grecs et l'Evangile*, Paris, 1932, p. 125); Ps. PHOCYLIDE, 121: la sagesse d'origine divine = λόγος τῆς θεοπνεύστου σοφίης (mais le mot manque dans certains *mss.*); *Or.*

grec biblique désigne le souffle de Iahvé (*Is.* XI,24; *Ps.* CXLVII, 18; CXLVIII, 8);
substantifié dans *Act.* XXVII, 40 (τῇ πνεούσῃ = αὔρᾳ), il exprime l'action du
Saint-Esprit [1]. Le composé *théopneustos* doit s'entendre au sens passif,
comme l'ont compris la Vulgate «divinitus inspirata», le codex *Fuldensis*
«divinitus instituta», le texte parallèle de *II Petr.* I, 21: ὑπὸ πνεύματος
ἁγίου φερόμενοι ἐλάλησαν ἀπὸ θεοῦ ἄνθρωποι [2], la glose de l'*Ambrosiaster:*
«*divinitus inspirata*... cujus Deus auctor ostenditur» et presque tous les
Pères et commentateurs grecs [4]. A cette conception théologique d'un texte
sacré est sous-jacente celle de l'hellénisme estimant que les poètes tragiques

---

Sibyl. V, 308, 406; cf. PORPHYRE, *De antr. Nymp.* 10: θεόπνοος; *Corp. Hermét.* I,
30: «Me voici donc, rempli du souffle divin de la vérité, θεόπνους γενόμενος τῆς ἀληθείας
ἦλθον». Le mot θεόπνο[υς] apparaît dans un oracle (très mutilé) de Claros (cf. L. ROBERT,
Les Inscriptions dans J. DES GAGNIERS, *Laodicée du Lycos. Le Nymphée*, Québec-
Paris, 1969, p. 337). Un proscynème du IIIe s. en l'honneur du sphinx, qui «possède
un visage sacré, animé du souffle de Dieu, ἱερὸν... πρόσωπον ἔχει τὸ θεόπνουν (*Sammelbuch*, 8550, 4: réédité par E. BERNAND, *Inscriptions métriques de l'Egypte gréco-
romaine*, Paris, 1969, n. 130). Dans le *Testament d'Abraham*, 20, le terme désigne
les anges qui apparaissent avec Abraham: μυρίσμασι θεοπνεύστοις.

[1] *Jo.* III, 8 (L. KOENEN, *Johannes III, 7–19. Aus einem Minuskel-Kodex*, dans
Zeitschrift für Papyrologie und Epigraphik, 1967, pp. 126–130); cf. D. LYS, «*Rûach*».
Le souffle dans l'Ancien Testament, Paris, 1962, pp. 359 sv. Sur le culte des vents
dans l'antiquité païenne, cf. F. CUMONT, *Recherches sur le Symbolisme funéraire des
Romains*, Paris, 1942, pp. 107 sv.

[2] Cf. C. SPICQ, *Les Epîtres de saint Pierre*, Paris, 1966, pp. 225 sv. Philon désignait
l'inspiré comme *théophorètos* (*Quis rer. div.* 265; *Mut. nom.* 120, 203). Les Juifs «considèrent leurs lois comme des oracles prononcés par Dieu, θεόχρηστα λόγια» (*Leg. G.* 210;
cf. *Décal.* 15; FL. JOSÈPHE, *C. Ap.* I, 37). Le prophète n'est qu'un instrument d'élocution (*dia; Mt.* I, 22; *Lc.* I, 70; *Act.* II, 16; III, 18, 21; *Hébr.* I, 1–2) dont Dieu se sert
pour se faire entendre. Cf. J. FREY, *La Révélation d'après les Conceptions juives*, dans
R.B. 1916, p. 472; J. BONSIRVEN, *Le Judaïsme palestinien*, Paris, 1934, I, pp. 254 sv.
«Comment entendons-nous la voix de l'Esprit? Un psaume est chanté, c'est la voix
de l'Esprit; l'Evangile est lu, c'est la voix de l'Esprit; la parole de Dieu est prêchée,
c'est la voix de l'Esprit» (SAINT AUGUSTIN, *Tract. XII, 5 in Ev. Joh.*).

[3] *P. L.* XVII, 522; cf. GRÉGOIRE LE GRAND: «Quia divinitus inspirata est... quaedam
epistola omnipotentis Dei ad creaturam suam» (*In I Reg.* prooem. 3; *P. L.* LXXIX, 19;
cf. *Ep.* IV, 31; *P. L.* LXXVII, 706).

[4] DIDYME, *Trinit.* II, 10; *P.G.* XXXIX, 644. La grammaire permet cependant de
donner à θεόπνευστος une signification active: l'Ecriture souffle Dieu, la *gramma*
exhale un *pneuma* (cf. Bengel, et la discussion par J. H. BENNETCH, *II Timothy III,
16 a*, dans *Bibliotheca Sacra*, 1949, pp. 187 sv.). De toute façon elle contient un souffle
(cf. S. ATHANASE, *Lettre à Sérapion*, I, 8; *P.G.* XXVI, 549) et, tel un sacrement, le
communique par ses signes écrits (cf. ATHÉNAGORE, *Supplique*, 9: «L'Esprit se servait
d'eux [les prophètes] comme le flûtiste qui souffle dans sa flûte»).

et lyriques écrivaient sous l'inspiration venue des dieux, ils en sont les porte-paroles, s'adressent à leurs concitoyens au nom de la divinité [1].

BIBLIOGRAPHIE. – Les élaborations de la théologie de l'inspiration scripturaire sont innombrables et de valeur diverse. Parmi le modernes, on retiendra G. COURTADE, dans *DBS*, IV, 482 sv.; G. PERRELLA, *La nozione dell'ispirazione scritturale secondo i primitivi documenti cristiani*, dans *Angelicum*, 1943, pp. 32–52; P. BENOIT, *L'Inspiration scripturaire*, dans *La Prophétie* (Somme Théologique), Paris, 1947, pp. 293 sv.; IDEM, *Note complémentaire sur l'Inspiration*, dans *R.B.* 1956, pp. 416 sv.; IDEM, *Exégèse et Théologie*, Paris, 1961, pp. 3 sv.; IDEM, *Révélation et Inspiration*, dans *R.B.* 1963, pp. 321–370; IDEM, *Inspiration de la Tradition et Inspiration de l'Ecriture*, dans *Mélanges M. D. Chenu*, Paris, 1967, pp. 111–126; IDEM, *Aspects of Biblical Inspiration*, Chicago, 1965; A. ROBERT, A. FEUILLET, *Introduction à la Bible*, Tournai, 1957, pp. 6–68; P. GRELOT, *La Bible Parole de Dieu*, Paris-Tournai, 1965, pp. 33 sv. A. PENNA, *L'Ispirazione biblica nei Padri della Chiesa*, dans *Divus Thomas*, 1967, pp. 393–408; J. RICHARD, *Le processus psychologique de la Révélation prophétique*, dans *Laval théologique et philosophique*, 1967, pp. 42–75; A. ARTOLA, *La Inspiración y la inerrancia según la constitución «Dei Verbum»*, dans *El sacerdocio de Cristo* (XXVI Semana Española de Teología), Madrid, 1969, pp. 471–495; J. T. BURTCHAELL, *Catholic Theories of Biblical Inspiration since 1810*, Cambridge, 1969; J. BEUMER, *L'Inspiration de la Sainte Ecriture*, Paris, 1972; L. ALONSO-SCHOEKEL, *La Parole inspirée*, Paris, 1972; B. VAWTER, *Biblical Inspiration*, Philadelphia, 1972; O. LORETZ, *Das Ende der Inspirations-Theologie. Zur Entwicklung der traditionellen theologischen Lehre über die Inspiration der hl. Schrift*, Stuttgart, 1973; D. R. JONES, *The Inspiration of Scripture*, dans *New Testament Christianity for Africa and the World* (Essays in honour of H. Sawyerr), Londres, 1974, pp. 8–18; P. BENOIT, *Saint Thomas et l'Inspiration des Ecritures*, dans *Tommaso d'Aquino nel suo VII Centenario, Congresso internazionale*, Rome-Naples, 1974, pp. 115–131.

---

[1] Cf. ED. SCHWEIZER, πνεῦμα, dans *TWNT*, VI, p. 452, qui cite J. LEIPOLDT, *Die Frühgeschichte der Lehre von der göttlichen Eingebung*, dans *ZNTW*, 1953, pp. 118–145; ajouter A. WARTELLE, *Poète grec et prophète d'Israël*, dans *Bulletin G. Budé. Lettre d'Humanité*, 26, 1967, pp. 373 sv.; P. BENOIT, *Les Analogies de l'Inspiration*, dans *Sacra Pagina*, Paris-Gembloux, 1959, I, pp. 86–99. Toute parole divine possède une *dynamis* (CL. PRÉAUX, *De la Grèce classique à l'époque hellénistique*, dans *Chronique d'Egypte*, 1967, pp. 378, 383) et elle est opérante (M. DÉTIENNE, *Les Maîtres de vérité dans la Grèce archaïque*, Paris, 1967).

θεοσέβεια, θεοσεβής

Le substantif et l'adjectif traduisent dans les Septante «la crainte de Dieu» ou d'Adonaï. Ils s'appliquent aux hommes et aux femmes qui adorent le vrai Dieu et se conforment à sa volonté. Le sens est autant moral que religieux [1], associé aux notions de pureté, sainteté, perfection, sagesse [2]. La *théosébéia* s'oppose contradictoirement au péché (*Sir.* I, 25); la posséder est un titre de noblesse [3].

C'est exactement la nuance de *Jo.* IX, 31: «Dieu n'écoute pas les pécheurs; mais si quelqu'un est pieux – τις θεοσεβὴς ᾖ – et fait sa volonté, c'est celui-là qu'il écoute», et de *I Tim.* II, 10, où saint Paul exhorte les Ephésiennes à

---

[1] *Gen.* XX, 11: «Abraham dit... Pour peu qu'il n'y ait pas de *théosébéia* en cet endroit, ils me tueront à cause de ma femme»; *Ex.* XVIII, 21: «Tu choisiras... des hommes de valeur qui craignent Elohim». La plupart des douze emplois de θεοσεβής dans *Joseph et Aséneth* signalent «ce qui ne convient pas» à l'homme ou à la femme pieux, soit dans le domaine sexuel (VIII, 5, 7; XX, 8) soit «de rendre le mal pour le mal à son prochain» (XXIII, 9; XXVIII, 4; XXIX, 3).

[2] *Job*, XXVIII, 28: «Voici que la crainte d'Adonaï est la sagesse»; I, 1: «Job était parfait et droit, craignant Elohim»; I, 8; II, 3; *IV Mac.* VII, 6: «piété et pureté»; VII, 22: «maîtrise des passions à cause de la piété»; XV, 28: «la constance du pieux Abraham»; XVI, 11: «la sainte et pieuse mère»; *Testament Joseph*, VI, 7: ἐν σωφροσύνῃ θεοσεβούντων; *Testament Abraham* A, 4: Abraham est un homme juste, miséricordieux, hospitalier, fidèle, *théosébès*, éloigné de toute mauvaise action; *Joseph et Aséneth*, IV, 8: «Joseph est un homme pieux, prudent, et vierge».

[3] Le nom nouveau de la Jérusalem eschatologique sera «gloire de la *Théosébia*» (*Bar.* V, 4); *Judith*, XI, 17: «Ta servante est pieuse»; *Ep. Aristée*, 179: «Nobles serviteurs de Dieu»; *IV Mac.* XVII, 15: «C'est à la piété que revient la victoire»; *Testament de Nephtali*, I, 10: ὁ Ῥουθαῖος... θεοσεβής, ἐλεύθερος καὶ εὐγενής. «Ce sont les dérivés de σέβειν, θεοσέβεια ou surtout εὐσέβεια, habituellement traduits par piété, qui énoncent le concept grec le plus proche de notre notion de religion... θεοσέβεια concerne la pratique de certains usages (HÉRODOTE, II, 37), mais il énonce aussi, avec le respect des valeurs (SOPHOCLE, *O.C.* 260–262), une notion qui s'apparente à celles de vérité et de justice (XÉNOPHON, *An.* II, 6, 26). D'un emploi plus rare qu'εὐσέβεια, il en est très voisin et peut comme lui s'opposer à ἀσέβεια (PLATON, *Crat.* 394 d, ὅταν ἐξ ἀνδρὸς ἀγαθοῦ καὶ θεοσεβοῦς ἀσεβὴς γένηται), mais il a moins d'extension et conformément à l'étymologie définit sans doute en considération des dieux la vertu qu'ils signifient l'un et l'autre (cf. HÉRODOTE, I, 86; ARISTOPHANE, *Oiseaux*, 897)» (J. RUDHARDT, *Notions fondamentales de la Pensée religieuse... dans la Grèce classique*, Genève, 1958, p. 12); cf. R. CH. TRENCH, *Synonyms of the New Testament*[12], Londres, 1894, pp. 172 sv.

la décence, «comme il sied à des femmes qui font profession de piété, ἀλλ' ὃ πρέπει γυναιξὶν ἐπαγγελλομέναις θεοσέβειαν» [1]. Comme le θρησκεία spirituelle s'identifie au secours des malheureux (*Jac.* I, 27), le culte de Dieu implique la correction morale.

Dans l'usage grec profane, la *théosébie* est semblablement mentionnée dans les éloges pour spécifier l'excellence d'un homme ou d'une action, et surtout avec une valeur éthique [2]; mais il est notable que la littérature [3] ou les inscriptions qui la signalent soient surtout d'origine juive. A l'époque impériale, une inscription du théâtre de Milet détermine l'emplacement des spectateurs: Τόπος ⟨Ε⟩ιουδαίων τῶν καὶ θεοσεβῶν [4]. Il n'y a pas à comprendre τῶν καὶ comme introduisant une nouvelle catégorie distincte des Juifs proprement dits: les prosélytes; ce sont les Juifs qui sont qualifiés de craignants Dieu. Dans une synagogue de Tralles, au IIIe s. de notre ère, une Capitolina est qualifiée de ἡ ἀξιολογωτάτη καὶ θεοσεβ[ής] ou θεοσεβ-

---

[1] C. Mussies (*Dio Chrysostom and the New Testament*, Leiden, 1972, p. 206) cite comme parallèle D. C. xxxvi, 54 (οὕτως δὴ λέγομεν καὶ ἡμεῖς τιμῶντες καὶ) σεβόμενοι τὸν μέγιστον θεὸν ἔργοις τε ἀγαθοῖς καὶ ῥήμασιν εὐφήμοις. Cf. Philon, *Migr. Abr.* 97: les femmes israélites «échangeaient la parure du corps contre la beauté de l'*eusébéia*»; *Opif.* 154: «La plus grande des vertus, la *théosébie* rend l'âme immortelle»; elle est «le bien parfait» (*Congr.* 130), «le bien le plus beau» (*Fuga*, 150); avec la sagesse, la justice et les autres perfections, elle compose le chœur des vertus (*Spec. leg.* IV, 134; cf. 170; *Abr.* 114; *Mut. nom.* 197); «l'homme sage est protégé par l'indestructible rempart qu'est sa *théosébie*» (*Virt.* 186).

[2] Cf. G. Bertram, *in h.v.*, dans *TWNT*, III, pp. 124–128. Au IIe s. av. J.-C., l'aide du roi Ptolémée Philométor est sollicitée en faveur d'un certain Apollonios, ἧς ἔχετε πρὸς πάντας τοὺς τοιούτους θεοσεβοῦ[α]ς. (*P. Lond.* 23, 20; t. I, p. 38 = *UPZ*, 14). Aristagoras est l'objet d'un décret honorifique d'Istros: τῇ τε ἡλικίᾳ προκόπτων καὶ προαγόμενος εἰς τὸ θεοσεβεῖν ὡς ἔπρεπεν αὐτῷ πρῶτον μὲν ἐτείμησεν τοὺς θεούς (Dittenberger, *Syl.* 708, 19). Selon Denys d'Halicarnasse, Xénophon *théosébès* est orné de toutes les vertus (*Lettre à Cn. Pompée*, 4); Auguste ordonna que les sénateurs offriraient l'encens aux dieux «pour témoigner leur respect à la divinité, τὸ μὲν ἵνα θεοσεβῶσι» (Dion Cassius, LIV, 30).

[3] Selon Fl. Josèphe, Apion considérait les prêtres comme «les plus sages et les plus pieux des Egyptiens» (*C. Ap.* II, 140); Judas Macchabée enrôle «les justes et les pieux» (*Ant.* XII, 284); Poppée implora Néron en faveur des Juifs, «car elle était pieuse» (*Ant.* XX, 195), ce que l'on entend souvent de: prosélyte, craignant Dieu, judaïsante.

[4] J. B. Frey, *C. I. Iudaicarum*, n. 748; A. Deissmann, *Licht vom Osten*[4], Tübingen, 1923, pp. 391 sv.; B. Schwank, *Theaterplätze für «Gottesfürchtige» in Milet*, dans *Biblische Zeitschrift*, 1969, pp. 262–263 (met au point la localisation erronée de A. Deissmann); L. Robert, *Nouvelles inscriptions de Sardes*, Paris, 1965, pp. 39 sv., qui cite en outre deux inscriptions synagogales de Sardes: Eulogios et Polyippos sont l'un et l'autre qualifiés de *théosébès*. Dans l'île de Cos, Εἰρήνη θεοσεβὴς χρηστὴ χαῖρε (*ibid.*, p. 44).

[εστάτη] [1]. A la même époque en Lydie, dans une synagogue de la région de Philadelphie, un bassin pour les ablutions a été offert par Eustathios le pieux [2]. A Rome, Agrippa, fils de Fuscus, est qualifié de *théosébès* (*C. I. Iudaicarum*, 500); dans la catacombe juive de la Via Appia, une «Juive prosélyte [est appelée aussi] *Théosébès*» (*ibid.* 202). Le titre semble donc appartenir au vocabulaire de l'épigraphie juive; mais il ne s'agit pas d'un terme technique (cf. σεβόμενοι, φοβούμενοι), et il serait téméraire d'y voir l'apanage des seuls convertis ou prosélytes agrégés à la communauté d'Israël [3].

Effectivement, une épitaphe d'un anonyme mort à dix-huit ans, et semble-t-il d'origine alexandrine, signale sa vertu à l'égard des dieux et des hommes par ces mots: δίκαιος, θεοσεβής φιλάνθρωπος [4]. Dans le *Martyre de Polycarpe*, III, 2, «toute la foule est étonnée devant le courage de la sainte et pieuse race des chrétiens, τὴν γενναιότητα τοῦ θεοφιλοῦς καὶ θεοσεβοῦς γένους τῶν χριστιανῶν». Même dans les écrits juifs, on distingue parfois les «pieux» et les «craignants Dieu» [5]. En tout cas, dans la documentation papyrologique qui nous est parvenue, l'*eulabéia* est un titre révérentiel dont on honore dans l'Eglise chrétienne, à partir du IVe s., les évêques [6],

---

[1] L. ROBERT, *Etudes Anatoliennes*[2], Amsterdam, 1970, p. 409. A Rhodes, épitaphe d'Εὐφροσύνα θεοσεβὴς χρηστὰ χαῖρε (*ibid.*, p. 411).

[2] *C. I. Iudaicarum*, 754; cf. B. LIFSHITZ, *Donateurs et Fondateurs dans les Synagogues juives*, Paris, 1967, p. 31.

[3] Cf. B. LIFSHITZ, *Du nouveau sur les «Sympathisants»*, dans *Journal for the Study of Judaism*, 1970, pp. 77–84.

[4] E. BERNAND, *Inscriptions métriques de l'Egypte gréco-romaine*, Paris, 1969, n. 71, 8. Cf. F. CUMONT, *L'Egypte des Astrologues*, Bruxelles, 1937, pp. 134, 147 n. 3.

[5] Aséneth «aimait Lévi en qualité de prophète, d'homme pieux et craignant le Seigneur, ὡς ἄνδρα προφήτην καὶ θεοσεβῆ καὶ φοβούμενον τὸν Κύριον» (*Joseph et Aséneth*, XXII, 8). Comparer les lettres du Ve s. adressées: ἐπίδος τῷ εὐλαβεστάτῳ καὶ θεοσεβεστάτῳ κυρίῳ Παμουθίῳ (*P. Oxy.* 1871, 8) et du VIIe s., τῷ εὐλαβεστάτῳ θεοσεβεστάτῳ δούλῳ Χριστοῦ (*P. Ness.* 52, 17).

[6] *P. Lond.* 1923, 1: τῷ ἀγαπητῷ καὶ θεοσεβεστάτῳ καὶ θεοφιλει καὶ εὐλογημένῳ πατρὶ Παπνουθίῳ Ἀμμώνιος ἐν Κυρίῳ θεῷ χαίρειν; 1924, 2–3: μεμνημένος τῶν ἐντολῶν τῆς σῆς θεοσεβίας; 1929, 3: δοίη τὴν σὴν θεοσέβειαν παραμένιν ἡμῖν πολὺν χρόνον (ces trois papyrus, dans H. I. BELL, *Jews and Christians in Egypt*, Londres, 1924, pp. 103–118); *P. Princet.* 82, 10, 95; *P. Oxy.* 1871, 5; *P. Alex.* 32, 2: διὰ τοῦ θεοσεβεστάτου καὶ ὁσιωτάτου πατρὸς Ἄββα Βίκτορος ἐπισκόπου; *P. Gies.* 55, 1; *Sammelbuch*, 7033, 16, 28; H. ZILLIACUS, *Vierzehn Berliner griechische Papyri*, Helsingfors, 1941, n. 14, 22: τοὺς θεοσεβεστάτους ἄββα Μαρῖνον καὶ τοὺς ἄλλους πρεσβυτέρους; *Inscriptions grecques et latines de la Syrie*, n. 1739 *bis*. Cf. la lettre de recommandation à un archimandrite du Ve-VIe s., Εἰδὼς οὖν καὶ αὐτὸς τὸ φιλάνθρωπον καὶ φιλόπτωχον τῆς σῆς θεοσεβείας... παρακαλῶν δὲ τὴν θεοσέβειάν σου... Προσαγόρευε τοὺς εὐλαβεστάτους ἀδελφοὺς πάντας (*Sammelbuch*, 10965, 4, 8, 9).

les archevêques (*Sammelbuch*, 9527, 4), les prêtres (*Inscriptions grecques et latines de la Syrie*, 279), l'administrateur d'une Eglise (*Sammelbuch*, 10269 verso), les diacres [1], les supérieurs d'ordre religieux (*P. Strasb.* 279, 12: προσκυνήσετε τὸν θεοσεβέστατον καὶ μακρόγηρον κοινὸν πατέρα τὸν ἄββα Χαρίσιον), les abbés de monastère [2], un anachorète (M. NALDINI, *op. c.* n. 86, 2, 24, 26), une veuve ou une vierge consacrée (*Inscriptions grecques et latines de la Syrie*, 727), une «très pieuse suzeraine» (*ibid.* 1875), et même ceux qui constituent l'escorte de personnages illustres: le comte Jean, par exemple, «avec les très pieux frères Jacques, Agathos et Phoibammon» [3]. L'usage est constant dans les lettres d'époque byzantine (cf. M. NALDINI, *op. c.*, n. 42, 5; 49, 5; 83, 5; 84, 21).

Il n'est pas interdit de penser que cette désignation purement protocolaire soit dérivée de quelque façon de *I Tim.* II, 10; en tout cas, c'est également dans un contexte de prière que θεοσεβής sera employé dans K. Preisendanz, *Papyri graecae magicae*, IV, 685 (t. I, p. 96).

---

[1] *Inscriptions grecques et latines de la Syrie*, n. 2210; M. NALDINI, *Il Cristianesimo in Egitto*, Florence, 1968, n. 51, 1.

[2] *P. Hermop.* 17, 1: τῷ κυρίῳ μου θεοσεβῆ ῎Απα ᾿Ιωάνην; 59, 2; *Sammelbuch*, 10522, 15; *P. Lugd. Bat.* XI, 28, verso, ἐπίδος τῷ εὐλαβεστάτῳ θεοσεβεστάτῳ πατρὶ ἀββᾶ Κολλουθίῳ ἁγίου Παείτου; *P.S.I.* 1342, 2, 26; *P. Fuad*, 86, 12; *P. Cair. Masp.* 67138 (d'après *Berichtigungsliste*, t. IV, p. 14); *P. Gies.* 55, 1; 57, 4. Cf. *Sammelbuch*, 10798, 4: ὑπατίας τοῦ αὐτοῦ εὐσεβεστάτου ἡμῶν δεσπότου (VIIᵉ s.).

[3] *P. Fuad*, 87, 25 (cf. J. O' CALLAGHAN, *Sobre P. Fouad 87*, dans *Studia Papyrologica*, 1970, pp. 51–60); *P. Ness.* 46, 10–11; P. M. MEYER, *Griechische Texte aus Ägypten*, Berlin, 1916, n. 24, 3.

θρησκεία, θρησκός

Ces deux termes, très fréquents à l'époque impériale, sont d'origine ionienne [1] et dérivent de θρησκεύω: «observer des pratiques religieuses» [2]. L'*hapax* biblique θρησκός est inconnu de la langue grecque jusqu'à *Jac.* i, 26.

I. – La signification rituelle et liturgique de θρησκεία est fondamentale et la plus souvent attestée: actes de culte (le terme est souvent au pluriel), fonction rituelle, liturgie, observance religieuse, cérémonie, par lesquels on honore une divinité, un empereur, un défunt [3]. Dans *Sag.* xiv, 18, 27

---

[1] Selon Plutarque (*Vie d'Alex.* 2) l'étymologie de θρησκεύω viendrait de θρῆσσα: «Ces femmes thraces dont il semble bien que provienne le mot θρησκεύειν appliqué aux pratiques religieuses d'une minutie fatigante et excessive – δοκεῖ τὸ θρησκεύειν ὄνομα ταῖς κατακόροις γενέσθαι καὶ περιέργοις ἱερουργίαις», justifiée par H. Grégoire (*Thraces et Thessaliens maîtres de religions et de magie, ou l'étymologie de θρησκεία et d'ἀτάσθαλος*, dans *Hommages à J. Bidez et à Fr. Cumont*, Bruxelles, 1948, pp. 375–386). E. Boisacq (*Dictionnaire étymologique de la Langue grecque*, Heidelberg-Paris, 1916, p. 340) fait dériver ces mots de la racine de θεράπων-θεραπεύω. P. Chantraine précise: «θρῆσκος étant secondaire et postverbal, il faut partir de θρησκεύω où l'on voit habituellement un arrangement de θρήσκω · νοῶ et θράσκειν · ἀναμιμνήσκειν (Hésychius); ces gloses confirmeraient l'origine ionienne de θρησκεύω. Il y aurait plus loin ἐν-θρεῖν · φυλάσσειν (Hésychius), où l'on pourrait voir un aoriste à vocalisme zéro; en outre, l'adj. ἀ-θερές · ἀνόητον, ἀνόσιον (Hésychius). Cette analyse, qui reste douteuse, suppose que l'emploi de θρησκεύω «observer une pratique religieuse» proviendrait du sens général de 'observer, maintenir' etc.» (*Dictionnaire étymologique de la Langue grecque*, Paris, 1970, p. 440). Cf. K. L. Schmidt, *in h. l.*, dans *TWNT*, iii, pp. 155 sv.

[2] Le verbe θρησκεύειν «adorer, vénérer, honorer par un culte», non usité dans le N. T., est employé dans *Sag.* xi, 15; xiv, 17 du culte des idoles; cf. Hérodote, ii, 37: «les prêtres s'astreignent, peut-on dire, à mille et mille autres pratiques religieuses»; ii, 64: «les Egyptiens qui d'une façon générale suivent minutieusement les prescriptions de caractère sacré (θρησκεύουσι), le font en particulier sur ce point»; Plutarque, *Alexandre*, ii, 8: s'adonner à des rites. En 290 sur la colonne d'un Temple à Akoris: ἐπὶ Διδύμου ἱερέως θρησκεύοντος (*Sammelbuch*, 991); un papyrus chrétien du IVe s.: les prières obtiennent des révélations ascétiques et religieuses, τῶν γὰρ ἀσκούντων καὶ θρησκευόντων ἀποκαλύμματα δικνέοντε (*P. Lond.* 1926, 10; cf. H. I. Bell, *Jews and Christians in Egypt*, Londres, 1924, p. 108). Sur une stèle du IIIe s., οἱ συνελθόντες θρησκευταὶ ἐπὶ θεοῦ Διὸς Ὑψίστου (J. M. R. Cormack, *Zeus Hypsistos at Pydna*, dans *Mélanges... G. Daux*, Paris, 1974, p. 51, 6); *B.G.U.* 2215, col. i, 3: θρησκεύεται τὸ ἱερόν; col. iii, 2: ἱερεῖς μὴ εἶναι τὰς δὲ τῶν θεῶν θρησκείας.

[3] *P. Lund*, iv, 1, 13. Culte d'Isis (*P. Oxy.* 1380, 245); *Res gestae divi Saporis:*

et *Testament de Job*, II, 2, il s'agit du culte ou de la vénération des idoles; dans *Col.* II, 18 de la θρησκεία τῶν ἀγγέλων [1]. Le tyran Antiochus raille Eléazar de s'attacher aux pratiques des Juifs (*IV Mac.* V, 6, 13). Philon dénonce l'imposteur qui se prétend prophète et entraîne ses auditeurs vers les superstitions païennes, πρὸς τὴν τῶν νενομισμένων κατὰ πόλεις θρησκείαν θεῶν [2]. Plutarque recommande à l'époux de fermer sa porte aux cérémonies superflues et aux superstitions étrangères: περιέργοις δὲ θρησκείαις καὶ ξέναις δεισιδαιμονίαις ἀποκεκλεῖσθαι τὴν αὔλειον (*Précept. conjug.* 19). En 174, les Tyriens de Pouzzoles mentionnent: «les dépenses que nous devons faire pour les sacrifices et pour le culte de nos divinités nationales, qui ont

---

κἀκεῖνος ἐπὶ τὰς χρείας καὶ θρησκείας τῶν θεῶν σπουδασάτω (*Suppl. Ep. Gr.* XX, 324, 69); en 77 de notre ère, Silvius Italicus, proconsul d'Asie, interdit d'attirer à l'aide d'appâts, de toucher, d'effrayer, de pourchasser les pigeons dans la ville d'Aphrodisias «à cause du culte de la déesse, τῆς τε θρησκείας τῆς περὶ τὴν θεὸν χάριν» (F. SOKOLOWSKI, *Lois sacrées de l'Asie Mineure*, Paris, 1955, n. 86, 8); expulsion des porcs du temple de Talmis pour que les cérémonies religieuses ne soient pas troublées: τὰ περὶ τούτου κελευσθέντα πρὸς τὸ δύνασθαι τὰ περὶ τὰ ἱερὰ θρήσκια κατὰ τὰ νενομισμένα γείνεσθαι (U. WILCKEN, *Chrestomathie*, 74, 9 = DITTENBERGER, *Or.* 210, 9 = *Sammelbuch*, 8534); *P. Hermop.* 2, 11: «l'eau du culte du dieu Hermès qui protège ma fille», *l.* 19: «le culte du mois sacré de Pharmuthi»; LE BAS-WADDINGTON, *Inscriptions grecques et latines*, n. 90, 5: τὰ θεῖα θρησκεία; *Stud. Pal.* XXII, 184, 93: θρεσκείας τῶν θεῶν – Sur les honneurs à rendre à Auguste, *Inscriptions de Priène*, 105, 24 (= DITTENBERGER, *Or.* 458), à l'empereur (PHILON, *Leg. G.* 232). Sur la *religio* des morts, cf. l'inscription de Nazareth sur la violation des sépultures: Auguste ordonne que «les sépulcres et les tombes qu'on a faits pour le culte (εἰς θρησκείαν) des aïeux ou des enfants ou des proches demeurent inviolables à perpétuité» (*Suppl. Ep. Gr.* VIII, 13, 3; XIII, 596, 16; XVI, 828. F. M. ABEL, *Un rescrit impérial sur la violation de sépulture et le tombeau trouvé vide*, dans *R.B.* 1930, p. 568; J. SCHMITT, *Nazareth (Inscription de)*, dans *DBS*, VI, 338 sv.; *Recueil L. Cerfaux*, Gembloux, 1962, III, pp. 23 sv.). A Thessalonique, épigramme funéraire d'une jeune femme: ἣν ἐπόθησεν Ἔρως διὰ τὴν Παφίαν Ἀφροδίτην· κεῖμαι δ' ἐν τύμβῳ διὰ θρησκευτῶν φιλότητα (L. ROBERT, *Hellenica*, II, Paris, 1946, p. 133). Cf. les nombreuses inscriptions relevées par L. ROBERT, *Etudes Epigraphiques et Philologiques*, Paris, 1938, pp. 226–235.

[1] Cf. F. O. FRANCIS, *Humility and Angelic Worship in Col. II, 18*, dans *Studia Theologica*, XVI, 1963, pp. 109–134. Eusèbe mentionnera une θρησκεία τῶν δαιμόνων (*Hist. eccl.* VI, 41, 2).

[2] PHILON, *Spec. leg.* I, 135; cf. *Fuga*, 41; *Leg. G.* 298: «l'empereur Tibère... a laissé intact le cérémonial du culte»; FL. JOSÈPHE, *Guerre*, I, 148, 150; la lettre de Claude aux Alexandrins: τῶν πρὸς θρησκείαν αὐτοῖς νενομισμένων τοῦ θεοῦ (*P. Lond.* 1912, 85; cf. H. I. BELL, *op. c.*, p. 25; *Corp. Pap. Jud.* 153); inscription de Lydie publiée par J. KEIL, *Ein Markttag in Maeonien*, dans G. E. MYLONAS, D. RAYMOND, *Studies presented to D. M. Robinson*, Saint-Louis, 1953, II, pp. 363–370 (rééditée *Suppl. Ep. Gr.* XIII, 518, 5).

ici leurs temples» [1]. Le 14 juin 171, les prêtres du village de Bacchias demandent au stratège d'abolir un ordre de l'Exboleus qui les envoie travailler loin de leur temple, afin, disent-ils, d'être en mesure «d'accomplir chaque jour les cérémonies des dieux pour la préservation de notre Seigneur l'Empereur» [2]. En 202-204, deux prêtres attestent qu'ils ont accompli fidèlement les rites [3]. Les prêtres négligents sont passibles d'une amende de deux cents drachmes [4].

II. – Si la *thrèskéia* s'entend souvent de la façon la plus matérielle [5], de geste et d'acte purement rituel, elle est normalement l'expression d'une piété intérieure ou d'un sentiment proprement religieux. C'est assurément celui de l'empereur Claude qui se flatte en 52, auprès des Delphiens, d'avoir promu le culte d'Apollon [6]; c'est l'inspiration de bon nombre de règlements cultuels affichés à la porte des sanctuaires [7]; c'est ce que confirme la fréquente mention de l'*eusébéia:* τοὺς μὲν θεοὺς ἐθρήσκευσεν εὐσεβῶς [8]. C'est

---

[1] DITTENBERGER, *Or.* 595, 9: ἀναλίσκοντες εἴς τε θυσίας καὶ θρησκείας τῶν πατρίων ἡμῶν θεῶν.

[2] *P. Yale* inv. 349, 21: τὰς τῶν θεῶν θρησκείας ποιεῖσθαι γεινομένας; édité par E. H. GILLIAM, *The Archives of the Temple of Soknobraisis at Bacchias*, dans *Yale Classical Studies* x, 1947, p. 251; *Sammelbuch*, 9328; U. WILCKEN, *Chrestomathie*, 72, 10; *Corp. Pap. Jud.* 520, 11.

[3] *P. Yale* inv. 324, 8: ἐποιησάμεθα θρησκίας τῶν θεῶν; édité par E. H. GILLIAM, *l.c.* p. 270, et *Sammelbuch*, 9331.

[4] *Gnomon de l'Idiologue*, 75: ἱερεὺς καταλειπὼν τὰς θρησκείας.

[5] *P. Oxy.* 2476, 10; *P. Mil. Vogl.* 43, 9: θρησκεύετε τοῦτον; *Stud. Pal.* xx, 33, 12; cf. les différentes formes de rituel (FL. JOSÈPHE, *Ant.* XIII, 66). En 262, l'empereur Galien ordonne qu'on laisse libres les lieux de culte, ἀπὸ τῶν τόπων τῶν θρησκευσίμων (EUSÈBE, *Hist. eccl.* VII, 13).

[6] DITTENBERGER, *Syl.* 801 D 4: ἀεὶ δ' ἐτήρησα τὴν θρησκείαν τοῦ Ἀπόλλωνος τοῦ Πυθίου (réédité par E. GABBA, *Iscrizioni greche e latine per lo studio della Bibbia*, Turin, 1958, n. 22). Semblablement Plotine aux Epicuriens d'Athènes (*ibid.* 834, 14), et Hadrien à Delphes: καὶ εἰς τὴν ἀρχαιότητα τῆς πόλεως καὶ εἰς τὴν τοῦ κατέχοντος αὐτὴν θεοῦ θρησκείαν ἀφορῶν (E. BOURGUET, *De Rebus Delphicis*, Paris, 1905, p. 78); Cl. Vibius Salutaris à Ephèse (*Inscriptions d'Ephèse*, II, n. 27, 20). A Thessalonique, οἱ συνθρησκευταὶ κλεινῆς θεοῦ μεγάλου Σαράπιδος (*IG*, x, 2, 192).

[7] A Théos, au temps de Tibère, le règlement relatif au culte de Dyonysios est présenté περὶ τὰ θεῖα θρησκεία (F. SOKOLOWSKI, *Lois sacrées de l'Asie Mineure*, Paris, 1955, n. 28, 5), pour le culte d'Artémis à Ephèse (*ibid.* 31, 27), de Zeus Panamaros et d'Hécate à Stratonicée (*ibid.* 69, 7, 13); cf. J. VAN HERTEN, *θρησκεία, εὐλάβεια, ἱκέτης*, Utrecht, 1934, pp. 2–27; A. PELLETIER, *Fl. Josèphe adaptateur de la Lettre d'Aristée*, Paris, 1962, pp. 32 sv.

[8] DITTENBERGER, *Syl.* 783, 42 (27 av. J.-C.); cf. 867, 12, 48; *Or.* 513, 13 (Pergame, IIIᵉ s.); *Inscriptions de Lindos*, 490, 10, 15; LE BAS-WADDINGTON, *op. c.*, 519, 7: ἐκ τῆς δι' ὑμνῳδίας προσόδου καὶ θρησκείας εὐσεβεῖν αὐτούς; *l.* 13: ὑπὲρ τοῦ ἰς [τὸν πάντα] αἰῶνα

en ce sens que saint Paul confessait au roi Agrippa: «J'ai vécu en pharisien selon la secte la plus stricte de notre religion, κατὰ τὴν ἀκριβεστάτην αἵρεσιν τῆς ἡμετέρας θρησκείας» (*Act.* XXVI, 5; cf. FL. JOSÈPHE, *Ant.* XII, 271; XIX, 284). L'accent porte sur la pratique des observances extérieures et sur la fidélité de la piété traditionnelle.

III. – Mais dans ce dernier texte, la *thrèskéia* s'entend proprement de la religion pure et simple, ou mieux de la liturgie et des rites par lesquels on adore Dieu, du culte qui l'honore [1]. C'est ainsi que l'on dira au VIe s. «juif de religion – 'Ιουδαίῳ τὴν θρησκείαν» (*P. Ant.* 42, 10 = *Corp. Pap. Jud.* 508) ou «Samaritain de religion, Σαμαρῖται τὴν θρησκίαν» (*P. Hermop.* 29, 7 = *Sammelbuch*, 9278, 7). Clément de Rome désigna la religion chrétienne: θρησκεία ἡμῶν (*Cor.* LXII, 1; cf. XLV, 7).

IV. – θρησκεία revêt enfin une nuance morale dans *Jac.* I, 26: «Si quelqu'un pense être religieux – εἴ τις δοκεῖ θρησκὸς εἶναι – et ne met pas un frein à sa langue... sa religion (ἡ θρησκεία) est sans valeur», ses observances sont vaines; *Jac.* I, 27: «Religion pure et sans tache devant le Dieu et Père – θρησκεία καθαρὰ καὶ ἀμίαντος – porter assistance aux orphelins et aux veuves» [2]. Le meilleur parallèle est sans doute celui du *Corp. Hermét.* XII, 23: «Adore ce Verbe, mon enfant, et rends-lui un culte (προσκύνει καὶ θρήσκευε). Or il n'y a qu'un moyen de rendre un culte à Dieu (θρησκεία μία), c'est de ne pas être mauvais» [3]. Philon avait souligné que le «culte authentique»

τὴν αὐτὴν διαμεῖναι τῆς ἀνθαιρέσεως τάξιν καὶ θρησκίαν καὶ εὐσέβιαν τῶν θεῶν (Stratonicée de Carie); *Suppl. Ep. Gr.* IV, 245, 4–5: θρησκεύεσθαι καὶ εὐσεβεῖν (Ier s. av. J.-C.); IV, 263, 8: décret pour un prêtre qui a montré ὅσου μὲν ποιεῖται πρὸς αὐτὸν εὐσέβειαν καὶ θρησκείαν (Ier s. ap. J.-C.); G. E. BEAN, T. B. MITFORD, *Journeys in Rough Cilicia*, Vienne, 1970, n. 12, 15: τὴν θρησκείαν δὲ τὴν πρὸς τὸν θεὸν εὐσεβῶς.

[1] Alors que Mattathias appelait à la guerre pour soutenir l'Alliance (διαθήκην) selon *I Mac.* II, 27, FL. JOSÈPHE transcrit «le culte de Dieu, τῆς τοῦ θεοῦ θρησκείας» (*Ant.* XII, 271; cf. 253). Moïse avait fait prêter serment de ne jamais «transgresser les lois» (*Ant.* IV, 309), FL. JOSÈPHE commente «violer son culte, θρησκεία» (IV, 312–313); cf. IX 99: ἀφιέναι τὴν θρησκείαν = cesser ou rejeter le culte; *Guerre*, VII, 45: «Ils attirèrent *à leur culte* un grand nombre de grecs, qui firent dès lors, en quelque façon, partie de leur communauté, προσαγόμενοι ταῖς θρησκείαις πολὺ πλῆθος Ἑλλήνων»; cf. *Ant.* IX, 273; XVII, 214; *Guerre*, V, 229. EUSÈBE, *Hist. eccl.* IV, 26, 7.

[2] Cf. C. SPICQ, *Agapè* I, Paris, 1958, pp. 199 sv.; D. J. ROBERTS, *The Definition of «Pure Religion»* in *James I, 27*, dans *The Expository Times* 83, 1972, p. 215. M. BLACK (*Critical and Exegetical Notes on Three New Testament Texts, Hebrews XI, 1; Jude, 5; James I, 27*, dans *Festschrift E. Haenchen*, Berlin, 1964, p. 45) attire l'attention sur l'intérêt de la variante de P⁷⁴: ὑπερασπίζειν (*l.* ἀσπίλου ἑαυτοῦ τηρεῖν): visiter les orphelins et protéger les veuves dans leur affliction de ce monde.

[3] On rapprochera cette épitaphe chrétienne des environs de Laodicée où l'*eusébéia* se définit par la charité envers les pauvres, les égards pour les amis, l'affection pour les

exige que l'on extirpe de son cœur l'ingratitude, l'amour de soi, la présomption (*Sacr. A. et C.* 58) et Fl. Josèphe notait qu'Isaac alliait à la pratique de toutes les vertus et à une obéissance filiale le zèle pour la *thrèskéia* de Dieu (*Ant.* I, 222).

En définissant la véritable religion, non par l'exacte exécution des rites, mais par l'accomplissement des devoirs moraux et d'abord par la dilection fraternelle [1], saint Jacques s'inscrit dans le mouvement religieux contemporain de spiritualisation du culte [2].

---

parents, l'hospitalité envers tous les hommes (F. CUMONT, *Studia Pontica*, III, 20, 10 sv.). Si Philon distinguait εὐσέβεια et θρησκεία (*Quod det. pot.* 21), Fl. JOSÈPHE rapporte qu'Antiochos Sidétès était appelé *Eusébès* en raison de son excessive *thrèskéia* (*Ant.* XIII, 244; cf. XX, 13). – Cf. P. HERRMANN, *Ergebnisse einer Reise in Nordostlydien*, Vienne, 1962, n. 25, 8: διὰ τὴν ἰς τοὺς θεοὺς θρησκείαν καὶ τὰς ἰς τὸν δοῦμον πολλὰς εὐεργεσίας.

[1] Cf. A. HAMMAN, *Prière et culte dans la lettre de saint Jacques*, dans *Ephemerides theol. Lovanienses*, 1958, pp. 35–47; O. J. F. SEITZ, *James and the Law*, dans F. L. CROSS, *Studia Evangelica*, Berlin, 1964, II, pp. 472–486.

[2] Cf. PHILON, *Spec. leg.* I, 277; FL. JOSÈPHE, *C. Ap.* II, 192: «C'est Dieu que tous... doivent servir en pratiquant la vertu (θεραπεύειν αὐτὸν ἀσκοῦντας ἀρετήν); car c'est la manière la plus sainte de servir Dieu (τρόπος γὰρ θεοῦ θεραπείας οὗτος ὁσιώτατος)»; MUSONIUS (édit. C. E. Lutz, pp. 49 sv. et passim) etc. Cf. H. WENSCHKEWITZ, *Die Spiritualisierung der Kultusbegriffe Tempel, Priester und Opfer im Neuen Testament*, dans *Angelos*, 1932, pp. 71–230.

ἰδιώτης

Les emplois très divers de ce terme sont tous homogènes.

I. – L'acception la plus répandue est celle de «particulier» (*Sammelbuch*, 8232, 18; 8299, 52; 8444, 27, 54), la personne privée, par opposition aux «officiels» (*ibid.* 3924, 9, 25), aux personnages investis d'une fonction publique, notamment au roi [1] et aux magistrats [2]. Il s'agit tantôt de simple citoyen (THUCYDIDE, I, 124, 1; INSTITUT F. COURBY, *Nouveau choix d'Inscriptions grecques*, Paris, 1971, n. 7, II, 6; *P. Fay.* 19, 12) tantôt du contribuable par rapport au percepteur de l'impôt (*P. Hib.* 198, 168, 170; *P. Ryl.* 111 *a* 17), tantôt de l'anonyme quelconque (*P. Tebt.* 812, 10: τὰ τῶν ἰδιωτῶν, les affaires des individus; *P. Ryl.* 572, 65, 73), mais aussi par extension

---

[1] Une glose des Septante sur *Prov.* VI, 8 *b:* «Rois et personnes privées (βασιλεῖς καὶ ἰδιῶται) font usage du miel pour leur santé»; *Ep. Aristée*, 288: «Qu'est-ce qui vaut le mieux pour les peuples: recevoir un roi sorti des rangs des simples particuliers ou un roi fils de roi?»; 289: «Certains hommes du commun... du jour qu'ils obtiennent autorité sur la foule, finissent par être plus malfaisants que les tyrans impies»; PHILON, *Decal.* 40: «Dieu voulait qu'aucun roi ne méprisât jamais le particulier obscur»; FL. JOSÈPHE, *Guerre*, I, 665: Hérode «de simple particulier, parvint à la couronne»; II, 178; *Suppl. Ep. Gr.* IX, 73, 10 (IIe-Ier s. av. J.-C.). Pour la morphologie et la sémantique, cf. G. REDARD, *Les Noms grecs en -ΤΗΣ, -ΤΙΣ*, Paris, 1949, pp. 6 sv., 28 sv., 224 sv. Très nombreuses références littéraires et épigraphiques dans H. SCHLIER, *in h. v.*, dans *TWNT*, III, pp. 215–217. Ajouter XÉNOPHON, *Helléniq.* IV, 10–33, distinguant les entrepreneurs privés (οἱ ἰδιῶται) et l'entreprise publique (τὸ δημόσιον); POLYBE, V, 35, 5: ses serviteurs personnels; *Sanhédrin*, X, 2; *B.G.U.* 123, 13; 137; 10; *P. Oxy.* 1101, 6; *P.S.I.* 236, 31; *P. Panop.* I, 194: «un notaire trouvé parmi les personnes privées»; *P. Fuad*, 59, 5; *P. Osl.* 16, 6; *P. Tebt.* 736, 30; 769, 19 (IIIe s. av. J.-C.); *P. Lugd. Bat.* XIII, 12, 6; P. M. MEYER, *Griechische Texte aus Ägypten*, n. 9, 10.

[2] PLATON, *Polit.* 259 *a, b;* HYPÉRIDE, *C. Démosthène*, 26; EPICTÈTE, III, 24, 99: ἄρχοντας ἢ ἰδιώτην; DIODORE DE SICILE, XIX, 3, 3: «Agathocle, tantôt comme simple soldat, tantôt comme officier (ποτὲ μὲν ἰδιώτης ὤν, ποτὲ δὲ ἐφ' ἡγεμονίας) se fit une réputation d'efficacité et d'habileté» (même sens POLYBE, V, 60, 3); XIX, 52, 4: Cassandre ordonna que l'éducation du fils de Roxane «ne fut plus celle d'un roi; mais celle de n'importe qui (ἀλλ' ἰδιώτου)»; XIX, 9, 1: Agathocle, déchargé de son fardeau, veut désormais vivre en simple particulier; PLUTARQUE, *Tib. Gracchus*, XI, 17; XII, 2; *Cicéron*, XXVI, 8: «demain tu ne seras plus qu'un homme quelconque»; DIODORE DE SICILE, XVII, 65, 4: simple soldat, comme POLYBE V, 60, 3. *Inscriptions de Lindos*, 419, 120; DITTENBERGER, *Syl.* 305, 71; *Or.* 383, 188 (Antiochus Ier de Commagène);

péjorative de l'homme du peuple, du vulgaire, de la dernière classe sociale [1], même un esclave (*Stud. Pal.* IV, 306, p. 68).

II. – L'*idiôtès* qualifie quiconque n'a pas de formation ou de spécialité, et s'oppose par conséquent aux experts et aux professionnels (cf. HYPÉRIDE, C. *Athénogène*, IX, 19: «en toute autre occasion, il n'a rien d'un novice»); par exemple le profane par rapport au médecin [2], le «simple soldat» par rapport à l'officier [3]; l'amateur vis-à-vis de l'homme du métier (XÉNOPHON, *Le Commandement de la cavalerie*, VIII, 1), le profane par rapport au philosophe [4], au poète (ALEXIS, *Frag.* 269, 1; cité par ATHÉNÉE, II, 28 c), à l'orateur [5] – c'est en ce sens que saint Paul se déclare ἰδιώτης ἐν λόγῳ [6] –;

---

ordre du dioecète d'Egypte du Ier avril 278 de «faire prendre des surveillants, choisis comme d'habitude pour veiller à ces travaux parmi les magistrats ou des particuliers» (*P. Oxy.* 1409, 14); J. POUILLOUX, *Choix d'Inscriptions grecques*, Paris, 1960, n. 13, 14. Les «particuliers», témoins des actes d'affranchissement, se distinguent des prêtres et des archontes, *C. I. Iud.* 709–711; P. FRISCH, *Die Inschriften von Ilion*, Bonn, 1975, n. 36, 14.

[1] LUCIEN, *Les philosophes à l'encan*, 11: «serais-tu un homme du commun, tanneur, marchand de salaison, charpentier ou changeur»; PHILON, *Somn.* II, 21: «lier les gerbes est un travail de manœuvres... moissonner une occupation de maîtres et d'agriculteurs compétents»; *Agr.* 4; H. ZILLIACUS, *Vierzehn Berliner griechische Papyri*, Helsingfors, 1941, n. I, 20 (IIe s. av. J.-C.), avec la correction de la *Berichtigungsliste*, Leiden, 1958, III, p. 30. Cf. l'*idiôtès* opposé au σεμνός, PLUTARQUE, *Amour fraternel*, 4.

[2] PLATON, *Théét.* 178 a; THUCYDIDE, II, 48, 3: «Je laisse à chacun, médecin ou profane (ἰατρὸς καὶ ἰδιώτης) le soin de dire son opinion sur la maladie»; PHILON, *Conf. ling.* 22: «Les médecins sont atteints en même temps que les *idiôtai* (ceux qui ignorent la médecine)».

[3] POLYBE, I, 69, 11; DITTENBERGER, *Or.* 609, 12; *P. Hib.* 30, 21; *P. Sorb.* 14 a 7; *P. Hamb.* 26, 10; 183, 3, 15; 189, 6, 11, 30; *P. Yale*, 27, 7. Cf. M. LAUNEY, *Recherches sur les Armées hellénistiques*, Paris, 1950, II, p. 1276 (*in h.v.*).

[4] PLATON, *Tim.* 20 a; EPICTÈTE, III, 19, 1; III, 7, 1: «Il est juste que nous, profanes, nous vous interrogions, vous les philosophes»; PHILON, *Omn. prob. lib.* 3; ATTICUS, *Fragm.* VII, 1: «Il est évident non seulement pour les philosophes, mais déjà peut-être pour tous les profanes, τοῖς ἰδιώταις ἅπασιν»; cf. *Fragm.* II, 9: «idées mesquines basses, vulgaires, celles qu'on attendait d'un ignorant inculte (ἰδιώτης καὶ ἀπαίδευτος), d'un adolescent et d'une femme».

[5] ISOCRATE, *Panég.* IV, 11: «des discours qui dépassent le niveau de la foule (ἰδιῶται = des non-spécialistes)»; HYPÉRIDE, *Pour Lycophron*, XVI, 20: «Moi votre concitoyen, moi qui me sens ici un profane et sans habitude de la parole»; *Pour Euxénippe*, XL, 30: «alors qu'il est un simple particulier, ta poursuite le met sur le pied d'un orateur»; EPICTÈTE, II, 12, 2: «Mets qui tu voudras d'entre nous en présence d'un profane comme interlocuteur»; II, 13, 3.

[6] *II Cor.* XI, 6. Son ignorance de l'art oratoire tient à ce qu'il ne se conforme pas aux règles de la rhétorique contemporaine; il est un «profane» pour le langage, opposé

le laïc par rapport au prêtre [1]; donc tout homme inexpérimenté ou qui ignore une technique par rapport au connaisseur et au spécialiste (EPICTÈTE, II, 12, 11; PLUTARQUE, *Le démon de Socrate*, 1), c'est-à-dire le «non-initié». Selon *I Cor.* XIV, 16, l'*idiôtès* ne comprend absolument rien à ce que dit le glossolale, il n'a aucune intelligence de cette langue [2] et ne peut répondre «oui» (*Amen* avec l'article), s'associer à une prière dont le sens lui échappe. C'est selon la même acception que les Sanhédrites se rendent compte que Pierre et Jean sont ἄνθρωποι ἀγράμματοί εἰσιν καὶ ἰδιῶται [3], c'est-à-dire des hommes du commun peuple, d'une classe sociale inférieure; donc sans culture; n'ayant pas de lettres et n'étant pas passés par les écoles.

III. – Finalement, toute personne qui n'appartient pas à un groupe déterminé, et en ignore l'esprit et les coutumes peut être qualifié d'*idiôtès*, étrangère par rapport aux ressortissants [4]. Si, par exemple à Corinthe, «il entre dans l'église (au milieu d'une réunion charismatique) des gens non-inités ou des incroyants, ne diront-ils pas que vous êtes fous?» (*I Cor.* XIV, 23).

aux professionnels; cf. FL. JOSÈPHE, *Ant.* II, 271, Moïse dit au Seigneur: ἰδιώτης ἀνὴρ καὶ μηδεμιᾶς ἰσχύος εὐπορῶν ἢ πείσω λόγους τοὺς οἰκείους ἀφέντας.

[1] PHILON, *Spec. leg.* III, 134: «une pureté limitée à l'absence de péchés volontaires n'est admise que pour les simples particuliers, en y ajoutant si l'on veut les prêtres ordinaires...; mais le grand prêtre...»; *Ebr.* 126: «tu ne saurais plus rester un simple particulier, et tu acquerras le commandement le plus élevé dans la hiérarchie, le sacerdoce»; DITTENBERGER, *Syl.* 736, 15–20; 1013, 6; *Or.* 90, 52; *P. Mert.* 26, 19. Mais ἰδιώτης dans les règlements cultuels est comme un terme technique désignant la personne, l'individu qui vient offrir un sacrifice: τὸν ἀναφερόμενον ὑπὸ τῶν ἰδιωτῶν (F. SOKOLOWSKI, *Lois sacrées de l'Asie Mineure*, Paris, 1955, n. 34, 26; cf. 24 A 27; IDEM, *Lois sacrées des Cités grecques*, Paris, 1969, n. 119, 6: ἐὰν δὲ ἰδιώτης θύη δίδοσθαι τῷ ἱερεῖ; 120, 5; 154 B 37: ἰδιῶται θύοντι θεοῖς ἢ θεαῖς; 164, 2), on lui prescrit quels vêtements il doit porter (n. 65, 17), la place qu'il tiendra dans la procession (92, 38), ses obligations pécuniaires (107, 3; 117, 5), ses droits (IDEM, *Supplément*, Paris, 1962, n. 38 A 28–29), l'interdiction de couper des arbres ou des branches (81, 3) etc. L'*idios* met l'accent sur ce qui est propre à un être, un nom particulier, une désignation spéciale etc., cf. GÉMINOS, *Introduction aux Phénomènes*, III, 2, 9, 14; XII, 23–24.

[2] Cf. le français «idiot» et la transcription rabbinique הדיוט = le laïc, spécialement ignorant par rapport au connaisseur de la Loi; cf. BILLERBECK, t. III, pp. 454 sv. Cf. ἰδιωτικός: un argument stupide (GÉMINOS, *Introduction aux Phénomènes*, XVII, 42).

[3] *Act.* IV, 13; cf. E. JACQUIER, *Les Actes des Apôtres*, Paris, 1926, *in h. l.*; M. WILCOX, *The Semitisms of Acts*, Oxford, 1965, p. 101. En latin, l'*idiota* = l'illettré est celui qui n'a pas de formation littéraire, qui ne possède pas une science ou une discipline. Dans la littérature patristique, les *idiotae* chrétiens, instruits par la révélation divine, deviennent plus sages que les philosophes et maîtres en science spirituelle, cf. G. OURY, *Idiota*, dans *Dictionnaire de Spiritualité*, VIII, col. 1242–1248.

[4] Cf. ARISTOPHANE, *Grenouilles*, 456–459; DITTENBERGER, *Syl.* 37, 3; 987, 28; *Or.* 483, 71.

ἱεροπρεπής

Apparemment ignoré des papyrus, cet *hapax* biblique qualifie la conduite des Crétoises âgées, selon *Tit.* II, 3: ἐν καταστήματι ἱεροπρεπεῖς. Dans les inscriptions, l'adjectif qualifie les processions et les fonctions religieuses [1], de sorte que le comportement des chrétiennes serait analogue à la dignité et à la réserve des prêtresses officiantes dans un temple [2], apte à susciter le respect, voire le vénération.

Mais l'extension du terme – de la langue cultuelle à la vie quotidienne au foyer domestique – semble venir de Philon, qui emploie très fréquemment ce vocable. Il le réserve d'abord à Dieu même, à ses mystères, à ses oracles, à ses commandements, aux prières qu'on lui adresse [3]; mais il l'applique

---

[1] *Inscriptions de Priène*, 109, 216: procession des Panathénées (IIᵉ s. av. J.-C.); DITTENBERGER, *Syl.* 708, 23: πομπαῖς ἱεροπρεπέσιν (av. 100 av. J.-C.). En 160/59, Euboulos de Marathon, «désigné par le sort pour la prêtrise de Dionysos, a accompli correctement et saintement (καλῶς καὶ ἱεροπρεπῶς)... toutes les processions et tous les sacrifices pour les Athéniens et les Romains» (F. DURRBACH, *Choix d'Inscriptions de Délos*, Paris, 1921, n. 79, 21); LE BAS-WADDINGTON, *Inscriptions grecques et latines*, 1143, 3: ἱεροπρεπῶς καὶ φιλοδόξως; *Inscriptions de Sardes*, n. 52, 4; 53, 6. Cf. XÉNOPHON, *Banquet*, VIII, 40: «Pendant leur fête, tu as l'air dans tes fonctions sacrées encore plus digne que tes ancêtres, tu l'emportes par ta belle prestance...»; DION CASSIUS, LVI, 46: «Un décret ordonna que les tribuns du peuple, dont la personne était sacro-sainte (ὡς καὶ ἱεροπρεπεῖς ὄντες), célébreraient les Augustales»; FL. JOSÈPHE, *Ant.* XI, 329: accueil religieux des prêtres et de la foule des citoyens; *C. Ap.* I, 140: la décoration des portes digne de leur sainteté; JAMBLIQUE, *Mystères d'Egypte*, III, 31: les opérations magiques.

[2] Cf. le portier de Ménandre (*Dyscol.* 496) qui veut se montrer bien stylé et varie ses salutations selon les visiteurs: «une femme entre deux âges, je l'appelle: prêtresse (*hieréia*)». Au concile de Laodicée *can.* 11, en 360, les πρεσβύτιδες semblent former une sorte d'ordre religieux, cf. H. GRÉGOIRE, *Recueil des Inscriptions grecques-chrétiennes d'Asie Mineure* [2], Amsterdam, 1968, n. 167.

[3] «Personne n'est assez pur pour célébrer les mystères sacrés et sacro-saints, ὡς ταῖς ἁγίαις καὶ ἱεροπρεπέσι χρῆσθαι τελεταῖς» (PHILON, *Somn.* I, 82; cf. *Quod Deus immut.* 102); les dix commandements sont dignes de la sainteté de Dieu (*Decal.* 175; cf. *Praem.* 101; *Lois allég.* III, 204; *Vit. Mos.* II, 25); l'image de Dieu dans l'âme est de toutes la plus sacrée (*Decal.* 60; *Spec. leg.* III, 83); «Dieu prête l'oreille aux prières faites très religieusement, ἱεροπρεστάτων εὐχῶν» (*Praem.* 84); *Plant.* 25: «épris des natures élevées, très saintes, bienheureuses»; 162: banquet sacré dans les sanctuaires; *Opif.* 99: le caractère sacré du nombre sept.

aussi à la vie morale: «l'offrande du jeûne et de la persévérance montera comme la plus sainte et la plus parfaite des offrandes» (*Migr. Abr.* 98). La sainteté (ὁσιότης) n'est pas seulement une consécration au service de Dieu, mais la sanctification de l'esprit (*Omn. prob. lib.* 75). La vertu (ἀρετή) qui a l'air de tenir le rang d'une femme, répand la bonne semence des principes utiles à la vie, de sorte que «l'art de penser reçoit les saintes et divines semences» (*Abr.* 101). Ceux qui consacrent à Dieu leur intelligence, leur langage, leurs sensations «les ont conservés comme des objets véritablement sacrés et saints, pour leur possesseur, ἱεροπρεπὲς καὶ ἅγιον ὄντως φυλάξαντες τῷ κτησαμένῳ» (*Quis rer. div.* 110). «L'esprit (ὁ νοῦς) prend pour épouse la Vertu, parce qu'il a compris que sa beauté est sans artifices, authentique et convient parfaitement à une personne sainte (ἱεροπρεπέστατον)» (*Sacr. A. et C.* 45).

La même acception se retrouve dans *IV Mac.* IX, 25, où le frère aîné des Macchabées est d'abord qualifié de «noble jeune homme, ὁ εὐγενὴς νεανίας» (*l.* 13), défenseur de la Loi de Dieu (*l.* 15), vrai fils d'Abraham et magnanime (*l.* 21), combattant le combat de l'*eusébéia* (*l.* 23), et finalement «le saint jeune homme rendit l'âme». Ὁ ἱεροπρεπὴς νεανίας résume toutes les qualités susdites; cf. XI, 20.

On comprendra donc que les chrétiennes, consacrées au Christ par le baptême et officiant en quelque sorte au foyer familial, exercent un office sacré, une liturgie qui se déploie en présence de Dieu; leur vie sainte se caractérise par une éminente dignité, un profond respect porté à tous, un sens très religieux de Dieu, «ut ipse quoque earum incessus et motus, vultus, sermo, silentium, quamdam decoris sacri praeferant dignitatem» (saint Jérôme).

καθηγητής

Au milieu des invectives qu'il lance contre les scribes et les pharisiens – docteurs attitrés du peuple juif; maîtres, pères ou directeurs au sens académique de ces termes –, le Christ, s'adressant aux seuls disciples, lance une triple injonction qui n'a aucun parallèle dans les autres évangiles: «⁸Vous autres, ne vous faites pas appeler 'Rabbi', car vous n'avez qu'un docteur (ὁ διδάσκαλος), étant vous tous des frères. ⁹ N'appelez personne sur la terre 'Père', car vous n'en avez qu'un le Père céleste. ¹⁰ Ne vous faites pas non plus appeler 'Directeur' (καθηγηταί), car vous n'avez qu'un Directeur, le Christ» [1].

Les trois désignations sont équivalentes et visent les *Maîtres-Enseignants* [2], même καθηγητής qui peut avoir le sens de «guide, conducteur» [3] et aurait

---

[1] *Mt.* xxiii, 8–10. Cf. E. Haenchen, *Matthäus XXIII*, dans *Zeitschrift für Theologie und Kirche*, 1951, pp. 38–63. La plupart des commentateurs éliminent le ẙ. 10 comme un doublet du ẙ. 8, et ne tiennent compte ni de la valeur pédagogique d'une triade ou d'une sentence ternaire dans le premier Evangile, ni des parallèles de *Gen.* xlv, 8; Joseph dit à ses frères: «L'Elohim m'a placé comme un *Père* pour Pharaon, et comme un *Seigneur* pour toute sa maison, comme *gouverneur* dans tout le pays d'Egypte», et de *Makkot* 24 *a*: «Quand le roi Josaphat apercevait un disciple des scribes, il se levait de son trône, l'embrassait, le baisait et lui disait: Mon Père, mon Père, mon Maître, mon Maître, mon Seigneur, mon Seigneur (*'abbî, 'abbî; rabbi, rabbi; mâri, mâri*)» (cité par Billerbeck, i, p. 919 et K. Kohler, *Abba, Father, Title of Spiritual Leader and Saint*, dans *Jewish Quarterly Review*, xiii, 1901, pp. 567–580). Seuls, P. Bonnard (*L'Evangile selon saint Matthieu*, Neuchâtel, 1963, pp. 336) et W. Trilling (*Amt und Amtsverständnis bei Matthäus*, dans *Mélanges bibliques... B. Rigaux*, Gembloux, 1970, pp. 30 sv.) admettent intégralement le texte.

[2] *Rabbi*, titre accordé à toutes les «autorités», évoque toute grandeur ou excellence: le prince dans un royaume, le chef d'une armée, l'aîné dans une famille, l'économe dans une maison, le directeur dans une administration. Ici, le maître dans une école ou le professeur de théologie (cf. Lohse, ῥαββί, dans *TWNT*, vi, pp. 962 sv.; H. Kosmala, «*In my Name*», dans *Annual of the Swedish Theological Institute*, v, 1967, pp. 87–109). – *Abba* se dit, outre du père proprement dit et du chef et seigneur (vizir), du Maître-Enseignant. C'était une désignation d'honneur des scribes et des professeurs célèbres: «de même que les disciples sont appelés fils, ainsi le maître est appelé père» (*Sifré Deut.* vi, 7; cf. *Sanhédr.* 19 *b*; *Pirkè Aboth*; *IV Mac.* vii, 9; Schrenk, πατήρ, dans *TWNT*, v, pp. 977 sv.). La version géorgienne reprend au ẙ. 10 le même «magister» qu'au ẙ. 8 (*Patr. or.* xxiv, 1, p. 127).

[3] Cf. la traduction de la Peshitta: *medhaberonê*; Fl. Josèphe, *Guerre*, iii, 497: Titus καθηγεῖται πρὸς τὴν λίμνην. Selon A. Schlatter (*Der Evangelist Matthäus*, Stuttgart, 1948, p. 670) le correspondant araméen de καθηγεῖσθαι employé par l'historien juif serait מַנְהִיג (*Tos. Jom.* ii, 15; *Tanch.* i, 151; vi, 12), qui se dit aussi des pasteurs

alors la valeur d'«éducateur, conseiller spirituel, directeur de conscience», mais est plus souvent attesté dans la littérature, les papyrus et l'épigraphie dans l'acception de «précepteur, maître, professeur appointé»: φιλοσοφία...παρ' 'Αριστοτέλους τοῦ καθηγητοῦ [1]; «Mnésarque eut des idées contraires à celles de son maître Philon – Φίλωνι τῷ καθηγητῇ» (NUMÉNIUS, *Fragm.* 28; édit. des Places, p. 80). Au Ier s., à Alexandrie, le jeune Théon signale la pénurie de professeurs (*P. Oxy.* 2190,7,15,24); au IIe–IIIe s., une mère, navrée d'apprendre que le précepteur de son fils Ptolémée est parti chercher une autre place, exhorte son enfant à joindre ses efforts à ceux de son pédagogue pour trouver un autre maître [2]. Celui-ci reçoit des honoraires en nature et en argent [3]. A Thèbes en Egypte, à l'époque d'Hadrien, Julia Pascléia est la femme du professeur Acharistos (DITTENBERGER, *Or.* 408). Hérode Atticus élève une statue à son maître Secundus (*S. E. G.* XXIII, n. 115; cf. 117, 6). Il est fréquent, en effet, que les disciples élèvent une

---

conduisant leurs brebis (*Gen. R.* XCI, 5). Selon PLUTARQUE, «le Dieu de Delphes ordonna à Thésée par un oracle de prendre Aphrodite pour Guide (καθηγεμόνα) et de la prier de l'accompagner dans son voyage» (*Thésée*, I, 8). Corinthe et Phocée envoyant des délégations consulter l'oracle du sanctuaire de Claros, au IIe-IIIe s., le chœur de neuf jeunes chanteurs est accompagné de dignitaires, parmi lesquels on mentionne un καθηγητής ou καθηγούμενος ou καθηγησάμενος τὸν ὕμνον, qui dirige les enfants et l'exécution de leurs chants (L. et J. ROBERT, *La Carie*, Paris, 1954, II, p. 215, n. 6 et 10; p. 216, n. 1, repris IDEM, dans J. DES GAGNIERS, *Laodicée du Lycos. Le Nymphée*, Québec-Paris, 1969, p. 301, cf. *R.E.G.* 1976, p. 543, n. 627). Cf. καθηγη[τής] ou καθηγήσ[ατο] = drogman (dans J. BAILLET, *Inscriptions grecques et latines... à Thèbes*, Le Caire, 1920, n. 745 bis); τῆς καθηγετίδος θεᾶς (*MAMA*, VIII, 419).

[1] PLUTARQUE, *De fort. Alex.* 327; *De adul. et am.* 70 e: ὁ ἡμέτερος καθηγητής 'Αμμώνιος; *Alexandre*, V, 7: Léonidas *tropheus et kathègètès* d'Alexandre; cf. DENYS D'HALICARNASSE: «Isée fut le maître de Démosthène» (*Is.* I, 1); Aristote dirigea l'éducation d'Alexandre» (*Ire Lettre à Ammaeus*, 5); «Aristote ne crut pas que tout fut parfait dans son maître Platon, τῷ καθηγητῇ Πλάτωνι» (*Thucyd.* 3); STRABON, XIV, 674. Dans PHILODÈME DE GADARA, καθηγητής désigne le chef d'école, l'instructeur, l'enseignant, *Περὶ ὀργῆς*, XIX, 14; *Περὶ παρρησίας*, LII, 6; LXXX, 2. RHETORICOS mentionnera les καθηγητὰς βασιλέων (dans *Catalogus Codicum astrologorum Graecorum*, VIII, 4, p. 157, 27) expliqué par FIRMICUS MATERNUS: «qui cum imperatoribus constituti docendi habeant aliquam potestatem» (*Mathes.* I, 160, 7; cf. 225, 22: magistros regum; I 263, 13–14; cf. F. CUMONT, *L'Egypte des Astrologues*, Bruxelles, 1937, p. 31, n. 1). Cf. l'énigmatique καθηγητῆρες εὐσεβῶν ἔργων du *Monument d'Agrios* IV, 10 (dans E. BERNAND, *Inscriptions métriques de l'Egypte gréco-romaine*, Paris, 1969, p. 444; cf. W. PEEK, *Griechische Vers-Inschriften aus Ägypten*, dans *Zeitschrift für Papyrologie und Epigraphik*, 1973, pp. 242 sv.).

[2] ὥστε οὖν, τέκνον, μελησάτω σοί τε καὶ τῷ παιδαγωγῷ σου καθήκοντι καθηγητῇ σε παραβάλλειν (*P. Oxy.* 930, 20; cf. 6 = U. WILCKEN, *Chrestomathie*, Berlin-Leipzig, 1912, n. 138).

[3] *P. Gies.* 80, 5 sv.; *P. Osl.* 156, 5–6; cf. *P. Tebt.* 591.

stèle funéraire ou composent une inscription en l'honneur de leur *kathè-gètès;* ainsi en Lycaonie ou en Galatie, Σιδηρίων καὶ Διαδούμενος Φωσφόρῳ τῷ ἑατῶν καθηγητῇ ἀνέστησαν (*MAMA*, vii,358); ou à Rome, Restituta à un ἰατρῷ Καίσαρος qui est πάτρωνι καὶ καθηγητῇ ἀγαθῷ καὶ ἀξίῳ [1].

Plusieurs équivalents hébreux ou araméens de καθηγητής dans *Mt.* xxiii, 10 sont possibles. Le meilleur semble être מוֹרֶה [2] qui désigne «celui qui instruit» (*Prov.* v,13; *Hab.* ii,18) et a une valeur messianique dans *Is.* xxx,20; *Joël,* ii,23. On évoquera donc le *Moréh hassédéq,* le Docteur de justice de la secte de la nouvelle Alliance, maître et chef de la communauté [3], *Enseignant* par antonomase [4], que Dieu a suscité «pour conduire (les enfants d'Israël) dans la voie selon son cœur» (*C. D.* i,11; *IV Qp. Ps.* xxxvii) et en a fait «un père pour les fils de la grâce» (*I QH,* vii,20), évangélisant les humbles (*ibid.* xviii,14).

A cette autorité doctrinale et religieuse, Jésus oppose le triple εἷς ἐστιν: Il n'y a qu'un seul et unique Docteur auquel on doive faire confiance, un seul guide sûr de la vie spirituelle [5]. La foi ne se fonde que sur Dieu.

---

[1] Cité par L. et J. ROBERT, dans *Bulletin Epigraphique,* dans *R.E.G.* 1958, p. 358, n. 552 (édité par L. MORETTI, *Inscriptiones Graecae Urbis Romae,* Rome, 1972, ii, n. 675, 707); autres mentions, *ibid.* 1938, p. 443, n. 225; 1950, p. 150, n. 77; 1962, p. 213, n. 352; 1967, p. 475, n. 187; *IG,* xiv, 1751. Cf. L. ROBERT, *Un citoyen de Téos à Bouthrôtos,* dans *Bulletin de l'Académie des Inscriptions et Belles Lettres,* Paris, 1974, pp. 526 sv.

[2] Il a été choisi par F. Delitzsch dans sa traduction hébraïque du N. T. Cf. A. H. M'NEILE, *The Gospel According to St. Matthew,* Londres, 1952; L. SAGGIN, *Magister vester unus est Christus (Mt. XXIII, 10),* dans *Verbum Domini,* 1952, pp. 211–213; P. GEOLTRAIN, *Une nouvelle attestation du titre «Maître de Justice»,* dans *Semitica,* xvi, 1966, pp. 69–72; D. HILL, *Greek Words and Hebrew Meanings,* Cambridge, 1967, pp. 110 sv. De nos jours, les juges des Tribunaux rabbiniques ont assez fréquemment sur leurs sceaux la mention: *Juge et professeur de droit* = צדק, דין ומורה, cf. J. SCHREI-DEN, *Les Enigmes des manuscrits de la Mer Morte,* Wetteren, 1961, pp. 8, 336.

[3] *C.D.* xx, 32–33; *IV Qp. Ps. XXXVII;* cf. F. F. BRUCE, *The Teacher of Righteousness in the Qumran Texts,* Londres, 1957; J. CARMIGNAC, *Le Docteur de Justice et Jésus-Christ,* Paris, 1957; I. RABINOWITZ, *The Guides of Righteousness,* dans *Vetus Testamentum,* 1958, pp. 391–404; A. S. VAN DER WOUDE, *Le Maître de Justice et les deux Messies de la Communauté de Qumran,* dans *Recherches Bibliques IV. La secte de Qumran,* Louvain, 1959, pp. 121–134; J. WEINGREEN, *The Title More Sedek,* dans *Journal of Semitic Studies,* vi, 1961, pp. 169 sv.; M. DELCOR, *Le Docteur de Justice, nouveau Moïse dans les Hymnes de Qumran,* dans R. DE LANGHE, *Le Psautier,* Louvain, 1962, pp. 407–423.

[4] *C.D.* xx, 1, 14, 28; *Hymn.* ii, 13, 17–18; iv; 27; vii, 26; *I Qp. Hab. II,* 2, 8–9; vii, 4–5; *I Qp. Mich.* i, 6–8.

[5] Cf. *Jo.* xiv, 6; *I Jo.* ii, 27. C. SPICQ, *Une allusion au Docteur de Justice dans Matthieu, XXIII, 10?,* dans *R.B.* 1959, pp. 387–396.

κακοήθεια

Cette disposition perverse du cœur est mentionnée dans trois catalogues de vices. Philon: «Tu vois tout ce que produit la liqueur forte de la folie: l'amertume, la *malignité*, l'irascibilité, l'extrême fureur, la sauvagerie, la morsure, le désir de nuire» (*Somn.* II,192); Apollonius de Tyane signalant la cause de l'éloignement d'un ami: φθόνου, κακοηθείας, μίσους, διαβολῆς, ἔχθρας [1]; saint Paul (*Rom.* I,29) insérant la κακοήθεια entre la fourberie (δόλος) et les semeurs de faux bruits (ψιθυρίστας). M. J. Lagrange commente exactement: «de même que l'envie ou la jalousie, la κακοήθεια prend tout en mauvaise part: ἔστι γὰρ κακοήθεια τὸ ἐπὶ τὸ χεῖρον ὑπολαμβάνειν πάντα (ARISTOTE, *Rhét.* II,13; 1389 *b* 20 sv.). Aristote en a donc fait un vice spécial, mais le vulgaire l'entendait plus largement: κακοήθεια μέν ἐστι κακία κεκρυμμένη, κακοτροπία δὲ ποικίλη καὶ παντοδαπὴ πανουργία (AMMONIUS, p. 80 dans le *Thesaurus*), donc une disposition générale à faire du mal» (*in h.* ℣.), par ex. Xénophon: «Les uns sont capables de mépriser la malignité et la cupidité, les autres point» (*L'art de la chasse*, XIII,16).

On peut donc traduire *kakoèthéia* selon les contextes soit par «malignité» soit par «méchanceté», voire «mauvaises mœurs» [2]; mais la nuance de mensonge, intrigue, fourberie est de loin la plus accusée. De même que saint Paul associait δόλος-κακοήθεια, le *P. Grenf.* I,60,13: ἄνευ παντὸς δόλου καὶ φόβου καὶ βίας καὶ ἀπάτης καὶ ἀνάγκης καὶ οἱ ἀσδήποτε κακονοίας καὶ κακοηθείας καὶ παντὸς ἐλαττώματος; cf. *Esth.* VIII,12 *f*: «Ces amis ayant trompé par les raisonnements captieux de la malignité la candide générosité des souverains». Selon Fl. Josèphe, le serpent menteur persuade malicieusement la femme de goûter à l'arbre de la sagesse (*Ant.* I,42) et sera privé de voix en raison de sa malignité à l'égard d'Adam (I,50). La malignité de Salomé et de Phéroras abuse les jeunes gens (XVI,68; cf. les ψιθυρισταί de *Rom.* I, 29). Les ennemis des Juifs les calomnient «par envie et par malveillance, διὰ φθόνων καὶ κακοήθειαν» (*C. Ap.* I,222; cf. PLUTARQUE, *Praecepta ger. reipubl.*

---

[1] *Ep.* 43; cf. G. PETZKE, *Die Traditionen über Apollonius von Tyana und das Neue Testament*, Leiden, 1970, p. 226.

[2] Cf. *P. Gies.* 40, col. II, 11: ἵνα μὴ παρ' αὐτοῖς ἢ δειλίας αἰτία ἢ παρὰ τοῖς κακόηθεσιν ἐπηρείας ἀφορμὴ ὑπολειφθῇ (215 ap. J.-C.). Hésychius définit ἐγκιλικίζεται · κακοηθεύεται, κακοποιεῖ.

12,807 *a*; 32,825 *e*; *Cicéron*, v, 6). En donnant de petits cadeaux à ceux qui possèdent de grandes richesses, «on s'attire une réputation de mauvaise foi et de bassesse, κακοηθείας καὶ ἀνελευθερίας προσλαμβάνει δόξαν» (PLUTARQUE, *Sur l'E de Delphes*, 1). Une lettre du 16 mai 243 av. J.-C. reproche à son destinataire d'avoir agi comme une canaille (*P. Zén. Col.* 88,16; cf. MÉNANDRE, *Epitr.* 334).

Il s'agit donc d'intention perverse, d'une malice innée (τῇ συμφύτῳ κακοηθείᾳ *III Mac.* iii,22; cf. vii,3), d'inclination au mal (ἡ κακοήθης διάθεσις, *IV Mac.* i,25) qu'on ne peut extirper, mais dont l'intelligence tempérante peut neutraliser les effets (*IV Mac.* ii,16; iii,4).

κακοπαθέω, κακοπάθεια

Fréquents à l'époque hellénistique, ces termes expriment l'idée de malheur et de peine, avec des nuances assez variables: «Et vous dites: Ah! quelle fatigue (תְּלָאָה)!» (*Mal.* 1,13); la rédaction d'un ouvrage est un «pénible labeur» (*II Mac.* 11, 26–27); on voit la force des liens de famille «à ce que nous *souffrons des malheurs* des nôtres comme eux-mêmes» (*Ep. Arist.* 241); «Tu te tracasses en vain» (MÉNANDRE, *Dyscol.* 348); «Pourquoi tiens-tu si fort à te maltraiter!» (*ibid.* 371); «A quelle extrémité en es-tu réduit!» (PHILON, *Somn.* 11,181, τί κακοπαθεῖς); «l'âme souffre par le fait d'être logée par la nature dans le corps» (FL. JOSÈPHE, *C. Ap.* 11,203); «beaucoup étaient dans la détresse» (*Ant.* XII,336). Au IIᵉ s. avant notre ère, une femme juive, ayant été attaquée par une autre femme, a beaucoup souffert des coups violents qu'elle a reçus et de sa chute, ὑπὸ τῶν πληγῶν καὶ τοῦ πτώματος δεινῶς κακοπαθεῖν, et elle risque d'avorter, παιδίον ἔκτρωμα γίνεσθαι [1]. C'est en ce sens d'endurer des épreuves pénibles (*Jac.* v,13) et des tourments (*II Tim.* 11,9; IV,5) que κακοπαθέω est employé dans le N. T.

La signification de l'*hapax* néo-testamentaire dans *Jac.* v,10 pose un problème: les chrétiens sont exhortés à prendre l'ὑπόδειγμα τῆς κακοπαθείας καὶ τῆς μακροθυμίας des prophètes qui ont parlé au nom du Seigneur. κακοπάθεια est-il subjectif ou objectif? Faut-il traduire: «Prenez comme modèle la souffrance et la patience des prophètes», ou «l'endurance des souffrances et la patience des prophètes» [2]? La vérité est que les deux acceptions sont attestées dans la littérature, l'épigraphie et les papyrus. «Tout ce qu'il faut de temps et de grandes souffrances (κακοπαθείαις μεγίσταις) pour l'accroissement aussi bien que pour la génération de la race humaine» (*Ep. Aristée*, 208); «La plupart des gens endurent beaucoup de souffrances,

---

[1] *P. Tebt.* 800, 27 (= *C. Pap. Jud.* 133); cf. *P. Zén. Cair.* 59093, 17 = *Sammelbuch*, 6720: γίνωσκε δὲ καὶ ἡμᾶς πολλὰ κακοπαθήσαντας καὶ μόγις καταχωρισθέντας; un horoscope du Iᵉʳ-IIᵉ s., κακοπαθήσεται καὶ ξενιτεύει (*P. Lond.* 98 recto 73; t. I, p. 130); au IVᵉ s., ἐὰν ἄλληται (μηρὸς εὐώνυμος), σκυλμοὺς καὶ πόνους δηλοῖ καταπαθήσαντα δὲ εὐφρανθῆναι (*P. Ryl.* 28, 84).

[2] Cf. A. DEISSMANN, *Bible Studies*², Edimbourg, 1909, p. 263. G. BJÖRCK (*Quelques cas de ἓν διὰ δυοῖν dans le N. T. et ailleurs*, dans *Coniectanea Neotestamentica* IV, 1940, p. 3) considère μακροθυμίας comme hendiadys au génitif et adopte la traduction d'Osterwald: «Tenez pour exemple de patience *dans* les afflictions les prophètes».

καρτεροῦσι πολλὴν κακοπάθειαν» (ARISTOTE, *Polit.* III,6,15; 1278 *b*); «Ils occupèrent une forte position... pour se reposer de leurs récentes fatigues, ἐκ τῆς προγεγενημένης κακοπαθείας» (POLYBE, III, 42,9; cf. 72,5); mais Aratos était «habile à monter des coups de main, grâce à son audace et à son endurance, διὰ τῆς αὐτοῦ κακοπαθείας» (IV,8,3); Numa «se perfectionna encore, grâce à l'exercice et à la pratique de l'endurance et de la philosophie» (PLUTARQUE, *Numa*, III,7). Dans la liste des vertus de Moïse, Philon insère, « l'endurance des souffrances» entre «les efforts pénibles» et le «mépris des plaisirs» (*Vit. Mos.* I,154; cf. *Spec. leg.* II,60; *Cherub.* 88). «Par l'endurance de ces tourments et par notre patience – διὰ τῆσδε τῆς κακοπαθείας καὶ ὑπομονῆς – nous remporterons le fruit des vertueux combats» [1].

Le terme s'emploie d'abord et avant tout des dangers et des fatigues de la guerre: «Vous ne devez vous reprocher ni vos revers ni vos souffrances» (THUCYDIDE, VII,77,1); «Les Romains supportaient des fatigues épuisantes» (FL. JOSÈPHE, *Guerre*, I,148); «la patience des Juifs et leur constance au milieu de l'adversité» (VI,37; cf. *C. Ap.* I,135; *Ant.* I,185; VI,172); «assumant tous les dangers et toutes les fatigues»[2]; les soldats sont épuisés par les épreuves endurées (DIODORE DE SICILE, XVII,12,2; cf. 10,5; 37,2). Semblablement de la peine des agriculteurs: «Tu plantes une vigne au prix de labeurs incessants comme doivent s'en imposer les travailleurs de la terre»[3], puis les portefaix qui peinent physiquement «à la manière d'une

---

[1] *IV Mac.* IX, 8. Cf. *Inscriptions de Pergame*, 252, 17: τῶν τε ἐκκομιδῶν ἐπιμελείᾳ καὶ κακοπαθίᾳ διειπὼν τὰ δέοντα πᾶσαν ἐπιστροφὴν ἐποήσατο (IIᵉ s. av. J.-C.); DITTEN-BERGER, *Or.* 244, 12: τὴν περὶ τὸ σῶμα γεγενημένην ἀσθένειαν διὰ τὰς συνεχεῖς κακοπαθίας; 339, 23; les médecins endurent fatigues et peines au service des malades: διὰ τὰς κακοπαθίας τὰς γενομένας περὶ αὐτούς (IDEM, *Syl.* 943, 9); *B.G.U.* 1209, 7: οὐδὲν σπουδῆς οὐδὲ κακοπαθίας παρέλιπον (23 av. J.-C.; 1822, 15; 1836, 11; 50 av. J.-C., très mutilé). – Par contre, la signification de souffrance est celle de ἐν ἀνάγκαις καὶ κακοπαθίαις γένηται (DITTENBERGER, *Syl.* 521, 24); πᾶσαν ἀναδεχόμενοι κακοπαθίαν (685, 30; de 139 ap. J.-C.); ψυχικὴν ἅμα καὶ σωματικὴν ὑπέμειναν κακοπαθίαν (656, 20; décret d'Abdère de 166 av. J.-C., réédité par L. ROBERT, *Opera minora selecta*, Amsterdam, 1969, I, pp. 321 sv.; P. HERRMANN, *Zum Beschluß von Abdera aus Teos*, dans *ZPE*, VII, 1971, pp. 72–77). Cf. MICHAELIS, *in h. v.*, dans *TWNT*, V, 936 sv.

[2] J. POUILLOUX, *Choix d'Inscriptions grecques*, Paris, 1960, n. IV, 11 et 23: πάντα κίνδυνον καὶ πᾶσαν κακοπαθίαν ὑπομίνας (l'association de ces deux termes est constante, cf. DITTENBERGER, *Syl.* 547, 9; 613, 32; 700, 28); DIODORE DE SICILE, XIX, 80, 2: «sous l'excès de la fatigue (διὰ τὴν ὑπερβολὴν τῆς κακοπαθείας), aucun des valets d'armée ni des palefreniers ne put suivre le train»; 109, 5: «altérés par la chaleur et la fatigue de la fuite»; PLUTARQUE, *C. Gracchus*, II, 3: «les soldats continuèrent à souffrir (κακο-παθούντων)»; cf. L. ROBERT, *Noms indigènes dans l'Asie Mineure gréco-romaine*, Paris, 1963, pp. 458, 488; IDEM, *Bulletin Epigraphique*, dans *R.E.G.* 1950, p. 196, n. 183.

[3] PHILON, *Praem.* 128; *Jon.* IV, 10: «Tu t'es apitoyé sur le ricin pour lequel tu n'as point peiné (עמל)»; la plupart des emplois de κακοπάθεια dans les papyrus sont ceux

bête de somme» (Philon, *Virt*. 88), «tous ceux qui gagnent leur vie par quelque métier, jamais et en aucun lieu ne cessent de souffrir» (*Sacr. A. et C*. 38; cf. *Inscriptions de Magnésie*, 65 a 26: κακοπαθίαν ἔργοντες; *b*, 14); et c'est pourquoi le mot est si souvent associé à δαπάνη [1]. Il fera partie, bien entendu, du vocabulaire sportif [2]; et finalement sera significatif d'effort coûteux, d'où l'adjectif correspondant au sens de «laborieux, persévérant» comme dans cette épitaphe: Λέων ᾽Ανδροσθένους κακόπαθε χρηστέ χαῖρε [3].

Puis donc que la *kakopathéia* s'entend des dangers, des peines, des fatigues de fonctionnaires dans l'exercice de leur charge, de travailleurs dans leur métier, de l'homme au cours de sa vie, on pourra entendre *II Tim*. ii,9; iv,5 du pénible labeur apostolique qui ne se laisse rebuter par aucune difficulté ou souffrance.

---

de cultivateurs, *P. Zén. Cair*. 59474, 13; *P. Tebt*. 787, 16: πᾶσαν κακοπαθίαν ἀνεχόμενοι (138 av. J.-C.); 955; *Inscriptions de Magnésie*, 105, 3: πᾶσαν ἀναδεχόμενοι κακοπαθίαν (réédité Dittenberger, *Syl*. 685, 30).

[1] *Tableau de Cébès*, 8: κακοπαθῶν καὶ δαπανῶν (opposé à ἡδυπάθεια); Ch. Michel, *Recueil d'Inscriptions grecques*, n. 546, 11: ὑποστησάμενος δαπάνας καὶ κακοπαθίας (Ier s. av. J.-C.); *P. Osl*. 26, 13: μετὰ πλείστης δαπάνης καὶ κακοπαθίας (5 ou 4 av. J.-C.). En 159 ou 158 av. J.-C., un Juif a cultivé sa terre au prix de grandes peines et dépenses, μετὰ πολλῆς κακοπαθίας καὶ δαπάνης (*P. Ryl*. 578, 7; réédité *C. P. Jud*. 43; H. C. Youtie, *Scriptiunculae*, Amsterdam, 1973, pp. 100 sv.); *B.G.U*. 1209, 7; *P. Strasb*. 601, 16.

[2] «Athlète de l'infortune, je le suis! Le hasard m'a exercé à travers beaucoup de difficultés» (Philon, *De Josepho*, 26); «Notre Père... comme un athlète, a passé toute sa vie dans la peine et les maux les plus insupportables» (*ib*. 223); cf. Musonius: πόσα δ' αὖ κακοπαθοῦσιν ἔνιοι θηρώμενοι δόξαν (dans Stobée iii, *Ecl*. xxix, 75, 17; édit. C. E. Lutz, p. 56).

[3] J. et L. Robert, *Bulletin Epigraphique*, dans *R.E.G*. 1955, p. 232, n. 134. Philon définit le repos: «une activité sans fatigue, ἄνευ κακοπαθείας» (*Cher*. 87).

κακοῦργος

Le mot n'offre aucune difficulté, et n'est attesté que deux fois dans le N. T.,
à propos des deux *malfaiteurs* conduits avec Jésus au Calvaire «pour être
exécutés» [1] et de saint Paul prisonnier, endurant souffrances et humilia-
tions «jusqu'aux chaînes, comme un malfaiteur» (*II Tim.* II,9; cf. *Evang.
de Pierre*, 26). Mais il est intéressant de savoir de quelle sorte de délinquant
ou de criminel il s'agit.

Esth. VIII,12 *q* emploie le mot dans sa signification la plus générale et
péjorative: les Juifs, livrés à l'anéantissement par Amon «ne sont pas des
malfaiteurs (= des coupables), mais se gouvernent selon les lois très justes».
Sir. XI,33 fait un jeu de mots facile: «Prends garde au faiseur de mal (ἀπὸ
κακούργου), car il engendre le mal», mais il conclut ainsi un avertissement
contre les ruses de l'intrigant, le cœur de l'orgueilleux, le calomniateur,
le pécheur (𝕧 𝕧. 29–32). Dans *Prov.* XXI,15 le *kakourgos* correspond au
«fauteur d'iniquité, אָוֶן פֹּעֵל» et s'oppose au juste qui pratique l'équité.

Il peut s'agir de simple vaurien (MÉNANDRE, *Dyscol.* 258) ou de scélérat
(PHILON, *Quis rer. div.* 109) – dont *B. G. U.* 1854,19 mentionne l'impiété
et *Sammelbuch*, 9691,12 = *Arch. Abin.* 54,12: l'*anomia* –, de criminel (*P.
Oxy.* 1468,4), le plus souvent de voleur ou de brigand (λῃστής, *Mt.* XXVII,
38 = *Mc.* XV,27; HÉRODIEN, *Hist.* I,10,2), opérant en bandes (κολλήγιον
κακούργων, *P. Gron. Amst.* I,4) et se livrant au pillage (*P. Ant.* 97,9; *P.
Hib.* 62,3; de 245 av. J.-C.) sans reculer devant la violence (PHILON, *Spec.
leg.* I,75). C'est ainsi qu'en 171 de notre ère, deux marchands de porcs
d'Arsinoë ont été assaillis sur la route par des brigands qui les ont roués

---

[1] *Lc.* XXIII, 32: ἤγοντο δὲ καὶ ἕτεροι κακοῦργοι δύο (cf. *Evangile de Pierre*, 10, 13).
Cet emploi de ἕτεροι est une syllepse, comme τοῖς ἄλλοις ἰδιώταις: «qu'il soit permis
à tous les autres particuliers de célébrer la fête» dans l'*Inscription de Rosette* (DITTEN-
BERGER, *Or.* 90, 52); l'adjectif ἄλλοις ne suppose pas que ceux qui précèdent étaient
aussi des ἰδιῶται; de surcroît ἕτερος, plus fort que ἄλλος, peut avoir le sens de «contraire, opposé, hostile» (*Deut.* IV, 28; V, 7; *Rom.* VII, 23) et il désigne ici la dissimilitude
(*Lc.* IX, 29; *Hébr.* VII, 11). Plus précisément l'usage fréquent de la formule montre
qu'il faut la traduire: «et de plus, en outre», comme l'a montré J. VERGOTE, *L'expression καὶ οἱ ἄλλοι = et aussi*, dans *Scrinium Lovaniense. Mélanges historiques. Et. van
Cauwenberg*, Louvain, 1961, pp. 62–68.

de coups, emporté la tunique de l'un d'eux et volé un cochon [1]. Ces bandits anonymes ne peuvent être identifiés par leur victime: ἐπῆλθάν τινες κακουργοί, οὖσπερ ἀγνοῶ (*P. Lund,* IV,13,10; réédité *Sammelbuch,* 9349; *P. Flor.* IX,12; *P. Hermop.* 52,7), ils opèrent la nuit (*P. Med.* 45,6; réédité *Sammelbuch,* 9515; *P. Lond.* 245,9 = t. II, p. 272), font irruption dans un village (*P. Bon.* 22 a 9), dans une maison (*P. Michig.* 425,16; *P. Gen.* 47,6,13) ou dans un domaine agricole (*P. Lugd. Bat.* XIII,8,7), enlèvent ou tuent des brebis (*P. Lond.* 403,8; t. II, p. 276 = *Arch. Abin.* 49; *P. Lond.* 242,6; t. II, p. 275), et n'hésitent pas à se faire incendiaires; ils brûlent la récolte de grains et de foin (*P. Isidor.* 65,4; 66,8; 67,11; cf. *Ev. de Pierre,* 26). Pour Palladas, le *kakourgos* est un meurtrier (ἀνδροφόνος) destiné à être crucifié [2].

L'autorité publique doit prendre des mesures de sécurité contre ces malfaiteurs, les brigands, les déserteurs et autres délinquants [3], telle l'ordonnance de Ptolémée Evergète prescrivant l'arrestation des ληισταὶ καὶ οἱ λοιποὶ κακοῦργοι (*P. Hib.* 198,93,98; *B. G. U.* 1764,20). Les deux textes

---

[1] *P. Fay.* 108, 11; *Sammelbuch,* 9238, 8 (IIᵉ-IIIᵉ s.); *P. Gen.* 47, 6-7 (= *Arch. Abin.* 47); *P. Oxy.* 1408, 19 (IIIᵉ s.), *B.G.U.* 1847, 15. Tandis que le verbe κακουργέω a le sens de «maltraiter, nuire» (*Ep. Arist.* 271; FL. JOSÈPHE, *Ant.* II, 101; *P. Michig.* 657, 14) et agir avec perfidie (IDEM, *Guerre,* II, 277), le substantif κακουργία met surtout l'accent sur la perfidie et la fraude, *II Mac.* III, 32; XIV, 22; *P. Oxy.* 71, col. I, 10; 1469, 18; *P. Lond.* 948, 8 (t. III, p. 220); FL. JOSÈPHE, *Ant.* XVIII, 96; il désigne aussi la détérioration que peut subir une marchandise lors d'un transport maritime, ἀπὸ πάσης ναυτικῆς κακουργίας (C. BALCONI, *Ricevuta di un Naukleros,* dans *Aegyptus,* 1974, p. 32).

[2] *Anth. Palat.* IX, 378. Nombreux sont les textes qui associent malfaiteur-criminel et la crucifixion: les Gaulois «gardent les malfaiteurs en prison pendant cinq années et les attachent ensuite, en l'honneur de la divinité, à des croix élevées sur un vaste bûcher où ils les immolent en sacrifice» (DIODORE DE SICILE, V, 32, 6). «Dans les supplices corporels, chacun des malfaiteurs porte avec soi sa propre croix» (PLUTARQUE, *Délais de la justice divine,* 9); «Si le songeur est un malfaiteur, cela signifie porter la croix» (ARTÉMIDORE, *Oneir.* II, 56); «pour les malfaiteurs c'est mauvais; car cela amène un châtiment pour les criminels, et souvent même par la croix» (*ibid.* II, 68).

[3] *P. Leipz.* 37, 8. A Athènes, une loi punissait de prison les voleurs de vêtement et d'homme. Cf. ANTIPHON: «D'abord, arrêté comme malfaiteur à la suite d'une requête, c'est d'une accusation de meurtre que j'ai maintenant à répondre... Et certes, que je ne rentre pas dans la catégorie des malfaiteurs, que je ne tombe pas sous le coup de la loi sur les malfaiteurs (οὐδ' ἔνοχος τῷ τῶν κακούργων νόμῳ), mes accusateurs eux-mêmes en témoignent; car la loi a été faite pour les voleurs et détrousseurs» (v. *Sur le meurtre d'Hérode,* 9). Si les voleurs sont le plus souvent mentionnés en Egypte (*B.G.U.* 325, 3; 372, col. II, 11, 22; 935, 4; *P. Lond.* 408, 5; t. II, p. 280; *Arch. Abin.* 55, 5: ὑπὸ τῶν κακουργῶν ἀναιλούμεθα), bien d'autres malfaiteurs furent ensuite insérés dans la catégorie des *kakourgoi.*

évangéliques relatifs à ces bandits soulignent leur châtiment. *Sir.* XXXIII,27 énonçait qu'à l'οἰκέτῃ κακούργῳ (cf. *P. Tebt.* 904,12: σώματα κακούργα, de 115 av. J.-C.) conviennent la torture et la question; Cyrus faisait couper les pieds et les mains et crever les yeux aux κακούργους καὶ ἀδίκους (XÉNO-PHON, *Anab.* I,9,13). Thucydide I,134,4 mentionne «Le Céadas où l'on jette les *kakourgoi*»; Philon «les fouets habituellement réservés à la dégradation des pires malfaiteurs, κακούργων πονηροτάτους» (*In Flac.* 75); Plutarque, les mines où le travail est effectué par des *kakourgoi* et des esclaves barbares (*Crassus*, XXXIV,1). L'incarcération est la peine la plus constante, au moins provisoirement. Penteptrès condamne Joseph comme un vaurien et l'envoie à la prison des malfaiteurs, εἰς τὴν κακούργων εἱρκτὴν ἐνέβαλεν (FL. JOSÈPHE, *Ant.* II,59). Le recouvrement des dettes devant se faire en principe sur les biens des débiteurs et non par exécution sur leur personne, Tib. Jul. Alexander ordonne «qu'en aucun cas des hommes libres ne soient enfermés dans quelque prison que ce soit, à moins qu'il ne s'agisse de malfaiteurs» (*Sammelbuch*, 8444,17 = DITTENBERGER, *Or.* 669). Un plaignant du IIIᵉ s., qui se prétend innocent, a d'abord été conduit à la prison du village, puis «transféré à la prison de Crocodilopolis (la métropole), (le policier) prétendant que je suis un malfaiteur, φάσκων εἶναί με κακουργόν» (*P. Lille*, 7,20; cf. 28,3). En 6 av. J.-C., ordre est donné au chef de police de Perséa de transférer deux malfaiteurs qui ont été arrêtés, οὓς συνέψηκας κακούργους δύο [1].

---

[1] G. GERACI, *Ordine di Trasferimento di duo arrestati*, dans *Aegyptus*, 1974, pp. 5–8.

κάμνω

Intransitif, ce verbe très employé par Homère, a le sens de «travailler, faire effort, prendre de la peine», acception attestée jusqu'au VIIIe siècle dans les papyrus ¹. De là, «se lasser, se fatiguer, se donner du mal». C'est ainsi qu'*Hébr.* xii,3 exhorte: «afin que vous ne vous lassiez pas, par relâchement de vos âmes, ἵνα μὴ κάμητε ταῖς ψυχαῖς ὑμῶν ἐκλυόμενοι» ², dont on

---

¹ Fl. Josèphe, *Vie*, 209: «Μὴ κάμνε δή – ne te mets donc pas en peine». Au IIe s. ap. J.-C.: «Tothès trouvera sans peine le chemin pour me trouver, Τοθῆς μὴ κάμῃ εὕρας τὴν ὁδὸν ἐμέ» (*UPZ*, 78, 10); «J'ai fait depuis longtemps beaucoup d'efforts pour Heraïskos, πολλὰ ἔκαμνον προσκαρτερῶν» (aoriste second, *P. Ross.-Georg.* ii, 31, 11). Au IIIe s., pétition à l'Empereur: σωτήρων δὲ ἐμοῦ ἀνδρὸς μετρίου πολλὰ καμόντος (*P.S.I.* 1422, 10); ἐγὼ γὰρ πολλὰ καμών (*Sammelbuch*, 9468, 9); κέκμηκα μετ' αὐτοῦ (*Berl. Zilliacus*, 11, 11); faire de grands efforts (*P. Oxy.* 2274, 6; 2596, 17); les labeurs d'une iturgie (*P. Flor.* 382, 29). Les sénateurs demandent au Prytane: «Travaille encore pour nous, travaille d'une manière digne du passé, κάμε ἄξια τοῦ ἐπάνω χρόνου» (*P. Oxy.* 1414, 27). Au IVe s., lettre à l'Abbé Jean: «Saluez de ma part tous les frères qui travaillent avec vous» (*P. Hermop.* 8, 21; réédité par M. Naldini, *Il Cristianesimo in Egitto*, Florence, 1968, p. 328). Au VIe s., à l'entrée de la synagogue de Beth-Alpha «Qu'on se souvienne des artisans qui ont exécuté cette œuvre, Μνιστοῦσιν ὁ τεχνῖτε ὁ κάμνοντες τὸ ἔργον τοῦτω» (*C.I.Iud.* 1166; cf. une épigramme d'Ephèse dans L. Robert, *Hellenica* iv, Paris, 1948, p. 73; réédité par B. Lifshitz, *Donateurs et Fondateurs dans les Synagogues juives*, Paris, 1967, p. 67); une veuve veut faire adopter sa fille par de nouveaux parents, car elle est seule, obligée de travailler et de fournir de durs efforts, κάμνουσα καὶ δυστηχοῦσα (*P. Oxy.* 1895, 6); au VIIe s., un cheval est absolument incapable de travailler, οὐ δύνατε ὅλως καμῖν (*P. Oxy.* 1862, 19). Entre 703 et 715: «Etant donné que les calfats qui travaillent aux carabis (arsenaux) de Babylone ont pris la fuite, οἱ καλαφάται οἱ κάμνοντες εἰς τοὺς καράβους» (*P. Apol. Anô*, 9, 6; repris de *P.S.I.* 1266, 5); «Il faut que vous travailliez au curage (du canal) ou au creusement de ce qui reste à faire du nouvel ouvrage» (*ibid.* 27, 7; cf. 12, 6; 69, 9); un compte de dépenses: subvention à des personnes qui travaillent (aux mines?) de Maximianopolis, τοῖς καμοῦσι ἐν Μαξιμιανοπόλει (*ibid.* 88, 3); *P. Lond.* 1414, 24, 26, 28, 76, 78, 81, 118, 149, 151, 198, 218, 304; 1436, 50. Cf. Galien: «C'est une honte, quand on travaille plusieurs années pour devenir un bon médecin, un [bon] orateur, un [bon] grammairien, un [bon] mathématicien, qu'on n'accepte jamais, pour devenir un homme de bien, d'y *travailler* un temps suffisant» (*Traité des Passions de l'âme*, 16).

² Sur le participe supplémentaire avec verbe indiquant une cessation d'action, cf. B. G. Mandilaras, *The Verb in the Greek non-Literary Papyri*, Athènes, 1973, n. 891. Cf. la lassitude des combattants, Diodore de Sicile, xvii, 12, 1.

rapprochera *IV Mac.* vii,13: Eléazar «dont l'énergie corporelle était détendue, dont les muscles étaient relâchés, dont les nerfs étaient affaiblis (κεκμηκότων) redevint un jeune homme», ou iii,8: «David, le soir venu, couvert de sueur et très las, σφόδρα κεκμηκώς». L'âme de Job était fatiguée (litt. dégoûtée קוץ) de la vie (κάμνων τῇ ψυχῇ μου, *Job*, x,1). On se fatigue d'un effort ou d'une attente prolongée (*P. Strasb.* 198,10; IIᵉ s.); on souffre de mauvaises nouvelles (*P. Michael.* 29,6; cf. *B. G. U.* 884, col. i,11); les assiégés dont les esprits étaient fortement abattus reprennent courage (DIODORE DE SICILE, xx,96). Très souvent, le verbe est employé avec la négation. Dieu dit: «C'est moi qui ai tracé la voie qui mène au ciel et qui l'ai jalonnée, telle une grand'route pour toutes les âmes suppliantes, de façon qu'elles ne se lassent pas de marcher, ὡς μὴ κάμνοιεν βαδίζουσαι» (PHILON, *Post. C.* 31). «Si tu n'arrives pas à saisir du premier coup ce que tu cherches, persévère sans te lasser, ἐπίμενε μὴ κάμνων» (*Migr. A.* 220). Ceux qui ne recherchent pas la vérité avec ardeur devraient prendre modèle sur ceux qui souffrent dans leur corps (τῶν τὰ σώματα καμνόντων) et qui ont recours au médecin (*Quod omn. prob.* 12). Moïse ne se laissa pas abattre par les menaces du Pharaon (FL. JOSÈPHE, *Ant.* ii,290, οὔτε ἔκαμνεν); à l'époque d'Hadrien: «un très léger poids par rapport à sa taille, de sorte que son porteur ne souffre pas, ὡς μὴ κάμνειν τὸν φοροῦντα αὐτόν» (*P. Gies.* 47,8). Au IIIᵉ–IVᵉ s., «Ton adversaire ne se lasse pas de faire des requêtes, οὐ κάμνει δέ σου ὁ ἀντίδικος ἐντυγχάνων» (*P. Oxy.* 2597,6).

Κάμνειν a enfin le sens d'être affecté par une maladie, être souffrant; οἱ κάμνοντες = les patients (HIPPOCRATE, *Du Régime des maladies aiguës* i,1; iii,2 etc.), comme dans *Jac.* v,15 où les presbytres sont appelés à prier sur le malade, «et la prière de la foi sauvera le souffrant, ἡ εὐχὴ τῆς πίστεως σώσει τὸν κάμνοντα». Cette acception est celle des auteurs classiques [1]. Elle est courante au Iᵉʳ siècle: «Dieu offre le remède pour le salut des malades

---

[1] SOPHOCLE, *Philoct.* 282, piqué par une vipère «pas un homme ici qui put, quand je souffrais, prendre part à ma peine, οὐδ' ὅστις νόσου κάμνοντι συλλάβοιτο»; PLATON, *Gorg.* 478 *a*: «Chez qui amenons-nous ceux dont le corps est malade? – chez les médecins»; *Hipp. maj.* 304 *a*: «Si chacun de nous est malade (κεκμηκώς), ou blessé, ou frappé»; *Lois*, xi, 916 *a*: «Si quelqu'un a vendu un esclave affligé de phtisie (ἐάν τις ἀνδράποδον ἀποδῶται κάμνον) ou de la pierre ou de strangurie ou de la maladie qu'on appelle sacrée ou de quelque autre mal corporel ou mental»; ARISTOTE, *Hist. des animaux*, viii, 21, 603 *a*: les porcs sont atteints par trois maladies; 24, 604*a*: les chevaux qui paissent en liberté sont à l'abri des maladies; ARISTOPHANE, *Nuées*, 708: «Que souffres-tu? Quelle maladie as-tu? τί πάσχεις, τί κάμνεις». – De là, le sens de «mourir»; «le juste défunt (δίκαιος κάμνων) condamne les impies vivants» (*Sag.* iv, 16); «Il n'a nul souci de devoir mourir un jour»; les idoles sont les «images de dieux morts» (*Or. Sibyl.* iii, 588).

– πρὸς τὴν τῶν καμνόντων σωτηρίαν – en appliquant ce baume sur les blessures de l'âme» (PHILON, *Migr. A.* 124); «les maladies corporelles pour lesquelles on s'en remet aux médecins» (*Omn. prob. lib.* 12); «Quand son fils Obimê était souffrant (κάμνοντος)» Jéroboam envoya sa femme consulter le prophète Achias [1]; θεραπείαν τῶν καμνόντων (MUSONIUS RUFUS, p. 20,8); «Tu sais que mon frère Marcos a beaucoup à faire avec les malades et la clinique, τοὺς κάμνοντας καὶ τὸ ἰάτριον» (*P. Ross.-Georg.* III,2,9; cf. *P. Groning.* Amst. I,11).

---

[1] FL. JOSÈPHE, *Ant.* VIII, 266. Cf. un décret de Cos sur les honoraires des médecins, διὰ τὴν ἐπιμέλειαν... τῶν καμνόντων (DITTENBERGER, *Syl.* 943, 10). Wettstein donne plusieurs références aux écrits médicaux.

καπηλεύω

«Nous ne sommes pas comme ces nombreuses gens qui brocantent avec la parole de Dieu, ὡς οἱ πολλοὶ καπηλεύοντες (Vulg. *adulterantes*) τὸν λόγον τοῦ θεοῦ»[1]. Le verbe n'est attesté qu'ici dans la Bible. Il dérive de κάπηλος qui, par opposition au grand négociant (ἔμπορος), désigne normalement le petit boutiquier, celui qui fait le commerce de détail, le revendeur, le colporteur, le brocanteur[2] et par extension le trafiquant, tout commerçant[3]; la tradition en fait le plus souvent un marchand de vin[4], encore que cette spé-

---

[1] *II Cor.* II, 17. La leçon οἱ πολλοί est parfaitement attestée par les meilleurs *ms.*, contre οἱ λοιποί de *D, E, F, L, P⁴⁶, Syr.;* C. DANIEL, re-traduisant οἱ πολλοί = *ha-rabbîm* = les nombreux, y voit une désignation qumranienne, *Une mention paulinienne des Esséniens de Qumrân*, dans *Revue de Qumrân*, 20, 1966, pp. 553–567.

[2] J. ROUGÉ (*Recherches sur l'Organisation du Commerce maritime en Méditerranée sous l'Empire romain*, Paris, 1966, pp. 266 sv.) a montré que les *kapèloi* désignent aussi ceux qui se livrent au commerce de luxe et les commerçants maritimes; cf. PHILON, *Quod omn. prob.* 78. Dans le rescrit de Pergame (DITTENBERGER, *Or.* 484), les *kapèloi* sont mentionnés avec les marchands de poisson (ὀψαριοπῶλαι) et les détaillants (ἐργασταί). Parmi les petits commerçants qui remplissent les rues et les places de Constantinople, Grégoire de Nysse mentionnera οἱ τῶν ἱματίων κάπηλοι (*De Deitate Filii et Spiritus Sancti*, P.G. XLVI, 557 b).

[3] *Sir.* XXVI, 29: «οὐ δικαιωθήσεται κάπηλος ἀπὸ ἁμαρτίας, difficilement le boutiquier sera exempt de fautes», s'abstiendra de péchés d'injustice. Le monde des affaires est semé de pièges; on ne peut guère s'enrichir sans fraude et sans sacrifier à la cupidité; cf. *Jac.* IV, 13 sv.; *Apoc.* XVIII, 1 sv. *Erub.* 55 b: «La connaissance ne se trouve ni chez les commerçants ni chez les marchands»; *Pirqé Aboth*, II, 6: «Un homme qui s'adonne au commerce ne peut rester sage». La Vulgate a traduit κάπηλος par *caupo* qui est l'aubergiste, l'hôtelier; tandis que le cabaretier est *tabernarius;* (cf. T. KLEBERG, *Hôtels, Restaurants et Cabarets dans l'Antiquité romaine*, Uppsala, 1957, pp. 1 sv.). Le καπηλεῖον est la taverne: ὑπὸ τὴν ἀπηλιωτικὴν στοὰν πρὸς ἄνοιξιν καπηλείου (*P. Oxy.* 2109, 11, 32; cf. *P. Tebt.* 43, 16; *Sammelbuch*, 10465, 1; *P. Lond.* 2049, 4).

[4] Κάπηλος (cf. le féminin καπηλίς, *P. Fay.* 12, 23) est souvent écrit sans autre précision (cf. W. PEREMANS, E. VAN' T DACK, *Prosopographia Ptolemaica* V, Louvain, 1963, n. 13504 sv.), comme désignation d'une profession: θήκη Σωπάτρου καπήλου (*MAMA*, III, 184; cf. 192; σωματοθήκη 'Αναστασίου καπήλου, 234; cf. 296, 474, 603. CH. NAOUR, *Inscriptions et Reliefs de Kibyratide et de Cabalide*, dans *ZPE*, XXII, 1976, p. 134; cf. J. et L. ROBERT, *Bulletin épigraphique*, dans *R.E.G.* 1976, p. 513, n. 532), on détermine souvent le marchand de blé, σιτοκάπηλος (*P. Tebt.* 120, 125; 890, 97, 179, 210; *UPZ*, I, 8, 33); le marchand d'huile, ἐλαιοκάπηλος (*P. Petr.* III, 86, 2–4; *P.S.I.*

cialisation soit fort peu attestée avant le Ier siècle, où l'on dénonce ses méfaits déjà constatés par *Is.* 1,22: οἱ κάπηλοί σου μίσγουσι τὸν οἶνον ὕδατι [1].

Si les *kapèloi* sont réputés pour falsifier ce qu'ils vendent ou tromper sur les prix, qu'en est-il du verbe καπηλεύω? Celui-ci a la double signification de «falsifier» et de «faire des profits illicites», que les commentateurs ont le tort de vouloir séparer l'une de l'autre [2]. Moulton-Milligan, pour appuyer le sens de trafiquer afin d'obtenir un gain malhonnête, citent *B. G. U.* 1024, col. VII,23 se référant à une prostituée: ὅτι τὸν μὲν βίον ἀσέμνως διῆγεν, τὸ δὲ τέλος... ἐκαπήλευεν; mais ce texte est du IVe siècle et contient l'unique emploi de καπηλεύω dans les papyrus [3].

Dans les *Sept contre Thèbes*, 545, Eschyle emploie καπηλεύειν τὴν μάχην = gâter, falsifier le combat; Philon: «Celle qui doit partager la couche d'un homme, non pour un salaire comme une courtisane qui trafique de la fleur de sa beauté, ὡς ἑταίραν τὸ τῆς ὥρας ἄνθος καπηλεύουσαν» (*Virt.* 112); «Un certain Apelle, tragédien, qui à la fleur de sa prime jeunesse, avait, dit-on, trafiqué de sa beauté, ἐκαπήλευσε τὴν ὥραν» (*Leg. G.* 203); «On entend parler de choses aberrantes: des négociants et des commerçants (*emporoi* et *kapèloi*) pour des gains sordides (γλίσχρων ἕνεκα κερδῶν) traverseront les mers, circuleront par toute la terre» (*Migr. A.* 217). Philostrate: «Voilà ce que j'avais à dire contre les gymnastes qui se font marchands (καπηλευόντων), car ils trafiquent des bonnes qualités des athlètes (καπηλεύουσι γὰρ που τὰς

372, 5–6; *Sammelbuch*, 7202, 18), ou le marchand de vin, οἰνοκάπηλος (cf. W. PERE-MANS, E. VAN'T DACK, *op. c.*, n. 12535–12551); mais ces derniers détaillants sont aussi qualifiés de *kapèloi* sans autre détermination (*P. Ent.* 34, 1–2; *P. Oxy.* 3007, 5, 16). Par leur faute, des soldats sont privés de vin: μηκέτι χορηγεῖσθαι αὐτοῖς οἶνον διὰ τῶν καπήλων (*P. Tebt.* 724, 6; IIe s. av. J.-C.; cf. 612: καπήλων Τεβτύνεως διὰ τῶν οἰνοπρατῶν ἑκάστου δραχμαὶ ῆ, Ier-IIe s.). Chaque mois, les *kapèloi* ont un impôt à payer (*B.G.U.* 1237; du IIIe-IIe s.).

[1] CATON, *Agr.* 111; MARTIAL, I, 56; III, 57; inscription pompéienne: «Talia te fallant utinam mendacia, copo; tu vendes acuam et bibes ipse merum» (*C.I.L.* IV, 3948); deux gobelets, l'un de Reims, l'autre d'Amiens portent l'inscription: *misce, copo* (*C.I.L.* XIII, 10018, 120 a-b). HÉSYCHIUS définit καπηλεύει: μεταπωλεῖ · οἰνοπωλεῖ, καὶ τὰ πρὸς τὰς τροφὰς καὶ πόσεις, et la *Souda* explique καπηλικῶς: ἀντὶ τοῦ πανουργικῶς · ἐπεὶ οἱ κάπηλοι ὀνθυλεύουσι τὸν οἶνον, συμμιγνύντες αὐτῷ σαπρόν.

[2] Cf. la mise au point de H. WINDISCH, καπηλεύω, dans *TWNT*, III, pp. 606–609; E. B. ALLO, *Seconde Epître aux Corinthiens*, Paris, 1937, *in h.* y̆.; C. K. BARRETT, *A Commentary on the Second Epistle to the Corinthians*, Londres, 1973, p. 103. H. LIETZMANN (*An die Korinther I-II²*, Tübingen, 1923, p. 109) pensait que l'acception de καπηλεύειν était avant tout celle de gain, lorsque le verbe était employé au sens figuré (ici: des réalités spirituelles), celle de falsification étant seconde.

[3] Καπηλεύειν = vendre, dans le compte des recettes et dépenses des hiéropes à Délos en 279 av. J.-C., τῶν οἰκημάτων ἐν οἷς Ἔφεσος καπηλεύει.

τῶν ἀθλητῶν ἀρετάς) pour garantir leurs propres intérêts» (*Gymn.* 45). Palladas: «La Fortune qui trafique de toute la vie humaine (Τύχη καπηλεύουσα)... qui mélange et puis transvase encore (συγκυκῶσα καὶ μετάντλοῦς αὖ πάλιν), voici qu'à son tour elle est trafiquante de cabaret (καὐτὴ κάπηλός ἐστι), non déesse; ayant reçu du sort un métier digne de son caractère» (*Anthol. Palat.* IX,180). Ce dernier texte accentue le mépris qui s'attache à la profession de *kapèlos;* cf. LUCIEN: «Les Phéniciens... A ton compte, il faut les regarder comme des dieux, bien qu'ils ne soient que des *kapèloi* et des marchands de salaison pour la plupart» (*Toxaris*, 4). Cette nuance péjorative, gardée par saint Paul, est celle de toutes les références qui viennent d'être données et où l'amour du gain ne peut être dissocié des procédés frauduleux ou des actes coupables; celui-là étant la raison de ceux-ci [1].

Il est plus éclairant de relever à la suite de J. J. Wettstein, derrière l'emploi paulinien, l'usage philosophique du terme, où le sophiste est disqualifié parce qu'il vend son enseignement. La tradition remonte à Platon: «Un sophiste ne serait-il pas un négociant ou un boutiquier (ἔμπορός τις ἢ κάπηλος) qui débite les denrées dont l'âme se nourrit... Ceux qui colportent leur savoir de ville en ville, pour le vendre en gros ou en détail (πωλοῦντες καὶ καπηλεύοντες) vantent aux clients tout ce qu'ils leur proposent» (*Protag.* 313 c-d). Philostrate: galvauder la sagesse, ἀπῆγε τοῦ χρηματίζεσθαί τε καὶ τὴν σοφίαν παπηλεύειν [2]; Lucien: «Les Philosophes vendent leur enseignement comme les cabaretiers (ὡς κάπηλοι) en leur majorité (οἱ πολλοί) mélangent le vin avec l'eau et le falsifient (δολώσαντες)» [3].

---

[1] On retiendra la définition aristotélicienne: Le commerce de détail est un mode d'échange «en vue de faire les plus grands profits» (*Polit.* I, 9, 9; 1257 *b*); «l'abondance de la monnaie est le but du commerce de détail» (*ibid.* I, 9, 10). Philon demande quel profit Balaam aurait pu tirer de cet art sophistique de la divination par lequel «il avait altéré les traits de la prophétie inspirée par Dieu» (*Mut. nom.* 203). Cf. la καπηλεία dans FL. JOSÈPHE: «Les habitants de la côte phénicienne s'adonnaient avec ardeur au petit et au grand commerce (περὶ τὰς καπηλείας καὶ περὶ τὰς ἐμπορίας) par amour du gain (διὰ τὸ φιλοχρηματεῖν)» (*C. Ap.* I, 61). L'adjectif κάπηλος signifie «faux, trompeur» et καπηλικός «mercantile» (MARC-AURÈLE, IV, 28; *Sammelbuch*, 7612, 7, 19).

[2] *Vie d'Apollonius* I, 13 (cité par G. PETZKE, *Die Traditionen über Apollonius von Tyana und das Neue Testament*, Leiden, 1970, p. 146), à rapprocher de PHILON, *Gig.* 39.

[3] *Hermotime*, 59 (cf. *II Cor.* IV, 2: μηδὲ δολοῦντες τὸν λόγον τοῦ θεοῦ); cf. MAXIME DE TYR, XXXIII, 8; JAMBLIQUE, *Vie de Pythagore*, 34; Philon: «La philosophie, non pas celle que pratiquent les chasse-mots et les sophistes qui vendent comme on fait pour quelque autre denrée sur l'agora, leurs principes et leurs raisonnements» (*Vit. Mos.* II, 212); cf. *Spec. leg.* IV, 51; *Mut. nom.* 136: Juda «estime impie de souiller le divin par le profane».

On concluera que l'Apôtre vise les prédicateurs qui ne proclament pas la Parole de Dieu dans toute sa pureté; ils l'altèrent, la falsifient en y introduisant des éléments étrangers à la Révélation – ce que *I Tim.* I,3; VI,3 appellera ἑτεροδιδασκαλεῖν –, à l'instar des boutiquiers qui vendent une marchandise frelatée [1]; ce faisant, cette prédication perd sa vertu efficace de conversion et de vie spirituelle. Cette «brocante» n'est pas seulement motivée par le souci de gagner de l'argent (cf. *I Cor.* IX,5–14), mais pour se faire une renommée, susciter l'admiration, obtenir des avantages personnels, du prestige, du crédit, de l'autorité...

Les papyrus n'apportent rien à cette sémantique, sinon le nom de nombreux cabaretiers ou commerçants [2]. Dans la littérature patristique, θεοκάπηλος, χριστοκάπηλος, καπηλεύειν τὰ θεῖα désigneront les personnes qui abusent du christianisme, soit en falsifiant soit en vendant la vérité [3].

---

[1] Sur la manière dont on modifiait le goût du vin, comment on le dénaturait, on le coupait d'eau de mer, on y mêlait des parfums etc., cf. J. ANDRÉ, *L'alimentation et la cuisine à Rome*, Paris, 1961, pp. 164–175; T. KLEBERG, *op. c.*, pp. 111 sv.

[2] Cf. "Ωρος (*P. Zén. Cair.* 59297, 9; 59567, 15; 59736, 31) Σεῶτος (59450, 3), "Ηρωνος (*P. Fuad*, 68, 5), 'Ηραῖσκος (*Sammelbuch*, 9157, 15), Φμοῖς (*P. Tebt.* 890, 29, 95, 122, 137); Μαρρέως (*P. Tebt.* 701, 156; cf. 833, 44; 890, 138, 224); Διόδωρος (*P. Oxy.* 1158, 26). Sur Georges de Korykos à la fois pêcheur et commerçant (*MAMA*, III, 279), cf. L. ROBERT, *Hellenica*, XI, Paris, 1960, p. 45. Aux VIᵉ-VIIᵉ s., *P. Oxy.* 1966, 6, 25; *P. Ness.* 49, 3–4; cf. Θεογένης (J. et L. ROBERT, *Bulletin Epigraphique*, dans *REG*, 1958, p. 186, n. 39; cf. p. 299, n. 391), Πυρουλᾶς (*Inscriptions de Bulgarie*, 2078 *b* 3). Ces *kapèloi* s'associent et font une dédicace au dieu de la ville Kendrisos, θεῷ Κενδρείσῳ τέχνη καπήλων εὐχαριστῖ (*ibid.* 917, 4).

[3] Cf. S. TROMP, Χριστέμποροι καὶ θεοκάπηλοι, dans *Gregorianum*, 1935, pp. 452–455; G. J. M. BARTELINK, Θεοκάπηλος et ses synonymes chez Isidore de Péluse, dans *Vigiliae Christianae*, 1958, pp. 227–231.

καταλλαγή, καταλλάσσω

Aussi bien pour les païens que pour les chrétiens, la «réconciliation» est l'action de rétablir l'amitié entre deux personnes brouillées, de changer un état d'hostilité en relations pacifiques; mais *a priori*, les parallèles profanes ne peuvent guère apporter de lumière dans l'élaboration théologique d'une réalité aussi spécifiquement chrétienne que la «réconciliation» de Dieu avec les hommes, effet immédiat de la rédemption [1]. Ils s'appliquent, en effet, le plus souvent au rétablissement de bonnes relations dans le domaine politique [2], social [3], familial [4] ou moral [5], où l'on change de sen-

---

[1] Cf. E. G. van Leeuwen, *De καταλλαγή*, dans *Theologische Studien*, 1910, pp. 159–171; F. Prat, *La Théologie de saint Paul*[6], Paris, 1923, ii, pp. 257 sv.; A. Nygren, *Die Versöhnung als Gottestat*, Gütersloh, 1932; J. Dupont, *La Réconciliation dans la Théologie de saint Paul*, Bruges-Paris, 1953 (donne la bibliographie, p. 5); L. Sabourin, *Rédemption sacrificielle*, Paris, 1961, p. 486 (*in h. v.*); T. W. Manson, *On Paul and John*, Londres, 1963, pp. 50 sv.; F. Büchsel, dans *TWNT*, i, pp. 254–258.

[2] Hérodote, v, 29: «Les Pariens avaient opéré la réconciliation des Milésiens de la façon suivante»; v, 95; vi, 108: les Corinthiens, pris pour arbitres, mettent d'accord Thébains et Platéens; vii, 145: «la première chose à faire était de mettre fin aux inimitiés et aux guerres»; Démosthène, *I*re *Olynth.* 4: les «arrangements» que Philippe voudrait bien conclure avec les Olynthiens; Platon, *Républ.* viii, 566 *e*: «Quand il en a fini avec ses ennemis du dehors, en s'arrangeant avec les uns (καταλλαγῇ), en ruinant les autres, et qu'il est tranquille de ce côté (ἡσυχία)». Fl. Josèphe, *Guerre*, i, 320: «Hérode s'élança pour attaquer Machaeras comme un ennemi, mais il maîtrisa sa colère... [Machaeras] ayant réfléchi sur ses fautes, réussit à se réconcilier avec lui (ἑαυτῷ διαλλάττει)»; cf. *Mt.* v, 24; Épictète, i, 15, 6: «si mon frère ne veut pas se réconcilier (μὴ διαλλασσομένου)».

[3] Hérodote, i, 61: «Il se réconcilia avec les hommes de sa faction»; Aristote, *Econom.* ii, 15 *a*, 1348 *b*: «Aristotélès de Rhodes après avoir reçu (de l'argent) des deux côtés, parvint à réconcilier les deux factions rivales». Loi d'Ilion contre les tyrans et l'oligarchie: «Le meurtre ne pourra être compensé ni par mariage ni par de l'argent» (Dittenberger, *Or.* 218, 105; IIIe s. av. J.-C., cf. R. Dareste, B. Haussoullier, Th. Reinach, *Recueil des Inscriptions juridiques grecques*[2], Rome, 1965, ii, p. 30 qui observent qu'on ne connaissait pas de cas de composition par mariage, mais citent Aristote, *Const. d'Athènes* xiv, 4: «Mégaclès, évincé... négocia avec Pisistrate, sous la condition que ce dernier épouserait sa fille»). Cf. Moïse intervenant lorsque deux Israélites se battaient, συνήλλασσεν αὐτοὺς εἰς εἰρήνην (*Act.* vii, 26).

[4] Fl. Josèphe, *Ant.* vii, 184: une vieille femme invite David à se réconcilier avec Absalom et à cesser sa colère contre lui; cf. 196; vi, 353; xi, 278 (Malichus et Anti-

timent ou de situation; dans le langage bancaire, la καταλλαγή est le change d'une monnaie en une autre [1], un échange (*P. Oxy.* 1937, 8; *P. Cornell,* 3,11; *P. S. I.* 859,4; *P. Hib.* 100,4; *Testament Job,* 25,3) ou un remplacement (*P. Apol. Anô,* 79,7).

Toutefois, le contexte de ces «changements» ou retournements (cf. *Jér.* XLVIII,39) peut être instructif, notamment pour *I Cor.* VII,11 où saint Paul rappelle que le Seigneur a prescrit à la femme de ne pas se séparer de son mari; mais au cas où il y aurait séparation, cette épouse ne doit pas se remarier: qu'elle demeure ἄγαμος ou se réconcilie avec son mari, ἢ τῷ ἀνδρὶ καταλλαγήτω [2]. On peut rapprocher *Jug.* XIX,2–3: la concubine d'un lévite s'est fâchée contre lui (ὠργίσθη αὐτῷ) et l'a quitté. Celui-ci «alla après elle pour lui parler au cœur pour changer ses sentiments (τοῦ διαλλάξει αὐτήν ἑαυτῷ) et la ramener chez lui»; *I Esdr.* IV,31: «si le mari sent que sa femme a de l'amertume contre lui, il la caresse pour qu'elle se réconcilie avec lui (ὅπως διαλλαγῇ αὐτῷ)». Dans un testament de 96 de notre ère, la testatrice en léguant sa maison à son fils demande que l'on donne 40 drachmes à sa

---

pater). Dans *Act.* XII, 22, à propos d'Hérode, *D* ajoute καταλλαγέντος δὲ αὐτοῦ τοῖς Τυρίου ὁ δὲ δῆμος ἐπεφώνει; PHILON, *Ebr.* 208 (le Pharaon et son échanson), *De Josepho* 99, 156; 237, 262 (Joseph et ses frères); *In Flac.* 76. Il y a des réconciliations feintes (*ibid.* 19), d'autres loyales (*De Josepho,* 265); ces dernières sont le propre des âmes reconnaissantes (*Virt.* 118), qui cherchent à rentrer en grâce (*ibid.* 124) et à faire la paix (151).

[5] PLATON, *Phédon,* 69 a: «un mode correct d'échange: échanger des plaisirs contre des plaisirs, des peines contre des peines...»; PHILON, *Praem.* 166: Ceux qui auront méprisé les saintes lois de justice et de piété (162), fussent-ils esclaves d'ennemis qui les auraient emmenés en captivité (164), «disposeront pour leur réconciliation avec le Père de trois avocats»; *Lois allég.* III, 134: «Ils se réconcilient et concluent des trèves avec les passions, mettant en avant la raison conciliatrice».

[1] C'est l'acception la plus courante dans les papyrus, *P. Lond.* 1457, 9, 58, 87, 125; *P. Corn.* 3, 11, 14; *P. Hib.* 51, 6; *P. Zén. Cair.* 59320, 21. εἰ δ' ἂν καταλλάσσε dans un règlement de Tégée au IVᵉ s. av. J.-C., relatif au pacage (cf. F. SOKOLOWSKI, *Lois sacrées des Cités grecques,* Paris, 1969, n. 67, 2), semble bien signifier «s'il substitue» des bêtes maigres à d'autres dans l'herbage sacré, plutôt que «surpasser» le nombre; cf. J. et L. ROBERT, *Bulletin Epigraphique,* dans *REG,* 1948, p. 155, n. 74; 1953, p. 139, n. 80.

[2] Cf. D. W. SHANER, *A Christian View of Divorce,* Leiden, 1969, pp. 57 sv. M. HUMBERT, *Le remariage à Rome,* Milan, 1972. Il peut s'agir de séparation légale ou simplement occasionnelle; χωρισθῆναι peut être synonyme de «divorcer» et la femme peut en prendre l'initiative, cf. CL. VATIN, *Recherches sur le mariage et la condition de la Femme mariée à l'époque hellénistique,* Paris, 1970, pp. 165 sv. J. GAUDEMET, *L'Eglise dans l'Empire romain,* Paris, 1958, pp. 540 sv. H. CROUZEL, *Les Pères de l'Eglise ont-ils permis le remariage après séparation?* dans *Bulletin de Littérature chrétienne,* 1969, pp. 3–43.

sœur Tnéphéros qui a un logement réservé dans son immeuble dans le cas où elle serait éventuellement séparée de son mari, ἐὰν ἀπαλλαγῇ τοῦ ἀνδρὸς μέχρι οὗ... καταλλαγῇ [1]. Le meilleur parallèle est un contrat de remariage entre deux époux juifs, de 124 de notre ère; El[é]aios ayant une première fois répudié sa femme Salomé, la reprend avec une dot de 200 deniers qu'il reconnaît avoir reçue: «νύνει ὁμολογεῖ ὁ αὐτὸς ᾽Ελαῖος Σίμωνος ἐξ ἀνανεώσεως καταλλάξει καὶ προσλαβέσθαι τὴν αὐτὴν Σαλώμην... εἰς γυναῖκα γαμετήν – maintenant le même Elaios fils de Simon est d'accord pour se réconcilier à nouveau et reprendre la même Salomé... comme femme légitime» [2].

Dans l'A. T., la *katallagè* au sens religieux est propre au IIe livre des Macchabées où le Dieu tout-puissant et miséricordieux, irrité par les péchés (I,5; V,20; VII,33), mais exauçant les prières de ses serviteurs (I,5; VIII,29), renonce à son courroux momentané et se réconcilie de nouveau (πάλιν, VII,33) et entièrement (εἰς τέλος, VIII,29). Du fait de cette *katallagè*, le Temple est reconstruit (V,20), la victoire sur les ennemis assurée (VIII,29), la paix garantie [3]. La théologie paulinienne de la réconciliation est également la cessation d'un état d'hostilité auquel se substituent des relations de paix et d'entente mutuelle, mais la densité est tout autre: «Si, étant

---

[1] *P. Oxy.* 104, 27 (le papyrus est mutilé; cf. H. C. YOUTIE, *Scriptiunculae*, Amsterdam, 1973, I, pp. 380–382); cf. 1477, 6 (IIIe-IVe s.) où un esclave interroge un oracle: εἰ καταλλάσσομαι εἰς τὸν γόνον; son maître le réunira-t-il à ses enfants? *P. Lond.* 1735, 11 (VIe s.).

[2] *P. Murabba' ât,* 115, 5 = *Sammelbuch,* 10305. Les éditeurs notent que les cas de remariage étaient rares (*B.G.U.* 1101; de 13 av. J.-C.; *P. Oxy.* 1473; du IIIe s. ap. J.-C.), mais permis par le droit biblique si la femme répudiée et reprise n'avait pas appartenu entre temps à un autre homme (*Deut.* XXIV, 1 sv.; *II Sam.* III, 14 sv.; *Os.* III, 1 sv.). Il semble que le verbe καταλλάσσειν, «faire cesser une inimitié, ramener la paix» soit employé notamment de la réconciliation entre époux: «Cnémon se réconcilie avec son épouse (κατηλλάγη)» qui l'avait quitté (ἀπελείφθη) à cause de son caractère (MÉNANDRE, *Dyscol.* Argument 9; cf. ligne 2); FL. JOSÈPHE, *Ant.* V, 137 (le lévite d'Ephraïm se réconcilie avec sa femme qui, fâchée contre lui, s'est réfugiée chez ses parents); XI, 195: Artaxerxès garde un amour ardent pour Vashti qu'il a dû renvoyer, mais la Loi lui interdit de se réconcilier avec elle; PHILON, *Spec. leg.* III, 31: Si une femme divorcée s'est remariée et revient à son premier époux et si ce dernier accepte de faire la paix avec une telle femme, «les réconciliations après coup sont des signes révélateurs de l'un et de l'autre. Qu'il soit puni de mort avec sa femme».

[3] *II Mac.* I, 1, 5. Les textes profanes n'ignorent pas la réconciliation religieuse. Ajax, sur qui pèse la colère des dieux, s'efforce de se réconcilier avec eux par des rites expiatoires (SOPHOCLE, *Ajax*, 744; cf. ESCHYLE, *Sept c. Thèbes*, 767). Samuel prie Dieu de se réconcilier avec Saül (FL. JOSÈPHE, *Ant.* VI, 143; cf. VII, 153; *P. Oxy.* 1477, 6), les Juifs supplient le Seigneur de se réconcilier avec ses serviteurs (*II Mac.* VIII, 29); cf. FL. JOSÈPHE, *Guerre,* I, 320.

ennemis, nous avons été réconciliés à Dieu par la mort de son Fils, à plus
forte raison réconciliés, serons-nous sauvés dans sa vie; et non seulement
[réconciliés], mais nous glorifiant en Dieu par Notre-Seigneur Jésus-Christ,
par qui maintenant nous avons obtenu la réconciliation» [1]. «Dieu nous a
réconciliés avec lui-même par l'intermédiaire du Christ et nous a donné
le ministère de la réconciliation; à nous qui savons que dans le Christ, Dieu
était là se réconciliant le monde, ne leur comptant point leurs fautes et
qu'il a mis en notre [bouche] la parole de réconciliation» [2]. «Pour le Christ,
donc, nous sommes en ambassade, vu que c'est Dieu qui exhorte par nous.
Nous supplions pour le Christ: réconciliez-vous avec Dieu» [3]. Il appert de
ces textes que la *katallagè* paulinienne est une transformation ou un renouveau des relations entre Dieu et les hommes, conforme au schéma des réconciliations mentionnées dans les textes païens:

a) Il y a d'abord un état d'hostilité entre Dieu et les hommes; ceux-ci
sont des ἐχθροί, ἀσεβεῖς, ἀσθενεῖς (*Rom.* v,6), ἁμαρτωλοί (♥. 8), sous la domination du diable, enrôlés dans son armée. D'où la *colère* de Dieu suscitée
par l'offense qu'il ressent (♥. 10), et le fruit de la *katallagè* sera d'être sauvé
de l'*orgè* vengeresse (♥. 9; *Eph.* ɪɪ,3).

b) Dieu a *toujours* l'initiative de la réconciliation, «cessant de tenir compte
des fautes» (*II Cor.* v,19). Non seulement il change de sentiment, mais il
accorde son pardon aux adversaires (cf. *Col.* ɪɪ,13–15), il établit de nouveaux
rapports avec les hommes; la réconciliation se caractérise par un rétablissement de la paix [4]; c'est une «pacification».

c) Le Christ est l'instrument de cette réconciliation (*II Cor.* v,18–19),
car il s'est offert en victime pour l'expiation des péchés du monde (*Rom.*

---

[1] *Rom.* v, 10–11; cf. xɪ, 15: «Si leur rejet (ἀποβολή, d'Israël) a été la réconciliation
du monde, que sera leur réintégration (ἡ πρόσληψις), sinon une résurrection des morts?»;
ce que l'on peut entendre de la consommation de l'univers, l'avènement d'un monde
nouveau (M. J. Lagrange, *in h. l.*), soit de la conversion massive des Juifs, ressuscitant
de la mort par la foi (F. J. Leenhardt, *L'Epître de saint Paul aux Romains*, Neuchâtel-
Paris, 1957, p. 161); cf. *Col.* ɪ, 21, ἀποκαταλλάξαι (B. N. Wambacq, «*Per eum recon-
ciliare... quae in coelis sunt*», dans *R. B.* 1948, pp. 35–42; J. M. Robinson, *A formal
analysis of Colossians I, 15–20*, dans *JBL*, 1957, pp. 270–287).

[2] *II Cor.* v, 18–19. Pour la construction, cf. E. B. Allo, *Seconde Epître aux Corinthiens*, Paris, 1937, pp. 169 sv.

[3] *II Cor.* v, 20; on doit maintenir l'impératif aoriste passif: καταλλάγητε τῷ θεῷ,
contre *D**, *E, G, Goth,* καταλλαγῆναι; cf. V. Taylor, *Forgiveness and Reconciliation*,
Londres, 1946, pp. 72–82; B. Cohen, *Arbitration in Jewish and Roman Law*, dans
Rev. intern. des Droits de l'Antiquité, 1958, pp. 165–223.

[4] *Col.* ɪ, 20; *Eph.* ɪɪ, 15–16 (ἀποκαταλλάσσω); cf. M. Barth, *Ephesians*, New York,
1974, ɪ, pp. 265 sv.

v,10, διὰ τοῦ θανάτου), obstacles à l'union et à la paix (cf. *Hébr.* ix,22), et Dieu qui a voulu cette offrande l'a agréée.

d) Les Apôtres sont les agents de la *katallagè*, tels des ambassadeurs (πρεσβεύομεν) chargés de conclure une paix; ils l'actualisent et la rendent possible pour un chacun et demandent d'y consentir [1]. Leur ministère consiste à la promulguer et à la transmettre: τὸν λόγον τῆς καταλλαγῆς (*II Cor.* v,19–20), ce qui suppose qu'une adhésion des hommes est requise pour que la réconciliation soit effective.

e) A chacun de l'accepter pour soi, d'y adhérer: «laissez-vous réconcilier avec Dieu» (*II Cor.* v,20), faites ce qui est nécessaire pour cela: la foi et le repentir.

f) Il en résulte un état de fait nouveau, comme une nouvelle *ktisis* (*II Cor.* v,19), une résurrection (*Rom.* xi,15), le salut, la justification [2], la paix (v,1), la vie (v,10), le καύχημα: une assurance confiante, fière, joyeuse de la béatitude (℣. 11).

---

[1] Cf. J. MURPHY O'CONNOR, *La Prédication selon saint Paul*, Paris, 1966, pp. 65 sv.

[2] Sur les rapports καταλλαγή-δικαιοσύνη, cf. R. BULTMANN, *Theologie des Neuen Testaments*, Tübingen, 1948, p. 281; L. CERFAUX, *Le Christ dans la Théologie de saint Paul*, Paris, 1951, pp. 110 sv.; T. W. MANSON, *op. c.*, pp. 54 sv.

κατανάρκάω

Le verbe simple ναρκάω, intransitif, «être engourdi», paralysé, s'emploie des nerfs (*Gen.* xxxii,26,33), des bras (*Dan.* xi,6), de la masse des os «perclus» (*Job*, xxxiii,19; Théodotion) qui empêchent de se mouvoir et vous clouent au lit [1]. Hippocrate observe le patient susceptible de paralysie et de coma, s'accompagnant d'insensibilité (*De l'usage des liquides*, i,3) et que «beaucoup d'eau froide engourdit la douleur» (vi,2–3).

Le composé κατανάρκάω appartient lui aussi au langage médical [2], mais saint Paul, en ses trois emplois, lui donne un sens actif, insolite dans la littérature grecque, et figuré: οὐ κατενάρκησα οὐθενός (*II Cor.* xi,9), οὐ κατενάρκησα ὑμῶν (xii,13), οὐ καταναρκήσω (xii,14). La plupart des modernes traduisent: «J'ai évité de vous être à charge... Je ne vous ai pas été à charge... Je ne vous serai pas à charge». Ils suivent la Vulgate (*nullus onerosus fui*) et la Peshitta, Chrysostome et Théodoret qui y voient un synonyme de βαρύνειν. C'était aussi l'exégèse de saint Jérôme qui l'identifie comme un cilicisme [3]. Il est, en effet, fort possible que, du sens «être engourdi et insen-

---

[1] Un relâchement de la tension vitale produit une répression et une paralysie de ce qu'il y a de débridé et d'effréné dans les impulsions (PHILON, *Praem.* 48). Le substantif νάρκα, νάρκη «engourdissement, torpeur» (cf. le poisson «torpille», HIPPOCRATE, *Du Régime*, xlviii, 2; cf. en grec moderne ναρκωτικός: soporifique) se dit semblablement du bras qui ne peut plus saisir une épée (ARISTOPHANE, *Guêpes*, 713), des parties du corps où il n'y a pas de tendons et qui ne sont pas sujettes à l'engourdissement (ARISTOTE, *Hist. des animaux*, iii, 5, 515 *b*); cf. MARC-AURÈLE, x, 9: «la basse comédie (de la vie), la guerre, la crainte, la torpeur (νάρκα), l'esclavage effaceront en toi tous ces principes sacrés». A. LOBECK (*Phrynichi Eclogae nominum et verborum atticorum*[2], Hildesheim, 1965, p. 331) cite: Τόλμη καὶ τόλμα, πρύμνη καὶ πρύγμα, νάρκη δὲ διὰ τοῦ η, et Ménandre (cf. D. B. DURHAM, *The Vocabulary of Menander considered in its Relation to the Koinè*[2], Amsterdam, 1969, p. 80).

[2] HIPPOCRATE, *Epidémie*, vi, 7, 3: «Il faut par le changement exciter les individus timides, engourdis (καταναναρκωμένους) aux choses qu'ils négligent»; cf. J. J. Wettstein.

[3] SAINT JÉRÔME, *Ep.* cxxi, 10, à Algasia: «Nombreuses sont les expressions qu'emploie familièrement l'Apôtre, conformément aux idiotismes de sa ville ou de sa province. En guise d'exemples citons... 'je parle selon le langage humain, ἀνθρώπινον λέγω', et οὐ κατενάρκησα ὑμᾶς, c'est-à-dire 'je ne vous ai pas été à charge'... Ces expressions et beaucoup d'autres sont usitées, jusqu'à nos jours, chez les Ciliciens. Nulle surprise pour nous, si l'Apôtre se sert des idiotismes de la langue dans laquelle il est né et a été élevé».

sible», on soit passé à celui d'être inactif, pesant, à charge. L'Apôtre signifierait que sa présence à Corinthe n'a pas été «onéreuse» pour la communauté.

Mais Liddell-Scott-Jones traduisent «to be slothful» (cf. Hésychius, νάρκη-ὀκνηρία). E. B. Allo suit mieux l'acception médicale d'«anesthésier» en proposant, faute de mieux, «enjôler» [1]. Les papyrus ignorent le verbe.

---

[1] «On pensera aux voleurs contemporains qui chloroforment leurs victimes pour opérer sans douleur ni débats; l'équivalent que nous avons pu trouver, 'enjôler' est plutôt faible» (E. B. ALLO, *Seconde Epître aux Corinthiens*, Paris, 1937, p. 283).

καταντάω

Inconnu du grec classique et des Evangiles, très rare dans les inscriptions, mais fréquent chez Polybe, Diodore de Sicile et les papyrus, ce verbe, signifiant «arriver à, parvenir à, atteindre, aboutir» est employé tantôt au sens propre, tantôt au sens métaphorique. Dans le premier cas, on «descend» ou l'on se rend dans tel lieu, telle ville ou chez telle personne: «c'est ce qui l'amena à Joppé» (*II Mac.* IV,21), «le roi vint à Tyr» (𝒱. 44); Paul arriva à Derbé et à Lystres (*Act.* XVI,1; cf. XVIII,19,24; XX,15; XXI,7; XXV,13; XXVII,12; XXVIII,13); καταντᾶν εἰς τὸ γυμνάσιον = venir au gymnase [1]; on séjourne dans l'endroit qui est le terme d'une marche ou d'un voyage.

Au sens figuré, l'idée de mouvement ou de mutation est souvent sauvegardée [2], avec la nuance que l'événement se produit au moment voulu, à point nommé, comme en suivant une pente, ou que la personne obtient ce qu'elle escomptait («il se fit attribuer le pontificat», *II Mac.* IV,24), elle atteint son but [3]. S'il s'agit de choses, elles adviennent à telle personne: «Est-ce à vous seuls que la Parole de Dieu est advenue?» [4], et le verbe

---

[1] *Inscriptions de Priène*, 112, 97; cf. *P. Tebt.* 59, 3 (Ier s. av. J.-C.); *P. Oxy.* 486, 30; *B.G.U.* 1768, 8; 1873, 7: καταντήσας οὖν πρὸς τὸν γεωργὸν Παποντῶν; *P. Fuad*, 23, 5: «ayant déclaré sous la foi du serment au stratège de l'Arsinoïte que je serai moi-même là présent (καταντῆσαι ἐνθάδε) le 24 de ce mois»; 24, 9: «Je m'étais engagé à me rendre à Alexandrie»; *P. Brem.* 37, 6; 48, 3; *P. Michig.* 506, 3: «Nous devons descendre là, puisque c'est un ami intime»; *Sammelbuch*, 4084, 4: «Etant parvenu jusqu'à la déesse Isis, j'ai fait cet acte d'adoration»; *P. Petaus*, 84, 17: εἰς τὴν ἡμετέραν κώμην καταντήσει (185 ap. J.-C.); *Hénoch* gr. XVII, 6: «Je parvins jusqu'au grand fleuve et jusqu'aux grandes ténèbres»; DIODORE DE SICILE, IV, 52: «Les Argonautes se dirigèrent vers le palais».

[2] Cf. *II Sam.* III, 29: «Que le sang d'Abner retombe (יָחוּל) sur la tête de Joab».

[3] *II Mac.* VI, 14: «Le souverain Maître attend pour les châtier que les nations atteignent la pleine mesure de leurs iniquités»; *Act.* XXVI, 7: les douze tribus espèrent l'obtention de la promesse de Dieu; *Philip.* III, 11: «parvenir, si possible, à ressusciter des morts»; cf. FL. JOSÈPHE, *Ant.* III, 246: on immole quotidiennement des bœufs jusqu'à ce qu'on atteigne le nombre de sept.

[4] *I Cor.* XIV, 36; cf. *P.S.I.* 101, 13: une taxation «tombe sur» trois contribuables: εἰς μόνους κατηντηκέναι ἄνδρας ζ; 102, 10; 105, 8; *P. Oxy.* 75, 5: ἀπογράφομαι ἐπὶ τοῦ παρόντος ἀπὸ τῶν κατηντηκότων εἴς με; 248, 11; 274, 19 (Ier s. de notre ère); *B.G.U.* 1169, 21 (Ier s. av. J.-C.); *Sammelbuch*, 9531, 4: εὐθέως λαβὼν τὸ ἐπιστόλιον κατάντησον

katantaô, employé dans les textes juridiques, notamment dans les testaments, signifie souvent «échoir» ou ce que nous appelons une dévolution [1]. On a parfois entendu en ce sens *I Cor.* x,11: «Nous, sur qui les accomplissements des âges sont arrivés», comme la réception d'un héritage; mais il s'agit plutôt d'une rencontre [2] ou d'une confrontation. Les conjonctures évoluent et l'on dit d'un petit groupe d'artisans qu'il considérait comme un simple vœu de pouvoir arriver à exécuter les ordres reçus (*P. Philad.* 10,6), ou que «les très nombreux habitants qui résidaient autrefois dans ces villages en sont arrivés aujourd'hui à n'être plus que quelques-uns, νυνεὶ κατήντησαν εἰς ὀλίγους» [3]. Mais on espère aussi pouvoir bénéficier d'un secours [4], ce qui légitime une démarche. C'est en ce sens que le corps du Christ se construit et que tous les croyants doivent parvenir (καταντήσωμεν οἱ πάντες, *Eph.* IV,13) à ne plus faire qu'un. Le but est fixé, le peuple de Dieu s'y dirige, il est en mouvement et tend vers cette fin qu'il n'a pas encore atteinte, et qui est la rencontre de l'époux, le Christ, mais aussi un héritage et encore l'entrée dans un lieu, le Paradis.

πρὸς με ἀναγκαίως; 9317 *a* 4: προσαπογράφομαι τὸ κατηντηκὸς εἴς με ἐξ ὀνόματος τῆς μητρός μου; *b* 16.

[1] *P. Michig.* 175, 11; *P.S.I.* 942, 16; 1255, 20; *P. Hermop.* 25, 7; *P. Lugd. Bat.* I, 1, 23; XIII, 14, 25; *P. Lund,* IV, 7, 14; cf. *B.G.U.* 326, 12: καταντῆσαι θέλω; *P. Strasb.* 277, 23.

[2] Cf. POLYBE, IV, 26, 5: les chefs étoliens fixèrent un jour où ils rencontreraient Philippe à Rhion.

[3] *Sammelbuch,* 7462, 8 (pétition du temps de Néron des six percepteurs de la capitation dans les villages); cf. 8070, 8; 9344, 14; *P. Michig.* 577, 11. Cf. POLYBE, IV, 34, 2: «une excessive audace ne produit rien de bon»; en rhétorique: «nous sommes parvenus à la chute de Cléomène, roi de Lacédémone» (IDEM, IV, 1, 8).

[4] *B.G.U.* 1821, 22: δυνηθεὶς κατήντηκα ἐπὶ τὴν ἐκ σοῦ βοήθειαν; cf. 1843, 15; 1857, 5.

καταρτίζω

Dérivé de ἄρτιος, le composé καταρτίζω [1] est un terme technique de la parénèse primitive, dont l'éventail de significations, aussi étendues qu'homogènes, est bien révélé par la variété des correspondants hébraïques dans la vingtaine d'emplois des Septante: פָּעַל «faire, fabriquer, préparer» (*Ex.* xv,17; *Ps.* LXVIII,29), כָּלַל «finir, achever, rétablir» (*II Esdr.* IV,12–13,16; v,3,9,11; VI,14), יָסַד «fonder, établir, ou ordonner, décréter» (*Ps.* VIII,3; cf. שׁת *Ps.* XI,4), תָּמַךְ «tenir, soutenir, retenir» (*Ps.* XVII,5), שָׁוָה (au *piel*) «égaliser, aplanir, placer» (*Ps.* XVIII,34), חוּל (au *piel*) «enfanter, trembler d'angoisse» (*Ps.* XXIX,9), כּוּן (au *niphal*) «établir, affermir, fonder, ou préparer, disposer» (*Ps.* LXVIII,10; LXXIV,16; LXXXIX,38), כָּנַן «désigner» (*Ps.* LXXX,16). D'après l'étymologie et l'usage, le sens fondamental est de mettre ou remettre en état, rendre un objet apte à sa destination, le préparer et l'adapter à son usage, donc l'ajuster et le perfectionner. Cet arrangement ou cette adaptation à une fin s'applique aux choses, aux personnes ou aux membres d'une société [2]. Le verbe se dit:

1°) d'une fondation ou création, notamment de Dieu qui «a fondé» le soleil (ou le luminaire, *B, S*) et la lune (*Ps.* LXXIV,16); «Par la foi, nous comprenons que les mondes ont été organisés (mis en ordre, arrangés, garnis) par une parole de Dieu» [3]; ὁ θεὸς τῶν θεῶν, ὁ τὸν κόσμον καταρτισάμενος (K. PREISENDANZ, *Papyri graecae magicae*, IV,1147; t. I, p. 112), qui met sa puissance en œuvre (*Ps.* LXVIII,29), établit ses lois (*Ps.* XI,4), dispose

---

[1] Les verbes en -ίζω sont très fréquents dans le N. T. Leur liste et leurs divers modes de formation à partir de noms, d'adjectifs, d'adverbes, de prépositions, de verbes etc., sont donnés par J. H. MOULTON, W. F. HOWARD, *A Grammar of New Testament Greek*, Edimbourg, 1929, II, pp. 406–410, qui observent que la signification de ces verbes dépend souvent du contexte.

[2] La meilleure étude est celle de H. T. KUIST, *Now the God of peace... make you perfect*, dans *The Biblical Review*, 1932, pp. 249–253, reprise dans *Exegetical Footnotes to the Epistle to the Hebrews*, New York, s. d., pp. 16–19; cf. W. BARCLAY, *A New Testament Wordbook*, Londres, 1955, pp. 67–68.

[3] *Hébr.* XI, 3. Cf. A. G. WIDDESS, *A note on Hebrews XI, 3*, dans *The Journal of Theological Studies*, 1953, pp. 326–329; L. H. TAYLOR, *The New Creation*, New York, 1958, p. 80; KL. HAECKER, *Creatio ex auditu. Zum Verständnis von Hebr. XI, 3*, dans *ZNTW*, 1969, pp. 279–281.

ou prépare son habitation au milieu de son peuple (*Ex.* xv,17), répare ou protège la vigne qu'il a plantée (*Ps.* lxxx,16), fait enfanter (les dispose à) les biches (*Ps.* xxix,9); ou encore du grand roi en Israël qui avait construit le Temple et l'avait achevé pour eux, ᾠκοδόμησεν αὐτὸν καὶ κατηρτίσατο αὐτὸν αὐτοῖς (*II Esdr.* v,11; cf. vi,14); enfin «façonner» une louange dans la bouche des petits enfants [1].

2°) d'un affermissement ou d'un soutien, comme celui d'un peuple épuisé (*Ps.* lxviii,10), de la conduite des fidèles (*Ps.* xvii,5) qui retrouvent force et agilité (*Ps.* xviii,34), d'une dynastie qui subsistera à jamais (*Ps.* lxxxix, 38).

3°) en architecture, des murs d'une ville ou d'un sanctuaire que l'on restaure (*II Esdr.* iv,12–13,16; v,3,9); *B. G. U.* 1854,3: καταρτίσασθαι εἰς τὸ ἐν Ἡρακλέους πόλει ἱερόν (8 de notre ère).

4°) du maître de maison qui offre une chambre à son hôte et la prépare, il la dote de confort et en fait une pièce parfaite pour le bien-être de son invité [2].

5°) quand une femme a assemblé des pièces de tissu pour confectionner un vêtement, elle emploie le même mot, une fois son travail achevé: l'habit est «prêt à porter» [3].

6°) quand une maîtresse de maison, ayant préparé un plat pour sa famille, déclare qu'«il est prêt» à être mangé (Dioscoride).

7°) du pharmacien qui, grâce à un heureux mélange d'ingrédients, a composé une potion pour guérir un malade, il qualifie le résultat de καταρτισμός: sa composition est parfaite, le remède prêt à prendre (καταρτίζοιο δὲ κύκλους δραχμαίους πλάστιγγι διακριδὸν ἄρθος ἐρύξας, NICANDRE, *Theriaca*, 954; IIe s. av. J.-C.).

---

[1] *Ps.* viii, 3; interprétation messianique *Mt.* xxi, 16; cf. S. LÉGASSE, *Jésus et l'enfant*, Paris, 1969, pp. 260 sv.

[2] Cf. la lettre de 112 av. J.-C. pour préparer la réception du sénateur Lucius Memmius en visite de touriste dans le Fayûm; les autorités locales doivent veiller à l'ameublement de la chambre d'hôte, τὰ εἰς τὸν τῆς αὐλῆς καταρτισμόν (*P. Tebt.* 33, 12; réédité, G. MILLIGAN, *Selections from the Greek Papyri*, Cambridge, 1927, n. 11). A Antalya, en Pisidie, une dédicace à Men détaille le mobilier consacré au dieu: «deux lits avec leur literie, κλείνας δύο σὺν τῷ καταρτισμῷ», c'est-à-dire matelas, oreillers, sangles pour les fixer, cf. J. et L. ROBERT, *Hellenica* ix, Paris, 1950, p. 41.

[3] Lettre d'Apollonius au Ier s. de notre ère: ἃ ἐδωρήσατό σοι Παυσανίας ὁ ἀδελφός σου πρὸ πολλοῦ ἐκ φιλοτιμίας αὐτοῦ κατηρτισμένα (*P. Oxy.* 1153, 16); la préparation d'une trame et d'une chaîne pour un manteau de 18 drachmes d'argent: ἱματίου καταρτισμὸν κρόκης καὶ στήμονος ἄξιον ἀργυρίου δραχμῶν ιη (*P. Ryl.* 127, 28; de 29 ap. J.-C.); ἔδωκα εἰς δαπάνην τοῦ καταρτισμοῦ δρ. δ = j'ai donné pour le coût de la préparation de la laine quatre drachmes (*P. Oxy.* 2593, 17; du IIe s.).

8°) en médecine, du chirurgien ou du rebouteux qui remet un membre disloqué, le remboîte et donne ainsi au patient la faculté d'user à nouveau de son bras ou de sa jambe [1].

9°) du potier qui a façonné un vase prêt à être livré et apte à tel ou tel usage [2].

10°) du marin qui pare son voilier, de l'amiral qui arme une flotte prête à prendre la mer, du général qui équipe une armée prête à entrer en campagne [3].

11°) du pêcheur qui, revenant de la pêche, remet ses filets en état, les raccommode, les arrange pour servir de nouveau (*Mt.* IV,21; *Mc.* I,19).

12°) du trésorier qui est en mesure d'effectuer un payement [4].

13°) de l'éducateur qui, ayant donné une *paidéia* achevée à l'enfant peut laisser celui-ci mener une vie d'homme [5]. En ce sens, «s'il arrive qu'un homme se laisse prendre à quelque faute, vous, les spirituels, redressez-le (reprenez-

---

[1] Au Ier s. av. J.-C. Apollonios de Citium (édit. J. Collesch, F. Kudlien, *Kommentar zu Hippokrates*, Berlin, 1965 (index *in h. v.*); Galien, XIX, p. 461 (édit. Kühn). Cf. *Hébr.* x, 5: «Tu m'as adapté un corps, σῶμα δὲ κατηρτίσω μοι» (= *Ps.* XL, 7: ὠτία; cf. C. Spicq, *L'Epître aux Hébreux*, Paris, 1953, II, p. 305).

[2] *Rom.* IX, 22: «Dieu a supporté avec une grande et longue patience des vases de colère, mûrs pour la perdition (κατηρτισμένα εἰς ἀπώλειαν), et afin de faire connaître la richesse de sa gloire sur des vases (objets de miséricorde) qu'il a préparés pour la gloire (ἃ προητοίμασεν εἰς δόξαν)». L'exégèse «dure» entend que les vases ont été «disposés par Dieu», façonnés par lui pour leur perte, comme les justes pour la gloire, et met donc κατηρτισμένα en strict parallélisme avec προητοίμασεν. Une explication atténuée prend κατηρτισμένα comme un participe moyen: les vases se sont eux-mêmes préparés (Chrysostome). Il vaut mieux suivre l'exégèse intermédiaire: Dieu n'a pas pré-paré les vases pour qu'ils soient détruits; il n'y a pas de prédestination à la perdition; mais les pécheurs sont en état d'être détruits, ils «sont au point», mûrs pour la perdition; cf. M. J. Lagrange, *Epître aux Romains*, Paris, 1931, p. 240; F. Leenhardt, *L'Epître de saint Paul aux Romains*, Neuchâtel-Paris, 1957, p. 147.

[3] Hérodote, IX, 66: Artabaze se mit à la tête de ces hommes «en formation» (pour le combat); Polybe, I, 21, 4: «dès qu'ils auraient mis l'escadre en état d'appareiller»; 29, 1: «les Romains ayant équipé les navires capturés»; III, 95, 2: «Hasdrubal après avoir équipé les trente vaisseaux laissés par son frère»; cf. *P. Panop.* I, 167: remise en état d'un bateau (ἐξαρτισθῆναι), 173, 181; II, 17: préparer le bateau avec son équipement complet, καὶ πάσῃ ἐξαρτείᾳ παρασκευασθέντα.

[4] *P. Tebt.* 6, 7; 24, 48; Dittenberger, *Or.* 177, 10 (95 av. J.-C. = *Sammelbuch*, 8886); 179, 9 (= *Sammelbuch*, 8888).

[5] Plutarque, *Alex.* 7; Thémistocle, II, 7. Cf. *Lc.* VI, 40: «Tout disciple bien formé (aussi bien instruit) sera comme son maître»; cf. H. Schürmann (*Das Lukasevangelium*, Freiburg-Bâle-Vienne, 1969, p. 368): *ausgebildet*. Cf. *II Tim.* III, 17: l'homme de Dieu, instruit de la sainte Ecriture est «accompli» ou «bien agencé, bien constitué» (ἄρτιος) parfaitement équipé (ἐξηρτισμένος) pour toute œuvre bonne.

le, restaurez-le: καταρτίζετε τὸν τοιοῦτον) avec un esprit de mansuétude» (*Gal.* VI,1); «nous demandons avec une extrême instance, de revoir votre visage et de réparer (remédier aux lacunes) les déficiences de votre foi, καταρτίσαι τὰ ὑστερήματα τῆς πίστεως ὑμῶν» (*I Thess.* III,10); la pédagogie chrétienne implique l'amendement (cf. *Ep. Aristée*, 144: τρόπων ἐξαρτισμόν).

14°) dans la langue politique: calmer, apaiser les factions, c'est-à-dire: restaurer l'unité [1]. Alors qu'il y avait des fissures (σχίσματα) dans la communauté de Corinthe, saint Paul exhorte les fidèles à se réconcilier dans un même esprit, à se maintenir en harmonie les uns avec les autres (*I Cor.* I,10). On peut traduire l'impératif passif καταρτίζεσθε de *II Cor.* XIII,11 dans le même sens: «raccordez-vous», sans élément discordant, ou «travaillez à votre redressement» c'est-à-dire: laissez-vous conduire à un état achevé, à la perfection [2].

Dans tous ces emplois et à tous les plans, l'idée de mettre en ordre et d'arranger est commandée par celle de l'adaptation à une fin [3], comme il appert de *Hébr.* XIII,21: «Que le Dieu de la paix vous rende aptes à tout bien pour faire sa volonté» et *I Petr.* v,10: «Le Dieu de toute grâce... vous équipera lui-même (αὐτὸς καταρτίσει), vous affermira (στηρίξει), vous fortifiera, vous consolidera» [4]. On concluera que καταρτίζειν est un élément majeur de la *paidéia* de l'Eglise primitive et – surtout chez saint Paul –, de l'«édification», qu'il s'agisse de construire progressivement la vie chrétienne «préparant» à la gloire, ou de restaurer et remettre en état ce qui est déficient soit dans l'existence personnelle, soit dans les relations avec le prochain.

---

[1] Cf. HÉRODOTE, V, 28, Milet avait souffert de dissensions pendant deux générations «jusqu'à ce que les Pariens y eussent rétabli l'ordre, κατήρτισαν».

[2] Cf. DITTENBERGER, *Or.* 177, 10 = *Sammelbuch*, 8886 (cf. 8888, 8–9), où le verbe est construit avec un infinitif (κατηρτίσατο δίδοσθαι) et que E. Bernand traduit: «est convenu de donner»; il s'agirait d'un compromis entre l'administration financière de la méris et les prêtres du temple de Soknopaiou Nésos (*Recueil des Inscriptions grecques du Fayoum*, Leiden, 1975, p. 134).

[3] Cf. *Eph.* IV, 12: Toute l'organisation de l'Eglise est ordonnée «à la préparation (litt. la mise au point) des saints pour l'œuvre du ministère, πρὸς τὸν καταρτισμὸν τῶν ἁγίων», les rendant aptes à ce service, en mesure de travailler à leur place et selon leurs aptitudes (ou charismes) à l'édification du corps du Christ (cf. N. HUGEDÉ, *L'Epître aux Ephésiens*, Genève, 1973, p. 162); cf. προκαταρτίζειν, *II Cor.* IX, 5.

[4] Le dernier verbe est omis par *A*, *B*, Vieille Latine, Vulg. etc. Cf. C. SPICQ, *Théologie morale du N. T.*, Paris, 1965, I, p. 123.

καταφεύγω

Il n'est guère possible de préciser si, dans ses deux emplois néo-testamentaires, ce verbe signifie «fuir» ou «se réfugier». Selon *Act.* xiv, 6, devant le soulèvement des païens et des Juifs à Iconium, Paul et Barnabé κατέφυγον εἰς τὰς πόλεις... vers les villes de Lycaonie, à Lystres, à Derbè et leurs environs. Les modernes comprennent qu'ils «allèrent chercher refuge dans» ces cités, mais on attendrait alors ἐν plutôt que εἰς; on s'étonne de surcroît que plusieurs villes soient mentionnées comme «cités de refuge» et enfin que dans l'une d'elles, à Lystres, Paul soit alors lapidé et laissé pour mort [1]. Il semble donc préférable de comprendre que les apôtres s'enfuirent, se sauvèrent d'Iconium [2], encore que cette acception soit peu attestée [3].

Dans les papyrus et les inscriptions, καταφεύγειν est en quelque sorte le terme technique dont se servent tous ceux qui présentent une supplique à l'Empereur [4], au roi, au préfet, au stratège, à un magistrat. Que ce soit

---

[1] *Act.* xiv, 19. Cf. E. Jacquier, *Les Actes des Apôtres*[2], Paris, 1926, *in h. l.*, qui relève la traduction de la Peshitta «discesserunt et fugierunt» et de l'Harkléenne «et fugientes pervenerunt in Lycaoniam».

[2] Cf. *Gen.* xix, 20: «La ville que voici est assez proche pour y fuir... que je puisse me sauver là-bas». Καταφεύγω traduit נוס «fuir, s'enfuir, courir»; au piel et au hiphil: «mettre en fuite, faire fuir». Il est encore traduit (outre φεύγω et ses dérivés: διαφεύγω, ἐκφεύγω) par ἀναχωρέω «reculer, se retirer, s'éloigner» (*Jug.* iv, 17; *I Sam.* xix, 10; *II Sam.* iv, 4; *Ps.* cxiv, 5).

[3] Cf. Fl. Josèphe, *Guerre*, i, 32; vi, 201: «Marie, fille d'Eléazar, s'enfuit à Jérusalem et y subit le siège». Aelius Aristide loue la philanthropie athénienne, ὑποδεχομένη τοὺς καταφεύγοντες (édit. Bursian, p. 99, 8 sv.). Treize Delphiens dénonçant des abus devant les Amphictions de Delphes ont été victimes d'intrigues et envoyés en exil, καταφυγόντες (*Fouilles de Delphes* iii, 4, n. 43, 8). Κατέφυγε πρὸς ἡμᾶς Στοτοῆτις ἰβιοτάφος (*Sammelbuch*, 9628, 2; IIe s. av. J.-C.). Au sens figuré: «leur vie se dissipe à ces préoccupations» (*Ep. Aristée*, 140).

[4] «La ville d'Euhippé, ayant eu recours à la grande Fortune de notre maître l'empereur Antonin» (L. Robert, *Opera minora selecta*, Amsterdam, 1969, i, p. 348); cf. supplique au roi: ἐπὶ σε τὸν σωτῆρα καταφεύγων (*Sammelbuch*, 9798, 3, 15; du IIIe s. av. J.-C.; *P. Yale*, 46, col. i, 9); Dittenberger, *Or.* 519, 14; 569, 15; *Suppl. Ep. Gr.* i, 366, 8: «les citoyens qui avaient été privés de leurs domaines avaient eu recours auprès de notre peuple, καταφυγόντων ἐπὶ τὸν δῆμον»; *P. Tebt.* 43, 27: «Nous avons été contraints de chercher refuge près de vous» (118 av. J.-C.); *UPZ*, 106, 16; *Berichtigungsliste* iv, p. 98, n. 774.

une veuve dont on fait peu de cas (καταφρονῶν), «ainsi, après avoir eu recours à toi, ô Roi, j'obtiendrai justice» (*P. Magd.* 2, 8; du IIIe s. av. J.-C.; cf. *P. Hib.* 238, 10); ou de tisserands qui demandent d'être exemptés d'une liturgie: ἀναγκαίως ἐπὶ σὲ καταφύγαμεν (*P. Philad.* 10, 13; de 139 ap. J.-C.; cf. *Sammelbuch*, 10195, 12), ou de plaignants qui se mettent sous la protection d'un magistrat (*P. Oxy.* 2131, 7; *P. Hermop.* 19, 9, 12; *B.G.U.* 2061, 8; *Sammelbuch*, 9897, recto 9). Tous font valoir leur besoin d'aide (*P. Osl.* 22, 12: ἐπί σε καταφεύγω ἀσθενὴς καὶ ἀβοήθετος; IIe s. de notre ère; *P. Tebt.* 327, 28; *P. Zén. Cair.* 59447, 10; 59852, 10), et c'est pourquoi [1] ils recourent avec ferveur (σπουδάζω, *Sammelbuch*, 9886, 5; ἔσπευσα, *P. Fuad*, 26, 34) et humilité (*P. Michig.* 529, 13: κατέφυγον ἐπὶ τὰς πόδας σου, δεόμενος) au supérieur qu'ils qualifient de «bienfaiteur de tous les hommes» (*P. Oxy.* 2342, 37; cf. *P.S.I.* 1323, 4; *Sammelbuch*, 10196, 43), «sauveur» (*P. Michig.* 422, 32), «sauveur de tous les hommes» (*P. Tebt.* 769, 87; *P. Fuad*, 26, 50; *P. Michig.* 174, 16; *P. Oxy.* 2563, 46; *P. Zén. Cair.* 59421, 9; 59618, 7); ils font appel à sa noblesse (ἐπὶ τὴν σὴν ἀνδρείαν καταφεύγω θαρρῶν, *P. Oxy.* 1468, 9; *P.S.I.* 1337, 17) et à sa puissance (*P. Tebt.* 326, 4; *P. Isidor.* 66, 18).

Persécutés, opprimés ou fugitifs cherchent refuge pour y trouver la sécurité et la justice soit près d'une autorité (Fl. Josèphe, *Guerre*, i, 131; *Vie*, 113), soit dans un lieu [2], notamment dans un temple qui jouit du privilège de l'inviolabilité [3]. Cette coutume permet peut-être de préciser le sens du participe aoriste οἱ καταφυγόντες: «nous les réfugiés» dans *Hébr.* vi, 18 où l'on peut voir une désignation des chrétiens [4]. Ils sont, en effet,

---

[1] τούτου χάριν (*P. Oxy.* 2479, 26); τούτου ἕνεκεν (*Sammelbuch*, 8246, 34), διὰ τοῦτο (*P. Tebt.* 724, 8), ὅθεν (*P. Michig.* 174, 6; 422, 32). On a recours à quelqu'un pour trouver de l'aide, *Is.* x, 3.

[2] Le capitole (Strabon, v, 3, 2; cf. vi, 3, 5), une ville (Fl. Josèphe, *Ant.* xviii, 373), une île (Thucydide, viii, 42, 4), des tombeaux (Ménandre, dans Stobée, *Flor.* lxxxvi, 6; t. iv, p. 704), une grotte (Plutarque, *Lucullus*, xv, 3); cf. Diodore de Sicile, xii, 9, 3; 24, 5.

[3] A Evhéméria, personne n'a le droit «d'expulser de quelque façon que ce soit... ceux qui sont venus chercher refuge (τοὺς καταφεύγοντες)» dans le temple d'Amon (*Sammelbuch*, 6155, 20; cf. 8266, 10 *b*); *P. Tebt.* 787, 34: καταφυγεῖν εἰς τὸ ἐν Ἰβιῶνι τοῦ Διὸς ἱερόν; 724, 8. Un sanctuaire qui vient d'être construit réclame ce privilège pour les fugitifs, καταφεύγοντας καθ' ὁνδηποτοῦν τρόπον (*P. Fay.* p. 49, 9; de 69–68 av. J.-C.). Mais en 121 de notre ère, le *P. Dura*, 20, 11 prescrit: «s'il prend refuge dans un temple, il en sera éjecté». Diodore de Sicile, xvii, 41, 8: un suspect poursuivi: «alla se réfugier dans le temple d'Héraclès» à Tyr.

[4] Analogue à οἱ πιστεύσαντες (*Hébr.* iv, 3), οἱ σωζόμενοι (*Act.* ii, 47), οἱ φρουρούμενοι (*I Petr.* i, 5), κλήσεως ἐπουρανίου μέτοχοι (*Hébr.* iii, 1). Les *Habiru* sont des réfugiés (cf. *L'Etranger*. Recueils de la société Jean Bodin, ix, 1; Bruxelles, 1958, p. 112).

des exilés et des pérégrinants sur cette terre [1], dont l'espérance céleste a toute la séduction de la cité de refuge et du droit d'asile [2]. Cette acception figurée peut être rapprochée de la conception philonienne, avec laquelle l'Epître – adressée, semble-t-il, à un groupe d'exilés, persécutés – a tant d'autres points de contact: «La Loi a permis au meurtrier de se réfugier (καταφεύγειν) non pas dans le Temple, n'étant pas encore purifié... mais en une ville sainte, lieu intermédiaire entre le Temple et le sol profane, temple secondaire en quelque sorte... La Loi désire mettre à profit les prérogatives de la ville d'accueil pour assurer au réfugié (τῷ καταφυγόντι) une sécurité mieux garantie (βεβαιοτάτην ἀσφάλειαν)» [3]. «Ceux qui n'ont pas une foi solide en Dieu leur Sauveur, ils cherchent d'abord un refuge dans le secours des créatures (καταφεύγουσιν ἐπὶ τὰς ἐν γενέσει βοηθείας)...; alors si on leur dit: Insensés! cherchez un refuge vers le seul médecin des infirmités de l'âme (καταφεύγετε... ἐπὶ τὸν μόνον ἰατρὸν ψυχῆς)... bien malgré eux, les infortunés cherchent tardivement et non sans peine un refuge auprès du seul sauveur: Dieu (καταφεύγουσιν... ἐπὶ τὸν μόνον σωτῆρα θεόν)» [4].

---

[1] Cf. C. Spicq, *Vie chrétienne et Pérégrination selon le Nouveau Testament*, Paris, 1972, pp. 59 sv. Sur le thème de la καταφυγή, cf. P. Collomp, *Recherches sur la Chancellerie et la Diplomatique des Lagides*, Paris, 1926, p. 127.

[2] Dans l'A. T., fuir dans une cité de refuge, c'est être sauvé, cf. *Nomb.* xxxv, 25–26; *Deut.* iv, 42; xix, 5; cf. Nicolas de Damas: «c'est là que se réfugièrent (συμφυγόντες) et furent sauvés ceux qui purent échapper au déluge» (dans Fl. Josèphe, *Ant.* i, 95); Philon, *Omn. prob.* 151: «ceux qui se réfugient en des lieux inviolables». Cf. Xénophon d'Ephèse, *Les Ephésiaques*, i, 4, 5: σῶσον τὸν ἐπὶ σὲ καταπεφευγότα τὸν πάντων δεσπότην. On relèvera que καταφεύγω traduit אסף (au niphal) «disparaître, se retirer, s'assembler, se réunir» (*Gen.* xlix, 1; *I Sam.* xiii, 5; xvii, 2; *II Sam.* xvii, 2; *Ps.* xxxv, 15; *Is.* lvii, 1), et לוה (au niphal) «s'adjoindre, accompagner» (*Nomb.* xviii, 2, 4), ce qui permet d'entendre les «fugitifs» de *Hébr.* d'une communauté (cf. xiii, 14).

[3] Philon, *Spec. leg.* iii, 130 (cf. *Hébr.* vi, 19: ἀσφαλῆ τε καὶ βεβαίαν); cf. 123; *Fuga*, 87 sv. *Spec. leg.* i, 129, 309: καρπὸν εὐράμενοι τῆς ἐπὶ τὸν θεὸν καταφυγῆς τὴν ἀπ' αὐτοῦ βοήθειαν; ii, 217. Le nom nouveau d'Aséneth: «cité de refuge» (xv, 6), cf. M. Philonenko, *Joseph et Aséneth*, Leiden, 1968, pp. 55 sv., 170; Chr. Burchard, *Untersuchungen zu Joseph und Aseneth*, Tübingen, 1965, pp. 93, 118; L. Delekat, *Asylie und Schutzorakel am Zionheiligtum*, Leiden, 1967.

[4] Philon, *Sacr. A. et C.* 70–71; cf. 119; *Mut. nom.* 8; *Abr.* 95; *Conf. ling.* 39; comparer *Pap. Graec. Vindob.* 19799–19800 (édité par H. Hunger, *Die Logistie – ein liturgisches Amt*, dans *Chronique d'Egypte*, 1957, pp. 272–283). *Esth.* iv, 17 k: «la reine Esther se réfugia auprès du Seigneur»; *Joseph et Aséneth*, xii, 7: «C'est auprès de toi [Seigneur] que je me suis réfugiée»; xiii, 1; *Testament Siméon*, iii, 5. Une dédicace de Sibidounda Θεῷ Ὑψίστῳ καὶ Ἁγίᾳ Καταφυγῇ ne doit pas s'entendre comme la traduction de Sancta Tutela, mais le correspondant de Iahvé-Dieu-Refuge. *Inscriptions grecques et latines de la Syrie*, 1483, 1: Τὸν Ὕψιστον ἔθου καταφυγήν σου. Cf. la Vierge Marie *refugium peccatorum*, invoquée comme Καταφυγή à l'époque byzantine, cf. J. et L. Robert, *Bulletin épigraphique*, dans *R.E.G.* 1965, p. 169, n. 412.

καταφθείρω

Les faux docteurs font opposition à la vérité et ont l'intelligence corrompue: οὗτοι ἀνθίστανται τῇ ἀληθείᾳ ἄνθρωποι κατεφθαρμένοι τὸν νοῦν (*II Tim.* III, 8; même association de ces deux verbes, *I Mac.* VIII, 11). Le seul parallèle plus ou moins approché est Ozias, dont «le cœur s'exalta jusqu'à se corrompre. Il devint infidèle à Iahvé son Dieu» (*II Chr.* XXVI, 16; cf. XXVII, 2: ὁ λαὸς κατεφθείρετο; *Lév.* XXVI, 39: «ceux d'entre vous qui resteront pourriront [מְקַק] à cause de leur péché»). Dans la majorité des emplois dans la LXX, κατεφθείρω traduit שָׁחַת «détruire, abattre; corrompre, pervertir». Ces deux significations sont utilisées simultanément: «Dieu vit que... toute chair avait corrompu sa voie sur la terre. Voici donc que je vais les détruire» (*Gen.* VI, 12–13; commenté par PHILON, *Deus immut.* 141–142), mais cette seconde acception est de loin la mieux attestée, notamment de la destruction d'une ville [1], de la terre entière (*Gen.* IX, 11; cf. *Is.* XXIV, 1: בְּקַק), d'un royaume (*I Mac.* VIII, 11), d'un pays ravagé [2], de ses produits (*Jug.* VI, 4), de ses fruits, de ses récoltes (*Sag.* XVI, 19, 22) et de ses arbres (*Dan.* IV, 14; cf. DITTENBERGER, *Syl.* 1157, 74). Il s'agit alors de dévastation et toujours avec une idée de violence (*I Mac.* XXV, 31). Quand le verbe se dit des hommes, il s'agit de leur extermination (*II Chr.* XII, 7; XXIV, 23; XXV, 16; XXXV, 21); ils succombent (*Ex.* XVIII, 18, נָבֵל); ces victimes (*II Mac.* V, 14) perdent la vie comme de «l'eau qui coule à terre» et ne peut être recueillie (*II Sam.* XIV, 14).

Dans les papyrus, κατεφθείρειν se dit d'affaire qui péricliterait si une décision n'était pas prise: εἰ δεῖ ση ἀπόφασίν μοι δοῦναι ἵνα μὴ ἐνταῦθα καταφθείρωμαι (*P.S.I.* 377, 11), de caviar qui, n'ayant pu être vendu doit être consommé: il ne faut pas le laisser périr, ἵνα μὴ καταφθαρῇ ὥσπερ καὶ τὰ λοιπά (*P. Zén. Cair.* 59121, 3), d'une récolte qui risque d'être anéantie (*ibid.* 59132, 5; cf. *Sammelbuch*, 6794, 5; *P. Tebt.* 769, 25, 85), d'un cheval inutilisable ou qui a péri (ὁ δὲ παρὰ σοῦ ἵππος κατέφθαρται; *P. Zén. Cair.*

---

[1] *II Mac.* VIII, 3: ravalée au niveau du sol; *Sammelbuch*, 8334, 5 (42 av. J.-C.); cf. R. HUTMACHER, *Die Ehrendekret für den Strategen Kallimachos*, Meisenheim am Glan, 1965.

[2] *Is.* XIII, 5 (חבל au piel); XXXVI, 10 (שָׁחַת au piel); XLIX, 19 (שָׁמֵם); *I Mac.* III, 39; XV, 4; *Ep. Aristée*, 23, 120; POLYBE, II, 64, 3.

59093, 5 = *Sammelbuch*, 6720, 5), d'une invasion de sauterelles qui a tout détruit (*P. Tebt.* 772, 2; du IIIᵉ s. av. J.-C.; cf. *Sammelbuch*, 6769, 18), de cargos inutilisés (*P. Haun.* 12 *a* 6; réédité *Sammelbuch*, 9425 *a*) et qui «s'abîment sur les lieux» où ils ont accosté (*P. Magd.* 11, 9; IIIᵉ s. av. J.-C.), surtout de prisonniers qui languissent (*P. Zén. Cair.* 59831: ἐν τῷ δεσμωτηρίῳ καταφθαρῆναι) et risquent de dépérir ou de périr en prison: ὅπως μὴ συμβῇ αὐτὸν καταφθαρῆναι ἐν τῇ φυλακῇ (*P. Michig.* 85, 5), μὴ ὑπεριδεῖν με κατεφθαρμένον ἐν τῇ φυλακῇ μῆνας η (*P. Tebt.* 777, 11; cf. *P. Petr.* ii, 19; *B.G.U.* 1847, 21)...

Ces usages donnent à entendre que les faux docteurs de *II Tim.* iii, 8, ayant l'intelligence dévastée ou ravagée – nous disons aujourd'hui: perdre l'esprit – sont radicalement incapables (cf. le participe parfait passif) d'exercer une fonction magistrale. Lorsque la faculté de penser et de raisonner est corrompue, on est disqualifié d'emblée pour enseigner (cf. ἀδόκιμοι; cf. *Tit.* i, 16).

κατηχέω

Ignoré des Septante, relativement peu attesté dans le grec classique et d'apparition tardive [1], ce verbe dérive de ἠχέω «résonner» et signifie: faire retentir aux oreilles, instruire de vive voix [2], donc «informer». C'est ainsi que les frères de Jérusalem ont appris que Paul enseignait l'apostasie envers Moïse à tous les Juifs (*Act.* XXI, 21, κατηχήθησαν περὶ σοῦ); mais qu'en le voyant faire un vœu au Temple, ils connaîtront «qu'il n'en est rien de ce qu'ils ont entendu dire sur toi» (℣. 24, ὧν κατήχηνται περὶ σοῦ). Cette acception est courante à l'époque: «Comme il a entendu dire (κατήχηται) que le Temple de Jérusalem est le plus beau des sanctuaires du monde...» (PHILON, *Leg. G.* 198). Le roi Agrippa écrit à Josèphe: «On voit bien que vous n'avez pas besoin qu'on vous enseigne les moyens de vous faire lire par nous d'un bout à l'autre. Quand vous aurez l'occasion de me rencontrer, je vous apprendrai à mon tour de vive voix bien des détails ignorés, σε πολλὰ κατηχήσω τῶν ἀγνοουμένων (FL. JOSÈPHE, *Vie*, 366). Au IIe siècle, le préfet d'Egypte déclare qu'il est informé des procédés des *télônai* qui extorquent de l'argent aux touristes [3].

Cependant, l'information que l'on communique à quelqu'un le renseigne, et κατηχέω tend à signifier «instruire, donner des instructions» [4], comme dans *P. Leipz.* 32, 1 (= *P. Strasb.* 41, 37) en 250, où l'avocat déclare: «Il ne m'a rien appris du tout (ἐμὲ οὐδέποτε κατήχησεν)», on lui répond: Σήμερόν τινα ἐδίδαξας. Au IVe s., le chrétien Coprès écrit: «Nous avons donné des instructions à l'avocat pour le 12» [5]. C'est l'acception de cinq des sept

---

[1] Cf. E. D. BURTON, *The Epistle to the Galatians*[2], Edimbourg, 1948, pp. 336 sv.

[2] Cf. la κατήχησις ἰδιωτέων, l'instruction donnée par le médecin au patient (HIPPO-CRATE, *Préceptes*, 13).

[3] Κατηχοῦμαι τοὺς τελώνας δι[ν]ῶς σοφίσασθαι τοῖς διερχομένοις (*P. Princet.* 20, 3; réédité *Sammelbuch*, 8072). Tiberius Julius Alexander ordonne de noter ou de notifier le nom des suspects (DITTENBERGER, *Or.* 669, 23–24).

[4] Les poètes enseignent à leurs auditeurs, μέτροις κατάδουσι καὶ μύθοις κατηχοῦσιν (LUCIEN, *Jup. Trag.* 39; cf. *Philopatr.* 17; *Asin.* 48). «L'être vivant raisonnable est perverti... à cause de l'instruction donnée par l'entourage, διὰ τὴν κατήχησιν τῶν συνόντων» (CHRYSIPPE, cité par DIOGÈNE LAERCE, VII, 1, 89). Cf. BEYER, *in h. v.*, dans *TWNT*, III, pp. 638 sv.

[5] *P. Oxy.* 2601, 15: ἐκατηχήσαμεν δὲ ῥήτορα τῇ ῑ (les éditeurs rapprochent ἐδιδαξάμην,

emplois du verbe dans le N. T., tous avec une signification religieuse, et qui – sans avoir le sens technique postérieur de «catéchèse» – désignent l'instruction évangélique départie aux croyants: «Apollos était instruit dans la voie du Seigneur, οὗτος ἦν κατηχήμενος τὴν ὁδὸν τοῦ Κυρίου» (Act. XVIII, 25); il ne s'agit pas d'une connaissance par ouï-dire quelconque, mais d'une instruction doctrinale proprement dite. Saint Paul préfère prononcer cinq paroles avec son entendement [1], c'est-à-dire dans une langue compréhensible «afin d'instruire aussi les autres, ἵνα καὶ ἄλλους κατηχήσω», conformément au rôle de la prophétie (cf. I Cor. XIV, 3) que dix mille paroles «en langues» auxquelles les auditeurs ne comprennent rien [2].

Pour discerner le bien et le mal, apprécier la valeur de ses actes, le Juif n'a pas besoin d'interroger la voix obscure de la conscience, il est informé, instruit constamment par la Loi [3]. Dans sa dédicace à Théophile, saint Luc explicite son intention «ἵνα ἐπιγνῷς περὶ ὧν κατηχήθης λόγων τὴν ἀσφάλειαν, afin que tu saches précisément la solidité de l'enseignement que tu as reçu (ou: dans lequel tu as été instruit, ou: touchant les choses que tu as apprises)» (Lc. I, 4). Les interprétations les plus diverses ont été données de ce verset: Théophile serait un grand personnage ou un magistrat païen que des informations tendancieuses auraient mal disposé vis-à-vis du christianisme; saint Luc voudrait éclairer son jugement. Ou bien Théophile serait un outsider intéressé par la religion nouvelle auquel l'Evangéliste donnerait une information sûre. Plus vraisemblablement, ce serait un bon chrétien qui, instruit des logoi de la foi [4], verra sa conviction corroborée par l'exposé des enseignements et de la vie du Sauveur. Ces logoi ne sont pas un exposé systématique et encore moins une catéchèse mystagogique.

---

dans P. Oxy. 2343, 8; réédité par M. NALDINI, Il Cristianesimo in Egitto, Florence, 1968, n. 35).

[1] Cinq est un chiffre rond (BILLERBECK, III, pp. 461 sv.), cf. P. J. SIJPESTEIJN, Penthemeros – Certificates in Graeco-Roman Egypt, Leiden, 1964.

[2] I Cor. XIV, 19; pour la critique textuelle, cf. G. ZUNTZ, Réflexions sur l'histoire du Texte paulinien, dans R.B. 1952, pp. 11 sv.; IDEM, The Text of the Epistles, Londres, 1953, p. 230.

[3] Rom. II, 18, κατηχούμενος ἐκ τοῦ νόμου, noter le participe présent (cf. W. SCHRAGE, Die konkreten Einzelgebote in der paulinischen Paränese, Gütersloh, 1962, pp. 167 sv.). Une lettre chrétienne du IVᵉ s., ἄνθρωπον καθηχούμενον ἐν τῇ Γενέσει (P. Oxy. 2785, 7).

[4] Cf. πιστὸς ὁ λόγος (I Tim. I, 15; III, 1; IV, 9; Tit. III, 8; II Tim. II, 11); ἐντρεφόμενος τοῖς λόγοις τῆς πίστεως καὶ τῆς καλῆς διδασκαλίας ᾗ παρηκολούθηκας (I Tim. IV, 6); ὑποτύπωσιν ἔχε ὑγιαινόντων λόγων ὧν παρ' ἐμοῦ ἤκουσας ἐν πίστει (II Tim. I, 13). J. M. ROBINSON, ΛΟΓΟΙ ΣΟΦΩΝ, dans Zeit und Geschichte. Dankesgabe an R. Bultmann, Tübingen, 1964, pp. 77–96; H. SCHÜRMANN, Das Lukasevangelium, Freiburg-Bâle-Vienne, 1969, p. 15.

Il n'y a pas à préciser s'il s'agit d'une liturgie pré- ou post-baptismale; mais à coup sûr la formule a déjà une certaine spécificité chrétienne caté-chétique, et il serait trop faible de traduire κατηχήθης: «tu as entendu parler» [1], comme s'il s'agissait d'une simple information. On pourrait enten-dre que Théophile, à l'instar d'Apollos (*Act.* XVIII, 25), aurait reçu une première connaissance incomplète, mais l'ἀσφάλεια qui est le mot-clef [2] et l'aoriste «semble indiquer que l'instruction était terminée» [3]. Un document écrit, objectivement informé, rédigé avec ordre, comme cet Evangile, confirmera les *logoi* oraux et en démontrera la crédibilité.

Gal. VI, 6 recommande: «Que celui à qui on enseigne la Parole (ὁ κατη-χούμενος τὸν λόγον) donne une part dans tout ce qu'il a de biens à son caté-chiste (τῷ κατηχοῦντι)», à son instructeur dans la foi (cf. *Philip.* IV, 15). Ce dernier n'est peut-être pas exactement «celui qui prépare le candidat au baptême», mais il est assurément celui qui enseigne l'Evangile; sa relation au «catéchumène» à ce plan doctrinal est celle de docteur à initié, de doit et d'avoir selon *Philip.* IV, 15. Ces catéchumènes sont attestés au IIIᵉ-IVᵉ s. dans trois lettres de recommandation: τοὺς ἀδελφοὺς ἡμῶν Ἥρωνα καὶ Ὡρίωνα καὶ Φιλάδελφον καὶ Πεχῦσιν καὶ Νααρωοῦν κατηχουμένους τῶν συναγομένων καὶ Λέωνα κατηχούμενον ἐν ἀρχῇ τοῦ εὐαγγελίου πρόσδεξαι ὡς καθήκει [4]; κατηχούμενον Σερῆνον... πρόσδεξαι (M. NALDINI, *op. c.*, n. 20, 4; réédité *Sammelbuch*, 10255); προσδέξαι οὖν ἐν ἀγάπῃ ὡς φίλους, οὐ γὰρ κατηχούμενοί εἰσιν (*P. Oxy.* 2603, 26; cf. M. NALDINI, n. 47).

---

[1] Justement souligné par E. TROCMÉ, *Le «Livre des Actes» et l'Histoire*, Paris, 1957, p. 49.

[2] *P. Amh.* 131, 3: ἕως ἂν ἐπιγνῶ τὸ ἀσφαλὲς τοῦ πράγματος (IIᵉ s.); 132, 5; *P. Gies.* 27, 8: ἵνα τὸ ἀσφαλὲς ἐπιγνῶ; cf. W. DEN BOER, *Some Remarks on the Beginnings of Christian Historiography*, dans F. L. CROSS, *Studia Patristica* IV, Berlin, 1961, pp. 349 sv.

[3] M. J. LAGRANGE, *Evangile selon saint Luc*, Paris, 1927, p. 7.

[4] *P.S.I.* 1041, 8–10, réédité par M. NALDINI, *op. c.*, n. 29, 8–10, qui traduit: «cate-cumeni 'partecipanti' e Leone catecumeno 'iniziato'», et cite *II Clem.* XVII, 1; TER-TULLIEN, *Praes. Haer.* 41; *Corona*, 2; *Adv. Marc.* V, 7; cf. *Didachè* XIV, 1 (J. P. AUDET, *La Didaché*, Paris, 1958, pp. 415 sv., 461).

κεράτιον

Le fils prodigue de *Luc* xv, 15, faisant paître des cochons[1] «avait envie (ἐπεθύμει, imparfait d'habitude) de remplir son ventre des caroubes que mangeaient les cochons»[2]. Le caroubier (scientifiquement: *ceratonia* siliqua) est un arbre qui peut atteindre douze mètres de hauteur, et sa circonférence deux mètres. Ses feuilles sont coriaces et persistantes, ses fleurs rougeâtres, et les sauterelles le laissent intact. Son fruit abondant: *kération* (diminutif de κέρας: petite corne) – qui n'apparaîtrait, selon des rabbins, que soixante-dix ans après la plantation de l'arbre, et trois années après la floraison (cf. BILLERBECK, II, p. 214) –, est une gousse longue, épaisse et plate (environ 12–15 centimètres de longueur; 3 cent. de large) qui contient une pulpe de saveur douçâtre servant à l'alimentation du bétail. «Ce fruit, quand il est vert, est astringent à gâter la bouche; mais les caroubes sèches sont plus douces et les hommes les grignotent comme font les Orientaux pour les pois chiches, les cacahuètes etc.»[3]. On les emploie aussi en décoction

---

[1] Βόσκειν χοίρους; il faut traduire par le péjoratif «cochon» (χοῖρος; cf. *Lc*. VIII, 32–33) et non «porc» (ὗς, *II Petr.* II, 22). Cf. la plainte contre deux *pornoboskoi*, *P.S.I.* 1055. En Egypte, les troupeaux de porcs pouvaient atteindre 400 têtes (*P. Zén. Cair.* 59310), et chaque porcher garder 70 bêtes (*ibid.* 59652). Les archives de Zénon mentionnent une quarantaine de ces salariés, dont la situation matérielle devait être difficile tant leurs plaintes sont nombreuses; bon nombre s'enfuient ne pouvant remplir leurs obligations (*ibid.* 59310), leurs salaires sont payés avec retard et le propriétaire va même jusqu'à les mettre en prison (*ibid.* 59495). Cf. A. SWIDEREK, *La Société indigène en Egypte au IIIᵉ siècle avant notre ère d'après les archives de Zénon*, dans *The Journal of Juristic Papyrology*, 1954, pp. 237 sv., 265 sv., 273. Un proverbe rabbinique disait: «Maudit soit l'homme qui élève des cochons, et maudit l'homme qui apprend à son fils la sagesse grecque» (*Baba Qamma*, 82 *b*).

[2] *Lc*. xv, 16. Les meilleurs *mss*. lisent γεμίσαι τὴν κοιλίαν; mais la leçon χορτασθῆναι a l'appui de P⁷⁵, qui n'offre pas de différence de sens; cf. J. DUPONT, *Les Béatitudes*, III, Paris, 1973, pp. 47 et 48 n. 4. Sur le verbe ἐπιθυμέω, cf. *ibid.* p. 48, n. 3.

[3] M. J. LAGRANGE, *Evangile selon saint Luc*³, Paris, 1927, *in h. l.*; cf. PLINE, *Hist. nat.* XIII, 16; COLUMELLE, *De re rustica*, V, 10; VII, 9; HORACE, *Epist.* II, 123; PERSE, *Satir.* III, 55; JUVÉNAL, *Sat.* XI, 59; M. GANDOGER, E. LEVESQUE, *Caroube*, dans *Dictionnaire de la Bible*, II, col. 308–311; W. CORSWANT, *Dictionnaire d'Archéologie biblique*, Neuchâtel-Paris, 1956, p. 59; F. M. ABEL, *Géographie de la Palestine*, Paris, 1933, I, p. 206. Le caroubier est appelé vulgairement: *arbre de saint Jean;* cf. R. H.

pharmaceutique et en sirop (ἀκάνθης κεράτια, *P. Leid.* x, col. 12, 35; du IIIᵉ-IVᵉ s. Cf. DIOSCORIDE, I, 114); ils sont bénéfiques dans la gastro-entérite [1].

Les caroubes ne sont guère mentionnées dans les papyrus que dans les comptes d'un fermier, de 78 de notre ère (*P. Lond.* 131, 7; t. I, p. 189). Mais à partir du IIIᵉ-IVᵉ siècle, le mot désigne en Egypte une unité monétaire: le carat (cf. le latin *siliqua*). Phoibammon demande à son frère de lui acheter pendant son séjour à Alexandrie «une robe d'Antioche, brodée, peu usagée, d'une valeur de 10 *kératia* à peu près, un petit siège fait pour l'atelier, de l'encre, une plume d'Antioche, un 'double' d'une valeur de 1 *kération* ½» (*P. Fuad*, 74, 7–9). «Le Maître sait qu'une φελῶνις coûte plus que... *kératia*» [2]. Dans un compte privé du IIIᵉ-IVᵉ s., on lit: νομισμάτια κα̅ κεράτια ϛ ὑπὲρ τῆς καταβολῆς... τῷ ἀρτοκόπῳ κεράτια ι̅θ ὑπὲρ ὀθονίων τῶν τέκνων... κεράτια ꝗ ὑπὲρ τοῦ οἴνου (*P. Alex.* 39, 3, 10, 13). Au Vᵉ siècle, un artabe de blé vaut trois carats, et un artabe d'orge a peu près deux carats (*P. Sorb.* 61, 8, 13). Dans un reçu délivré à un épimélète: «Je déclare avoir entièrement reçu de ta grandeur les quatre nomismata (*solidi*)... moins cinq *kératia* qui me sont donnés par toi comme salaire annuel pour les deux travaux, celui de teinturier et celui de tapissier, que j'ai exécutés...» [3]. «Pour 33 knides de vin j'ai reçu 24 carats» (*P. Zilliacus*, XIII, 3). «Je paierai annuellement une rente de 10 carats de monnaie courante» [4] etc.

HARRISON, *Healing Herbs of the Bible*, Leiden, 1966, p. 32. Selon *Midr. Leviticus Rabba*, 35: quand les Israélites mangent des caroubes ils font pénitence.

[1] La vieille médecine égyptienne recommandait les caroubes séchées pour un ulcère dans les dents et raffermir les gencives (*P. Ebers*, n° 746), guérir un nourrisson d'une maladie appelée *bââ* (*ibid.*), faire disparaître la toux (n. 314), les douleurs d'estomac (n. 205), rafraîchir le cœur et vivifier les vaisseaux (n. 139), les maladies de la matrice (*P. Kahoum*, n. 3–9) etc. Cf. G. LEFEBVRE, *Essai sur la Médecine égyptienne de l'Epoque pharaonique*, Paris, 1956, pp. 65, 94, 110, 114, 118 etc.

[2] *P. Michael.* 38, 3. Sur la *paenula*, manteau d'hiver (*II Tim.* IV, 13), cf. C. SPICQ, *Pèlerine et Vêtements*, dans *Mélanges E. Tisserant*, Cité du Vatican, 1964, I, p. 389. Ajouter aux références *P. Mil. Vogl.* 256, 20; *P. Lugd. Bat.* XIII, 18, 21; *P. Oxy.* 3201, 7.

[3] *P. Gothemb.* 9, 11; cf. une liste d'employés, «Victor: huit *solidi* moins dix-huit carats» (*P. Rend. Har.* 101, 4).

[4] *P. Lugd. Bat.* XVI, 8, 26–27; cf. *P. Ant.* 91, 8: «J'ai promis de te payer une indemnité de neuf carats d'or»; *P. Oxy.* 2237: prêt de six *solidi* d'or moins six carats; *P. Mert.* 95, 4: ordre de paiement de 8 carats d'or aux gardes, aux archers arabes; *P. Strasb.* 247, 15; *P. Ryl.* 707, 2–3; *P. Hermop.* 26, 10; 30, 19; 41, 5–6: «deux *solidi* et deux carats d'or»; *P. Michig.* 607, 16–17; 612, 15. Au VIIIᵉ s., la valeur des *solidi* est de 22 carats 2/3, cf. *P. Apol. Anô*, 82, 11, 13; 86, 4, etc. L. C. WEST, A. CH. JOHNSON, *Currency in Roman and Byzantine Egypt²*, Amsterdam, 1967, pp. 129, 135.

κερματιστής, κολλυβιστής, τραπεζίτης

Le long du parvis des Gentils dans le Temple de Jérusalem – comme sous un portique d'Ephèse et de Délos au Ier siècle (τραπεζειτικὴ στοά) – étaient installées des boutiques où l'on vendait du sel, du vin, de l'huile nécessaires aux sacrifices [1]. Il y avait aussi les comptoirs des changeurs [2], qui fournissaient aux Juifs des sicles (tétradrachmes) et des demi-sicles (didrachmes) de Tyr [3] pour l'achat de leurs offrandes et acquitter l'impôt du Temple (deux drachmes). D'où *Jo.* II, 14: «Jésus trouva dans le Temple les marchands de bœufs, de brebis, de colombes et les changeurs assis, τοὺς κερματιστὰς καθημένους», devant leurs tables basses remplies de pièces de monnaie. La désignation de κερματιστής, inconnue par ailleurs [4], dérive de κερματίζειν «réduire en petits morceaux, changer contre de la monnaie» et de κέρμα «petite pièce de monnaie»; mais à l'inverse des textes littéraires, les papyrus montrent que ce terme ne désigne pas tant la menue monnaie, que la somme d'argent liquide dont on dispose pour les achats et les besoins journaliers [5].

---

[1] Bon nombre appartenaient à la famille du grand Prêtre, cf. J. JEREMIAS, *Jérusalem au temps de Jésus*, Paris, 1967, p. 75.

[2] *Sheqalîm*, I, 3; *Tos. Sheqalîm*, I, 6; cf. E. LAMBERT, *Les changeurs et la monnaie en Palestine du Ier au IIIe siècle de l'ère vulgaire d'après les Textes talmudiques*, dans *Rev. des Etudes juives*, 1906, t. LI, pp. 217–244; t. LII, pp. 24–42; S. KRAUSS, *Talmudische Archäologie*[2] II, Hildesheim, 1966, pp. 411–414.

[3] Cf. A. BEN DAVID, *Jerusalem and Tyros*, Basel-Tübingen, 1969, pp. 5–13, 25–27.

[4] On ne connaît que la leçon κερματιστής pour χρηματιστής, dans MAXIME DE TYR, 31, 2 b, d. Cf. R. BOGAERT, *Banques et Banquiers dans les Cités grecques*, Leiden, 1968, pp. 46–47. Pour κερμάτιον, cf. D. B. DURHAM, *The Vocabulary of Menander*, Amsterdam, 1969, p. 70.

[5] Cf. ARISTOPHANE, *Ploutos*, 379: «bourrant de menues pièces la bouche des orateurs»; EUBÛLOS, *Fragm.* 84: ἢ τὰς φιλῳδοὺς κερμάτων παλευτρίας οὐκ οἶσθα (édit. J. M. EDMONDS, *The Fragments of Attic Comedy*, II, p. 118); FL. JOSÈPHE, *Guerre*, II, 295: les adversaires de Florus, raillant son avarice, faisaient circuler une corbeille et «demandaient [l'aumône] de la petite monnaie pour lui, ἐπήτουν αὐτῷ κέρματα»; EPICTÈTE, II, 10, 14: «Te faut-il donc perdre un *kerma* pour subir un dommage?». J. POLLUX, *Onom.* IX, 87 note: En Attique on emploie le pluriel κέρματα, non le singulier χρῆμα lorsqu'il s'agit d'argent, ni κέρμα...; mais ce dernier se dit en dorien de la petite monnaie; plus tard, même en attique, on a usé du singulier, tel ANTIPHANE dans le Cyclope: κέρμα γάρ τι τυγχάνω. Cf. au IIe-IIIe s., *P. Oxy.* 114, 13–14: «Si l'argent

Jo. II, 15 poursuit: «Il les chassa tous... et il répandit la monnaie des changeurs, καὶ τῶν κολλυβιστῶν ἐξέχεεν τὸ κέρμα»[1]. Mot tardif et rare de la langue populaire[2], réprouvé par les Atticistes[3], κολλυβιστής «changeur» dérive de κόλλυβος qui a trois acceptions: «petite pièce de monnaie, agio ou cours du change, et au pluriel: friandises. Κολλυβιστής se rapporte aux deux premières significations»[4]. En échangeant telle monnaie contre telle autre, de cuivre en argent par exemple (*P. Ryl.* 192, 10), les *kollubistai* prenaient un bénéfice, le *kollubos* (קׇלְבּוֹם), qui désignait aussi le cours du change[5]. En 160 av. J.-C., Delphes, ayant reçu une donation de «dix-huit

---

(τὸ κέρμα) est insuffisant en raison de la négligence de Théagénès, vend le bracelet pour te procurer de l'argent»; 1220, 7: «Envoie-moi un peu d'argent pour préparer la récolte...»; *P. Rein.* 117, 6: «Vois si tu as besoin d'argent, demande-le à Aculeinos»; *P. Lugd. Bat.* I, 14, 19: «Ainsi nous avons transféré l'argent à Harthonios le frère de ta femme, par l'intermédiaire d'une banque»; *P. Hib.* 206, 13; *P. Hermop.* 13, 4: καθὼς παρατέθικά σοι τὸ μαρσίππιν τοῦ κέρματος...; *P. Fuad*, 81, 9: «Envoie-moi de l'argent, puisque tu désires acheter un livre». *P. Tebt.* 418, 12: «donne à ma femme l'argent dont elle a besoin jusqu'à ton arrivée» (très semblable à P. M. MEYER, *Griechische Texte aus Ägypten*, n. 23, 5); *P. Gen.* 77, 5; *P.S.I.* 512, 13: ἐμοὶ δὲ οὔπω παράκεται κέρμα ἀπὸ τοῦ οἴνου; *UPZ*, 81, col. 4, 20 (le songe de Nektonabos): ὁ δὲ Πετήσιος κέρματα λαβὼν πολλὰ ἀπῆλθεν εἰς Σεβεννῦτον.

[1] Même désignation des changeurs dans *Mt.* XXI, 12; *Mc.* XI, 15 qui précisent que Jésus renversa leurs tables. M. J. Lagrange commente: «Les κολλυβισταί qui remplacent les κερματιστάς peuvent bien être une réminiscence des Synoptiques, mais ce mot variait agréablement avant κέρμα» (*In Jo.* II, 15).

[2] A l'époque ptolémaïque, *P. Petr.* III, 59 *a* col. I, 7 mentionne κολλυβισταὶ ζ; *P. Tebt.* 1079, 49; Πτολεμαίῳ κολλυβιστῇ; une inscription du Sarapieion de Délos, du Iᵉʳ siècle: κολλυβιστής A (P. ROUSSEL, *Les Cultes égyptiens à Délos*, Paris-Nancy, 1915–1916, n. 177 *b* 3). *P. Univ. Gießen*, 30, 11: ἤδη οὖν μαρτύριν γέγονε περὶ τοῦ κερματιστοῦ (édit. H. Büttner).

[3] PHRYNICUS: Κολλυβιστὴς ἐπὶ τοῦ ἀργυραμοιβοῦ et qui cite Ménandre (édit. Chr. A. Lobeck, p. 440); J. POLLUX, *Onom.* VII, 33, 170 cite Lysias: κολλυβιστὴς ὡς Λυσίας ἐν τῷ περὶ τοῦ χρυσοῦ τρίποδος, καὶ ὁ νῦν κόλλυβος, ἀλλαγή. Cf. D. B. DURHAM, *op. c.*, p. 71.

[4] R. BOGAERT, *Changeurs et banquiers chez les Pères de l'Eglise*, dans *Ancient Society* IV, 1973, p. 241; cf. M. N. TOD, *Epigraphical Notes on Greek Coinage*, dans *Numismatic Chronicle and Journal of the Numismatic Society*, 1945, pp. 108–116. On cite ARISTOPHANE, *Paix*, 1200: «Avant ce jour, personne n'eût acheté une faux, pas même pour un liard (οὐδὲ κολλύβου = un tiers ou un quart d'un denier), aujourd'hui je les vends cinq drachmes».

[5] A Mylasa (DITTENBERGER, *Or.* 515, 23, 50), à Pergame (484, 20); à Ephèse, cf. R. BOGAERT, *Banques et Banquiers*, p. 49; S. LEROY WALLACE, *Taxation in Egypt from Augustus to Diocletian*, Princeton, 1938, p. 488, n. 274, et p. 503 (*in h. v.*). Cf. l'inscription de Pergame mentionnant dans la même phrase: πρὸς κέρμα... ἐκ τοῦ κολλύβου (DITTENBERGER, *Or.* 484, 19–20).

mille drachmes d'argent d'Alexandre» du roi Attale II et converties en monnaie locale, demande «pour couvrir les dépenses et les frais de voyage (des ambassadeurs) qu'il soit permis de prendre l'argent sur le bénéfice du change (ἐκ τοῦ κολλύβου) et que ceux qui y auront procédé rendent compte à la cité» (DITTENBERGER, *Syl.* 672, 32). Si la ligue des Insulaires loue Timon, banquier à Délos, d'avoir changé de l'argent sans demander de *kollubos* (*IG*, XII[5], 817, 4, 8–10), les changeurs des banques d'Oxyrhynque [1] sont accusés d'avoir fermé leurs comptoirs, se refusant à accepter la mauvaise monnaie impériale; le stratège les contraint à rouvrir et à accepter toute monnaie ayant cours légal [2]. Les *kollubistai* sont donc de véritables banquiers [3].

C'est le change, en effet, qui a engendré la banque et qui en fut la fonction première [4], à laquelle s'ajoutèrent, par la suite, le dépôt, le prêt, l'encaissement et d'autres opérations financières. Le mot τραπεζίτης [5] apparaît pour la première fois dans une inscription très mutilée découverte à l'agora d'Athènes et qui traite du change des monnaies d'or, au Ve siècle (*Suppl. Ep. Gr.* X, 87, 19), où il signifie «changeur», puis il désignera le directeur de banque [6], celui qui fait le commerce de l'or et de l'argent, éprouve les

---

[1] *P. Oxy.* 1411, 4: τοὺς τῶν κολλυβιστικῶν τραπεζῶν τραπεζείτας; cf. *P. Alex.* 144 (p. 42).

[2] Cf. *Gnomon de l'Idiologue*, 106: «Il est défendu d'échanger (κερματίζειν) une grosse pièce contre une quantité de pièces divisionnaires supérieure à sa valeur légale».

[3] Cf. κολλυβιστικὴ τράπεζα, *P. Oxy.* 2471, 10, 13, 19; 2584, 8; *P.S.I.* 204, 21; 1235, 7; 1318; col. I, 11; *P. Strasb.* 34, 7; *P. Hamb.* 1, 2: Ἀντίγραφον διαγραφῆς διὰ τῆς Ἀπολλωφανοῦς τοῦ Πτολεμαίου κολλυβιστικῆς τραπέζης (21 sept. 57).

[4] La τράπεζα du Ps. ARISTOTE, *Oeconomica* II, 1346 *b* 24–26 est un simple bureau de change.

[5] Cf. G. REDARD, *Les noms grecs en -ΤΗΣ, -ΤΙΣ*, Paris, 1949, pp. 39 sv. Dérivé de τράπεζα, table ou comptoir devant lequel est assis le changeur (*P. Eleph.* 10, 2; cf. καθίζοντες ἐπὶ τὰν τραπεζᾶν, F. SOKOLOWSKI, *Lois sacrées des Cités grecques*, Paris, 1969, n. 161, A 19), puis l'institution: la banque (*P. Lond.* 3, 38 = t. I, p. 47; *P. Oxy.* 98, 8); d'où le jeu de mots d'ANDOCIDE, *Sur les Mystères*, 130–131, où un esprit frappeur qui bouleverse les tables et les meubles provoque une «banqueroute». Avec l'adjectif ἱερά ou le nom d'un dieu au génitif (τράπεζα κυρίου, *I Cor.* X, 21; cf. ἡ τοῦ θεοῦ τράπεζα, *Suppl. Ep. Gr.* I, 344; DITTENBERGER, *Syl.* 1106, 99; 1022, 2; 1038, 11; cf. la κλίνη de Sarapis, *P. Oxy.* 2592; *P. Yale*, 85 etc.), τράπεζα désigne la table des offrandes ou la table sacrée du dieu (cf. A. J. FESTUGIÈRE, *Le monde gréco-romain au temps de Notre-Seigneur*, Paris, 1935, pp. 172 sv.), mais la table du culte est aussi évoquée sans aucune détermination, cf. L. ROBERT, *Le sanctuaire de Sinuri près de Mylasa*, Paris, 1945, n. 76; cf. à Iconium, IDEM, *Bulletin Epigraphique*, dans *R.E.G.* 1950, p. 201, n. 200.

[6] *Ep. d'Aristée*, 26: «Le roi ordonna que le montant des sommes fut réparti entre les trésoriers des troupes et les banquiers du roi» (repris par FL. JOSÈPHE, *Ant.* XII,

monnaies (EPICTÈTE, I, 20, 8–9), fait du crédit etc. Ce sont des trapézites auxquels font allusion les paraboles des mines et des talents qui reprochent au serviteur paresseux de ne pas avoir porté son argent aux banquiers (*Mt.* xxv, 27) ou à la banque (*Lc.* xix, 23), ce qui aurait permis au Maître de recouvrer son argent «avec un intérêt, σὺν τόκῳ»[1].

Les deux évangélistes font allusion à un dépôt de placement, qui portait intérêt ordinairement de vingt pour cent[2], donc un placement «pour faire fructifier»[3]. Le déposant est considéré comme un associé dont l'argent, loin d'être stérile, rapporte à coup sûr un bénéfice; et les banquiers devaient stimuler leur clientèle en leur offrant de bons placements[4]; mais les mauvais payeurs et les banqueroutes n'étaient pas rares, du moins en Grèce

---

32); DITTENBERGER, *Syl.* 577, 17; PLUTARQUE, *Aratus*, 18; cf. R. BOGAERT, *Banques et Banquiers*, pp. 33–41. τραπεζιτεία désigne la fonction du trapézite (*P. Oxy.* 1415, 26), mais dans *Suppl. Ep. Gr.* iv, 668, 14 il évoquerait à la fois le collège des trapézites et la durée de leur mandat (cf. R. BOGAERT, *op. c.*, p. 236).

[1] Cf. J. DUPONT, *La Parabole des Talents* (*Mt. XXV, 14–30) ou des Mines (Lc. XIX, 12–27*), dans *Rev. de Théologie et de Philosophie*, 1969, pp. 376–391 (sur l'interprétation allégorique de cette parabole, où plusieurs Pères suppriment «avec intérêt»; cf. P. QUIÉVREUX, *Les Paraboles*, Paris, 1946, pp. 221–227; R. BOGAERT, *Changeurs et Banquiers*). Comparer le décret d'Abdère en 166 av. J.-C., qui autorise à placer à la banque une somme destinée à couvrir les frais de deux ambassadeurs: κομιζόντων ἀπὸ τῆς τραπέζης, θεμένων αὐτοῖς τὸ διπλάσιον τῶν νομοφυλάκων ἀπὸ τῶν εἰς τὰς πρεσβείας (DITTENBERGER, *Syl.* 656, 47 sv.; cf. L. ROBERT, *Opera minora selecta*, Amsterdam, 1969, i, pp. 320 sv.).

[2] Par exemple la maison Egibi à Babylone (R. BOGAERT, *Les Origines antiques de la banque de Dépôt*, Leiden, 1966, pp. 113, 122, 141; cf. IDEM, *Banques et Banquiers*, pp. 345–351). Alors que sous Nabuchodonosor, l'intérêt est de 13,5 et même 10 %, sous Cyrus et Cambyse il est de 20 %, mais la maison Murašu à Nippur prêtait à 40 et même 50 % (G. CARDACIA, *Les Archives de Murašû*, Paris, 1951, pp. 5, 39, 59, 177). E. CUQ, *Les nouveaux fragments du Code de Hammourabi sur le prêt à intérêt et les sociétés* (Mémoires de l'Académie des Inscriptions et Belles-Lettres, t. 41), Paris, 1918; IDEM, *Etudes sur le Droit babylonien*, Paris, 1929, pp. 221 sv.

[3] *Code de Hammurabi*, 99: «Si un homme d'affaires a donné à un commis de l'argent pour vendre et acheter, et qu'il ait mis en voyage, le commis en voyage fera fructifier» ce capital; cf. J. DAUVILLIER, *La Parabole des mines ou des talents et le § 99 du Code de Hammurabi*, dans *Mélanges J. Magnol*, Paris, 1948, pp. 153–165. Sur les sociétés de commerce et les contrats d'association d'affaires dans les papyrus, cf. R. TAUBENSCHLAG, *Opera Minora*, La Haye-Paris, 1959, ii, pp. 516–526.

[4] Une épigramme est attribuée à Théocrite, en forme d'enseigne de banquier: «Aux habitants de la ville et aux étrangers, cette banque fait les mêmes conditions: ce que vous avez déposé, vous pouvez le retirer, après compte fait; que d'autres se servent de subterfuges, Caïcos rembourse les dépôts à qui le demande, même la nuit» (*Anthol. Palat.* ix, 435).

et à Rome [1]; en Egypte, dont nous possédons plusieurs centaines de papyrus bancaires [2], et où les transactions monétaires se faisaient par l'intermédiaire des banques, la gestion de celles-ci semble avoir été plus sérieusement contrôlée [3]; l'argent y fructifiait, puisque le taux d'intérêt des prêts privés au IIIe siècle était de vingt-quatre pour cent [4]. Certes, en Israël, le «prêt à intérêt» était interdit [5], mais l'intérêt était licite sur les prêts commerciaux, puisque les *Schulchanîm* (désignation dérivant de *Schulchan*, table) faisaient fructifier dans les «affaires» les fonds qui leur étaient confiés [6].

---

[1] Notamment celle du chrétien Carpophore à Rome, victime des agissements de son esclave Callixte (HIPPOLYTE, *Refutatio omnium Haeresium*, IX, 12, 1–12; cf. R. BOGAERT, *Changeurs et Banquiers*, p. 253). L'expression ἀνατρέπειν τὴν τράπεζαν apparaît dès le Ve s. (ANDOCIDE, *Sur les Mystères*, 130).

[2] Par exemple, les comptes d'une banque privée du IIe s. av. J.-C., *P. Tebt.* 890; *P. Oxy.* 1639 (Ier s. av. J.-C.); *P. Michig.* 564, 17; 625, 2; *P. Princet.* 133, 5; *P. Mert.* 70, 35 etc. Cf. F. PREISIGKE, *Girowesen im griechischen Aegypten*, Strasbourg, 1910! E. ZIEBARTH, *Hellenistische Banken*, dans *Zeitschrift für Numismatik*, 1924, pp. 36–50. La *Prosopographia Ptolemaica* de W. PEREMANS, E. VAN'T DACK (Louvain 1950, I, n. 178–179, 1122–1294) relève 175 trapézites; par exemple, Didyme (*P. Michig.* 572, 4), Képhalos en 18 av. J.-C. (*P. Rein.* 128, 5), Zoilos et Dionysios en 6–5 (*P. Yale*, 60, 5), Ammonios en 64 de notre ère (63, 3, 8) etc.

[3] Cf. *P. Tebt.* 703, 117–134; N. HOHLWEIN, *Recueil des Termes techniques relatifs aux Institutions politiques et administratives de l'Egypte romaine* (Académie roy. de Belgique. Classe des Lettres, VIII). Bruxelles, 1912, pp. 405 sv. *Revenue Laws*, 73–78 (arrêté sur l'affermage des banques); H. DESVERNOIS, *Banques et Banquiers dans l'Egypte romaine*, dans *Bulletin de la Société royale arch. d'Alexandrie*, 1928, pp. 303–348.

[4] CL. PRÉAUX, *L'Economie royale des Lagides*, Bruxelles, 1939, p. 282; J. HERRMANN, *Zinssätze und Zinsgeschäfte im Recht der gräko-ägyptischen Papyri*, dans *The Journal of Juristic Papyrology*, 1962, pp. 23–31. En Grèce, il était ordinairement de 10 %; cf. à Ilion (F. SOKOLOWSKI, *Lois sacrées de l'Asie Mineure*, Paris, 1955, n. 9); Pergame (DITTENBERGER, *Or.* 484, 8–15), à Délos, Milet, Amorgos etc., cf. R. BOGAERT, *op. c.*, pp. 138, 258, 290, 360.

[5] *Ex.* XXII, 25; *Ps.* XIV, 5; XXXIV, 34; *Ez.* XVIII, 17; cf. C. SPICQ, *Les Péchés d'injustice*, Paris, Tournai, Rome, 1935, pp. 339, 440 sv.; S. STEIN, *The Laws on Interest in the Old Testament*, dans *The Journal of Theological Studies*, 1953, pp. 161–170; E. NEUFELD, *The Rate of Interest and the Text of Nehemiah V, 11*, dans *The Jewish Quart. Review*, 1954, pp. 194–204; E. SZLECHTER, *Le prêt dans l'Ancien Testament et dans les Codes mésopotamiens avant Hammourapi*, dans *Rev. d'Histoire et de Philosophie religieuse*, 1955, pp. 16–25; H. A. RUPPRECHT, *Untersuchungen zum Darlehen im Recht der graeco-ägyptischen Papyri*, Munich, 1967; R. MALONEY, *Usury and Restrictions on Interest-Taking in the Ancient Near-East*, dans *C.B.Q.* 1974, pp. 1–20.

[6] Prêts internationaux (FL. JOSÈPHE, *Ant.* XII, 180 sv.) et maritimes (*Sammelbuch*, 7169: contrat de prêt pour le commerce dans le pays des Aromates, cf. L. ROBERT, *Etudes Epigraphiques et Philologiques*, Paris, 1938, pp. 206 sv.). Cf. BILLERBECK,

Il faut donc conclure que le Seigneur ne condamne pas «le prêt à intérêt» dans la parabole des mines et des talents, mais qu'il y interdit seulement sa pratique dans le sanctuaire. On distinguera l'usurier qui exploite la misère des pauvres (cf. *Tableau de Cébès*, 31, 3: μηδὲ γίγνεσθαι ὁμοίους τοῖς κακοῖς τραπεζίταις) et le trapézite qui aide les commerçants et les citoyens aisés (*P. Tebt.* 890; DITTENBERGER, *Or.* 484, 9; cf. R. BOGAERT, *Changeurs et Banquiers*, p. 270). C'est ce que confirmerait ce *logion agraphon*, s'il est authentique: «γίγνεσθε δόκιμοι τραπεζῖται, Soyez de bons banquiers». C'est de beaucoup la sentence extra-canonique la mieux certifiée, puisqu'on en a relevé soixante-dix attestations [1]. Cependant, c'est une exhortation à être, non d'honnêtes banquiers, mais comme des changeurs experts qui discernent la vraie et la fausse monnaie, rejetant ce qui est sans valeur.

---

t. I, pp. 970 sv. S. EJGES, *Das Geld im Talmud* (Diss. Gießen), Vilna, 1930, p. 74; G. R. DRIVER, J. MILES, *The Babylonian Laws²*, Oxford, 1956, p. 175. A la synagogue de Beth Shearim, une inscription nomme un donateur: le banquier Léontios Polmurénos (M. SCHWABE, B. LIFSHITZ, *Beth She 'arim*, Jérusalem, 1967, t. II, n. 92).

[1] A. RESCH, *Agrapha²*, Leipzig, 1906, pp. 112–128; L. VAGANAY, *Agrapha*, dans *D.B.S.* I, col. 187; H. RAHNER, *Werdet kundige Geldwechsler*, dans *Gregorianum*, 1956, pp. 475–480; J. JEREMIAS, *Les Paroles inconnues de Jésus*, Paris, 1970, pp. 99–102.

κολακεία

L'étymologie de cet *hapax* biblique (*I Thess*. II, 5) est inconnue. L'emploi très rare dans les papyrus – on ne peut guère en relever plus de quatre ou cinq – et de son dénominatif κολακεύειν atteste une double acception, l'une neutre: quelque chose d'agréable; l'autre péjorative: la flatterie, associée à l'idée de tromperie ou de mensonge. Selon la première, dans le *Testament d'Abraham* A 16, le Très-Haut prescrit à la Mort qu'il envoie à Abraham et qui va se présenter sous une forme très séduisante: «Ne l'effraie point. Prends-le sous une forme séduisante, μὴ ἐκφοβήσῃς αὐτὸν ἀλλὰ μετὰ κολαφίας τοῦτον παράλαβε». Aussi la mort explique à Abraham: «C'est avec beaucoup de calme et sous une forme plaisante que je viens auprès des justes, ἐν ἡσυχίᾳ πολλῇ καὶ κολαφίᾳ προσέρχομαι τοῖς δικαίοις» (§ 17). Mais au IIIe s. de notre ère: «Je te demande. Le Préfet te demande: n'essaye pas de me mystifier» [1]; «comme un vin sans aucune sorte d'odeur conservé dans une jarre, tu ne montres aucune émotion à la suite d'une flatterie» [2].

Cette dernière acception est celle de κολακεύω dans les Septante qui s'oppose à πικραίνω (*I Esdr*. IV, 31). *Sag*. XIV, 17 dénonce les images sculptées vénérées sur l'ordre des tyrans: «Ils ont fait une image visible du roi qu'ils honoraient... afin de flatter avec zèle l'absent comme s'il était présent» [3]. Dans quelques textes littéraires, la *kolakéia* est sympathique: «La jeune fille cajole (ou adule) mes compagnes les Nymphes et les honore assidûment» (MÉNANDRE, *Dyscol*. 37). «Le gymnaste doit exercer les athlètes, ou plutôt les flatter... aussi bien quand ils travaillent que quand ils s'exercent» (PHILOSTRATE, *Gymn*. 29). Mais le plus souvent, la nuance est péjorative: «Cette gloire éclatante est salie par vous, à cause d'un bruit inattendu,

---

[1] *P. Oxy*. 2407, 52: μή με κολακεύῃς. Même association de la tromperie et de la *kolakéia*, au VIe s., dans *P. Lond*. 1727, 24 qui associe δόλος, φόβος, βία, ἀπάτη, ἀνάγκη, κολακία.

[2] *Acta Maximi*, II, 42; édit. H. A. MUSURILLO, *Acta Alexandrinorum*, Leipzig, 1961, p. 30; IDEM, *The Acts of the Pagan Martyrs*, Oxford, 1954, p. 39. Le seul autre papyrus est mutilé, διδόναι κολακεύοντες (*P.S.I*. 4 = *P. Zén. Cair*. 59838).

[3] Dans *Job*, XIX, 17, les Septante ont lu le verbe חנן «être gracieux» et comprennent: Je parle avec flatterie ou gentillesse aux fils de ma concubine...

de je ne sais quelle plaisanterie (κόλακι) de bergers» (SOPHOCLE, *Limiers*, 154). L'esclave du bonhomme Démos «se mit à le flatter, enjôler, flagorner, berner» (ARISTOPHANE, *Cavaliers*, 48); «Cent têtes d'exécrables flatteurs, en cercle, le pourléchaient» (*Paix*, 756); «N'est-ce pas un grand esclavage de voir tous ces gens-là investis de magistrature, eux et leurs flatteurs salariés» (*Guêpes*, 683). «Celui-là obtient à bon droit davantage des dieux aussi bien que des hommes qui, au lieu de les flatter quand ils sont dans l'embarras, se souvient d'eux surtout au moment où sa situation est la plus prospère»[1].

Les comédiens[2] et les moralistes précisent les traits du κόλαξ qui est guidé par le profit, et le distinguent du complaisant (ἄρεσκος) qui agit sans vue intéressée, mais par «désir inné de plaire» (THÉOPHRASTE, *Caract.* v). Après avoir défini la flatterie «un commerce honteux, mais profitable au flatteur» (*ibid.* II, 1), Théophraste conclut: «En résumé, vous verrez le flatteur dire et faire toutes les choses par lesquelles il espère se rendre agréable» (II, 13). Ce faisant, Théophraste hérite d'Aristote qui, faisant de la *kolakéia* un vice opposé à l'amabilité, précise: «Il y a deux types de l'homme qui cherche toujours à faire plaisir. Le premier, celui dont le but est de faire plaisir sans plus, c'est le complaisant. Le second, celui dont le but est de faire plaisir pour en tirer quelque avantage en argent ou en biens qu'on peut se procurer avec de l'argent, c'est le flatteur» (*Eth. Nicom.* IV, 12, 1127 *a*, 7–10); «Tous les flatteurs ont des âmes de prolétaires» (*ibid.* IV, 9, 1224 *b* 32); «la flatterie et le flatteur nous agréent, car le flatteur se donne l'air d'un admirateur et d'un ami» (*Rhét.* I, 11, 1371 *a* 22). Ailleurs, le Stagyrite situe l'amitié entre l'animosité et la flatterie (*Eth. Eudème*, III, 7, 1233 *b* 29–38), et accentue l'opposition entre l'ami et le flatteur[3].

Dès lors, la *kolakéia* s'inscrit dans les catalogues de vices[4] et d'abord par Philon qui l'insère entre la perfidie (ἀπιστία) et la tromperie (φενακισμός)

---

[1] XÉNOPHON, *Cyrop.* I, 6, 3; cf. DITTENBERGER, *Syl.* 889, 29 sv., on ne peut dépasser les limites du destin, ni par flatterie, ni par supplication, οὔτε κολακείᾳ οὔτε ἱκετείᾳ; FL. JOSÈPHE, *Guerre*, II, 213: «les plus ardents courtisans de la fortune».

[2] En 421, Eupolis a composé une comédie *Les Flatteurs* (édit. J. M. EDMONDS, *The Fragments of Attic Comedy*, Leiden, 1957, I, pp. 368 sv.). Philodème l'épicurien composera un traité περὶ κολακείας (W. CRÖNERT, *Neues über Epikur und einige Herkulanensische Rollen*, dans *Rhein. Museum*, 1901, p. 623). Cf. O. RIBBECK, *Kolax. Eine ethologische Studie*, dans *Abhandl. der philol.-hist. Kl. d. königlich Sächsischen Gesellschaft der Wissenschaften*, IX, 1884, pp. 1–115.

[3] *Eth. Nicom.* X, 2, 1173 *b* 32. Cf. PHILON, *Lois allég.* III, 182: «On ne dirait pas que le flatteur est un bon camarade. La flatterie est la maladie de l'amitié».

[4] Cf. A. VÖGTLE, *Die Tugend- und Lasterkataloge...*, Münster, 1936, p. 201.

et la fourberie (ἀπάτη, *Sacr. A. et C.* 22). Tantôt, la flatterie est présentée comme un vice contraire à la *philia:* «en amitié, les hommes craignent les feintes de la flatterie comme étant très funestes»[1], tantôt comme trahissant la vérité: la fausse piété «flattant Celui qui est insensible à la flatterie, qui aime un culte authentique... celui d'une âme qui apporte comme pure et unique offrande la vérité»[2], tantôt comme suscitant la vanité: «Tous les hommes... flattaient Gaïus en le prenant au sérieux plus que de raison et en conspirant à enfler sa vanité»[3].

C'est donc un vice très diversement stimulé, soit par disposition de tempérament, comme Euriklès «habile à dispenser la flatterie, sans paraître le faire» (FL. JOSÈPHE, *Ant.* XVI, 301), soit pour complaire au prochain[4], soit pour aduler un prince, et à ce titre c'est un vice de courtisan[5], soit enfin pour susciter l'admiration des foules, et c'est alors un vice de rhéteur[6]: «Regarde les flatteurs assassinant leurs victimes et leur rabattant jour et nuit les oreilles; non seulement ils approuvent chaque mot qui tombe, mais ils enchaînent interminablement les déclarations et les tirades. Des lèvres ils formulent mille souhaits, mais leur cœur est toujours à la malédiction» (PHILON, *Migr. A.* 111).

Ces usages de la *kolakéia* peuvent aider à préciser en quel sens saint Paul, n'ayant jamais eu un mot de flatterie à l'égard des Thessaloniciens, donne ainsi une garantie de l'authenticité de sa parole apostolique (*I Thess.* II, 5); *a)* le flatteur étant un dissimulateur et un fourbe, l'envoyé de Jésus-

---

[1] PHILON, *Abr.* 126; *Plant.* 105–106: «Les flatteurs réservent bien souvent une haine indicible à ceux qui sont l'objet de leurs attentions... Les flagorneurs ne déploient leur zèle que pour leurs profits à eux»; ces feintes et ces artifices s'opposent à la franche amitié.

[2] *Quod det. pot.* 21; cf. *Spec. leg.* I, 60: Moïse enseigne la vérité et il expulse de sa cité πάντας τοὺς κολακεύοντας αὐτήν (la divination). Cf. FL. JOSÈPHE, *Vie,* 367: «Agrippa, non pour chercher à me flatter, ni par ironie... témoigne de la vérité» de mes ouvrages.

[3] *Leg. G.* 116. Cf. *Sobr.* 57: «le sage recueille des louanges qui ne sont pas abâtardies par la flatterie, mais garanties par la sincérité»; FL. JOSÈPHE, *Guerre,* IV, 231: les Iduméens sont une nation éprise de changements, «à la moindre flatterie de ceux qui l'implorent, elle prend les armes et s'élance au combat comme à une fête».

[4] PHILOSTRATE, *Gymn.* 44: «Ce fut la médecine qui usa la première de complaisance (ἐκολάκευσε)» envers les athlètes, enseignant la paresse, introduisant l'habitude de rester assis avant les exercices, favorisant une chère trop recherchée...

[5] Les flatteurs du tyran Denys de Sicile étaient surnommés Διονυσοκόλακες (ATHÉNÉE, VI, 56; X, 433 *e*).

[6] Cf. les quinze références données par C. MUSSIES, *Dio Chrysostom and the New Testament,* Leiden, 1972, pp. 200–201. Cf. LUCIEN, *Dialogue des morts,* X, 8.

Christ n'a jamais dit que la vérité; *b*) il s'est refusé de gagner la sympathie de ses auditeurs en les cajolant ou les flattant; *c*) il n'a pas cherché à obtenir des avantages personnels (argent, hospitalité, prestige) par des procédés plus ou moins tortueux; *d*) son *âgapè*, n'hésitant pas à réprimander et à corriger, prouve à tous l'authenticité de son attachement, à l'inverse de complaisances coupables [1]. Sur cette intégrité de la conduite de saint Paul, cf. *I Cor.* I, 17 sv.; II, 1, 4 sv.

---

[1] On pourrait citer *Lc.* VI, 26: «Malheureux, lorsque tous les hommes vous diront du bien» c'est-à-dire des paroles flatteuses, des propos louangeurs; cf. J. DUPONT, *Les Béatitudes*, III, Paris, 1973, pp. 86 sv.

κοσμέω, κόσμιος

Dénominatif de κόσμος «ordre, bon ordre», puis «décoration» (STRABON, III, 4, 17), «ornement» (*Sammelbuch*, 8381, 1; 8550, 3) et «gloire, honneur» (*ibid.* 8140, 26), le verbe κοσμεῖν garde toujours la valeur fondamentale de «mettre en ordre», donc «préparer» la table (DITTENBERGER, *Syl.* 1038 A 11), un repas (*Sir.* XXIX, 26; *Ez.* XXIII, 41) ou une lampe qu'on «arrange» en y mettant de l'huile (*Mt.* XXV, 7), organiser ou parfaire une œuvre (*Sir.* XXXVIII, 28). C'est en ce sens que le Créateur a, non seulement posé les êtres dans l'existence, mais les a bien ordonnés (*Ps.* CIV, 24) il a fait une œuvre d'ordre (*Sir.* XVI, 27; XLII, 21). Ce que nous appelons le cosmos (*P. Lond.* 981; t. III, p. 241), l'univers, c'est «l'ordre du monde»[1]. Ces sages arrangements embellissent les choses et les personnes (*Sir.* XXV, 1; *Eccl.* XII, 9), notamment les édifices; Salomon orna la Tente avec des pierres précieuses[2]; la maison royale était ornée de tentures (*Esth.* I, 6); l'esprit impur, revenant dans la demeure d'où il a été chassé, «la trouve vide (disponible), balayée (nettoyée), ornée», de sorte qu'elle est prête pour s'y installer[3]; les scribes et les pharisiens bâtissent les sépulcres des prophètes et ornent les monuments des Justes, en multipliant les sculptures sur la façade ou dans les chambres souterraines[4], tel Phasael pourvoyant à l'embellissement du

---

[1] Le monde ordonné (cf. SASSE, *TWNT*, III, 867 sv.). Au Ve s. av. J.-C., κόσμος «désigne déjà le 'monde', mais l'idée d'ordre est encore très sensible; ce n'est pas le monde en tant que simple collection des êtres, mais en tant que totalité structurée en vertu d'une loi (ἀνάγκη...) selon laquelle chaque être est solidaire de l'ensemble et l'ensemble de chaque être. Même idée de solidarité des éléments impliquée par κόσμος chez Anaxagore (*Vors.* 59 B 8) et chez Platon, *Gorgias*, 507 e-508 a» (J. JOUANNA, *Hippocrate, La nature de l'homme*, Berlin, 1975, p. 274); cf. G. S. KIRK, *Heraclitus. The Cosmic Fragments*², Cambridge, 1965, pp. 311–314.

[2] *II Chr.* III, 6; cf. *Apoc.* XXI, 19; U. JART, *The Precious Stones in the Revelation of St. John XXI, 18–21*, dans *Studia Theologica*, 1970, pp. 150–181.

[3] *Mt.* XII, 44; *Lc.* XI, 25; cf. FL. JOSÈPHE, *Guerre*, III, 79: «une muraille garnie de tours»; le balai se dit κόσμητρος. Au sens d'équiper (cf. DIODORE DE SICILE, XVII, 93, 2; 100, 4; 108, 1) et de mettre en ordre (*ibid.* 87, 4).

[4] *Mt.* XXIII, 29; PHILON, *Leg. G.* 157: «Auguste a orné notre sanctuaire d'ex-voto de grand prix». Cf. l'épitaphe de l'architecte Harpalos «qui a orné les très longs murs des temples, qui a dressé dans des portiques de hautes colonnes» (E. BERNAND, *Inscriptions métriques de l'Egypte gréco-romaine*, Paris, 1965, n. 23, 5; avec le commentaire

tombeau de son père Antipatros, τάφον ἐκόσμει τῷ πατρί (FL. Josèphe, *Ant.* xiv, 284). En «ordonnant parfaitement les temps» sacrés, David fixe le calendrier liturgique et embellit les solennités (*Sir.* xlvii, 10; cf. l, 14; *II Mac.* ix, 16). Enfin, κοσμέω se dit particulièrement des vêtements sacrés (*Sir.* xlv, 12; l, 9) ou royaux[1], et de l'habillement ou de la parure des femmes[2], telle la Jérusalem céleste – à la fois ville et femme – préparée comme une fiancée (*Apoc.* xix, 7) et parée pour son époux[3].

Les règlements relatifs au culte fixaient souvent la toilette des dévôts (Dittenberger, *Syl.* 999, 2–13). Semblablement, saint Paul déterminant la tenue des Ephésiennes dans les assemblées liturgiques, leur prescrit «d'être dans une tenue décente (ἐν καταστολῇ κοσμίῳ), de se parer avec pudeur et sobrement, μετὰ αἰδοῦς καὶ σωφροσύνης κοσμεῖν ἑαυτάς»[4], comme *I Petr.* iii, 5 avait proposé aux chrétiennes un modèle de parure, celui

---

de l'éditeur, pp. 130–131). «Sept fois Hermeias étendit les cent coudées en longueur pour orner [le temple d']Hibis de ce pavement de pierre» (*Sammelbuch*, 8688, 2 = *Suppl. Ep. Gr.* viii, 795); Philon, *Quod Deus imm.* 150: «ce qui décore la demeure ou le tombeau de l'âme»; Dittenberger, *Syl.* 1050, 6; *Suppl. Ep. Gr.* ix, 5, 20. J. Jeremias, *Heilige Gräber in Jesu Umwelt*, Göttingen, 1958; J. Duncan M. Derrett, «*You Build the Tombs of the Prophets*, dans F. L. Cross, *Studia Evangelica*, iv, Berlin, 1968, pp. 187–193.

[1] Cf. Manahem revêtu d'un costume royal, ἐσθῆτί τε βασιλικῇ κεκοσμημένος (FL. Josèphe, *Guerre*, ii, 444).

[2] *Judith*, x, 3; xii, 15; *Jér.* iv, 30; *Ep. Jér.* 11; *Ez.* xvi, 11, 13; xxiii, 40. Epitaphe de Politta, à Memphis: «Où sont les robes, où sont les bijoux d'or dont me parait mon père?» (E. Bernand, *op. c.*, n. 96, 8); Proscynème en l'honneur d'Harmachis: «Des vêtements, non des armes, sont notre parure» (*Sammelbuch*, 8447, 9); ἐν κοσμείοις γυνηκείοις (*P. Ness.* 33, 21); *P. Oxy.* 1901, 65; *Sammelbuch*, 9763, 6, 16. – Le substantif κόσμος désigne l'ordonnance, donc la beauté qui se manifeste sur une personne. «Filles d'Israël, pleurez sur Saül, lui qui vous revêtait d'écarlate de toute beauté (μετὰ κόσμον), lui qui relevait vos atours d'un parement d'or (κόσμος)» (*II Sam.* i, 24); au IIIᵉ s. de notre ère, une femme a le privilège d'être honorée par sa maternité, τῷ κόσμῳ τῆς εὐπαιδείας εὐτυχήσασα (*P. Oxy.* 1467, 11). Cf. H. Diller, *Der vorphilosophische Gebrauch von κόσμος und κοσμεῖν*, dans *Festschrift Br. Snell*, Munich, 1956, pp. 47–60.

[3] *Apoc.* xxi, 2 (cf. J. Comblin, *La Liturgie de la nouvelle Jérusalem*, dans *Ephemerides theol. Lovanienses*, 1953, pp. 5–40); Achille Tatius, *Leucippe et Clitophon*, iii, 7, 5: ὥσπερ ᾿Αϊδωνεῖ νύμφη κεκοσμημένη; *Test. Jud.* 12, 1: κοσμηθεῖσα κόσμῳ νυμφικῷ; *Joseph et Aséneth*, iv, 2: «Ses parents voyaient Aséneth parée comme une épouse divine».

[4] *I Tim.* ii, 9. Καταστολή (*hap.* N. T.; cf. *Is.* lxi, 3) se dit des mœurs et de la manière de vivre (*Ep. Aristée*, 284), de l'habillement et de la tenue (FL. Josèphe, *Guerre*, ii, 126). Une loi de Syracuse prescrivait: τὰς γυναῖκας μὴ κοσμεῖσθαι χρυσῷ μηδ᾿ ἀνθινὰ φορεῖν μηδ᾿ ἐσθῆτας ἔχειν πορφυρᾶς ἐχούσας παρυφάς (Athénée, xii, 521 *b*).

porté jadis par les saintes femmes (ἐκόσμουν ἑαυτάς). Le verbe choisi: «s'arranger, mettre de l'ordre» signifie ici la correction d'un vêtement bien ajusté, sans rien d'excentrique ni de provoquant: les femmes chrétiennes doivent s'habiller avec bon goût, être «convenables» [1].

L'association κόσμιος, σώφρων (σωφροσύνη), αἰδώς est si constante à l'époque hellénistique qu'on doit la considérer comme un lieu commun littéraire, depuis Xénophon; elle a toujours pour but de souligner la conformité aux règles de la décence et de la pudeur [2], le contrôle de l'attitude ou du comportement: la beauté est jointe chez son possesseur «à la modestie et à la réserve, μετ' αἰδοῦς καὶ σωφροσύνης» (XÉNOPHON, Banquet, I, 8; cf. Cyrop. VIII, 1, 31); «le propre de la science humaine est de faire naître en l'âme la retenue et la modération (αἰδῶ καὶ σωφροσύνην), vertus dont la manifestation la plus visible est que l'on rougit s'il le faut» (PHILON, Quis rer. div. 128); la vertu «fait apparaître et contempler la beauté remarquable de sa pudeur et de sa modestie (αἰδοῦς καὶ σωφροσύνης), beauté intacte, sans souillure, véritablement virginale» [3]; «un jeune garçon se pare de pudeur et de retenue, αἰδοῖ καὶ σωφροσύνη κοσμεῖται νέος» [4]; la prostituée peut se donner un extérieur décent, σχῆμα κόσμιον καὶ σῶφρον (Spec. leg. I, 102; cf. PLUTARQUE, Praecepta ger. reipubl. 4; 800 f: ἀνὴρ σώφρων καὶ κόσμιος),

---

[1] Avant la formation du monde, les éléments se comportaient sans raison ni mesure, mais par la suite le Tout fut ordonné (PLATON, Timée, 53 a). «Une femme aurait des propos trop libres si elle n'avait que la réserve (κοσμία) d'un homme de bien» (ARISTOTE, Polit. III, 4, 17; 1277 b). Au sens matériel: «Toutes les jeunes filles devaient, richement parées, marcher en procession solennelle» (XÉNOPHON D'EPHÈSE, Eph. I, 2, 2); Test. Jud. 13, 5: ἐκόσμησεν αὐτὴν ἐν χρυσίῳ καὶ μαργαρίταις; Test. Jos. 9, 5. Cf. des enfants parés avec soin, κοσμίως εἰστήκεσαν (PLUTARQUE, Caton min. XIII, 1).

[2] Cf. ATHÉNÉE, I, 38 = 21 b: «Un souci constant des anciens était d'endosser leur vêtement dans les règles (κοσμίως)».

[3] PHILON, Congr. erud. 124. Cf. MAMA, VII, 258, 5: εἰκόνα σωφροσύνης καὶ αἰδοῦς; W. PEEK, Griechische Vers-Inschriften, Berlin, 1955, n. 1575, 1: σωφροσύνας αἰδοῦς τε ἐτύμου χάριν, ὦ μάκαρ Ἑρμᾶ (Ier-IIe s.).

[4] PHILON, Mut. nom. 217; Moschion, évoquant son passé: ἦν κόσμιος = j'étais un garçon correct (MÉNANDRE, Sam. 18); DITTENBERGER, Syl. 796 B 26: νεανίαν κόσμιον καὶ σώφρονα καὶ πάσῃ ἀρετῇ ἐν τῇ πρώτῃ ἡλικίᾳ τοῦ βίου (Athènes, vers 40 de notre ère); L. ROBERT, Documents de l'Asie Mineure méridionale, Genève-Paris, 1966, pp. 81 sv. Cf. GÉMINOS: «Pas même chez un homme bien né, de mœurs réglées (περὶ ἄνθρωπον κόσμιον καὶ τεταγμένον), on ne saurait admettre dans les déplacements une telle irrégularité de mouvement» (Introduction aux Phénomènes, I, 20). Une maxime de la sagesse delphique du IIIe s. av. J.-C., retrouvée en Afghanistan: «Παῖς ὢν κόσμιος γίνου – Etant enfant: sois bien élevé; jeune homme: maître de toi; au milieu de la vie: juste; vieillard: de bon conseil; à ta mort: sans chagrin» (INSTITUT F. COURBY, Paris, 1971, n. 37 B).

mais Moïse l'expulse de sa cité, car lui «sont étrangères la décence, la pudeur, la chasteté et les autres vertus (κοσμιότητος καὶ αἰδοῦς καὶ σωφροσύνης)»[1]. Les décrets honorifiques résument toute la vie d'un honnête homme en deux mots: ζήσαντα κοσμίως[2], souvent explicités: ζήσασαν κοσμίως καὶ σωφρόνως (*MAMA*, VIII, 472; cf. *Inscriptions de Magnésie*, 162, 6; du Ier s.); un médecin: ἐπί τε τῇ τέχνῃ τῆς ἰατρικῆς καὶ τῇ κοσμιότητι τῶν ἠθῶν (*Inscriptions de Magnésie*, 113, 11 = DITTENBERGER, *Syl.* 807). ζήσας βίον αἰδήμονα καὶ κόσμιον καὶ ἄξιον ἐπαίνου... ἐπὶ τῇ κοσμίῳ ἀναστροφῇ (*MAMA*, VIII, 414, 9, 14); ζήσαντα κοσμίως καὶ αἰδημόνως καὶ πρὸς ὑπόδειγμα ἀρετῆς[3]. Eloge semblablement décerné aux femmes, dont la vertu est parée de «retenue, modération, décence» (PHILON, *Sacr. A. et C.* 27), telle Flavia Ammion au Ier s., ἀρετῆς ἕνεκεν καὶ τῆς περὶ τὸν βίον κοσμιότητος τε καὶ ἁγνείας[4]; Ammia au IIe s., ἁγνὴν καὶ σώφρονα καὶ κεκοσμημένην πάσῃ ἀρετῇ ἤθεσι καὶ φιλανδρίᾳ[5]; Appia: θυγατέρα σώφρονα καὶ κοσμίαν (*MAMA*, VIII, 469, 4; cf. 407, 14). Ces vertus sont comme une parure qui donne un cachet de grâce et de distinction, διὰ τὴν κοσμιωτάτην αὐτῆς (DITTENBERGER, *Or.* 474, 9, à Pergame). Les Grecs ont un tel sens de la beauté qu'ils voient dans les vertus ou dans une conduite parfaite comme un ornement qui enchante les yeux et suscite l'admiration[6]. Les chrétiennes d'Asie Mineure durent par conséquent apprécier cette union de l'éthique et de l'esthétique dans les parénèses de saint Paul adoptant la langue de leurs contemporains.

---

[1] PHILON, *Spec. leg.* III, 51; cf. C. SPICQ, *Les Epîtres Pastorales*⁴, Paris, 1969, I, pp. 414 sv.

[2] *MAMA*, VIII, 473 et 480; R. NOLL, *Griechische und lateinische Inschriften*, Vienne, 1962, n. 84; LE BAS – WADDINGTON, *Inscriptions grecques et latines*, n. 1121: Πόπλιος Βετούριος Προσδόκιμος ζήσας κοσμίως ἔτη... G. E. BEAN, T. B. MITFORD, *Journeys in Rough Cilicia*, Vienne, 1970, n. 12, 12: σώφρονά τε καὶ κόσμιον βίον; n. 13, 13.

[3] *MAMA*, VIII, 490, 9; cf. 412, *c* 5; autres exemples dans L. ROBERT, *Hellenica* XIII, p. 223; *Bulletin épigraphique*, dans *R.E.G.* 1966, p. 435, n. 465.

[4] H. W. PLEKET, *Epigraphica* II, Leiden, 1969, n. 11, 7; *P.S.I.* 97, 1.

[5] H. W. PLEKET, *op. c.*, n. 24, 5–10. Cf. l'épigramme d'Artémisia au IIe s. «Elle dont la décence (κοσμία) se distinguait parmi les Muses et les femmes» (*Inscriptions de Thasos*, 333). – Le N. T. ignore l'εὐκοσμία; le gynéconome était préposé à surveiller la bonne tenue vestimentaire des femmes et leur comportement en public (cf. J. AUBONNET, *Aristote. Politique*, II, 2, Paris, 1973, p. 309, n. 2, sur *Polit.* VI, 8, 22; 1322 *b*). Sur ce censeur de l'*eukosmia* féminine, cf. *P. Hib.* 196 (avec le commentaire de J. BINGEN, *Le Papyrus du Gynéconome*, dans *Chronique d'Egypte*, 1957, pp. 337–339); *Inscriptions de Thasos*, n. 141, 144, 154, 155 (CL. WEHRLI, *Les Gynéconomes*, dans *Museum Helveticum*, 1962, pp. 33–38).

[6] Apollon est le dieu que parent toutes les vertus, τὸν πάσαις ταῖς ἀρεταῖς κεκοσμημένον θεὸν Ἀπόλλωνα (Ps. PLUTARQUE, *De la Musique*, 14). Xénophon, ἁπάσαις τε συλλήβδην κεκοσμημένον ἀρεταῖς (DENYS D'HALICARNASSE, *Lettre à Cn. Pompée*, 4); Eléazar,

On donnera une nuance un peu différente à la qualité requise des candidats à l'*épiscopè*: σώφρων, κόσμιος, φιλόξενον (*I Tim.* III, 2), que l'on entendra au sens de: bien élevé, honorable, distingué. Ces hommes doivent avoir, non seulement une vie décente comme les femmes, mais de la dignité, allier le sérieux et la courtoisie [1]. Davantage encore le *kosmios* qui a le «sens des responsabilités, du sentiment du devoir et des convenances... sait rendre à chacun son dû et ne fait rien que d'honnête, de juste et de convenable» [2].

Une nouvelle nuance se dégage de *Tit.* II, 10 où les esclaves chrétiens par leurs vertus font honneur à l'enseignement de notre Sauveur Dieu, ἵνα τὴν διδασκαλίαν... κοσμῶσιν ἐν πᾶσιν; c'est-à-dire que la doctrine issue du Christ et prêchée dans l'Eglise (*didascalia*) reçoit du comportement des esclaves, non seulement un nouvel éclat, l'ornement que les œuvres ajoutent à la vérité, mais un hommage [3]. Au Iᵉʳ siècle, en effet, κοσμεῖν signifie

πάσῃ τῇ κατὰ τὸν βίον ἀρετῇ κεκοσμημένος (*III Mac.* VI, 1); Tata, à Aphrodisias, ἀρετῇ σωφροσύνῃ κεκοσμημένην (*MAMA*, VIII, 492, *c* 24; cf. 407, 14; 499, *c* 8; I, 228, 4; *P.S.I.* 151, 5). Formulation adoptée par les juifs et les chrétiens: «Je loue l'homme orné de toute vertu, Aurelios Bellichos» (L. JALABERT, R. MOUTERDE, *Inscriptions grecques et latines de la Syrie*, 306, 1; cf. 1118, 2). «Ci-gît la très gracieuse et défunte diaconesse, ἡ κοσμιοτάτη καὶ πενθουμένη διακόνεσσα» (*Inscriptions de Corinthe*, VIII, 3, n. 629).

[1] Cf. EPICTÈTE, IV, 9, 17: «Au lieu d'être déréglé, tu seras rangé»; JAMBLIQUE, *Les Mystères d'Egypte*, III, 31 = 176, 11: «leurs mœurs deviennent excellentes et rangées, χρηστοὶ καὶ κόσμιοι»; LUCIEN, *Bis accus.* 17: κόσμιον ἄνθρωπον καὶ σώφρονα. A Magnésie, Moschion: ἄνδρα φιλότειμον καὶ ἐνάρετον καὶ ἀπὸ προγόνων εὐσχήμονα καὶ ἤθει καὶ ἀγωγῇ κόσμιον (*Inscriptions de Magnésie*, 164, 3; reprise DITTENBERGER, *Or.* 485); à Paros (*IG*, XII, 5, 314).

[2] J. M. JACQUES, *Ménandre. La Samienne*, Paris, 1971, p. XXX, qui renvoie pour la définition du *kosmios* à H. J. METTE, «*Moschion ὁ κόσμιος*», dans *Hermès*, 1969, pp. 432–439. On se souviendra qu'en Crète le *kosmos* est le nom d'un magistrat qui maintient l'ordre (*Inscriptions de Crète*, t. II, p. 56; DITTENBERGER, *Syl.* 524, 1–2), appelé à Itanos *kosmètèr*. A Pergame, il surveille la bonne tenue des jeunes filles, οἱ ἐπὶ τῆς εὐκοσμίας τῶν παρθένων (*Inscriptions de Pergame*, 463, B); il est souvent mentionné dans les *Inscriptions de Didymes* (cf. p. 356 *in h. v.*). Le cosmète égyptien est un fonctionnaire liturgique des métropoles, ordonnateur des festivités (*B.G.U.* 362, 7, 21; 14, 7; 19, 5; *Sammelbuch*, 1569, 5; 9839, 3; cf. la bibliographie dans E. BERNAND, *Recueil des Inscriptions grecques du Fayoum*, Leiden, 1975, I, p. 34). A Athènes, c'était le chef de l'Ephébie, chargé de la direction matérielle et morale du collège, maintenant le bon ordre et l'harmonie parmi les jeunes gens, veillant à leur éducation, sachant les exhorter (A. DUMONT, *Essai sur l'Ephébie attique*, Paris, 1876, pp. 166 sv. CHR. PÉLÉKIDIS, *Histoire de l'Ephébie attique*, Paris, 1962, pp. 104 sv.

[3] Comparer PLUTARQUE, *Le Démon de Socrate*, 13: «confirmant par de belles actions une belle doctrine, ἔργοις καλοῖς καλὰ δόγματα βεβαιῶν», et la conception rabbinique selon laquelle on embellit Dieu par l'observation des commandements (*Mekhilta sur Ex.* XV, 2; cf. *Péa*, 15 *b*). EPICTÈTE, III, 1, 26: «l'élément raisonnable, voilà quel est

couramment «honorer, rendre hommage, rendre célèbre». En élevant un monument à la mémoire de sa mère, on lui rend hommage, telle «Tabeis a orné sa très douce mère Koudan» (*MAMA*, VIII, 108). Lolla «a orné les vertus de ses ancêtres par les exemples de ses mœurs»[1]; on «orne» un gymnase en y attirant des éphèbes[2]; on honore une ville (*Mich.* VI, 9, τίς κοσμήσει πόλιν; DITTENBERGER, *Syl.* 326, 15; THUCYDIDE, II, 42, 2) par des édifices[3], une province (*Suppl. Ep. Gr.* XXIII, 433, 2, κοσμήσειν Θεσσαλίαν), toute la Grèce (*ibid.* I, 329, 47) et sa patrie[4], par la qualité et l'élévation des sentiments dignes des ancêtres, de sa cité, de son pays. On consolide ainsi ou on en accroît la renommée par des mœurs irréprochables. Ainsi les esclaves, ces *sômata* ou ces *res* au dernier rang de la hiérarchie humaine, sont capables, par la splendeur de leur conduite, d'honorer Dieu et d'accroître la séduction de l'Evangile dans le cœur des païens[5].

---

en toi l'élément supérieur que tu dois parer et embellir» PHILON, *Op. mundi*, 139: «Le Logos de Dieu vaut mieux que la beauté même, qui est beauté dans la nature, car il n'est pas orné par la beauté (οὐ κοσμούμενος κάλλει), étant lui-même, pour dire vrai, la parure de cette beauté et la plus belle».

[1] Κεκοσμηκυῖαν καὶ τὰς τῶν προγόνων ἀρετὰς τοῖς ἰδίοις τῶν τρόπων ὑποδείγμασι. Décret honorifique, cité par L. ROBERT, *Hellenica* XIII, p. 226; cf. MUSONIUS, IX: les vertus honorent leur possesseur, αἱ παροῦσαί τε κοσμεῖν καὶ ὠφελεῖν πεφύκασι τὸν ἄνθρωπον καὶ ἐπαινετὸν ἀποφαίνειν καὶ εὐκλεῆ; *P. Théad.* 14, 18; *Or. Sibyl.* III, 426: «Il exaltera grandement les combattants». Le moine Jean écrivant à l'abbé Georges au IVe s.: «Je salue notre très honorée Mère commune, τὴν κοσμιωτάτην κοινὴν μητέρα» (*P. Fuad*, 88, 12); cf. Μαρία ἡ κοσμιωτάτη (*P. Ness.* 188, 6); *P.S.I.* 839, 1.

[2] Κοσμήσαντα τὰ γυμνάσια ἐφήβοις, *Inscriptions de Carie*, 172, 15 (avec le commentaire de L. Robert, *in h. l.*); τὸ γυμνάσιον ἐκόσμησε (*Inscriptions de Priène*, 112, 114; de 84 de notre ère); *P. Osl.* 85, 14; *P. Oxy.* 2477, 7; 3088, 10–11: en 128 de notre ère, le préfet Flavius Titianus félicite un bienfaiteur de vouloir embellir et honorer la cité (τὴν πατρίδα κοσμεῖν), en y construisant un bain (κατασκευάζειν τὸ βαλανεῖον). Cf. PHILON, *Quod det.* 20: «on orne le sanctuaire de riches offrandes». *Inscriptions de Lindos*, II A 3 (= DITTENBERGER, *Syl.* 725; cf. 1100, 21).

[3] A Nisa, en Lycie, un défunt a légué la moitié de sa fortune à sa cité, ὡς ἀπὸ προσόδου ἔργοις κοσμηθῆναι (cité par J. et L. ROBERT, *Bulletin épigraphique*, dans *R.E.G.* 1973, p. 173, n. 453. PLUTARQUE, *Praecepta ger. reipubl.* 5; 802 b; *Cicéron* XXIV, 7.

[4] Κοσμεῖν τὴν πατρίδα revient fréquemment dans les Décrets honorifiques, cf. *Inscriptions de Didymes*, 343, 18; cf. *Priène*, 105, 36; les textes cités par L. ROBERT, *Etudes Anatoliennes*[2], Amsterdam, 1970, p. 349.

[5] Cf. C. SPICQ, *Les Epîtres Pastorales*[4], pp. 682 sv.

445

κυριακός

A. Deissmann a relevé que l'adjectif κυριακός n'est pas un mot biblique [1], mais qu'il était fréquemment attesté dans la langue profane. Saint Paul et saint Jean l'ont emprunté à la langue officielle et courante: «ce qui concerne l'empereur» ou mieux: «ce qui appartient à l'empereur»; il dérive de κύριος au sens de possesseur [2].

Sa première attestation est celle de l'édit de Tiberius Julius Alexander, le 6 juin 68: «sachant qu'il convient aussi aux comptes de l'Empereur (ταῖς κυριακαῖς ψήφοις) que ceux qui en sont capables exercent ces activités de leur plein gré, avec zèle» [3]; «qu'en aucun cas, des hommes libres ne soient enfermés dans quelque prison que ce soit, à moins qu'il ne s'agisse de malfaiteurs, ni dans le *praktoréion*, à l'exception des débiteurs du compte impérial, ὀφείλοντες εἰς τὸν κυριακὸν λόγον» (*ibid. l.* 18); ces débiteurs de l'Etat ou des finances de l'Empereur sont redevables envers le propriétaire.

Le κυριακὸς λόγος est constamment mentionné dans les papyrus [4], tout comme le κυριακὸς φίσκος dans les inscriptions [5]. Mais cette épithète s'applique

---

[1] La leçon Ἀδὰρ λέγεται τῇ κυριακῇ φωνῇ (*II Mac.* xv, 36) de l'*Alexandrinus* est à rejeter; tous les autres *mss.* portent: τῇ Συριακῇ φωνῇ, «le 13ᵉ jour du douzième mois, appelé Adar en syriaque (en araméen)», cf. R. HANHART, *Maccabaeorum liber II*, Göttingen, 1959, pp. 17, 115. Sur le jour de Mardochée, cf. H. BARDTKE, *Der Mardochäustag*, dans *Tradition und Glaube. Festgabe K. G. Kuhn*, Göttingen, 1971, pp. 97–116.

[2] Cf. *P. Oxy.* 1461, 10: ἐν κτήσει κυριακῇ (IIIᵉ s.); *Inscriptions grecques et latines de la Syrie*, 650, 6: «ἐποίησεν ἑαυτῷ ἐκ τῶν κυριακῶν, s'est construit cette tombe aux frais de ses maîtres». A. DEISSMANN, *Bible Studies*², Edimbourg, 1909, pp. 217 sv. IDEM, *Licht vom Osten*⁴, Tübingen, 1923, pp. 59, 304 sv. H. J. MASON, *Greek Terms for Roman Institutions*, Toronto, 1974, p. 64.

[3] DITTENBERGER, *Or.* 669, 13 = *B.G.U.* 1563, 35; traduction G. CHALON, *L'Edit de Tiberius Julius Alexander*, Olten-Lausanne, 1964, p. 101, n. 2, qui définit «κυριακαὶ ψῆφοι signifie *rationes fisci*», les finances impériales.

[4] *B.G.U.* 1564, 9; 1576, 10; *P. Panop.* I, 88; II, 15, 31; *P. Dura*, 26, 26; *P. Michig.* 174, 13; 423, 27; 623, 17; *Sammelbuch*, 9541, 9; *Stud. Pal.* XXII, 177, 18. U. WILCKEN, *Griechische Ostraca*, Leipzig-Berlin, 1899, I, p. 645.

[5] Ἐπὶ ὁ ἐνθάψας δώσι τῷ κυριακῷ φίσκῳ (*Inscriptions de Carie*, n. 114, 4; cf. 102, 5; 106, 5; 107, 6; 108, 12; 116, 3; reprises, à l'exception des trois dernières, de *MAMA*, VI, 135; 131; 128) ou ἐπεὶ ἀποτείσει εἰς τὸν κυριακὸν φίσκον (*Inscriptions de Carie*, 105, 5; 110, 4; 113, 4; 117, 2; 164, 11 = *MAMA*, VI, 129, 130, 141, 142, 141 *a*).

à beaucoup d'autres termes [1], notamment aux terres relevant du *fiscus* (κυριακὴ γῆ; *P. Gies.* 48, 8; *P. Petaus*, 25, 20), par opposition à l'οὐσιακὴ γῆ [2]. Aux exemples fournis par Moulton-Milligan, on peut ajouter τὰ κυριακὰ κτήματα (*P. Oxf.* 3, 4), τῇ πρὸς τὰ κυριακὰ πράγμα ἐπιμελείᾳ (*P. Brem.* 37, 10), τὰς κυριακὰς μισθώσεις (*P. Michig.* 174, 9), πρότερον οὖσα ὑπὸ κυριακὸν χόρτον (*ibid.* 620, 76), κυριακὸς οἶνος (*P. Oxy.* 1578, 7), ἀποφορὰ ἐν τῇ ταύτης κρατήσει καὶ κυρειακῇ ἀποφορᾷ τῶν περιτεινομένων (*Sammelbuch*, 6951, 28; cf. 9050, col. v, 12; du Ier-IIe s.); «quelque soit la somme dont nous soyons taxés pour le fisc, nous la payons» (*P. Oxy.* 2562, 10)...

C'est évidemment dans une acception beaucoup plus élevée que *I Cor.* XI, 20 note: participer à l'eucharistie sans pratiquer la charité fraternelle, «ce n'est pas là manger le repas du Seigneur, οὐκ ἔστιν κυριακὸν δεῖπνον φαρεῖν». C'est un repas privé, qui n'a plus l'esprit de l'acte liturgique institué par le Seigneur, et qui lui demeure consacré. Formule dont s'inspirera l'inscription d'une table eucharistique: «Ὑγιαίνων φάγε κυριακὸν (δεῖπνον)» (*Sammelbuch*, 7265). Les textes païens mentionnent l'*agia kyriakè* [3], et dans la langue ecclésiastique τὸ κυριακός (οἰκίον) semble bien désigner «la maison du Seigneur», l'Eglise [4].

Le dimanche est ainsi mentionné dans *Apoc.* I, 10: ἐγενόμην ἐν πνεύματι ἐν τῇ κυριακῇ ἡμέρᾳ [5]. On rapprochera l'inscription tombale du VIIe siècle:

---

[1] N. HOHLWEIN, *Recueil des Termes relatifs aux Institutions... de l'Egypte romaine* (Académie royale de Belgique. Classe des Lettres, VIII), Bruxelles, 1912, p. 301.

[2] Cf. CL. PRÉAUX, *L'Economie royale des Lagides*, Bruxelles, 1939, p. 621, *in v.* Terre royale.

[3] *P. Antin.* 91, 5: «chaque jour, exception faite τῆς ἁγίας κυριακῆς καὶ τῶν μεγάλων ἑορτῶν» *P.S.I.* 932, 11: ἁγίας κυριακῆς ἐν δημοσίῳ τόπῳ (VIe s.). Sur les invitations au banquet (la *klinè*) du «seigneur Sarapis», *P. Oxy.* 110, 2; 523, 2; 1484, 3; 1755, 3; 2592 (cf. *Z.P.E.* I, 1967, p. 121); 2678; *P. Osl.* 157; *P. Yale*, 85 (F. DUNAND, *Le Culte d'Isis dans le bassin oriental de la Méditerranée*, Leiden, 1973, III, pp. 209 sv.; H. C. YOUTIE, *Scriptiunculae*, I, Amsterdam, 1973, pp. 487–509; cf. A. J. FESTUGIÈRE, *Le monde gréco-romain au temps de Notre-Seigneur*, Paris, 1935, II, pp. 172 sv.)

[4] *P. Oxy.* 903, 19: καὶ ἀπελθοῦσα εἰς τὸ κυριακὸν ἐν Σαμβαθώ; 21: διὰ τί ἀπῆλθας εἰς τὸ κυριακόν? *P.S.I.* 843, 15, ἵνα μὴ ἀτέλεστον ὑπολύσωμεν (?) τὸ κυριακόν (VIe s.). Un rescrit de Maximin en 313, à propos des chrétiens: «Qu'il leur soit aussi permis de bâtir leurs églises propres, τὰ κυριακὰ δὲ τὰ οἰκεῖα» (EUSÈBE, *Hist. Eccl.* IX, 10, 10). F. J. DÖLGER, «*Kirche*» *als Name für den christlichen Kultbau*, dans *Antike and Christentum* IV, 1941, pp. 161–195.

[5] Cf. *Didachè*, XIV, 1: καθ' ἡμέραν δὲ κυρίου (cf. J. B. AUDET, *La Didaché*, Paris, 1958, pp. 460 sv.). Sans substantif dans *Evangile de Pierre*, 35: «dans la nuit où se lève le dimanche, τῇ δὲ νυκτὶ ᾗ ἐπέφωσκεν ἡ κυριακή», 50: «Or le dimanche, de bon matin, ὄρθου δὲ τῆς κυριακῆς». Cf. S. V. MC CASLAND, *The Origin of the Lord's Day*, dans *J.B.L.* 1930, pp. 65–82; W. RORDORF, *Der Sonntag*, Zurich, 1962, pp. 203 sv. IDEM,

«La servante de Dieu s'est endormie ὥρᾳ δεκάτῃ διαφαούσαις κυριακῆς ταῖς ἀναστάσεως τοῦ Χριστοῦ» (*Sammelbuch*, 7564, 15); et dans les textes païens, Σεβαστή désignant le jour ou le mois de l'Empereur, celui où l'on célébrait l'anniversaire de sa naissance. C'était une datation précise, par exemple: «En l'an 20 de Tibère César Auguste, au mois d'Auguste, au jour d'Auguste»[1]. Mais dans la religion chrétienne, le jour du Seigneur est celui qui lui est réservé.

Sabbat et Dimanche dans l'Eglise ancienne, Neuchâtel, 1972, pp. 44, 63; 77, 1; 84, 5; 88, 1; 113, 7; 129, 1; 135, 79–82.

[1] Μηνὸς Σεβαστοῦ Σεβαστῇ (P. M. MEYER, *Griechische Texte aus Ägypten*, Berlin, 1916, n. 36, 6. *Inscriptions de Pergame*, n. 374 B 4: μηνὸς Καίσαρος Σεβαστῇ; 8: μηνὸς Πανήμου Σεβαστῇ; D 10: μενὸς Λῴου Σεβαστῇ; *Sammelbuch*, 9589, 15: τοῦ Φαρμοῦθι μηνὸς καθ' ἑκάστην κυριακήν. Cf. U. WILCKEN, *op. c.*, pp. 812 sv. H. H. HOBBS, *Preaching Values from the Papyri*, Grand Rapids, 1964, pp. 76–78.

κῶμος

Selon sa première acception, ce terme désigne le «cortège carnavalesque» qui existait dans certaines fêtes religieuses telles que les Anthestéries [1]; parodie des processions officielles et liée à la naissance du théâtre, puisqu'on y trouve les déguisements, les masques, la danse mimique et même les échanges d'invectives [2]. En second lieu, le *kômos* désigne le péan apollinien ou le dithyrambe dionysiaque, associé à l'art orchestrique; c'est ainsi que dans le catalogue des vainqueurs aux grandes Dionysies, les *kômoi* sont les chœurs chantés et dansés en l'honneur de Dionysos [3].

A l'époque hellénistique, on emploie κῶμος d'un banquet et des divertissements qui l'accompagnent, notamment des chants joyeux. Dans la vision du décurion Maximus: «tel une fleur de verdure, j'agitai mon chant de fête... Calliope chantait un chant de fête» [4]. L'épitaphe d'une jeune fille, morte à vingt ans: «Au moment où le bruit de la fête... allait faire retentir

---

[1] En Egypte, la κωμασία est la procession sacrée des images des dieux, cf. *UPZ*, 162, col. 8, 21: καὶ ἐν ταῖς κατ' ἐνιαυτὸν γινομέναις τοῦ Ἄμμωνος διαβάσεσιν εἰς τὰ Μεμνόνεια προάγοντας τῆς κωμασίας τὰς καθηκούσας αὐτοῖς λειτουργίας ἐπιτελεῖν (116 av. J.-C.); *P. Hermop.* 2, 21: le culte du mois sacré de Pharmuthi, ἐν ᾧ πολλαὶ καὶ συνεχεῖς κατὰ λόγον κωμασίαι γίγνονται (IVᵉ s.); *P. Mert.* 73, 4: τῶν ἱερέων κωμασίας ὑπὲρ τῆς ψυχῆς τῶν κυρίων (IIᵉ s.); *Sammelbuch*, 9199, 6: ἱερεῦσι Σοκνοπαίου θεοῦ μεγάλου ταῖς κωμασίαις τῶν προκειμένων θεῶν; 8334, 25: μετήλλαξε διηνεκῶς ποηθῆναι τὰς τῶν κυρίων θεῶν κωμασίας καὶ πανηγύρεις (= DITTENBERGER, *Or.* 194; cf. R. HUTMACHER, *Das Ehrendekret für den Strategen Kallimachos*, Meisenheim, 1965, pp. 62–63).

[2] D'après Mᵐᵉ GHIRON, *Kômos et kômoi, recherches sur les origines des genres scéniques*, dans *Rev. des Etudes Grecques*, 1972, pp. XX-XXII. P. CHANTRAINE (*Dictionnaire étymologique de la Langue grecque*, Paris, 1970, p. 606) définit κῶμος: «bande de jeunes gens qui s'amusent et chantent» notamment dans les fêtes dionysiaques; d'où: fête joyeuse, festin. κωμάζω «participer à un *kômos;* aller en troupe pour une partie de plaisir». Cf. ARISTOTE, *Poét.* 3, 1448 *a*: «Les Athéniens disent que les comédiens (κωμῳδοί = chanteurs dans un *kômos*) tirent leur nom non pas de κωμάζειν, mais du fait que, rejetés avec mépris de la ville, ils erraient dans les *kômai*».

[3] Cf. DITTENBERGER, *Syl.* 1078, 1: ἀπὸ τοῦ δεῖνος ἄρχοντος, ἐφ' οὗ πρῶτον κῶμοι ἦσαν τῷ Διονύσῳ τραγωιδοὶ δ'.

[4] Κῶμον ἀείδειν; E. BERNAND, *Inscriptions métriques de l'Egypte gréco-romaine*, Paris, 1969, n. 168, 9; cf. A. J. FESTUGIÈRE, *La Révélation d'Hermès Trismégiste*, Paris, 1944, p. 48.

la demeure de mon père» [1]. Mais ces festins, accompagnés de musique et de farandoles, dégénéraient et aboutissaient à l'ivresse et à la licence [2]. Philon dénonce: «Dans toutes les fêtes et assemblées de chez vous, voici les exploits qui excitent admiration et émulation... ivresse, excès d'ivrogne, festins, μέθη, παροινία, κῶμοι» (Chérub. 92; cf. DION CHRYSOSTOME, IV, 110).

La Bible ne connaît que cette acception péjorative et donne à kômos le sens de banquet où l'on s'enivre: «Plus de festin licencieux ni d'ivresse, μὴ κώμοις καὶ μέθαις» (Rom. XIII, 13); «Les œuvres de la chair... ivrogneries, orgies, μέθαι, κῶμοι» [3]; «Vous en allant résolument dans les débauches, les convoitises, le vin coulant à flot, les orgies, les beuveries – οἰνοφλυγίαις, κώμοις, πότοις, ces immorales pratiques idolâtriques» (I Petr. IV, 3).

---

[1] E. BERNAND, op. c., n. 84, 5; autre lecture dans Suppl. Ep. Gr. VIII, 484; Corp. Inscript. Iud. 1508.

[2] Cf. Sag. XIV, 23: «de folles orgies aux rites extravagants, ἐμμανεῖς κώμους»; II Mac. VI, 4: «Le Temple était rempli de débauches et d'orgies»; DIODORE DE SICILE, XVII, 72; FL. JOSÈPHE, Ant. XVII, 65: κῶμοι καὶ κρυπταὶ σύνοδοι.

[3] Gal. V, 21. Cf. DION CASSIUS, LXV, 3: «Le temps du règne de Vitellius ne fut autre chose qu'une ivresse et une orgie, οὐδὲν ἄλλο ἢ μέθαι τε καὶ κῶμοι»; PLUTARQUE, De lib. ed. 16: κύβοι καὶ κῶμοι καὶ πότοι. Sur l'union de ces deux derniers termes dans les catalogues de vices, cf. A. VÖGTLE, Die Tugend- und Lasterkataloge im N. T., Münster, 1936, p. 37.

λαγχάνω

Ce verbe, très usité dans la langue classique [1] mais ignoré de *Mt.* et de *Mc.*, a trois acceptions dans le N. T. D'abord «tirer au sort». Au pied de la croix, «les soldats dirent les uns aux autres: ne la déchirons pas (la tunique de Jésus), mais tirons au sort à qui elle sera» [2]. Puis «être désigné par le sort»; la coutume étant de fixer par tirage au sort la répartition des emplois entre les membres de la classe sacerdotale de service au temple, le prêtre Zacharie de la classe d'Abia «fut désigné par le sort pour brûler l'encens» [3], tout comme Saül avait obtenu la royauté sur Israël (*I Sam.* XIV, 47). Dans les inscriptions, λαγχάνειν s'emploie constamment d'un personnage désigné par le sort pour exercer telle ou telle mission ou fonction [4], notamment le sacerdoce [5]. Mais à Jérusalem, la préparation et l'offrande du sacrifice quotidien,

---

[1] Cf. P. CHANTRAINE, *Dictionnaire étymologique de la Langue grecque*, Paris, 1974, pp. 611 sv.; très nombreuses références dans H. G. LIDDELL, R. SCOTT, H. S. JONES, *A Greek-English Lexicon*, Oxford, 1948, *in h. v.*; G. FATOUROS, *Index Verborum zur frühgriechischen Lyrik*, Heidelberg, 1966, p. 220.

[2] *Jo.* XIX, 24, ἀλλὰ λάχωμεν περὶ αὐτοῦ τίνος ἔσται (cf. *Evangile de Pierre*, 12: λαχμὸν ἔβαλον ἐπ' αὐτοῖς); cf. *Ps.* XXII, 19: «Ils se partagent mes habits. Ils tirent au sort mes vêtements» (hébr.: יַפִּ֣ילוּ גוֹרָ֑ל). Les LXX ont traduit, ἐπὶ τὸν ἱματισμόν μου ἔβαλον κλῆρον, mais Symmaque ἐλάγχανον; cf. FL. JOSÈPHE, *Guerre*, III, 390: «Après avoir décidé ses compagnons, il tire au sort avec eux»; DIODORE DE SICILE, IV, 63: «Ils convinrent de tirer au sort la fille de Léda... Le sort fut jeté et il tomba sur Thésée».

[3] *Lc.* I, 9: ἔλαχε τοῦ θυμιᾶσαι. L'article devant l'infinitif est inusuel (cf. *Sammelbuch*, 9760, 2: ἔλαχεν ὑμῖν δοῦλαι. ED. MAYSER, *Grammatik der griechischen Papyri*, Berlin-Leipzig, I, 3, p. 149, 11; II, 2, p. 204, 25; F. M. ABEL, *Grammaire du grec biblique*, Paris, 1927, § 44 *m*, 70 *b*).

[4] Décret d'Athènes pour le poète Philippidès, en 287 av. J.-C.: «Plaise au conseil que les présidents qui seront tirés au sort pour présider à l'assemblée du peuple» (DITTENBERGER, *Syl.* 374, 54; cf. 280, 13; 375, 9, 14, 21); en l'honneur des taxiarques, en 280 (INSTITUT F. COURBY, *Nouveau choix d'Inscriptions grecques*, n. 2, 12; cf. 11, 20); en 270 (*Suppl. Ep. Gr.* XIV, 64, 22); au Ier s. av. J.-C. (*ibid.* II, 710, 10; cf. XVII, 2, 113); CH. MICHEL, *Recueil d'Inscriptions grecques*, n. 685, 15. «Sosigénès... ayant été désigné, la treizième année, pour aller à Philae» (A. BERNAND, *Les Inscriptions grecques de Philae*, Paris, 1969, I, n. 66); B. HELLY, *Gonnoi. Les Inscriptions*, Amsterdam, 1973, n. 109, 20.

[5] Ἱερεὺς λαχών, DITTENBERGER, *Syl.* 486, 9; 723, 16; 762, 12; CH. MICHEL, *op. c.*, 978, 29; en 160 av. J.-C., Euboulos de Marathon «prêtre des grands Dieux et ensuite d'Asclépios, puis de nouveau élu par le peuple et désigné par le sort pour la prêtrise

étaient l'objet de quatre tirages au sort: «Le préposé disait aux prêtres: Allez tirer au sort: qui immolera, qui répandra (le sang), qui enlèvera les cendres de l'autel intérieur et du lampadaire, qui portera sur la rampe les membres, la tête et les jambes et les pattes... Le préposé leur disait: ceux qui n'ont pas encore brûlé l'encens, venez tirer au sort; ils tiraient au sort, chacun ayant sa part»[1]. C'est ainsi que le prêtre Zacharie fut désigné pour l'offrande du sacrifice des parfums. Fonction mémorable, car un prêtre ne l'accomplissait qu'une fois dans sa vie[2].

La troisième acception de λαγχάνω est «recevoir son lot, obtenir en partage, percevoir sa part», tel Salomon qui reçut en partage une âme bonne» (*Sag.* VIII, 19) ou Judas qui «avait reçu son lot (sa part) de ce ministère»[3]. Si l'on emploie parfois, comme dans ces deux textes, λαγχάνειν κλῆρον (*P. Oxy.* 2407, 21; *Suppl. Ep. Gr.* IX, 1, 16 et 37; DITTENBERGER, *Syl.* 1109, 127; IIe s. ap. J.-C.; PHILON, *Vit. Mos.* I, 157) ou ἐκ κλήρου (*P. Tebt.* 382, 5; de 30 av. à 1 ap. J.-C.; *P. Michig.* 557, 10; de 116 ap. J.-C.), ce complément est le plus souvent supprimé (*P. Tebt.* 383, 14; en 46 de notre ère), et le verbe signifie «recevoir une attribution», par exemple une portion des sacrifices[4], une participation[5], des privilèges (*Inscriptions de Priène*,

---

de Dionysos» (F. DURRBACH, *Choix d'Inscriptions de Délos*, Paris, 1922, n. 79, 19). *Inscriptions de Priène*, 205, 1: ἔλαχε τὴν ἱεροσύνην; F. SOKOLOWSKI, *Lois sacrées des Cités grecques*, Paris, 1969, n. 31, 4 (Décret relatif au culte de Poséidon et d'Erechtheus, IVe s. av. J.-C.), τὸν ἱερέαν τὸν ἀεὶ λαχόντα; 44, 9 (52–51 av. J.-C.); 48 A 3; IDEM, *Lois sacrées. Supplément*, Paris, 1962, n. 19, 14. Cf. FL. JOSÈPHE, *Guerre*, IV, 155: «Ils entreprirent de tirer au sort les grands prêtres».

[1] *Tamid*, III, 1; V, 2; cf. *Yoma*, II, 1 et 4. Cf. PHILON, *Spec. leg.* I, 171. J. JEREMIAS, *Jérusalem au temps de Jésus*, Paris, 1967, p. 274.

[2] R. Hanina assurait que de son temps «jamais un prêtre n'avait obtenu deux fois d'offrir l'encens» (*Jer. Yoma*, 40 *a*). «On raconte un fait étrange sur le grand prêtre Hyrcan et la manière dont la divinité en vint à lui parler. Le jour où les siens s'emparèrent du pays de Cyzique, et alors qu'en sa qualité de grand prêtre il était seul à offrir l'encens, une voix se serait fait entendre et lui aurait dit que les siens venaient de vaincre Antiochus. Sur ce, sortant du sanctuaire, il informa toute la foule de ce qui était arrivé, et il se trouva qu'en effet tel avait été le cas» (FL. JOSÈPHE, *Ant.* XIII, 282–283, cité par H. PERNOT, *Les deux premiers chapitres de Matthieu et de Luc*, Paris, 1948, p. 135).

[3] *Act.* I, 17: ἔλαχεν τὸν κλῆρον τῆς διακονίας ταύτης (cf. P. KATZ, *Septuagintal Studies in the Mid-Century*, dans W. D. DAVIES, D. DAUBE, *The Background of the New Testament and Its Eschatology* [Mélanges Ch. H. Dodd], Cambridge, 1956, p. 195.

[4] F. SOKOLOWSKI, *op. c.*, 113, 5 (Thasos, Ve s. av. J.-C.; règlement relatif au culte d'Athéna Patrôia): καὶ γυναῖκες λαγχάνωισιν. IDEM, *Lois sacrées. Supplément*, n. 52 B 6.

[5] F. SOKOLOWSKI, *op. c.*, 10 C 8; 13, 22; 65, 29, 33 (= DITTENBERGER, *Syl.* 736); *Sammelbuch*, 6178, 4.

364, 8; Philon, *Sobr.* 54). Dans les papyrus il se rencontre surtout à propos des parts d'un héritage ou dans les contrats de division d'une propriété. Au Iᵉʳ siècle: «Si je meurs, je laisserai mon habitation, que j'ai obtenue par la répartition d'un héritage, τὴν μου οἴκησιν ἢ ἔλαχον ἐκ διακληρώσεος (*P. Dura*, 16 *b* 7); «une des maisons était allouée à Polémocratès... Ils ont obtenu par le sort comme suit...» (*ibid.* 19, 3, 6). «Horion pour sa part a obtenu» [1].

Evidemment, le verbe s'emploiera dans des acceptions banales, telle que «Si tu n'es pas présent, cette affaire ne trouvera pas de solution, λύσιν οὐ λαγχάνι τοῦτο» (*P. Mert.* 80, 14); mais aussi dans les inscriptions funéraires: «Il fut court le temps que je reçus en partage, μεικρὸν μὲν ἐγὼ τ' ἔλαχον κύκλον» (*Corp. Inscript. Iud.* 1510, 7 = *Sammelbuch*, 6647); «Ci-gît Dalmatie... Elle vit; elle a trouvé une voie qui est le terme de la mort, θανάτοιο τέλος λαχοῦσα κέλευθον» (*Inscriptions de Thasos*, 370, 20: épitaphe chrétienne du IVᵉ s.).

C'est avec cette nuance de valeur qu'on entendra *II Petr.* ι, 1: «Syméon Pierre... à ceux qui ont obtenu une foi aussi précieuse que la nôtre, λαχοῦσιν πίστιν» (cf. *Jud.* 3, πίστις παραδοθεῖσα). L'accent est sur la faveur et la gratuité divine, à l'origine de la répartition et du don. On peut rapprocher Homère: «Le plan subtil, grâce auquel Achille acceptera les présents de Priam, ὥς κεν Ἀχιλλεὺς δώρων ἐκ Πριάμοιο λάχῃ» [2]; *Or. Sibyl.* iii, 580: «C'est en justice que, ayant eu leur part en la Loi du Très-Haut (νόμου Ὑψίστου λαχόντες), [la sainte race des] hommes pieux habiteront dans le bonheur et l'opulence leurs villes et leurs grasses campagnes».

---

[1] *P. Michig.* 186, 12 et 14 (de 72 ap. J.-C.); 187, 9 et 11 (de 75 ap. J.-C.), réédités *Sammelbuch*, 7031, 12; 7032, 9. «Nous étions alors enfants, nous avons reçu l'héritage conformément à la loi, κατὰ δὲ τοὺς νόμους ἐλάχομεν» (P. M. Meyer, *Griechische Texte aus Ägypten*, Berlin, 1916, n. 8, 5; de 151 ap. J.-C.). «La part allouée au très loyal Zunayn consiste en...» (*P. Ness.* 16, 6, 11, 14; cf. 21, 30, 33, 40; 22, 18, 24; 31, 9, 13, 19; 59, 12). «Notre Maître, le très célèbre Emir a fait les répartitions d'anneaux de cheville, et la part imputable à la pagarchie (καὶ ἔλαχεν τῇ παγαρχίᾳ)... est de cent vingt anneaux» (*P. Apol. Anô*, 20, 1; VIIIᵉ s.). Cf. Philon, *Decal.* 64. Dans les quittances, ἔλαχον-λάχανον = reçu tant... (*Ostraca Tait*, 1849; 1962; *B.G.U.* 2110, 4; 2123 12; *P. New York*, 18, 2; *Sammelbuch*, 9262, 2).

[2] Homère, *Il.* xxiv, 76; cf. iv, 46: τὸ γὰρ λάχομεν γέρας ἡμεῖς, c'est notre apanage à nous. Dans les épigrammes, cf. *Inscriptions de Lindos*, 621; A. et E. Bernand, *Les Inscriptions grecques et latines du Colosse de Memnon*, Paris, 1960, n. 29, 17: «κήνων ἐκ γενέας κἄγω λόχον αἷμα τὸ κᾶλον, c'est de leur race que je tire mon noble sang»; *III Mac.* vi, 1.

λάθρα

«Appeler quelqu'un secrètement» est une locution courante. «Hérode, ayant fait secrètement appeler les Mages, apprit d'eux exactement le temps de l'apparition de l'astre» *(Mt.* ii, 7, λάθρα καλέσας); «Saül donna cet ordre à ses serviteurs: Parlez en secret à David, pour lui dire»[1]. Parler ou agir en cachette peut être un signe de discrétion, et c'est ainsi qu'on parle à voix basse, comme Marthe invitant sa sœur à rejoindre Jésus[2]; mais le plus souvent, cette clandestinité est celle des mauvaises intentions et des mauvaises actions[3]; parfois, elle exprime simplement la surprise[4]. Dans tous les cas, agir secrètement s'oppose à agir au grand jour: «lorsque les Juifs se mirent partout à s'agiter et à se réunir, lorsque, en secret et au grand jour – τὰ μὲν λάθρα, τὰ δὲ καὶ φανερῶς – ils eurent causé de grands maux aux Romains» (DION CASSIUS, LXIX, 13). C'est ainsi que saint Paul proteste auprès des licteurs de Philippes: «Nous ayant battu de verges par une décision publique... maintenant ils nous jettent dehors clandestinement, καὶ νῦν λάθρα ἡμᾶς ἐκβάλλουσιν»[5].

---

[1] *I Sam.* XVIII, 22: λαλήσατε ὑμεῖς λάθρα τῷ Δαυιδ (בלט); *Deut.* XIII, 7: λάθρα λέγων (בסתר); FL. JOSÈPHE, *Vie*, 388: «Je fis appeler Crispus et, en secret, je lui prescrivis d'enivrer le soldat chargé de garder le prisonnier, καλέσας τὸν Κρίσπον λάθρα προσέταξα μεθύσαι». Cf. *I Mac.* IX, 20: «Bacchidès... envoya secrètement des lettres à tous ses alliés».

[2] *Jo.* XI, 28: ἐφώνησεν Μαριὰμ τὴν ἀδελφὴν αὐτῆς λάθρα; cf. MÉNANDRE, *Dyscol.* 532: «Je me prenais par moment les reins, discrètement d'abord, mais comme cela durait, je commençais à me voûter». λαθραίως = sans bruit (ENÉE LE TACTICIEN, II, 4; XVIII, 16).

[3] *Job*, XXXI, 27: «Mon cœur était séduit en cachette, ἠπατήθη λάθρα ἡ καρδία μου (בסתר)» (λάθρα est alors synonyme de κρυφῇ; cf. *Job*, XIII, 10; *Is.* XLV, 19; *Eph.* V, 12); *Hab.* III, 14: «dévorer un miséreux en cachette (במוסתר)»; MÉNANDRE, *Dyscol.* 310: «Si je suis venu ici dans une mauvaise intention ou pour vous jouer en cachette un vilain tour»; 578: «J'ai en cachette attaché le sarcloir à une cordelette pourrie». Cf. PHILON, *De Josepho*, 47: «Mille témoins observent ce que nous faisons en secret».

[4] FL. JOSÈPHE, *Guerre*, II, 408: «Ils occupèrent Masada par surprise, καταλαβόντες αὐτὸ λάθρα».

[5] *Act.* XVI, 37. Comparer les sacrifices offerts ἐν κρυφῇ *(Sag.* XVIII, 9), l'aumône (ἐν τῷ κρυπτῷ, *Mt.* VI, 4), le jeûne que nul ne peut soupçonner et la prière dans la chambre, porte fermée *(Mt.* VI, 6, 18), mais vus du Père des cieux, τὸ κρυφαῖον. Cf. ἐν γωνίᾳ «dans un coin» *(Act.* XXVI, 26), c'est-à-dire: de manière inaperçue (PLATON, *Gorgias,* 485 *d;* PLUTARQUE, *Moral.* 516 *c,* 777 *b;* EPICTÈTE, I, 29, 36, 55; II, 12, 17).

λάθρα exprime alors ce que nul ne sait ou ne voit, tel David se levant secrètement vint à l'endroit où campait Saül [1], ou la mère de Moïse nourrissant son enfant à la maison pendant trois mois, à l'insu de la plupart des gens, λανθάνοντα τοὺς πολλούς (PHILON, *Vit. Mos.* I, 9; cf. *Act.* XXVI, 26), sans même que les intéressés soient avertis [2].

Cette nuance de non-divulgation est à maintenir dans *Jo.* XI, 28 où Marie – occupée à recevoir les condoléances de ses relations hiérosolymitaines – est avertie tout bas par sa sœur que le Maître l'attend. Elle est celle de *Mt.* I, 19: «Joseph, son mari, étant juste et ne voulant pas l'exposer au décri public, forma le dessein de la répudier secrètement» [3]. Ainsi que l'explique M. J. Lagrange: «Trois partis s'offraient à Joseph: dénoncer Marie (*Deut.* XXIV, 1; *Lév.* V, 1); la répudier secrètement; la prendre avec lui, ce qui rendait le mariage définitif» [4]. Tout l'accent de la phrase porte sur la décision de clémence et plus encore sur la discrétion de la séparation amiable envisagée, laissant intact l'honneur de la Mère. Dénoncer publiquement sa fiancée [5], engager une action judiciaire aurait pu aboutir à une

---

[1] *I Sam.* XXVI, 5: καὶ ἀνέστη Δαυιδ λάθρα (l'hébreu dit seulement: David se leva; cf. venir à la dérobée, ἐν κρυφῇ, *Jug.* IV, 21; IX, 31; *Ruth*, III, 7); HÉLIODORE, *Ethiop.* VIII, 1, 8: «Il s'était échappé sans rien dire (λάθρα)»; PHILÉMON, *Fragm.* 40 *a* 7: ἐπεὶ μόλις γε φεύγων ἐξέπεσον ἄλλη λάθρα (J. M. EDMONDS, *The Fragments of Attic Comedy*, Leiden, 1961, III A, p. 22); PLUTARQUE, *Publicola*, IV, 4: «Vindicius sortit secrètement, mais perplexe»; *Timoléon*, XVII, 1: «Hicétas se reproche... de n'utiliser son armée que par petits paquets et à la dérobée, en se cachant pour faire entrer ses alliés dans son camp»; *Paul-Emile*, VIII, 6: «Philippe se prépara à la guerre en cachette et avec adresse»; IX, 4: «Hostilius s'était glissé furtivement en Thessalie»; *Agis*, VII, 8: «Léonidas ne fit pas d'opposition ouverte (φανερῶς), mais il chercha en secret (λάθρα) à contrecarrer et à ruiner l'entreprise».

[2] *Ps.* CI, 5: «Qui dénigre en cachette son prochain, τὸν καταλαλοῦντα λάθρα τοῦ πλησίον αὐτοῦ (בסתר)»; *B.G.U.* 1141, 48: ἠρώτων κατ' ἰδίαν λάθρα τοῦ Ξύστου θέλων ἐπιγνῶναι (14 av. J.-C.); *Sammelbuch*, 6222, 17: ἐκέλευσεν ἀθλητὰς εἰσεπενεχθῆναι εἰς κάμπον, καὶ κατὰ χάριν συνεστάλην ἐγὼ καὶ οἱ ἄλλοι πέντε λάθρα τῶν ἄλλων ἀθλητῶν (lettre privée du IIIe s.). On emporte clandestinement, λάθρα κομισάμενος (*P. Par.* 22, 28 = *UPZ*, 19; *P. Lond.* 1975, 9; cf. en 16 de notre ère, un vol: διὰ νυκτὸς λαθραίως dans *Bulletin of the American Society of Papyrologists* X, 1973, p. 619).

[3] Ἐβουλήθη λάθρα ἀπολῦσαι αὐτήν. Repris par le *Protévangile de Jacques*, XIV, 1: «Comment donc agirai-je à son égard? Je la répudierai secrètement – λάθρα αὐτὴν ἀπολύσω ἀπ' ἐμοῦ. Et la nuit le surprit (dans ces pensées)».

[4] M. J. LAGRANGE, *Evangile selon saint Matthieu*³, Paris, 1927, p. 11; J. MASSING-BERD FORD, *Mary's Virginitas Post Partum and Jewish Law*, dans *Biblica*, 1973, pp. 269–272.

[5] Δειγματίζειν «découvrir, étaler en public» (*Col.* II, 25) implique «une divulgation, donc quelque chose comme montrer du doigt» (H. PERNOT, *Les deux premiers chapitres de Matthieu et de Luc*, Paris, 1948, p. 73). Les *mss.* hésitent entre δειγματίσαι (Tischendorf) et παραδειγματίσαι (von Soden).

condamnation capitale. Même un arrangement privé pouvait difficilement
éviter le scandale. Or Joseph, s'il a scrupule de prendre chez lui une fiancée
qui attend un enfant qui n'est pas de lui, et s'il se résoud à la renvoyer [1]
veut avant tout ne pas faire d'éclat, ne pas diffamer Marie, ne pas porter
atteinte à sa réputation. Le secret (λάθρα) porte donc sur le motif de la
séparation.

Ceci étant clair, on se demande pourquoi saint Matthieu relie cette
double décision à la justice de Joseph [2]. Si l'on entend la *dikaiosynè* au sens
biblique de rendre à Dieu et au prochain ce qui leur est dû, on ne voit pas
en quoi elle commande une rupture secrète... La vérité est que dans la
koinè, aussi bien dans les textes sacrés que profanes, la «justice» est synonyme de perfection, et englobe toutes les vertus, d'abord la prudence [3]
et en ce sens: Joseph, homme réfléchi, ne suit pas une impulsion irraisonnée,
il délibère (δίκαιος, θέλων, ἐβουλήθη, ἐνθυμηθέντος) et c'est pourquoi sa
solution est toute discrétion. Puis le juste, souvent synonyme d'ἐπιεικής
(FL. JOSÈPHE, *Ant.* VI, 263; X, 155; *III Mac.* VII, 6–7; cf. *supra*, pp. 263 sv.),
se garde de nuire à personne (*Ep. Aristée*, 148; DIOGÈNE LAERCE, X, 150).
«La justice chasse la haine; l'humilité détruit la jalousie; celui qui est
juste et humble, en effet, a peur de commettre une injustice (*Testament
de Gad*, V, 3). Il est donc, non seulement magnanime (ANTONINUS LIBE-
RALIS, V, 1), mais bienveillant et bienfaisant: δεῖ τὸν δίκαιον εἶναι φιλάνθρωπον
(*Sag.* XII, 19; *Sammelbuch*, 9974, 7; 10113, 8), ayant même de la *philostor-*

---

[1] Cf. A. DESCAMPS, *Les Justes et la Justice dans les Evangiles*, Louvain-Gembloux,
1950, pp. 34 sv. Cf. M. KRÄMER, *Zwei Probleme aus Mt. I, 18–25*, dans *Salesianum*,
1964, pp. 303–333; D. HILL, *A Note on Matthew I, 19*, dans *The Expository Times*,
LXXVI, 1965, pp. 133–134; IDEM, *Δίκαιοι as a Quasi-Technical Term*, dans *NTS*,
XI, 1965, pp. 296–302; J. SCHARBERT, *Zu «Recht und Gerechtigkeit» im Alten Testament*,
dans *Biblische Zeitschrift*, 1967, pp. 119–121; R. PESCH, *Eine alttestamentliche Aus-
führungsformel im Matthäus-Evangelium*, ibid., pp. 90 sv. J. M. GERMANO, *Nova et
Vetera in pericopam de sancto Joseph (Mt. I, 18–35)*, dans *Verbum Domini*, 1968,
pp. 351–360.

[2] Δίκαιος ὤν justifie la décision et la conduite (cf. syntaxe analogue, B. LATYSCHEV,
Inscriptiones Antiquae², Hildesheim, 1965, I, n. 27, 4; 34, 11; 35, 6; 51, 6; *Suppl.
Ep. Gr.* XXV, 539, 3); aux parallèles données par C. SPICQ («*Joseph, son mari étant
juste...*», dans *R. B.* 1964, p. 207, n. 5), ajouter MÉNANDRE, dans M. BLACK, A. M.
DENIS, *Fragmenta Pseudepigraphorum*, Leiden, 1970, p. 170, 28. Une épigramme
sur un Hermès romain du IIe-IIIe s., dans G. PFOHL, *Griechische Inschriften*, Munich,
1965, n. 31, 3; PLUTARQUE, *Romulus*, XXIII, 3. Sur ἀνὴρ δίκαιος dans les inscriptions,
cf. J. et L. ROBERT, *Bulletin épigraphique*, dans *R.E.G.* 1966, p. 412, n. 317.

[3] PHILON, *Mut. nom.* 50; *Quod omn. prob.* 72; PLUTARQUE, *Solon*, XIV, 5; ANTO-
NINUS LIBERALIS, *Métamorphoses*, IV, 2; *Inscriptions de Didymes*, 416, 9.

gia [1]. Et puisque la *tsedaqah* est associée à la *héséd* [2], le juste est miséricordieux. Témoins *I Sam.* xxiv, 18: «Tu es plus juste que moi, car toi tu m'as rendu le bien, tandis que moi je te faisais du mal. Et toi tu as mis le comble à la bonté que tu as eue pour moi», et la bénédiction de Tobie par Ragouël: «Excellent homme, fils d'un homme excellent, juste et faisant l'aumône. Que le Seigneur donne la bénédiction du ciel à toi et à ta femme» (*Tob.* ix, 6). C'est plus qu'il n'en faut pour éclairer le vocabulaire de saint Matthieu et justifier la bonté-magnanimité de saint Joseph.

---

[1] Lettre d'Antiochos III pour le culte de Laodicée (193 av. J.-C.), dans L. ROBERT, *Hellenica*, vii, p. 7, *l.* 18–19. Selon saint Ambroise, la justice consiste à placer en autrui le motif de toutes nos actions, elle préside à toutes nos relations sociales, elle englobe la bienfaisance et consiste à penser aux autres plus qu'à soi-même (*De Off.* i, 136).

[2] *Ps.* xxxvii, 21; cxii, 4; cf. *Sir.* iii, 30; *Tob.* xii, 9; xiv, 11; *Livre des secrets d'Hénoch*, 13. R. MACH, *Der Zaddik im Talmud und Midrash*, Leiden, 1957.

λακτίζω

Une des premières paroles du Seigneur à Saul sur le chemin de Damas : σκληρόν σοι πρὸς κέντρα λακτίζειν (*Act.* XXVI, 14) ; métaphore prise de la vie agricole, où le laboureur pique de son aiguillon le bœuf qui se regimbe. λακτίζω : frapper du talon ou du pied, donc : ruer ou piaffer en parlant des animaux [1] ; donner des coups de pieds, en parlant des hommes, que l'on heurte une porte [2] ou que l'on frappe quelqu'un [3] ; mais qu'Euripide emploie aussi du «flux [qui] refoulait le navire à la côte» (*Iphig. en Taur.* 1396).

Mais la locution «regimber contre l'aiguillon» est proverbiale dans la littérature grecque et latine (cf. J. J. Wettstein). Egisthe : «Tes yeux ne s'ouvrent pas à voir ce que tu vois ? Ne regimbe donc pas contre l'aiguillon ; si tu t'enferres, il t'en cuira» (ESCHYLE, *Agam.* 1264) ; c'est une menace contre le récalcitrant plus malmené que s'il avait été docile. Même nuance sur les lèvres d'Océan s'adressant à Prométhée : «Tu n'es pas humble encore, tu ne cèdes pas à la souffrance, et à tes maux présents tu entends en ajouter d'autres. Si tu acceptes mes leçons, tu cesseras de regimber contre l'aiguillon. Considère qu'il s'agit d'un dur monarque, dont le pouvoir n'a pas de compte à rendre» (IDEM, *Prométh.* 323). «Placer le joug sur son cou et le porter allègrement, voilà la bonne méthode ; regimber contre l'aiguillon, c'est prendre un chemin glissant» (PINDARE, *Pyth.* II, 94). C'est même une œuvre impossible ou impie : «Au lieu de regimber contre son aiguillon – un mortel contre un Dieu ! – je lui sacrifierais...» (EURIPIDE, *Bacch.* 794). «A vouloir être fidèle envers le vieux, j'ai ruiné mes omoplates... Le fait est que c'est folie de regimber contre l'aiguillon» (TÉRENCE, *Phormion*, 76–77). «Frappez du poing l'aiguillon, ce sont vos mains qui souffriront» (PLAUTE, *Trucul.* 768).

---

[1] HÉRONDAS, *Le Cordonnier*, VII, 118. Pour l'étymologie, cf. HANSE, *in h. v.*, dans *TWNT*, IV, p. 3, qui signale le composé ἀπολακτίζειν (בעט) dans *Deut.* XXXII, 15.

[2] ARISTOPHANE, *Nuées*, 136 : «Malappris que tu es, par Zeus, pour avoir avec un pareil sans gêne heurté si fort la porte et fait avorter une idée toute trouvée» ; *B.G.U.* 1007, 7 : τὴν θύραν μου ἐλάκτιζον τοῖς ποσίν (IIIᵉ s. av. J.-C.).

[3] FL. JOSÈPHE, *Ant.* IV, 278 : ὁ γυναῖκα λακτίσας ἔγκυον ; *P. Tebt.* 798, 15, plainte contre les employés du bain public qui ont aggressé un client : λακτίσαντες εἰς τὴν κοιλίαν (IIᵉ s. av. J.-C.) ; *P. Leipz.* 40, col. III, 3 : ὁ ἄλλος λίθῳ δέδωκεν τῷ υἱῷ μου, ἄλλος ἐλάκτισεν · Ὅλον τὸ σῶμα αὐτοῦ πεπληγμένον ἐστίν.

Il n'est guère vraisemblable que le Christ ait cité littéralement Euripide ou quelque auteur classique [1], d'autant plus qu'on ne peut guère citer de forme araméenne correspondante [2]. C'est donc saint Luc qui s'est servi d'une métaphore traditionnelle pour exprimer l'ordre du Seigneur coupant court à toute velléité de résistance du pharisien Saul [3], celle-ci serait à la fois douloureuse et vaine. Bien plus, être θεομάχος serait une criminelle impiété [4].

---

[1] Une abondante bibliographie sur l'origine de cette citation (notamment H. WIN-DISCH, *Die Christusepiphanie vor Damaskus und ihre religionsgeschichtlichen Parallelen*, dans *ZNTW*, 1932, pp. 9 sv.) est donnée par M. DIBELIUS, *Studies in the Acts of the Apostels*, Londres, 1956, pp. 188 sv. (qui cite EURIPIDE, *Fragm.* 604: πρὸς κέντρα μὴ λάκτιζε τοῖς κρατοῦσί σου) et E. HAENCHEN, *Die Apostelgeschichte*, Göttingen, 1956, p. 616, qui cite les *Scholia Vetera in Pindari carmina* II, 60 sv., οὐ συμφέρει τῇ τύχῃ ἄνθρωπον ὄντα διαμάχεσθαι. Cf. A. H. SMITH, *Notes on a Tour in Asia Minor*, dans *Journal of Hellenic Studies*, VIII, 1887, p. 261, n. 50 B, 9: λακτίζεις πρὸς κέντρα, πρὸς ἀντία κύματα μοχθεῖς.

[2] Cf. BILLERBECK (t. II, pp. 769 sv.) qui cite *Eccl.* XII, 11: «Les paroles des sages sont comme des aiguillons», au sens favorable de «stimulant» la réflexion; cf. *T. Sota*, VII, 11.

[3] J. DUPONT, *Le Discours de Milet*, Paris, 1962, p. 329: «Il s'agit d'un enjolivement littéraire, exprimant d'ailleurs très heureusement le genre de violence que Paul a subi à cette heure décisive pour lui, et dont lui-même parle dans la Ire aux Corinthiens (IX, 16–17; cf. *Philip.* III, 12)»; cf. E. TROCMÉ, *Le «Livre des Actes» et l'Histoire*, Paris, 1957, p. 194.

[4] Cf. *II Mac.* VII, 18; *Act.* V, 39: μή ποτε καὶ θεομάχοι εὑρεθῆτε; sur *Act.* XXIII, 9: εἰ δὲ πνεῦμα ἐλάλησεν αὐτῷ ἢ ἄγγελος, *H, L, P,* 614 ont ajouté μὴ θεομαχῶμεν.

λαμπρός, λαμπρότης, λαμπρῶς

Ces termes, dérivés de λάμπω «briller, resplendir» (*II Cor.* IV, 6), expriment tous quelque chose de lumineux et de brillant [1]. La Bible les emploie notamment à propos des corps célestes: «Le soleil, la lune et les astres qui brillent (ὄντα λαμπρά)» (*Ep. Jérémie*, 60); «Les doctes resplendiront, ὡς ἡ λαμπρότης τοῦ στερεώματος (זֹהַר)» (*Dan.* XII, 3). «Vers le milieu du jour, je vis, ô Roi, sur le chemin, resplendir autour de moi et de ceux qui m'accompagnaient une lumière céleste plus brillante que celle du soleil, ὑπὲρ τὴν λαμπρότητα τοῦ ἡλίου» (*Act.* XXVI, 13). L'étoile du matin est un astre radieux: ὁ ἀστὴρ ὁ λαμπρὸς ὁ πρωϊνός (*Apoc.* XXII, 16). λαμπρὸν ἥλιον (PHILON, *Somn.* II, 282; *Anthologie Palatine*, IX, 450); «Les âmes nobles portent en elles quelque chose de royal, un éclat (τὸ λαμπρόν) qu'un sort envieux ne saurait ternir» (IDEM, *Omn. prob.* 126); Ἰούδας ἐγένετο λαμπρὸς ὡς ἡ σελήνη (*Testament Nepht.* V, 4). Epitaphe de l'orfèvre Canope: «Mes yeux se sont fermés à la brillante lumière du soleil» [2]. Les parties claires de la lune séparent et délimitent les parties sombres» (PLUTARQUE, *De facie in orbe lunae* 4 c; cf. 2).

Le Nouveau Testament emploie λαμπρός surtout comme épithète des vêtements. Hérode revêtit Jésus d'une robe éclatante ou splendide, περιβαλὼν ἐσθῆτα λαμπράν (*Lc.* XXIII, 11). La Peshitta a traduit «de vêtements écar-

---

[1] *Sag.* XVII, 19: «Le monde entier était éclairé d'une brillante lumière»; *Is.* LX, 3: «Les nations marcheront à ta lumière». Les boucliers sont resplendissants (CH. MICHEL, *Recueil d'Inscriptions grecques*, 248, 14), les vases d'argent plus brillants que des miroirs (FL. JOSÈPHE, *Ant.* XII, 81; PLUTARQUE, *Def. or.* 41, 43); «Ceins tes reins de ta ceinture brillante» (*Joseph et Aséneth*, XIV, 13; cf. 15–16), «faite de pierres précieuses» (XVIII, 4); le fleuve d'eau de la vie qui sort du trône de Dieu et de l'Agneau est «éclatant comme du cristal» (*Apoc.* XXII, 1). Sur l'eau étincelante, cf. ARISTOTE, *Météor.* 370 a 13); des cadeaux (*Anthologie Palatine*, IX, 478). Ch. Mugler définit λαμπρός «adjectif exprimant qu'un objet émet ou réfléchit une vive lumière» (*Dictionnaire historique de la Terminologie optique des Grecs*, Paris, 1964, p. 238); cf. PLUTARQUE, *Cicéron* XX, 1: l'éclat de la flamme; *Démosth.* XXII, 6: couleurs brillantes.

[2] E. BERNAND, *Inscriptions métriques de l'Egypte gréco-romaine*, Paris, 1969, n. 19, 5; cf. n. 166, 3: «J'ai vu des signes éclatants de son pouvoir»; 167, 11: «Il avait les joues brillantes et marchait à la droite d'Isis». Dans PHILON, *Spec. leg.* I, 140: «illustre» s'oppose à «obscur».

lates» (*zehôrîta*) et la Vulgate «*indutum veste alba*» [1]; mais le texte n'indique pas la couleur, blanche ou pourpre. Il s'agit d'un habit de luxe, de fête ou de gala, qui convient à un roi [2], ou à un être céleste, comme l'ange qui se présente au centurion Corneille «en vêtement resplendissant, ἐν ἐσθῆτι λαμπρᾷ» (*Act.* x, 30). L'accent est sur la beauté, la richesse et la magnificence, comme il appert de *Jac.* ii, 2–3: «Si un homme portant au doigt un anneau d'or et revêtu d'un habit splendide (ἐν ἐσθῆτι λαμπρᾷ) entre dans votre assemblée et qu'entre aussi un pauvre revêtu d'un habit sordide (ἐν ῥυπαρᾷ ἐσθῆτι, sale et usé = en haillons), si vous considérez avec faveur celui qui porte l'habit splendide (τὸν φοροῦντα τὴν ἐσθῆτα τὴν λαμπράν)...». Le beau vêtement indique le rang social distingué de celui qui le porte, en l'espèce un riche, une personne considérée. Théophraste avait ainsi caractérisé le vaniteux «vêtu d'un manteau éclatant (παρεσκευασμένος λαμπρὸν ἱμάτιον) et la tête couronnée, il s'avance en public» [3].

---

[1] La Vulgate considère ici λαμπρός comme synonyme de λευκός (cf. les vêtements du grand prêtre, λευκαῖς ἐσθῆσιν; FL. JOSÈPHE, *Ant.* xi, 327; cf. *Guerre*, ii, 1); ce qui est l'exégèse de P. JOÜON, *Luc XXIII, 11 «ἐσθῆτα λαμπράν»*, dans *Recherches de Science religieuse*, 1936, pp. 80–85: «l'ayant enveloppé d'un vêtement d'un blanc éclatant», et qui conclut que cette couleur signifia à Ponce-Pilate la non-responsabilité du prévenu. Que le blanc soit symbole d'innocence et qu'à ce titre les Anges soient revêtus d'un λίνον καθαρὸν λαμπρόν (*Apoc.* xv, 6) et que les élus soient enveloppés d'un βύσσινον λαμπρὸν καθαρόν (*Apoc.* xix, 8; cf. E. B. ALLO, *Saint Jean. L'Apocalypse*[3], Paris, 1933, pp. 59–61; E. HAULOTTE, *Symbolique du Vêtement selon la Bible*, Paris, 1966, pp. 324 sv.), n'autorise pas à traduire λαμπρός par blanc, car la valeur fondamentale de ce terme est: éclatant. Cf. THÉOPHRASTE, *De sensu*, 29: «les couleurs éclatantes... font une impression désagréable, τά τε γὰρ λαμπρὰ χρώματα... λύπην ἐμποιεῖν».

[2] Cf. *Lc.* vii, 25: οἱ ἐν ἱματισμῷ ἐνδόξῳ (cf. πολυτελής, *I Tim.* ii, 9). Tel Hérode Agrippa «en un jour de fête solennelle, partit pour Césarée, paré d'un vêtement royal, λαμπρῷ καὶ βασιλικῇ κοσμησάμενον ἐσθῆτι» (EUSÈBE, *Hist. eccl.* ii, 10, 1). Bien entendu, ce manteau peut être blanc: après le deuil de son père, Archélaüs reprit un vêtement blanc et se rendit au Temple (FL. JOSÈPHE, *Ant.* xix, 347), mais pour un particulier, la couleur compte moins que la coupe et la correction (IDEM, *Vie*, 334). DITTENBERGER, *Syl.* 1157, 39: καθήσθωσαν δὲ οἱ προγεγραμμένοι ἐν τῷ ἱερῷ κοσμίως ἐν ἐσθῆσιν λαμπραῖς. *Testament d'Abraham* A, 16: «La mort se revêtit d'habits éclatants (στολὴν λαμπροτάτην) et se fit un visage radieux». Cf. les tentures du Temple faites de βύσσου λαμπροτάτης καὶ μαλακωτάτης (*Ant.* viii, 72). PLUTARQUE, *Démosthène*, xxii, 3.

[3] THÉOPHRASTE, *Caractères*, xxi, 5. Cf. PHILON, *Joseph*, 105: «On donne au prisonnier un vêtement splendide (λαμπρὰν ἐσθῆτα), à la place du sordide qu'il avait (ἀντὶ ῥυπώσης); on soigne toute sa mise et on l'amène au roi. Celui-ci reconnaît à son apparence qu'il a devant lui un homme libre et de noble origine». ARTÉMIDORE, *Clef des Songes*, ii, 3, fin: «Il est toujours plus avantageux de se voir en songe vêtu d'habits propres et beaux que d'en porter d'étriqués et de sales (ἀεὶ δὲ ἄμεινον καθαρὰ καὶ λαμπρὰ ἱμάτια ἔχειν καὶ πεπλυμένα καλῶς ἢ ῥυπαρὰ καὶ ἄπλυτα), sauf toutefois pour les

Le substantif τὰ λαμπρά désigne l'opulence et la splendeur [1], l'adverbe λαμπρῶς la somptuosité: «Il était un homme riche et il se revêtait de pourpre et de fin lin, festoyant chaque jour somptueusement» [2]; *lamprós* ne désigne pas seulement la quantité et la qualité des mets; mais le cadre et l'ambiance du festin, le service, vaisselle et domestique, voire musique etc.

---

gens qui exercent des métiers malpropres et ceux qui, par profession, manipulent des ordures»; cf. *Apocalypse de Pierre*, 30: «ἄνδρες ῥάκη ῥυπαρὰ ἐνδεδύμενοι. Des hommes vêtus de haillons sordides se roulaient dans les tourments (parmi des cailloux plus aigus que des épées, et tout embrasés). C'étaient les riches qui s'étaient fiés à leur richesse et n'avaient pas eu pitié des orphelins et des veuves, mais avaient négligé le commandement de Dieu»; DION CHRYSOSTOME, LV, 20; *P. Gies.* 76, 3: τρίβωνας ῥυπαρὰς β καὶ στολὴν ὁμοίως λευκήν. MOULTON-MILLIGAN citent MÉNANDRE, *Fragm.* 669: ἔξωθέν εἰσιν οἱ δοκοῦντες εὐτυχεῖν⟨λαμπροί⟩τὰ δ' ἔνδον πᾶσιν ἀνθρώποις ἴσοι (STOBÉE, *Flor.* 104, 4; t. IV, p. 922, n. 14; cf. J. M. EDMONDS, *The Fragments of Attic Comedy*, Leiden, 1961, III B, p. 818). Au Ier s. de notre ère, le Sindonophore porte dans les processions σινδόνας λαμπρὰς τρεῖς (*Inscriptions de Pergame*, 336, 5). Ces «brillantes» étoffes de lin doivent être des bannières.

[1] *Apoc.* XVIII, 14: «Tout ce qu'il y a d'opulent et d'éclatant a péri pour toi, πάντα τὰ λιπαρὰ καὶ τὰ λαμπρὰ ἀπώλετο ἀπὸ σοῦ». Cf. PHILON, *In Flac.* 165: «tout ce décor brillant au milieu duquel j'ai vécu un moment, s'est éteint dans le très court espace d'un instant»; *Leg. G.* 327: «J'offre de me démettre de toute cette brillante situation»; FL. JOSÈPHE, *Ant.* XII, 220; «Le roi après avoir fait don de splendides présents».

[2] *Lc.* XVI, 19; *Sir.* XXIX, 22: «Mieux vaut la vie du pauvre dans un abri de planches, que des mets somptueux (ἐδέσματα λαμπρά) chez des étrangers»; XXXI, 23. Cf. DIODORE DE SICILE, XIV, 108: «Les Rhégiens commencèrent par fournir abondamment pendant quelques jours des vivres à l'armée de Denys»; XVII, 91: «Les enfants dont les formes promettent l'élégance et la force sont nourris»; 93: «les habitants accueillirent somptueusement les Macédoniens»; 16, 4; 72, 1; 115, 6: festins splendides; 64, 4; 91, 8; 93, 1: hébergement splendide (et aussi l'éclat ou la splendeur des armes, 57, 2; 100, 5; un courage éclatant, 59, 3; combattant splendidement, 60, 6; 63, 4; Alexandre accomplit un brillant sacrifice en l'honneur d'Athéna, 18, 1). Cf. *P.S.I.* 406, 30: ὠφελοῦντο λαμπρῶς; *Sammelbuch*, 10288, *a* 10: ὅθεν λαμπρῶς διασωθῇ μου ὁ υἱός; *b* 13. L'adverbe s'emploie des sacrifices: θύσαντες λαμπρῶς τῷ θεῷ (FL. JOSÈPHE, *Ant.* VI, 15); DITTENBERGER, *Syl.* 545, 12: τά τε κατὰ τὰς θυσίας καλῶς καὶ λαμπρῶς συνετέλεσεν. Base de la statue d'un prêtre de Rome, agonothète et gymnasiarque en Pamphylie: λαμπρῶς καὶ φιλοδόξως (J. et L. ROBERT, *Bulletin épigraphique*, dans *R.E.G.* 1948, p. 199, n. 229; cf. λαμπρῶς καὶ ἐνδόξως, *ibid.* 1934, p. 251). «λαμπρῶς ζήσαντα, ayant vécu avec éclat» (*Inscriptions grecques et latines de la Syrie*, 994, 8). A Gortyne, un monument honorifique relate les triomphes d'un gladiateur (νεικῶ), mais deux fois, la victoire a été particulièrement brillante: νεικῶ λαμπρῶς (L. ROBERT, *Les Gladiateurs dans l'Orient grec*, Paris, 1940, p. 119. Autres références, IDEM, dans *Laodicée du Lycos. Le Nymphée*, Québec-Paris, 1969, p. 267, n. 9). PLUTARQUE, *Cicéron*, I, 1: régner avec éclat; XLVII, 5: une chance éclatante.

Enfin, la *lamprotès* désigne une condition glorieuse, un état spirituel [1], une qualité rayonnante. On parlera donc de «la grande gloire et de l'éclat de l'Eternel» (*Bar.* IV, 24), de la magnificence du Seigneur (*Ps.* XC, 7, עַמְּ); «Eclatante et inaltérable est la Sagesse» (*Sag.* VI, 12). Il y a aussi une «splendeur des saints» (*Ps.* CX, 3 הֲדַר; *Bar.* V, 3), et très prosaïquement un λαμπρὰ καρδία καὶ ἀγαθή (*Sir.* XXX, 25), car ce «bon cœur» est celui de l'homme qui a bon appétit...

Les papyrus ne connaissent guère d'autre acception de *lampros* que celle de renommée glorieuse ou d'illustre mémoire (τῆς λαμπρᾶς μνήμης, *P. Michael.* 41, 13; *P. Lugd. Bat.* I, 3, 2; *P. Michig.* 611, 3; *R.E.G.* 1940, p. 232, n. 189; 1955, p. 274, n. 243). Depuis le IIe s., c'est l'épithète que l'on attribue aux villes, et en général au superlatif: Hermopolis (*P. Hermop.* 22, 4; 52, 3; 53, 4; *P. Alex.* 37, 4; 565, 2), Tubis (*P. Hermop.* 79, 2), Alexandrie (*P. Alex.* 12, 2: στρατηγῷ τῆς λαμπροτάτης πόλεως τῶν Ἀλεξανδρέων; *P. Oxy.* 3191, 2; 3245, 4; *P. Michig.* 606, 5; *Sammelbuch,* 10621, 2; *P. Oxy.* 2347, 8; *P. Princet.* 37, 2, 14; *Inscriptions grecques et latines de la Syrie,* 821, 2), Lycopolis (*P. Princet.* 82, 2), Antinoïte (*P. Oxy.* 2347, 4), Antinopolis (*P. Antin.* 31, 3; 35, col. II, 2; 36, 5; 38, 2; 102, 4; *B.G.U.* 1663, 6; *P. Köln,* 52 et 53; *P. Isid.* 94, 2; *P. Mich.* 607, 5; *Sammelbuch,* 10568, 1), ἡ λαμπρὰ Λυδῶν Ἑρμοκαπηλειτῶν πόλις (milliaire du IVe s., J. et L. ROBERT, *Bulletin épigraphique,* dans *R.E.G.* 1960, p. 196, n. 358; cf. p. 179, n. 274: τῆς λαμπροτάτης Ἰστριανῶν πόλεως), Sidè (*ibid.* 1951, p. 194, n. 219), Mésembria (*IG Rom.* I, 769), Hermopolis (*B.G.U.* 2133, 1; 2135, 3; *P. Tebt.* 335, 18), Termessos (*TAM,* III, 80, 82, 942, 943), Sagalassi (*ibid.* 113), surtout la fameuse et très fameuse Oxyrhynque (*P. Oxy.* 1678, 14; 3183, 2, 5; 3184, 5; 3187, 2; 3192, 6; 3195, 5; 3203, 5; 3246, 9; 3249, 10; 3254, 5, etc. Cf. *Collectanea Papyrologica... in honor of H. C. Youtie,* Bonn, 1976, II, pp. 486, 536, 541, 545, 550; *Sammelbuch,* 10289, 3; *P. Fuad,* Crawf. 13, 2; 40, 5; *P. Michig.* 612, 6), pour laquelle on insiste: ἐν τῇ λαμπρᾷ καὶ λαμπροτάτῃ Ὀξυρυγχιτῶν [2]. Parfois on renchérit: ἐτελέσθη ἐν τῇ λαμπρᾷ καὶ λογιμωτάτῃ καὶ σεμνοτάτῃ Πανοπολειτῶν πόλει (*P. Oxy.* 2476, 17); μεγάλης ἀρχίας καὶ σεμνοτάτης καὶ λαμπροτάτης (*P. Lugd. Bat.* II, 2, 4; 6, 8; *P. Princet.* 38, 1).

---

[1] Cf. *Ep. Aristée,* 16: «Toi, dont l'âme plane par son éclat au-dessus de tous les hommes». *Inscriptions grecques et latines de la Syrie,* n. 275, 5: διὰ τῶν ἐνδόξων καὶ λαμπροτάτων ἀρχαγγέλων.

[2] *P. Oxy.* 2267, 2; 2343, 5; 2347, 1; 2475, 1; 2477, 1; *P. Princet.* 77, 2; *P. Ross.-Georg.* V, 27, 2; *P. Lugd. Bat.* XVI, 2,3; *P. Fuad,* 52, 5, 7; *P. Michael.* 30, 3; *P. Osl.* 35, 5; 41, 4; *P. Goth.* 39, 5; *P. Michig.* 610, 4–5; *P. Yale,* 71, 3–4; *Sammelbuch,* 10216, 3; 10728, 2; *P. Varsovie* (*J.J.P.* 1948, p. 116 = H. C. YOUTIE, *Scriptiunculae,* Amsterdam, 1973, II, p. 269); *ZPE,* XIII, 1974, p. 129, *l.* 3.

«Clarissime» est le titre que l'on donne à de grands personnages, surtout à des fonctionnaires d'un rang très élevé. On présente, par exemple, une «requête devant le clarissime Mamertinus» en 147 de notre ère (*P. Lugd. Bat.* XVI, 33, 17). C'est une désignation des consuls [1], des préfets [2], des seigneurs comtes [3], des chanceliers (*Inscript... de la Syrie*, 530, 4) du scholastique répartiteur de l'impôt (*ibid.* 734, 2; *P. Antin.* 104, 1), d'un *logothète* (*P. Strasb.* 347, 1), du «*singularis* du bureau ducal» (*Sammelbuch*, 7439, 9), de l'éparche du prétoire (*Aegyptus*, 1972, p. 138, 1), des bienfaiteurs qui érigent des sanctuaires (*Inscript... de la Syrie*, 297, 3; 1570, 2), d'un «correcteur» alexandrin (DITTENBERGER, *Or.* 711), des archisynagogues [4], mais aussi des προγόνων (*TAM*, II, 838 *f* 5), et des femmes, Isidora, ἡ λαμπροτάτη (*P. Oxy.* 3169, 184), ou Gellia Babbia τὴν λαμπροτάτην (*Suppl. Epigr. Gr.* XXII, 481); Théodosia (*P. Laur.* 26, 6; cf. 14, 19).

---

[1] *P. Goth.* 9,2: «Après le consulat du clarissime Flavius Basilius»; *P. Lond.* 1913, 1: «Anicius Paulinus le clarissime»; *P. Mert.* 91, 5; *P. Oxf.* 6, 25; *P. Lugd. Bat.* XVI, 8, 2; 10, 2; 12, 1; *P. Michig.* 573, 25; 613, 1; *P. Yale*, 71, 2; *P. Strasb.* 471, 1; 471 *bis*, 1; 483, 2; *B.G.U.* 2138, 2; 2139, 1; *Sammelbuch*, 10287, 1; *Corp. Papyrorum Raineri* V, 2, n. 12, 9; 16, 2; *Collectanea Papyrologica... in honor of H. C. Youtie*, Bonn, 1976, pp. 545, 571 (sur les illustres jeux Capitoliens, *ibid.* p. 480); *Inscriptions grecques et latines de la Syrie*, 4016 *bis*, 6; *Inscriptions de Sidè*, 183, 7; *Inscriptions de Bulgarie*, 907, 2. A Ephèse (*Inscriptions de Corinthe*, X, 1; *Z.P.E.* XIV, 1974, p. 163; J. et L. ROBERT, *l. c.* 1965, p. 154, n. 341; 1973, p. 164, n. 426); à Hermopolis, cf. K. A. WORP, *Einige Wiener Papyri*, Amsterdam, 1972, n. 8, 16. *ZPE*, XIII, 1974, p. 132, *l.* 2.

[2] *P. Philad.* 9, 4: «Conformément aux ordres donnés par le clarissime préfet Sempronius Liberalis, λαμπροτάτου ἡγεμόνος» (IIe s.); *P. Michig.* 366, 4; 367, 7; 424, 3; 425, 3; *P. Osl.* 62, 6; *P. Athen.* 42, 4; *P. Michig.* 526, 17; 529, 6; 613, 3; 617, 13; *P. Yale*, 61, 3; *P. Strasb.* 392, 5; 393, 7; *P. Oxy.* 3048, 6; 3243, 1; *B.G.U.* 2232, 4–5; 2234, 6; *Corp. Papyr. Raineri* V, 2, n. 3, 8 et 15; *P. Petaus*, 25, 5; 46, 4; 47, 4; *P. Antin.* 31, 15; *P. Lond.* 1159, 4 (t. III, p. 112); *Sammelbuch*, 10275, 8; 10437, 5; 10537, 3; 10568, 4; *Suppl. Ep. Gr.* XXIV, 1194, 8; *Z.P.E.* XV, 1; 1974, pp. 72, 76; *Stud. Pal.* XXII, 5, 2. Selon *P. Mil. Vogl.* 237, 11, au IIIe s., on se présente «au très saint tribunal du clarissime préfet Claudios Julianos, τῷ ἱερωτάτῳ βήματι τοῦ λαμπροτάτου ἡμῶν ἡγεμόνος Kl. I.»; *P. Brux.* 1–18 (sur toutes les déclarations de recensement); cf. *P. Lugd. Bat.* II, 8, 25; 9, 2; τὸ λαμπρότατον συνέδριον (J. et L. ROBERT, *l. c.* 1942, p. 343, n. 96; cf. 1973, p. 183, n. 480; *Z.P.E.* XV, 1; 1974, p. 35). Cf. Caton issu d'une famille illustre (PLUTARQUE, *Phocion*, IV, 1).

[3] *P. Fuad*, 86, 13; *Inscriptions grecques et latines de la Syrie*, 1809, 4; *Corp. Inscript. Iud.* 991. Athènes célèbre la main illustre (λαμπρὰ χὶρ ἡγεμονῆος) du gouverneur qui fit construire des murailles (*IG*, II², 5201).

[4] Celui de Berytos à Beth-Shearim (B. LIFSHITZ, *Fonctions et Titres honorifiques dans les Communautés juives*, dans *R.B.* 1960, pp. 58–59), à Sidon (*Corp. Inscript. Iud.* 991; réédité par B. LIFSHITZ, *Donateurs et Fondateurs dans les Synagogues juives*, Paris, 1967, n. 74).

La λαμπρότης est une désignation d'honneur usuelle: ἡ σὴ λαμπρότης [1], que l'on emploie même dans la correspondance privée, comme l'intendant de la dame Martyria: «Que ta Splendeur daigne m'envoyer un conge d'huile espagnole... si ta Splendeur y consent» (*P. Sorb.* 62, 1, 3). On la renforce parfois d'une épithète d'authenticité: τὴν γνησίαν ὑμῶν λαμπρώτητα (*P. Ness.* 75, 1), qui n'exclut pas l'attachement: ἡ ὑμετέρα ἀδελφικὴ λαμπρότης (*Sammelbuch*, 7036, 1; *P. Alex.* 40, 1), ἀσπάζομαι τὴν σὴν λαμπρὰν ἀδελφότητα (*P. Hermop.* 45, 1). Encore que tous ces textes soient postérieurs au Ier s. de notre ère, ils montrent que la *lamprotès* néo-testamentaire doit s'interpréter dans le sens de la somptuosité et de la magnificence [2], l'accent étant mis sur le rayonnement et l'éclat.

---

[1] *Sammelbuch*, 9396, 4; 9461, 10, 16; *P. Michig.* 529, 4; *P. Strasb.* 255, 7; *P. Fuad*, 20, 8; 83, 10; *P. Hermop.* 19, 13; *P. Ross.-Georg.* III, 49, 5; *Stud. Pal.* XX, 261, 6; *P. Michael.* 38, 1; *P. Lugd. Bat.* XIII, 2, 5 (cf. H. C. YOUTIE, dans *Essays in Honor of C. B. Welles*, New Haven, 1966, p. 29); *P. Bon.* 46, 8: πρὸς τὴν ἐξουσίαν τοῦ κυρίου μου λαμπροτάτου.

[2] Plutarque insère la *lamprotès* entre εὐπορία et τιμή (*Oracles de la Pythie*, 29). Dans une hymne à Isis, la souveraine d'Hermouthis est louée de ce que, grâce à elle «tous ceux qui vivent au comble de la félicité, hommes de bien, rois porteurs de sceptre et tous ceux qui sont des chefs... laissent beaucoup de richesses splendides et magnifiques (λαμπρὸν καὶ λιπαρόν) à leurs fils, à leurs petits-fils et à ceux qui en descendent» (*Suppl. Ep. Gr.* VIII, 550, 10; V. F. VANDERLIP, *The Four Greek Hymns of Isidorus and the Cult of Isis*, Toronto, 1972, p. 49).

λανθάνω

Souvent synonyme des passifs de καλύπτειν, κρύπτειν et de leurs composés [1], le verbe λανθάνειν «être caché, inconnu, invisible» s'emploie dans des acceptions physiques, intellectuelles et même surnaturelles: s'approcher sans qu'on s'en aperçoive, passer inaperçu, s'échapper sans être vu [2].

Jésus «étant entré dans une maison, il ne voulait pas qu'on le sût, mais il ne put demeurer caché, οὐκ ἠδυνήθη λαθεῖν» (Mc. VII, 24; cf. Sag. X, 8, μηδὲ λαθεῖν δυνηθῶσι). Etre caché s'oppose à être découvert; être invisible s'oppose à être reconnu; on est caché aux yeux des autres, comme la malade de Lc. VIII, 47 ou la femme adultère de Nomb. V, 13, 27 (עָלַם) qui se dissimulent, et les troupes qui se dérobent au regard de l'ennemi [3].

La Bible emploie surtout ce verbe au sens d'ignorer. «La chose a été cachée aux yeux de l'assemblée» (Lév. IV, 13); «ta bonne action ne m'a pas échappé» (Tob. XII, 13); «la Sagesse a été cachée à tout homme, et à l'oiseau elle a été dissimulée» (Job, XXVIII, 21). Saint Paul déclare que le roi Agrippa «n'ignore rien de ces choses, vu que ce n'est pas dans un coin qu'elles ont été faites» [4]. L'accent peut être sur la divulgation et la publi-

---

[1] Cf. CH. MUGLER, Dictionnaire historique de la Terminologie optique des Grecs, Paris, 1964, p. 241.

[2] MÉNANDRE, Dyscol. 905: «Tâche de ne pas te faire voir en le portant ici»; THÉOPHRASTE, De sensu, 34: «les objets de petite dimension n'échappent pas à la vue»; GEMINIUS, Elem. 108, 18: «Il est impossible que des écarts d'un mois passent inaperçus»; AETIUS, IV, 10: «les sensations nous échappent (en partie)»; P. Zén. Cair. 59209, 4: μὴ λάθῃ αὐτὸς ἐκ τῆς κώμης ἀπελθών; P.S.I. 1327, 15: ἔλαθές με ὡς ὑπὸ σου ἐπράχθη.

[3] II Sam. XVII, 22: «pas un seul homme ne resta caché» (niphal de עדר: rester à l'écart); IV Mac. III, 13: «Echappant aux sentinelles qui veillaient aux portes, ils allèrent à la découverte à travers tout le camp ennemi»; DIODORE DE SICILE, XIV, 72: «Denys se mit en marche, avec le jour, sans être découvert, dans le dessein de se porter sur le camp ennemi»; FL. JOSÈPHE, Guerre, III, 343: «Josèphe ne pouvant éviter d'être découvert, ὡς λαθεῖν οὐκ ἦν».

[4] Act. XXVI, 26: λανθάνειν γὰρ αὐτόν τούτων οὐ πείθομαι οὐθέν; cf. II Sam. XVIII, 13: «Si je m'étais menti à moi-même, rien n'eut été caché au roi» (niphal de כחד); FL. JOSÈPHE, Ant. XVII, 38: «Salomè n'était pas ignorante de ces choses»; Joseph et Aséneth, VI, 3: «Rien de ce qui est caché n'échappe à Joseph, οὐδὲν κρύπτον λέληθεν αὐτῷ»; P. Brem. 15, 3: οὐ πάντως λανθάνει σε = il t'est bien connu; P. Zén. Cair. 59412, 23:

cité [1]: ἵνα μηδέν σου τὴν ἐπιμέλειαν λαθάνη (*P. Oxy.* 2228, 43), ταῦτα γὰρ οὐ λανθάνει τὸν δοῦλόν μου (*P. Ryl.* 629, 21); τὸ σωμ' ὅλον μὴ που λάθης (*Suppl. Ep. Gr.* VIII, 464, 35; *Stud. Pal.* XX, 54; col. II, 14; *Sammelbuch*, 8960, 16), mais aussi sur l'erreur d'appréciation [2], ce que l'on voit ne correspond pas à ce qui est caché. C'est ainsi que «par l'hospitalité, quelques-uns eurent à leur insu pour hôtes des Anges» [3], ou Crésus qui «après avoir accueilli l'étranger dans sa demeure avait nourri sans le savoir (ἐλάθονα) le meurtrier de son enfant» (HÉRODOTE, I, 44).

λανθάνειν est usité de l'omniscience de Dieu, à qui rien n'échappe: οὐδεὶς μὴ λάθη [4], et de la connaissance de foi. Si les faux docteurs veulent ignorer la création par une parole de Dieu, λανθάνει αὐτούς (*II Petr.* III, 5), il est une chose qui n'échappe pas aux croyants (μὴ λανθανάτω ὑμᾶς), c'est qu'un jour devant le Seigneur est comme mille ans [5]. Il ne manque rien à leur connaissance religieuse [6].

περὶ δὲ τῶν μόσχων οὐδὲ σὲ λανθάνει τὰ γεγενημένα; *P. Oxy.* 1253, 22: «Nous vous donnons cette information, afin que rien n'échappe à votre Excellence, ἵνα μηδέν σου λανθάνη τὴν λαμπρότητα μηνύομεν»; 34, col. III, 2: οὐκ ἔλαθέ με ὅτι = je n'ignore pas; *P.S.I.* 1039, 20: δηλῶ πρὸς τὸ μὴ λαθεῖν; *Sammelbuch*, 10646, 3.

[1] *Sag.* XVII, 3: «Alors qu'ils comptaient rester cachés avec leurs péchés secrets, sous le voile sombre de l'oubli»; PLUTARQUE, *Def. or.* 40: «les pensées dissimulées et secrètes».

[2] FL. JOSÈPHE, *Vie*, 425: «Vespasien ne se laissa pas abuser par ces mensonges, οὐ ψευδόμενος ἔλαθεν».

[3] *Hébr.* XIII, 2: διὰ ταύτης γὰρ ἔλαθεν τινες ξενίσαντες ἀγγέλους (le participe prédicat du sujet est normal avec les verbes exprimant une manière d'être, cf. F. M. ABEL, *Grammaire du grec biblique*, Paris, 1927, § 73 a, 76 b). En ce sens, on touche à quelque impureté «à son insu» (*Lév.* V, 3–4) ou on commet une infidélité par mégarde (V, 15). L'argent est peut-être arrivé, mais cela me demeure inconnu (*P. Hamb.* 27, 9), subrepticement (*P. Gen.* 17, 16); «j'ai oublié de faire un ordre de payement» (*P. Oxy.* 530, 5).

[4] *Sag.* I, 8; *Job*, XXXIV, 21; *Ep. Aristée*, 132: «Rien n'échappe à Dieu des actions secrètes des hommes sur la terre»; 133, 210; FL. JOSÈPHE, *Vie*, 83: «Dieu, au regard de qui n'échappent pas ceux qui font le bien».

[5] *II Petr.* III, 8 (cf. *Ps.* XC, 4); *Job*, XXIV, 1: «Pourquoi, Seigneur, les temps ont-ils été cachés (נִצְפְּנוּ מִן)»; cf. *P. Fuad*, 80, 7: «nous n'ignorons pas tout ce que vous avez enduré»; *P. Princet.* 77, 5: μηδένα λανθάνειν.

[6] λανθάνειν au sens de: faire défaut, manquer, *Is.* XL, 26 (*niphal* de עָדַר); *P. Strasb.* 73, 5: ἔλαθέν γε κεράμια ὀψαρίων εἰς διάπρασιν (cf. H. C. YOUTIE, *Scriptiunculae*, Amsterdam, 1973, I, p. 199).

λαός

Il n'y a guère à ajouter à l'excellent article de Strathmann (*TWNT*, IV, pp. 29–57), ni aux nuances connues de ce mot, rare dans la *koinè* en dehors de la Bible: «population» d'une ville (*Gen.* XIX, 4), membres d'une tribu (*Gen.* XLIX, 16), comme ceux de Hamor et de Sichem qui se marieront entre eux ὥστε εἶναι λαὸν ἕνα (XXXIV, 22), habitants d'un pays (*II Rois*, XVI, 15; *Esdr.* IV, 4; X, 2, 11; *Néh.* X, 31) ou population indigène [1], et surtout la désignation d'honneur et religieuse d'Israël «peuple de Dieu», communauté (*édah*) ou assemblée (*qahal*) qui appartient à Iahvé, observe sa Loi et célèbre son culte [2]. La communauté chrétienne (*synagôgè, ekklésia*) héritera de ce titre, qui désignera désormais l'assemblée de ceux qui croient au Christ [3], comprenant des hommes de toute race et de toute langue (*Lc.* I, 17; *Act.* XV, 14; XVIII, 10), aussi bien juifs que païens (*Rom.* IX, 25;

---

[1] Il deviendra une désignation péjorative, cf. F. WÜRTHWEIN, *Der 'amm ha' arez im A. T.*, Stuttgart, 1937; R. MEYER, *Der Am Hâ'âres*, dans *Judaica*, 1947, pp. 169–199; R. DE VAUX, *Les Institutions de l' A. T.*, Paris, 1958, pp. 111 sv., 150.

[2] *Jug.* V, 11; *I Sam.* II, 24; *II Sam.* XIV, 13; *Deut.* VII, 6–8; XIV, 2; XXVI, 18; *Is.* LI, 4; *Soph.* II, 9 etc. Le singulier s'oppose au pluriel (alors synonyme d'ἔθνη): les peuples ennemis d'Israël (*Gen.* XLIX, 10; *Ps.* VII, 8; XXXIII, 10; XLVII, 4; LXVII, 5). Dans la littérature profane, cf. Isyllus, au IIIᵉ s. av. notre ère: θεὸν ἀείσατε λαοί (dans I. U. POWELL, *Collectanea Alexandrina*, Oxford, 1925, p. 133, 37).

[3] Le «peuple de Dieu» est un peuple «élu», c'est-à-dire que Dieu aime, qui lui appartient et qu'il s'est réservé pour former son église dans telle ville ou dans toutes les nations (*Act.* XV, 14; XVIII, 10; *Rom.* IX, 25–26; *I Petr.* II, 10). La locution est transposée d'Israël à la communuaté chrétienne (*II Cor.* VI, 16; *Hébr.* VIII, 10), dont tous les membres sont «un» dans le Christ Jésus (cf. *Rom.* XII, 4; *Gal.* III, 28; *Col.* III, 11) et animés par le Saint-Esprit (cf. *Rom.* VIII, 5). C'est donc un «peuple nouveau» qui hérite des privilèges du peuple ancien (cf. L. CERFAUX, *La Théologie de l'Eglise suivant saint Paul*², Paris, 1965, pp. 56–67; cf. 18, 299–300), racheté ou libéré par le Sauveur. De ce chef, l'accent est mis sur la sanctification ou purification de ce peuple (*Tit.* II, 14; *Hébr.* XIII, 12; *Apoc.* XVIII, 4), dont les déserteurs seront châtiés (*Hébr.* X, 30). Enfin, ce peuple messianique et spirituel est promu à un «repos sabbatique» (*Hébr.* IV, 19), dans la Jérusalem céleste. Dieu habitera avec lui (*Apoc.* XXI, 3). Cf. H. WILDBERGER, *Jahwes Eigentumsvolk*, Zurich, 1960; M. L. NEWMAN, *The People of the Covenant*, Nashville, 1963; J. H. ELLIOTT, *The Elect and the Holy*, Leiden, 1966, pp. 138 sv.; surtout P. S. MINEAR, *Jesus' Audiences According to Luke*, dans *Novum Testamentum*, 1974, pp. 81 sv.

Eph. II, 14). Aucun texte n'abroge explicitement ce titre pour Israël [1], comme si l'Eglise constituait une nouvelle génération fidèle (succédant à une génération mauvaise et adultère, *Mt.* XII, 39; *Mc.* VIII, 38; *Lc.* XI, 29) dans le λαὸς τοῦ θεοῦ, essentiellement caractérisé d'un côté par la vocation de Dieu, et de l'autre par la consécration de ses membres et de son assemblée au Seigneur.

Il faut insister sur l'acception la plus banale de *laos* «foule, multitude» [2] – à peu près synonyme de ὄχλος ou d'ἄνθρωποι «les gens», comprenant les

---

[1] Cf. *Rom.* XI, 1–2, 29. Toutefois, *laos* sans complément, appliqué à Israël, désigne plutôt la «nation» (*Mt.* I, 21; *Lc.* I, 68, 77; II, 32; VII, 16; *Act.* IV, 10; XIII, 24; FL. JOSÈPHE, *C. Ap.* II, 159: Moïse assure au peuple les meilleures lois; *Ant.* X, 12: demande à Dieu d'avoir pitié de son peuple), sans qu'une signification religieuse soit formellement exclue. Cette acception profane de *'am* se retrouve à Qumrân: «avec astuce et perfidie, ils se conduisent envers tous les peuples» (*p. Hab.* III, 6, 13); «l'assemblée charnelle» (*Règle*, XI, 7, 9); «l'assemblée de vanité» (*Hymn.* VI, 4); mais le sens religieux apparaît dans *Guerre*, XVIII, 7: «Tu as fait envers ton peuple de grands prodiges»; *Hymn.* XIII, 8: «la congrégation de tes saints».

[2] *Nomb.* II, 6: «beaucoup de gens moururent»; *Jos.* XVII, 14; *II Chr.* VII, 10; *Jér.* XXIII, 41; XLI, 10; XLIV, 2; *Lc.* I, 10; III, 21; VI, 17; XVIII, 43; XXI, 38; *Act.* VI, 12; XIII, 15; XXI, 36; *Guerre des Fils de lumière*, VII, 17; XV, 3–5; PHILON, *Migr. A.* 62; FL. JOSÈPHE, *Guerre*, I, 122: «Cet accord se fit dans le Temple, en présence du peuple»; 457: «Hérode rassembla le peuple»; 550: «Tiron ameuta le peuple contre eux»; II, 1: «Archelaüs offrit au peuple un somptueux banquet funèbre»; III, 329; *Ant.* XIII, 201, parallèle à τὸ πλῆθος. Cf. les inscriptions tombales juives: τῷ λαῷ χαίρειν, Adieu à tous (*Corp. Inscript. Iud.* 699–702, 704–706; DITTENBERGER, *Syl.* 1247); «proseuque du peuple» (n. 662); il s'agit de la «communauté locale», cf. n. 720, 776; à Hiérapolis: «Marcos Aurelios Alexander... surnommé Asaph (?) de la communauté des juifs, λαοῦ Ἰουδαίων»; à Césarée, une participation financière de la communauté: «Don de la communauté sous Marouthas, προσφορὰ τοῦ λαοῦ ἐπὴ Μαρουθᾶ» (B. LIFSHITZ, *Donateurs et Fondateurs dans les Synagogues juives*, Paris, 1967, n. 64; autres inscriptions dans L. ROBERT, *Hellenica* XI-XII, Paris, 1960, pp. 260–262); φιλόλαος = aimant son peuple (n. 203, 509; cf. 476, 720). PLUTARQUE, *Romulus*, XXVI, 4: «Les Grecs désignent encore aujourd'hui le service de l'Etat par le mot *léïton* et le peuple par le mot *laos*»; *Suav. viv.* 13: la multitude des spectateurs; DIODORE DE SICILE, I, 57, 2: l'empereur Séoosis fit construire des canaux qui facilitaient les relations entre les habitants, ταῖς πρὸς ἀλλήλους τῶν λαῶν ἐπιμιξίαις; III, 45, 6: «par manque d'expérience (διὰ τὴν τῶν λαῶν ἀπειρίαν), les gens ne donnent pas à la terre la culture qui serait nécessaire». Dans l'épigramme pour un vainqueur aux concours de Némée, de 200 av. J.-C., ὥσπασε λαός (le peuple de Phoronis) est une restitution traditionnelle qu'il faut évacuer, et remplacer par ἦρσο νίκης (R. MERKELBACH, dans *Zeitschrift für Papyrologie und Epigraphik*, VII, 1971, p. 274) ou ἵκετο νίκας (J. EBERT, *Griechische Epigramme auf Sieger an... Agonen*, Berlin, 1972, n. 64, 3). Sur ὄχλος et πλῆθος, cf. P. ZINGG, *Das Wachsen der Kirche*, Göttingen, 1974, pp. 61–67; P. S. MINEAR, *l. c.*, pp. 84 sv.

individus ou la collectivité (Philon, *Praem.* 125; *P. Petr.* xlv, 3, 3) –
et celle juridique et politique où «le peuple» évoque un organisme, lié par
des structures de droit en vue d'une fin commune [1]. Dès lors, le *laos* désigne
un groupe d'hommes subordonné à une hiérarchie, une classe distincte et
inférieure [2], même les serfs attachés au sol dans Polybe, iv, 52, 7. Cet
usage est si répandu que l'on a coutume de traduire λαοί dans les papyrus
par «indigènes, fellah, paysans». Mais Cl. Vandersleyen, qui cite 26 papyrus,
dont 22 antérieurs à l'ère chrétienne [3], estime que les λαοί constituaient
la couche supérieure de la population égyptienne, la classe dirigeante
dans les villages de la *chora;* ils ne désignaient qu'une partie de la population,
des agriculteurs par exemple, distincts de la masse des cultivateurs [4].
Ils prennent des initiatives (*P. Lille*, 16, 2 et 8), et jouissent non seulement
d'une autonomie relative, mais de la confiance des fonctionnaires: «que
les *laoi* et les autres agriculteurs fassent l'estimation de leurs produits»

---

[1] Cicéron, *Républ.* i, 25: «Populus autem non omnis hominum coetus quoque
modo congregatus, sed coetus multitudinis juris consensu societatis». Cf. J. Gaudemet, *Le peuple et le gouvernement de la République romaine*, dans *Gouvernés et Gouvernants* (Recueils Jean Bodin, 23), Bruxelles, 1968, pp. 190 sv.

[2] Dans les papyrus ptolémaïques: «Volgus Aegyptiorum, praecipue opifices et
agricolae» (Dittenberger, *Or.* 90, 12; note 47; cf. *UPZ*, 110, 100–103; *P. Strasb.*
93, 4: animaux de trait réquisitionnés appartenant aux *laoi*); de même en Asie Mineure
(P. Briant, *Remarques sur «laoi» et esclaves ruraux en Asie Mineure hellénistique*,
dans *Actes du Colloque 1971 sur l'esclavage*, Paris, 1972, pp. 93–133). Les Egyptiens
sont le λαός de Pharaon (*Gen.* xli, 40; *Ex.* i, 22), le λαὸς τῆς γῆς αὐτοῦ (*Néh.* ix, 10);
Ez. vii, 27; *Lc.* xxii, 2; xxiii, 13: «Pilate convoqua les grands prêtres, les chefs et le
peuple». A Qumrân, l'ordre de préséance est: les prêtres en premier, les lévites derrière
eux «et tout le peuple passera en troisième lieu, par ordre, l'un après l'autre» (*Règle*,
ii, 20); Philon: «*Peuple choisi*, non celui de gouvernants particuliers, mais celui du
seul vrai gouvernant, peuple saint d'un saint Gouvernant» (*Praem.* 123); Fl. Josèphe,
Ant. viii, 101: ὁ βασιλεὺς καὶ ὁ λαὸς ἅπας; vi, 199; vii, 63. Cette nuance péjorative est
accentuée dans *Poimandrès* i, 27: «Ὦ λαοί, ἄνδρες γηγενεῖς, O peuples, hommes nés
de la terre, vous qui vous êtes abandonnés à l'ivresse, au sommeil et à l'ignorance
de Dieu».

[3] Cl. Vandersleyen, *Le mot λαός dans la langue des papyrus grecs*, dans *Chronique
d'Egypte*, 1973, pp. 339–349. La plus grande partie de ces papyrus sont des documents
administratifs. *Sammelbuch*, 8355, 3 est une citation de l'*Odyssée*, xxiv, 530: «Ce
doit être, là-dedans, un des dieux, maître des champs du ciel, qui a poussé un cri,
retenu de tout le monde, κατὰ δ' ἔσχεθε λαὸν ἅπαντα» (cf. A. et E. Bernand, *Les Inscriptions... du Colosse de Memnon*, Le Caire, 1960, n. 37, 3).

[4] *P. Rev. Laws* (J. Bingen), col. xlii, 11: οἱ δὲ [λαοὶ] καὶ οἱ λοιποὶ γεωργοί. Ils sont
plusieurs fois désignés comme habitants de *komai*: τῶν ἐν ταῖς κώμαις κατοικούντων
λαῶν (*UPZ*, 110, 101; IIe s. av. J.-C.); τοὺς κατὰ κώμην κωμάρχας καὶ τινας τῶν λαῶν
(*Sammelbuch*, 7179, 4); *P. Tebt.* 701, 74, 80: τοῖς λαοῖς τοῖς ἐν Σύρων κώμῃ.

(*P. Rev. Laws*, XLII, 11). Apollonios s'excuse auprès de ce groupe limité de n'avoir pu les entendre personnellement, il enverra un chrématiste pour les rencontrer à Philadelphie (*P. Zén. Cair.* 59203, 3, 7, 16–17; cf. 59204, 5; 59292, 566, 650). Ils annoncent le moment où il faut commencer la récolte, ils évaluent celle-ci, ils s'occupent de recueillir les taxes et ils en discutent; ils exécutent des travaux publics (*P.S.I.* 577, 23; *P. Petrie*, II, p. 52; xv, 1 *b;* XIII, 45, 3), des terrassements (*Sammelbuch*, 7179, 4), des drainages (*P. Petrie*, II, p. 14; xiv, 11, 4). Ce sont des responsables [1], donc une élite, hiérarchiquement au-dessus du commun [2], associés aux «chefs de village» et, à bon droit Cl. Vandersleyen traduit λαοί par «notables» [3].

Cette acception noble est celle du *Senatus Populusque romanus* et de la *Majestas Populi Romani* [4]. C'est aussi celle du titre inscrit sur les enseignes dans la *Guerre des Fils de lumière* IV, 13: «Sur la grande enseigne qui est en tête de tout le peuple on écrira: 'Peuple de Dieu', le nom d'Israël et d'Aaron et les noms des douze tribus d'Israël».

---

[1] «Epargnez les malheureux notables (τῶν μὲν ταλαιπώρων λαῶν) et les *machinoi* et les autres qui ne sont pas revêtus d'autorité (τῶν ἄλλων τῶν ἀδυνατούντων)» (*UPZ*, 110, 132). Etant données cette position et ces fonctions, des *laoi* abuseront de leur pouvoir, *P. Zén. Cair.* 59368, 26: «à ce moment, on trouva qu'il manquait 12 mesures de fourrage du fait des *laoi;* au sujet de quoi une enquête est ouverte»; *P.S.I.* 380, 5; 402, 4: un paysan se plaint de la concurrence «de la classe des notables qui est en ville et qui fait la culture des citrouilles» (IIIᵉ s.).

[2] *B.G.U.* 1768, 6; *P. Ross.-Georg.* v, 24, 10; U. WILCKEN, *Chrestomathie*, Leipzig-Berlin, 1912, I, 2, n. 11 *A* 6. Même *Sammelbuch*, 8299, 12 (la pierre de Rosette) viserait une couche supérieure de la population: ὅ τε λαὸς καὶ οἱ ἄλλοι πάντες (CL. VANDERSLEYEN, *l. c.*, p. 347). W. PEREMANS, *Classes sociales et conscience nationale en Egypte ptolémaïque*, dans *Orientalia Lovaniensia periodica VI-VII* (*Miscellanea in honorem J. Vergote*), Louvain, 1975, pp. 443–453. T. ALFIERI, *La position de M. Rostovzev à propos des «Laoi» de l'Asie Mineure hellénistique*, dans *Actes du Colloque 1973 sur l'Esclavage*, Paris, 1976, pp. 283–289.

[3] CL. V. propose de voir dans les λαοκρίται, non des «juges des λαοί, c'est-à-dire des indigènes», mais «des juges choisis dans la classe des λαοί» (*ibid.* p. 348).

[4] KÜBLER, *Majestas* (dans *R.E.* XIV, 1, 542–544) qui, avec l'empire, sera transférée au prince; cf. le *crimen minutae majestatis* (CICÉRON, *Rhét. ad Herenium*, II, 12, 17), repression contre toute atteinte à la grandeur du Peuple romain.

λείπω

La *Souda* définit: λείπεσθαι · ἡττῆσθαι; dans les papyrus, ce verbe s'emploie souvent en comptabilité d'un déficit, d'un solde débiteur [1]; dans le N. T., il a toujours le sens de «faire défaut, être insuffisant, incomplet» [2].

A l'actif et intransitif, il est synonyme de ὑστερέω et signale un manque. Au jeune homme riche et vertueux, Jésus dit: ἔτι ἕν σοι λείπει [3], exactement comme Epictète: «Tu es venu tout à l'heure à moi comme un homme qui n'a besoin de rien (ὡς μηδενὸς δεόμενος). Et de quoi pourrais-tu même t'imaginer avoir besoin (ὡς ἐνδέοντος)?... César te connaît, tu possèdes à Rome beaucoup d'amis, tu remplis tes devoirs, tu sais obliger de ton côté celui qui t'oblige... Que te manque-t-il (τί σοι λείπει)?» (II, 14, 19).

---

[1] *B.G.U.* 1782, 12: περὶ τοῦ μηδένα λόγον λείπεσθαι; *P. Michig.* 182, 37: ἐὰν μὲν λείπηταί τι πρὸς τὰ μὴ(τάλαντα) τοῦ χαλκοῦ; *P. Apol. Anô*, 82, 13: λείπεται νομίσμ. χνβ κεράτι. ι; *P. Oxy.* 2195, 155; *P. Ross.-Georg.* II, 24, 10; *Sammelbuch*, 10530, 8, 23; St. Witkowski, *Epistulae privatae graecae*, Leipzig, 1911, n. 41, 12: λείπεται δραχμαὶ ρνε. Comparer la clause μὴ ἐλαττουμένου (H. A. Rupprecht, *Studien zur Quittung im Recht der graeco-ägyptischen Papyri*, Munich, 1971; G. Hage, *Die MH ΕΛΑΤΤΟΥΜΕ-ΝΟΥ-Klausel in den griechischen Papyri Aegyptens*, dans *Proceedings of the Twelfth International Congress of Papyrology*, Toronto, 1970, pp. 195–205).

[2] Cf. *Sag.* XIX, 4: «Ils mettent le comble à leur châtiment pour les tourments qui leur manquent, τὴν λείπουσαν τοῖς βασάνοις»; *Papyri graecae magicae*, IV, 2547 (t. I, p. 146): ἐξ ὧν ὁ κόσμος αὔξεται καὶ λείπεται; *P. Mert.* XXIV, 10: dans la mesure où tu accompliras tes devoirs, ma part ne te manquera pas (οὐ λείψει σε); *P. Ryl.* 583, 18–19; *P. Hib.* 198, 9: le brigand et celui qui déserte le bateau, ὁ λῃστὴς καὶ ὁ τὴν ναῦν λελοιπώς; *Or. Sibyl.* III, 416: «une Erynnie... abandonnera la vaste mer d'Europe et d'Asie»; *Corp. Inscript. Iud.* 61*, 4; se dit de la mort: βίον λεῖπε (*Sammelbuch*, 7289, 4; 8960, 12), de la perte d'un enfant (*Inscriptions de Thasos*, 370, 5; *P. Lugd. Bat.* XIII, 14, 25; *P. Dura*, XII, 5). Epitaphe métrique d'un bestiaire à Philippe: ἔλιπον φάος τὸ γλυκὺ κόσμου, j'ai quitté la douce lumière du monde (L. Robert, *Les Gladiateurs dans l'Orient grec*, Paris, 1940, n. 25, 6; cf. 296, 11); on perd sa force ou son courage (*ibid.* 124, 5). Sur l'aoriste ἔλιπον-ἔλειψα dans la *koinè*, et la formation du parfait λέλοιπα en ajoutant α au radical primitif, cf. F. M. Abel, *Grammaire du grec biblique*, Paris, 1927, § 18 *j*, *p*; B. G. Mandilaras, *The Verb in the Greek Non-Literary Papyri*, Athènes, 1973, n. 306, 13.

[3] *Lc.* XVIII, 22 (cf. *Mc.* X, 21: ἕν σε ὑστερεῖ; *I Cor.* I, 7: μὴ ὑστερεῖσθαι ἐν μηδενὶ χαρίσματι). *Testament d'Abraham*, A 14: Abraham dit à l'archange: Michel, que manque-t-il encore à cette âme pour être sauvée, τί ἔτι λείπεται τῇ ψυχῇ εἰς τὸ σώζεσθαι?»

Le passif n'est usité dans le N. T. que par saint Jacques soit avec le génitif de la chose dont on est privé, soit avec ἐν et le datif: «Que vous soyez parfaits et accomplis, n'étant dépourvus de rien (ἐν μηδενὶ λειπόμενοι). Si quelqu'un d'entre vous est dépourvu de sagesse (εἰ δέ τις ὑμῶν λείπεται σοφίας), qu'il la demande à Dieu»[1]. L'union de τέλειος (l'homme adulte, parvenu à maturité, opposé à νήπιος, *I Cor.* II, 6; *Col.* I, 28) et de ὁλό-κληρος (complet en toutes ses parties, intégral ou intact, cf. *Act.* III, 16) vaut un superlatif, auquel l'ajoute négative – à la manière «proverbiale» hébraïque – n'ajoute rien[2]: l'absence de toute déficience étant déjà incluse dans celle de perfection: «ce à quoi rien ne manque». Cette déficience ou ce déficit peut être minime ou grave[3], comme celui de ces chrétiens qui «sont nus et manquent de la nourriture quotidienne, ὑπάρχωσιν καὶ λειπόμενοι τῆς ἐφημέρου τροφῆς»[4], cette dernière précision indique la nécessité urgente du secours, requis des chrétiens envers leurs frères et leurs sœurs dans la foi (*Gal.* VI, 10). Le choix du passif λείπομαι donne à entendre que ces indigents sont comme «laissés en arrière» par leurs frères; il fait partie, en effet, du vocabulaire de la course, où l'athlète est «dépassé» par les concurrents[5], mais il s'applique aussi à d'autres concours, par exemple

---

[1] *Jac.* I, 4–5; cf. J. A. KIRK, *The Meaning of Wisdom in James*, dans *NTS*, XVI, 1969, pp. 24–38.

[2] «L'accent repose essentiellement sur les deux premiers termes, le parallèle de forme négative qui les suit n'ajoute rien à l'idée, mais amplifie la phrase et arrondit la chute» (J. MARTY, *L'Epître de Jacques*, Paris, 1935, p. 12), qui cite la proposition stoïcienne: πάντα δὲ τὸν καλὸν καὶ ἀγαθὸν ἄνδρα τέλειον εἶναι λέγουσι διὰ τὸ μηδεμιᾶς ἀπολείπεσθαι ἀρετῆς (STOBÉE, *Ecl.* II, 7, 11; t. II, p. 98, 15). Cf. l'ordonnance de Ptolémée Alexandre Ier allant accorder, en 97–96 av. J.-C., le droit d'asile au temple d'Horus à Athribis, «temple de première classe et remarquable, l'un des plus anciens et des plus célèbres, a obtenu les autres honneurs, mais il est déficient en ce qu'il n'est pas lieu d'asile, λείπεσθαι δὲ ἐν τῷ μὴ εἶναι ἄσυλον» (*Sammelbuch*, 620, 6 = *C. Ord. Ptol.* 64).

[3] Cf. ARISTOTE, *Gener. anim.* IV, 1; 766 *a* 26: les animaux mutilés, il s'en faut de peu qu'ils aient l'apparence d'une femelle, μικρὸν ἐλλείπουσιν τοῦ θήλεος τὴν ἰδέαν; *P. Fuad*, 85, 3: «Il ne te reste plus (οὐθὲν λείπει) qu'à venir et à trouver ton lit tout prêt».

[4] *Jac.* II, 15. Sur τῆς ἐφημέρου τροφῆς, cf. les parallèles cités par F. FIELD, *Otium Norvicense* III, Oxford, 1881, p. 148.

[5] Cf. l'épitaphe d'Alabanda, où Polyneikès n'a pas été dépassé dans la technique du combat, ἄλειπτος... οὐχὶ τέχνῃ λειφθείς (L. ROBERT, *op. c.* n. 169). ἄλειπτος signifie «invaincu» (*Inscriptions de Magnésie*, 181, 17; L. ROBERT, *Hellenica* XI, pp. 338 sv.). Décret de Gonnoi, au IIIᵉ s. av. J.-C.: «Il convient au peuple de ne pas rester en arrière (μηθενὸς λείπεσθαι) en ce qui concerne les honneurs et la reconnaissance envers ceux qui choisissent d'être les bienfaiteurs du peuple» (INSTITUT F. COURBY, *Nouveau choix d'Inscriptions grecques*, Paris, 1971, n. 11, 15 = B. HELLY, *Gonnoi*, Amsterdam, 1973, II, n. 109).

des musiciens à Messine: λιφθεὶς τὸν βιότου στέφανον [1], ou à la «défaite» d'un plaideur devant un tribunal, sans moyen de défense, ou accablé par des témoignages [2]. Ce fut en quelque sorte le cas de Ménélas qui «se voyant déjà vaincu (ἤδη δὲ λελειμμένος), promit des sommes importantes à Ptolémée, fils de Dorymène, pour circonvenir le roi» [3].

Saint Paul a laissé Tite en Crète «afin que tu achèves d'organiser ce qui reste (à régler)» [4]. Le participe présent de λείπω a nettement ici le sens d'incomplet, ce qui fait défaut ou est insuffisant, tel Combalos, qui avait demandé «d'aller compléter ce qui restait à bâtir, car il avait laissé le temple inachevé» (LUCIEN, Déesse syrienne, 26). Puisque les Eglises pourvoient aux nécessités des prédicateurs pérégrinants, leur fournissent des vivres, des subsides, des moyens de transport, des indications sur l'itinéraire [5]... l'Apôtre conclut: «Pourvois avec soin au voyage de Zénas le juriste et d'Apollos, afin que rien ne leur manque, ἵνα μηδὲν αὐτοῖς λείπῃ» (Tit. III, 13).

---

[1] Cité avec de nombreux exemples par L. ROBERT, Hellenica XI, p. 330, qui commente: «Un sens courant de λείπεσθαι, au passif et non au moyen, est celui de: être dépassé, être laissé en arrière, être vaincu. C'est d'abord une expression pour les coureurs; elle s'applique à toute sorte d'infériorité et de défaite, et dans des auteurs très variés, prosateurs ou poètes».

[2] Cf. ARTÉMIDORE, Clef des Songes, II, 29; IV, 72, 80; P. Tur. 1, col. VIII, 35: λελεῖφθαι τῇ κρίσει; P. Oxf. 14, 12 (avec la note de l'éditeur); FL. JOSÈPHE, Guerre, III, 482: «C'est moi, c'est vous-mêmes qu'on va juger... De quel front oserais-je donc me présenter, abandonné par vous»,

[3] II Mac. IV, 45; cf. le maître de l'athlète invaincu (ἀλείπτες) qui se laisse corrompre (ARTÉMIDORE, op. c. IV, 82).

[4] Tit. I, 5: ἵνα τὰ λείποντα ἐπιδιορθώσῃ (ce dernier verbe n'est pas attesté en dehors de C.I.G. 2555, 9). Pour rendre l'oxymoron ἀπέλιπον... τὰ λείποντα, on pourrait traduire: «Je t'ai fait rester pour mettre au point ce qui reste». Τὰ λείποντα = les arriérés (P. Mert. 73, 14; P. Princet. 117, 29); τοῖς λιποῦσιν τὴν τάξιν pourraient être les traînards (Inscriptions de Carie, 149, 15). Cf. PHILON, In Flac. 124: «Tu fais entrevoir de bonnes espérances pour le rétablissement de tout le reste, περὶ τῆς τῶν λειπομένων ἐπανορθώσεως».

[5] III Jo. 6; DITTENBERGER, Syl. 618, 5; 800, 29; cf. C. SPICQ, Théologie morale du N. T., Paris, 1965, II, pp. 809 sv.; PH. GAUTHIER, Symbola, Nancy, 1972, pp. 19 et passim. E. WIPSZYCKA, Les Ressources et les activités économiques des Eglises en Egypte du IVe au VIIIe siècle, Bruxelles, 1972, pp. 115 sv. etc.

λειτουργέω, λειτουργία, λειτουργικός, λειτουργός

Quelle que soit l'évolution de leur sémantique, ces termes conserveront leur signification étymologique: λειτουργός = λήϊτος (ionien): public, relatif au peuple + ἔργον: travail, œuvre [1]; l'accent étant mis tantôt sur le travail et son caractère pénible, tantôt sur son aspect officiel et en quelque sorte étatique; le dénominatif λειτουργεῖν signifiera «accomplir un service» et les λειτουργίαι épigraphiques ou papyrologiques sont des charges ou des fonctions [2].

1°) A l'origine, le verbe λειτουργέω se dit de l'accomplissement spontané du service de l'Etat; on se consacre volontairement à une tâche d'ordre public ou patriotique.

2°) Postérieurement, il s'emploie des services que l'Etat impose aux citoyens spécialement qualifiés par leur intelligence ou leur fortune, à les accomplir [3]. «L'emploi de la contrainte, base de la liturgie, a été érigé en

---

[1] PLUTARQUE: «Il est vraisemblable que le *c* du nom actuel de licteurs résulte d'une insertion et qu'on disait auparavant *liteurs*, du grec *liturges*; car les Grecs désignent encore aujourd'hui le service de l'Etat par le mot *léiton* et le peuple par le mot *laos*» (*Romulus*, 26, 4). *P. Ryl.* 91, 1–2: ἐκ βιβλιοθέκης δημοσίων [λόγων], ἐκ γραφῆς λιτουργῶν; *P. Oxy.* 82, 3: ὥστε καὶ τὰς ἀναδόσεις τῶν λειτουργῶν ποιήσασθαι ὑγιῶς καὶ πιστῶς (serment d'un stratège entrant en charge).

[2] Cf. le latin *munera* (O. CASEL, λειτουργία – *munus*, dans *Oriens Christianus* 1932; III, 7, pp. 289–302). N. HOHLWEIN, *Recueil des Termes techniques relatifs aux Institutions politiques et administratives de l'Egypte romaine*, Bruxelles, 1912, pp. 312 sv.; W. BARCLAY, *A New Testament Wordbook*, Londres, 1955, pp. 74–75; F. OERTEL, *Die Liturgie*, Leipzig, 1917; A. ROMEO, *Il termine λειτουργία nella grecità biblica*, dans *Miscellanea Mohlberg*, Rome, 1948, pp. 467–519; N. LEWIS, *Leitourgia Papyri*, Philadelphie, 1963; STRATHMANN, λειτουργέω, dans *TWNT*, IV, pp. 221–238; bibliographie à compléter par celle donnée par F. DE VISSCHER, *Les Edits d'Auguste découverts à Cyrène*, Louvain, 1940, p. 88; N. LEWIS, *Inventory of Compulsory Services in Ptolemaic and Roman Egypt* (American Studies in Papyrology III), New Haven-Toronto, 1968–1975.

[3] *P. Brux.* 21. «Les hommes capables d'exécuter la tâche qui leur est confiée» (*P. Panop.* I, 223); *P. Zén. Cair.* 59323, 16; *Inscriptions de Priène*, 102, 7; 113, 16. «Il s'agit de certains services publics rendus par des particuliers avec leurs propres ressources» (J. BARR, *Sémantique du langage biblique*, Paris, 1971, p. 175; cf. C. KUNDEREWICZ, *Evolution historique de la Responsabilité des fonctionnaires dans l'Egypte ptolémaïque*, dans *Rev. int. des Droits de l'Antiquité*, 1957, pp. 168 sv.). Daremberg

institution en Egypte sous la domination romaine» [1]. La charge est si lourde que nombre de «corvéables» prennent la fuite (*B.G.U.* 372; *P. Osl.* 79) ou multiplient les requêtes pour être permutés ou exemptés de la liturgie [2].

---

et Saglio définissent λειτουργία: «toute prestation, tout service qu'on acquitte envers l'Etat ou qui est imposé par la loi» (*Dictionnaire des Antiquités grecques et romaines*, Paris, 1877, III, p. 1095). Par exemple, la *chorégie* pour entretenir un chœur pour les grandes manifestations dramatiques, la *gymnasiarchie* pourvoyant à l'entraînement des athlètes (cf. B. A. van Groningen, *Le Gymnasiarque des métropoles de l'Egypte romaine*, Paris, 1924; H. I. Marrou, *Histoire de l'Education dans l'Antiquité*[2], Paris, 1965, pp. 173–174, notes 543–544), l'*archithétrie* défrayant de leurs dépenses les ambassades envoyées par l'Etat à des manifestations officielles ou sacrées, la *triéarchie* assurant les frais de l'équipement de la flotte en temps de guerre, la *sitologie* (*B.G.U.* 188; 462; *P. Amh.* II, 139; *P. Lond.* 1159; t. III, p. 112, cf. N. Lewis, *Leitourgia Studies*, dans *Proceedings of the IX Intern. Congress of Papyrology*, Oslo, 1961, pp. 233–245); cf. l'énumération des liturgies par Démosthène, *I C. Boeotos*, XXXIX, 7–8; par Lysias, *Défense d'un anonyme*, 21. Cf. *C.I.G.* 3936 = *I.G.R.* IV, 861: «Le conseil et le peuple (de Laodicée) ont honoré Tatia, fille de Nicostratos fils de Périclès, morte jeune, à cause des magistratures, liturgies et surveillances des travaux publics remplies par son père» etc. En Egypte, les charges municipales s'appellent λειτουργίαι, et le nom des préposés sur une liste établie par le comogrammate (*B.G.U.* 6; cf. *P. Fay.* 23 *a*; *P. Lond.* 199, t. II, p. 158; *P. Osl.* 86) est tiré au sort par l'épistratège (*B.G.U.* 194). S'il s'agit des εὔποροι (cf. R. Taubenschlag, *Opera Minora*, I, Varsovie-Paris, 1959, p. 408), leur revenu personnel (πόρος) varie de 200 à 4000 drachmes (*B.G.U.* 6; 18; 91; 194; *P. Flor.* 2). Quant aux «corvées» (cf. *P. Sorb.* 42, 12), elles concernent surtout l'entretien des digues et des canaux (*B.G.U.* 176), gardiennage d'écluse (*P. Michig.* 233), travaux d'irrigation (*P. Leit.* 2); «J'accomplis une liturgie de garde de la cité, dans le quartier d'Héroum» (*P. Oxy.* 3114, 17). La γραφὴ λειτουργῶν τῆς κώμης est la liste des «liturgistes du village» (3184, *a* 10; *b*, 9); cf. R. Koerner, *Zu Recht und Verwaltung der griechischen Wasserversorgung nach den Inschriften*, dans *Archiv für Papyrusforschung*, 1974, pp. 155–202; D. Bonneau, *Liturges et Fonctionnaires de l'eau à l'époque romaine: souplesse administrative*, dans *Akten des XIII. intern. Papyrologenkongresses*, Munich, 1974, pp. 35–42. A l'époque byzantine, ἀπολειτουργεῖν τὸν βίον sera une métaphore de la mort, *P. Lond.* 1708, 29; *P. Cair. Masp.* I, 67023 = P. Meyer, *Jur. Pap.* 12, 14.

[1] G. Chalon, *L'Edit de Tiberius Julius Alexander*, Olten-Lausanne, 1964, pp. 104, 165.

[2] *P. Michig.* 426; *P. Lugd. Bat.* XVI, 2 et 3; *P. Brem.* 38; *P. Isidor.* 82; *P. Yale*, 64, 14; *P. Oxy.* 2130; *P. Leit.* 4, 5 et 6. On invoque l'âge, 70 ans, γέρας ἀλειτουργησίας (*P. Flor.* 57, 62; 312, 4–5; *P. Oxy.* 889, 18; *P.S.I.* 1103), une maladie d'yeux (*P. Flor.* 382, 27) ou autre (*P. Michig.* 426; *B.G.U.* 560, 22; *Stud. Pal.* IV, p. 72, 208; *Apokrimata*, 37 = *Sammelbuch*, 9526, 9; *P. Fam. Tebt.* 41), les dangers (*P. Lugd. Bat.* XIII, 10, 14) ou les dommages que subit le paysan obligé de laisser son champ au moment de la moisson (*P. Flor.* 6; *P. Zén. Cair.* 59451, 14); cf. *Sammelbuch*, 7696; 8900, 8 sv.; *P. Würzb.* 9. J. Scherer, *Papyrus de Philadelphie*, Le Caire, 1947, pp. 11–23. N. Lewis, *Exemption from Liturgy in Roman Egypt*, dans *Actes du Xe Congrès*

Le stratège a beau promettre de répartir équitablement ces charges publiques [1], il n'en reste pas moins que certains individus sont à l'abri de toute liturgie, alors que d'autres se voient imposer plusieurs liturgies [2].

3°) λειτουργέω en vient à désigner toute espèce de service, que ce soit celui d'un ouvrier travaillant pour son maître (ARISTOTE, *Polit.* III, 5; 1278 *a* 12), de tailleurs (*P. Zén. Cair.* 59477, 13: ὅσον ἂν χρόνον λειτουργῶμεν σοι), du «rôle» d'un acteur (EPICTÈTE, I, 2, 12), d'un paysan qui laboure à la place d'un autre (*P. Oxy.* 1067, 19), de musiciens (*P. Oxy.* 731, 4; 8–9 de notre ère; 1275, 12; *P. Cornell*, 9, 5; *P. Lugd. Bat.* VI, 54, 10), de danseuses (*P. Grenf.* II, 67, 6; *P. Oxy.* 475, 18) et même de fille «publique». Dans les Septante, עֶבֶד signifie esclave et עֲבוֹדָה le service ou le travail, opposé à l'inaction, «la corvée» [3]. Le verbe עָבַד est traduit aussi bien par λειτουργεῖν que par ἐργάζεσθαι et δουλεύειν.

---

intern. de Papyrologues, Varsovie-Cracovie, 1964, pp. 69–79; IDEM, *Exemption from Liturgy in Roman Egypt*, dans *Atti dell'XI Congresso intern. di Papirologia*, Milan, 1966, pp. 508–541). En 111 de notre ère, parmi ses mesures administratives, le Préfet envisage les cas de dispense des liturgies et l'emprunt de faux noms qui sont l'un des moyens d'obtenir de telles exemptions (*P. Oxy.* 2754, 1–7; cf. N. LEWIS, *Notationes legentis*, dans *The Bulletin of the American Society of Papyrologists*, XIII, 1976, p. 7).

[1] *P. Oxy.* 82, 3; *P. Michig.* 529, 5. *C. Ord. Ptol.* 54, 18; J. POUILLOUX, *Choix d'Inscriptions grecques*, n. 20, 13: «afin que chacun, exerçant des fonctions égales, contribue à conserver le poste au peuple». Antiochos de Commagène: κόσμον τε καὶ λιτουργίαν πᾶσαν ἀξίως τύχης ἐμῆς καὶ δαιμόνων ὑπεροχῆς ἀνέθηκα (DITTENBERGER, *Or.* 383, 74 = *Inscriptions grecques et latines de la Syrie*, 1); *P. Oxy.* 2407, 13, 24, 25, 31, 36; 2664.

[2] *P.S.I.* 1406; cf. *P. Oxy.* 2110, 8, 10. Il y a des immunités partielles (κουφοτελεία; DITTENBERGER, *Or.* 669, 26) ou totales (ἀτελεία; *P. Oxy.* 2476, 5). «Il est conforme aux grâces accordées par les Augustes que les citoyens alexandrins, même s'ils habitent dans le 'pays' par zèle pour le travail, ne soient contraints à aucune liturgie du 'pays' (χωρικὴν λειτουργίαν). Vous l'avez souvent demandé et je le maintiens moi aussi: aucun citoyen alexandrin ne sera donc contraint aux liturgies du 'pays'» (édit de Tib. Julius Alexander, DITTENBERGER, *Or.* 669, 32–34 = *Sammelbuch*, 8444); *P. Osl.* 126. Sont exemptés les savants du Musée d'Alexandrie (ἀτελεῖς, B.G.U. 73; 136; 231; 729; *P. Flor.* 68), les médecins publics (*P. Oxy.* 40, 6; *P. Fay.* 106, 24), certains athlètes victorieux (*P. Leipz.* 44), les vétérans durant les cinq années qui suivent leur *honesta missio* (B.G.U. 180; 628), des membres d'association musicale (*ibid.* 1074; *P. Lond.* 1178; t. III, p. 214), certains prêtres (*Inscriptions de Pergame*, 40, 15), les tisserands (*P. Philad.* 1, 39–40 = B.G.U. 1570), mais cette exemption n'était pas toujours respectée (cf. *P. Lond.* III, 846; *P. Strasb.* 371; cf. t. III, 1973, p. 125). L'ἀλειτουργησία est l'*immunitas* (STRABON, XIII, 1, 27; H. J. MASON, *Greek Terms for Roman Institutions*, Toronto, 1974, p. 103).

[3] Cf. *Ez.* XXIX, 20: «ἀντὶ τῆς λειτουργίας αὐτοῦ, pour sa besogne qu'ils ont faite pour moi». La «liturgie» des lévites est un travail de déménageur ou de transporteur: monter et démonter la tente, déballer et remballer à chaque étape du désert les objets du culte (*Nomb.* IV, 33, 37; VII, 5, 7; cf. *Paralipomènes de Jérémie*, III, 9 et 11: τὰ

4⁰) Au moins depuis Aristote [1], et fréquemment dans les papyrus, ces termes ont une acception religieuse: «Thauès et Taous, les jumeaux, qui servent dans le grand temple de Sérapis à Memphis» [2]. C'est le sens prépondérant dans les Septante qui leur donnent une valeur sacerdotale. Il s'agit des prêtres et des lévites qui officient ou exercent le service du culte dans le sanctuaire: πᾶς ὁ λειτουργῶν ἐν τῇ σκηνῇ τοῦ μαρτυρίου [3]. Dans *Is.* lxi, 6, les *leitourgoi* sont en parallèle avec les *hiéreis:* «Vous serez appelés prêtres de Iahvé, officiants de Dieu, λειτουργοὶ θεοῦ» (cf. *Joël*, i, 9, 13; ii, 17).

* * *

Ces variétés de signification se retrouvent dans le Nouveau Testament:
1⁰) Le service rendu par une personne à une autre: assister son prochain est une liturgie. Ainsi Epaphras délégué par les Philippiens pour subvenir

---

σκεύη τῆς λειτουργίας). S. Daniel, *Recherches sur le vocabulaire du Culte dans les Septante*, Paris, 1966, pp. 55–118.

[1] Aristote, *Polit.* 1330 *a* 13: αἱ πρὸς τοὺς θεοὺς λειτουργίαι. Cf. *Inscriptions de Rhamnonte*, 24, 9: ἐμφανίζει λελιτουργηκέναι ἐν τῷ ἱερῷ τῷ ἐν Ῥαμνοῦντι τῆς Ἀγδίστεως (Iᵉʳ s. av. J.-C.). Dittenberger, *Syl.* 717, 29: ἐλειτούργησαν ἐν τῷ ἱερῷ εὐτάκτως; 736, 73: τοὺς λειτουργήσοντας ἔν τε ταῖς θυσίαις. Dans *UPZ*, 175 *a* 43, *leitourgia* = accomplissement des rites funéraires. Autres références dans Strathmann, *l. c.*, p. 218.

[2] *P. Par.* 26, col. i, 2: οἱ λειτουγοῦσαι ἐν τῷ πρὸς Μέμφει μεγάλῳ Σαραπιείῳ; *P. Lond.* 22, 17 (t. i, p. 7); *P. Tebt.* 302, 30: ἐκτελοῦντες τὰς τῶν θεῶν λειτουργίας (71–72 de notre ère; *B.G.U.* 1201, 7: πρὸς τὰς λιτουργείας καὶ θυσείας τῶν θεῶν (2 ap. J.-C.); *C. Ord. Ptol.* 47, 11: «les fonctions religieuses achetées pour le Temple»; 53, 66: «ceux qui occupent dans les temples des charges sacerdotales, des postes de prophètes et de scribes, et d'autres fonctions, καὶ ἄλλας λειτουργίας»; 62, 21: «afin que je puisse accomplir le service des dieux, ἐπιτελῶ τὰς τῶν θεῶν λειτουργίας»; *Inscriptions de Magnésie*, 98, 17; *de Cos*, 40 A 6; Michel, *Recueil des Inscriptions grecques*, 1559, 4; Diodore de Sicile, i, 21: τὸ τρίτον μέρος τῆς χώρας αὐτοῖς δοῦναι πρὸς τὰς τῶν θεῶν θεραπείας τε καὶ λειτουργίας; Plutarque, *An seni resp. gerend.* 17; *Defect. oracul.* 13: λειτουργοῖς θεῶν. Autres références dans A. Deissmann, *Bible Studies*², Edimbourg, 1909, pp. 140 sv.

[3] *Nomb.* iv, 41; cf. xvi, 9. *Néh.* x, 37: «les prêtres en fonction dans la demeure de notre Dieu»; *Sir.* vii, 30: «De toute ta force aime Celui qui t'a fait (ton Créateur) et ne délaisse pas ses ministres»; xlv, 15: la mission d'Aaron est d'accomplir le culte de Dieu et aussi d'être prêtre, λειτουργεῖν αὐτῷ ἅμα καὶ ἱερατεύειν; l, 14, 19; *Sag.* xviii, 21: la prière est l'arme du ministère d'Aaron; *I Mac.* x, 42: «Cela appartient aux prêtres qui font le service liturgique; *II Mac.* iii, 3; iv, 14: «les prêtres ne montraient plus aucun zèle pour le service de l'autel»; *Ep. Aristée*, 95: *leitourgoi* = les officiants; 53, 92, 94, 98: *leitourgia* = les cérémonies du culte, le cérémonial; 87: «Le vêtement des prêtres exerçant leurs fonctions liturgiques, τὸ κλίμα τῶν λειτουργούντων ἱερέων»; 96; cf. A. Pelletier, *Fl. Josèphe adaptateur de la Lettre d'Aristée*, Paris, 1962, p. 177. Fl. Josèphe, *Ant.* xx, 218: λειτουργεῖν κατὰ τὸ ἱερόν; *Guerre*, i, 39; vi, 299; Philon, *Spec. leg.* i, 82: λειτουργεῖν τὰς ἱερὰς λειτουργίας.

aux besoins de Paul, ὑμῶν δέ ἀπόστολον καὶ λειτουργὸν τῆς χρείας μου [1];
il accomplit un «office» d'amitié ou de fraternité. La collecte pour les saints
de Jérusalem est une obligation, une dette de gratitude à laquelle les
païens convertis ne peuvent se soustraire, encore que son acquittement
soit volontaire: «Si les païens ont participé à leurs biens spirituels, ils
doivent à leur tour les assister de leurs biens temporels» (*Rom.* xv, 27),
la référence aux contributions pécuniaires place ce texte en harmonie
avec l'usage profane (cf. *P. Oxy.* 2924 et 2941, le liturge chargé des distributions de blé ou de pains). Mais cette même collecte a un caractère religieux dans *II Cor.* ix, 12: «le service de cette fonction sacrée» [2] suscitera
des actions de grâces à Dieu.

2°) En désignant les magistrats de l'Empire (ἄρχοντες, *Rom.* xiii, 3)
comme des λειτουργοὶ θεοῦ, des ministres en quelque sorte nommés par
Dieu et qui s'appliquent à bien remplir leur fonction (℣. 6) pour faire
régner le bon ordre et assurer la prospérité des habitants, saint Paul emploie
le mot *liturge* dans le sens des papyrus: officiers municipaux, fonctionnaires
responsables d'une circonscription territoriale [3]. C'est une charge imposée [4],
et là encore avec des responsabilités financières (℣. 7).

3°) Au sens religieux, les Anges sont des ministres de Dieu au service
des élus [5], c'est-à-dire des êtres spirituels exerçants des fonctions publiques, sous l'autorité d'un souverain. Ils n'agissent pas de leur propre initiative. Ils sont aux ordres du Seigneur qui les envoie incessamment en
mission. De même qu'Athènes ou d'autres villes envoyaient leurs *leitourgoi*

---

[1] *Philip.* ii, 25, cf. ℣. 30: Epaphrodite a risqué sa vie «dans l'accomplissement
du service que vous ne pouviez me rendre vous-même, τῆς πρός με λειτουργίας».
On peut rapprocher *Sir.* viii, 8: les enseignements des sages apprennent à servir
les grands, λειτουργῆσαι μεγιστᾶσιν; x, 2: «tel le juge du peuple, tels seront ses ministres, οἱ λειτουργοὶ αὐτοῦ»; *II Sam.* xiii, 18, l'intendant d'Ammon, son homme de
confiance, est appelé son *leitourgos* (שָׁרַת).

[2] ἡ διακονία τῆς λειτουργίας ταύτης (génitif d'apposition). Cf. A. AMBROSANIO, *La
«Colletta Paolina» in una recente Interpretazione*, dans *Analecta Biblica*, 18, Rome, 1963,
ii, pp. 591–600.

[3] *P. Princet.* 104, 7: τοῖς λιτουργοῖς τῆς κώμης; *Sammelbuch*, 9258, 8–9; *P. Oxy.* 792.

[4] Cf. N. HOHLWEIN, *Le Stratège du Nome*, Bruxelles, 1969, p. 136.

[5] *Hébr.* i, 7 (*Ps.* civ, 4; cf. C. SPICQ, *L'Épître aux Hébreux*, Paris, 1953, ii, pp. 18–
19). Dans le *Testament d'Abraham* 15, Dieu appelle Michel: ὁ ἐμὸς λειτουργός. Pour
Jamblique, les démons sont des liturges (*Mystères d'Egypte* ix, 2, avec la note d'Ed.
des Places, *in h. l.*; cf. PLUTARQUE, *Def. orac.* 13); *Hébr.* ii, 14: λειτουργικὰ πνεύματα,
litt. des esprits liturgiques ou officiants (cf. PHILON, *Virt.* 74: ἄγγελοι λειτουργοί;
Test. Lévi, iii, 5: ἀρχάγγελοι οἱ λειτουργοῦντες καὶ ἐξιλασκόμενοι πρὸς Κύριον; *Jubilés*,
ii, 2). Selon Philon, les anges sont consacrés et attachés au culte du Père, qui les
emploie comme serviteurs et ministres ayant la charge des mortels (*Gig.* 12). – L'adjec-

en ambassade pour représenter la cité [1], Dieu envoie Paul comme ministre du Christ Jésus auprès des Gentils (*Rom.* xv, 16). «Etre liturge», c'est sa fonction qui, de soi, n'a pas de caractère cultuel, mais qui le devient par la précision: «pour la *hiérurgie* de l'Evangile», c'est donc un ministère sacré, et mieux encore une fonction sacerdotale [2]. Tout l'apostolat de Paul est conçu comme une liturgie, puisqu'il accepte de répandre son sang en libation sur le sacrifice et l'oblation de la foi des chrétiens, ἐπὶ τῇ θυσίᾳ καὶ λειτουργίᾳ τῆς πίστεως ὑμῶν (*Philip.* ii, 17). On admet communément que «de votre foi» est un génitif explicatif et que la *leitourgia* qualifie le sacrifice [3], en soulignant son caractère public et la valeur rituelle de l'offrande, analogue à celle du Temple. Le sacrifice offert est la foi même, étendue à toute l'activité morale qu'elle commande (*I Thess.* i, 3; *II Thess.* i, 11) qui constitue un culte nouveau et spirituel, d'agréable odeur à Dieu (*Philip.* iv, 8; *II Cor.* ii, 14–17; *Rom.* xii, 1). Ainsi la vie chrétienne est une offrande sacrificielle ou un sacrifice liturgique.

4°) Tous les autres textes du Nouveau Testament ont une acception sacerdotale. «Quand furent accomplis les jours de son ministère (αἱ ἡμέραι τῆς λειτουργίας αὐτοῦ), Zacharie s'en alla à sa maison» (*Lc.* i, 23). A Antioche, prophètes et docteurs célèbrent le culte (litt. «faisant service au Seigneur, λειτουργούντων δὲ αὐτῶν τῷ Κυρίῳ») et désignent Paul et Barnabé comme

---

tif λειτουργικός, inconnu des textes littéraires profanes, désigne dans les papyrus une somme due pour un travail, la taxe des corvées (*C. Ord. Ptol.* 53, 49 = *P. Tebt.* 5: cf. 102; *P. Zén. Cair.* 59604, 5), mais aussi les «jours de service» pendant lesquels les prêtres officient, comme à Kerkéosiris en 115–114 av. J.-C. (*P. Tebt.* 88, 3; 853, 25); ils y sont astreints durant ce laps de temps. Ses six emplois dans les Septante sont tous religieux: les vêtements sacrés d'Aaron (*Ex.* xxxi, 10; xxxix, 1), les objets «servitiels» du culte (*Nomb.* iv, 12, 26), les cérémonies dans la Tente (vii, 5); on peut donc entendre: «propre au culte». Cf. *Hébr.* ix, 21: «la tente et tous les objets de la liturgie, πάντα τὰ σκεύη τῆς λειτουργίας».

[1] Décret honorifique pour Orthagoras d'Araxa, qui «a accompli bien d'autres missions, sans demander de frais de voyage, ἄνευ μεθοδίων λελειτούργηκεν» (J. Pouilloux, *Choix d'Inscriptions grecques*, Paris, 1960, n. 4, 69).

[2] M. J. Lagrange traduit «administrer en prêtre». F. J. Leenhardt commente: «L'apôtre est *liturge* parce qu'il fait fonction de prêtre (ἱερουργοῦνται) par la prédication de l'Evangile, offrant par là à Dieu une offrande agréable, à savoir les païens convertis sanctifiés par l'Esprit saint... Il amène le pécheur à l'obéissance de la foi au Christ, victime sacrificielle qui se substitue à toute autre» (*L'Epître de saint Paul aux Romains*, Neuchâtel-Paris, 1957, p. 207). Cf. A.-M. Denis, *La Fonction apostolique et la Liturgie nouvelle en Esprit*, dans *Rev. des Sciences ph. et th.*, 1958, pp. 403 sv.; J. Murphy O' Connor, *La Prédication selon saint Paul*, Paris, 1966, pp. 166 sv.

[3] Cf. A.-M. Denis, *l. c.*, pp. 617, 650; J. Murphy O'Connor, *op. c.*, pp. 165 sv. Comparer Philon, *Quod deter.* 66; *Quis rer. div.* 84; *Post. C.* 185.

missionnaires [1]. La station debout étant celle du serviteur (*Deut.* x, 8; xvii, 12; xviii, 7), *Hébr.* x, 11 détermine: «tout prêtre se tient debout chaque jour, faisant la liturgie (λειτουργῶν) et offrant souvent les mêmes sacrifices».

Hébr. viii, 2, ayant caractérisé le Christ ressuscité comme grand prêtre céleste, le qualifie de «liturge du sanctuaire et de la tente véritable que dressa le Seigneur, non un homme». Τῶν ἁγίων λειτουργός est le desservant du sanctuaire, celui qui y célèbre le culte [2]. Une double nuance est à retenir; d'une part, ce ministre est actif, puisque le liturge est un travailleur [3]; donc son intercession auprès de Dieu est constante; d'autre part, puisqu'il est souligné que cette Tente est dressée non par un homme, mais par Dieu, l'accent porte sur le caractère impératif de la fonction accomplie par le Christ: en officiant, il obéit à la volonté de Dieu. Fidélité indispensable pour un médiateur (*Hébr.* viii, 6), puisqu'elle lui assure l'audience divine. Ces deux derniers textes assurent qu'il se célèbre au ciel une liturgie sacerdotale, d'une efficacité bien supérieure à celle de l'ancienne Alliance. Evidemment *Hébr.* emprunte le mot *leitourgos* au vocabulaire des Septante et lui garde sa signification religieuse et proprement sacerdotale, mais pour les oreilles grecques ce mot évoquait une fonction officielle exercée par un responsable en faveur d'une collectivité. C'était dire de surcroît que l'accomplissement de la liturgie céleste est tout autre chose qu'une sinécure. Le titre de grand prêtre céleste n'est pas une sorte d'attribut honorifique du Christ céleste, c'est la qualification qui convient à l'ἀρχηγός officiant en permanence pour sauver les hommes (*Hébr.* ii, 10).

---

[1] *Act.* xiii, 2. Cette liturgie comporte prédication, prière, chants (psaumes et cantiques), manifestations charismatiques, célébration de l'eucharistie; cf. *Didachè*, xv, 1: λειτουργία τῶν προφητῶν καὶ τῶν διδασκάλων. Ce culte est célébré par des ministres qualifiés, cf. CLÉMENT DE ROME, *Cor.* xliv, 3.

[2] Cf. A. CODY, *Heavenly Sanctuary and Liturgy in the Epistle to the Hebrews*, St. Meinrad, 1960, pp. 168 sv. L. SABOURIN, *Liturgie du sanctuaire et de la Tente véritable*, dans *NTS*, xviii, 1973, pp. 87–90.

[3] Aux textes cités ci-dessus, I, § 3, on peut ajouter *P. Yale*, 37, 8–9 (= *Sammelbuch*, 9258), *P. Petr.* 46, col. iii, 5: οἰκοδόμοις καὶ λειτουργοῖς (construction d'un immeuble); *P. Oxy.* 1412, 20: τὰς τῶν λιτουργῶν χειροτονίας (transport de grains, 284 av. J.-C.); 1415, 10; *P. Hib.* 96, 15 et 32: un travailleur militaire = un sapeur; cf. POLYBE, iii, 93, 7: «il fit sortir du camp les valets»; v, 2, 5; x, 29, 4 (pionniers); *I Rois*, x, 5; *II Rois*, iv, 43; vi, 15; *Ep. d'Aristée*, 186: *leitourgia*, le service du banquet. Chez Philon, λειτουργός est souvent synonyme de θεραπευτής (cf. *Spec. leg.* i, 242; H. G. SCHÖNFELD, *Zum Begriff «Therapeutai» bei Philo von Alexandrien*, dans *Rev. de Qumran*, x, 1961, pp. 224, 233). Au IVe s., un diacre indûment proposé à la liturgie de la collecte de l'annone, demande d'en être dispensé, pour pouvoir se consacrer au service divin, ὅπως εὕρῃ σχολὴν τῇ λειτουργείᾳ αὐτοῦ (*P. Strasb.* 154, 7–8).

λεπίς

Comme l'indique λέπω «écailler, écosser, peler», λεπίς désique «toute enveloppe qu'on pèle ou qu'on brise» [1], qu'il s'agisse de peau, de coque ou de coquille; mais aussi une lamelle de métal, une plaque qui sert de revêtement, comme celle dont on recouvre ou orne l'autel [2]. C'est l'acception constante des papyrus: λεπίδας καὶ ἥλους ταῖς ἁμάξαις (P. Zén. Cair. 59782 a 68); λεπίδας σιδηρᾶς κίστας (B.G.U. 544, 8); εἰς λεπίδα ἀργυρᾶν αὐτὸ τὸ ὄνομα γραμμάτων ρ' [3]. Au VIe s., une double mesure de vin est attribuée à Macarios, fabricant de clous, pour le travail de placage adapté à un bateau [4].

Mais dans Aristote: «ce que la plume est à l'oiseau, l'écaille l'est au poisson» (Hist. anim. I, 1; 486 b 21) et cette signification de λεπίς = écaille de poisson, est celle de cinq sur six des emplois des Septante: «Tout ce qui a nageoire et écaille dans l'eau, soit dans les mers, soit dans les rivières, vous en mangerez. Mais ce qui n'a pas de nageoire ou d'écaille (קַשְׂקֶשֶׂת) ce sera pour vous une abomination» (Lév. XI, 9–10, 12; Deut. XIV, 9–10).

Aucune de ces acceptions ne convient à la guérison instantanée de l'ophtalmie temporaire de Saul, après l'imposition des mains d'Ananie: «Il lui tomba de ses yeux comme des écailles – ὡς λεπίδες – et il recouvra la vue» (Act. IX, 18). Ce sens de lépis: écaille ou croute d'une plaie, est

---

[1] A. BAILLY, Dictionnaire grec-français[2], Paris, 1950, in h. v.; cf. λέπισμα: écorce enlevée (Gen. XXX, 37).

[2] Nomb. XVII, 3: ποίησον αὐτὰ λεπίδας ἐλατάς; FL. JOSÈPHE, Ant. III, 149: «chaque côté de l'autel était orné avec des plaques de bronze, χαλκείαις λεπίσιν; cf. DIODORE DE SICILE, XX, 91: «les trois côtés de la machine (hélépolés) étaient recouverts de lames de tôle clouées les unes sur les autres».

[3] Un phylactère, P. Graec. mag. IV, 258 (t. I, p. 80). Cf. dans un inventaire des trésors des temples de Délos: θυμιατήριον ὑπόχαλκον, λεπίδα ἀργυρᾶν ἔχον (CH. MICHEL, Recueil Inscript. Grecques, 833, 11; IIIe s. av. J.-C.).

[4] P. Oxy. 2480, 2; cf. à la même époque le diminutif λεπίδιον, 2195, 141: ὑπὲρ τιμῆς ἥλων καὶ λεπίδιον καὶ ὑγροπίσσης, où les éditeurs rappellent la définition de Liddell, Scott, Jones (A Greek-English Lexicon), s'appuyant sur Héron (Spiritalia, I. 3): capsule, petite plaque pour fermer un tube. Dans une liste de produits pharmaceutiques d'époque byzantine, λεπίδες pourrait désigner une plante (Lepidium latifolium) utilisée contre le scorbut (P. Michael. 36 B 2), mais la Berichtigungsliste IV (Leiden, 1964, p. 52) invite à comprendre λεπίδες χαλκοῦ.

propre aux écrivains médicaux [1]. Il est normal de le trouver sous la plume du médecin Luc, qui s'est peut-être souvenu du père de Tobie: «quand ses yeux lui démangèrent, il se les frotta, et les leucomes s'écaillèrent aux coins de ses yeux, καὶ ἐλεπίσθη ἀπὸ τῶν κανθῶν τῶν ὀφθαλμῶν αὐτοῦ τὰ λευκώματα» (*Tob.* XI, 12).

---

[1] Nombreux exemples, notamment en liaison avec ἀποπίπτω, chez Hippocrate, Galien, Dioscoride, cités par W. K. HOBART, *The Medical Language of St. Luke*, Dublin-Londres 1882, pp. 39 sv. Cf. Rufus d'Ephèse: les sutures des os du crâne se réunissent en forme d'écailles (*Du nom des parties du corps*, XXXIV, 133).

λῆρος

Ce substantif, pratiquement ignoré des papyrus [1], est un terme technique de la langue médicale pour signifier le «délire» causé par la fièvre, notamment dans les observations cliniques d'Hippocrate: Python, «premier jour; fièvre aiguë, délire, πυρετὸς ὀξύς, λῆρος» (*III Epidém* ι, 1; premier malade); Chaerion, «cinquième jour tout s'aggrave, délire, πάντα παρωξύνθη, λῆρος» (*ibid.* ι, 2; cinquième malade); Hérophon, le sixième jour divagua [2], etc... Cette acception paraît trop forte pour qualifier les propos des Saintes Femmes attestant qu'elles ont découvert le tombeau vide au matin de Pâques. Selon *Lc.* xxiv, 11, leurs paroles parurent aux Apôtres «ὡσεὶ λῆρος, un radotage et ils ne les crurent pas» [3]. Le mot est pris ici en son sens de la conversation familière et caustique. Un bon exemple est fourni par Aristophane qui, ayant comparé la Tragédie à une femme (*Grenouilles*, 95, 939 sv.), déclare: «ce qui était avant toi le bavardage tragique» (1005) joue sur les deux sens du mot λῆρος: bavardage et babiole, ou colifichet dont s'ornent les femmes [4]. De même Ménandre: «Sostrate, voilà que je

---

[1] On n'en relève qu'un emploi (*P.S.I.* 534, 16; du IIIe s. av. J.-C.): οὔτε λήρων, mais on pourrait aussi lire le participe ληρῶν. Le verbe ληρέω est mieux attesté. Dans une pétition au stratège de 47–48: Pétésis et Tephereus ont déposé une plainte «non sans raison, ὑπὲρ ὧν οὐ ληρήσαντες» (*P. Michig.* 231, 17). N'écoute pas les stupidités des gens (à propos de prix), μὴ οὖν πρόσεχε τοῖς ληροῦσιν (*P. Zén. Cair.* 59823, 3); *P. Athen.* 62, 22 (lettre du Ier-IIe s.); *P. Fay.* 114, 21: μὴ οὖν ληρήσῃς τὸν ἐκτιναγμόν σου; ce dernier terme devant être entendu au sens de ruine, liquidation (cf. *Berichtigungsliste* iv, Leiden, 1964, p. 29). Cf. ληρώδης, *II Mac.* xii, 44: «S'il n'avait pas espéré que les soldats tombés dussent ressusciter, il était superflu et sot (περισσὸν καὶ ληρῶδες) de prier pour les morts»; PHILON, *Leg. G.* 168: «les plaisanteries niaises et éculées»; *B.G.U.* 1011, col. ii, 15: πολλὰ ληρώιδη καὶ ψευδῆ, beaucoup de stupidité et de mensonge (IIe s. av. J.-C.).

[2] *I Epidém.*, sect. iii, 13; cf. *VII Epidém.* viii, 25: quatrième jour, «dans la nuit, la fièvre devint plus aiguë et il y eut un peu de délire... Le cinquième jour, nuit mauvaise, délire»; 26: «râle et beaucoup de délire». Autres textes dans W. K. HOBART, *The Medical Language of St. Luke*, Dublin-Londres, 1882, p. 178.

[3] Trad. M. J. Lagrange. Cf. XÉNOPHON, *Anab.* vii, 7, 41: «Je sais bien que pour Héracleidès il faut se procurer avant tout de l'argent, et que le reste n'est que radotage, λῆρος πάντα δοκεῖ εἶναι».

[4] J. TAILLARDAT, *Les Images d'Aristophane*, Paris 1952, n. 780, qui cite la comédie de Phérécrate intitulée Λῆροι (traitant de ces babioles). J. POLLUX, *Onom.* v, 101:

suis extrêmement gêné à propos de ces femmes – Tu radotes» (*Dysc.* 872). Antiochus à Eléazar refusant de manger du porc: «Ne vas-tu pas te réveiller des sornettes (ἀπὸ τῆς φλυάρου) que débite votre philosophie? Ne vas-tu pas laisser là tes divagations (τὸν λῆρον)» (*IV Mac.* v, 11). Philon qualifie les récits mythologiques du paganisme de bavardage creux, μυθικὸν λῆρον (*Post. C.* 165; *Congr. erud.* 62), et Fl. Josèphe: «Si ces paroles ne sont autre chose que le vain babil (λῆρος) d'un homme qui cherche à détourner l'orage de sa tête» (*Guerre,* III, 405).

καὶ ἄλλους δέ τινας κόσμους ὀνομάζουσιν οἱ κωμῳδοδιδάσκαλοι λῆρον ὀχθοίβους etc. HÉSY-CHIUS, λῆροι · τὰ περὶ τοῖς γυναικείοις χιτῶσι κεχρυσωμένα.

λῃστής

Dérivé de λεΐς «butin» (λῃΐζομαι: emporter comme butin), λῃστής ne doit pas être considéré comme un synonyme de κλέπτης; la preuve en est que les textes associent plusieurs fois ces deux termes, comme constituant deux catégories distinctes de malfaiteurs [1]; le second est un simple voleur qui s'approprie par ruse le bien d'autrui, tel Judas (*Jo.* XII, 6), il opère de préférence la nuit (*Mt.* XXIV, 43, FL. JOSÈPHE, *Guerre*, IV, 402); le premier est un brigand [2] qui use de violence (cf. ἅρπαξ), il exerce le vol et le pillage à main armée, (cf. PLUTARQUE, *Superstit.* 3: οὐ φοβεῖται λῃστὰς ὁ οἰκουρῶν),

---

[1] *Os.* VII, 1; *Abd.* I, 5; *Ep. Jérém.* 57; *Jo.* X, 1, 8. Cf. l'ordonnance royale prescrivant d'arrêter οἵ τε λῃσται καὶ οἱ λοιποὶ κακοῦργοι (*P. Hib.* 198, 93; cf. ligne 98; *fragm.* 16 r; 62, 3-4; *B.G.U.* 1764, 20). Cf. *P. Ross.-Georg.* III, 16, 32-33: κλεπτοδημόσιοι et λῃσταί; *P. Antin.* 97, 10.

[2] FL. JOSÈPHE, *Guerre*, I, 204, 304, 347, 349, 398, 399. Dans l'usage, le vocabulaire est très fluide (cf. PFAFF, *Latrocinium*, dans P. W. (XII, 978-980); R. MacMULLEN, *The Roman Concept Robber-Pretender*, dans *Rev. intern. des Droits de l'Antiquité*, 1963, pp. 221-225). Normalement, le vol consiste à soustraire frauduleusement le bien d'autrui, le larron est celui qui détourne furtivement quelque chose. Le brigand vole et pille en usant de violence; le brigandage sur mer est la piraterie. Le bandit (de l'italien *bandito*, banni) est le malfaiteur vivant hors la loi, de vols et de meurtres. Le Talmud distinguait vol et brigandage (*Sanhédr.* VIII, 3). Aristote (*Ethiq. Nic.* V, 11, 13; 1131 *a* 6) avait distingué le vol «clandestin» et le vol opéré au grand jour par violence, comme les voies de fait, l'outrage, le meurtre; ce qui accroît la gravité du forfait. Cette distinction du *furtum manifestum* et *non manifestum* fut retenue par le droit romain (cf. M. LEMOSSE, *Les actions pénales de vol dans l'ancien droit civil romain*, dans *Droits de l'Antiquité et sociologie juridique*, Paris, 1959, pp. 179 sv.; cf. p. 394, n. 2), mais à l'origine, la violence n'était considérée que comme une circonstance aggravante du vol, alors qu'elle ajoute à la soustraction d'un bien un outrage à la personne: «Qui ravit des choses ne lui appartenant pas commet aussi un vol. Car n'est-ce pas porter à son comble le détournement contre le gré du propriétaire d'une chose qui ne vous appartient pas que de la ravir? Aussi l'appelle-t-on à bon droit voleur malhonnête. Mais le préteur introduisit au titre de ce délit une action spéciale, appelée action des biens ravis par violence, qui s'exerce au quadruple dans l'année, et au simple une fois ce délai expiré» (GAIUS, *Institutes*, III, 209; cf. G. HUMBERT, *Furtum*, dans *Dictionnaire des Antiquités grecques et romaines*, p. 1423). Cette distinction a été retenue par la théologie, cf. C. SPICQ, *Saint Thomas d'Aquin. Les Péchés d'injustice*, Paris-Tournai-Rome, 1934, pp. 99 sv., 175 sv. Elle est accentuée par R. CH. TRENCH, *Synonyms of the New Testament*[11], Londres, 1894, p. 157.

tel Barrabas, λῃστής selon *Jo.* XVIII, 40 qui, d'après *Lc.* XXIII, 18, «avait été jeté en prison pour une sédition qui avait eu lieu dans la ville et pour un meurtre (καὶ φόνον)»; cf. *Mc.* XV, 17. Que les λῃσταί soient aussi des meurtriers, c'est ce qu'atteste *Ez.* XXII, 9 où ces brigands s'emploient à «répandre le sang» [1]. Quelle est donc la conception du λῃστής biblique?

Voleurs et brigands sont qualifiés d'hommes audacieux (τις τῶν λῃστῶν, ὁ τολμηρότατος, HÉLIODORE, *Ethiop.* V, 25, 1), courageux (τῶν λῃστῶν τοὺς ἀνδρειοτάτους, FL. JOSÈPHE, *Vie*, 77), forts (οἱ ἰσχύοντες) qui s'emparent de ce qu'ils désirent (*Ep. Jérém.* 57), malgré portes, serrures et verroux (ỳ. 17). Leur astuce (*Jér.* XVIII, 22: ils creusent une fosse, ils posent des lacets) et leur rapacité, qui est à la mesure de leur convoitise, sont telles qu'ils emportent plus que ce qui leur suffit (*Abd.* I, 5), ils saccagent tout (שָׁדַד) et leurs ravages sont analogues à ceux d'une guerre (*Ep. Jérém.* 13; cf. PHILON, *Quod omn. prob.* 37 : ἢ κατὰ λῃστείας... ἢ κατὰ πόλεμον; DION CASSIUS, LV, 28, 3: «Les Isauriens commencèrent alors par le brigandage une guerre qui prit des proportions redoutables»; FL. JOSÈPHE, *Guerre*, II, 65: «Ces hommes remplissaient toute la Judée d'une véritable guerre de brigands, λῃστρικοῦ πολέμου»). Mais tandis que le simple *kléptès* pénètre

---

[1] Cf. les inscriptions tombales: «... eques filius annorum XX a latronibus occisus» (*CIL*, II, 2968); «... caeditur infesto concursu latronum» (3479). Ἀλλά νιν "Αδης σὺν λῃσταῖς μάρψας αὐτὸς ἔχει σφάγιον (J. et L. ROBERT, *Bulletin épigraphique*, dans *R.E.G.* 1942, p. 357, n. 159); cf. un commerçant sans doute tué par des pirates: ἔμπορον ἐν λῃστῶν (*ibid.* 1939, p. 462, n. 92; cf. IDEM, *Hellenica* XI-XII, pp. 132–139, 175–176). Metrodôros, à la tête d'une troupe de police est mort «dans un combat avec les brigands» (inscription du Musée de Brousse, dans L. ROBERT, *Etudes Anatoliennes*[2], Amsterdam, 1970, p. 97). «On est brigand avant même de souiller de sang ses bras, parce que l'on est déjà armé en vue de tuer et que l'on a l'intention de détrousser et de donner la mort» (SÉNÈQUE, *Bienfaits*, V, 14, 2). Selon FL. JOSÈPHE, *Guerre*, II, 264: γόητες et λῃστρικοί menacent de mort ceux qui se soumettent à la domination romaine et déclarent qu'ils supprimeront de force (πρὸς βίαν) ceux qui accepteraient volontairement la servitude; II, 441: «Le grand prêtre Ananias fut pris dans la douve du palais royal où il se cachait, et tué par les brigands avec son frère»; *Ant.* XVIII, 7: «les raids sont fait par de grandes hordes de brigands, et des hommes du plus haut rang sont assassinés»; ils sont assimilés aux sicaires (XX, 186, 210). Sur cet usage de la violence par les λῃσταί et sur les ליסטים dans la littérature rabbinique, cf. M. HENGEL, *Die Zeloten*, Leiden-Cologne, 1961, pp. 25–47; RENGSTORF, dans *TWNT*, IV, pp. 263 sv.; ceux-ci les identifient souvent comme des zélotes; c'était déjà l'opinion de R. CH. TRENCH, *op. c.*, p. 159, elle est commune de nos jours (cf. I. J. TWOMEY, *Barabbas was a Robber*, dans *Scripture*, 8, 1956, pp. 115–119; W. R. FARMER, *Maccabees, Zealots and Josephus*, New York, 1956, p. 197; O. CULLMANN, *Dieu et César*, Neuchâtel-Paris, 1956, p. 46), mais elle ne s'impose pas.

subrepticement dans une maison, le *lèstès* attend ἐν τῇ ὁδῷ [1], c'est le bandit de grand chemin [2].

Se recrutant notamment parmi les esclaves fugitifs, les paysans ruinés et les soldats déserteurs [3], ils se constituent en bande armée (גְּדוּד), ce qui est précisément une caractéristique du brigandage [4], et voilà pourquoi les λῃσταί sont si fréquemment désignés au pluriel (cf. *Evangile selon Thomas*, XXXVII, 12–14), notamment dans la parabole du Bon Samaritain, où l'homme qui descendait de Jérusalem à Jéricho «tomba entre les mains des brigands qui, l'ayant dépouillé et de plus roué de coups, s'en allèrent, le laissant à demi-mort» [5]. Ils s'attaquent aux personnes mais razzient

---

[1] *Os.* VIII, 1. Sa mobilité est relevée par *Sir.* XXXVI, 26 qui, voulant exalter la stabilité d'un foyer, assimile le célibataire à un εὐζώνῳ λῃστῇ bondissant de cité en cité, «ainsi en est-il de l'homme qui n'a pas de nid et logement là où la nuit le surprend». Il cherche une hospitalité de rencontre, au hasard des circonstances et n'inspire guère confiance. Il n'a ni la considération sociale ni l'autorité morale qui sont l'apanage de l'homme marié. Suspect à l'instar d'un maraudeur qui n'opère jamais dans le même lieu, et se déplaçant si rapidement qu'il semble être partout en même temps.

[2] PLUTARQUE, *Tib. Gracchus*, X, 9: «Il porta sur lui une de ces armes de brigand (λῃστρικόν) qu'on appelle *dolons*». Cf. *B.G.U.* 2339, 6 dénonçant des individus qui font de nuit des incursions «furtives» dans la maison, νυκτὶ... τινὲς λῃστρικῷ τρόπῳ (17 ap. J.-C.).

[3] Cf. *P. Hib.* 198, 96: ὁ λῃστὴς καὶ ὁ τὴν ναῦν λελοιπώς; PHILON, *In Flac.* 5: les troupes qui ne perçoivent pas leur solde sont incitées «au banditisme et à la rapine»; DION CASSIUS, LXXIV, 2, 5: «une grande partie de la jeunesse d'Italie se tourna au brigandage et aux combats de gladiateurs».

[4] FL. JOSÈPHE, *Guerre*, II, 265: «répartis par bandes». Brigand dérive de l'italien *brigante*: qui va en troupe. La bande (parfois le refuge) de brigands se dit λῃστήριον, *P. Tebt.* 920, 23; *P. Hamb.* 10, 7; *P. Strasb.* 233, 2; *P. Mil. Vogl.* 229, 6. FL. JOSÈPHE, *Ant.* XX, 160: «La Judée était infestée d'une bande de brigands»; 161: «le fils de Dinaios avait organisé une compagnie de brigands». Ch. K. Barrett traduit λῃστής par *guerillero* (*The House of Prayer and the Den of Thieves*, dans *Jesus und Paulus. Festschrift W. G. Kümmel*, Göttingen, 1975, p. 16.

[5] Brigands et pirates s'attaquent aux personnes autant qu'aux biens, et c'est un acte courageux de délivrer leurs prisonniers (cf. L. ROBERT, *Hellenica* XI, Paris, 1960, pp. 133 sv., 272 sv.). «La littérature rabbinique mentionne de façon extraordinairement fréquente les brigands (*Ber.* I, 3; *Shab.* II, 5; *B.Q.* VI, 1 et *passim*; cf. LEVY, *Wörterbuch*, II, pp. 503 sv. et S. KRAUSS, *Griechische und lateinische Lehnwörter im Talmud, Midrasch und Targum*, II, Berlin, 1899, réimprimé Hildesheim, 1964, pp. 315 sv.). Cela donne l'impression que les cas de brigandage n'étaient pas rares. Pour la région de Jérusalem en particulier, nous entendons parler, de façon répétée, de cas que l'on redoutait ou qui sont arrivés, et de la nécessité de combattre le brigandage» (J. JEREMIAS, *Jérusalem au temps de Jésus*, Paris, 1967, p. 52; cf. pp. 79 sv.).

aussi les troupeaux[1], comme *Baba Qammâ*, vi, 1 et *passim* en fournit maints exemples, si bien qu'ils sont particulièrement redoutés des bergers (*Péa*, ii, 7; Fl. Josèphe, *Ant.* xvi, 272) et qu'on les assimile à des bêtes féroces (θηριώδους, édit d'Agrippa I [ou II]; Dittenberger, *Or.* 424, 2). On sait que ces *lestai* se réfugient dans des cavernes ou des grottes (σπήλαιον), si nombreuses dans les monts de Judée, et qui leur servent de cachettes et de repaires[2]. Ce à quoi le Seigneur fait allusion, en combinant *Is.* lvi, 7 et *Jér.* vii, 11 (פְּרִיץ): «Il est écrit: ma Maison sera appelée une maison de prière, et vous en faites une caverne de brigands» (*Mt.* xxi, 13; cf. *Mc.* xi, 17; *Lc.* xix, 46).

Il appert que le brigandage était une plaie endémique en Syrie-Palestine[3]; mais elle dévastait tout le monde antique, que ce soit l'Egypte[4] où des policiers (λῃστοπιασταί) sont spécialement chargés de réprimer le

---

[1] *Jo.* x, 1,8 (pour la critique textuelle et la bibliographie, cf. R. Schnackenburg, *Das Johannes-Evangelium*, Freiburg-Bâle, 1971, pp. 348 sv., 366. Ces brigands qui pénètrent dans la bergerie, sans passer par la porte, sont les prétendants messianiques à tendance révolutionnaire (*Act.* v, 37; xxi, 38); cf. R. Bultmann, *Das Evangelium des Johannes*, Göttingen, 1941, p. 283.

[2] A Arbèle, Hérode fit déloger par ses troupes les brigands ἐν σπηλαίοις κατοικούντων (Fl. Josèphe, *Ant.* xiv, 415); cf. ἐπὶ τοὺς ἐν τοῖς σπηλαίοις λῃστάς (*ibid.* 421; xv, 346).

[3] Fl. Josèphe, *Ant.* xx, 166–167: «Les actes des λῃσταί infestaient la cité»; 124, 160, 185: «La Judée était dévastée par les brigands»; 256: les Juifs étaient incapables de supporter les pillages des brigands qui les forçaient à abandonner leur pays et à fuir; xv, 346: «Ce n'était pas facile de réprimer le brigandage dont le peuple avait fait une habitude et un moyen de vivre»; xvi, 271: jusqu'à Hérode, les habitants de la Trachonitide avaient la liberté de pratiquer le brigandage; xx, 164 sv.; *Guerre*, ii, 235: les brigands et les factieux avaient pour chefs Eléazar... et Alexandre... qui massacrèrent les habitants... et incendièrent les bourgades»; 238: «Beaucoup, encouragés par l'impunité, se tournèrent au métier de brigand»; 278: «Peu s'en fallut que Gessius ne fît proclamer par le héraut dans toute la contrée le droit pour tous d'exercer le brigandage». «On appelait sicaires les brigands qui cachaient un poignard dans leur sein» (ii, 425). C'est en apologète que Fl. Josèphe écrit: «Nos ancêtres ne se livrèrent pas non plus à la piraterie (πρὸς λῃστείας) comme d'autres, ou à la guerre... quoique le pays possédât des dizaines de milliers d'hommes qui ne manquaient pas d'audace» (*C. Ap.* i, 62). En tout cas, ses contemporains ont armé une flotille de brigantins et ont rançonné tous les parages de la Syrie, de la Phénicie et de l'Egypte (*Guerre*, iii, 416); «Dans les autres régions de la Judée, les brigands jusque-là inactifs, se mirent en campagne» (iv, 406); cf. Strabon, xvi, 2, 37; Dion Cassius, lxxv, 2, 4: «Un brigand, nommé Claudius, dévastait la Judée et la Syrie».

[4] *P. Zén. Cair.* 59044, 25 (= *Sammelbuch*, 6787), 59313, 8; *P. Par.* 46, 7: ἐν τοῖς ἀναγκαιοτάτοις καιροῖς λῃστῶν ἐπικειμένων (= *U.P.Z.* 71; St. Witkowski, *Epistulae privatae graecae*, Leipzig, 1911, n. 47); *B.G.U.* 1764, 6; 1780, 7 (50 av. J.-C.); *P. Strasb.* 233. Xénophon d'Ephèse, *Eph.* v, 4, 1: les brigands infestaient l'Egypte;

banditisme et auxquels chacun est tenu d'apporter son concours [1]. En Asie Mineure, le brigandage n'a jamais été éliminé; non seulement les régions montagneuses et boisées y étaient particulièrement propices [2], mais ses côtes furent le lieu d'élection de la piraterie, «le brigandage sur mer» [3], au point que Sénèque pourra écrire: «Si quelques-uns ne sont pas tombés aux mains des pirates, c'est qu'un naufrage leur a valu cette chance» (*Bienfaits*, VI, 9, 2). L'Italie n'était pas mieux partagée [4], et l'Espagne

---

HÉLIODORE, *Ethiop.* I, 5, 3: «Là habitent tous les brigands égyptiens organisés en cité». D'où les plaintes à la police contre ce brigandage (λῃστρικός), *P. Ryl.* 127, 11 (en 29); 129, 7 (en 30); 130, 6 (en 31); 134, 18 (en 34); 135, 7 (en 34); 136, 8 (en 34); 137, 12 (en 34); 140, 13 (en 36); 146, 11 (en 39); 148, 16 (en 39); *P. Athen.* 32, 12 (en 39); *P. Michig.* 230, 6 (en 48); 421, 5 (règne de Claude); *P. Strasb.* 216, 6; 296 rect. 12; vers. 8); *Sammelbuch*, 9622, 3; *P. Berl. Zill.* 8, 8; *B.G.U.* 1832, 10; 1858, 1; *P. Oxy.* 1408, 23. On comprend le rêve d'un pillage que raconte un enfant épouvanté à son père (*P. Oxy.* 1873, 3); on en rapprochera les tribulations réelles de toute une famille crétoise (*Inscriptions de Crète* II, 5; Axos, 19; t. II, p. 65 = DITTENBERGER, *Syl.* 622).

[1] *B.G.U.* 325, 2; *P. Isidor.* 79, 16; *P. Med.* 47, 3; *P. Osl.* 20, 1; *P. Ostr. Mich.* 102, 10, 12; *Stud. Pal.* XX, 76, 4; *Sammelbuch*, 9406, 305; 10439, 3; 10556, 20, 25; 10929, col. III, 3, déterminant la compétence du Préfet: ὁ ἡγεμὼν διαγνώσεται... περὶ λῃστειῶν; cf. P. JOUGUET, *La Vie Municipale dans l'Egypte romaine*, Paris, 1911, pp. 264 sv.

[2] Cf. XÉNOPHON, *Anab.* I, 2, 25–27; STRABON, XII, 7, 2; PLUTARQUE, *Cicéron*, XXXVI, 6; DION CASSIUS, LV, 28, 3; EUSÈBE, III, 23, 9, 11. *Suppl. Ep. Gr.* VIII, 497.

[3] PHILON, *Omn. prob.* 121, PLUTARQUE, *César*, II, 597; XXX, 6; DION CASSIUS, XXXVI, 20–21, 35; cf. DIODORE DE SICILE, XV, 95, 1; XX, 82, 4–5; 83, 1; 97, 5; POLYBE, II, 4, 8–9; CICÉRON, *Pro L. Flacco*, XIII, 30, 31 (cf. M. HOLLEAUX, *Etudes d'Epigraphie et d'Histoire grecques*, Paris, 1952, IV, pp. 28 sv., 79 sv. G. BIRAGHI, *La Pirateria greca in Tucidide*, dans *Acmè* V, 1952, pp. 471–477; L. CASSON, *Les marins de l'Antiquité*, Paris, 1961, pp. 238 sv.). Le sénat et les empereurs ont multiplié les expéditions punitives, notamment une véritable guerre dirigée par Pompée en 67 (cf. M. P. CHARLESWORTH, *Les Routes et le Trafic commercial dans l'Empire romain*, Paris, 1938, pp. 123 sv.; C. SPICQ, *Epîtres aux Corinthiens*, Paris, 1947, p. 385). Sur la loi ordonnant la répression de la piraterie gravée sur le monument de Paul-Emile à Delphes (G. COLIN, *Fouilles de Delphes*, III, 4, 1; Paris, 1930, pp. 41 sv.), cf. E. CUQ, *Un Fragment de Loi romaine d'après une inscription de Delphes*, dans *Rev. hist. de Droit français et étranger*, 1925, pp. 541–565. La distinction entre πειρατής (DITTENBERGER, *Syl.* 521, 4, 15) et λῃστής date des temps modernes, cf. P. DUCREY, *Le traitement des Prisonniers de guerre dans la Grèce antique*, Paris, 1968, pp. 172 sv.

[4] HORACE, *Epîtres*, I, 2, 32: «Pour égorger un homme, les brigands se lèvent dans la nuit»; SÉNÈQUE, *Colère*, XVI, 1; *Bienfaits*, I, 10, 5; II, 18, 6; SUÉTONE, *Tibère*, XXXVII, 1; TACITE, *An.* II, 85; DION CASSIUS, LV, 28, 1: «Des brigands firent de si fréquentes incursions que, durant trois ans, la Sardaigne, au lieu d'être gouvernée par un sénateur, fût confiée à des soldats et à des généraux pris dans l'ordre équestre»; VARRON, *De re rust.* I, 16, 2.

non plus [1]... Dans ces conditions, on conçoit non seulement que la littérature romanesque fasse sans cesse intervenir les brigands au cours des pérégrinations de leurs héros [2], mais que tous les écrivains signalent les dangers que font courir aux voyageurs ces détrousseurs de grand chemin [3]. Au Ier siècle de notre ère, tout grand voyage est une aventure périlleuse. Ce n'est donc ni une figure de style, ni une exagération, lorsque l'Apôtre, évoquant son activité missionnaire, fait allusion aux «longs voyages à pied souvent, aux dangers des fleuves, aux dangers des brigands, κινδύνοις λῃστῶν» (II Cor. XI, 26); il faut les comprendre en fonction des références susdites.

Bien entendu, un tel fléau, «la plaie de la piraterie» [4], ne pouvait pas ne pas être combattu, non seulement par les personnes attaquées – on pouvait tuer le voleur pris en flagrant délit [5] –, mais surtout par les autorités constituées, soit par l'arrestation et le procès des bandits [6], soit par des expédi-

---

[1] Auguste mit à prix (250 000 drachmes) la tête de Corocottas, λῃστὴν ἐν Ἰβηρίᾳ ἀκμάσαντα (DION CASSIUS, LVI, 43, 3). Selon Appien, les Romains combattaient en Espagne des «bandes de brigands» (Hist. rom., Espagne, VI, 68; cf. 77).

[2] Cf. XÉNOPHON D'EPHÈSE, Ephès. II, 13, 4; IV, 1–5; V, 2, 1–7; HÉLIODORE, Ethiop. I, 1, 1 sv.; 3, 1–6; 4, 1; II, 22, 4; V, 2, 7; 20, 7; 22, 8 sv.; V, 31, 3; VI, 13, 2; VII, 1, 2; ACHILLE TATIUS, Leucippe et Clitophon, III, 5, 5. Pour une époque postérieure, cf. D. GORCE, Les voyages... dans le monde chrétien des IVe et Ve siècles, Paris, 1925, pp. 85 sv.

[3] P. Zén. Cair. 59659, 4: allant à Philadelphie avec deux compagnons, l'auteur de la lettre a été détroussé, λῃσταὶ παροινήσαντες ἡμᾶς; FL. JOSÈPHE, Guerre, II, 228: «Près de Béthoron, sur la route publique, des brigands assaillirent un certain Stéphanos, esclave de César, et s'emparèrent de son bagage»; EPICTÈTE, III, 13, 3: «En voyage, c'est surtout quand nous venons à tomber entre les mains des brigands que nous nous disons isolés»; IV, 1, 91–98: «On a entendu dire que la route est infestée de brigands... Où se réfugier? Comment passer sans être détroussé?... Si mon compagnon de route lui-même se retourne contre moi et devient mon voleur?». Les Esséniens voyageaient armés pour se défendre contre toute surprise: διὰ δὲ τοὺς λῃστὰς ἔνοπλοι (FL. JOSÈPHE, Guerre, II, 125), encore qu'en principe les pauvres pouvaient être rassurés: «Le voyageur dont la poche est vide chantera au nez du brigand» (JUVÉNAL, Sat. X, 22).

[4] STRABON, III, 2, 5; cf. XI, 1, 6; 2, 12; 7, 1; 12, 4; 13, 3 et 6; cf. λῃστηρία, P. FRISCH, Die Inschriften von Ilion, n. 102, 6. P. Yale, inv. 1606, 13 publié par N. LEWIS, dans Hommages à Cl. Préaux, Bruxelles, 1975, p. 760.

[5] Loi de Dracon sur le meurtre, 8 et 10; cf. R. DARESTE, B. HAUSSOULLIER, TH. REINACH, Recueil des Inscriptions juridiques grecques[2], Rome, 1965, II, p. 4.

[6] P. Hib. 198, 86, 110; P. Hermop. 48, 7; P. Oxy. 1981, 22. Les complices sont également châtiés: «Receptores adgressorum itemque latronum eadem poena adficiuntur qua ipsi latrones» (PAULUS, Sent. V, 3, 4; ULPIEN, Dig. 1, 18, 13 prol.: «[Praeses] sacrilegos latrones plagiarios fures conquirere debet et prout quisque dereliquerit in

tions punitives. En Judée, l'empereur, les procurateurs et notamment Hérode prennent l'initiative de cette répression [1]. On conçoit l'outrage infligé au Seigneur lorsqu'on vient l'arrêter comme un vulgaire malfaiteur : «C'est comme contre un brigand – ὡς ἐπὶ λῃστήν – que vous vous êtes mis en route, avec des glaives et des bâtons pour m'arrêter» [2].

A Rome, les brigands tombaient sous le coup de la lex Cornelia de sicariis et veneficiis (PAULUS, Sent. XXIII, 1), et plus tard furent condamnés à mort par les bêtes ou la croix [3]. En Palestine au Ier siècle, «il ne se passait pas de jours où Festus ne mit à mort beaucoup de λῃσταί» (Ant. XX, 161; cf. 168); les chefs de bande comme Tholomaios et Menahem sont exécutés (XX, 5; Vie, 21). Voilà pourquoi δύο λῃσταί furent crucifiés au calvaire [4]. Que les Evangélistes ajoutent : avec Jésus (σὺν αὐτῷ) souligne l'infamie du traitement infligé au Seigneur, et suggère que Pilate faisait aussi voir au peuple en quel mépris il tenait un messie juif, un révolutionnaire : puisqu'il se prétend Christ, c'est un roi de bandits [5].

---

eum animadvertere, receptores eorum coercere, sine quibus latro diutius latere non potest»; XLVIII, 13, 7; L, 16, 18; «Hostes hi sunt, qui nobis aut quibus nos publice bellum declaravimus, ceteri latrones aut praedones sunt» (cités par M. HENGEL, op. c., pp. 31 sv.); cf. P. Ant. 87, 13; «La femme du bandit est comme le bandit lui-même» (J. Keth. 26 d, 38; cf. J. Sanhédr. 19 b 18).

[1] FL. JOSÈPHE, Guerre, I, 398: «l'empereur donna l'ordre d'exterminer ce nid de brigands» (cf. Ant. XV, 343–348); Cumanus (Ant. XX, 121); Félix (Guerre, II, 253: «les brigands qu'il fit mettre en croix et les indigènes, convaincus de complicité, qu'il châtia, le nombre en fut infini»); Hérode (II, 56; Ant. XIV, 159; XVI, 281–285; XVII, 23–28; 271). Selon DION CASSIUS, LIV, 12, 1, certains généraux ont célébré le triomphe simplement pour avoir capturé des brigands, λῃστὰς συλλαμβάνοντες. Cf. λῃστολογήσας dans Inscriptions de Bulgarie, 1126, 8, avec la note de l'éditeur.

[2] Mt. XXVI, 55; cf. Mc. XIV, 48; Lc. XXII, 52; P. WINTER, On the Trial of Jesus, Berlin, 1961, pp. 44–50, 171–174.

[3] PAULUS, Sent. V, 23, 1: «humiliores vero in crucem tollantur aut bestiis obiciuntur»; ainsi le brigand Felix Bulla condamné aux bêtes (DION CASSIUS, LXVI, 10, 7), ou les famosi latrones condamnés à la crucifixion (Digeste, XLVIII, 19, 28, § 15); PETRONIUS, 111, 5: «Imperator provinciae latrones jussit crucibus adfigi»; SÉNÈQUE, Ep. mor. VII, 5: «sed latrocinium fecit aliquis: quid ergo meruit ut suspendatur»; cités par M. HENGEL, op. c. Cf. DIODORE DE SICILE, XVI, 82, 3; ARRIEN, Anab. III, 2, 5; DITTENBERGER, Syl. 454, 18. L. FLAM-ZUCKERMANN, A propos d'une inscription de Suisse (C.I.L. XIII, 5010): étude du phénomène du brigandage dans l'Empire romain, dans Latomus, 1970, pp. 451–473.

[4] Mt. XXVII, 38, 44; Mc. XV, 27. Dans les écrits rabbiniques, la crucifixion est toujours mentionnée en relation avec la λῃστεία (cf. E. BAMMEL, Crucifixion as a Punishment in Palestine, dans The Trial of Jesus, Londres, pp. 162–165); crucifixion qui remonte en Palestine au IIe s. avant notre ère, cf. E. STAUFFER, Jerusalem und Rom im Zeitalter Jesu Christi, Berne, 1957, pp. 123–127.

[5] Cf. A. SCHLATTER, Der Evangelist Matthäus, Stuttgart, 1948, p. 781.

λίθοι ζῶντες

Rien de plus normal que des pierres soient qualifiées de grandes (*Mt.* XXVII, 60), belles (*Lc.* XXI, 5) ou précieuses (*I Cor.* III, 12; *Apoc.* XVII, 4; XVIII, 12, 16; XXI, 11, 19), mais il est étrange qu'elles puissent être vivantes, étant donné que la pierre par son inertie même, est un symbole de mort [1]: être pétrifié, c'est rester immobile (*Is.* L, 7). Toutefois, la pierre est aussi et même d'abord le symbole de la fermeté, de la solidité et de l'immutabilité [2], et dans l'usage du N. T., la métaphore et sa signification sont exprimées simultanément au point que celle-ci l'emporte sur celle-là. Aussi bien, la notion de vie n'est pas contradictoire à celle de pierre, puisque «Dieu peut susciter des pierres des enfants à Abraham» (*Mt.* III, 9; *Lc.* III, 8; jeu de mots sur אֲבָנִים et הַבָּנִים), et que, si les disciples se taisent, les pierres se mettront à crier (*Lc.* XIX, 40; cf. *IV Esdr.* V, 5).

Or Simon, fils de Jean, qui a reçu du Seigneur le surnom insolite de λίθος, a réfléchi sur sa signification et il a élaboré une «théologie de la pierre»: «Vous approchant de Lui: pierre vivante (λίθον ζῶντα) rejetée par les hommes, mais auprès de Dieu choisie, précieuse. Vous-mêmes comme pierres vivantes (ὡς λίθοι ζῶντες), insérez-vous dans la construction... Voici que je pose en Sion une pierre de choix, pierre d'angle, précieuse... Cette pierre qu'ont rejetée les constructeurs, elle est devenue tête d'angle et pierre d'achoppement» (*I Petr.* II, 4–8). Le Christ est comme une pierre de grand prix et choisie par Dieu [3] pour être la «pierre angulaire» de l'Eglise-

---

[1] Philon rapporte une très vieille tradition, selon laquelle «ceux qui osent regarder la tête de Gorgo sont immédiatement transformés en pierres et en rochers, εὐθὺς λίθους καὶ πέτρους γίνεσθαι» (*Leg. G.* 237, cf. PINDARE, *Pyth.* X, 47, qualifiant la Gorgone de «mort qui pétrifie»).

[2] Iahvé est «le Rocher, le Dieu de vérité» (*Deut.* XXXII, 4; cf. *II Sam.* XXII, 32, 47); «le Rocher d'Israël» (*II Sam.* XXIII, 3; *Is.* XXX, 29), point d'appui inébranlable de la foi de son peuple (*Ps.* XVIII, 3; XIX, 15; LXII, 3, 7).

[3] Ἐκλεκτόν, ἔντιμον viennent d'*Is.* XXVIII, 16 (J. SCHREINER, *Sion-Jerusalem Jahwes Königssitz*, Munich, 1963, p. 168); cf. *IQS*, VIII, 7–8; *IQH*, VI, 26; VII, 8–9, J. DE WAARD, *A Comparative Study of the Old Testament Text in the Dead Sea Scrolls and in the New Testament*, Leiden, 1965, pp. 54 sv. J. M. FORD, *The Jewel of Discernment. A Study of Stone Symbolism*, dans *Biblische Zeitschrift*, 1967, pp. 109–116; M. BLACK, *The Christological Use of the Old Testament in the New Testament*, dans *NTS*, XVIII, 1971, pp. 11 sv.

Temple [1] qu'il édifiera (*Jo.* II, 19; *Eph.* II, 20–22) et qui ne sera donc pas bâtie de main d'homme (*Mc.* XIV, 58; *Act.* VII, 49). Or, contradictoirement (μέν... δέ), les bâtisseurs l'ont dédaignée et rejetée [2], et elle est devenue une occasion de chute, une «pierre d'achoppement» pour les incrédules, ὡς λίθου προσκόμματι (*Is.* VIII, 14; *Rom.* IX, 32–33).

Puisque les croyants sont «métamorphosés en la même image» que leur Seigneur (*II Cor.* III, 18), il est normal qu'ils prennent sa forme de «pierres vivantes» afin d'être insérés dans la même construction. La désignation étant insolite, saint Pierre l'adoucit par ὡς: *à titre de, en tant que* pierres. Il l'a sans doute empruntée à la langue romaine qui considérait comme vivante la pierre qui n'avait pas encore été arrachée à la montagne, «la terre natale des rochers» (OVIDE, *Mét.* VII, 204), «roche vive encore tenue en terre par sa racine» (*ibid.* XIV, 713), toujours insérée dans son site naturel [3]. En ce sens, la répétition «pierre vivante-pierres vivantes» suggérerait que les chrétiens, loin de se surajouter au Christ comme des éléments hété-

---

[1] Ἀκρογωνιαῖος peut être la pierre de fondation (introduite dans le rocher de Sion ou incorporée à la base du mur qui s'y élève, cf. R. J. McKELVEY, *Christ the Cornerstone*, dans *NTS*, VIII, 1962, pp. 352–359) ou la pierre terminale couronnant l'édifice: le faîte, la clef de voute (cf. *Jér.* LI, 26; P. DHORME, *L'emploi métaphorique des noms de parties du corps*, Paris, 1923, p. 24; J. JEREMIAS, ἀκρογωνιαῖος, dans *TWNT*, I, p. 792; *ibid.* λίθος, IV, pp. 272–283) ou mieux l'extrémité de l'angle (*akron* signifie tantôt: pointe, hauteur; tantôt: bord, arête, bout); les blocs d'angle dans une construction, en pierres très dures, renforcent les sections des murs (cf. A. K. ORLANDOS, *Les matériaux de construction*, Paris, 1968, II, pp. 5, 119; R. MARTIN, *Manuel d'architecture grecque*, Paris, 1965, pp. 165, 219, 235, 459, 462). L'image évoque la place hors pair du Christ (cf. *Zach.* IV, 7; Abraham, pierre angulaire du monde, BILLER-BECK, I, pp. 733, 875 sv.), la puissance de cohésion des croyants qui adhèrent à lui (cf. G. KLINZING, *Die Umdeutung des Kultus in der Qumrangemeinde und im N.T.*, Gütersloh, 1971, p. 188; R. J. McKELVEY, *The New Temple*, Oxford, 1969, pp. 195 sv.). On consultera O. BETZ, *Felsenmann und Felsengemeinde*, dans *ZNTW*, 1957, pp. 49–77. J. PFAMMATTER, *Die Kirche als Bau*, Rome, 1960, pp. 97 sv., 169 sv. K. TH. SCHÄFER, *Zu Deutung von ἀκρογωνιαῖος*, dans *Festschrift J. Schmid*, Ratisbonne, 1963, pp. 223 sv.

[2] Prophétie du *Ps.* XCVIII, 22 que Jésus s'est appliquée (*Mt.* XXI, 42; *Mc.* XII, 10, *Lc.* XX, 17: ἀπεδοκίμασαν); cf. *Act.* IV, 11: ὁ ἐξουθενηθείς = méprisé. P. SCIASCIA *Lapis reprobatus*, Rome, 1959; J. DUNCAN M. DERRETT, «*The Stone that the Builders Rejected*», dans F. L. CROSS, *Studia Evangelica* IV, Berlin, 1968, pp. 180–186 (donne la bibliographie).

[3] OVIDE, *Mét.* V, 316; VIRGILE, *En.* I, 166; III, 688. Les habitants d'Halicarnasse «promettaient d'asseoir sur le roc vif les fondements du temple» (TACITE, *An.* IV, 55); cf. J. C. PLUMPE, *Vivum saxum, Vivi lapides. The Concept of «Living Stones» in Classical and Christian Antiquity*, dans *Traditio*, 1, 1943, pp. 1–14.

rogènes dans la construction de l'Eglise, sont de même nature et participent à sa vertu édificatrice, puisqu'ils en demeurent toujours partie intégrante (comparer *Deut.* XXXII, 18; *Is.* LI, 1). Cette nuance n'exclut pas celle de croissance, exigée par le contexte, et l'on évoquerait alors le processus de concrétion constante de ces pierres vivantes [1].

---

[1] Cf. SAINT AUGUSTIN: «C'est actuellement que la cité se construit. Les pierres sont taillées dans les montagnes par la main des prédicateurs de la vérité; elles sont équarries pour entrer dans la structure d'un édifice éternel. Beaucoup de pierres sont encore entre les mains de l'ouvrier pour atteindre à cette perfection qui les fera s'adapter à la structure du Temple» (*En. in Ps. CXXI*, 4). Cette vitalité ecclésiale, saint Paul l'évoquait d'ordinaire par l'image de la croissance d'un corps (*Col.* II, 19; P. S. MINEAR, *Images of the Church in the New Testament*, Londres, 1961), saint Pierre par celle d'une «demeure spirituelle» (*I Petr.* II, 5), l'Eglise étant «la maison du Dieu vivant» (*I Tim.* III, 15).

λιθόστρωτος

«Pilate s'assit sur le tribunal, au lieu appelé *Lithostrôtos*, en hébreu Gabbatha»[1]. Etymologiquement, λιθόστρωτος est un [lieu] pavé en pierres[2]. Le mot est attesté par quatre papyrus du IIIᵉ-IVᵉ s., toujours comme adjectif: la banque Sosias est au sud de la Colonnade, dans l'avenue pavée, ἐπὶ τοῦ λιθοστρώτου δρόμου (*P. Oxy.* 2138, 15); même précision géographique, ἐπὶ τοῦ λιθοστρώτου δρόμου Ἑρμοῦ θεοῦ τρισμεγάλου (*P. Flor.* 50, 97), dont H. Schmitz (*The Oxyr. Papyri*, t. XVII, p. 256) rapproche par une légère correction: πρὸς τῷ λιθοστρώτῳ δρόμῳ Ἑρμοῦ Θεοῦ τρισμεγ. (*P. Amh.* 98, 2), auquel on adjoindra une lettre administrative d'Hermopolis, mutilée, ἐπὶ τοῦ λιθοστρώτου (*P. Strasb.* 138, 7; réédité *Sammelbuch*, 8020).

Comme substantif, le *lithostrôtos* désigne communément le pavement ou le dallage du temple[3] et dans *Jo.* XIX, 13 c'est un nom propre toponymique. A Délos, la dédicace d'un pavement au Iᵉʳ s., Πόπλιος Πλώτιος Λευκίου Ῥωμαῖος τὸ λιθόστρωτον[4]. Un siècle plus tard, à Kourion, J. Seppius Celer

---

[1] *Jo.* XIX, 13. Sur l'identification: Forteresse Antonia ou Palais d'Hérode, cf. L. H. VINCENT, *Le Lithostrotos évangélique*, dans *R. B.* 1952, pp. 513–550; P. BENOIT, *Prétoire, Lithostroton et Gabbatha, ibid.* pp. 531–550 (repris dans *Exégèse et Théologie*, Paris, 1961, pp. 316–339); Sʳ MARIE ALINE DE SION, *La Forteresse Antonia à Jérusalem et la question du Prétoire*, Jérusalem, 1955; J. STARCKY, *Lithostroton*, dans *DBS*, V, 398–405.

[2] Cf. J. POLLUX, *Onom.* VII, 121, λιθόστρωτον ἔδαφος καὶ λιθόλογημα καὶ λελιθωμένον.

[3] *II Chr.* VII, 3: Tous les fils d'Israël tombent agenouillés sur le dallage (רצפה; cf. le palais d'Assuérus à Suse, *Esth.* I, 6; mais *Cant.* III, 10 du trône de Salomon n'est pas clair); *Ep. Aristée*, 88: «le sol du Temple est entièrement dallé, τὸ δὲ πᾶν ἔδαφος λιθόστρωτον καθέστηκε»; FL. JOSÈPHE, *Guerre*, V, 192; VI, 85: «le centurion Julien glissa en courant sur le pavé, κατὰ λιθοστρώτου τρέχων»; VI, 189: «écrasé par ce poids contre le dallage, il succomba aussitôt».

[4] Edité par P. ROUSSEL, *Délos Colonie athénienne*, Paris, 1916, p. 422, repris dans *Inscriptions de Délos. Dédicaces postérieures à 166 av. J.-C.*, Paris, 1937, n. 2302. Parmi les inscriptions des sanctuaires des dieux égyptiens à Délos, τὸν πυλῶνα καὶ... τὸ λιθόστρωτον (P. ROUSSEL, *Les Cultes égyptiens à Délos*, Paris-Nancy, 1915–1916, n. 144, 3–4), τὸ λιθόστρωτον καὶ τὰς κινκλίδας (*ibid.* n. 146), τοὺς βωμοὺς καὶ τὸ λιθόστρωτον καὶ τὰς σφίγγας (*ibid.* n. 173, 9); «Hermogène m'a érigé ainsi que le pavement, καὶ τὴν λιθόστρωτον» (*Inscriptions gr. et lat. de la Syrie*, n. 1115, 3); «Apollonie a fait poser les degrés au-dessus des dallages, τὰς βαθμίδας ταῖς λιθοστρώτοις ἐπέθηκε» (*ibid.* n. 1259,

étant consul, Trajan fait entreprendre ou prolonger un lithostrôtos, une route pavée jusqu'au propylée conduisant à la route de Paphos: «λιθόστρωτον κατεσκεύασεν τὴν λείπουσαν ἀπὸ τῆς προούσης λιθοστρώτου μέχρι τοῦ φέροντος εἰς τὴν Παφίαν ὁδὸν προπύλου»[1].

---

58); de même à Sidon et à Amathonte, inscriptions citées par L. Robert (*Opera minora selecta*, Amsterdam, 1969, ii, p. 900) qui définit: «Λιθόστρωτος indique un pavage, un dallage, qu'il s'agisse d'une cour ou d'une avenue».

[1] T. B. MITFORD, *The Inscriptions of Kourion*, Philadelphie, 1971, n. cxi, 7–9 (avec les observations de R. S. BAGNALL, TH. DREW-BEAR, dans *Chronique d'Egypte*, 1974, pp. 190–194); inscription trouvée en 1939. Rapprocher l'avenue (δρόμος) du temple d'Héliopolis, qui avait un dallage en pierre' (STRABON, xvii, 1, 28, λιθόστρωτον ἔδαφος), ou les soldats jouant sur le *lithostrôton* municipal (APPIEN, *Guerre civ*. iii, 26, ἐν λιθοστρώτῳ πόλει).

λικμάω

Après avoir cité le *Ps.* CXVIII, 22: «la pierre qu'ont rejetée les bâtisseurs est celle qui est devenue pierre de faîte» (*Lc.* XX, 17), Jésus commente: «Quiconque tombera sur cette pierre sera fracassé, et celui sur qui elle tombera, elle le réduira en miettes, ἐφ' ὃ δ' ἂν πέσῃ λικμήσει αὐτόν» (ὖ. 18). C'est du moins ainsi que le contexte invite à traduire *l'hapax* néo-testamentaire λικμᾶν [1]. Mais ce dénominatif de λικμός «van», signifie dans les textes profanes «vanner» [2], la λίκμησις est le vannage [3], le λικμητής est le vanneur (*P. Philad.* 17, 10 et 23; cf. λικμαίνοντες ἄνδρες, *Ostr. Tait-Préaux*, 1723, 8; du IIe s.), et il y a une taxe de vannage (λίκμητρα, *P. Osl.* 33, 15, en 29 de notre ère; *Sammelbuch*, 7373).

L'usage des Septante révèle une autre acception dépendante de la précédente, d'abord celle de «secouer»: «Je vais secouer la maison d'Israël, comme on secoue avec le crible» (*Am.* IX, 9; נוע), puis «emporter, disperser par le vent». Le méchant, emporté de l'endroit où il se tient comme par un vent de tempête, devient errant, «Le vent le chassera de sa place» (*Job*, XXVII, 21; שׂער au *piel*); «les peuples sont chassés comme la poussière devant la brise» (*Is.* XVII, 13); «Je les disperserai à tout vent» (*Jér.* XLIX, 32; זרה au *piel*); «Ils détruiront les remparts de Tyr et démoliront ses tours.

---

[1] *Mt.* XXI, 44 est une glose empruntée à *Lc.* XX, 18. En sens contraire, R. SWAELES, *L'arrière-fond scripturaire de Mat. XXI, 43 et son lien avec Mt. XXI, 44*, dans *NTS*, VI, 1960, pp. 310–313.

[2] Joseph décide: «Il faut amasser la récolte en gerbes, sans la battre ni lui faire subir aucun triage..., pour que chaque année il y ait un rappel de la prospérité, les hommes battront et vanneront, ἀλοώντων καὶ λικμώντων» (PHILON, *De Jos.* 112). On vanne l'orge: γραφάτω τῷ παρ' αὐτοῦ οὐκέτι ἀργήσας τὰ λοιπὰ λικμῆσαι (*BGU*, 1872, 9; cf. *l.* 12, 15, 23; de 50 av. J.-C.; cf. *P. Oxy.* 1482, 3); on vanne τὴν ἀλωνίαν, l'aire à battre le grain (*P. Ryl.* 442, 3 = *Sammelbuch*, 9408, 94, 97, 100, 103; 9409, col. VII, 26–28; 9410, col. VI, 10). Même acception dans *Ruth*, III, 2: «Voici que ce soir il doit vanner les orges sur l'aire» (cf. FL. JOSÈPHE, *Ant.* V, 328) *Sir.* XV, 9: «Ne vanne pas à tout vent».

[3] *P. Petaus*, 53, 12 (IIe s. de notre ère); *Sammelbuch*, 9409, col. VII, 78. Dans la location d'un terrain de culture potagère au IIIe s., on spécifie: «toutes mes dépenses depuis l'époque des semailles jusqu'à la moisson et au vannage, ἀπό τε κατασπορᾶς μέχρι συνκομιδῆς καὶ λικμήσεως» (*P. Michig.* 609, 22), «après le vannage nous prendrons le produit en parts égales» (*l.* 27).

J'en balaierai la poussière (*Ez.* XXVI, 4; סָחָה au *piel*). Toujours en liaison avec la technique agricole, *Is.* XXX, 24 prophétise: «Tes bœufs et tes ânes mangeront un fourrage qu'on éparpillera avec la pelle et la fourche» (מִזְרֶה) ; et l'on arrive à la signification bien établie de λικμάω «disperser, disséminer», mais employé avec prédominance avec l'acception technique de châtiment divin: «Je disperserai les Egyptiens (διασπερῶ) et je les disséminerai (λικμήσω αὐτούς)» (*Ez.* XXIX, 12; répété XXX, 23, 26); «Je les ai dispersés (διέσπειρα) et ils ont été disséminés (ἐλίκμησα)» (XXXVI, 19). Comme sanction des péchés d'Israël, Iahvé «les dispersera au delà du Fleuve» (*I Rois*, XIV, 15; cf. *Is.* XXX, 22; *Sag.* XI, 20). D'où l'axiome de la justice divine: «Celui qui dispersa Israël le rassemblera, ὁ λικμήσας... συνάξει αὐτόν» (*Jér.* XXXI, 10).

De l'idée de vanner, on est passé à celle de trier, éplucher; puis chasser, disséminer, réduire en poussière, finalement «détruire» ou broyer [1]. Le meilleur parallèle à *Lc.* XX, 18 est *Dan.* II, 44 (Théod.): «Il pulvérisera et brisera tous ces royaumes, λεπτυνεῖ καὶ λικμήσει πάσας τὰς βασιλείας» [2].

---

[1] E. Delebecque, observant que λικμάω fait image et rappelant que «vanner» signifie séparer le grain de la balle, cite *Lc.* III, 17 la «pelle à vanner», et choisit le sens de «pulvériser»; d'où la traduction: «Celui sur qui [cette pierre] tombera, sera par elle mis en poudre» (*Evangile de Luc*, Paris, 1976, p. 126).

[2] Le verbe hébreu correspondant est סוּף «périr, cesser d'être, disparaître». A. DEISSMANN (*Bibel Studies²*, Edimbourg, 1909, p. 225) cite *B.G.U.* 146, 8 (IIe-IIIe s.) où λικμᾶν serait synonyme de συνθλᾶν (briser, broyer ensemble; cf. la Vulgate de *Lc.* XX, 18: *comminuere*; *Mt.* XXI, 44: *conterere*): ἐπῆλθαν Ἀγαθοκλῆς καὶ δοῦλος Σαραπίωνος Ὀννώφρευς καὶ ἄλλος ξένος ἐργάτης αὐτοῦ τῇ ἁλωνίᾳ μου καὶ ἐλίκμησάν μου τὸ λάχανον καὶ οὐχ ὀλίγην ζημείαν μοι ἐζημιωσάμην; ces gredins ont réduit en miettes, écrasé ma récolte de légumes; cf. λάχανον dans FL. JOSÈPHE, *Guerre*, IV, 541: «quiconque s'avançait hors des portes pour cueillir des légumes ou ramasser du bois mort».

λόγιος

Juif, d'origine alexandrine, Apollos est présenté lors de son arrivée à Ephèse comme ἀνὴρ λόγιος (*Act.* XVIII, 24; *hap. b.*). C'est une désignation élogieuse, usitée dès le Ier siècle avant notre ère [1], mais qu'il n'est pas aisé de traduire, car elle peut évoquer des qualités assez différentes.

a) L'acception la plus répandue de λόγιος semble celle d'éloquent, disert, parlant bien. «Les hommes éloquents ont coutume de faire de longs développements et de longs discours» (PHILON, *Post. C.* 53); «Une légère maladie ne suffit-elle pas à paralyser la langue, à tenir la bouche cousue aux orateurs chevronnés, τῶν πάνυ λογίων» (*Chérub.* 116). «Tu es le plus injuste des hommes de n'avoir aucune reconnaissance quand, de muet que tu étais, je t'ai rendu éloquent, λόγιος μὲν ἐξ ἀφώνου» [2]. Plutarque associera οἱ λογιώτατοι καὶ καλλιφωνότατοι (*Sollert. anim.* 973 *a;* cf. *Conj. praecept.* 17: οἱ φιλόλογοι λογίους). «Comment ne pas blâmer ces Grecs diserts... qui s'érigent en juges malveillants» (FL. JOSÈPHE, *Guerre*, I, 13). «Timothée s'est souvenu de Philopappos et de Maximus Statilius... les très diserts et très chers» [3]. Si les dieux qui président aux lettres et aux arts sont θεοὶ λόγιοι [4], Hermès est celui auquel cette épithète s'applique le mieux: «Hermès passait pour le plus éloquent des dieux» (LUCIEN, *Gallus*, 2; cf. *Pseudolog.* 24). A partir du Ve siècle et surtout de Justinien, c'est le prédicat régulièrement attribué à l'avocat et au *Defensor civitatis*, correspondant au latin *eloquentissimus*: τῷ λογιωτάτῳ ἐκδίκῳ Ἡρακλέους πόλεως [5]. On les salue normale-

---

[1] Au Ier s. av. J.-C., le *P. Lond.* 2710, 6 qualifie Petesouchos d'ἄνδρα λόγιον (édité par J. SEYFARTH, *Φράτρα und φρατρία im nachklassischen Griechentum*, dans *Aegyptus*, 1955, p. 17; réédité dans *Sammelbuch*, 7835). Plutarque déclare que Pitthée était ἀνὴρ λόγιος (*Thésée*, III, 2). Cf. l'éloge de Zénon: πλὴν ἐπεὶ λόγιον ἄνθρωπον ἐπαινοῦμεν (A. TRAVERSA, *Index Stoicorum Herculanensis*, Gênes, 1952, p. 13).

[2] PLUTARQUE, *Pompée*, LI, 8; *Amour fraternel*, 16; *Tib. Gracchus*, II, 1; *Cicéron*, XLIX, 5. Sur l'importance culturelle et sociale de l'art oratoire à la période hellénistique, cf. H. I. MARROU, *Histoire de l'Antiquité*, Paris, 1948, pp. 269–291); PINDARE, *Pyth.* I, 183: «le bruit de la renommée... révèle aux orateurs et aux poètes»; *Ném.* VI, 51: «Ce sont les chants et les discours qui transmettent leurs hauts faits». Le λογικός est un maître de rhétorique ou d'éloquence (*MAMA*, VI, 126, 4; cf. L. et J. ROBERT, *La Carie*, Paris, 1954, p. 196); cf. PLUTARQUE, *Pyth. orac.* 405 *a*.

[3] Τῶν λογιωτάτων καὶ φιλτάτων (J. BAILLET, *Inscriptions grecques et latines à Thèbes*, Le Caire, 1920, n. 76, 5); cf. *Cat. Cod. astr. graec.* 8; IV, 178, 17: λογίους μὲν πάνυ ποιεῖ καὶ φίλους βασιλέων; 184, 10: λογίους πεπαιδευμένους.

[4] Cf. E. ORTH, *Logios*, Leipzig, 1926, pp. 86 sv.

[5] *Stud. Pal.* XX, 129, 1 (Ve s.); *P. Oxy.* 902, 1: A Flavius Isaac, τῷ λογιωτάτῳ

ment: λογιώτατε ἔκδικε κύριε (*P. Oxy.* 902, 18; 1885, 17; *P. Flor.* 377, 18)
ou: λαμπρότατε ἔκδικε, λογιώτατε κύριε (*P. Oxy.* 1883, 10). Cette maîtrise
de l'art oratoire conviendrait excellemment à Apollos, pétillant d'esprit
et tout bouillant de ferveur (ζέων τῷ πνεύματι ἐλάλει, *Act.* XVIII, 25), pré-
chant avec παρρησία (v̥. 26), une assurance et une conviction communi-
cative qui lui ont conféré un tel prestige dans la communauté de Corinthe
(*I Cor.* I, 12; III, 4–6, 22; IV, 6; XVI, 12).

b) L'éloquence va parfois de pair avec l'érudition [1] et λόγιος signifie
aussi «docte, instruit, savant». «Y avait-il plus sensé et plus instruit que
lui (Tibère) dans la jeunesse de son temps» (PHILON, *Leg. G.* 142). «Les
gens instruits (οἱ λόγιοι) pensaient que la sécurité du Temple s'abolissait
d'elle-même» (FL. JOSÈPHE, *Guerre,* VI, 295). PLUTARQUE: τοὺς σοφοὺς
καὶ λογίους (*Prim. frigid.* 955 *d*); «les plus savants des Romains» (*Numa,*
XII, 2), «les plus savants des Delphiens» (*Def. or.* 42); «Aristote le plus
savant des philosophes» (*Alexandre,* VII, 2); «Elle ne refuse pas de converser
avec les doctes» (HÉLIODORE, *Ethiop.* II, 33, 7; cf. III, 19, 3). Phrynichus
observant que les anciens qualifiaient de λόγιος l'homme qui, connaissant
les coutumes de chaque peuple, sait les exposer (édit. Lobeck, p. 198),
on donnera à ce terme la nuance d' «informé» ou de «compétent», tel Diodore
de Sicile au dire d'Eusèbe (*Praep. Ev.* I, 6, 9). C'est ainsi que des écrivains
bien informés relatent les cures merveilleuses opérées par Sarapis (STRABON,
XVII, 1, 7); «nous avons recueilli une très vieille tradition rapportée par les
hommes informés de toute la Grèce» (PHILON, *Leg. G.* 237); «Ces vérités
sont déjà reconnues par les plus célèbres d'entre les doctes de l'ancien
temps» (*Post. C.* 162); «Judas, le fils de Sariphaeus et Matthias le fils de
Margalothus, très informés des Juifs et interprètes de leurs lois ancestrales»
(FL. JOSÈPHE, *Ant.* XVII, 149); «les plus instruits des indigènes (οἱ λογιώτατοι)
racontent un mythe» (DIODORE DE SICILE, II, 4, 3; cf. DENYS D'HALICAR-
NASSE, V, 17, 3; VI, 1, 2). L'épithète est spécialement appliquée aux Egyptiens qui ont donné aux historiens la connaissance de leurs anciennes

---

σχολαστικῷ ἐκδίκῳ (Ve s.); 2177, 37–40; *P.S.I.* 76, 11: διὰ τοῦ λογιωτάτου ἐκδίκου τῆς
'Αλεξανδρέων (VIe s.); *B.G.U.* 836, 7: διὰ τοῦ λογιωτάτου ἐκδίκου τῆς 'Αρσινοΐτων (époque
de Justinien); cf. 401, 7 (VIIe s.); *P. Lond.* 1732, 4; *P. Apol. Anô,* 46, 5: «J'ai proposé
en présence du Très Saint Evêque, du Très Eloquent Défenseur (τοῦ λογιωτάτου
ἐκδίκου) et du Seigneur Basilios...» (VIIIe s.). P. M. MEYER, *Juristische Papyri,* Berlin,
1920, n. 20, 81. Cf. E. VON DRUFFEL, *Papyrologische Studien zum byzantinischen
Urkundenwesen im Anschluß an P. Heidelberg 311²,* Munich, 1970, pp. 40, 52.

[1] Cf. PHILON, *Virt.* 174: l'orgueilleux «pense être le plus juste, le plus éloquent,
le plus savant, δικαιότατος, λογιώτατος, ἐπιστημονικώτατος». Ménécrate de Sosandra:
ἰατρὸν καὶ φιλόσοφον, ἥρωα, λό[γιον (ou -γιστήν), στρατηγόν (V. NUTTON, *Menecrates
of Sosandra, Doctor or Vet?,* dans *Z.P.E.,* XXII, 1976, p. 93).

traditions: «La relation que je tenais des plus doctes grands prêtres de cette docte Egypte»[1]. On pourrait donc traduire par «expert», comme Hippodamos de Milet «se voulant capable de raisonner (λόγιος βουλόμενος) sur la nature entière» (ARISTOTE, *Polit.* II, 8, 1; 1267 *b*), les haruspices étrusques (οἱ λόγιοι) interprétant un songe (PLUTARQUE, *Sylla*, VII, 7; cf. *Defect. orac.*, 433 *d:* οἱ λογιώτατοι Δελφῶν), Acésinos médecin expert (ἰατρὸς λόγιος, HÉLIODORE, *Ethiop.* IV, 7, 4). Appliquée à Apollos, la désignation est particulièrement heureuse, puisque celui-ci est «puissant dans les Ecritures... il enseignait exactement ce qui regarde Jésus» (*Act.* XVIII, 24–25). Il transmet donc une tradition dont il est parfaitement averti et possède une parfaite maîtrise des saintes Ecritures. C'est un scientifique apte à communiquer chaleureusement ses convictions.

c) λόγιος est enfin un titre d'honneur[2], et cette nuance n'est pas à exclure des *Act.* XVIII, 24 où l'on pourrait entendre ἀνὴρ λόγιος = homme éminent ou très distingué. C'est ainsi qu'au IIIe siècle, υἱὸς λόγιος signifie «noble fils» (*P. Oxy.* 2476, 4). «A sa Magnificence l'*Archon* et à son très distingué collaborateur, καὶ τῷ λογιωτάτῳ αὐτοῦ συμπόνῳ» (1919, 2; VIIe s.); ἄρχοντος Πυρράκου τοῦ λογίου[3]. «Timothée s'est souvenu... de ses très distingués et très chers amis, ἐμνήσθη... τῶν λογιωτάτων καὶ φιλτάτων» (DITTENBERGER, *Or.* 408). Nuance affective et admirative[4] qu'on impliquera dans la mention de saint Luc, qui a manifestement été séduit par la prestigieuse figure du jeune docteur alexandrin.

---

[1] *Ep. Aristée*, 6. HÉRODOTE II, 3: «Les prêtres d'Héliopolis passent pour les plus savants des Egyptiens»; II, 77: «Parmi les Egyptiens, ceux qui habitent la partie de l'Egypte où l'on sème des grains... sont entre tous les hommes de beaucoup les plus savants»; PHILON, *Vit. Mos.* I, 23: les savants (ou: les compétents, οἱ λόγιοι) en Egypte transmirent à Moïse la connaissance des sciences et la philosophie. FL. JOSÈPHE, *Ant.* I, 165; II, 75; PLUTARQUE, *Solon*, XXVI, 1: «Psénopis d'Héliopolis et Sonkhis de Saïs étaient les plus savants des prêtres»; selon Théophraste, la race égyptienne est la plus cultivée (τὸ λογιώτατον, dans PORPHYRE, *De Abstin.* II, 5; cf. EUSÈBE, *Praep. Ev.* I, 9, 7).

[2] Cf. *P. Leipz.* 37, 24: τῇ σῇ λογιότητι (IVe s.); *P. Oxy.* 902, 13 (Ve s.), *Sammelbuch*, 6000, col. II, 6 (VIe s.); 4490, 9 (VIIe s.); EUSÈBE, *Praep. Ev.* I, 9, 7.

[3] CH. MICHEL, *Recueil d'Inscriptions grecques*, 1170 (Ier s.); DION CASSIUS, LX, 19, 1: «Aulus Plautius, sénateur distingué, λογιμώτατος». Qualification fréquente du prytane dans les inscriptions, cf. E. ORTH, *op. c.*, pp. 70 sv.

[4] Cf. la présentation de Lamprias par Plutarque (*Quaest. conv.* I, 622 *e*). Une femme dira de son mari: μετὰ συναινέσεως Μάρκου τοῦ λογιωτάτου μου συμβίου (*P. Oxy.* 126, 6; du VIe s.). λογιότης est devenu un titre d'honneur du protocole épistolaire chrétien, *Sammelbuch*, 8003, 8 (IVe s.); *P. Ross.-Georg.* III, 9, 19 (= M. NALDINI, *Il Cristianesimo in Egitto*, Florence, 1968, n. 77). L. DINNEEN, *Titles of Address in Christian Greek Epistolography*, Washington, 1929, pp. 47–48.

λοιδορέω, λοιδορία, λοίδορος

La signification de ces termes a évolué dans la langue biblique, encore que plusieurs emplois se rencontrent avec l'usage profane [1]. Dans les Septante, ils traduisent surtout רִיב «se quereller», et désignent dans le Pentateuque la querelle de Mériba [2]. Cette acception de «dispute» est encore celle des Sapientiaux, à propos de la femme querelleuse (*Prov.* xxv, 24; xxvii, 15; מִדְוֹן) et de l'homme querelleur (xxvi, 21), et l'on précise que «c'est un honneur pour l'homme de s'abstenir de la dispute» (xx, 3). Ce sens devient plus péjoratif dans *Prov.* x, 18: «insulte» (דִּבָּה) et dans le Siracide (xxii, 24; xxvii, 21), où les injures vont de pair avec les malédictions (xxix, 6) et l'insulteur avec l'orgueilleux (xxiii, 8). Finalement les insultes les plus grossières s'accompagnent de blasphèmes (*II Mac.* xii, 14), et sont l'expression de la haine (FL. JOSÈPHE, *Ant.* xvii, 37).

Dans le N. T., les Pharisiens injurient l'aveugle-né (*Jo.* ix, 28), et saint Paul ayant traité le grand prêtre de muraille blanchie, on l'accuse de l'avoir injurié (*Act.* xxiii, 4); c'est que la λοιδορία est une manifestation d'ὕβρις [3]. Des paroles, on en vient aux coups; les insultes provoquent des altercations et le sang coule [4]. Or le Christ a été l'objet d'outrages et de coups [5], et les

---

[1] Par exemple, *Jér.* xxix, 27: «pourquoi n'as-tu pas réprimandé Jérémie?» (גָּעַר). Cf. *I Tim.* v, 14: la conduite des jeunes veuves ne doit donner prise à aucune *loidoria*, à aucun reproche blessant, aucune critique outrageante; XÉNOPHON, *Banquet*, IV, 32: «quand j'étais riche, on me blâmait fort de fréquenter Socrate»; PLUTARQUE, *Nicias*, II, 1: «Sa naissance (on le disait étranger, né à Cos) lui valait de dures attaques»; *P. Zén. Cair.* 59840, 14: «Ce n'est pas sans disputes que j'occupe le local».

[2] *Ex.* xvii, 7; cf. ỹ. 2; *Nomb.* xx, 3, 13, 24; *Deut.* xxxiii, 8.

[3] Les deux termes son associés, *P.S.I.* 222, 14; comme λοίδορος et ὕβρις (*Test. Benj.* v, 4), λοιδορεῖν et ὑβρίζειν (DITTENBERGER, *Syl.* 1109, 75; *P. Mil. Vogl.* 24, 37: λέγει μοι λοιδορεῖσθαι ὑπ' αὐτῆς τὰ πλεῖστα ἀδίκως καὶ ὑβριστικῶς).

[4] *Ex.* xxi, 18: «Quand deux hommes se querellent et que l'un a frappé son prochain avec une pierre ou avec le poing»; *Sir.* xxii, 24: «Avant le sang arrivent les injures»; PHILON, *Somn.* II, 168: réunion de buveurs «pleine de préoccupation, d'abattement, de rixes, d'injures, de coups et de blessures, de gens qui grondent, qui aboient, se prennent à la gorge, font du pancrace, s'arrachent les oreilles, le nez...»; *P. Oxy.* 237; col. vi, 21: ἐπὶ φθόνῳ δὲ μόνον λοιδορούμενος καὶ δεινὰ πάσχων ἀπ' ἐμοῦ; *Acta Alexandrinorum*, xviii, col. i, 2: λοιδοροῦντα καὶ βιάζοντα.

[5] Cf. *Mt.* xxvii, 39, 41, 44; *Mc.* xv, 29; *Lc.* xxiii, 11, 35–36; *Jo.* xix, 2–5.

esclaves chrétiens sont exhortés à imiter son silence obstiné: «Outragé, il ne rendait pas l'outrage»[1]. Les Apôtres en donnent l'exemple: quand on les injurie, ils ne se lassent pas de répondre par la patience et le pardon[2], et tous les chrétiens s'abstiendront semblablement de répondre aux injures par d'autres injures (*I Petr.* III, 9), ils bénissent ceux qui les maudissent (*Lc.* VI, 28; *Rom.* XII, 14). Au talion de la justice aboli par le Seigneur (*Mt.* v, 38–39) est substituée la réponse de l'amour.

Ce n'est pas sans mérite, car toute insulte est une offense à l'honneur[3], d'autant plus qu'elle s'accompagne souvent de railleries méprisantes[4]. Mais saint Paul ne tolère aucune concession, il range l'insulteur entre l'idolâtre et l'ivrogne, indigne de porter le nom de frère (*I Cor.* v, 11) et l'exclut du Royaume de Dieu (VI, 10). On s'est étonné de cette sévérité. Mais il faut se rappeler que toute la révélation biblique dénonce semblablement les péchés de paroles[5] et que «la plupart des hommes entendent les injures avec plaisir» (FL. JOSÈPHE, *C. Ap.* II, 4). On s'injuriait pour un oui ou pour un non[6]. Il y aurait même eu des «joutes d'injures» (PHILON,

---

[1] *I Petr.* II, 23: ὃς λοιδορούμενος οὐκ ἀντελοιδόρει. Cf. PHILON, *Decal.* 75: «Dans ces requêtes, ils verraient non des vœux, mais des imprécations qui provoqueraient leur colère et les inciteraient à riposter à l'outrage en invectivant à leur tour»; FL. JOSÈPHE, *Guerre*, II, 302: «Florus ordonne de lui remettre ses insulteurs, ajoutant qu'ils ressentiraient sa vengeance s'ils ne lui livraient pas les coupables. Les notables... implorèrent le pardon de ceux qui avaient mal parlé de Florus».

[2] *I Cor.* IV, 12: λοιδορούμενοι, εὐλογοῦμεν; cf. L. CERFAUX, *L'antinomie paulinienne de la Vie apostolique*, dans *Recherches de Science religieuse*, 1951, pp. 221–235.

[3] XÉNOPHON, *Hiéron.* 1, 14: «Ce qu'il y a de plus pénible à entendre, à savoir l'injure». PLUTARQUE, *C. Gracchus*, IV, 5–6: «Toi, tu insultes Cornelia, qui mit au monde Tiberius!»; *Démosth.* XXII, 3; *Cicéron*, XXVI, 7. Cf. *P. Tebt.* 44, 16: ἐλοιδόρησέν με καὶ ἀσχημόνει; C. SPICQ, *La Justice*, Paris, 1935, II, pp. 369–392.

[4] Cf. ce témoin qui, passant dans la rue, a vu Athenaïs injurier, railler et frapper Chrysis (*P. Hib.* 200, 7).

[5] Cf. C. SPICQ, *op. c.*, pp. 105 sv., outrages, diffamation, zizanie, moquerie, etc.

[6] XÉNOPHON, *Anab.* VII, 5, 11: «Seuthès se mit à injurier Héracleidès pour n'avoir pas aussi invité Xénophon»; THÉOPHRASTE, *Caract.* XXVIII, 5: «Si dans une compagnie quelqu'un vient à se retirer, le médisant prend aussitôt à partie l'absent et, une fois en train, insulte toute sa famille»; FL. JOSÈPHE, *C. Ap.* II, 148: «Apollonios n'a pas réuni ses griefs en un faisceau comme Apion; mais ils les a semés çà et là, tantôt nous injuriant comme athées et misanthropes...»; PLUTARQUE, *Pélopidas*, VIII, 8: «Chlidon demanda la bride. Sa femme prise au dépourvu, lui dit qu'elle ne pouvait la lui donner, qu'elle l'avait prêtée à un ami. Il s'ensuivit d'abord des injures, puis des paroles de mauvais augure»; DIODORE DE SICILE, XX, 33: «Lysiscus, s'étant pris de vin, se répandit en injures contre son prince. Cependant, Agathocle... ne répondit que par des plaisanteries à cette violente attaque. Mais son fils Archagathus ne put se contenir et s'emporta en attaques. Le souper fini... Lysiscus se mit pendant la route

Agric. 110; cf. Stobée, *Flor.* xix, 4; t. iii, p. 530). Le commun s'y livre sans retenue. Epictète présente l'homme qui, au théâtre, avait pris parti d'une façon inconvenante: «Pourquoi donc t'injuriaient-ils? Parce que tout homme a horreur de ce qui le gêne. Eux voulaient faire couronner un tel, toi un autre. Eux te gênaient, et toi tu les gênais. Tu t'es trouvé le plus fort. Ils ont fait ce qu'ils pouvaient faire, ils ont injurié le gêneur... Les agriculteurs n'injurient-ils pas Zeus quand il les gêne? les matelots ne l'injurient-ils pas? Cesse-t-on d'injurier César...?» (iii, 4, 6–7).

Si les textes les plus durs contre la λοιδορία sont ceux de *I Cor.*, c'est que ce vice devait être plus spécialement répandu dans le bas-peuple issu des affranchis que César avait implantés dans la ville en 44, et qui s'était accru de colons si vulgaires qu'ils suscitaient les plaintes des poètes Alciphron (*Ep.* iii, 15) et Crinagoras (*Anth. Palat.* ix, 284). On sait aussi l'engouement qu'ils portaient aux Cyniques qui se faisaient une spécialité de l'agressivité grossière: «Pour ce qui doit te caractériser surtout, voici: être impudent, effronté et injurier tout le monde sur un pied d'égalité, rois comme particuliers, c'est le moyen d'attirer les regards et de passer pour viril... tous les traits d'une bête fauve et d'un animal sauvage. Loin de toi la pudeur, la décence et la mesure» [1].

à injurier Archagathus... Archagathus, outré de colère et ne pouvant plus se contenir, arracha à l'un de ses gardes qui se trouvaient près de lui une pique, et en plongea le fer dans le flanc de Lysiscus qui expira sur place»; *P. Oxy.* 2264, 43. – On peut lire chez Galien des tirades d'injures contre ses confrères (B. P. Reardon, *Courants littéraires grecs*, Paris, 1971, p. 61). La dérison, le persiflage, le sarcasme étant une forme de la critique dans la littérature antique (G. W. Coats, *Self-Abasement and Insult Formulas*, dans *J.B.L.* 1970, pp. 14–26). Lucien en est sans doute le plus riche fournisseur (J. Bompaire, *Lucien écrivain*, Paris, 1958, pp. 473–484). Cf. C. Spicq, *Les Epîtres Pastorales*[4], Paris, 1969, i, pp. 86–88; 105; 150, n. 3; 503; ii, pp. 610, 686.

[1] Lucien, *Philosophes à l'encan*, 10; L'éditrice Th. Beaupère commente: «Lucien ne perd pas une occasion de stigmatiser la grossièreté du Cynique. Bruyant (βοῶντος, § 11), mal embouché et agressif, il est généralement caractérisé par l'injure qu'il prodigue comme le chien aboie (ὑλακτήσῃ, § 7) après ceux qui s'approchent (cf. *Fug.* 14: βοᾶν, μᾶλλον δὲ... ὑλακτεῖν καὶ λοιδορεῖσθαι ἄπασι, et *Fug.* 27: λοίδορον, *Neky.* 4: λοιδορούμενον)» (Paris, 1967, ii, p. 51, n. 96).

λουτρόν

Il ne s'agit pas ici d'une étude théologique du baptême (*Eph.* v, 26; *Tit.* III, 5), à laquelle les textes profanes n'apportent aucune lumière. Mais si un sacrement est le signe d'une réalité sacrée, il importe d'évoquer ce que représentait ce signe pour un Juif ou un Grec du Ier siècle. Or λουτρόν a trois acceptions: l'endroit où l'on se baigne, la salle de bains [1], l'eau pour se baigner (SOPHOCLE, *Antigone*, 1201: λούσαντες ἁγνὸν λουτρόν), l'action de se baigner (la baignade). Cette dernière acception est celle des Septante [2].

a) Le bain public ou privé était largement répandu dans l'antiquité [3], et les papyrus fournissent une documentation abondante sur ces établissements balnéaires, leurs fondateurs, leurs employés, leur aménagement, leur fonctionnement [4], et les prix [5]. Si le bain est d'abord une pratique

---

[1] Ps. XÉNOPHON, *Constitution des Athéniens*, II, 10; *P. Oxy.* 1252, *verso* 22; *B.G.U.* 14, col. III, 18; DITTENBERGER, *Or.* 339, 33; cf. L. ROBERT, *Etudes épigraphiques et philologiques*, Paris, 1938, p. 131. J. YSEBAERT, *Greek Baptismal Terminology*, Nimègue, 1962, pp. 12, 21, 62 sv.

[2] *Cant.* IV, 2; VI, 5: «Tes dents sont comme un troupeau de brebis tondues qui remontent de la baignade (ἀπὸ τοῦ λουτροῦ; ou du lavoir: רחצה)»; *Sir.* XXXIV, 25: βαπτιζόμενος ἀπὸ νεκροῦ καὶ πάλιν ἁπτόμενος αὐτοῦ, τί ὠφέλησεν ἐν τῷ λουτρῷ αὐτοῦ, c'est-à-dire: qui se plonge ou qui s'immerge (dans l'eau) après le contact (ou la souillure) d'un mort et le touche à nouveau, quel profit retire-t-il de sa baignade (de son bain de pureté, de son ablution)? Cf. FL. JOSÈPHE, *Ant.* VIII, 356: «dans son chagrin, le roi ne prit ni bain, ni nourriture»; *C. Ap.* I, 282: il est prescrit au lépreux guéri «force purifications: de laver ses souillures en se baignant dans les eaux de source».

[3] R. GINOUVÈS, *Balaneutiké. Recherches sur le Bain dans l'Antiquité grecque*, Paris, 1962. PLAUTE, *Poenulus*, 217 sv.: «Depuis l'aurore jusqu'à l'heure qu'il est nous n'avons eu, toi et moi, qu'une occupation: nous baigner, nous frotter, nous essuyer, nous équiper, nous polir, nous repolir».

[4] *P. Oxy.* 1252, *verso* 22; 892, 11; 1889, 8; 1921, 12–13 (carreaux de mica adaptés aux fenêtres de deux établissements de bain, cf. L. ROBERT, *Scripta Minora*, Amsterdam, 1969, II, p. 933), 1925, 38: ἐπάνω τῆς θύρας τοῦ λουτροῦ; 2006, 2: βαλανεὺς τοῦ λουτροῦ; 2569, 7; 2599, 31; 2718, 12; *P. Zén. Michig.* 38, 33; *P. Lugd. Bat.* XVI, 22, 5; 30, 1, 5; *P. Iand.* 146, col. XI, 5 (location d'un chiton pour le bain); *P. Ross.-Georg.* III, 46, 1; *Stud. Pal.* XX, 238 *verso* 8. Des femmes se plaignent d'avoir été frappées et chassées de leur baignoire, dans un bain public (*P. Ent.* 83) ou brûlées par l'eau chaude (*P. Ent.* 82; sur les bains chauds, cf. XÉNOPHON, *Econ.* V, 9; ATHÉNÉE, I, 18c;

hygiénique, un nettoyage: on se lave pour être propre [1], il y a bien d'autres motifs: les bains de plaisir ou d'agrément dans les rivières [2], bains de délassement qui dissipent les soucis [3], bains contre la chaleur (*Dan. Suz.* 15, Théodot.; ESOPE, *Fables*, 73), bains compléments des exercices sportifs [4], bains remèdes en cas de maladie [5] ou pour les vieillards, et les cultivateurs fatigués de leurs travaux: γεροντικὰ λουτρὰ θερμά (PLATON, *Lois*, VI, 761 c).

b) Si la baignade répond surtout à un goût de propreté, l'eau sera aussi un moyen de procurer la pureté et d'éliminer les souillures morales. Philon met en valeur ce rapport d'efficacité de l'eau pour le corps et de symbolisme pour l'âme: «Ils nettoient leur corps de bains et de lustrations, mais laver leur âme des passions dont la vie est salie, ils ne le veulent ni ne s'en soucient» (*Chérub.* 95); «En se lavant ainsi de ce qui la souillait, en se servant

---

v, 207 *f*; DITTENBERGER, *Syl.* 888, 124: θερμῶν ὑδάτων λουτρά; VITRUVE, *Arch.* v, 11, 2; J. POLLUX, *Onom.* VII, 166; STOBÉE, *Flor.* XCVII, 31; t. v, pp. 814–815). Cf. W. PEREMANS, E. VAN'T DACK, *Prosopographia ptolemaica* v, Louvain, 1963, pp. 91 sv. H. MAEHLER, *Zwei neue Bremer Papyri*, dans *Chronique d'Egypte*, 1966, p. 346; R. ETIENNE, *La Vie quotidienne à Pompéi*, Paris, 1966, pp. 411–425. Les bienfaiteurs offrent des λουτρά aux éphèbes (*Inscriptions de Priène*, CXII, 76–77) ou à leur ville (*Inscription de Iotapè*, dans L. ROBERT, *Documents de l'Asie Mineure méridionale*, Genève-Paris, 1966, p. 75).

[5] THÉOPHRASTE, *Caract.* IX, 8; F. SOKOLOWSKI, *Lois sacrées de l'Asie Mineure*, Paris, 1955, n. 23, 10. Sur ces bains rituels, cf. IDEM, *Supplément* (1962), n. 25 A 9; 108, 6 (Rhodes, Ier s. de notre ère). IDEM, *Lois sacrées des cités grecques*, Paris, 1969, n. 52, 22 (Athènes, Ier s. de notre ère).

[1] *Jo.* XIII, 10. D'où les accessoires: éponge, strigile, savon; celui-ci à base de potasse ou d'alcali (*Job*, IX, 30; *Jér.* II, 22; *P. Ent.* 82; cf. R. GINOUVÈS, *op. c.* p. 142), parfois parfumé à l'iris (ATHÉNÉE, IX, 409 *e;* cf. PLUTARQUE, *Démétr.* 27).

[2] *Or. Sibyl.* IV, 165: «Baignez dans les fleuves d'eau vive votre corps tout entier» (vers 80 de notre ère). Bains chauffés: εἰς μακαρίαν τὸ λουτρόν (ANTIPHANE, *Fragm.* 245; dans J. M. EDMONDS, *The Fragments of Attic Comedy*, Leiden, 1959, II, p. 290), accompagnés d'onguents et de parfums (*Is.* LVII, 9; *Dan.* XIII, 5; cf. *II Sam.* XI, 2; cf. en 92 av. J.-C. aux mystères d'Andania: ἀλείμματος καὶ λουτροῦ, DITTENBERGER, *Syl.* 736, 106 = F. SOKOLOWSKI, *Lois sacrées des cités grecques*, n. 65. Sur l'art du bain (βαλανευτική), qui va de pair avec celui de la parure (κοσμητική), cf. PLATON, *Soph.* 227 *a; Polit.* 282 *a.*

[3] Λουτρὸν ἀλεξίπονος (J. et L. ROBERT, *Bulletin épigraphique*, dans *R.E.G.* 1961, n. 854).

[4] ARISTOPHANE, *Oiseaux*, 140: «tu rencontres mon fils quittant le gymnase, tout baigné»; *Suppl. Ep. Gr.* XIII, 488, 9: ὕδωρ εἰς τὴν παλαίστραν. Cf. J. DELORME, *Gymnasion*, Paris, 1960, pp. 304–311 et *passim.*

[5] Cf. le bain de Naaman (*II Rois*, v, 1–14); HIPPOCRATE, *Régime des maladies aiguës*, 18 (édit. Littré II, pp. 365 sv.); PAUSANIAS, II, 27, 6; semblablement prescrit par les Ebionites et les Elchasaïtes. Les charlatans interdisaient les bains aux épileptiques (HIPPOCRATE, *Maladie sacrée*, 1; édit. Littré, VI, p. 355).

des eaux lustrales de l'intelligence et de ses moyens de purification, elle devait briller avec éclat» (*Mut. nom.* 124; cf. *Plant.* 116, 162). De même *l'Oracle de la Pythie:* «Avance pur de cœur, étranger, dans le sanctuaire du dieu pur. Lave-toi à la source des Nymphes. Quelques gouttes suffisent aux bons; mais l'Océan n'aurait pas assez d'eau pour purifier le méchant» (*Anthol. Palat.* XIV, 71; cf. EURIPIDE, *Hippolyte*, 317: «mes mains sont pures, c'est mon cœur qui est souillé»). A ce titre, le bain a une valeur religieuse et il est un rite pratiqué non seulement en Israël et par les sectes juives [1], mais chez les Grecs et, peut-on dire, chez tous les peuples [2], notamment lorsqu'on doit s'approcher de la divinité: «Il est normal qu'on ne puisse pas entrer dans le sanctuaire sans s'être auparavant lavé le corps par un bain complet» (PHILON, *Quod Deus sit im.* 8). Cet effet purificateur de la baignade est mis en valeur dans *Eph.* v, 26: «Le Christ a aimé l'Eglise: il s'est livré pour elle, afin de la sanctifier en la purifiant par le bain de l'eau qu'une parole accompagne, τῷ λουτρῷ τοῦ ὕδατος ἐν ῥήματι, car il voulait se la présenter à lui-même toute resplendissante, sans tache ni ride ni rien de tel, mais sainte et immaculée» [3]. Le datif instrumental τῷ λουτρῷ détermine la manière: «la purification s'accomplit par le moyen et sous la

---

[1] *Lév.* XV, 21 sv., XVII, 15–16; XXII, 6; *Is.* I, 16: «Lavez-vous, purifiez-vous»; *Ez.* XXXVI, 25: «Je répandrai sur vous des eaux pures et vous serez purs; je vous purifierai de toutes vos souillures»; *Ps.* LI, 4: «Lave-moi complètement de ma faute, et de mon péché, purifie-moi». Les Septante se lavent les mains avant de prier et de traduire le texte sacré (*Ep. Aristée*, 305). Les Esséniens remplaçaient par des bains les sacrifices cultuels, et se rendaient ainsi dignes de s'asseoir à la table commune (FL. JOSÈPHE, *Guerre*, II, 129); l'eau courante, la plus pure, est destinée à la purification (II, 138; cf. *Recueil L. Cerfaux*, Gembloux, 1954, I, pp. 321–336. H. BRAUN, *Die Täufertaufe und die qumranischen Waschungen*, dans *Theologia Viatorum*, IX, 1963, pp. 1 sv.). L'ermite Banous «prenait nuit et jour, dans l'eau froide, de nombreux bains de pureté» (FL. JOSÈPHE, *Vie*, 11); les Hémérobaptistes «se baignent chaque jour dans l'eau pour se laver et se purifier de toute faute» (EPIPHANE, *Panarion*, 17); de même les Nasaréens, les Masbothéens, les Sabéens; cf. J. THOMAS, *Le Mouvement baptiste en Palestine et en Syrie (150 av. J.-C.–300 ap. J.-C.)*, Gembloux, 1935. Le Christ se montre réticent vis-à-vis des ablutions et pratiques lustrales, cf. *Mt.* XV, 1–20; XXIII, 25–26; *Mc.* VII, 1–23.

[2] ARISTOPHANE, *Grenouilles*, 355: le hiérophante exclut de l'initiation celui qui n'est pas pur d'esprit, γνώμην μὴ καθαρεύει. Une inscription du temple d'Epidaure: «Que nul n'entre en ce Temple odorant s'il n'est pur; être pur, c'est avoir la conscience pure» (PORPHYRE, *Abst.* II, 19; CLÉMENT D'ALEXANDRIE, *Strom.* V, 1; *P.G.* IX, 28); THÉOPHRASTE, *Caract.* 16; EURIPIDE, *Oreste*, 1602–1603; ARISTOPHANE, *Oiseaux*, 958, 959; *Paix*, 956. Cf. A. J. FESTUGIÈRE, *La Grèce. La Religion*, dans M. GORCE, R. MORTIER, *Histoire générale des Religions*, Paris, 1944, II, pp. 54 sv., 115; L. MOULINIER, *Le pur et l'impur dans la pensée des Grecs*, Paris, 1952, pp. 25 sv., 102 sv. et *passim*.

[3] J. CAMBIER, *Le grand mystère concernant le Christ et son Eglise, Ephésiens V*,

forme d'un bain d'eau» [1], spécifié par ἐν ῥήματι : la formule sacramentelle. Il s'agit du baptême, qui lave des péchés (ἀπολούεσθαι, *Act.* XXII, 16; *I Cor.* VI, 11) et blanchit l'âme (λευκαίνειν, *Apoc.* VII, 14).

Toute la péricope enseigne que l'union du Christ et de l'humanité [2] est le modèle de l'amour conjugal dans l'Eglise : un amour d'intimité, un amour de fécondité [3]. Dès lors le *loutron* ne vise pas la propreté ni une purification requise après un acte sexuel [4], mais la fécondité dont les Grecs faisaient la fin principale du mariage [5]. Il évoque le bain prénuptial des jeunes filles, le λουτρὸν... νυμφικόν [6]; l'eau étant pour la terre une source de fertilité [7],

---

22–33, dans *Biblica*, 1966 pp. 43–90; C. Spicq, *Agapè* I, Paris, 1958, p. 289; M. Barth, *Ephésians*, New York, 1974, II, pp. 691 sv.

[1] H. Schlier, *Der Brief an die Epheser*, Düsseldorf, 1957, p. 257. Cf. *Hébr.* X, 22: ῥεραντισμένοι τὰς καρδίας ἀπὸ συνειδήσεως πονηρᾶς καὶ λελουσμένοι τὸ σῶμα ὕδατι καθαρῷ; Philon, *Spec. leg.* I, 258, 261.

[2] Sur le *hiéros gamos*, cf. A. Robert, R. Tournay, *Le Cantique des Cantiques*, Paris, 1963, pp. 355 sv.; Ed. des Places, *La Religion grecque*, Paris, 1969, pp. 29, 88, 90; H. Graillot, *Hiéros Gamos*, dans Daremberg, Saglio, *Dictionnaire des Antiquités grecques et romaines*, III, 177–181; A. Klinz, dans Pauly-Wissowa, *Real-Ency.* Suppl. VI, 107–113; M. Launey, *L'athlète Théogène et le ΙΕΡΟΣ ΓΑΜΟΣ d'Héraclès Thasien*, dans *Rev. Archéologique*, 1941, 2, pp. 22–49; L. Cerfaux, J. Tondriau, *Le Culte des Souverains*, Paris-Tournai, 1957, pp. 119, 423; R. A. Batey, *Jewish Gnosticism and the «Hieros Gamos» of Eph. V, 31–33*, dans *NTS*, X, 1963, pp. 121–127; G. Freymuth, *Zum Hieros Gamos in den antiken Mysterien*, dans *Museum Helveticum*, 1964, pp. 86–95; J. G. Février, *A propos du hiéros gamos de Pyrgi*, dans *Journal Asiatique*, 1965, pp. 11–14; Y. Grandjean, *Une nouvelle arétalogie d'Isis à Maronée*, Leiden, 1975, p. 57.

[3] J. A. Robillard, *Le symbolisme du mariage selon saint Paul*, dans *Rev. des Sciences ph. et th.* 1932, pp. 243–247.

[4] Cf. *Inscriptions de Pergame*, 264 (IIe s. ap. J.-C., réédité *Suppl. Ep. Gr.* IV, 681; F. Sokolowski, *Lois sacrées de l'Asie Mineure*, n. 14; cf. 18); *Inscriptions de Lindos*, 487.

[5] Solon voulait que le mariage «fut une union de vie entre l'homme et la femme pour avoir des enfants» (Plutarque, *Solon*, XX, 6; cf. XXII, 4). Selon Lycurgue, on marie les filles «seulement pour qu'elles aient des enfants» (Idem, *Numa*, XXVI, 1–3); Ps. Démosthène, *C. Néaira*, 122; Xénophon, *Economique*, VII, 10–14; Philon, *Praem.* 139: «les femmes qu'ils ont légitimement épousées pour avoir des enfants légitimes»; Fl. Josèphe, *Guerre*, II, 161: Les Esséniens «se marient non pour le plaisir, mais pour procréer des enfants».

[6] Aristophane, *Lysistrata*, 378: «Si tu as à lessiver par hasard, je te fournirai un bain, moi... et un bain nuptial encore»; cf. *Paix*, 843 sv.; Euripide, *Phéniciennes*, 347: «L'Isménos non plus n'a pas été associé à ton hymen en fournissant le bain nuptial»; Eschyle, *Prométh. enchaîné*, 556: «Le chant d'hyménée que j'entonnais jadis autour du bain et du lit de tes noces»; Thucydide, II, 15, 5: «On se sert de cette eau (de Callirhoé) avant les mariages ou pour d'autres actes sacrés»; Hippolyte, *In Daniel*, XVI, 3. A. Médebielle (*Epîtres de la captivité*, Paris, 1938, p. 67) cite à bon

le bain nuptial serait un rite de fécondité, censé favoriser la procréation;
à tout le moins favorise-t-il l'accès à un nouveau mode d'existence (EURI-
PIDE, *Iphigénie en Taur.* 818). Dans *Eph.* v, 26, la purification-propreté
(*katharizô*) est aussi une sanctification-consécration (ἵνα αὐτὴν ἁγιάσῃ): Le
Christ s'appropie comme épouse l'Eglise qu'il a lavée de ses péchés (cf.
Act. xxii, 16).

c) Si l'eau est condition de fertilité et de vie, la baignade ou immersion,
par sa structure même d'entrée et de sortie, symbolise en outre l'effacement
du passé, le fin d'une existence antérieure et rend possible un renouveau:
on renaît de l'eau et de l'Esprit[1]. Le baptisé est une créature nouvelle[2].
Le rite du *loutron* symbolise cette métamorphose[3]. Engendré par le bain,
on en ressort meilleur et vigoureux. D'où *Tit.* iii, 5: «Il nous a sauvés,
selon sa miséricorde, par un bain de régénération et de rénovation du Saint-
Esprit»[4]. Saint Ambroise commentera exactement: «le Père t'a engendré
par le bain» (*De Sacr.* v, 19; Sources Chrétiennes, 25, p. 93).

---

droit *Ez.* xvi, 4, 9; cf. xxxvi, 25–27; PLUTARQUE, *Amatoriae narrationes,* 772 B;
R. Ginouvès (*op. c.* pp. 267 sv.), les lexicographes, Eustathe, la *Souda,* Photius,
qui mentionnent ce bain pratiqué avant la célébration du mariage. Cf. M. COLLIGNON,
Louthrophoros, dans DAREMBERG, SAGLIO, *Dictionnaire des Antiquités grecques et
romaines,* iii, 1317; J. LEIPOLDT, *Die urchristliche Taufe im Lichte der Religions-
geschichte,* Leipzig, 1928; G. WAGNER, *Pauline Baptism and Pagan Mysteries,* Edim-
bourg-Londres, 1967; OEPKE, λούω, *TWNT,* iv, 298–302. En Israël, cf. *Schab.* 77 b,
27; *Aboth Rab. Nathan,* 41 (STRACK, BILLERBECK, i, p. 506, *c*).

[7] Cf. *Ag.* i, 10: «la pluie fait enfanter (הוֹלִידָה) la terre». PH. REYMOND, *L'eau,
sa vie et sa signification dans l'Ancien Testament,* Leiden, 1958, pp. 1–8, 241 sv.

[1] *Jo.* iii, 5. Cf. F. M. BRAUN, *Jean le Théologien* iii, Paris, 1966, pp. 85 sv.; C.
SPICQ, *Théologie morale du Nouveau Testament,* Paris, 1965, i, pp. 61–102.

[2] *II Cor.* v, 17; *Rom.* vii, 6; *Gal.* vi, 15; *I Petr.* ii, 2; «Le vieil homme qu'elle a
reçu, l'eau le rendra tout neuf» (inscription du baptistère constantinien, citée par
P. TH. CAMELOT, *Spiritualité du Baptême,* Paris, 1960, p. 145).

[3] Cf. πίπτειν ἐς γένεσιν (PORPHYRE, *De Antro Nymph.* 13); *Hymne à Mandoulis:*
«Après t'être baigné dans l'eau sainte d'immortalité, tu es apparu comme un enfant»
(*Sammelbuch,* 4127, 14); cf. A. D. NOCK, *A Vision of Mandulis Aion,* dans *Harvard
Theol. Review,* 1934, pp. 53–104; A. J. FESTUGIÈRE, *La Révélation d'Hermès Tris-
mégiste,* Paris, 1944, i, pp. 49–50.

[4] Διὰ λουτροῦ παλιγγενεσίας καὶ ἀνακαινώσεως πνεύματος ἁγίου. A. J. DEY, Παλιγγενεσία,
Münster, 1937; aux références données par C. SPICQ, *Les Epîtres Pastorales*[4], Paris,
1969, ii, p. 653, ajouter F. M. BRAUN *op. c.,* pp. 154 sv.; G. R. BEASLEY-MURRAY,
Baptism in the New Testament, Londres, 1962, pp. 210, 223, 231; R. LE DÉAUT, *La
Nuit pascale,* Rome, 1963, pp. 239–257; J. K. PARRAT, *The Holy Spirit and Baptism,*
dans *The Expository Times,* 82, 1971, p. 271. Comparer le mythe du rajeunissement
de Pelias, dans APOLLODORE, *Bibl.* i, 9, 27: ποίησεν νέον; DIODORE DE SICILE, iv,
51–52 (P. J. SIJPESTEIJN, *The Rejuvenation Cure of Pelias,* dans *Zeitschrift für Papyrologie und Epigraphik,* 1972, p. 109, col. ii, 38).

λύκος

Le loup biblique (זְאֵב) est un prédateur, une bête féroce, associé au lion (*Jér.* v, 6; *Prov.* xxviii, 15; *Joseph et Aséneth*, xii, 9–10), redouté pour sa voracité [1]. Il déchire sa proie: λύκος ἅρπαξ (*Gen.* xlix, 27; *Ez.* xxii, 27). Carnassier fréquent en Transjordanie et plus féroce que le chacal, il est la terreur des bergers. On le qualifie d'assoiffé (λύκος διψῶν *Prov.* xxviii, 15; l'hébreu a «ours, דֹּב), loup des steppes (*Jér.* v, 6) et loup du soir [2].

Depuis toujours, il est mentionné comme s'attaquant surtout aux brebis ou aux agneaux. Entre eux il n'y a aucune entente possible [3], et l'âge d'or, où tous les êtres vivants se réconcilieront, est décrit comme une époque où loups et agneaux séjourneront et paîtront ensemble [4]. Au sens métaphorique, le loup est devenu un cliché littéraire, symbolisant le méchant qui exploite le faible (*Prov.* xxviii, 15), surtout les chefs, les gouvernants, les juges qui ruinent, extorquent ou asservissent leurs sujets [5]. C'est dire

---

[1] *Sammelbuch*, 9125, 4: κατέφαγεν τί ὡς λύκος. Il dévore même les cadavres: la porte d'un tombeau ayant été laissée ouverte, certains corps encore en bon état ont été mangés par les loups (*UPZ*, 187, 19 = *P. Par.* vi, 19; de 129 av. J.-C.). Aristophane, *Lysistr.* 629: «Les Lacédémoniens, auxquels il ne faut pas se fier, pas plus qu'au loup à la gueule béante»; Epictète, i, 3, 7: «C'est à cause de cette parenté avec la chair que les uns, parmi nous, inclinant vers elle, deviennent semblables à des loups, sans foi, perfides, nuisibles; les autres à des lions, cruels, brutaux, sauvages...»; Marc-Aurèle, xi, 15, 5: «Rien de plus odieux qu'une amitié de loup»; Plutarque, *Démosth.* xxiii, 5.

[2] *Hab.* i, 8; *Soph.* iii, 3 (ὀξύτερος); les Massorètes ayant lu 'ereb: soir, mais l'hébreu 'arâbâh «steppe», désert, a fait comprendre «loup d'Arabie»; cf. Marcion, «loup du Pont» (Eusèbe, *Hist. eccl.* v, 23, 4).

[3] *Sir.* xiii, 17: «Comment le loup serait-il le compagnon de l'agneau?». Les guerriers grecs s'élançant contre les Troyens, «on dirait des loups malfaisants se ruant sur des chevreaux et des agneaux, qu'ils ravissent au flanc des brebis, quand la sottise du berger les a laissés dans la montagne se séparer du troupeau» (Homère, *Il.* xvi, 352–355); «Rendant haine pour haine, je courrai sus à l'ennemi, comme un loup» (Pindare, *Pyth.* ii, 84): «Guerre... sans trêve et sans déclaration: c'est celle des loups contre les agneaux, de toutes les bêtes sauvages, aquatiques et terrestres, contre tous les humains; nul mortel n'est en mesure d'y mettre fin» (Philon, *Praem.* 87).

[4] *Is.* xi, 6; lxv, 25. Cf. Aristophane, *Paix*, 1076: «Aux dieux bienheureux, il ne plaît pas encore de mettre fin aux cris de guerre avant qu'un loup n'épouse une brebis».

[5] *Ez.* xxii, 27; *Hab.* i, 8; *Soph.* iii, 3. J. Dupont (*Le discours de Milet*, Paris, 1962, pp. 209 sv.) cite Plaute: «On aimerait mieux laisser des loups auprès des brebis que de pareils gardiens chez soi» (*Pseudolus*, 140); Térence: confier une jeune fille à un homme indigne, c'est «livrer la brebis au loup» (*Eunuchus*, 832); Ovide: «A un vautour tu confies, insensé, de timides colombes; au loup des montagnes une bergerie

combien est redoutable la perspective ouverte par le Seigneur à ses disciples: «Je vous envoie comme des brebis au milieu des loups» (*Mt.* x, 16; *Lc.* x, 3); ils risquent d'être dévorés!

En principe, le troupeau est sous la garde d'un pasteur qui le défendra contre les bêtes sauvages, mais «le mercenaire... voit venir le loup et il laisse là les brebis et prend la fuite, – et le loup les ravit et les disperse (καὶ ὁ λύκος ἁρπάζει αὐτὰ καὶ σκορπίζει) – parce qu'il est mercenaire et ne se soucie pas des brebis»[1]. Or «les loups attrapent à la chasse ce qui est privé de protection» (XÉNOPHON, *Le Commandant de la Cavalerie*, IV, 18) et le serviteur à gages se désintéresse du troupeau qui ne lui appartient pas; à l'inverse du bon Pasteur, il assure sa propre sécurité avant celle des brebis.

Les faux prophètes, docteurs de mensonge, se présentent sous les dehors les plus rassurants (ἐν ἐνδύμασι προβάτων), mais en réalité ce sont des λύκοι ἅρπαγες[2] qui détruisent ou perturbent la foi et la vie des disciples. Aussi saint Paul exhorte les Anciens d'Ephèse à être vigilants: «Je sais qu'après mon départ, il entrera chez vous des loups pesants qui n'épargneront pas le troupeau»[3].

---

bien remplie» (*Ars amat.* II, 363–364); «tu ouvres le bercail à une louve féroce» (*ibid.* III, 8; cf. *Métam.* XI, 365–375); CICÉRON: *O praeclarum custodem ovium, ut aiunt, lupum*» (*Philip.* III, 27); DION CASSIUS, LVI, 16: «Vous envoyez, pour garder vos troupeaux, non des chiens ni des bergers, mais des loups»; THÉMISTIUS, à l'empereur: «Ne permets pas qu'il échappe au jugement mérité celui qui a été établi par toi pour paître, s'il se montre loup au lieu de berger» (*Oratio*, I, 9 d); cf. *IV Esdr.* V, 18: «*in manibus luporum malignorum*» (les Romains); *II Clément*, V, 2–4.

[1] *Jo.* X, 12; cf. *P. Mert.* 24, 12: παρακαλῶ σε, οὕτως αὐτῶν ἐπιμέλου μὴ ὡς μισθωσίμων ἀλλὰ ὡς ἰδιοκτήτων σου; APOLLONIUS DE TYANE, VIII, 22: ἵνα μὴ ἐμπίπτωσι τῇ ποίμνῃ οἱ λύκοι.

[2] *Mt.* VII, 15; cf. *Didachè* XVI, 3; DION CHRYSOSTOME, XIV, 2. G. OTRANTO, *Matteo VII, 15–16 a e gli* ψευδοπροφῆται *nell'esegesi patristica*, dans *Vetera Christianorum*, Bari, 1969, pp. 33–45; O. BÖCHER, *Wölfe in Schafspelzen: Zum religionsgeschichtlichen Hintergrund von Matth. VII, 15*, dans *TZ*, XXIV, 1968, pp. 405–426.

[3] *Act.* XX, 29: λύκοι βαρεῖς. L'adjectif βαρύς «pesant, lourd» se dit d'un fardeau (*Mt.* XXIII, 4), d'où «difficile à supporter ou à enlever» (de graves accusations, *Act.* XXV, 7; des préceptes accablants, *I Jo.* V, 3; PHILON, *Spec. leg.* I, 299), «tyrannique» (*II Cor.* X, 10) et ici «désastreux» ou «cruel». Sur les bouleversements suscités par les faux prophètes dans la communauté chrétienne, cf. C. SPICQ, *Théologie morale du Nouveau Testament*, Paris, 1965, I, pp. 278–285; E. COTHENET, *Prophétisme*, dans *DBS*, VIII, 1273 sv.; O. BÖCHER, *op. c.*; G. W. H. LAMPE, «*Grievous Wolves*» (*Act. XX, 29*), dans B. LINDARS, ST. S. SMALLEY, *Christ and Spirit in the New Testament* (Mélanges Ch. Fr. Moule), Cambridge, 1973, pp. 253–268. Cf. à Qumrân, les «Enseignants d'Ephraïm» (4 *Qp. Nah.* II, 8) et le prédicateur de mensonge, A. M. DENIS, *Les Thèmes de connaissance dans le Document de Damas*, Louvain, 1967, p. 106.

λυπέω, λύπη, λυπηρός

Le chagrin ou le déplaisir (λύπη) peut affecter l'âme (λυπέω, attrister, contrister; au moyen λυπεῖσθαι: s'affliger, s'attrister) avec plus ou moins de force; mais toujours il s'oppose à la joie, à l'allégresse, au bonheur [1]. Il s'entend d'abord des souffrances physiques de l'enfantement (*Gen.* III, 16, עִצָּבוֹן; cf. PHILON, *Lois allég.* III, 200, 216–219) et du travail pénible de l'homme (III, 17; V, 29; PHILON, *Quod deter.* 121), celles-là et celui-ci étant un châtiment du péché qui conditionnera toute l'existence humaine: «Brève et pénible est notre vie» [2].

---

[1] *Sir.* XII, 9; *Prov.* XIV, 10, 13; *Is.* XXXV, 10; LI, 11; *Jo.* XVI, 20–22: les disciples seront accablés de tristesse, mais leur *lupè* – chagrin causé par la mort de Jésus – se changera en joie du fait de la résurrection du Christ (XX, 20; cf. *P. Oxy.* 1874, 21: le Seigneur changera le chagrin en joie), à l'instar de la femme qui éprouve de la peine lorsqu'elle enfante, mais qui se réjouit de ce qu'un homme est venu au monde. *II Cor.* II, 2–3; VI, 10: tout porte à croire que les Apôtres sont affligés, en réalité ils sont toujours joyeux: ὡς λυπούμενοι, ἀεὶ δὲ χαίροντες; VII, 9; IX, 7; *Hébr.* XII, 11: dans l'éducation des enfants, toute correction est afflictive (PLUTARQUE, *Ser. Num. Pun. 3*) et n'est pas perçue comme un sujet de joie; *I Petr.* I, 6: tout en étant présentement affligés (λυπηθέντες), les chrétiens tressaillent d'allégresse (ἀγαλλιᾶσθε) grâce à la certitude de leur salut. Ce paradoxe de la joie au milieu des épreuves pénibles a été enseigné par Jésus (*Mt.* V, 12), vécu par lui (*Jo.* XV, 11) et ses Apôtres (*Act.* V, 41), inculqué aux néophytes (*Rom.* V, 3–4; *I Petr.* IV, 13), prêché à tous les croyants (*Rom.* VIII, 18; *II Cor.* IV, 17; VI, 10; VII, 4; *Jac.* I, 2; W. NAUCK, *Freude im Leiden*, dans *ZNTW*, 1955, pp. 68–80). Cf. ARISTOTE, *Rhét.* I, 2; 1356, *a* 15; *Eth. Nic.* X, 1–5 (l'ἡδονή est un bien, la λύπη un κακόν); XÉNOPHON, *Hell.* VII, 1, 32; PHILON, *Quod deter.* 124, 140; *Mut. nom.* 163, 167; *Abr.* 22: «La foule... joyeuse de ce sur quoi il faut pleurer, affligée (λυπούμενος) de ce dont il convient d'être heureux»; 151: l'âme varie et change, du chagrin (λύπη), à la joie (χαρά), à la crainte, à la colère...; *Leg. G.* 15: «laissant la vie de délices, les visages s'assombrirent... avec une tristesse (λύπη) égale à la joie (χαρά) qui l'avait précédée»; *Joseph et Aséneth*, IX, 1: «Aséneth était en proie à la joie, à la tristesse et à une grande frayeur». *Testament de Judas*, XXV, 4: οἱ ἐν λύπῃ τελευτήσαντες ἀναστήσονται ἐν χαρᾷ; *Inscriptions grecques et latines de la Syrie*, 343, 2: «Joie des ennemis, chagrin des enfants» (autres références, dans BULTMANN, λύπη, dans *TWNT*, IV, p. 315). Pour remédier au chagrin, les sages recommandent la consolation ou l'encouragement (*Sir.* XXXVIII, 17; *Sag.* VIII, 9), une grâce du Seigneur (*Tob.* VII, 17), voire des boissons énivrantes (*Prov.* XXXI, 6; PHILON, *Somn.* II, 165).

[2] *Sag.* II, 1: ὀλίγος ἐστὶ καὶ λυπηρὸς ὁ βίος ἡμῶν; *Jér.* XV, 18: «Pourquoi ma douleur

Puisque «devant la douleur va la peur et derrière la douleur le chagrin» (*IV Mac.* I, 23; cf. Philon, *Quod deter.* 119), celui-ci réside dans le cœur [1] ou dans l'âme (*Bar.* II, 18; *Sir.* XXX, 21; *Mt.* XXVI, 38); c'est un véritable tourment (*Sir.* XXXVII, 2), une amertume et un abattement (*Mt.* XXVI, 37, ἤρξατο λυπεῖσθαι καὶ ἀδημονεῖν) qui s'accompagne de gémissements (*Is.* XXXV, 10; *Ps.* LV, 2; *Sag.* XI, 12), de larmes et de serrement de cœur (*II Cor.* II, 3–4; *Tob.* III, 1), rend tout dolent (*Is.* I, 5, *Lam.* I, 22; דוי), abat la vigueur du corps (*Sir.* XXXVIII, 18), du caractère (*I Mac.* VI, 4; Philon, *Quis rer. div.* 270; *Decal.* 144), de l'esprit et dessèche les os (*Prov.* XV, 13; XVII, 22). Cause d'insomnie, la tristesse peut aussi engendrer la somnolence (*Lc.* XXII, 45: κοιμωμένους... ἀπὸ τῆς λύπης), on se laisse aller (Fl. Josèphe, *Ant.* VIII, 356) et on arrive à en être malade (*I Mac.* VI, 8–9), même à en mourir: «Je meurs d'une profonde affliction en terre étrangère» (VI, 13). Sarra, la fille de Ragouël «fut tellement affligée qu'elle voulait se pendre» (*Tob.* III, 10); c'est ce que Jésus appelle: «être triste à en mourir» [2], et saint Paul met en garde de ne pas «se laisser engloutir dans l'excès de la peine, μή πως τῇ περισσοτέρᾳ λύπῃ καταποθῇ ὁ τοιοῦτος» (*II Cor.* II, 7). Ces trop grands chagrins [3] peuvent même aboutir à faire maudire Dieu (*Is.* VIII, 21).

(כאב) est-elle sans fin et ma plaie incurable?», Jacob: «Vous ferez descendre ma vieillesse dans l'affliction au Schéol» (*Gen.* XLII, 3; cf. XLIV, 29, 31; *Tob.* III, 10; *Is.* L, 11: ἐν λύπῃ κοιμηθίσεσθε; *Livre d'Hénoch*, CII, 5–7); Philon, *Abr.* 202: «La race humaine est soumise au chagrin et à la crainte»; 205: «Qu'on n'aille pas penser que la joie descende du ciel sans mélange et sans les impuretés du chagrin jusque sur la terre»; 207; *Praem.* 71; *Virt.* 200: Chagrins et craintes sont des châtiments divins; *Ps. Salom.* IV, 17.

[1] *Deut.* XV, 10; *Is.* I, 5; *Prov.* XV, 13; *Sir.* XXVI, 28; XXXXVIII, 18, 20; *Lam.* I, 22; *Jo.* XVI, 6; *Rom.* IX, 2: «J'ai une grande tristesse et une douleur incessante au cœur».

[2] *Mt.* XXVI, 38; cf. *Jon.* IV, 9; *Sir.* XXXVII, 2; cf. *UPZ*, 18, 13: ἀποθνήσκει ἐκεῖ, ὑπὸ τῆς λύπης; Fl. Josèphe, *Ant.* VI, 337: Saül rendu sans voix par le chagrin, ἄφωνος ὑπὸ λύπης; *Joseph et Aséneth*, XXIX, 9: Pharaon pleura son fils premier-né et se rendit malade de chagrin».

[3] λύπη μεγάλη, λυπεῖσθαι σφόδρα, *Rom.* IX, 2; *Gen.* XXXIV, 7; *Tob.* III, 6; IX, 4; *Jon.* IV, 1; *Dan.* VI, 15; *I Mac.* X, 68; XIV, 16; *Testament Abraham*, A 7; *Testament Job* VII, 8; XXXIV, 5; *Joseph et Aséneth*, VIII, 8: «Quand Aséneth entendit les paroles de Joseph, elle fut très affligée et elle se mit à pousser des gémissements... et ses yeux se remplirent de larmes»; XXIV, 1: Le fils de Pharaon accablé et très affligé (ἐβαρεῖτο... καὶ ἐλυπεῖτο σφόδρα) à cause d'Aséneth, souffrait (ἔπασχε κακῶς; cf. XXIV, 11–12). Au IVᵉ siècle, le médecin Eudaimon écrit à sa mère et à ses frères pour demander de leurs nouvelles: «Beaucoup de concitoyens sont revenus sans lettre (de vous) et nous étions très inquiets (ἐλυπήθημεν)... vous ne nous avez pas consolés (παρηγορῖτε) en nous rassurant sur votre salut» (*P. Fuad*, 80, 4); au IIᵉ s., Tabetheus écrit à son frère Tiberianos: «ἐλοιπήθην πολλά, je suis très ennuyé» (*P. Michig.* 473, 9; ligne 26: «ἐθλίβην

Si le païen Isidoros priait Isis de le délivrer de toute tristesse [1] et si l'*Epître d'Aristée* s'interroge: «Comment être exempt de tristesse?» [2], le Siracide prescrit: «Ne donne pas ton âme à la tristesse... Le chagrin chasse-le loin de toi. Il en a fait périr beaucoup, en effet, et il n'y a en lui aucune utilité» [3]. Les sages dénoncent ceux qui affligent leur prochain [4], notam-

---

λυπηθεὶς ὑπ' αὐτόν: je suis torturé avec la peine qu'il me cause»); «Je suis profondément peiné de ce qui arrive à Ptolemaios» (*P. Tebt.* 760, 22; IIIe s.). Soëris écrit à sa sœur Aline: «On me dit que tu n'es pas malade, ce qui m'avait jetée dans une si grande peine» (*P. Brem.* 64, 7). Il y a évidemment de moins grands chagrins: une contrariété (*I Mac.* x, 22), une vexation (x, 68), une simple émotion comme celle que provoque à Sparte et à Rome l'annonce de la mort de Jonathas (xiv, 16), les soucis (*Sag.* viii, 9). C'est l'acception la plus fréquente dans les papyrus épistolaires: Appollonios est chargé d'acquitter une dette: «si tu agis autrement, nous serons tous dans l'embarras (*P. Tebt.* 767, 13; IIe s. av. J.-C.; cf. *UPZ*, 113, 13); Isidoros envoie ses instructions à Chenanoubis: «Vois à ne pas agir autrement et à ne pas nous causer d'ennuis» (*P. Yale*, 78, 11; IIe s. ap. J.-C.); «Ne vous inquiétez pas de ce qui est arrivé au village» (*P. Copenhague*, x, 4; réédité *Sammelbuch*, 9423); «Ne t'inquiète pas de cela» (*P. Michael.* 38, 9); «Tu ne peux avoir de peine de ce séjour à Coptos» (*P. Michig.* 214, 10). Apollonios à son frère Terentianos qui est soldat: «Ne t'inquiète pas pour les enfants, ils sont en bonne santé... Ne te fais pas de souci pour nous et prends soin de toi-même» (*ibid.* 464, 8 et 16). Apollonios à son frère Sempronios: «Quand je suis allé à Rome j'ai appris que tu étais parti avant mon arrivée et j'ai été profondément attristé de ne pas te voir» (*ibid.* 487, 5); Alexandre... était contrarié de ne pas te trouver ici» (*ibid.* 497, 15); μὴ λυποῦ περὶ τῆς μητρός, ἤδη γὰρ κομψῶς ἔχι (*P. Athen.* 60, 8); «Si cela avait été un manteau, je ne m'en serais pas soucié» (*P. Tebt.* 278, 29). Ménas écrit à deux *Comités* brièvement, afin de ne pas importuner leur Magnificence (*P. Oxy.* 1841, 1). «Sois sans inquiétude» (*P. Ross.-Georg.* iii, 3, 17; cf. *Sammelbuch*, 6263, 22; 9249, 5; *UPZ*, 146, 38); «Je suis inquiet à ce sujet» (*P. Ross.-Georg.* iii, 15, 2); «Je vois que tu aimes ton ami, je ne puis m'en affliger» (*P. Oxy.* 1865, 4). «Qu'est-ce qui en moi te déplaît (λυπηρόν)» (MÉNANDRE, *Misouménos*, dans *P. Oxy.* 2656, 309; cf. 2860, 14).

[1] λύπης μ' ἀνάπαυσον ἁπάσης (*Sammelbuch*, 8138, 36 = *Suppl. Ep. Gr.* viii, 548; cf. V. F. VANDERLIP, *The Four Greek Hymns of Isidorus and the Cult of Isis*, Toronto, 1972, p. 18).

[2] *Ep. Aristée*, 232; cf. 268: «De quoi faut-il s'affliger? – Des infortunes de nos amis... Pour ceux qui sont morts et que voilà délivrés de tous maux, la raison n'admet pas de tristesse; mais c'est par un retour sur eux-mêmes et sur leur intérêt personnel que tous les hommes s'affligent». Ce qui concorde avec l'inscription tombale commune aux païens, aux Juifs et aux chrétiens: «Ne t'afflige pas. Personne n'est immortel» *Sammelbuch*, 6133, 10; 6200, 1; 6222, 34; 7305, 3; 10059, 10; 10067, 711; 10483, 3). Il n'y a qu'au Paradis, où il n'y aura ni ὀδύνη, ni λύπη, ni στεναγμός, *ibid.* 7428, 12; 7429, 8; 7430, 9; 7906, 8; 8235, 10; 8763, 9; *P. Ness.* 96, 6; *Livre d'Hénoch*, xxv, 6.

[3] *Sir.* xxx, 21, 23; xxxviii, 20. Evidemment, la mort est la plus grande cause d'affliction (*I Thess.* iv, 13), mais le Siracide recommandait de modérer les expressions de la douleur lors des funérailles (xxx, 5; xxxviii, 17). A la mort de son fils qu'il a bien élevé, le père n'en est pas affligé (*Sir.* xxx, 5; cf. *IV Mac.* xvi, 12: la mère des

ment le fils qui fait de la peine à sa mère (*Prov.* x, 1; *Tob.* iv, 3: μὴ λυπήσῃς αὐτήν; x, 13; cf. *Bar.* iv, 8) et la fille qui chagrine son père [1]. Le Nouveau Testament sera plus nuancé et reconnaît qu'il y a des tristesses vertueuses [2], celles que suscitent les événements fâcheux [3] ou la condition servile que l'on accepte en se conformant à la volonté divine [4]. Pierre est navré de ce que le Seigneur semble douter de son attachement (*Jo.* xxi, 17, ἐλυπήθη), les Apôtres sont tout tristes à l'annonce de la mort de Jésus (*Mt.* xvii, 23; ἐλυπήθησαν σφόδρα) et de son départ [5].

Sans doute, l'Apôtre renonce à venir à Corinthe ἐν λύπῃ, sa visite ne

---

Machabées «ne s'attrista pas au moment de la mort de ses fils; mais ματέρι πένθος ἔφυς, λύπα πατρί, dans *Corpus Inscriptionum Regni Bosporani*, 146, 8). Les lettres de consolation attestent la part que l'on prend au chagrin de celui qui a perdu un être cher: ἐλυπήθην ἀκούσας... ὅτι παιδίον ἐτελεύτησε (*Sammelbuch*, 8090, 5); πολὺ ἐληπίθιν (*P. Oxy.* 1874, 9; cf. 115, 3); *P. Lund*, ii, 3, 5; *P. Ross.-Georg.* iii, 2, 4.

[4] *Sir.* xxxvi, 20: «Le cœur pervers donnera du chagrin» (cf. J. STRUGNELL, «*Of Cabbages and Kings*» *or Queans. Notes on Ben Sira XXXVI, 19–21*, dans J. M. EFIRD, *Studies in honor of W. F. Stinespring*, Durham, 1972, pp. 204–209); iv, 2: «N'afflige pas une âme qui a faim»; xviii, 15; *Prov.* x, 10: «Celui qui cligne de l'œil (le vaurien) donne du chagrin»; xv, 1. Cf. *Testament Benjamin*, vi, 3: ὁ ἀγαθὸς ἀνὴρ... οὐ λυπεῖ τὸν πλησίον.

[1] *Sir.* xxii, 4; cf. iii, 12; *Tob.* ix, 4: «Si je tarde beaucoup, mon père sera dans une grande douleur»; x, 3, 13; *Ep. Aristée*, 238: «Comment témoigner à ses père et mère toute la reconnaissance qu'ils méritent? – En évitant de leur causer le moindre chagrin». A l'inverse: «Dorlote un enfant, il te terrifiera. Joue avec lui, il te donnera du chagrin» (*Sir.* xxx, 9).

[2] L'A. T. caractérisait le remords comme une λύπη ἁμαρτιῶν (*Sir.* xiv, 1; cf. *Is.* xxxii, 11; *Bar.* iv, 33), notation retenue par la théologie: «le péché, de sa nature, engendre la tristesse chez le pécheur» (SAINT THOMAS, Iᵃ-IIᵃᵉ, q. 87, a. 2; cf. q. 35–36; 39, a. 1). Cf. PHILON, *Lois allég.* iii 211; *Spec. leg.* i, 314; *Praem.* 170. Pour les Stoïciens, l'affliction est le châtiment de celui qui désobéit aux lois divines (EPICTÈTE, iii, 11, 2–3; 24, 43; iv, 4, 32).

[3] En guérissant Epaphrodite, Dieu a épargné à Paul d'avoir chagrin sur chagrin, ἵνα μὴ λύπην ἐπὶ λύπην σχῶ (*Philip.* ii, 27; cf. *Sammelbuch*, 7354, 7: ἐποίησα δύο ἡμέρας λυπούμενος; IIᵉ s. ap. J.-C.).

[4] *I Petr.* ii, 19: C'est une belle action des esclaves chrétiens de supporter des peines infligées injustement, ὑποφέρει τις λύπας πάσχων ἀδίκως. Cf. *P. Ryl.* xxviii, 211: la divination apprend à l'esclave qu'il «deviendra un maître et sera libéré de toute peine, δεσποτεῦσαι καὶ πάσης λύπης ἀπαλλαγῆναι (IVᵉ s.); *P. Berl. Zilliac.* 14, 15.

[5] *Jo.* xvi, 6. Le chagrin de la séparation d'un être cher (cf. *Sir.* xxxvii, 2) est souvent mentionné dans les papyrus épistolaires: «Ne vous affligez pas de leur départ, μὴ λυπεῖσθε ἐπὶ τοῖς χωρισθεῖσι» (*P. Grenf.* ii, 36, 9; de 95 av. J.-C.); «Depuis que tu nous a quittés, nous sommes tristes (λοιποῦμεν)» (*P. Brem.* 58, 6). Isaios à son père: «la soudaineté de ton départ m'a affligé» (*P. Groning.* 17, 5; IIIᵉ-IVᵉ s); «Ton absence m'a causé un grand chagrin, μάλιστα ἐλύπησέν με ἡ σὴ ἀπουσία» (*P.S.I.* 895, 3).

pouvant que susciter de l'affliction dans la communauté (*II Cor.* II, 1; cf. Dion Chrysostome, xxx, 9), mais il ne regrette pas que sa lettre sévère ait provoqué de la tristesse chez les destinataires [1]; car, précise-t-il, il y a une double tristesse: celle qui est *selon Dieu* (τὸ κατὰ θεὸν λυπηθῆναι, *II Cor.* VII, 11), qui suscite le repentir (εἰς μετάνοιαν, ꝟ. 9; cf. Plutarque, *Tranq. An.* 19; *Soll. an.* 3), la ferveur, le zèle, la fidélité [2], et une *tristesse du monde qui consomme la mort*» [3]; telle serait l'affliction du riche attaché à ses biens et qui refuse de suivre Jésus: «il s'en alla tout triste» [4], celle du chrétien qui fait l'aumône à contre-cœur [5], et le déplaisir d'Hérode lorsque Salomé lui demande la tête de Jean-Baptiste (*Mt.* XIV, 9; cf. *Dan.* VI, 14).

Il y a une autre série de textes où l'acception «chagrin, tristesse, affliction» ne peut être retenue, et où il faut substituer celle d'irritation, indignation,

---

[1] *II Cor.* VII, 8. Les mauvaises nouvelles affligent: «Comme je venais de me coucher, contrarié et bouleversé par la lettre que j'avais reçue» (Fl. Josèphe, *Vie*, 208). «Finalement, j'ai reçu la lettre d'Arabas; je l'ai lue et j'en ai été peiné, ἀνέγνων καὶ ἐλυπήθην» (*B.G.U.* 1079, 9; de 41 de notre ère); 1879, 10; cf. *P. Fuad*, 86, 8: «Même si nous ne vous écrivons pas pour vous dire en particulier à quel point nous a affligés le fait que vous ayiez été empêché de monter jusqu'ici» (VIᵉ s.).

[2] C'est aussi une tristesse selon Dieu que de s'affliger de l'iniquité (πολλὴ δὲ λύπη μοί ἐστι, τέκνα μου, διὰ τὰς ἀσελγείας καὶ γοητείας ἃς ποιήσετε εἰς τὸ βασίλειον, *Testament de Judas*, XXIII, 1), ou de prendre part à la peine du prochain: ὡς λελυπημένον εἰς ἐμέ (*P. Ryl.* 712, 5, *Testament Abraham*, B 12); en 107 de notre ère, Apollinarios écrit à son frère Tasoucharion: «Si vous êtes affligé, je suis tourmenté, ἐὰν γὰρ ὑμῖς λυπῆσθε ἐγὼ ἀδημονῶ» (*P. Michig.* 465, 25; cf. ligne 30: «Je vous demande instamment de ne pas faire de peine à ma Dame Julia»; Cl. Préaux, *Une source nouvelle sur l'annexion de l'Arabie par Trajan*, dans *Phoibos* v. *Mélanges J. Hombert*, Bruxelles, 1950–51, pp. 123–139). Tobie étant devenu aveugle: «Tous mes frères s'affligèrent sur moi» (*Tob.* II, 10; cf. VII, 7; x, 6).

[3] *II Cor.* VII, 10: ἡ δὲ τοῦ κόσμου λύπη; c'est la peine ou la mélancolie, découragement qui brise les ressorts de l'âme, et au pire qui s'irrite du reproche ou du châtiment, et rend plus obstiné dans le mal, alors que la tristesse selon Dieu reconnaît ses torts et s'efforce de les corriger. C'est un bienfait!

[4] *Mt.* XIX, 22; *Mc.* x, 22: ἀπῆλθεν λυπούμενος; *Lc.* XVIII, 23: περίλυπος ἐγενήθη (cf. *Is.* LVII, 17; *Dan.* II, 12). Sur cet épisode, cf. C. Spicq, *Agapè dans le Nouveau Testament* I, Paris, 1958, pp. 32–38; J. de Waard, *A Comparative Study of the Old Testament Text in the Dead Sea Scrolls and in the New Testament*, Leiden, 1965, p. 34; A. F. J. Klijn, *The Question of the Rich Young Man*, dans *Placita Pleiadia* (*Festschrift G. Sevenster*), Leiden, 1966, pp. 149 sv.; S. Légasse, *L'appel du riche*, Paris, 1966, pp. 184–226.

[5] *II Cor.* IX, 7: Ayant la faculté de choisir librement (προῄρηται) le montant de sa participation à la collecte, le chrétien doit l'effectuer «μὴ ἐξ λύπης ἢ ἐξ ἀνάγκης, car Dieu aime un donateur gai», qui ne ressent pas la lourdeur du sacrifice qu'il s'impose (cf. *Deut.* xv, 10; C. Spicq, *op. c.*, pp. 227 sv.). Les quêtes n'étaient pas populaires, cf. F. Sokolowski, *Lois sacrées des Cités grecques*, Paris, 1969, pp. 219, 243.

écœurement». C'est particulièrement clair dans la parabole du serviteur impitoyable, dont le Maître a annulé purement et simplement son énorme dette (dix millions de dollars!), mais qui refuse d'entendre la supplication de l'un de ses propres débiteurs qui lui devait une somme insignifiante et le fait jeter en prison: Ses compagnons de service, écrit *Mt.* xviii, 31: ἐλυπήθησα σφόδρος, furent profondément outrés ou choqués d'une telle conduite[1]. Cette nuance d'exaspération de λυπεῖσθαι vient des Septante qui, tantôt associent ce verbe à celui d'être en colère[2], tantôt lui donnent le sens d'irritation, exaspération, puisqu'ils traduisent ainsi les verbes חרה[3], et surtout קָצַף[4]; nuances qui ne sont inconnues ni du grec ni de la *koinè*[5].

C'est certainement en ce sens qu'il faut comprendre la *lupè* des Douze, lorsque le Maître leur annonce que l'un d'eux le trahira (*Mt.* xxvi, 22; *Mc.* xiv, 19); certes, ils sont profondément peinés, mais d'abord et surtout indignés. De même dans le conflit alimentaire entre δυνατοί et ἀσθηνεῖς à Rome, saint Paul rappelle les exigences de la charité fraternelle: εἰ γὰρ διὰ βρῶμα ὁ ἀδελφός σου λυπεῖται (*Rom.* xiv, 15); c'est un euphémisme;

---

[1] Sur cette parabole, cf. C. SPICQ, *Dieu et l'homme selon le Nouveau Testament*, Paris, 1961, pp. 54–61; R. SUGRANYES DE FRANCH, *Etudes sur le Droit palestinien à l'époque évangélique*, Fribourg, 1946; W. THOMPSON, *Matthew's Advice to a Divided Community, Mt. XVII, 22–XVIII, 35*, Rome, 1970, pp. 203–237; J. DUNCAN M. DERRETT, *The Parable of the Unmerciful Servant*, dans *Rev. int. des Droits de l'Antiquité*, 1965, pp. 3–19 (repris dans *Law in the New Testament*, Londres, 1970, pp. 32–47); J. DUPONT, *Les Béatitudes* III, Paris, 1973, pp. 620 sv.

[2] *Gen.* xlv, 5, Joseph à ses frères: «Maintenant ne vous chagrinez pas et qu'il n'y ait pas de colère en vos yeux»; *Esth.* i, 12: «Le roi fut très contrarié et sa colère s'enflamma»; *Sir.* xxvi, 28: «De deux choses s'attriste mon cœur, et contre une troisième la colère me monte»; *Jon.* iv, 1: «Jonas en éprouva un grand déplaisir et se mit en colère»; iv, 4: «Est-ce bien à toi de t'irriter»; iv, 9; *Prov.* xv, 1; cf. *Mc.* iii, 5: περιβλεψάμενος αὐτοὺς μετ' ὀργῆς, συλλυπούμενος...

[3] S'enflammer de colère, se fâcher, s'irriter; cf. *Gen.* iv, 5 (Caïn); xxxiv, 7: «Il leur survint une grande indignation parce qu'on avait commis une infamie en Israël»; *Néh.* v, 6: «Je fus très irrité quand j'entendis leurs plaintes et ces paroles-là».

[4] Se mettre en colère, être indigné; cf. *I Sam.* xxix, 4: «Les satrapes des Philistins s'irritèrent contre David»; *II Rois*, xiii, 19: «l'homme de Dieu (Elisée) s'irrita contre lui»; *Esth.* ii, 21: Deux eunuques du roi, gardiens du seuil, s'irritèrent et cherchèrent à porter la main contre le roi Assuérus»; *Is.* viii, 21: «Lorsqu'on sera affamé, on s'exaspérera»; lvii, 17; cf. *I Mac.* x, 68.

[5] Cf. l'indignation devant un scandale (DÉMOSTHÈNE, *C. Conon*, liv, 4; *P. Zén. Col.* i, 6, 5); être écœuré, dégoûté: λυπεῖ τὴν ἀκοὴν τῷ κόρῳ (DENYS D'HALICARNASSE, *Lettre à Cn. Pompée*, 3).

il ne s'agit pas d'un frère contristé ou contrarié, mais choqué, blessé [1]. Enfin «Ne contristez pas l'Esprit-Saint» (*Eph.* IV, 30), c'est ne pas le blesser, l'offenser [2].

---

[1] Cf. ce sens de «nuire, léser» dans DENYS D'HALICARNASSE, *Isocrate*, 2; C. SPICQ, *Agapè dans le Nouveau Testament*, II, Paris, 1959, pp. 186–194.

[2] Pour la formulation, cf. *II Sam.* XIII, 21: «David ne contrista pas l'esprit de son fils Amnon, car il l'aimait».

Index

Index